Über dieses Buch

Bei der vorliegenden Literaturgeschichte handelt es sich um eine Sozialgeschichte der deutschsprachigen Literatur von 1918 bis zur Gegenwart. Anders als traditionelle Literaturgeschichten begnügt sie sich nicht mit einer literaturimmanenten, allenfalls geistesgeschichtlich begründeten Aneinanderreihung von Autoren und Werken, sondern skizziert und erklärt den Entwicklungszusammenhang literarischer Inhalte und Formen aus der Wechselwirkung mit politischen, sozio-ökonomischen und kulturellen Prozessen. Sie umfaßt die Literatur der Weimarer Republik, des Dritten Reichs, des Exils, der DDR, der Bundesrepublik sowie der österreichischen und schweizer Autoren des gesamten Zeitraums. Inhaltlich konzentriert sich die Darstellung also auf jene Phase, die in Schule und Studium in letzter Zeit vorrangig Berücksichtigung und Interesse findet: die moderne Literatur seit dem Ersten Weltkrieg. Dabei werden bislang nicht gebührend beachtete Genres und Strömungen wie Arbeiterliteratur, Unterhaltungsliteratur usw. in die Darstellung einbezogen.

Die vorliegende Sozialgeschichte der Literatur wendet sich vornehmlich an Schüler, Studenten, Lehrende sowie andere literarisch Interessierte.

Die Autoren der Literaturgeschichte – Jan Berg, Hartmut Böhme, Walter Fähnders, Jan Hans, Heinz-B. Heller, Joachim Hintze, Helga Karrenbrock, Peter Schütze, Jürgen C. Thöming, Peter Zimmermann – sind einschlägig ausgewiesene jüngere Literaturwissenschaftler, die zum größten Teil an Universitäten in Forschung und Lehre tätig sind. Genauere Angaben über die einzelnen Beiträge und die Verfasser befinden sich am Schluß des Bandes.

Sozialgeschichte der deutschen Literatur von 1918 bis zur Gegenwart

Jan Berg / Hartmut Böhme / Walter Fähnders /
Jan Hans / Heinz-B. Heller / Joachim Hintze /
Helga Karrenbrock / Peter Schütze /
Jürgen C. Thöming / Peter Zimmermann

Fischer
Taschenbuch
Verlag

Lektorat
Thomas Beckermann

Originalausgabe
Januar 1981
Fischer Taschenbuch Verlag

Umschlagentwurf: Jan Buchholz/Reni Hinsch

Fischer Taschenbuch Verlag GmbH, Frankfurt am Main
© 1981 Fischer Taschenbuch Verlag GmbH, Frankfurt am Main
Gesamtherstellung: Clausen & Bosse, Leck
Printed in Germany
2980-ISBN-3-596-26475-8

Inhalt

Literatur in der Weimarer Republik

Literatur zwischen sozial-revolutionärem Engagement, ›Neuer Sachlichkeit‹ und bürgerlichem Konservativismus

Geschichte und Gesellschaft im bürgerlichen Roman

Literatur im Dritten Reich

Literatur im Exil

Literatur der DDR

Literatur in der Bundesrepublik

»Es gibt ein Bild von Klee, das Angelus Novus heißt. Ein Engel ist darauf dargestellt, der aussieht, als wäre er im Begriff, sich von etwas zu entfernen, worauf er starrt. Seine Augen sind aufgerissen, sein Mund steht offen und seine Flügel sind ausgespannt. Der Engel der Geschichte muß so aussehen. Er hat das Antlitz der Vergangenheit zugewendet. Wo eine Kette von Begebenheiten vor *uns* erscheint, da sieht *er* eine einzige Katastrophe, die unablässig Trümmer auf Trümmer häuft und sie ihm vor die Füße schleudert. Er möchte wohl verweilen, die Toten wecken und das Zerschlagene zusammenfügen. Aber ein Sturm weht vom Paradies her, der sich in seinen Flügeln verfangen hat und so stark ist, daß der Engel sie nicht mehr schließen kann. Dieser Sturm treibt ihn unaufhaltsam in die Zukunft, der er den Rücken kehrt, während der Trümmerhaufen vor ihm zum Himmel wächst. Das, was wir den Fortschritt nennen, ist *dieser* Sturm.«

(WALTER BENJAMIN, Über den Begriff der Geschichte, IX)

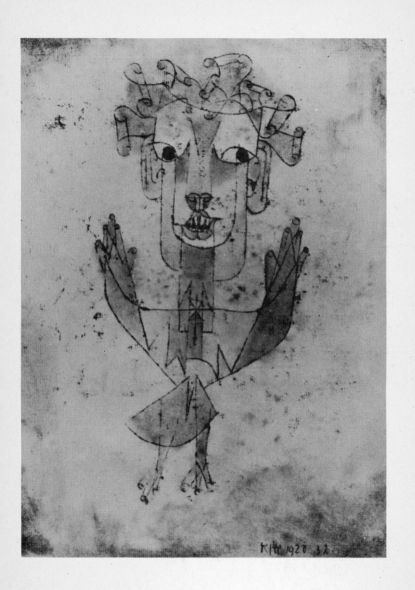

Vorwort

Anders als traditionelle Literaturgeschichten, die Literatur und literarische Entwicklungen idealistisch als Momente und Prozesse immanenter Formgeschichte oder autonomer Geistesgeschichte beschreiben, hat die vorliegende *Sozialgeschichte der deutschen Literatur von 1918 bis zur Gegenwart* zum Ziel, die Entwicklung der deutschsprachigen Literatur seit der Weimarer Republik in ihrer Wechselbeziehung zur Gesellschaft darzustellen. Ungeachtet jüngerer Leistungen sozialgeschichtlicher, insbesondere materialistischer Literaturwissenschaft hat eine solche Vorgehensweise immer noch mit Vorurteilen zu rechnen. Eine Sozialgeschichte der Literatur schreiben, heißt für uns weder, gesellschaftliche Ereignisse und Prozesse auf Literaturformen und -inhalte mechanisch und unvermittelt zu projizieren, noch, Literatur als pures determiniertes Dokument der Geschichte zu sehen und zu deuten. In Anlehnung an WALTER BENJAMIN lautet die erkenntnisleitende Frage nicht ›Wie steht Literatur zu der Geschichte?‹, sondern ›Wie steht Literatur in der Geschichte?‹.

Diese Problemstellung, die aufs engste mit der Frage verknüpft ist ›Wie vermittelt sich Geschichte in der Literatur und wie wirkt Literatur in der Geschichte?‹ hat weitreichende Konsequenzen. Denn eine solchen Ansprüchen genügende Sozialgeschichte der Literatur muß den dialektischen, auf Wechselbeziehungen beruhenden Zusammenhang zwischen sozio-ökonomischen Strukturen, markt- und medienspezifischen Voraussetzungen von Kulturproduktion, Distributions- und Rezeptionsmechanismen in der literarischen Öffentlichkeit, biographischen Besonderheiten der Autoren und ästhetischen Ausprägungen der literarischen Produkte als einen vielschichtig vermittelten Wirkungszusammenhang entfalten.

Die vorliegende Sozialgeschichte der deutschsprachigen Literatur setzt mit dem Jahr 1918 ein. Obwohl diese Zäsur manchem problematisch erscheinen mag, weil die Kontinuität relevanter gesellschaftlicher und kultureller Traditionen des Kaiserreichs über das Jahr 1918 hinaus unübersehbar ist, markieren das Kriegsende und der Zusammenbruch des Wilhelminismus doch einen entscheidenden Einschnitt in der historischen Entwicklung. In der revolutionären Nachkriegskrise brechen die latenten gesellschaftlichen Antagonismen auf, die eine radikale ideologische Fraktionierung zur Folge haben und in der literarischen Öffentlichkeit zu einer Polarisierung der divergierenden literarischen und literaturtheoretischen Positionen führen.

Damit ist eine Problemlage entstanden, die die Literatur von der Weimarer Republik bis in die Gegenwart maßgeblich geprägt hat. Die sozialen Auseinandersetzungen sind in eine Phase getreten, die nicht nur durch den raschen Wechsel der Staatsformen gekennzeichnet ist, sondern auch durch tiefgreifende ideologische Wandlungen und literarische Polarisierungen, wie sie die deutsche Literatur zuvor nicht gekannt hat. Ließ sich die deutsche Literatur bis 1918 noch als Ausdruck nationaler Identität verstehen und darstellen, so

1

sprengten die Widersprüche der weiteren sozialen, kulturellen und literarischen Entwicklung vollends diesen scheinbar homogenen Zusammenhang: Nicht nur, daß der konservativen bürgerlichen Literatur die proletarisch-revolutionäre, der faschistischen Literatur die Exilliteratur, der westdeutschen Literatur die DDR-Literatur gegenübersteht; darüber hinaus wirken die historischen Antagonismen als interne Widersprüche in den neu entstandenen gesellschaftlichen und literarischen Formationen fort.

Um so wichtiger erscheint die Bedeutung sozialgeschichtlicher Literaturgeschichtsschreibung, die die Interdependenzen zwischen gesellschaftlichen und literarischen Entwicklungsprozessen deutlich macht. Ein solches Verständnis von Literaturgeschichtsschreibung hat für Konzeption und Aufbau der vorliegenden Literaturgeschichte eine Reihe methodischer Konsequenzen: Eine biographisch orientierte chronologische Reihung von Leben und Werk bedeutender Schriftsteller wäre als dominierendes Gliederungsprinzip ähnlich unzureichend wie die Unterteilung der Literatur nach formgeschichtlichen Gesichtspunkten und Gattungsschemata. Sinnvoller ist eine Gliederung unter problemgeschichtlichen Aspekten, die den gesellschaftlichen Entstehungs- und Wirkungszusammenhang hervorhebt. (Unter solchen Gesichtspunkten schien es uns u. a. geboten, österreichische und schweizer Autoren nicht von den deutschen Autoren zu isolieren, da ihre literarische Produktion sich vornehmlich über einen Literaturmarkt vermittelt, der die nationalstaatlichen Grenzen übergreift.)

Auch was die Auswahl der zu behandelnden Autoren und Werke angeht, orientiert sich eine sozialgeschichtliche Darstellung an anderen Kriterien als den herkömmlichen ästhetischen Normen. Entscheidender für die Auswahl wird die Frage nach Wirksamkeit und sozialer Relevanz literarischer Produkte. So wird nicht nur die bislang in Literaturgeschichten weitgehend ignorierte Arbeiterliteratur in die Darstellung einbezogen, sondern auch die Masse zeitgenössisch relevanter Werke, die über kurzfristige Aktualität nicht hinausgekommen sind, sowie die Trivialliteratur und schließlich die überaus massenwirksame faschistische Literatur. Ansatzweise einbezogen wird schließlich das Zusammenwirken literarischer Entwicklungsprozesse mit anderen Medien wie Presse, Funk, Film und Fernsehen.

Hier nun gerät eine sozialgeschichtlich orientierte Literaturgeschichte in ein bezeichnendes Dilemma. Soll das spezifisch literarische Entwicklungsmoment nicht in der Stoffülle einer allgemeinen Mediengeschichte untergehen, muß sie sich schon aus pragmatischen Gründen Beschränkungen auferlegen. Denn hielte man den sozialgeschichtlichen Ansatz mit aller Konsequenz durch, so entginge man zwar am sichersten der fragwürdigen Konstruktion eines scheinbar zeitenthobenen Kanons bedeutender und heute noch als lesenswert erachteter Werke und Autoren; zugleich verfehlte man aber auch ein reales Moment, durch das das Interesse an Literaturgeschichte bis heute mehr oder weniger stark motiviert ist: der Wunsch, über kanonisierte Werke und Autoren verbindlich informiert zu werden, ein Bedürfnis, das durch die vorgegebene Kanonbildung bereits präformiert ist. Darauf geht die vorliegende Publikation bewußt ein, löst also mit Rücksicht auf den Gebrauchswert der

Literaturgeschichte für den Leser den Widerspruch von Kanonbildung und sozialgeschichtlichem Erklärungsansatz nicht völlig auf.

Schließlich ist zu berücksichtigen, daß es, angesichts der methodischen Vielfalt der Gesellschaftswissenschaften, *den* sozialgeschichtlichen Erklärungsansatz nicht gibt. Insofern spiegeln die einzelnen Beiträge trotz des gemeinsamen Grundkonzepts verschiedene Positionen der Autoren wider, die sich bis in unterschiedliche Gewichtungen und Einschätzungen einzelner literarischer Entwicklungen, Schriftsteller und Werke äußern können. Solche Unterschiede zu harmonisieren, hieße, gerade das produktive Moment kontroverser wissenschaftlicher Verfahrensweisen und Wertungen einzuschränken.

Die Autoren

Benutzungshinweise

Die skizzierte problemorientierte Darstellungsweise hat zur Folge, daß einzelne Schriftsteller in mehreren Kapiteln und Abschnitten behandelt werden. In solchen Fällen ist das Werk der jeweiligen Autoren über das Personenregister zu erschließen. Anmerkungsapparat und Literaturverzeichnis zu den einzelnen Kapiteln sind bewußt knapp gehalten. Das Literaturverzeichnis beschränkt sich auf wenige grundlegende und weiterführende Hinweise. Im Literaturverzeichnis aufgeführte Sekundärliteratur wird im Textteil nur durch Kurztitel ausgewiesen. Auf Belege aus der Primärliteratur wird verzichtet.

Literatur in
der Weimarer Republik

Die Republik von Weimar
Ökonomische, politische und kulturelle Entwicklungen

Die revolutionäre Nachkriegskrise (1918–1923)

Am 9. November 1918 wurde in Berlin die deutsche Republik ausgerufen – Ergebnis eines verlorenen Krieges, Erfolg einer bis dahin in der deutschen Geschichte kaum gekannten Bewegung der Volksmassen, vor allem während der letzten Kriegsjahre. Der Novemberumsturz bedeutete zunächst nicht mehr als den Sturz des bankrotten Systems des Wilhelminischen Kaiserreiches; denn die ökonomische, politische und gesellschaftliche Zukunft der ersten deutschen Republik schien zunächst gänzlich offen zu sein. Für den majoritären, reformistischen Flügel der Arbeiterbewegung, wie er sich in der Vorkriegssozialdemokratie herausgebildet hatte, mag die Proklamation der »Deutschen Republik« durch Philipp Scheidemann stehen: ein altes Ziel der deutschen Sozialdemokratie, die Republik, schien erreicht. Die fast gleichzeitige Ausrufung einer »Freien sozialistischen Republik Deutschland« durch einen der Führer des – minoritären – linken Flügels der Arbeiterbewegung, durch den Spartakisten Karl Liebknecht, markierte weitergehende Ziele, die des Sozialismus.

Das Machtvakuum, das sich kurzfristig aus dem Zusammenbruch des wilhelminischen Herrschaftssystems ergab, konnten die revolutionären Kräfte nicht füllen: die Transformation des der Form nach untergegangenen bonapartistischen Systems des Kaiserreiches in eine sozialistische Republik scheiterte; die Räterepubliken in Bayern und Bremen wurden militärisch zerschlagen, die Arbeiteraufstände, etwa in Berlin und in Mitteldeutschland, liquidiert.

So blieb als Ergebnis der Novemberrevolution eine bürgerlich-parlamentarische Republik, in der erstmals ein demokratisches Wahlrecht für Männer und Frauen galt und die bürgerliche Presse- und Versammlungsfreiheit kodifiziert, die Gewerkschaften als Tarifpartner anerkannt und der Achtstundentag – eine Forderung schon der Zweiten Internationale – gesetzlich verankert waren. Ergebnisse also, die in ihrer Substanz nicht mehr darstellten als den Versuch, eine bürgerliche, parlamentarische Demokratie einzurichten. Nach dem Scheitern der Revolution von 1848/49 und dem Klassenkompromiß von 1871, in dem sich Bourgeoisie und preußischer Feudaladel auf eine Reichsgründung ›von oben‹ unter Aufgabe klassischer bürgerlicher Forderungen nach Freiheit, Gleichheit und Brüderlichkeit geeinigt hatten, wurde erst jetzt, im Zeitalter des Imperialismus, die bürgerliche Revolution vollzogen, wenn auch nicht vollendet. Die Misere der ›verspäteten Nation‹ (Plessner) wird in dieser Zeit besonders deutlich, wenn man bedenkt, daß die bürgerliche Republik von Weimar letztlich erst ermöglicht wurde durch den Kampf der Arbeiterklasse, die zum Teil durchaus proletarische Kampfformen wie Massenstreik, Generalstreik usw. anwandte; daß aber eben die Arbeiterbewegung insgesamt insofern scheiterte, als sie sich mit der bürgerlich-parlamentarischen Republik begnügte – begnügen mußte. Die politische Schwäche und das historische Versagen des deutschen Bürgertums finden hier erneut ihren Ausdruck; während der zwölf Jahre der Weimarer Republik hat es eine relevante bürgerlich-demokratische Tradition allenfalls im kulturellen Sektor gegeben, nicht aber im politischen Bereich.

Bedeuteten die genannten Konzessionen an traditionelle demokratische – nicht im engeren Sinne sozialistische – Forderungen der Arbeiterbewegung zumindest vorübergehend eine *politische* Schwächung von Imperialismus und Kapitalismus in Deutschland, so blieb doch dessen *ökonomische* Basis strukturell unverändert. Zwar mußten nach dem Versailler Vertrag wichtige Industriegebiete in Oberschlesien und Elsaß-Lothringen sowie die Kolonien abgetreten werden, doch war es dem Proletariat, anders als in Sowjetrußland, nicht gelungen, qualitative ökonomische Veränderungen herbeizuführen: die von der Sozialdemokratie vielberufene Sozialisierung der Betriebe, vor allem der Schlüsselindustrie, fand nicht statt, die kapitalistische Wirtschaftsordnung blieb unangetastet. Da auch der Großgrundbesitz, vor allem in Ostelbien, nicht enteignet wurde und die kaiserlichen Truppen nicht durch ein auf die Republik verpflichtetes demokratisches Heer ersetzt wurden, überdauerten neben den Monopolen auch die anderen Säulen der wilhelminischen Gesellschaft, das Junkertum und die Militärkaste. Für beide freilich wurde die Teilhabe an der Macht durch die neue Verfassung formell erschwert, etwa durch die Aufhebung des Dreiklassenwahlrechts und die Begrenzung des Heeres auf 100 000 Mann. Insofern war das kapitalistische Herrschaftssystem des Wilhelminismus durch die Ergebnisse der Novemberrevolution in politischer Hinsicht gleichsam gereinigt worden von feudalen Fesseln, die noch das Kartell von ›Roggen und Eisen‹ in der Bismarck-Ära charakterisiert hatten. Hinzu trat die Kontinuität im Bereich ideologischer Staatsapparate: die alte kaiserliche Beamtenschaft in Justiz und Verwaltung wurde von der Republik übernommen – und damit ein in der Mehrheit monarchistisches, republikfeindliches Potential, das einen außerordentlich bedeutenden gesellschaftlichen Einfluß hatte, bis in die Bereiche von Ausbildung und Erziehung in Hochschule und Schule.

Möglich geworden war diese Entwicklung durch ein begrenztes taktisches Zusammengehen von Teilen der Bourgeoisie mit der alten sozialdemokratischen Führung, um mit deren Hilfe und unter ihrem Schutz die akute Bedrohung durch die proletarischen Massenbewegungen abzuwehren und dann, nach gesicherter Restabilisierung der kapitalistischen Verhältnisse, gegen die Republik selbst vorzugehen, falls diese sich der eigenen Profitmaximierung und ihrer politischen Absicherung als hinderlich erweisen sollte. Die Arbeitsgemeinschaftspolitik zwischen Gewerkschaftsführung und Kapital, die Allianz zwischen SPD-Spitze, Reichswehr und Freikorps zur Niederschlagung sozialistischer Bestrebungen schufen die Voraussetzungen für eine schrittweise Wiedererstarkung des Kapitals.

Dieser Prozeß einer Restauration der alten politischen Mächtegruppen unter den gewandelten republikanischen Bedingungen beschreibt die Grundtendenz für die gesamtgesellschaftliche Entwicklung der Weimarer Republik von der revolutionären Nachkriegskrise (1918–1923) über die Phase der relativen Stabilisierung (1924–1929) zur Weltwirtschaftskrise und dem Ende der Republik im faschistischen Staat (1929–1933). Seine konkrete Ausprägung erhält dieser Prozeß jedoch erst durch gewisse Widersprüche innerhalb der Kapitalfraktionen und dadurch bedingte unterschiedliche politische Strategien.

Schon seit der Jahrhundertwende hatte sich im Prozeß der Monopolisierung eine partielle Interessendifferenz zwischen den Kohle-, Eisen- und Stahlmonopolen (die eng mit dem feudalen Großgrundbesitz verbunden waren) und den wissenschaftlich-technologisch aufstrebenden Monopolen der Chemo- und Elektro-Industrie abgezeichnet. Nach der Novemberrevolution verschärften sich die Differenzen angesichts der Frage, wie beide Gruppierungen ihre jeweiligen Rekonstruktions- und Expansions-Interessen unter den neuen Verhältnissen am effektivsten durchsetzen zu können glaubten.

Während die Schwerindustrie eine taktische Zusammenarbeit mit den Trägern und Instituten der Republik ablehnte und offen auf eine Liquidierung des ›Systems‹ hinarbeitete, sah sich die Chemo-Elektro-Gruppe eher zu einer flexiblen Politik in der Lage: sie war es, die die Arbeitsgemeinschafts-Politik forcierte (der die Schwerindustrie eher zögernd und erst im letzten Augenblick folgte), um den neuen Staatsapparat gleichsam von innen her für ihre Interessen dienstbar zu machen.

Politisch schlugen sich diese Differenzen in der Linie der bürgerlichen Parteien und ihrem Standort innerhalb des Parteienspektrums der Weimarer Republik nieder. Die Politik der im Sinne der Kapitallogik ›fortschrittlichen‹ Monopole vertrat am deutlichsten die aus den Resten von Freisinn und Fortschrittspartei neugegründete, vom AEG-Direktor Walther Rathenau geführte »Deutsche Demokratische Partei« (DDP). Ihr stand die überwiegend aus der alten Nationalliberalen Partei hervorgegangene, maßgeblich von Hugo Stinnes und anderen Montan-Monopolen getragene, politisch von Gustav Stresemann repräsentierte »Deutsche Volkspartei« (DVP) gegenüber. Von der DVP wiederum grenzte sich von rechts die »Deutschnationale Volkspartei« (DNVP) ab, in der sich vor allem die antirepublikanischen Militärs, die Monarchisten, Großagrarier und Teile der Schwerindustrie versammelten und die gegen Ende der Republik, jetzt geführt vom Pressezaren Alfred Hugenberg, eine offen konterrevolutionäre Politik vertrat – in der sie jedoch immer mehr von der faschistischen »Nationalsozialistischen Deutschen Arbeiter-Partei« (NSDAP) als der neuen, führenden Kraft abgelöst wurde.

Im Gegensatz zu DVP und DNVP, die zumindest unmittelbar nach der Novemberrevolution entschieden jede Mitarbeit an der republikanischen Ordnung ablehnten, bildete die DDP nach den Wahlen zur Nationalversammlung die sog. ›Weimarer Koalition‹ zusammen mit dem Zentrum, das, primär konfessionell orientiert, Teile der christlichen Arbeiterschaft und der klerikalen Großbourgeoisie umfaßte und später den Ausschlag für die Bildung der Bürgerblock-Regierungen gab, sowie zusammen mit der SPD, die von der stärksten Vorkriegs-Oppositions- zur stärksten Regierungspartei geworden war und deren revolutionäres Erbe nun die KPD aktualisierte.

Am Ende der revolutionären Nachkriegskrise stand politisch ein erheblicher Rechtsruck im republikanischen Machtgefüge. Dessen Ursache lag vor allem in den Strategien des Kapitals zur Lösung der dringlichsten wirtschaftlichen Probleme nach 1918: Inflation und Reparationsverpflichtungen. Beide Probleme wurden vom Kapital als Hebel zur eigenen Rekonstruktion und zur politischen Schwächung der republikanischen Kräfte benutzt.

Die Inflation hatte ihre reale Ursache in der Notwendigkeit, die Anleihen, mit denen der Krieg nahezu ausschließlich finanziert worden war, auf möglichst günstige Weise zurückzuerstatten. Eine bewußte Inflationspolitik bot sich dem Kapital insofern an, als durch die rapide Geldentwertung Anleihen, Kredite und andere Schulden weit unter dem Realwert getilgt werden konnten. Zudem blieben die Besitzer von Sachwerten, also gerade Privateigentümer von Produktionsmitteln, von der Entwertung verschont. Diese ging vielmehr auf Kosten der Lohn-, Gehalts- und Rentenempfänger, der Inhaber von Ersparnissen, also der Werktätigen und der Mittelschichten. Durch die Senkung der Reallöhne durch Spekulationen, billige Ankäufe gefährdeter oder bankrotter Betriebe wurden darüber hinaus zusätzliche Profite erzielt, die eine beispiellose Umverteilung von Besitz und Vermögen zur Folge hatten: einer gigantischen Ausplünderung des Proletariats und anderer Werktätiger, des Kleinbürgertums und der Mittelschichten, entsprach die ebenso beispiellose Konzentration und Zentralisation des Kapitals (man denke an den Aufbau des Stinnes-Konzerns während der Inflations-Jahre).

Allerdings barg eine unbegrenzte Inflationierung auch Nachteile für die Monopole: durch den Kaufkraftschwund schrumpfte der Binnenmarkt, und obwohl die Senkung der Reallöhne die internationale Konkurrenzfähigkeit verbesserte, wurde der Reproduktionsprozeß des Kapitals gehemmt. Vor allem aber führte die materielle Repression zu erneuten revolutionären Auseinandersetzungen – etwa während des Kapp-Putsches 1920, im Mitteldeutschen Aufstand 1921, beim Generalstreik 1923 und beim Hamburger Aufstand 1923 –, die eine vorübergehende Gefährdung des kapitalistischen Systems insgesamt bedeuteten. In der Einschätzung dieser Gefahren für das Kapital aktualisierten und verschärften sich Widersprüche in den Hauptgruppierungen; während die Chemo-Elektro-Gruppe, in der Weimarer Koalition politisch repräsentiert und an relativer Stabilität interessiert, ihre Profite durch systemgebundene Mäßigung, durch schrittweise Rücknahme der Inflation zu sichern suchte, intendierte die Schwerindustrie die offene Konfrontation mit dem System, in diesem Fall durch die Fortsetzung der Inflation. In der Tat konnte sie diese »Katastrophenpolitik« bis 1923 durchsetzen. Ähnlich verhielt es sich mit der Frage der Reparationen. Sie boten den Monopolen eine willkommene Möglichkeit, mit Hilfe staatlicher Subventionen die eigene Produktion anzukurbeln und Profite zu erwirtschaften, indem sie Sachleistungen, industrielle Produkte also, auf Reparationskonto verkauften. Während die Chemo-Elektro-Gruppe, vertreten durch den Außenminister Rathenau, von einer realpolitischen Anerkennung des »imperialistischen Friedens« ausging und Widersprüche innerhalb der Entente auszunützen suchte, verfolgte die Stinnes-Fraktion, sich national gebend, ihre Reparationsgeschäfte gleichsam unter Umgehung der neuen bürgerlich-parlamentarischen Instanzen, auf kurzgeschlossenem Wege also.

Bei der Ruhrbesetzung durch Frankreich (1923) wurde diese Strategie deutlich: trotz des offiziellen ›passiven Widerstandes‹ (der wiederum immense staatliche Subventionen für den Produktionsausfall einbrachte) konnte sich Stinnes praktisch ungehindert mit dem französischen Kapital auf profitable Lieferungen einigen.

Diese Katastrophenpolitik brachte den Monopolen zwar Riesengewinne, sie konnte aber auf die Dauer nicht aufrechterhalten werden; denn ein Land, »in dem Bürgerkrieg, Terror und Diktatur herrschten, wäre der New Yorker Börse nicht kreditwürdig erschienen« (Rosenberg, Bd. 2, S. 169 f). Und gerade darauf kam es an. Der Abbruch des Ruhrkampfes, die Währungsreform 1923 und die Milliardenkredite, die seit 1924 der Dawes-Plan zur Regelung der Reparationsfrage bereitstellte – aus der Optik der Siegermächte war die Ankurbelung der deutschen Wirtschaft unabdingbar, damit die Reparationszahlungen gewährleistet waren –, leiteten die Phase der Stabilisierung der jungen Republik ein, eine allerdings brüchige, immer nur ›relative‹ Stabilisierung.

Die Phase der relativen Stabilisierung (1924 – 1929)

Wirtschaftlich ermöglichten die Dollar-Kredite dem Kapital eine Erneuerung der veralteten Produktionsanlagen, organisatorische und betriebliche Rationalisierungsmaßnahmen nach amerikanischen Vorbildern wie die Fließbandproduktion (Fordismus), die Verwissenschaftlichung der Produktion (Taylorismus), insgesamt also eine Intensivierung der Ausbeutung menschlicher Arbeitskraft und damit eine Erhöhung der Produktion. Gegen Ende der 20er Jahre wurde erstmals der Produktionsstand von 1913 übertroffen. Begleitet wurde dieser Produktionsanstieg von einer erneuten Konzentration und Zentralisierung des Kapitals, wie die Trustbildungen der IG Farben und der Vereinigten Stahlwerke 1925 bzw. 1926 zeigen.

Im Umfeld dieser Prozesse ist auch das rasche Anwachsen der neuen Zwischenschicht der Angestellten zu sehen. Insgesamt stieg der prozentuale Anteil der Angestellten an der Gesamtzahl aller Erwerbspersonen erheblich (er lag 1882 in Deutschland bei rund 7 %, 1925 schon bei 17 %, wobei Beamte jeweils eingerechnet sind), während derjenige der Arbeiter abnahm (im selben Zeitraum von rund 57 % auf 50 %). Gerade während der Jahre gewisser Stabilität verfielen auch die Angestellten, die ›Unteroffiziere des Kapitals‹, wie sie genannt wurden, zunehmender Depravierung durch die Rationalisierungsmaßnahmen; der Widerspruch zwischen Tendenzen zur Proletarisierung und einer weiterhin bestehenden Privilegierung dieser Schicht – dem »Betrieb im Betrieb« (Kracauer) – prägte nicht zuletzt Entstehung und Entwicklung einer spezifischen Angestellten-Kultur.

Daß insgesamt die Stabilität der mittleren zwanziger Jahre nur geborgt war, zeigt nicht zuletzt die stets hoch gebliebene Quote der Arbeitslosen, sie lag weit über dem Durchschnitt der Vorkriegsjahre (im Zeitraum zwischen 1924 bis 1929 bei etwa 11 %). Selbst im ›besten‹ Jahr der Weimarer Republik, 1927, waren rund ein Achtel aller Arbeiter erwerbslos oder kurzarbeitend – eine nicht unwichtige Information, wenn man bedenkt, daß gerade die ›Zwanziger Jahre‹ lange Zeit bei uns als die ›Goldenen‹ wahrgenommen worden sind.

Zu diesem Zeitpunkt war deutlich geworden, daß sich die deutschen Monopole trotz unterschiedlicher Taktiken voll in der Weimarer Republik hatten durchsetzen können. Die Auflösung der ›Weimarer Koalition‹, die Regierungsbeteiligung der DVP 1920 und 1922, die Bürgerblockregierungen 1924–1928 unter maßgeblichem Einfluß der DVP, später auch mit DNVP-Beteiligung, schließlich die Wahl des erklärten Republikfeindes Hindenburg zum Reichspräsidenten 1925 zeigten, wie die Konsolidierung des Kapitals einherging mit einer politischen Schwächung der bürgerlich-republikanischen Kräfte und dem zunehmenden Abbau verfassungsmäßig garantierter Rechte; schon Ende 1923 wurde erstmals mit einem Ermächtigungsgesetz ohne Parlament regiert und die KPD zeitweilig verboten.

Folgen der Weltwirtschaftskrise (1929–1933)

Spätestens die Weltwirtschaftskrise seit 1929 machte deutlich, wie wenig stabil die Verhältnisse im Reich wirklich waren. Da das deutsche Kapital und der Staat aufgrund der Reparationsregelungen in eine besondere Abhängigkeit vor allem vom US-Kapital geraten waren, wirkte sich die Krise in Deutschland besonders gravierend aus. Der im Weltmaßstab sich zuspitzende Widerspruch zwischen reduzierter Kaufkraft und Überproduktion ließ innerhalb weniger Jahre die Produktion unter den Vorkriegsstand zurückfallen und führte zu einer Massenarbeitslosigkeit, die auf dem Höhepunkt der Krise rund 44 % der Arbeiter betraf; nur ein Drittel aller Arbeiter war noch voll beschäftigt.

Auf der Seite des Kapitals war die Schwerindustrie von der Krise erheblich stärker betroffen als die Chemie- und Elektro-Industrie und reagierte entsprechend aggressiver. Wie schon zu Beginn der zwanziger Jahre strebte die schwerindustrielle Gruppe eine qualitative Veränderung des Weimarer ›Systems‹ in Richtung auf eine unmittelbare Diktatur der Monopole an. Um die Ergebnisse der Novemberrevolution und des Versailler Vertrages endgültig zu korrigieren und international verlorenes Terrain zurückzuerobern, forderte sie einen Staat, der dem Proletariat und den anderen pauperisierten Massen, die sich in der ökonomischen Krise wieder zu politischen Kämpfen zu formieren begannen, endgültig den organisatorischen und politischen Handlungsraum zerschlagen sollte. Im Verbund mit den Junkern und der Reichswehr, die schon lange eine Aufhebung der 100000-Mann-Klausel des Heeres gefordert hatte, wuchs eine von den Monopolen radikalisierte, antidemokratische und republikfeindliche Allianz, die 1931/32 zur ›Harzburger Front‹, dem Bündnis zwischen DNVP, NSDAP und ›Stahlhelm‹ (Bund der Frontsoldaten), führte. Die NSDAP bot sich dabei als Katalysator eines Umsturzes an, weil sie durch ihre vorgeblich antikapitalistische, soziale Demagogie Teile vor allem der verarmten Mittelschichten, Bauern und auch Teile der Arbeiterklasse an sich binden und der ›nationalen Sammlung‹ somit den notwendigen Massenanhang verschaffen konnte.

Als die ökonomische Krise Mitte 1932 ihren Höhepunkt zu überschreiten begann, die Novemberwahlen desselben Jahres Einbußen für die NSDAP, aber erhebliche Stimmengewinne für die Kommunisten – weitgehend auf Kosten der Sozialdemokratie – gebracht hatten, und nachdem die Notverordnungspolitik der Präsidialkabinette unter Brüning, Papen und zuletzt Schleicher in der Praxis die verfassungsmäßige Konzeption des Weimarer Staates längst unterminiert hatte, schwanden auch die letzten Reserven der herrschenden Klassen gegen eine Übergabe der Macht an die Faschisten. Die Monopolfraktionen, Bankiers, Junker und Militärs einigten sich auf Hitler und damit auf die Errichtung einer faschistischen Diktatur nationalsozialistischer Prägung.

Zur Politik der Arbeiterbewegung

Die Errichtung der Weimarer Republik war das Ergebnis der Massenbewegungen gegen den Krieg; ihr Ende im Faschismus lag nicht, wie manche Geschichtsbücher immer noch kolportieren, am gegenseitigen Hochschaukeln des ›extremistischen Pöbels‹ von links und rechts. Wäre dem so, dann hätte es eine bürgerlich-liberale demokratische Mitte gegeben, die hier zerrieben worden wäre; aber eben diese Mitte hat es als mögliches politisches Zentrum bürgerlich-demokratischer Kräfte, wie man am raschen Niedergang der DDP und der ›Weimarer Koalition‹ beispielhaft ablesen kann, nie gegeben. Genauer: die reaktionärsten Komponenten des Weimarer Staates ließen die Entfaltung einer ›demokratischen Mitte‹ gar nicht erst zu, nachdem die Mohren der Novemberrevolution, die Führung von Mehrheitssozialdemokratie und Gewerkschaft, ihre Schuldigkeit getan hatten. Der 30. Januar 1933 besiegelte mehr als das Ende der Republik – er war ein weiterer Ausdruck dafür, daß, wie schon 1848/49 und 1871, das deutsche Bürgertum zu eigenständigem Handeln im Sinne der Durchsetzung bürgerlicher Ideale nicht nur nicht fähig, sondern in seiner großen Mehrheit auch nicht willens war. Hinter der so erst möglich gewordenen Polarisierung zwischen Arbeiterbewegung und den auf Restauration bedachten Kräften des sich zentralisierenden Kapitals standen völlig unterschiedliche Klasseninteressen, die sich durch die Weimarer Staatsform nicht mehr zusammenhalten ließen. Daß die Massenbewegungen gegen Diktatur und Faschismus das Ende der Republik nicht hatten verhindern können, hatte sicher eine wesentliche Ursache in der Spaltung der Arbeiterklasse und der Arbeiterbewegung. So konnte schließlich die kapitalistisch-chauvinistische Fraktion der Gesellschaft im Mantel der faschistischen Massenmobilisierung den Sieg davontragen: die Folgen sind bekannt.

Nachdem sich die SPD schon im November 1918 an die Spitze der Massenbewegungen gestellt hatte, um diese zu neutralisieren und in die Richtung einer bürgerlichen Republik zu kanalisieren, blieb dem revolutionären Flügel der deutschen Arbeiterbewegung, der sich nun organisatorisch verselbständigte, kaum eine Möglichkeit zur ideologischen und organisatorischen Konsolidierung, um schon während der Nachkriegskrise das Bündnis zwischen sozialdemokratischem Reformismus und Bourgeoisie zu sprengen. Daß die Gründung der KPD als einer revolutionären, klassenkämpferischen Partei nicht etwa eine Ursache, sondern eine Folge der Novemberrevolution war, verdeutlicht, welch nachhaltige Auswirkungen die revisionistische Entwicklung der Vorkriegs-SPD hatte. Diese Folgen konnten auch durch die Vermittlerstellung der USPD nicht aufgehoben werden, die nach Kriegsende, als sie ihre Funktion als Gegnerin des Krieges und als Kritikerin der kriegsbejahenden Mehrheitssozialdemokratie beendet hatte, die von der SPD desillusionierten Massen an sich band und die Zersplitterung der linken Kräfte indirekt förderte. Die auf Klassenharmonie bedachten Führungen von Sozialdemokratie und Gewerkschaften, die sich ausdrücklich als »Arzt am Krankenbett des Kapitalismus« (Tarnow) begriffen, praktizierten derweil die Politik des ›kleineren Übels‹, mit der die stete Rechtsentwicklung der Republik eher noch unterstützt als aufgehalten wurde. Nach der Niederschlagung der sozialistischen Bewegung bis 1923, die sich unlösbar mit dem Namen des sozialdemokratischen Reichswehrministers Noske (»Einer muß der Bluthund sein«) verbindet, tolerierte die SPD die Bürgerblockregierungen, unterstützte die Wiederwahl Hindenburgs und nahm 1932 sogar die gewaltsame, widerrechtliche Absetzung der sozialdemokratischen Koalitionsregierung in Preußen ohne Widerstand hin. Dies alles macht den Charakter der SPD als »bürgerlicher Arbeiterpartei« deutlich, als welche sie schon früh von Lenin charakterisiert worden ist: nämlich als eine von der sozialen Basis her überwiegend proletarische, von ihrer Politik her eindeutig bürgerliche Partei. Das Schweigen der SPD zur illegalen Annullierung der kommunistischen Reichstagsmandate durch die Nationalsozialisten im März 1933 und die aktive Teilnahme der Gewerkschaften am faschistischen 1. Mai 1933 deuten Ansätze offener oder blinder Zuarbeit für den Faschismus an – die freilich die Zerschlagung auch der sozialdemokratischen und gewerkschaftlichen Organisationen nicht aufhalten konnten.

Auf der anderen Seite gelang es der KPD während der Weimarer Republik nicht, die Mehrheit der Arbeiterklasse für sich zu gewinnen. Die Ermordung ihrer Führer in den Revolutionskämpfen, ihre zeitweilige Illegalisierung, aber auch die eigene, durchaus unentschiedene Haltung in den Auseinandersetzungen bis zu Beginn der Stabilisierungsphase – vor allem im Krisenjahr 1923 – behinderten gravierend eine erfolgreiche kommunistische Politik. Erst als unter Thälmann Mitte der 20er Jahre unter der Formel von der ›Bolschewisierung‹ der KPD grundlegende organisatorische und politische Korrekturen angegangen wurden, vorrangig der Aufbau von Betriebs- und Straßenzellen, gewann die KPD an innerer Stabilität und zunehmend an Einfluß auf die gesamte Arbeiterklasse und potentielle Bündnispartner (u. a. auf die Intelligenz). So wählte 1928 jeder neunte, im November 1932 jeder sechste Wähler kommunistisch, 1928 fast jeder dritte sozialdemokratisch, Ende 1932 nur noch jeder fünfte (was allerdings nicht darüber hinwegtäuschen kann, daß

14

trotz der Einbrüche 1932 die NSDAP im Reichstag über 196, die Arbeiterparteien zusammen über nur 221 Mandate verfügten). Die tiefgehende Spaltung der Arbeiterbewegung konnte auch die KPD nicht überwinden. Eine Einheitsfront kam nur punktuell zustande, so 1926 bei dem von KPD und SPD gemeinsam getragenen Volksentscheid für die entschädigungslose Enteignung der Fürstenhäuser, der zwar scheiterte, für den sich aber weit mehr Wahlberechtigte aussprachen, als beide Parteien zusammen je an Stimmen erzielt hatten. Die sog. Sozialfaschismus-These von Komintern und KPD blockierte – ebenso wie die repressive SPD-Politik – eine erfolgreiche Politik der gesamten Arbeiterklasse gegen Faschismus und Reaktion. In dieser These wurde die SPD, zumindest ihre Führung, als ›Zwillingsbruder‹ des Faschismus begriffen, nicht als bürgerliche Arbeiterpartei. Selbst wenn das revolutionäre Proletariat Anlaß genug hatte, die arbeiterfeindliche Politik der Sozialdemokratie als eine von der Politik der Konterrevolution kaum mehr unterscheidbare wahrzunehmen – die qualitativen Unterschiede zwischen Sozialdemokratie und Faschismus, zwischen bürgerlicher Republik – selbst in der Form der Präsidialdiktatur – und einem nationalsozialistischen Terrorstaat, wurden in der Sozialfaschismus-These eingeebnet.

Hier spielen auch sozialpsychologische Faktoren eine Rolle. Durch eine gewisse »Lagermentalität« (Negt/Kluge), die nicht zuletzt aus der Avantgarde-Konzeption der kommunistischen Kaderpartei resultierte, schottete sich die KPD, trotz aller Anstrengungen um eine Einheitsfront, letzten Endes doch ab gegenüber den anderen, nichtkommunistischen Arbeitern. Ernst Bloch hat 1935 die Problematik der Vermittlung kommunistischer Politik unter dem Eindruck des Sieges der Nationalsozialisten sehr genau beschrieben: »Nazis sprechen betrügend, aber zu Menschen, die Kommunisten völlig wahr, aber nur von Sachen« (Erbschaft dieser Zeit). Hier ist festgehalten, daß ein Defizit der revolutionären Politik der Arbeiterbewegung in den Aporien einer blanken Gegenüberstellung ›des Privaten‹ und ›des Politischen‹, der ›Linie‹, bestand: die Ausblendung des Subjektiven (man denke an die Liquidierung der Sexpol-Bewegung um den Psychoanalytiker Wilhelm Reich) erzeugte – ungewollt – ein Vakuum, das die Nazis mit geschickter sozialer Demagogie, vor allem bei den Mittelschichten, auszufüllen vermochten.

Das historische Versagen der Weimarer Sozialdemokratie ist evident; die katastrophale Niederlage auch des kommunistischen Flügels der deutschen Arbeiterbewegung 1933 zeigt, trotz relativer Stärke, die objektive Schwäche selbst der entschiedensten republikanischen Kräfte in der Republik von Weimar. Insofern bedeutet der 30. Januar 1933 einen weiteren Eskalationspunkt der deutschen Misere. Auf dem VII. Weltkongreß der Kommunistischen Internationale 1935 wurde die Sozialfaschismus-Politik kritisiert und offiziell aufgegeben zugunsten einer Linie der Einheitsfront der Klasse, die Grundlage einer breiten Volksfront unter Einbeziehung der bürgerlich-demokratischen Kräfte bilden sollte.

Vor diesem Hintergrund erscheint der vor allem auf die vielfältigen kulturellen Aktivitäten sich berufende Mythos von den ›Goldenen Zwanziger Jahren‹, der in der Adenauer-Ära dazu herhalten sollte, der jungen Bundesrepublik vorzeigbare Traditionslinien zu verschaffen und gleichzeitig den Faschismus zur Unzeit zu erklären, allzu offensichtlich als Verschleierung der tatsächlichen Verhältnisse. Auch auf kultureller Ebene stellt sich die Weimarer Zeit dar als »Kampfperiode von Fortschritt und Reaktion« (Lukács), die der literarischen Intelligenz immer weniger Möglichkeiten ließ, sich als ›freie Schriftsteller‹ auf neutrales Gebiet zurückzuziehen, sondern die auch von ihnen politische Entscheidungen forderte.

Einerseits führte die Unmittelbarkeit, mit der die revolutionären Auseinandersetzungen der Nachkriegsphase auch ihre materielle Existenz und ihre künstlerische Praxis betrafen, die Schriftsteller dazu, ihre Stellung zu den antagonistischen Klassen zu bestimmen. Hier beginnen die mit großer Intensität geführten Debatten über die neue gesellschaftliche Ordnung und über die Grundfragen der Epoche, die politische Klärungs- und Dissoziationsprozesse innerhalb der literarischen Intelligenz vorbereiten.

Der in dieser Phase charakteristischen Tendenz zur raschen, zum Teil emphatischen Politisierung von Literaten entspricht in der Stabilisierungsphase ihr Versuch, sich zur bestehenden Republik zu bekennen und sich mit den von der ›Weimarer Koalition‹ vorgegebenen ›mittleren Lösungen‹ zu begnügen. Doch auch kulturkonservative und proletarisch-revolutionäre Positionen gewinnen festere Konturen; eine starke linksbürgerliche Fraktion löst sich von ihrer Ursprungsklasse und ist bestrebt, eine Stellung ›zwischen den Klassen‹ einzunehmen; bei den bürgerlichen Schriftstellern setzen Politisierungsprozesse ein, die zu wachsender Opposition gegen die herrschende politische Praxis führen.

Der Zersetzungsprozeß bürgerlich-demokratischer Kulturtraditionen, der spätestens seit der Weltwirtschaftskrise kraß zutage tritt, machte auch ausgesprochen bürgerlichen Schriftstellern die Vergeblichkeit klar, »den Schatten der Vergangenheit nachzulaufen« (Biha). So sprach selbst der Bürger Thomas Mann 1930 von einer »Zeitwende« und konstatiert das Ende der bürgerlichen Epoche samt ihren Freiheits-, Gleichheits- und Gerechtigkeitsideen. Angesichts der »Verteufelung des Intellekts« zugunsten der Propagierung »allein lebensspendender Kräfte des Dunkelschöpferischen« sieht er die »Vertretung des Geistes weit eher bei der sozialistischen Klasse« aufgehoben als bei ihrer »bürgerlich kulturellen Gegenseite«.

Hier bot die seit der Stabilisierungsphase in Gang gekommene proletarisch-revolutionäre Literaturbewegung Orientierungen an, die teilweise auch radikaldemokratischen und bürgerlichen Schriftstellern den Übergang auf sozialistische Positionen ermöglichten. Dieser Differenzierungsprozeß innerhalb der literarischen Intelligenz spiegelt sich sehr genau in der Entwicklung des ›Schutzverbandes Deutscher Schriftsteller‹ (SDS), der, 1919 als ständische

Interessenvertretung der Schriftsteller gegründet, zunehmend deren gesellschaftliche Stellung und Aufgaben reflektierte und gegen den Widerstand
chauvinistischer und antikommunistischer Kräfte versuchte, sich den ›politischen Kernfragen der Zeit‹ zu stellen. Die 1931 in Berlin von proletarisch-
revolutionären Schriftstellern gegründete und von namhaften bürgerlichen
Autoren unterstützte Oppositionsgruppe im SDS wurde später zu einem der
Zentren der antifaschistischen deutschen Literatur im Exil.

Kulturindustrie und Gegenöffentlichkeit

Andererseits waren die Positionen der literarischen Intelligenz nicht nur
durch ihre spezifisch gesellschaftlichen Erfahrungen bedingt, sondern auch
durch die seit der Stabilisierungsphase sich explosiv entfaltende neue Qualität
imperialistischer Massenkultur. Sie gab andere Umsetzungsformen kultureller Produkte vor, aus denen veränderte Arbeitsweisen resultierten. Die neuen
massenhaften Reproduktionstechniken ermöglichten immer besser funktio-
nierende Formen kultureller Herrschaft. Durch technologischen Fortschritt
etwa im Verlags- und Pressewesen (Rotationsdruck, Offsetmaschinen) entwickelten sich gewerbliche Buchverlage zu großen Industriezweigen mit eigenen Papier- und Druckmaschinenfabriken, die Monopolstellung erlangten
(wie Scherl, Mosse, Ullstein); sie warfen in bisher unerreichten Auflagenhö-
hen neue Formen von Massenliteratur auf den Markt (Groschenhefte, billige
Romanreihen und Illustrierte), bauten in großem Stil Buchklubs und Leserin-
ge auf und organisierten den Leihbuchhandel. Diese ›belletristische‹ Produktion verband sich etwa im Fall des Hugenberg-Konzerns mit Zeitungsverla-
gen, Nachrichtenagenturen und schließlich auch mit den ›neuen‹ Medien, der
Photographie, dem Film, der Schallplatte und dem Rundfunk. – Ebenso wie
der staatlich kontrollierte Rundfunk, der seit 1923 immer mehr am Aufbau
von Öffentlichkeit beteiligt war, wies auch die entstehende Filmindustrie eine
monopolistische, auf große Einspielergebnisse bedachte Struktur auf. Die
größte Filmgesellschaft jener Jahre, die Ufa – 1917 von der Obersten Heeresleitung für den Einsatz eigener Propaganda gegründet – wurde 1927 ebenfalls
in den Hugenberg-Konzern integriert. Gerade durch das Kino (1929 löst der
Tonfilm den Stummfilm ab) erlangte die kulturelle Massenbeeinflussung eine neue Dimension; ins Kino ging weniger das gebildete Bürgertum oder das
Proletariat, sondern die schnell anwachsenden Massen der Zwischenschichten
des Kleinbürgertums und der Angestellten. Ihnen wurde hier »Zerstreuung«
(Benjamin) geboten, Ablenkung von ihrer immer bedrohlicher werdenden
materiellen Lage. Hierauf stellte sich neben dem Kino ein ganzes Verbundsy-
stem der Illusionsindustrie mit dem kommerzialisierten Amüsierbetrieb ein,
denn die Revuen, Ausstattungstheater, Operetten, Kabaretts vermittelten,
besonders in Berlin, jenen glamour, der die Labilität der auf Pump besorgten
Prosperität so erfolgreich kaschierte.
Für die literaturproduzierende Intelligenz war dieses Vordringen der Bewußtseinsindustrie insofern wichtig, als sie Änderungen in der Publikums-
struktur und in den Marktmöglichkeiten ihrer eigenen Arbeit indizierte. Vor

allem aber zeigte sich, daß sie, obwohl sie sich immer noch als »freie Schriftsteller« begriff, längst den Marktgesetzen der Kulturindustrie unterworfen war. Innerhalb des herrschenden Ideologievertriebs war darüber hinaus, trotz seiner demokratischen Attitüden, Opposition nur noch dann gestattet, wenn sie gefahrlos zu vermarkten war oder zumindest die bestehende Ordnung nicht grundsätzlich in Frage stellte. Gerade in Situationen praktischer Kollision wurde die Verflechtung der Interessen der kapitalistischen Kulturindustrie mit denen des Staatsapparates deutlich: das ›Gesetz zum Schutz der Jugend gegen Schmutz und Schund‹ – jederzeit gegen mißliebige Oppositionelle einsetzbar, die politische Zensur (Verbot von linken Zeitungen, Theaterstücken u. a.) und Hochverratsprozesse gegen oppositionelle Künstler und Schriftsteller verweisen auf die zunehmende Einschränkung bürgerlich-demokratischer Freiheiten und damit auf den wachsenden Widerspruch zwischen bürgerlicher Ideologie und kapitalistischer Wirklichkeit. Die staatliche Repression auf den Ebenen von Legislative, Justiz, Polizei und Kulturpolitik setzten schon vor 1933 faschistische Sturmtrupps nicht nur gegen sozialistische, sondern auch gegen demokratische und pazifistische Kulturveranstaltungen fort.

Die Strategien, die die literarische Intelligenz dieser Vereinnahmung gegenüber entwickelte, reichen von der Nutzung der neuen Massenmedien zum Verbreiten faschistischer sozialer Demagogie und reaktionärer chauvinistischer Ideologien bis zu der Flucht in elitäre Verachtung der Massen als Kunstprinzip; über die Resignation in »linke Melancholie« (Benjamin) bis zu dem Versuch, die Möglichkeiten, ein großes Publikum zu erreichen, auszunutzen zur Formulierung bürgerlich-demokratischen und sozialistischen Widerstandes.

Damit sind zugleich die Öffentlichkeitsbereiche abgesteckt, die den Intellektuellen Publikationsforen boten: einerseits die Fabriken imperialistischer Kulturindustrie, die offen oder verhüllt mit der Reaktion paktierten; andererseits die sich entwickelnden Medien proletarischer Gegenöffentlichkeit (Zeitungen der proletarischen Parteien, Massenorganisationen und Interessenverbände; proletarische Buchgemeinschaften und Illustrierte wie etwa die Arbeiter-Illustrierte-Zeitung (AIZ) – deren Erfolg darin zu sehen ist, daß sie in der Thematisierung proletarischen Lebenszusammenhangs praktisch über die Spaltung der Arbeiterbewegung hinweg den Wunsch nach Einheit repräsentierte (›Münzenberg-Konzern‹); beide forderten der Intelligenz konkrete Standortbestimmungen ab. Daneben existierten noch konkurrenzkapitalistische Inseln liberaler und radikal-demokratischer Öffentlichkeit (‹Frankfurter Zeitung‹, ›Weltbühne‹, ›Tagebuch‹ u. a.), die der Intelligenz die alternative Orientierung zeitweise ersparten: die illusionäre Konstruktion einer »freischwebenden Intelligenz« (Mannheim) hat hier ihren Multiplikator.

In der Tat schien das bloße Vorhandensein der neuen Reproduktionstechniken einen Zugang zu den Massen zu eröffnen, der auch den Kunstproduzenten Gelegenheit genug zu bieten schien, ihren elitären Elfenbeinturm zu verlassen und eine Öffnung zu den ›Tatsachen‹, zur Wirklichkeit zu vollziehen. Die erreichbar scheinende *kulturelle Demokratisierung* – durchaus ein fortschrittlicher Anspruch – hatte jedoch zwiespältigen Charakter. Die naheliegende Erscheinungsform eines ›Weltstadtpublikums‹ etwa, in dem »vom Bankdirektor bis zum Handlungsgehilfen alle eines Sinnes« seien (Kracauer), konnte durchaus zu einer »Ästhetisierung der Politik« führen, die die Massen zwar zu ihrem Ausdruck, aber nicht zu ihrem Recht kommen ließ (so Benjamins Analyse der faschistischen Demagogie), also einen ›Fortschritt zur Barbarei‹ bedeuten – so lange wie der gesellschaftliche Verwendungszusammenhang der neuen Medien nicht mitbedacht wurde.

Eine entgegengesetzte Position hat Brecht im ›Dreigroschenprozeß‹ bloßgestellt, in dem er eben deren Rückzug auf die Trennung von ›reiner Kunst‹ einerseits und ›Film als Ware‹ andrerseits als Ideologem spätbürgerlicher Öffentlichkeit charakterisierte.

Insgesamt beruhen die Illusionen, mit denen ein großer Teil gerade der bürgerlichen und liberalen Intelligenz auf die Erfahrungen mit der offiziellen Massenkultur reagierte, auf dem immer aussichtsloser werdenden Versuch, den privilegierten Status des Intellektuellen durch die Zeit zu retten, der ›Vermassung‹ zu entgehen. Noch die Strategie, sich den Massen als über den Klassen schwebend zu präsentieren und dennoch als Privatbesitzer der »Produktivkraft Intellekt« (Brecht) deren Interessen vertreten zu wollen, bestätigte den Intellektuellen ihre – allerdings scheinbare – Autonomie.

Einer Kunst, die als elitäre Selbstverständigung über die Massen immer weniger gesellschaftliche Perspektiven entwickeln konnte, setzte die marxistische Verarbeitung der Erfahrungen mit der Massenkultur die Forderung nach einer Kunst als Technik zur »Selbstverständigung der Massen« (Benjamin) entgegen. Die Methode, die im Schoß der alten Gesellschaft entstandenen Produktivkräfte auf ihre Revolutionierbarkeit im Dienste des Proletariats hin zu überprüfen (Brecht, Benjamin), begreift die Massen nicht länger nur als Objekt intellektueller Verbesserungsstrategien oder imperialistischer Manipulation, sondern geht davon aus, daß die »kämpfende, unterdrückte Klasse das Subjekt der Erkenntnis« (Benjamin) sei. Von dieser avancierten Position aus bot sich die Möglichkeit, den ungleichzeitigen Status des Intellektuellen positiv aufzuheben.

Ideologiefreiheit von Kunst?

Die Illusion der Ideologiefreiheit von Kunst versperrte die Einsicht in die Notwendigkeit, eine Literatur zu schaffen, die mit ihren spezifischen Mitteln auf den Grundwiderspruch der Gesellschaft zumindest reagierte, wenn sie ihn nicht bloßlegte. Dazu mußten die wirklichen Triebkräfte der Gesellschaft erkannt werden.

Tendenzen, diese zu dämonisieren, statt zu analysieren, hatten schon die expressionistische Literaturrevolte bestimmt. Wenn die Expressionisten auch in der Novemberrevolution und der revolutionären Nachkriegskrise nach dem »Bruder Mensch« den »Genossen Arbeiter« (F. Wolf) zu entdecken begannen, so begriffen sie ihn doch hauptsächlich nicht als Subjekt der revolutionären Bewegung, sondern als Objekt ihrer Kunstausübung. Nur wenige Vertreter literarischer Intelligenz, die aktiv auf der Seite des Proletariats mitkämpften – und das sind bezeichnenderweise die ›Linksradikalen‹ –, versuchten in dieser Phase der Weimarer Republik auch ihre Literatur zum Mittel im Klassenkampf umzufunktionieren.

Die Traditionslinie der ›Klassenjenseitigkeit‹ von Kunst, die sich seit der Stabilisierungsphase, gerade bei wachsendem Widerspruch zu den Herrschaftsformen der kapitalistischen Gesellschaft erhalten konnte, charakterisiert noch die ›Neue Sachlichkeit‹ und ihren Gegenpart, die irrationalistischen und völkischen literarischen Strömungen. Jene, wie auch immer fasziniert von den technologischen Errungenschaften kapitalistischer Zivilisation, starrt gebannt auf deren verheerende Auswirkungen und auf das eigene Leiden an ihnen oder versucht, sich ›stromlinienförmig‹, zu den Widersprüchen rational zu verhalten, ohne sie auflösen zu wollen (Technikbegeisterung, ›Diktatur der Tatsachen‹, Amerikanismus); – diese, regressive antikapitalistische Ressentiments in den Primat des Seelendunkels vor dem des Intellekts kleidend, paktieren unverhüllt mit der Reaktion. Angesichts einer Situation, in der die Mehrzahl der akademischen ›Eliten‹, Professoren wie Studenten und große Teile der kleinbürgerlichen Intelligenz sich in der Abwehr des als bloße ›Zivilisation‹ denunzierten Versuchs einer gleichzeitigen bürgerlichen Republik und der raunenden Beschwörung völkischer Kulturzustände trafen, konnte die Kultur der ›Neuen Sachlichkeit‹ allerdings keine Alternative bieten. Auch die Mehrzahl der Literaten der bürgerlichen Mitte verharrten in einer von ihnen zum Zeitalter ausgedehnten Atempause, sie wurden durch das aufgezwungene Exil von der Geschichte wieder eingeholt. Erst eine Kunst, die die gesellschaftlichen Widersprüche inhaltlich und formal zu ihrem Problem machte und sich nicht länger auf elitäre überkommene Positionen zurückzog, war in der Lage, vorwärtsweisende Perspektiven anzudeuten.

Literaturhinweise

Georg Fülberth/Jürgen Harrer: Die deutsche Sozialdemokratie 1890–1933. Darmstadt/Neuwied 1974.

Jost Hermand/Frank Trommler: Die Kultur der Weimarer Republik. München 1978.

Reinhard Kühnl: Formen bürgerlicher Herrschaft. Reinbek 1971.

Jürgen Kuczynski: Darstellung der Lage der Arbeiter von 1917–1932/33. Berlin 1966.

Helmut Lethen: Neue Sachlichkeit 1924–1932. Stuttgart [2]1976.

Erhard Lucas: Zwei Formen von Radikalismus in der deutschen Arbeiterbewegung. Frankfurt/M. 1976.

Arthur Rosenberg: Entstehung und Geschichte der Weimarer Republik. Frankfurt/M. 1961. 2 Bde. (zuerst 1928/I; 1935/II).

Karl Heinz Roth: Die ›andere‹ Arbeiterbewegung. München [2]1976.

Tendenzen der 20er Jahre. 15. Europäische Kunstausstellung. Berlin 1977.

Theater in der Weimarer Republik. Hrsg. Kunstamt Kreuzberg/Institut für Theaterwissenschaft der Universität Köln. Berlin 1977.

Wem gehört die Welt. Hrsg. Neue Gesellschaft für Bildende Kunst (NGBK). Katalog Berlin 1977.

Proletarisch-revolutionäre Literatur und Arbeiterdichtung

Proletarisch-revolutionäre Literatur

Voraussetzungen

Mit der endgültigen Spaltung der Arbeiterbewegung in einen reformistischen und einen revolutionären Flügel, wie sie in der Existenz der beiden Arbeiterparteien SPD und KPD deutlich wurde, ging auch eine Um- und Neuorientierung der sozialistischen Literatur aus der Vorkriegszeit einher. Auf der einen Seite stand die schon im Krieg deutlich gewordene Integration sozialdemokratischer ›Arbeiterdichtung‹ in die herrschende Gesellschaft, die sich bruchlos in die Weimarer Republik hinein verlängerte. Diese Arbeiterdichtung war bestimmt durch antirevolutionäre und klassenharmonisierende Tendenzen. Gegen Ende der zwanziger Jahre entstanden dann, politisch getragen vom linken Flügel der Sozialdemokratie, Ansätze einer für die Interessen der Arbeiterpartei ergreifenden Literatur.

Auf der anderen Seite stand die proletarisch-revolutionäre Literatur, die sich in komplizierten Klärungsprozessen zumal im letzten Jahrfünft der Weimarer Republik praktisch und theoretisch entfaltete und einen, auch gegenüber den proletarischen Literaturtraditionen des 19. Jahrhunderts, qualitativen Neubeginn sozialistischer Literatur markierte. Proletarisch-revolutionäre Literatur richtete sich ausdrücklich gegen bürgerliche und sozialdemokratische Kunstdarstellungen, ihr galt der Anspruch nach Parteilichkeit, aus dem weitreichende ästhetische Konsequenzen resultierte, als wichtigstes Kriterium. Diese Entwicklung verlief nicht widerspruchsfrei; eng gebunden an die historischen Etappen der Weimarer Republik und vor allem in den späteren zwanziger Jahren an die Politik der KPD, führte sie zu sehr unterschiedlichen Ergebnissen in der Theoriediskussion wie in der Literatur selbst, im Gegensatz zur Arbeiterdichtung, deren ästhetische Prämissen seit den Kriegsjahren unverändert geblieben waren.

Die sozialistische Literatur in Deutschland hat Traditionen, die weit ins 19. Jahrhundert zurückreichen. Die spezifische Entwicklung der deutschen Arbeiterbewegung und der Sozialdemokratie prägte diese Literatur entscheidend: vielfach auf den Tagesgebrauch hin orientiert, entstand eine proletarische Kampflyrik, entstanden zur Agitation bestimmte Kurzszenen und größere Theaterstücke, schließlich Prosastücke und Romane sowie Arbeiterautobiographien, in denen Industrie- und Landarbeiter ihre sozialen und politischen Erfahrungen von Ausbeutung, Unterdrückung und Widerstand aufzeichneten. – Vor allem durch die Arbeiten von Franz Mehring, Marx und Engels wurden Grundzüge einer sozialistischen Literaturtheorie entworfen, die sich um eine politische Ortsbestimmung des bürgerlichen Erbes, der bürgerlichen Moderne, des Komplexes Realismus und der proletarischen Literatur bemühten. Daraus resultierten vielfältige Ansätze zu einer sozialistischen Literatur, die sich als ausgesprochene Klassenliteratur verstand; eine Literaturpolitik, die der Mächtigkeit bürgerlicher Kultur- und Kunstvorstellungen eine Alternative entgegensetzen wollte und eine Literaturtheorie, die die materialistische Fundierung ästhetischer Prozesse in Angriff nahm. Doch wurden diese Versuche nicht weitergeführt, als sich spätestens seit der Jahrhundertwende revisionistische und reformistische Strömungen innerhalb der Sozialdemokratie durchsetzten. Die wachsende Integration der Sozialdemokratie in den Wilhelminischen Staat korrelierte mit dem Verfall proletarischer Kultur vor 1914; von wenigen Ausnahmen abgesehen, begab sich sozialistische Literatur und Literaturpolitik auf ein Terrain, das letztlich dasjenige bürgerlicher Auffassungen war. Ein grundsätzliches Mißtrauen gegenüber proletarischer Literatur selbst bei avancierten Theoretikern wie Mehring – er sprach, Horaz zitierend, davon, daß unter den Waffen die Musen zu schweigen hätten –, und in der Literaturpraxis die Rücknahme operativer Ansätze zugunsten unpolitischer ›Feierabendkultur‹ bedeuteten, wie im politischen Bereich, eine Kapitulation vor der noch ungebrochenen Kraft des Wilhelminismus.

Wenn Wilhelm II. bei Kriegsbeginn den ›vaterlandslosen Gesellen‹, wie die Sozialdemokraten genannt wurden, versprach, er kenne keine Parteien mehr, sondern nur noch Deutsche, und wenn im Reichstag die SPD 1914 die Kriegskredite bewilligte, so fand sich diese Konstellation auch in der Arbeiterdichtung während des Krieges wieder. So zitierte der Kanzler Bethmann Hollweg in einer Reichstagsrede 1916 aus Karl Brögers Gedicht – dem Gedicht eines sozialdemokratischen Arbeiterdichters – *Bekenntnis*, in dem es u. a. heißt: »Herrlich zeigte es sich aber deine größte Gefahr,/ daß dein ärmster Sohn auch dein getreuester war./ Denk es, o Deutschland.«

Damit war deutlich geworden, daß sich der politische Anspruch, Bestandteil der proletarischen Emanzipationsbewegung zu sein, ins Gegenteil verkehrt hatte. Hieran knüpft die Arbeiterdichtung im Umkreis der SPD nach 1918 wieder an; die frühen Ansätze und Experimente einer proletarisch-revolutionären Literatur nach dem Krieg speisten sich aus anderen Quellen.

Zwischen ästhetischer Avantgarde und politischem Linksradikalismus

Die tiefgreifende Krise, in der sich Kunst und Künstler seit Ende des 19. Jahrhunderts befanden, ließ Literaturrevolten entstehen, in denen ästhetischer und gesellschaftlicher Protest gegen die »Miserabilität der Verhältnisse« (Lukács) zusammentrafen. Der deutsche Expressionismus ist dafür ein Beispiel. In den Jahren vor 1914 in der politischen Stoßrichtung noch durchaus ambivalent – Georg Heym etwa verbindet in seinen Tagebüchern die Sehnsucht nach einer Revolution mit dem Wunsch nach Krieg, damit die verhaßte Gesellschaft der ›Vätergeneration‹ zerstört werde –, politisiert sich die Opposition vieler Expressionisten während des Krieges zu pazifistischen, teilweise auch schon sozialistischen Positionen. Seit 1918 drängte zumindest ein linker, aktivistischer Flügel dieser Literaturbewegung auf Annäherung an die Arbeiterbewegung, wobei eine oftmals diffuse Revolutionseuphorie, die Erwartung des ›neuen Menschen‹ und einer grundlegenden ›Wandlung‹ aller Verhältnisse die sozialistischen Inhalte überlagerte.

Anarchistisch-linksradikale Prämissen finden sich im Kreis um die von Franz Pfemfert seit 1911 herausgegebene Zeitschrift ›Die Aktion‹, an der das Gros der expressionistischen Künstler mitarbeitete und die sich seit 1919 ganz der Politik, nicht mehr der Kunst, verpflichtete. Eine durchaus elitäre Gruppe der ›Geistesaristokraten‹ um den Publizisten Kurt Hiller suchte in ›Räten geistiger Arbeiter‹, die sich als Parallelorganisationen zu den Arbeiter- und Soldatenräten verstanden, unmittelbaren politischen Einfluß zu nehmen.

Praktisch-politisches Engagement in den neuen, linken Institutionen signalisierten Ansätze eines veränderten Verhältnisses zwischen politisierter bürgerlicher Intelligenz und Proletariat: in Soldatenräten arbeiteten Carl Einstein, Egon Erwin Kisch und Friedrich Wolf, der neugegründeten KPD schlossen sich u. a. Johannes R. Becher, John Heartfield, Wieland Herzfelde, Erwin Piscator, Gustav von Wangenheim an, der linkskommunistischen ›Kommunistischen Arbeiter-Partei‹ (KAPD) Franz Jung – der zuvor schon im Spartakus-Bund aktiv war –, Oskar Kanehl, Franz Pfemfert. Heinrich Vogeler exponierte sich 1919 in der Bremer Räterepublik, Ernst Toller, Gustav Landauer, Erich Mühsam und Marut/Traven wenig später in der Münchner Räterepublik. Mit der Entdeckung des »Genossen Arbeiter«, der die Identifikation mit dem »Bruder Mensch« (F. Wolf) abgelöst hatte, stand dieser Kreis revoltierender Künstler vor einer doppelten Aufgabe: sie mußten ihr Verhältnis zur Arbeiterbewegung klären, und sie mußten womöglich eine neue Funktionsbestimmung ihrer künstlerischen Praxis leisten, wollten sie ihre Kunst in den Dienst der Arbeiterbewegung stellen. Zahlreiche Diskussionen über das Verhältnis zwischen Intelligenz und Proletariat sowie theoretische Entwürfe und praktische Literatur-Experimente prägen im Bereich engagierter Kunst die Phase zwischen November-Umsturz und dem Beginn der Stabilisierung. Anders als in der späteren Weimarer Republik gehen politische und ästhetische Innovationen zur Grundlegung einer neuen, proletarisch-revolutionären Haltung von Schriftstellern bürgerlicher Herkunft, weniger von Arbeitern, aus: ein Neubeginn, der nicht zuletzt dem Niedergang der Arbeiterliteratur vor 1918 geschuldet ist.

In der Diskussion über die *Intellektuellenfrage* warnte der KPD-Funktionär EDWIN HOERNLE (1883–1952) die Literaten vor einer euphorischen, die Kleinarbeit des Tageskampfes übersehenden Identifikation mit den Zielen der Arbeiter und vor unangemessenen Führungsansprüchen, wobei er allerdings gewisse Züge einer Intellektuellenfeindschaft innerhalb der Arbeiterbewegung zurückwies (Aufsatz *Die Kommunistische Partei und die Intellektuellen*, 1919).

Hoernle war übrigens selbst Verfasser von kriegsgegnerischen, in der Manier Äsops geschriebenen Fabeln (*Oculi-Fabeln*, 1920) und von Kampfliedern über Krieg und Revolution (*Aus Krieg und Kerker*, 1918, *Rote Lieder*, 1924), er war also als Autor und Kommunist gleichermaßen betroffen.

Der Verleger WIELAND HERZFELDE (geb. 1896) – er leitete den linken Malik-Verlag – versuchte 1921 in seiner Schrift *Gesellschaft, Künstler und Kommunismus* ein Zwischenresümee der Intellektuellenfrage; er wies sehr genau auf klassenbedingte Schwierigkeiten von bürgerlichen Schriftstellern beim Übergang auf Positionen des Proletariats hin und setzte sich mit voluntaristischen Standpunkten auseinander, die manche Intellektuelle zu einer allenfalls äußerlichen »Expedition« ins Reich der Arbeiterklasse verleiteten. Zudem warnte er vor der Verselbständigung von Intellektuellenzirkeln – hier kritisierte er massiv das autonome Siedlungsprojekt der Barkenhof-Kommune um Heinrich Vogeler –, zugleich aber auch vor Gefahren einer prinzipiellen Abwertung der künstlerischen Tätigkeit gegenüber der politischen, wie sie offenbar auch in den Reihen der KPD existierte. Sein Plädoyer für den Zusammenschluß in einer »roten Berufsorganisation«, die die jeweilige Arbeit in der Partei flankieren sollte, wurde später in verschiedenen Gruppen zu verwirklichen versucht. Die Frage nach der Standortbestimmung des revolutionären Intellektuellen wurde, in unterschiedlichen Nuancierungen, in den späteren zwanziger Jahren weiterdiskutiert. Für die ästhetische Praxis linker Künstler blieb die Frage entscheidend, wie sie nicht allein politisch-organisatorisch, sondern auch mit ihren spezifischen Kunstvorstellungen in die revolutionären Prozesse eingreifen konnten. Hierbei ging es vor allem um Fragen des literarischen Erbes und um Probleme einer proletarischen Kunst.

Die *Erbe-Diskussionen* standen in unmittelbarem Zusammenhang mit den Ablösungsprozessen von der eigenen Herkunftsklasse, zumeist dem Bürgertum. Ein gleichsam naturwüchsiger Radikalismus erzeugte bei der aus der expressionistischen Bewegung stammenden Fraktion linker Künstler eine liquidatorische Haltung zum gesamten kulturellen Erbe. Exemplarisch wurden solche Fragen in der sog. ›Kunstlump‹-Kontroverse diskutiert. Anläßlich der Beschädigung eines Rubens-Bildes im Dresdner Zwinger bei der Niederschlagung des Kapp-Putsches 1920 erklärten John Heartfield und George Grosz, das gesamte Kulturerbe habe für das Proletariat keinen Wert, weil es als ideologisches Unterdrückungsinstrument gegen die Arbeiter eingesetzt werde. Sie wandten sich damit gegen die öffentliche Erklärung des Malers Oskar Kokoschka, der die kämpfenden Parteien aufgefordert hatte, ihre Auseinandersetzungen nächstens an einem Ort auszutragen, an dem große Werke der Kunst nicht gefährdet seien. Dabei stellten Grosz/Heartfield erste Überlegungen zum Warencharakter von Kunst an und entwickelten daraus die Forderung: »Mit allen Mitteln, mit aller Intelligenz und Konsequenz den Zerfall dieser Ausbeuterkultur zu beschleunigen« (Literatur im Klassenkampf, S. 54). Ähnliche Überlegungen stellte MAX HERRMANN-NEISSE (1886–1941), dem Kreis um die ›Aktion‹ zugehörig, in seiner Schrift über *Die bürgerliche Literaturgeschichte und das Proletariat* (1922) an. Wie Grosz, Heartfield und andere hielt er die Ehrfurcht vor der Kunst für »Kultursklaverei« (Lenin), die kulturelle Übermacht der Bourgeoisie für eine letzte Bastion, mit der sie die Arbeiter von ihrer Befreiung noch abzuhalten vermöge. Auch anläßlich der

Feiern zum 90. Todestag Goethes, die der Reichspräsident Ebert zum Anlaß nahm, dem bürgerlichen Goethe-Kult eine sozialdemokratische Variante hinzuzufügen, polemisierten verschiedene Mitarbeiter der Pfemfertschen Zeitschrift ›Die Aktion‹ – die zu dieser Zeit sich ganz in den Dienst der linksradikalen Sekte ›Allgemeine Arbeiterunion‹ gestellt hatte, massiv gegen jedwede bürgerliche Literatur.

Insgesamt geht mit der Negierung des klassischen Erbes eine eigenständige Traditions- und Kanonbildung einher. Während im 19. Jahrhundert Franz Mehring und andere die Werke des aufstrebenden Bürgertums – bei Mehring vor allem diejenigen Lessings und Schillers – als auch für die Arbeiterklasse nützlich deklariert hatten und später Georg Lukács vor allem den kritisch-realistischen Roman des 19. Jahrhunderts als Vorbild für die proletarische Literatur stilisierte, ließen die aus der ästhetischen Avantgarde stammenden linksradikalen Künstler um 1920 allenfalls notorische Außenseiter wie Villon, Swift, Büchner, Jack London, Charles-Louis Philippe u. a. gelten. Diese Radikalität der Erbe-Kritik hat verschiedene Ursachen. Ein gemeinsamer politischer Nenner liegt in der Bindung an den »linken Radikalismus« (Lenin), hinzu kamen besondere künstlerische Erfahrungen, die diese Gruppe von Künstlern seit den Vorkriegsjahren gemacht hatte.

Die deutsche und europäische ästhetische Avantgarde hatte ihrem Protest gegen die herrschende Gesellschaft mit Formen Ausdruck zu verleihen gesucht, die auf Zerstörung gewohnter ästhetischer Kommunikation abzielte. So im italienischen Futurismus oder in der expressionistischen Bewegung in Deutschland, am radikalsten wohl im Dadaismus seit Ende der Kriegsjahre. Die Dadaisten, etwa Hans Arp, Hugo Ball, Raoul Hausmann, Richard Hülsenbeck, Tristan Tzara, Hans Richter, Kurt Schwitters und viele andere hatten, ausgehend von einem elementaren Ekel an den Erscheinungsformen bürgerlicher Kultur, künstlerische Alternativen erprobt, eine Anti-Kunst, die nicht mehr auf Kommunikation, sondern auf Zerstörung aus war. Simultangedichte, Montagen, Nonsens-Aktionen, anti-ästhetische Programmatik, Bürgerschreck-Attitüden, Zertrümmerung von Sprache und Überlieferung waren Bestandteil eines Frontalangriffes nicht allein auf bürgerliche Kunst und Kunstideologie, sondern auch auf die Institution der ›Kunst‹ selbst.

Damit waren Voraussetzungen gegeben, die in die politisch gewendete Erbe-Kritik linksradikaler Autoren einmündeten. Ein weiterer wichtiger Faktor war die Rezeption des sowjetischen Proletkultes. Die Proletkult-Bewegung wollte zunächst nichts anderes als die kulturrevolutionäre Mobilisierung der Massen in Sowjetrußland, nicht zuletzt auch deren Alphabetisierung. »Die Organisierung der Gedanken und Gefühle«, so die auch in Deutschland rasch aufgenommene Formel des sowjetischen Proletkult-Theoretikers Bogdánov, sollte durch gezielte Anleitung zu kultureller Selbständigkeit erreicht werden. Dabei wollten zumindest Teile der Proletkult-Bewegung auf russische Traditionszusammenhänge und auf Traditionen insgesamt durch eine ganz neue, ›andere‹ proletarische Kultur und Kunst verzichten. In Sowjetrußland wurden diese durchaus bilderstürmerischen Alternativ-Ansätze von Lenin kritisiert – er wandte sich gegen die »Erfindung einer neuen Proletkultur«

und forderte die »Entwicklung der besten Vorbilder, Traditionen und Ergebnisse der bestehenden Kultur vom Standpunkt der marxistischen Weltanschauung und der Lebens- und Kampfbedingungen des Proletariats in der Epoche seiner Diktatur« (*Erster Entwurf einer Resolution über proletarische Kultur*, 1920). – Der Proletkult wurde schließlich, vor allem wegen seiner Bestrebungen nach organisatorischer Unabhängigkeit von der Partei, aufgelöst.

Die Faszination, die die ersten Berichte über den Proletkult bei den Künstlern auslöste, die Prämissen einer radikalen Kritik bürgerlicher Kunst bei der Avantgarde und die Politisierungsprozesse während der Revolutionsereignisse bildeten insgesamt ein Ensemble, das Autoren wie Grosz, Heartfield, Herrmann-Neiße, Jung, Kanehl, Piscator, Vogeler u. a. mitprägte. Sie stießen dabei auf deutliche Kritik der KPD. – Vor allem die einflußreiche Feuilletonredakteurin des KPD-Zentralorgans ›Rote Fahne‹ GERTRUD ALEXANDER (1882–1967) sprach sich für das fortschrittliche Erbe aus. In der Kunstlump-Auseinandersetzung warf sie den Kritikern des Erbes »Vandalismus« vor, und in ihren literaturkritischen Arbeiten empfal sie, hier durchaus in der Tradition von Franz Mehring stehend, die Aneignung der deutschen Klassik, vor allem Schillers, dessen oppositionellen Impetus sie fürs Proletariat zu aktualisieren suchte. Fatal wurde diese Position, als es um die Beurteilung avantgardistischer – etwa der dadaistischen – Experimente ging, oder um erste Versuche einer revolutionären Literatur: diese verfielen entweder dem Verdikt des Dekadenten oder dem Vorwurf der Tendenz oder des Stümperhaften – immer gemessen an der Elle klassischer Spitzenleistungen.

Blieb diese kulturkonservative Linie innerhalb der KPD auch die dominante, so war sie doch nicht die einzige; in der KP-Presse kamen durchaus andere Stimmen zu Wort – so Kurt Kersten, der frühe Lukács, Lu Märten, Paul Reimann –, die sich nicht allein vom ›Kulturanarchismus‹ linksradikaler Provenienz, sondern auch vom ›Kulturreformismus‹ in der KPD abgrenzten. Insgesamt läßt sich aber auch eine Polarisierung feststellen zwischen angestrengter Verteidigung des Erbes und einer radikalen Erbe-Kritik, die eine künstlerische action directe zum Ziel hatte. Die Chancen gerade der letzteren Position lagen in der theoretischen Rekonstruktion marxistischer Auffassungen über den Klassencharakter auch kulturell-künstlerischer Erscheinungen wie in den praktischen Beispielen proletarischer revolutionärer Literatur selbst.

Diese verstanden sich, bei allen Unterschieden im einzelnen, als Entwürfe einer Klassenkampfliteratur, die dem kollektiven Lebensgefühl des Proletariats einen Ausdruck verleihen und auf dieses aktivierend wirken sollte; zumal in der politischen Programmatik der anarchistischen und linkskommunistischen Radikalen ging es um die Beförderung von ›Gemeinschaftsbewußtsein‹ der Arbeiterklasse, das hier alternativ zur klassenübergreifenden Gemeinschaftskonzeption der Arbeiterdichter gemeint war und im Zusammenhang mit Proletkult-Vorstellungen von der »Organisierung der Gedanken und Gefühle« stand, aber auch mit Überlegungen des Linkskommunismus, der programmatisch von einer »Selbstbewußtseinsentwicklung« des Proletariats auch auf kulturellem Gebiet als einer wesentlichen Voraussetzung der proletarischen Revolution ausging.

Die frühen Versuche proletarisch-revolutionärer Literatur haben überwiegend experimentierenden, vorläufigen Charakter, sie stehen in gewisser Weise im Schatten der umfangreichen theoretischen Selbstverständigungsdebatten, haben aber ein durchaus eigenständiges Profil, das auf Situationen während der Nachkriegszeit reagiert und in sie einzugreifen versucht.

Dem Anspruch nach unmittelbarem Eingriff von Literatur in die revolutionären Prozesse der Zeit entsprang die Hinwendung zu operativen Genres; hierbei werden Gattungspräferenzen deutlich, die auch die spätere Entwicklung proletarisch-revolutionärer Kunst auszeichnen: basisorientiert, alternative Kommunikationsweisen suchend, den traditionellen Werkcharakter sprengend, will diese Literatur nicht neuen Wein in alte Schläuche füllen, sondern diese zum Platzen bringen. Als wichtigstes Medium bot sich hier das Theater an, dessen besondere Rezeptionsmöglichkeiten sich die revolutionären Autoren dienstbar zu machen suchten. Bis 1923 entstanden in vielen Städten Theatergruppen, die, häufig improvisierend, zu aktuellen Anlässen wie Streiks oder Gedenktagen, proletarischen Feiern o. ä. auftraten, so der »Proletkult Kassel« oder die »Proletarische Tribüne« in Nürnberg. Bedeutung erlangten zwischen 1920 und 1924 die Massenfestspiele der Leipziger Arbeiter, an denen sich jeweils mehrere Hundert Laienspieler beteiligten, so bei den historischen Stücken *Spartakus*, *Der arme Konrad* (eine Darstellung der Vorläufer des Bauernkrieges von 1525), *Bilder aus der Französischen Revolution* (nach Entwürfen des Expressionisten Ernst Toller). In Berlin führte 1923 der Zentrale Sprechchor der KPD unter Gustav von Wangenheim *Chor der Arbeit* auf, der sich weitgehend vom sozialdemokratischen und noch in den Leipziger Aufführungen erkennbaren unpolitischen Pathos der alten Sprechchöre gelöst hatte und durch seine offene Struktur – die Einführung aktueller und lokaler Anspielungen und Themen in das Gesamtszenarium war nicht nur möglich, sondern auch operativ geplant – ein hohes Maß an Mobilität eröffnete.

Konzeptionell wegweisend arbeitete 1920/21 in Berlin das »Proletarische Theater« (Piscator, Heartfield, Grosz u. a.): die überwiegend proletarischen Zuschauer bestimmten über das Programm und galten selbst als mögliche Mitspieler, die Aufführungen waren eingebunden in politische Aktivitäten der Linksparteien, Ansätze zu nicht-aristotelischen Spielweisen unterstrichen den konkreten politischen Anspruch. Aufgeführt wurden hier, außerhalb der etablierten Theaterräume, in traditionellen Versammlungsräumen der Arbeiter, im Kollektiv erarbeitete Stücke wie *Rußlands Tag* oder Franz Jungs *Die Kanaker*, ein Exempel der Klassenspaltung im Proletariat. – Dieses von Erwin Piscator maßgeblich konzipierte Theater wurde 1921 vom SPD-Polizeipräsidenten in Berlin verboten.

Allerdings beklagten schon die Zeitgenossen den Mangel an geeigneten Stükken – die linken Bühnen mußten sich mit einem recht schmalen Angebot an Stücken begnügen, zumal die Traditionen des alten Arbeitertheaters bei den intellektuellen Protagonisten des neuen proletarischen Theaters kaum bekannt waren. Produktionen etwa von Erich Mühsam – *Judas* (1920) und Edwin Hoernles *Arbeiter, Bauer und Spartakus* (1921) – blieben eher Ausnahme. Mühsam entwickelte in naturalistischer Szenerie Vorgänge aus den Streikbewegungen vom Januar 1918, wobei es ihm vor allem um Radikalisierungsmöglichkeiten der vorgeblich lethargischen Massen geht; er suchte die Führer-Masse-Dialektik auf spezifisch anarchistische, individuell-putschistische Weise zu lösen. Einen thematisch neuen Bereich erschloß Hoernle, der das Bündnis zwischen Stadt- und Landproletariat propagiert.

Die Bevorzugung operativer Genres zeigt sich auch in der Revolutionslyrik und in anderen, zu revolutionärem Handeln aufrufenden Gedichten. Neben Hoernle, Max Barthel und Fritz Rück (*Feuer und Schlacken*, 1920), war es hier vor allem der Berliner Dramaturg OSKAR KANEHL (1888–1929), der neue Akzente setzte. Kanehl, promovierter Germanist, gehörte seit dem Krieg dem Kreis um die ›Aktion‹ und nach 1918 der linksradikalen ›Allgemeinen Arbeiter-Union‹ an, in deren Organen (wie in anderen linken Zeitschriften) viele seiner Gedichte erschienen (gesammelt in: *Steh' auf, Prolet!*, 1920 und *Straße frei*, 1928). Die unbedingte Identifizierung mit dem kämpfenden Proletariat erscheint bei ihm radikalisiert in harten, aggressiven, oft dissonanten Fügungen, deren gezielte Vereinfachungen Abbild der antagonistischen Klassengegensätze zwischen Kapital und Arbeit sein wollten – in dieser Hinsicht eine Art lyrisches Gegenstück zu den Zeichnungen von GEORGE GROSZ (1893–1959). Grosz wie Kanehl versuchten durch Schwarz-Weiß-Zeichnung, durch die Reduktion auf Bürger/Prolet, Bonzen/Pöbel, eine bewußte, offensive Aufreizung zum Klassenhaß zu erreichen. So in dem Gedicht *Wir sind die erste Reihe* (auch unter dem Titel *Die junge Garde* bekannt) von 1921, das, obwohl Kanehl zu dieser Zeit sich bereits strikt gegen die KPD und deren Zentralismus wandte (*Völker hört die Zentrale*, 1924), nachweislich zu den populärsten Liedern auch des Kommunistischen Jugendverbandes gehörte:

> [...]
> So steht die junge Garde
> Zum Klassenkampf bereit.
> Erst wenn die Bürger bluten
> Sind wir befreit.
>
> Kein Wort mehr von Verhandeln,
> Das doch nicht frommen kann.
> Mit Luxemburg und Liebknecht
> Wir greifen an.
>
> [...]
> Sprung auf die Barrikaden.
> Heraus zum Bürgerkrieg.
> Pflanzt auf die Sowjetfahnen
> Zum roten Sieg.

Dieses Lied (gesungen nach der Melodie von *Ich ziehe meine Straße*) versuchten schon Ende der zwanziger Jahre die Nationalsozialisten für sich umzumodeln – Eingriffe, die insgesamt nicht allein die politische, sondern auch die lyrische Struktur des Gedichts zerstören. Die »Entlehnungen aus der

Kommune« (Bloch) seitens der deutschen Faschisten scheiterten in diesem Fall auch ästhetisch.

Recht populär wurden auch die revolutionären Gedichte des Anarchisten und Bohemien ERICH MÜHSAM (1878–1934), der wegen seiner Beteiligung an der Münchner Räterepublik zu 5jähriger Festungshaft verurteilt und kurz nach der Machtergreifung 1934 im KZ Oranienburg ermordet wurde. Mühsam hatte sich schon vor dem Krieg offen zur Tendenz-Dichtung bekannt. Weniger den Konzepten der künstlerischen Avantgarde als denen der Vormärz-Dichter verpflichtet, suchte auch er in seinen Gedichten die direkte Anrede an besondere Zielgruppen – etwa die Anarchisten, die Arbeiter usw. –, wobei die gegnerische Position mit beißendem Spott bedacht wird. So im *Revoluzzer-Lied* (1907), das »der deutschen Sozialdemokratie gewidmet« ist und eine anarchistische Abrechnung mit Legalismus-Vorstellung der Vorkriegs-SPD darstellt. Dieses Lied wurde noch während der Weimarer Republik, z. B. in der musikalischen Interpretation des Arbeitersängers Ernst Busch, zum festen Bestandteil auch kommunistischen Liedrepertoires (Versbände: *Brennende Erde. Verse eines Kämpfers*, 1920; *Revolution. Kampf-, Marsch- und Spottlieder*, 1925).

Gerade während der Revolutionsereignisse spielten spontan entstandene, anonyme Lieder eine wichtige Rolle; sie persiflierten und parodierten bekannte Volks- oder Kriegslieder, übernahmen gängige Versschemata und Melodien und bezogen sich auf aktuelle Ereignisse, so das *Büxensteinlied*, das *Leuna-Lied* (das auf den Mitteldeutschen Aufstand 1921 anspielt) oder das *Lied vom kleinen Trompeter*. Spottlieder auf Monarchie und Wilhelminismus verliehen dem republikanischen Bewußtsein einen überlegenen, satirischen Ausdruck:

> Wem ham'se de Krone jeklaut?
> Dem Wilhelm, dem Doofen,
> dem Oberjanoven,
> dem ham'se de Krone jeklaut.

Oder:

> O Tannebaum, o Tannebaum,
> der Wilhelm hat in' Sack jehau'n.
> Aujuste muß Kartoffeln schäl'n,
> der Kronprinz, der muß hamstern jehn.
> O Tannebaum, o Tannebaum,
> der Wilhelm hat in' Sack jehau'n.
> (In: Das Arbeiterlied, S. 137/138)

In solchen Liedern kommen Stimmen zu Wort, die an der schriftlichen Kultur der Bourgeoisie, aber auch der der linksradikalen Intelligenz kaum partizipierten, die aber durchaus eigenständige Formen kultureller und politischer Selbstverständigung fanden und eine Art von proletarischer Gegenöffentlichkeit darstellten. Hier artikulierte sich ein Potential der Basis, das in der späteren Weimarer Republik, nicht zuletzt durch kulturpolitische Initiativen der KPD, weiter aktiviert wurde.

Vom Genre her kompliziertere Fragen warfen Versuche auf, auch die Prosaliteratur in operative Zusammenhänge zu stellen. Erich Mühsam versuchte dies mit seinem Fragment gebliebenen Roman *Ein Mann des Volkes* (unter dem Titel *Der sechzigste Geburtstag* 1928 in der von Mühsam selbst herausgegebenen *Sammlung 1898–1928* erstmals gedruckt). Mühsam schreibt die Geschichte eines Sozialdemokraten, dessen Verfilzung mit der Parteibürokratie vom deutlich anti-etatistischen Standpunkt aus karikiert wird.

Größere Wirkung erzielte der zuvor als expressionistischer Erzähler bekannte Uhrmachersohn FRANZ JUNG (1888–1963). Aufsehen erregte er bereits 1912 mit dem *Trottelbuch*, das den selbstzerstörerischen Kampf der Geschlechter zum Thema hat. – Während des Krieges an illegalen Aktionen des Spartakus-Bundes und zugleich am Berliner Dada beteiligt – Jung war zusammen mit Tzara, Grosz, Huelsenbeck, Hausmann u. a. Mitunterzeichner des Berliner *Dadaistischen Manifestes* von 1918 (*Dada-Almanach*, 1920), engagierte er sich nach dem Novemberumsturz führend in der KAPD, fuhr in ihrem Auftrag zum Komintern-Kongreß 1920 nach Moskau und arbeitete, als studierter Volkswirtschaftler kompetent, 1921–1923 in Sowjetrußland am Aufbau zahlreicher Fabriken mit.

Anhand der Prosa von Franz Jung läßt sich der Weg eines expressionistischen zum proletarisch-revolutionären Autor deutlich verfolgen. Bildeten die Erzählungen *Gott verschläft die Zeit* (aus dem Nachlaß vollständig erst 1976 ediert) mit der bedeutenden Novelle *Der Fall Gross* (1920) den Übergang von expressionistisch/dadaistischen Positionen zu denen des politischen Linkskommunismus, so zeigten seine Erzählungen und Kurzromane aus den »roten Jahren«, wie er die Zeit zwischen 1918 und 1923 in seiner Autobiographie *Der Torpedokäfer* (zuerst 1961 unter dem Titel *Der Weg nach unten*) selbst nennt, avancierte Ansätze, die gegenwärtigen Revolutionsereignisse zu gestalten.

In der Erzählungssammlung *Joe Frank illustriert die Welt* (1921) kondensiert er Episoden aus den internationalen Klassenkämpfen, in zugespitzter, gleichsam didaktischer Nutzanwendung für den proletarischen Leser: »Merkt euch das. Auch bei uns planen die Kohlenbarone, die Großunternehmer Gewalt.« Die Romane *Die Rote Woche* (1921), *Proletarier* (1921) und *Die Eroberung der Maschinen* (1923) geben Ausschnitte aus den proletarischen Aufstandsversuchen im Kapp-Putsch, im Mitteldeutschen Aufstand wieder.

Das Scheitern dieser Versuche ist bei Jung nicht zurückgenommen auf die schicksalhafte Biographie von Individuen, sondern erscheint als zeitweilige Niederlage der Arbeiterklasse selbst. Mit seinen Romanen und Erzählungen der »roten Jahre« will Jung dazu beitragen, daß die Niederlage sich nicht wiederholt. Diesem Anspruch entspricht formal die Kollektivität der Darstellung: so verzichtet Jung auf die Gestaltung individueller Helden zugunsten des Kollektivs der Klasse, auf die exakte Lokalisierung der Ereignisse zugunsten ihrer Verallgemeinerbarkeit, führt Prozesse vor, nicht Ergebnisse. Jung gibt keine blanken Identifikationsangebote mit revolutionären literarischen ›Helden‹ an den proletarischen Leser weiter, sondern fordert ihn im Gegenteil als selbst Dabeigewesenen zu produktiver Kritik des Geschehens auf. Die so in Gang gesetzten politischen Lernprozesse sollen einmünden in die Identifikation mit dem Kollektiv. Dieses Verfahren ist letztlich ästhetische Konsequenz jener politischen Strategie der ›Selbstbewußtseinsentwicklung‹ des Proletariats, die vor allem von den Linkskommunisten der KAPD entwickelt wurde. Jungs Arbeiten waren seinerzeit recht weit verbreitet, Nach- und Vorabdrucke auch in der KPD-Tagespresse belegen das. In den späteren zwanziger Jahren, nachdem er sich vom Linksradikalismus gelöst, aber auch der KPD entfremdet hatte, versuchte er sich vornehmlich als Bühnenautor (1928 Aufführung von *Heimweh* in der Piscator-Bühne); 1931 erschien im Buchclub des sozialdemokratischen ›Bücherkreises‹ sein sozialkritischer Roman *Hausierer*. – Eine schonungslose Selbstabrechnung gab er in seiner großen Autobiographie *Torpedokäfer*, darin mit Georg K. Glaser vergleichbar, der in seinem Lebensrückblick *Geheimnis und Gewalt* (1951) etwa den gleichen Zeitraum und ähnliche Erfahrungen, allerdings nicht als Intellektueller, sondern als proletarischer out-cast, beschrieben hat.

Insgesamt existieren also während der Frühphase in den unterschiedlichsten Genres Versuche einer für Revolution und Proletariat aktuell Partei ergreifenden Literatur, deren Bedeutung in der Überwindung reformistischer Literaturvorstellungen lag. Die Affinität dieser Kunst zur linksradikalen Programmatik, weniger zur KPD, und umgekehrt, die linksradikalen Bemühungen auch um Fragen der kulturellen Emanzipation machen die Besonderheit dieser Phase aus, bedingen aber auch ihre relative Folgenlosigkeit: vor allem der Niedergang des organisierten Linksradikalismus und die wachsende Stabilisierung der KPD seit Mitte der zwanziger Jahre lassen die Frühphase der proletarisch-revolutionären Literatur als in sich verhältnismäßig abgeschlossen erscheinen.

Berichte über Sowjetrußland

Franz Jung war einer der ersten, der auch im Bereich von Reportage- und Reiseliteratur über Sowjetrußland informierte. Seine ausgedehnte praktische Tätigkeit dort hat er u. a. beschrieben in *Reise in Rußland* (1920) und in *Geschichte einer Fabrik* (1924) – beides Aufklärungsschriften, die zur aktuellen Information über die Vorgänge im Sowjetstaat erheblich beitrugen.

Das traditionelle deutsche Rußlandbild war bis zur Oktoberrevolution 1917 geprägt von der Presseberichterstattung über den Konkurrenzstaat und der Lektüre feudalismuskritischer russischer Erzähler des 19. Jahrhunderts. Die Negativpropaganda der gleichgeschalteten Presse während des 1. Weltkrieges brauchte nach den Revolutionen 1917 ihr Repertoire nur um die antirevolutionäre Variante zu erweitern. Bis zum Kriegsende war somit die Bevölkerung über Jahre hinweg einer antirussischen und antisowjetischen Greuelpropaganda ausgesetzt. Die sozialdemokratische Presse schloß sich der antikommunistischen Berichterstattung an, so daß nur der geringfügige Anteil radikaldemokratischer und kommunistischer Zeitschriften relativ verläßlich über die sich herausbildende sowjetische Gesellschaft berichtete.

Die wichtigsten Reportagen über die revolutionären Kämpfe erreichten den deutschen Leser erst verhältnismäßig spät: so durch John Reeds *Ten Days That Shook the World* (1919; dt. 1922, mit einer Einleitung Lenins) und Larissa Reissners *Oktober* (1927; mit einer Einleitung Karl Radeks). Der nordamerikanische Journalist JOHN REED (1887–1920) war durch Streikreportagen und als Berichterstatter über den mexikanischen Bürgerkrieg bekannt geworden; *10 Tage, die die Welt erschütterten* zeichnet sich durch fundierte politisch-historische Kenntnisse aus und geht über die Schilderung von Oberflächeneindrücken weit hinaus. – Der deutsche Titel von Sergei Eisensteins Revolutionsfilm nahm noch einmal Reeds Formulierung auf: *Oktober. 10 Tage, die die Welt erschütterten* (1928). Die »Frau von den Barrikaden« LARISSA REISSNER (1895–1926) schrieb ab 1917 für Gorkis Zeitschrift ›Nowaja Schisn‹ und schloß sich als Kämpferin und Berichterstatterin der Roten Front an. Für ihre späteren Reportagen *Im Lande Hindenburgs* (1924), die teilweise in der ›Weltbühne‹ erschienen und z. T. auch – wie *Hamburg auf den Barrikaden* (1924) – von der Zensur unterdrückt wurden, hatte die Schriftstellerin sich incognito in Deutschland umgesehen und so von der Direktionskonferenz bis zum Armenviertel (*Im Lager der Armut*) Wirklichkeitsausschnitte komprimiert. Eine weitere wichtige Informationsquelle, auch über die vorhergegangenen Befreiungskämpfe, waren die Lebenserinnerungen der russischen Revolutionärin VERA FIGNER (1852–1942) *Nacht über Rußland* (1926/27).

Schrittmacher bei den Veröffentlichungen von Reiseberichten über Sowjetrußland war die ›Frankfurter Zeitung‹. Sie publizierte 1918 die Serie *Im kommunistischen Rußland. Briefe aus Moskau* (als Buch 1919) des als Reiseerzähler bekannten ALFONS PAQUET (1881–1944). Paquet beschreibt seine Reiseeindrücke von einer antikapitalistischen Position aus und bedauert zugleich die Abdankung des Bürgertums.

1920/21 erregte die Hungerkatastrophe an der Wolga die Aufmerksamkeit Westeuropas; erstmals waren durch die neuen Massenmedien Nachrichten über die Not öffentlich geworden und stießen auf solidarische Resonanz, während die für das Zarenreich charakteristischen regelmäßigen Hungerkatastrophen verschwiegen worden waren. 1920 bildete sich die ›Künstlerhilfe für die Hungernden in Rußland‹, an der sich unter Erwin Piscators Federführung u. a. Martin Anderson Nexö, Johannes R. Becher, Alfons Goldschmidt, Arthur Holitscher, führend Franz Jung, Ernst Toller, Stefan Zweig beteiligten. Als 1921 Arbeiterorganisationen vieler Länder der UdSSR Hilfe anboten, bat Lenin den ehemaligen Vorsitzenden der Jugendinternationale, Willi Münzenberg, sich als Sekretär eines Komitees der Hilfsorganisation zur Verfügung zu stellen. Die Initiatoren dieser ›Internationalen Arbeiterhilfe‹ (IAH) waren u. a. Henri Barbusse, Max Barthel, Albert Einstein, Anatole France, Leonhard Frank, Alfons Goldschmidt, George Grosz, Maximilian Harden, Edwin Hoernle, Arthur Holitscher, Siegfried Jacobsohn, Franz Jung, Bernhard Kellermann, Käthe Kollwitz, Alexander Moissi, Martin Andersen Nexö, Bernard Shaw, Ernst Toller, Heinrich Vogeler, Klara Zetkin. Die IAH brachte 1921 für die Hungernden 21 Millionen Mark auf und leistete innerhalb von 10 Jahren für 118 Millionen Mark Hilfe bei Naturkatastrophen in mehreren Ländern, unterstützte Streiks, gründete Kinderheime und organisierte in der UdSSR moderne Wirtschaftsbetriebe.

Für den Medienbetrieb hatten diese Solidaritätsaktionen wichtige Folgen: aus der von Willi Münzenberg und Max Barthel herausgegebenen Zeitschrift ›Sowjetrußland im Bild‹ (1921) und der Nachfolgerin ›Sichel und Hammer‹ (1922) entstand 1925 die ›Arbeiter-Illustrierte-Zeitung A-I-Z‹. Mit einer wöchentlichen Auflage von 400 000–500 000 Exemplaren konnte hier ein gewisses Gegengewicht gegen die bürgerliche ›Berliner Illustrirte Zeitung‹ geschaffen werden. Unter der Leitung von Lilly Corpus, Fritz Erpenbeck u. a. wurde erstmals in großem Umfang Bildmaterial für politische Aufklärung verwendet. Die Fotografien wurden größtenteils von den Mitgliedern der ›Vereinigung der Arbeiterfotografen Deutschlands‹ (gegr. 1926) selbst produziert –, zum andern fanden John Heartfields Fotomontagen hier weite Verbreitung. Münzenberg selbst redigierte bis 1931 die Zeitschrift ›Der Arbeiterfotograf‹, die die Verbindung zwischen mehr als 100 Ortsgruppen und vielen Auslandssektionen der Arbeiterfotografen herstellte. Die ›A-I-Z‹ wurde für so wichtig gehalten, daß neben vielen deutschen Schriftstellern auch Barbusse, Ehrenburg, Gorki, Gladkow, Pudowkin, Rolland u. a. Originalbeiträge veröffentlichten.

Die IAH war zugleich der Initiator einer fortschrittlichen Filmproduktion in Deutschland. Sie ließ 1921 die Filme *Die Wolga hinunter* und *Hunger in Sowjetrußland* herstellen, die in vielen Ländern der Welt gezeigt wurden und um Hilfe warben. Es folgte eine größere Anzahl dokumentarischer Filme über die Arbeiterbewegung und die UdSSR, darunter *Kinderheime und Kindererziehung, Völkermai, Hunger in Deutschland*. In den USA besonders erfolgreich lief *Im Schatten Rußlands*; am bekanntesten blieb die Dokumentation über die Trauerdemonstrationen 1924: *Lenins Tod*.

Die IAH hatte seit 1924 einen bemerkenswerten Einfluß auf die sowjetrussische Filmentwicklung und in der Folge als Importeur auch auf die deutsche; sie unterstützte durch die Zusammenlegung ihrer Moskauer Filmabteilung MESH-RAB-POM mit dem Künstlerkollektiv RUS die mehr traditionalistisch arbeitenden Filmproduzenten, die erst 1926 mit Pudówkins *Die Mutter* zu einem eigenen progressiven Stil fanden. Anders als die formexperimentell arbeitenden Anhänger der LEF (Linke Front der Kunst) wie Majakowski, Meyerhold, Eisenstein standen die RUS-Mitarbeiter in der Tradition des naturalistisch psychologisierenden ›Moskauer Künstlertheaters‹ Konstantin Stanislawskis. Ausschlaggebend für die IAH bei der Gründung der MESH-RAB-POM-RUS 1924 war die Popularität der RUS-Tradition, wie sie sich 1923 bei der deutschen Aufführung des von Sanin nach Tolstoi gedrehten Films *Polikuschka* (1919) gezeigt hatte.

Als WSÉWOLOD PUDÓWKIN (1893–1953) das Prinzip der Identifikation mit revolutionären Inhalten vermittelte, wurden die Filme der IAH qualitativ vergleichbar mit denen aus der LEF-Bewegung um Meyerhold, Wertow, Eisenstein. So bekannte sich Pudówkin zur Tradition der ›Realisten‹ Tolstoi und Stanislawski, seine Filmsprache wirkte dabei literarisch individualisierend. In den drei Filmen, die seinen Weltruhm ausmachen, schuf er Identifikationsfiguren für ein emotionales Miterleben der Zuschauer: Nilowna in *Die Mutter* (1926), den Bauernjungen im *Ende von St. Petersburg* (1927) und den jungen Mongolen Bair in *Sturm über Asien* (1928). Der erste Tonfilm der MESH-RAB-POM-RUS, *Der Weg ins Leben* (1931) von Nikolai Ekk, wurde nach der Aufführung in Berlin sofort in 12 Länder verkauft. Erst mit *Die Mutter* und *Panzerkreuzer Potemkin* wurde der Import revolutionärer russischer Spielfilme für die deutsche Sektion der IAH lohnend; sie gründete die Verleih- und Produktionsgesellschaften ›Prometheus‹ (1926) und ›Weltfilm‹ (1927). Aus dem Verleihgeschäft der russischen Filme und einiger amerikanischer Kurzfilme konnte die eigene Produktion von 20 bis 30 Filmen mitfinanziert werden.

Damit waren primär im Medienbereich wichtige Informationsmöglichkeiten eröffnet worden – sowohl über die Substanz der politischen Vorgänge in Sowjetrußland als auch über ästhetische Konzeptionen sowjetischer Künstler. Begleitet wurden diese Informationen während der ganzen Weimarer Republik durch vielfältige Tatsachenberichte. Neben Franz Jung war es der junge Max Barthel, der in seiner kommunistischen Phase über seine *Reise nach Rußland* (1921; gleichzeitig: *Vom roten Moskau bis zum Schwarzen Meer*) berichtete. 1925 folgte der Dokumentarbericht einer deutschen Arbeiter-Delegation über ihren Rußlandaufenthalt im kommunistischen ›Neuen Deutschen Verlag‹ Willi Münzenbergs: *Was sahen 58 deutsche Arbeiter in Rußland?* Im selben Jahr erschien Heinrich Vogelers *Reise durch Rußland* mit dem Untertitel: *Die Geburt des neuen Menschen* – sichtlich Reminiszenz an utopische Träume der Nachkriegsphase, Bekenntnis zugleich zu KPD und UdSSR. 1927 folgte Egon Erwin Kisch mit seiner Buchreportage über *Zaren, Popen, Bolschewiken*. Dank der Politik beispielsweise des Malik-Verlages von Wieland Herzfelde wurden zudem wichtige literarische Texte neuer sowjetischer Schriftsteller zugänglich gemacht (etwa 30 *Neue Erzähler des neuen Rußland. Eine Sammlung junger russischer Prosa*, 1929). In der ›Universum-Bücherei‹ folgte 1932 »Ein Buch der Tatsachen aus der Sowjetunion«, *15 eiserne Schritte*, eine Kollektivarbeit sowjetischer und deutscher Schriftsteller und Bildredakteure (unter ihnen: Otto Katz, Alfred Kurella und John Heartfield). Dieser Band verbindet in vorbildlicher Weise Dokumentaristik mit Fotografie, Karikatur mit Information – ein bedeutendes Beispiel für den Einsatz neuer Gestaltungsmittel in der Berichterstattung über die Sowjetunion.

Solidarität mit Sowjetrußland, für die deutschen Kommunisten immer Prüfstein politischen Engagements, selbst wenn es um die Apologie interner Fraktionskämpfe ging, schlug sich im Umfeld proletarisch-revolutionärer Kunst schon früh nieder: die Aufnahme von Experimenten des Proletkults bezeugen das ebenso wie die Bemühungen, in Erlebnis-, Rechenschafts- und Erfahrungsberichten, Reportagen sowie durch den Einsatz der Medien, vor allem des Films, sowjetische Wirklichkeit transparent zu machen.

Arbeiterkorrespondenten-Bewegung, Rebellenliteratur und die Linksintellektuellen (1924–1928)

Entscheidende Impulse für die Entwicklung der proletarisch-revolutionären Literatur seit Mitte der zwanziger Jahre gingen von zwei Quellen aus: von schreibenden Arbeitern und von revolutionären Intellektuellen. Auf der einen Seite standen die Arbeiterkorrespondenten-Bewegung der KPD und andere schreibende Arbeiter, durch deren wachsende, teilweise ›spontane‹ literarische Selbsttätigkeit sich diese Phase deutlich von den Revolutionsjahren unterschied. Motiv zum Schreiben war nicht selten die Arbeitslosigkeit. Auf der anderen Seite waren es Linksintellektuelle, zumeist bürgerlicher Herkunft, die der kommunistischen Bewegung nahestanden bzw. aktiv in ihr arbeiteten. Auch hier gab es deutliche personale und ideologische Veränderungen gegenüber der ersten Phase der Weimarer Republik. Annäherung und Zusammenschluß beider Strömungen vollzog sich organisatorisch Ende 1928 im ›Bund proletarisch-revolutionärer Schriftsteller Deutschlands‹ (BPRS).

Wirksam wurde die Arbeiterkorrespondenten-Bewegung, die, Teil kommunistischer Pressearbeit, der auch im engeren Sinne literarischen Qualifizierung von Arbeitern diente. Durch Kurzberichte aus dem Betrieb, über den proletarischen Alltag und den bürgerlichen Staat als wichtigste Themenschwerpunkte wollte die KPD ihre Presse zum »kollektiven Propagandisten, Agitator und Organisator« (Lenin) der proletarischen Emanzipation machen. Die Korrespondenten, in der Mehrzahl KPD-Mitglieder, versuchten, ihre Betriebserfahrungen zu vermitteln, indem sie, von besonderen Einzelbeispielen ausgehend, auf Verallgemeinerungen abzielten und dem konkreten Beispiel propagandistische Aspekte des Klassentypischen abgewannen.

Diese Bewegung nahm vor allem durch Initiativen von Karl Grünberg und Paul Körner-Schrader seit 1925 deutlichen Aufschwung. 1929 schrieben allein für das KPD-Zentralorgan etwa 1200 Korrespondenten, im selben Jahr druckte die ›Rote Fahne‹ etwa 2700 Berichte ab. Hinzu kam die Tätigkeit in der lokalen und regionalen Presse der KPD, aber auch in literarischen Organen wie ›Die Linkskurve‹, der Zeitschrift des BPRS. Später widmeten sich die Korrespondenten auch der Film- und Theaterkritik.

So bildete sich ein fester Stamm schreibender Arbeiter, die sich zum Teil auch um die Produktion von fiktionalen Texten, literarischen Skizzen, Reportagen, Satiren, Gedichten und Kurzgeschichten bemühten. Der Bergarbeiter und spätere Schriftsteller Hans Marchwitza hat über diese Prozesse literarisch-politischer Qualifizierung in seinem Erfahrungsbericht *Von der ersten Arbeiterkorrespondenz zur ersten Kurzgeschichte* (1929 in der ›Linkskurve‹ erschienen) Auskunft gegeben. – Aus der Arbeiterkorrespondenten-Bewegung gingen führende Arbeiterschriftsteller wie Willi Bredel, Eduard Claudius, Karl Grünberg, Kurt Huhn, Hans Marchwitza, Ludwig Turek und andere hervor, Autoren, die später zum proletarischen Kern des BPRS gehörten.

Trotzdem – Mitte der zwanziger Jahre war das Interesse der KPD an der Literaturarbeit, soweit sie nicht Pressearbeit war, vergleichsweise gering, zumindest ersetzte sie noch nicht die Initiativen zu kulturrevolutionären Aktivitäten, die zuvor von den linksradikalen Intellektuellen getragen worden waren. Allerdings beteiligte sich die KPD 1926 maßgeblich an der Kampagne gegen das sogenannte Schund- und Schmutzgesetz zum Schutze der Jugend, das überwiegend zum Vorwand diente, revolutionäre Literatur zu verbieten. 1927 rief der Essener Parteitag der KPD dazu auf, eine »Rote Kulturkampffront« zu schaffen, ohne allerdings schon konkrete, etwa literaturpolitische Maßnahmen festzulegen.

Immerhin wurden in einigen Grundsatzartikeln der 1918 gegründeten ›Roten Fahne‹, die in ihrem Kultur- und Feuilletonteil kontinuierlich über die Entwicklung der proletarisch-revolutionären Literatur berichtete und Textproben sowie Romanabdrucke in Fortsetzungen brachte, wichtige literaturkritische Positionen zum Erbe formuliert. Karl August Wittfogels Artikelserie über Fragen proletarischer Kultur 1925 popularisierte beispielsweise Lenins Auffassung von der Notwendigkeit, daß sich die Arbeiter alle wesentlichen Momente auch der bürgerlichen Kultur, nicht allein der proletarischen, aneignen müßten. (Wiederabdruck bei Brauneck, Die Rote Fahne, S. 194 ff.) Zumindest ist Literaturkritik der ›Roten Fahne‹ seit dem Ausscheiden von Gertrud Alexander (durch ihre Übersiedlung nach Moskau 1925) nicht mehr derart auf die Klassik fixiert wie während der Revolutionsjahre.

Grundlegende Klärungsprozesse über Wesen und Funktion sozialistischer Kunst und Literatur und deren ästhetische Konstitution leitete allerdings erst nach 1928 der BPRS ein. Das gilt auch für die Auseinandersetzung mit zentralen Texten zum Thema wie Lenins *Parteiorganisation und Parteiliteratur* von 1905, der erstmals 1924 in deutscher Sprache erschien (in der kurzlebigen Zeitschrift ›Arbeiterliteratur‹) oder Trotzkis *Literatur und Revolution*, gleichfalls 1924 übersetzt, der für die deutsche Literaturdiskussion allerdings kaum eine Rolle spielte.

Organisatorisch wichtig wurde die zur Verbesserung der Pressearbeit eingerichtete ›Proletarische Feuilleton-Korrespondenz‹, die 1927 bis 1929 in kleiner Auflage erschien, von Johannes R. Becher und Kurt Kläber herausgegeben wurde und die KPD-Presse mit literarischen Kurztexten versorgte, auch mit dem Ziel, den schreibenden Arbeitern Publikationsräume zu verschaffen. Die ›Rote Fahne‹-Redaktion richtete schließlich 1929, also verhältnismäßig spät, die sogenannte LITDRAM, die ›literarisch-dramatische‹ Sektion der Arbeiterkorrespondenten, ein, die gezielt deren Weiterqualifikation dienen sollte.

Auf proletarischer Seite waren es hingegen weniger die Arbeiterkorrespondenten, sondern vornehmlich Autoren außerhalb dieser Bewegung, die sich um eine literarische Gestaltung der Klassenauseinandersetzungen bemühten und, literarhistorisch gesehen, für diese Zwischenphase gleichsam das Vakuum in der sozialistischen Literatur ausfüllten, das der Rückzug der linksradikalen Intellektuellen nach 1923 hinterlassen hatte.

Es sind proletarische Autoren wie Albert Daudistel, Kurt Kläber, Hans Lorbeer u. a., die mit ihren Mitte der zwanziger Jahre veröffentlichten Romanen und Erzählungen eine – häufig autobiographisch geprägte – Aufarbeitung von Erfahrung in Krieg, Revolution und Betrieb unternehmen – Themen, die bis 1933 die wichtigsten in der proletarisch-revolutionären Literatur geblieben sind. Ihnen gemeinsam sind Züge einer spontanen Rebellion, einer elementaren Auflehnung gegen jegliche Herrschaft und Ausbeutung. Hierbei gehen diese Autoren den Weg eines naturwüchsigen Spontaneismus und Aktionismus – dies sind die tragenden Motive von Handeln und Handlung. Sie stehen damit eher im Zusammenhang mit linksradikaler Programmatik der Revolutionsjahre als mit den Auffassungen der Kommunistischen Partei, die sich, etwa in der Gewerkschaftspolitik, gegen jedweden Spontaneismus wandte und strikt für allein von der Revolutionären Gewerkschafts-Opposition (RGO) geführte Kampfmaßnahmen eintrat. Allerdings stand diese Gruppe von Verfassern einer sogenannten Rebellenliteratur in keinem Zusammenhang zum organisierten Linksradikalismus, war zum Teil sogar der KPD nah. Politisches Engagement und politische Aussage der Werke klaffen hier manchmal auf überraschende Weise auseinander.

Charakteristisch dafür sind die Arbeiten von KURT KLÄBER (1897–1959), der Mitglied der KPD und später führend im BPRS tätig war. In seinen Sammelbänden mit Gedichten, Erzählungen und Aufsätzen *Barrikaden an der Ruhr*, *Revolutionäre* und *Empörer! Empor!*, (alle 1925), beschreibt er Bewußtseinsstand und Aktionspotential von extrem unterdrückten und verelendeten Arbeitern. Dies gilt auch für den Sammelband des Chemiearbeiters HANS LORBEER (1901–1973), *Wacht auf!*, (1928): handelnde Gruppen und führende, zu Handeln um jeden Preis aufrufende Einzelfiguren werden bewußt typisiert, um durch etwa psychologisch angelegte Individualisierungen ein Aufbrechen oder eine Zersplitterung des kollektiven Subjekts der Klasse gar nicht aufkommen zu lassen – ein Verfahren, das an Erzählmuster von Franz Jung erinnert. Niederlagen oder Teilsiege bilden Endpunkte der Erzählungen, sie bleiben unreflektiert, und es werden – anders als in Arbeiterkorrespondenzen und späteren proletarisch-revolutionären Erzählungen und Romanen –, die vorgeführten Begebenheiten historisch und lokal kaum festgemacht; es sollen ›die Klasse‹, ›die Revolution‹ und ›der Klassenkampf‹ in allgemeiner Erscheinungsform der konkreten Ausfüllung und Erinnerung des Arbeiterlesers überlassen werden.

Ähnlich verfährt Kläber in seinem Roman *Passagiere der III. Klasse* (1927), in dem er unterschiedliche politische Auffassungen – so kommen Anarchisten, Syndikalisten, Sozialisten, Kommunisten und eher Unpolitische zu Wort – einer während einer Schiffsfahrt von den USA nach Europa sich zusammenfindenden, internationalen Gruppe von Arbeitern vorstellt. Durch ihre vielfältigen Gespräche und Berichte über individuelle Unterdrückungs-, aber auch Kampferfahrungen, über revolutionäres, spontanes Aufbegehren gegen Ausbeutungsverhältnisse in Nordamerika entsteht ein dichtes Netz individueller Impressionen und Meinungen, das zum kollektiven, eine ›geschlossene‹ Romanhandlung auflösenden Ensemble proletarischen Verhaltens, in seinen Schwächen wie Stärken, wird.

Nicht das anonyme Kollektiv, sondern die individuelle, anarchistisch geprägte Auflehnung eines proletarischen Helden thematisiert ein ehemaliger Vagabund und Matrose in dem (während seiner Festungshaft wegen Beteiligung an der Münchner Räterepublik geschriebenen) Roman *Das Opfer* (1925, ²1929), ALBERT DAUDISTEL (1890–1955). Der naturalistisch erzählte Roman handelt vom Widerstand gegen den Krieg in der deutschen Marine, wobei der Autor, wie später Theodor Plievier, historische Details einbezieht, etwa die 17er Revolte um die Matrosen Köbis und Reichpietsch; vom Elend wilhelminischer Internierungslager; vom Scheitern der Novemberrevolution, die er bis Ende 1918 verfolgt. In ihrem Verlauf geht der Held, ein allein auf die Kraft klandestinen Operierens setzender Matrose, unter, weil, so das Fazit des Romans, die Massen aufgrund menschlicher Schwächen versagten: »Wo Menschen sind, da menschelt's.«

In diesem Umfeld rebellenhafter, oft noch vorpolitischer proletarischer Oppositionsliteratur manifestieren sich zunächst konkrete Verarbeitungen von individuellen Erfahrungen der Autoren. Dies wurde durchaus traditionsbildend: einen wichtigen Strang der proletarisch-revolutionären Literatur bildet der Versuch, mit Literatur Erfahrungszusammenhänge zu vermitteln, die besonders auch private, nicht immer an den Positionen der Arbeiterparteien orientierte Bereiche vorstellen. So in Oskar Maria Grafs Bekenntnisbuch *Wir sind Gefangene* (1927), in dem Graf seine Erlebnisse als Bäckergeselle, Vagabund, Anarchist und Räterevolutionär im München von 1919 selbstkritisch aufarbeitet.

Vor allem LUDWIG TUREK (1898–1974) gelingt mit seinem in beiden deutschen Staaten mehrfach wiederaufgelegten Bericht *Ein Prolet erzählt* (1930) eine außerordentlich lebendige und farbige Selbstdarstellung. Diese »Lebensschilderung eines deutschen Arbeiters«, so der Untertitel, gibt in lockerer Abfolge Szenen aus dem Leben eines immer aufmüpfigen und zu Widerstand bereiten Arbeiters aus dem Vorkriegsalltag, den Kriegs- und den Revolutionsjahren wieder.

Dabei geht es nicht, wie bei Daudistel, um das Scheitern des Helden, weil die Massen versagen, sondern um sein Überleben in und mit der Masse. – Interessanterweise spart Turek seine Tätigkeit als Arbeiterkorrespondent für die ›Sächsische Volkszeitung‹ und die Betriebszeitung ›Rote Aale‹ in der Spamerschen Buchdruckerei in Leipzig, wo er in den späteren zwanziger Jahren arbeitete, weitgehend aus – hier kollidierten offenbar die Ebenen der spontanen direkten Aktion und die der zähen Kleinarbeit des KPD-Mitgliedes. Ähnlich wie der gelernte Setzer Turek erzählt der fränkische Hirtensohn und gelernte Schlosser ADAM SCHARRER in seinem autobiographischen Roman *Aus der Art geschlagen* (1930), der feudale und vorkapitalistische Unterdrückung auf dem Lande und in der Lehre unter die Lupe nimmt. – In den Kontext rebellenhafter Opposition gehört auch der Bericht *Vom weißen Kreuz zur roten Fahne* (1929) eines Führers des mitteldeutschen Aufstandes, MAX HÖLZ (1889–1933), der allerdings stärker auf das historische Detail bedacht ist, und Georg K. Glasers *Schluckebier* (1932), ein Roman über die gewalttätige Rebellion proletarischer Jugendlicher in einem Fürsorgeheim.

Die literaturhistorische Bedeutung dieser Werke liegt in der kämpferischen, selbstbewußten Ausfaltung der Potenzen der Arbeiter, die als Subjekt, nicht als Leidende gezeigt werden. Ausgespart in diesen Rebellen-Texten bleiben strategische Hinweise auf das Wie von organisiertem Kampf, auf Grundprobleme proletarischer Politik wie die Klassenspaltung, eine historisch angelegte Erklärung der Niederlagen nach 1918. Insgesamt überwiegt bei Graf, Kläber, Daudistel, Lorbeer, Scharrer und Turek u. a. ein optimistisches Selbsthelfertum mit starker Tendenz zu individuellen, nicht unbedingt politischen Konfliktlösungen, die, am entwickeltsten und überzeugendsten bei Ludwig Turek, durch proletarische Pfiffigkeit und List ersetzbar scheinen.

Diese Vertreter der proletarisch-revolutionären Literatur gingen später unterschiedliche Wege; außer *Die lahmen Götter* (1924) schrieb Daudistel keine revolutionäre Literatur mehr, Turek veröffentlichte im Exil den Roman *Die letzte Heuer* (1935) und in der DDR noch einige Arbeiten. Lorbeers Roman über die leidvolle Entwicklung eines Jungarbeiters, der allzulange nicht weiß, wohin er gehört, *Ein Mensch wird geprügelt*, erschien 1930 nur auf russisch (deutsch unter dem Titel *Der Spinner*, 1959). In der NS-Zeit hatte Lorbeer keine Veröffentlichungsmöglichkeiten, er wurde erst wieder in der DDR literarisch tätig. – Kläber arbeitete seit 1928 führend im BPRS und im kommunistischen Verlagswesen, er veröffentlichte später im Schweizer Exil, nach seiner 1938 vollzogenen Abkehr von der KPD, ein größeres Werk, das vielgelesene Jugendbuch *Die rote Zora und ihre Bande* (1941, unter dem Pseudonym Kurt Held). Weitere Kinderbücher folgten.

Neben diesem Typus proletarisch-revolutionärer Literatur gewann seit Ende der zwanziger Jahre die Propagierung kommunistischer Politik in der Literatur zunehmend an Bedeutung. Thematisch äußerte sich das in der veränderten Gestaltung der Kriegs- und Revolutionsereignisse, und zwar besonders der Rolle des reformistischen und des revolutionären Flügels in der Arbeiterbewegung, und zunehmend bei der Darstellung des zeitgenössischen politischen und betrieblichen Alltags.

Bei den Zeitgenossen als Durchbruch proletarischer Literatur und als Beweis für Möglichkeit und Notwendigkeit einer im engeren Sinne kommunistischen Partei-Literatur galt der Roman *Brennende Ruhr* von KARL GRÜNBERG (1891–1972). Grünberg war Schuhmachersohn, vor dem Krieg Mitglied der SPD und ungelernter Arbeiter, beteiligte sich an der Revolution und ging 1920 in die KPD, wo er vor allem den Aufbau der Arbeiterkorrespondenten-Bewegung forcierte. Er war Mitinitiator einer der ersten kommunistischen Betriebszellenzeitungen, der ›Borsig-Lokomotive‹ (1924); später wurde er Mitarbeiter der ›Roten Fahne‹ und der ›Welt am Abend‹. Seit Mitte der zwanziger Jahre veröffentlichte er Korrespondenzen, Reportagen, Gedichte, Agitpropstücke, Skizzen und andere Kurztexte (gesammelt: *Mit der Zeitlupe durch die Weimarer Republik*, 1960 und 1977; *Episoden. Erlebnisreportagen aus sechs Jahrzehnten. Kampf um den Sozialismus*, 1960).

In seinem 1926/27 geschriebenen, 1928/29 in zahlreichen Parteizeitungen und als Buch erschienenen Roman stellt Grünberg den erfolgreichen Widerstand gegen den Kapp-Putsch und die schließliche Niederlage der Roten-Ruhr-Armee 1920 dar. Aufgrund von Quellenstudien, also nicht aus eigener Erfahrung schreibend, bemüht sich Grünberg um eine facettenreiche Ausfaltung historischer und lokaler Begebnisse und der politischen Motivation zentraler Führergestalten, so vor allem bei der Hauptfigur, dem Werkstudenten Sukrow. Sein Hauptziel ist das Herausstellen der proletarischen Avantgarde-Partei – es geht nicht mehr um spontane Aktionen der Basis allein, sondern vor allem um die Auseinandersetzung der Arbeiterparteien, die Kritik an der SPD-Führung und die Schilderung der Aktivitäten von USPD und KPD. Hierin unterscheidet sich Grünberg deutlich von Erzähltraditionen, die mit den Namen Jung, Kläber oder Turek verbunden sind. Allerdings mißlingt gerade dieser erste Versuch, individuelle Verhaltensweisen und Aktivitäten mit politischen Positionen in psychologisierender Manier zu vermitteln; insbesondere bei der Zeichnung der Vertreter der herrschenden Klasse, etwa bei der dämonisierten Figur der Gisela Zenk, die einem präfaschistischen Bund angehört, übernimmt Grünberg Klischees der Kolportage und Stereotypen kleinbürgerlicher Trivialliteratur.

Die Entwicklung der fortschrittlichen Intellektuellen und ihrer Beiträge zur sozialistischen Literatur ist in den Jahren der Stabilisierungsphase durch Diskussionen über Organisierungsmöglichkeiten und durch politische Auseinandersetzungen mit bürgerlichen Autoren bestimmt.
Bereits 1925 schlossen sich so unterschiedliche Schriftsteller wie Becher und Kisch, Brecht, Alfred Döblin, Rudolf Leonhard, Ernst Toller und Kurt Tucholsky zur ›Gruppe 1925‹ zusammen. Heftige Auseinandersetzungen über literarische Autonomie und proletarische Parteilichkeit fanden zwischen 1926 und 1928 in der Zeitschrift ›Die Neue Bücherschau‹ (Hrsg. Gerhart Pohl) statt, des zu dieser Zeit neben der von Hans Conrad herausgegebenen ›Front‹ wichtigsten Forums für die proletarische Literatur. In diesem Diskussions- und Organisationszusammenhang steht die Tätigkeit der ›Arbeitsgemeinschaft kommunistischer Schriftsteller‹, der kommunistischen Fraktion im ›Schutzverband deutscher Schriftsteller‹ (SDS), die sich um den Kampf gegen die Zensur verdient machte, allerdings die sozialistische Literaturbewegung, vor allem auch aufgrund der Isolation von den Arbeiterschriftstellern, kaum zu befördern vermochte. Ähnlich wie bei den schreibenden Arbeitern ist in diesen Jahren auch die literarische Tätigkeit der sozialistischen Intellektuellen von individuellen Initiativen geprägt, so bei Becher, Kisch, Berta Lask, Erich Weinert. Markantes Beispiel dafür ist die Entwicklung von JOHANNES R. BECHER (1891–1958). Den ›Söhnen‹ der Gründergeneration zugehörig, die gegen die bürgerliche Väterwelt der Vorkriegsgesellschaft opponierte, gehörte er zu den produktivsten expressionistischen Autoren. 1917 begrüßte er, noch ganz im expressionistischen Pathos, mit seinem Gedicht *Gruß des deutschen Dichters an die RFSR* emphatisch die russische Revolution. 1923 bekannte sich Becher programmatisch zur Politik der KPD (der er 1919 beigetreten war); er suchte jetzt die radikale Verschmelzung des Intellektuellen mit Proletariat und kommunistischer Partei als bedingungslose Kollektivierung der eigenen Persönlichkeit zu verwirklichen. In aggressiven, teilweise in rhythmischer Prosa verfaßten Aufrufen wie *Deutsche Intellektuelle* (1924), *Bürgerlicher Sumpf – Revolutionärer Kampf* (1925) und *Der Weg zur Masse*

(1927) proklamiert er: »nur die Tat, das Aufgehen in den Reihen des Proletariats, kann retten«, spricht vom »sich ›Entpersönlichen‹, ›Entwerden‹, das erst die wahre Persönlichkeit schafft« (Zur Tradition der sozialistischen Literatur in Deutschland, S. 57). Damit reduzierte Becher, anders als die linksradikale Intelligenz der Revolutionszeit, die Intellektuellenfrage ausdrücklich auf die Parteifrage, als Frage nach der Tätigkeit und dem Aufgehen in den Organisationen der Arbeiterklasse – Becher selbst arbeitete z. B. im ›Roten Frontkämpfer-Bund‹ (RFB) der KPD mit.

In seiner Literaturauffassung wird die Rezeption von Lenins Schrift über *Parteiorganisation und Parteiliteratur* (1905, deutsch 1924) deutlich, in der Lenin die Forderung aufstellte, das proletarische Literaturwesen müsse zum »Rädchen und Schräubchen des allgemeinen kommunistischen Mechanismus« werden, der Literat Mitglied der Partei. 1924 veröffentlichte Becher die Umarbeitung seines expressionistischen Stückes *Arbeiter, Bauern, Soldaten* von 1921; aus dem »Aufbruch eines Volkes zu Gott« wurde, so der Untertitel, jetzt der »Entwurf zu einem revolutionären Kampfdrama«. – Bechers umfangreiche Gedichtproduktion, nach der expressionistischen Phase neu einsetzend mit dem Band *Am Grabe Lenins* (1924), ist zunächst vom Thema der kollektiven Unterdrückung bestimmt, gegen die die kollektive Aktion, zumeist als spontane und anonyme Tat, gesetzt wird (*Maschinenrhythmen*, 1926). Bekannt wurde das Gedicht *Der an den Schlaf der Welt rührt – Lenin* (1928). In seinen späteren Versbänden, etwa *Graue Kolonnen* (1930) und *Der Mann, der in der Reihe geht* (1932), nimmt Becher das Revolutionspathos merklich zurück. Die Gedichte und Balladen, die von Krieg, Auflehnung und Arbeiterschicksalen handeln, in dem Epos *Der große Plan* (1931) vom ersten Fünfjahresplan der Sowjetunion, werden schlichter, sie beziehen zunehmend auch das Individium ein. Ein Vergleich mit Gedichten proletarischer Autoren, etwa Emil Ginkel (*Pause am Lufthammer*, 1928), Walter Bauer (*Stimme aus dem Leunawerk*, 1930) oder Wilhelm Tkaczyk (*Fabriken, Gruben*, 1932) zeigt gerade bei der Gestaltung des Arbeitsprozesses deren bemerkenswerte Überlegenheit in der Erfassung spezifischer Details der proletarischen Existenz. Anders als bei den Arbeiterdichtern stehen bei diesen Autoren gerade die Deformation, die Vernichtung individueller Substanz durch die entfremdete Arbeit im Vordergrund.

Für Bechers ästhetische Position zu dieser Zeit charakteristisch ist sein Roman ($CHCl=CH$)$_3$ *As (Levisite) oder Der einzig gerechte Krieg* (1926), der Vision eines neuen Weltkrieges (die chemische Formel im Titel ist die eines Giftgases). Hier setzte Becher erzähltechnisch Mittel der ästhetischen Avantgarde wie Montageprinzipien, Dokumentaristik, Einfügung diskursiver, wissenschaftlicher Partien usw. ein. Dieses Antikriegs-Buch, das Becher der »kommenden deutschen sozialen Revolution« widmete, war zugleich der Versuch einer Selbstdarstellung; in der Figur des Protagonisten Peter Friedjung stellte er klassenbedingte Probleme beim Übergang eines Bürgerlichen zum Proletariat dar. – Der Roman wurde sofort bei Erscheinen verboten, zusammen mit dem Gedichtband *Der Leichnam auf dem Thron* (1925) bildete er den Hauptanklagepunkt im Hochverratsprozeß gegen Becher, der erst 1928, nach internationalen Protesten, niedergeschlagen wurde.

Initiativen besonders im Theaterbereich ergriff die Fabrikantentochter BERTA LASK (1878–1967), die schon zuvor sozialkritische Stücke und Gedichte publiziert (*Weihe der Jugend. Chorwerk*, 1922) und sich 1923 der KPD angeschlossen hatte. Für den Internationalen Frauentag 1925 schrieb sie die lockere Szenenfolge *Die Befreiung* über die Lage deutscher und russischer Frauen. Anläßlich des 400. Jahrestages des Bauernkrieges 1925 wurde ihr Stück *Thomas Müntzer*, das die Gegensätze zwischen Müntzer und Luther zu einer Gegenüberstellung von Liebknecht und Noske aktualisierte, in Eisleben vor 15 000 Arbeitern aufgeführt. Wie Becher bevorzugte Lask die Typisierung und Verallgemeinerung politischer Positionen, sie wandte sich gegen individuelle Einzelheiten und legte ihre dramatischen Werke als Massenspiele an. Das gilt vor allem für ihr bedeutendstes Werk, *Leuna 1921* (1927) über den mitteldeutschen Aufstand, ein breites, klassenmäßig und politisch differenziertes Spektrum der damaligen Verhältnisse.

Mit Arbeiten wie *Giftgasnebel über Sowjetrußland* (1927) trug Lask zur Entwicklung des revolutionären Theaters seit Mitte der zwanziger Jahre bei, vor allem durch ihr dramaturgisches Konzept, den »Helden alten Stils«, wie sie sagt, durch antiindividuelle Zeichnung der Masse zu ersetzen. – Dies war auch die Praxis des Agitprop-Theaters.

Neben der besonderen Entwicklung Piscators und seiner Volksbühnen-Experimente waren es die Agitpropstücke verschiedener Theatergruppen, die, in unmittelbarer Verbindung mit der KPD stehend, das Bild proletarischer Theaterarbeit der zwanziger Jahre prägten. Nach der wegweisenden piscatorschen *Revue Roter Rummel* zum Wahlkampf der KPD 1924 trat 1925 der ›Kommunistische Jugendverband Deutschlands‹ (KJVD) mit einem eigenen *Roten Rummel* auf, 1927 mit dem Stück *Hände weg von China!* Es bildete sich ein kommunistisches Laientheater heraus, das vor allem mit satirischen, karikierenden Mitteln, mit ›offenen Formen‹ arbeitete und besonders die Konfrontation mit dem Klassengegner (Präsentation ›des‹ Kapitalisten, ›des‹ Nazi, Pfaffen, Beamten im Widerspruch zu ›den‹ Proleten, Kommunisten usw.) suchte. Das Hauptgewicht lag auf tagespolitischer Aktualität und Rückkoppelung mit Kampagnen der Arbeiter (*Nehmt dem Kaiser, was des Volks ist!* 1926). Hier entstanden operative Spielformen, die in der späteren Weimarer Republik voll entfaltet wurden.

Neben der Lyrik von Becher waren es vor allem die aggressiven Gedichte von ERICH WEINERT (1890–1953), die seit Mitte der zwanziger Jahre breitesten Anklang fanden. Weinert, einer Ingenieursfamilie entstammend und ausgebildeter Graphiker und Kunstlehrer, fand über das linksbürgerliche Kabarett zur kommunistischen Agitproplyrik. In Hans Reimanns Kabarett ›Retorte‹ in Leipzig textete er seit 1921, ging 1923 nach Berlin, arbeitete 1924 an der erwähnten *Revue Roter Rummel* mit und schrieb seither Gedichte für verschiedene Zeitschriften und Zeitungen wie die ›Weltbühne‹, die ›Rote Fahne‹, ›AIZ‹, ›Eulenspiegel‹, ›Welt am Abend‹ usw. Er trat in die KPD 1929 ein. Weinert gelang in den weit über tausend Gedichten, die er allein bis 1933 schrieb, wie kaum einem anderen die massenwirksame Vermittlung präziser politischer, tagespolitischer Forderungen. Seine umfangreiche Tribünenlyrik, die Rollen- und Sprechgedichte verbinden Rückgriffe auf den Vormärz und die Volksdichtung mit satirischen Mitteln und einprägsamen, witzigen Wortneuschöpfungen. Sie thematisieren mit rhetorisch ausgefeiltem Pathos Episoden des proletarischen Alltags und des Kampfes, verhöhnen den Klassengegner, auch die Sozialdemokratie (»Wir seifen ein«, *Seifenlied*). Sie beanspruchen für sich unmittelbar politische Wirkung, sparen also vordergründig nicht-politische Themenbereiche, im Gegensatz zu Becher und den proletarischen Lyrikern, aus. Weinert, der als der beste Rezitator seiner selbst galt, hatte in Preußen zeitweilig Auftrittsverbot.

Zu seinen am meisten verbreiteten Gedichten zählt das *Lied vom Roten Feuerwehrmann* (1925), das virtuos alle Register der ›Aufreizung zum Klassenhaß‹ – u. a. wegen dieses Vorwurfes mußte sich Weinert 1929 vor Gericht verantworten – zieht:

> Hallo, hier geht es drauf und dran!
> Wo brennt's im Land? Wo wackelt die Wand?
> Ich bin der rote Feuerwehrmann!
> Wir halten stand, den Hydrant in der Hand!
> Wo ist Alarm? Immer umgeschnallt!
> Wem ist zu warm? Dem geb' ich kalt!
> Wo die vaterländische Flamme blakt,
> Wo die Schupo auf die Proleten drescht,
> da wird rangehakt,
> da wird gelöscht.
> Wo sich Stahlhelmkadetten besaufen
> Für Kirche und Kapital,
> Da nehmen wir sie untern kalten Strahl!
> Da lernen sie laufen!
> [...]

Dieses von Weinert oft rezitierte und auch, zusammen mit anderen Kampfgedichten, als Schallplatte des ›Arbeiter-Kult‹ verbreitete Gedicht endet mit dem Refrain:

> Straße frei! Wir rücken an!
> Platz für den roten Feuerwehrmann!

Wie subtil Weinert nicht allein Reim, Sprachweisen der Arbeiter, Elemente des Volksliedes, traditionelle rhetorische Figuren usw. miteinander zu verbinden, sondern auch Anspielungen auf konterrevolutionäre Traditionen im reformistischen Flügel der Arbeiterbewegung, der SPD, zu konterkarieren vermag, wird im Gedicht *Das Wunder vom 1. Mai 1929* (1929) deutlich. Anläßlich der Ermordung von über 30 Arbeitern bei der – vom SPD-Polizeipräsidenten in Berlin verbotenen – Demonstration am traditionellen Kampftag der Arbeiterklasse schreibt er ein Gedicht, das angebliche Gewalttaten der Demonstranten gegen die Polizei satirisch ausmalt. Der Text endet:

> Da haben die Schupohelden
> Den letzten Rest ihrer Mannschaft gezählt.
> Und siehe – kein einziger Schupo fehlt!
> Hundert Proleten in einer Reih!
> > Von der Polizei
> > War keiner dabei!
> Das war das Wunder vom ersten Mai.

Damit antwortet er auf das ein Jahrzehnt zuvor im sozialdemokratischen ›Vorwärts‹ erschienene Gedicht von Arthur Zickler, *Das Leichenhaus*, in dem indirekt zur Liquidierung der Spartakistenführer Rosa Luxemburg, Karl Liebknecht und Karl Radek aufgerufen wird:

> Vielhundert Tote in einer Reih –
> > Proletarier!
> Karl, Rosa, Radek und Kumpanei –
> es ist keiner dabei, es ist keiner dabei!
> > Proletarier!

(Dieses Gedicht erschien zwei Tage vor der Ermordung von Luxemburg und Liebknecht, am 13.1.1919.)

Über den ›Blutmai‹ schrieb Weinert 1929 weiterhin das weltberühmte, von Hanns Eisler kongenial vertonte Lied *Der rote Wedding* (»Links! Links! Links! Links!/Die Trommeln werden gerührt!/Links! Links! Links! Links!/ Der rote Wedding marschiert!«) Neben dem brechtschen *Solidaritätslied* wurde es eines der traditionsreichsten Arbeiterlieder.

Während der Zeit relativer Stabilität entstanden also erste, wenn auch wenig erfolgreiche Organisationsversuche und ein noch schmaler, aber nicht unbedeutender Fundus proletarisch-revolutionärer Literatur. Praktisch wurden hiermit Auffassungen widerlegt, wie sie noch in der Mehring-Rezeption begegneten und in Sowjetrußland auch von Trotzki vertreten wurden, daß nämlich eine proletarische Klassenkultur und Klassenliteratur in der kapitalistischen Gesellschaft sich letzten Endes nicht entwickeln lasse. Zeittypisch für den Diskussionsstand dieser Jahre ist die schnell zum Schlagwort gewordene, griffige Parole *Kunst ist Waffe!* So überschrieb 1928 Friedrich Wolf eine Kampfschrift (verfaßt 1924/25), mit der er sich programmatisch an Laienspieler des Arbeitertheaters wandte:

> [...] Ihr habt's in der Hand:
> Zerbrecht Eures Schweigens Wand!
> Fordert Euer Leben, Eure Spiele; schaffe
> Sie Dir selbst, Prolet!
> Kunst ist Waffe!

Damit war positiv formuliert, was in der Negation blinder, affirmativer Erbe-Rezeption der Revolutionsjahre begegnete. In dieser Hinsicht fordert Wolf: »Schluß mit dem Gerede von der ›Ewigkeit‹ bestimmter Kunstwerke!«, und er zitiert zustimmend aus einem Gedicht des Naturalisten Arno Holz:

Was soll uns Shakespeare, Kant und Luther?
Dem Elend dünkt ein Stückchen Butter
Erhabener als der ganze Faust.

Hier werden Vorstellungen vom bürgerlichen Erbe ausgesprochen, die auch späterhin, vor allem im BPRS, weiterdiskutiert wurden.

Entscheidend für den Zusammenschluß der proletarischen und intellektuell-revolutionären Literaturströmungen zur Organisierung proletarisch-revolutionärer Literatur wurde die 1. Internationale Konferenz proletarischer und revolutionärer Schriftsteller in Moskau 1927, an der von deutscher Seite Becher, Berta Lask und Andor Gábor teilnahmen. – In dem Referat über *Die proletarisch-revolutionäre Literatur in Deutschland*, das Becher auf dieser Konferenz hielt, forderte er mit deutlichen Worten massive Unterstützung der proletarischen Literaturbewegung. An die Adresse der KPD gerichtet, sagte er u. a.: »Bedauerlicherweise sah die Partei bislang nicht ein, daß der Anleitung der Literatur große Bedeutung beizumessen ist und daß man den jungen Kräften die Möglichkeit geben muß, sich zu entwickeln. Da die Partei diesen Fragen zu wenig Aufmerksamkeit schenkte, entstand eine Situation, in der es den Verlagen an Material und Geldmitteln fehlte« (Nachdruck in: ›Zur Tradition‹ der sozialistischen Literatur in Deutschland‹, S. 75). Als Beispiel für diese jungen Kräfte nannte er: Becher, Egon Erwin Kisch, Berta Lask sowie Ginkel, Kläber und Lorbeer. Ergebnis dieser Konferenz war die Gründung des BPRS als der deutschen Sektion der ›Internationalen Vereinigung Revolutionärer Schriftsteller‹ 1928 in Berlin.

Proletarisch-revolutionäre Literatur und der ›Bund proletarisch-revolutionärer Schriftsteller‹ (1928–1933)

Der BPRS war die erste sozialistische Schriftstellerorganisation in Deutschland. Der Bund umfaßte 1930 etwa 350, 1932 schon rund 500 Mitglieder; sein Zentrum blieb Berlin, 1932 gab es zwei Dutzend kleinerer Ortsgruppen anderswo. Die Mitglieder setzten sich aus Arbeitern und Angestellten, Arbeiterkorrespondenten, Redakteuren sowie Berufsschriftstellern zusammen. 1930 waren etwa 40 % der Mitglieder des Bundes Angehörige der KPD, der überwiegende Rest war parteilos, vielfach jedoch in kommunistischen Massenorganisationen wie der ›Roten Hilfe‹ oder der ›Internationalen Arbeiterhilfe‹ und anderen Gruppen tätig. Zu ihnen gehörten neben anderen: Alexander Abusch, Willy Adam, Bruno Apitz, Theodor Balk, Johannes R. Becher, Otto Biha (d. i. Otto Bihalji-Merin), Willi Bredel, Emanuel Bruck (Pseud. Paul Brand), Elfriede Brüning, Karl Biro-Rosinger, Albert Daudistel (1930 ausgeschlossen), Kurt Desch, Alfred Durus (d. i. Alfred Keményi), Andor Gábor, Emil Ginkel, Otto Gotsche, Karl Grünberg, Willy Harzheim, Kurt Huhn, Werner Ilberg, Peter Kast, Louis Kaufmann, Aladár Komját, Kurt Kersten, Egon Erwin Kisch, Kurt Kläber, Paul Körner-Schrader, Jan Koplowitz, Franz Krey, Alfred Kurella, Berta Lask, Franz Leschnitzer, Hans Lorbeer,

45

Georg Lukács, Hans Marchwitza, Béla Möller-Vago, Klaus Neukrantz, Ernst Ottwalt, Jan Petersen, Kurt Peterson, Georg W. Pijet, Ludwig Renn (d. i. Arnold Friedrich Vieth von Golßenau), Trude Richter, Gertrud Ring, Thomas Ring, Walter Schönstedt, Anna Seghers, John Sieg (d. i. Siegfried Nebel), Slang (d. i. Fritz Hampel), Kurt Steffen, Alexander Graf Stenbock-Fermor, Wilhelm Tkaczyk, Ludwig Turek, Berta Waterstradt, Franz Carl Weiskopf, Karl August Wittfogel, Friedrich Wolf, Max Zimmering.

Den Vorstand, der auf der Gründungsversammlung 1928 gewählt wurde, bildeten Becher, Grünberg, Huhn, Lask, Kläber, Slang und Peterson; den neuen Bundesvorstand von 1930 stellten Becher, Körner-Schrader, Grünberg, Schriftführer waren Pijet und Steffen, Sekretäre Lask und Renn, Kassierer Willy Adam, Beisitzer Abusch, Peterson und Wittfogel. Andor Gábor leitete verschiedene Arbeitsgemeinschaften.

Das Organ des BPRS, die Zeitschrift ›Linkskurve‹ (1928–1932), wurde von Becher, Gábor (1930 durch Marchwitza ersetzt), Kläber, Renn und Weinert herausgegeben, für die Redaktion zeichnete Renn verantwortlich. – Anläßlich einer Reichsarbeitskonferenz 1932 (über sie ist nur wenig bekannt) soll eine neue Leitung gewählt worden sein, bestehend aus: Becher, Bredel, Kisch, Kläber, Körner-Schrader, Renn, Weinert sowie Bertolt Brecht, Ernst Glaeser und Anna Seghers.

Viele der hier genannten Namen erschienen nach 1933 auf den Ausbürgerungslisten der Nationalsozialisten, neben denen linksbürgerlicher und jüdischer Autoren, oder auf den Listen über KZ-Häftlinge; viele dieser Autoren mußten nach 1933 emigrieren – bzw.: ihnen gelang die Flucht. Ein nicht geringer Teil von ihnen kehrte nach 1945 nach Deutschland zurück, zumeist in die SBZ oder später in die DDR. Die Werke der meisten Autoren wurden Opfer der Bücherverbrennungen 1933.

Die ›Rote Fahne‹ veröffentlichte im Oktober 1928 den *Entwurf eines Aktionsprogramms*, das, wenn auch noch in groben Umrissen, die Zielrichtung des BPRS wiedergab. Es blieb einzig verbindliche Grundlage der BPRS-Aktivitäten, da die zahlreichen ausführlicheren Programmentwürfe nie verabschiedet wurden. Der BPRS postulierte zunächst, »die Ansätze der proletarisch-revolutionären Literatur in Deutschland bewußt weiterzuentwickeln, ihr die führende Stellung innerhalb der Arbeiterliteratur zu verschaffen und sie zur Waffe des Proletariats innerhalb der Gesamtliteratur zu gestalten«. Dem Bekenntnis zur Literatur als ›Waffe‹ entsprach die radikale Absage an jede bürgerliche Kunst – sie verwische »bewußt oder unbewußt« Klassenkonflikte –; die Bestimmung dessen, was allerdings proletarisch-revolutionäre Literatur genau sei und was sie leisten müsse, blieb unscharf. So hieß es, in Anspielung auf literaturrevolutionäre Traditionen der Avantgarde: »Nicht durch die Revolutionierung der Form bekommt die Literatur einen revolutionären Wert, sondern die neue revolutionäre Form kann und muß ein organisches Produkt des revolutionären Inhalts sein«, und: »die (künstlerisch gestaltete) ›Tendenz‹« sei »notwendigstes Rückgrat« der neuen Literatur (in: ›Zur Tradition der sozialistischen Literatur in Deutschland‹, S. 118 f).

Die operative Zielrichtung dieser Literatur wurde also bestätigt: Hauptziel war das Verändern von Wirklichkeit, nicht ihre neusachliche Reproduktion, reaktionäre Affirmation oder eine der Arbeiterdichtung entsprechende Verklärung kapitalistischer Lebensbedingungen. Wie das genau geschehen könne, blieb allerdings offen – als Minimalkonsens galt zunächst die Formel, die Johannes R. Becher in dem Beitrag *Unser Bund* (1928) prägte: ein proletarisch-revolutionärer Schriftsteller sei derjenige, »der die Welt vom Standpunkt des revolutionären Proletariats aus sieht und sie gestaltet« (›Zur Tradition der sozialistischen Literatur in Deutschland‹, S. 95). Gerade um die Fragen der Gestaltung und die Position des Autors kreisten die Theorie-Debatten im Bund.

Die Anfangsphase des BPRS war von der politisch problematischen, radikalen Kritik an linksbürgerlichen Autoren geprägt: aus der Notwendigkeit und historischen Möglichkeit heraus, die eigene revolutionäre Literatur- und Kulturbewegung zu konsolidieren, kam es zu rigiden Abgrenzungen gegenüber Sympathisanten und ›Mitläufern‹ wie Alfred Döblin, Ernst Toller, Kurt Tucholsky u. a. (Biha: *Herr Döblin verunglückt in einer ›Linkskurve‹*, Linkskurve 1930, Nr. 6), Abgrenzungen, die die kommunistische Bewegung gegen die neusachlichen Illusionen über die Möglichkeiten der ›freischwebenden Intelligenz‹ betrieb. Hier gab es – im größeren politischen Zusammenhang mit der Linksbewegung der Komintern seit 1928 – sektiererische Verengungen, die das fortschrittliche, antifaschistische Potential unter den Linksintellektuellen frustrieren mußte. So bei Andor Gábor, der als Kriterium für proletarisch-revolutionäre Literatur allein die proletarische Herkunft ihrer Autoren gelten ließ und den sozialistischen Intellektuellen allenfalls die Funktion eines »Geburthelfers« zubilligte. In einem Beitrag für ›Die Linkskurve‹ schrieb Gábor 1929 *Über proletarische Literatur*: »Man speise uns nicht immer wieder mit dem Hinweis auf die klassische (bürgerliche) Literatur ab! (...) Hat das klassenkämpfende Proletariat Literaturbedürfnisse, dann müssen sie befriedigt werden. Wer soll sie befriedigen? Schriftsteller der anderen Klasse?« (›Zur Tradition ...‹ S. 157). Anknüpfend an die bekannte Bemerkung von Marx, daß die Befreiung der Arbeiter nur das Werk der Arbeiter selbst sein könne, wird hier allein das Moment des ›Proletarischen‹ berücksichtigt – das ja, wie die Arbeiterdichtung zeigt, nicht unbedingt Garant für eine Klassenpraxis ist –, nicht auch die Komponente des ›revolutionären‹ in dieser Literatur, die schließlich auf die kommunistischen Intellektuellen bürgerlicher oder feudaler Herkunft (Gábor gehörte zu ihnen) zutraf.

Seitens einiger Arbeiterkorrespondenten wurde diese Linie, die jegliche Bündnispolitik unmöglich machte, die Klassenbasis proletarisch-revolutionärer Literatur massiv einschränkte und zu ästhetischen Konsequenzen führte, die das Besondere des Ästhetischen, wie immer es auch genauer zu bestimmen wäre, aufgab zugunsten einer vulgären Autorensoziologie, zeitweilig unterstützt – ihnen galt die Korrespondenz, die Betriebs- und Zellenzeitung als die ›wahre‹, ja schon längst vorhandene proletarische Literatur.

Hier wurden spezifische Möglichkeiten proletarischer Literatur verkannt oder unnütz eingeschränkt: das Insistieren auf die Pressearbeit allein konnte nicht einziges Ziel proletarisch-revolutionärer Literatur und Kunst sein; wenn Gábor von »Kulturbedürfnissen« der Arbeiter sprach, die in der kapitalistischen Gesellschaft unterdrückt würden, meinte er sicher nicht allein Bedürfnisse nach Zellenzeitungen, obwohl auch diese zur Kulturpraxis revolutionärer Arbeiter gehörten.

In der ›Linkskurve‹ opponierte vor allem der Vertreter der Agit-Prop-Abteilung der KPD, N. Kraus (d. i. Joseph Winternitz), *Gegen den Ökonomismus in der Literaturfrage* (›Linkskurve‹ 1930, Nr. 3). Korrekturen in der Bündnis- wie der Literaturpolitik unternahm der BPRS vor allem nach der Zweiten Internationalen Konferenz proletarischer und revolutionärer Schriftsteller, die 1930 in Charkow stattfand. Teilweise in Abhängigkeit von internen sowjetischen Literaturentwicklungen wurde eine ausschließliche Festlegung des Bundes auf die Arbeiterkorrespondenten zugunsten der Forderung nach dem »großen proletarischen Kunstwerk« abgelehnt. Zu Kurskorrekturen im BPRS – in dem Divergenzen allerdings auch weiterhin bestanden – zwangen nicht zuletzt die politischen Entwicklungen in Deutschland: nach den erheblichen Stimmgewinnen der NSDAP bei den Septemberwahlen 1930 gab die KPD die Parole von der Volksrevolution aus, die darauf abzielte, nicht allein die Mehrheit des Proletariats, sondern auch den depravierten Mittelstand und die Bauern zu gewinnen. Diese Neuorientierung wirkte sich auf die literarische Praxis aus: nicht mehr der »Marsch auf die Fabriken« (Kläber) war alleiniges Ziel, auch der ›Bündnisbereich‹ wurde durch die Konzeption des Massenromans und auch im Theaterbereich aktiviert, wenngleich die Sozialfaschismusthese der KPD ebenso wie die Politik der SPD-Führung eine Einheitsfront unter den Arbeitern erschwerten.

Bündnispolitik und Bestimmung der klassenmäßigen Basis von proletarisch-revolutionärer Literatur betrafen Grundfragen der ›Gestaltung‹. Die Diskussion darüber, wie und ob der ›neue Wein‹ (die neuen Inhalte) in die ›alten Schläuche‹ (die überlieferten Formrepertoires) passe, und wie diese genau aussehen könnten oder sollten, blieb widersprüchlich.

Zunächst lebte eine Debatte wieder auf, die schon im 19. Jahrhundert (F. Mehring) und zu Anfang der zwanziger Jahre (G. Alexander) geführt worden war: die Debatte über den »literarischen Trotzkismus« (Lukács). Während bereits Exempel proletarischer Kunst vorlagen, vertrat AUGUST THALHEIMER (1884–1948) erneut die These, daß proletarische Literatur in einer der Poesie feindlich gesonnenen kapitalistischen Gesellschaft nicht entwickelt werden könne, u. a. in seiner zweibändigen Edition von literaturkritischen Texten von Franz Mehring (1929).

Diese Auseinandersetzungen sind vor dem Hintergrund strategischer Liniendebatten der gesamten kommunistischen Bewegung zu sehen: in der UdSSR begann die Propagierung des ›Aufbaus des Sozialismus in einem Land‹ (Stalin) und damit der Kampf gegen Trotzki, der dies für unmöglich hielt. Thalheimer war Führer der ›Kommunistischen Partei (Opposition)‹ (KPO), also der ›rechten‹ Opposition in der KPD – aktuelle politische Kontroversen berührten hier also durchaus auch ästhetische Fragen.

In der ›Linkskurve‹ eröffnete KARL AUGUST WITTFOGEL (geb. 1896) solche Grundlagendiskussionen. Wittfogel, Mitarbeiter des Frankfurter ›Instituts für Sozialforschung‹, hatte 1924 seine *Geschichte der bürgerlichen Gesellschaft* veröffentlicht und wurde vor allem als China-Experte bekannt (*Das erwachende China*, 1926; *Wirtschaft und Gesellschaft Chinas*, 1931; *Oriental Despotism*, 1957, deutsch 1962). Anfang der zwanziger Jahre erschienen im Malik-Verlag mehrere Einakter und Sketches von ihm, so *Die Mutter, Der Flüchtling* (1922) und *Der Wolkenkratzer* (1924). Er emigrierte 1934 in die USA, wo er später eine Professur für chinesische Geschichte annahm.

In der Aufsatzreihe *Zur Frage der marxistischen Ästhetik* (›Linkskurve‹ 1930) greift Wittfogel auf die von ihm schon 1925 ausgeführte Kategorie der ›Kampfkultur‹ zurück und polemisiert von hier aus gegen Mehring, Trotzki und Thalheimer; er bekennt sich zur ›Tendenzkunst‹: »Das proletarische Kunstwerk braucht sich, im Gegensatz zum bürgerlichen, seiner Tendenz nicht zu schämen.« Allerdings vermag er letztlich nicht, bürgerlich-idealistische, hegelianische Kunstvorstellungen zu durchbrechen: die Institution Kunst als »höhere Realität« und als »wahrhaftigeres Dasein« – gegenüber dem »bloßen Schein« der Wirklichkeit – ist für ihn unbestreitbar.

Trotz der Verteidigung proletarischer Literatur, auf die er allerdings im einzelnen nicht eingeht, deutet sich hier die Tendenz an, kunstsprengende und kunstauflösende Experimente zugunsten eines Rückgriffes auf Vorstellungen von kultureller Kontinuität, wie sie ja auch in Lenins Proletkult-Kritik begegnen, zurückzuweisen. Ausgeführt hat dies dann wenig später Lukács in seinen literaturkritischen Arbeiten.

Gegen Wittfogels Festhalten am bürgerlichen Werkbegriff meldete sich in der ›Linkskurve‹ die Schriftstellerin und Kunsttheoretikerin LU MÄRTEN (1879–1970) zu Wort (*Zur Frage einer marxistischen Ästhetik*, 1931). Lu Märten faßte Überlegungen zusammen, die sie bereits 1924 in ihrem Buch über *Wesen und Veränderung der Formen (Künste)* angestellt hatte: daß nämlich Kunst eng gebunden sei an die Entwicklung der Produktivkräfte und Literatur zunehmend an Bedeutung, auch für die Arbeiter, verliere; daß womöglich andere, mit der Kategorie Kunst gar nicht mehr faßbare Medien entwickelt werden könnten – Einschätzungen, die ihr wiederum von Wittfogels Seite den Vorwurf des Trotzkismus einbrachten.

Entscheidend für die Programm-Diskussion im BPRS und die Theoriebildung sozialistischer Literatur insgesamt, wurde das Werk von GEORG LUKÁCS (1885–1971).

Lukács hatte sich bereits vor dem 1. Weltkrieg einen Namen als Literaturwissenschaftler gemacht (*Theorie des Romans*, 1914), beteiligte sich 1919 an der gescheiterten ungarischen Räterepublik (Volkskommissariat für Aufklärung) und emigrierte später nach Deutschland. *Geschichte und Klassenbewußtsein* (1923), eines der Hauptwerke seiner ›linksradikalen‹ Frühphase, erfuhr heftige Kritik seitens der Kommunistischen Internationale. In seinen *Blum-Thesen* formulierte er 1928 grundlegende Rücknahmen bisheriger ›linker‹ Positionen unter Bezug auf die Lage in seinem Heimatland Ungarn: er entwarf das Konzept einer ›demokratischen Diktatur‹, das auf spätere Volksfrontgedanken vorausdeutet.

In der ›Linkskurve‹ veröffentlichte Lukács mehrere grundsätzliche Stellungnahmen über proletarische Literatur, die einige Auffassungen Wittfogels konkretisierten, so in den wichtigen Aufsätzen *Tendenz oder Parteilichkeit?* und *Reportage oder Gestaltung?* (1931 und 1932).

Ausgehend von den Gegensätzen zwischen der wissenschaftlichen und der künstlerischen Methode der Wirklichkeitsaneignung fordert Lukács für die proletarische Literatur (wie für die Literatur insgesamt), daß es in ihr als einer gestalteten Einheit keine Brüche, keine Widersprüche, keine Vermischung diskursiver mit fiktionalen Bereichen geben dürfe. In seiner sich – zu Unrecht – auf Lenin beziehenden Auffassung von ›Parteilichkeit‹ erklärt Lukács die Gestaltung von gesellschaftlicher Totalität – eine seiner zentralen ästhetischen Kategorien – zum Kriterium proletarischer Literatur. Gerade das operative Moment, die auf politische Wirkung abzielenden ästhetischen Mittel, also ›offene Formen‹ zur Durchbrechung des eingefahrenen Fiktionscharakters der Kunst, verfielen dem Verdikt, sie seien nicht ›gestaltet‹, da sie nur punktuell sich auf die Gesamtheit gesellschaftlicher Erscheinungen bezögen bzw. diese widerspiegelten. Damit begründet er seine Verurteilung der ›Tendenz‹-Literatur: in ihr werde Politisches, beispielsweise politische Forderungen, nur aufgesetzt, seien nicht integraler Bestandteil des ›Werkes‹. Parteilichkeit von Literatur ergebe sich aus der Tatsache, daß der wissenschaftliche Sozialismus die Gesetzmäßigkeiten in der Geschichte aufgedeckt habe – diese müßten gleichsam von innen heraus dem Werk entspringen. – Daraus ergaben sich erhebliche ästhetische Konsequenzen: der Anspruch auf ›Totalität‹ wurde zum Ausgangspunkt für die modellhafte Setzung des bürgerlich-kritischen Romans vor allem des 19. Jahrhunderts. Denn in ihm schien Komplexität der Klassenbeziehungen ebenso ›gestaltet‹ wie die immanente Klassendynamik. Proletarische Literatur, zumal wenn sie nur den gesellschaftlichen Ausschnitt der Arbeiterklasse zum Thema hatte, konnte dieser Auffassung von Realismus ebensowenig genügen wie das Aufbrechen eingeschliffener Formtraditionen. Die Kritik an den Romanen Willi Bredels, der der Praxis der Arbeiterkorrespondenten verpflichtet war, oder an reportageartigen Versuchen von Ernst Ottwalt, der traditionelles ›Erzählen‹ zugunsten von ›Tatsachenberichten‹ zurückstellte, war von der lukácsschen Konzeption her konsequent, wenn auch falsch, weil sie Ansätze einer Operationsästhetik und eine mögliche Veränderung von Rezeptionsweisen auch beim proletarischen Publikum außer acht ließ. In dieser Hinsicht wegweisende Versuche von Sergej Tretjakov (dessen »Bio-Interview« *Den Schi-Chua* 1932 und *Feld-Herren* 1931 in deutscher Übersetzung erschienen) und vor allem von Brecht, dem großen Antipoden von Lukács, wurden Opfer traditionalistischer Realismus-Strategien. – Unter den veränderten Bedingungen des Exils wurde gerade zwischen Brecht und Lukács der ungleiche Diskurs fortgesetzt, so in der ›Expressionismus-Debatte‹ gegen Ende der dreißiger Jahre.

Die auf der erwähnten 2. Charkower Literatur-Konferenz vollzogene »Wendung« (Becher) in der proletarisch-revolutionären Literaturpolitik bedeutete in der Theorie letzten Endes die Durchsetzung von an Lukács orientierten Kunstvorstellungen – das von Becher wie Lukács geforderte »große bolschewistische Kunstwerk« wurde Maxime, und dies auf Kosten der ›offenen Formen‹, die ja nicht allein von experimentierenden Literaten bürgerlicher Herkunft, sondern auch von proletarischen Autoren erprobt wurden. Die zahlreichen, bislang nur im Ausschnitt veröffentlichten Programmentwürfe zeigen die Polarisierung im Bund: einmal die Gruppierung vor allem der Arbeiterkorrespondenten und Theoretiker wie Gábor u. a., für die die Klassenherkunft der Autoren wichtigstes Kriterium für proletarische Literatur war – nach dieser Auffassung konnten proletarisches Denken, Fühlen und Handeln nur Proletarier selbst ausdrücken. Versuche der Loslösung von traditionellen Schreibweisen waren hier impliziert, wenn auch in der Schreibpraxis nicht immer qualitativ ausgeführt. Diese Richtung wurde mitgetragen vor allem von Teilen der avantgardistisch-revolutionären, äußerst erbe-kritischen Intelligenz. – Auf der anderen Seite die von Lukács u. a. geprägte Richtung der ›Traditionalisten‹, die an bürgerlich-realistische Vorbilder anknüpften und den operativen Charakter von proletarisch-revolutionärer Literatur wenig bedachten. – Der Überschätzung des Erbes sowie der proletarischen Herkunft der Autoren, der Unterschätzung revolutionärer Potenzen ›klassenfremder‹ Literaten sowie neuer Formen entgingen beide Fraktionen im BPRS nicht. Die Linienauseinandersetzungen im Bund konnten bis 1933 nicht geklärt werden – zu einer Verabschiedung eines Programms ist es nicht mehr gekommen.

Die Ästhetik-Debatten in der kommunistischen Bewegung stellten eine wichtige, aber nicht die einzige Orientierung für die Literaturproduktion dar – hier gab es durchaus Unterschiede zwischen theoretischer Reflexion und literarischer Praxis; Unterschiede, die sich in allen Genres verfolgen lassen.

Im Theaterbereich hatte sich die revolutionäre Literaturbewegung am kontinuierlichsten entfaltet. Seit Beginn der Weltwirtschaftskrise entstand eine Fülle neuer Agitprop-Truppen, die die bisher erprobten Agitations- und Darstellungsformen weiterentwickelten, so die ›Roten Sensen‹ (um Thomas Ring), der Berliner ›Sturmtrupp Alarm‹, in Halle die ›Rote Schmiede‹, die ›Roten Blusen‹, ›Roten Ratten‹ (eine Dresdner Gruppe aus linken Sozialdemokraten), der Stuttgarter ›Spieltrupp Südwest‹ um Friedrich Wolf, die ›Truppe 31‹ um Gustav von Wangenheim, das ›Rote Sprachrohr‹ und viele andere.

Den organisatorischen Rahmen dieser Gruppen bildete der ›Arbeiter-Theater-Bund Deutschlands‹ (ATBD), der sich, vor dem Krieg gegründet und unter sozialdemokratischer Führung ›kulturneutral‹, zunehmend politisierte und auf der Bundestagung 1928 mehrheitlich eine kommunistische Leitung unter Arthur Pieck wählte. Wichtigstes Organ war die Zeitschrift ›Arbeiterbühne und Film‹ (1930/31).

Das ästhetisch-politische Programm ging über die alleinige Entlarvung des Klassengegners – wobei der Sozialfaschismusvorwurf gerade in der Theaterbewegung eine nicht unbeträchtliche Rolle spielte – hinaus zu argumentativen Verfahrensweisen, die nun auch nicht-revolutionäre und nicht-proletarische Schichten und Personen anzusprechen versuchten. Diese Bündnispolitik wurde vor allem in der ›Truppe 31‹ deutlich, die sich mit der Lage der Angestellten auseinandersetzte (*Die Mausefalle*, 1931); uarbeii der Spieltruppe ›Südwest‹, die Friedrich Wolfs auf das Bauernhilfsprogramm der KPD abzielende Stück *Bauer Baetz* (1932) spielte. Weiterhin ging es den Truppen um die traditionelle Aufgabe der Wahlagitation, aber auch um Solidaritätsaktionen mit Sowjetrußland und China (*Für die Sowjetmacht*, 1930, vom ›Roten Sprachrohr‹ *Tai Yang erwacht*, 1930, von Friedrich Wolf).

Bei den Auseinandersetzungen um Form und Funktion der proletarischen Literatur gab es auch im Theaterbereich Diskussionen über das ›große proletarische Kunstwerk‹. Der ›Internationale Revolutionäre Theaterbund‹, Dachorganisation der nationalen Theatervereinigungen, in dessen Präsidium u. a. Piscator, von Wangenheim und Wolf saßen, wandte sich gegen eine Verabsolutierung des Agitprop-Theaters und plädierte für eine ausgefaltete Dramatik, womit sicher spezifische Kampf- und Kunstmöglichkeiten des Agitprop-Theaters unterschätzt, allerdings schematische, plakative Vereinfachungen der Figurendarstellung und -konstellation, wie sie teilweise gehandhabt wurde, selbstkritisch angesprochen wurden. Auseinandersetzungen zwischen dem möglichen ›Kampfwert‹ von Theater und seinem ›Kunstwert‹ (Maxim Vallentin) wurden letztlich nicht konsequent ausgetragen: dem auf den Kampfwert insistierenden Vallentin wurde vorgeschlagen, doch ein Maschinengewehr auf die Bühne zu stellen – dessen ›Kampfwert‹ sei evident. Wie in den Grundsatzdebatten zuvor wurden hier falsche Alternativen gestellt, falsche Fronten eröffnet.

Die Möglichkeiten dieser sozialistischen Dramatik mußten eingeschränkt bleiben. Sie war allein durch ein Berufstheater zu verwirklichen, was angesichts der zunehmenden Arbeitslosigkeit auch fortschrittlicher Schauspieler und des Scheiterns der Versuche, den Apparat der sozialdemokratischen Volksbühne (Piscator) umzufunktionieren, kaum Aussicht auf Erfolg haben konnte. Zudem bestand die Gefahr der Rückkehr zu ungeprüft übernommenen ›aristotelischen‹ Spielweisen.

Ansätze zum ›großen Drama‹ entwickelte der schon mehrfach erwähnte Arzt und Schriftsteller FRIEDRICH WOLF (1888–1953). – Wolf hatte zahlreiche expressionistische Stücke geschrieben, in denen es um die Thematik der ›Wandlung‹, des ›neuen Menschen‹ ging (*Das bist du*, 1919; *Der Unbedingte*, 1919). Nach seiner Teilnahme am Ruhrkampf schloß er sich 1920/21 der syndikalistischen Siedlungsbewegung von Heinrich Vogeler an (Verarbeitung dieser Zeit im Stück *Kolonne Hund*, 1927). Seit 1921 war Wolf hauptberuflich als Arzt tätig, 1928 trat er der KPD bei.

Bereits in *Der arme Konrad* (1924) versuchte er, die Kämpfe der Massen – hier der aufständischen Bauern zu Beginn des 16. Jahrhunderts – zu gestalten. Nach dem Roman *Kreatur* (1926) und *Kampf im Kohlenpott* (1928) und der antifaschistischen Satire *Die Jungen von Mons* (1931) sowie dem erwähnten China-Stück bedeutete das »Schauspiel« *Die Matrosen von Cattaro* (1930) den Durchbruch seiner Theater-Konzeption. Der Aufstand in der österreichischen Flotte 1918 dient hier als historische Grundlage für den Konflikt zwischen individuellem Handeln und tatsächlichen Möglichkeiten bzw.

objektiven Notwendigkeiten politischen Handelns im Krieg. Das seit Ende der zwanziger Jahre in der sozialistischen Literatur oft verarbeitete Thema vom Scheitern der Revolution (Plievier, Scharrer, Grünberg, Marchwitza u. a.) geht Wolf auf spezifische Weise an: er konzentriert den Konflikt auf die den Aufstand führende Avantgarde, ganz im Sinne des Selbstverständnisses der KPD. Das Scheitern wird erklärt durch das Zögern der führenden Matrosen, im Motto des Stückes schlägt sich aber der Optimismus der KPD über bevorstehende revolutionäre Veränderungen seit der Weltwirtschaftskrise nieder: »Kameraden, das nächste Mal besser!«

Hier begegnen Aktualität und Historizität im Sujet vermittelt, allerdings in Spielweisen, deren ›Realismus‹ sich an Figurenkonstellationen und Konfliktsituationen des bürgerlichen Theaters festmachte. – Das gilt auch für das wichtige Stück *Cyankali* (1929), eine flammende Anklage gegen den Abtreibungsparagraphen 218 (Verfilmung 1930 durch Hans Tintner), das Bestandteil der Anti-§ 218-Kampagne der KPD wurde. – Dies Thema griff Franz Krey in *Maria und der Paragraph* wieder auf. In späteren Texten, so 1932 in *Wie stehen die Fronten?* und *Von New York bis Shanghai*, suchte Wolf Elemente des Agitprop zu integrieren.

Gegen Ende der Weimarer Republik dominieren also zwei Typen von revolutionärem Theater: das nachweisbar massenwirksame Agitprop-Theater, über das »nicht die besten Nasen gerümpft« wurden (Brecht). Es stellte die Grobheit des Klassenfeindes mit groben Mitteln dar, entging dabei aber nicht immer der Gefahr, seinen Kampfwert schematisch zu realisieren. Wolf resümierte 1933: »›Der‹ Fabrikant war ein fetter Wanst mit Zylinder auf dem Kopf, ›der‹ Bonze war ein fetter Spießer, er trug die Aktenmappe, ›der‹ Faschist hatte die Mördervisage und war bis an die Zähne bewaffnet, ›der‹ Sozialdemokrat war ein vertrottelter ›Sozialfaschist‹, ›der‹ Prolet war ehrlich und verhungert« (›Deutsches Arbeitertheater‹, Bd. 2, S. 433). Hier wurde aber immerhin der radikale Versuch unternommen, durch Einbeziehen der Zuschauer, durch hohe Flexibilität und Offenheit der Texte (spontanes Reagieren auf Ereignisse und Einwürfe des Publikums usw.) den bürgerlichen Werkcharakter von Kunst zu überwinden. Dies bewährte sich seit 1931, als die Agitprop-Auftritte faktisch verboten waren, im sogenannten Partisanen-Theater. Indem die ›Spieler‹ sich als solche gar nicht mehr zu erkennen gaben und kleinere, provozierte Vorfälle (Menschenauflauf, Anzetteln von Diskussionen über die politische Lage usw.) in Szene setzten, fielen die Schranken zwischen Theater und Wirklichkeit vollends. Wurden hier im brechtschen Sinne die Widersprüche zwischen Erscheinung und Wesen als ästhetisch betont, so versuchte das sozialistisch-realistische Theater eher eine Vermittlung, das Erfassen des Allgemeinen und Individuellen im ›Typischen‹ – wie Lukács sagen würde –; auch im Theaterbereich kehren Auseinandersetzungen über das ›große bolschewistische Kunstwerk‹ wieder.

Die beiden großen Themenbereiche Krieg/Revolution und betrieblicher Kampf prägen alle Genres. Möglichkeiten und Notwendigkeiten vor allem des Pressewesens ließen eine kaum überschaubare Zahl von Kurztexten entstehen, Gedichte, Satiren, Erzählungen, die oft auch aktuelle und tagespolitische Themen verarbeiteten. Hier wären Autoren wie ANDOR GÁBOR (1884 bis 1953) mit seinen Reportagen und Skizzen (*Der rote Tag rückt näher*, gesammelt 1959; *Die Topfriecher*, 1935), Karl Grünberg, KURT HUHN (1902–1976) vor allem mit der faszinierenden Kurzskizze *Der Kalkulator* (Linkskurve 1930), Kurt Kläber, Paul Körner-Schrader, Hans Lorbeer, Hans Marchwitza, Jan Petersen, Georg W. Pijet, der Satiriker SLANG (d. i. Fritz Hampel, 1895 bis 1932) mit der Sammlung *Glossen vom Tage* (1932), Erich Weinert und viele andere zu nennen. Anthologien wie *Der Krieg* (1929, hrsg. von Kurt Kläber), *Volksbuch 1930, Deutsche Dichter im Kampf, Feder und Faust* (alle 1930) und *30 neue Erzähler des neuen Deutschland* (1932, hrsg. von Wieland Herzfelde) dokumentieren den Stand dieser Literatur.

Im Roman, um den vor allem die Theoriedebatten kreisten, zeigen sich deutliche Unterschiede gegenüber der Rebellenprosa aus der Stabilisierungsphase, aber auch zwischen Romanen proletarischer Autoren und denen der Intelligenz. Das betrifft die ›Gestaltung‹ ebenso wie die Sujetwahl: der Bereich der Produktionssphäre ist bei den Autoren bürgerlicher Herkunft aus naheliegenden Gründen ausgespart, proletarischen Autoren stellte sich die schon von Becher aufgeworfene Frage nach dem Übergang von Intellektuellen ins Proletariat aus ebenso plausiblen Gründen nicht.

Der ehemalige Offizier Arnold Vieth von Golßenau, der sich nach der Hauptfigur in seinen Romanen *Krieg* (1928) und *Nachkrieg* (1930) LUDWIG RENN (1889–1979) nannte, war 1928 der KPD beigetreten. Er hatte 1919 den Dienst quittiert und engagierte sich 1931 im Kreis um die Zeitschrift ›Aufbruch‹, in der sich ehemalige Reichswehroffiziere und Nationalsozialisten wie der Leutnant Richard Scheringer, der 1931 zur KPD übergetreten war, und ALEXANDER GRAF VON STENBOCK-FERMOR (1902–1972; *Meine Erlebnisse als Bergarbeiter*, 1928), zusammenfanden. Renn beschränkte sich in diesen beiden Romanen noch ganz auf ein ›sachliches‹, autobiographisches Registrieren der Kriegsereignisse, auf die praktische Widerlegung von chauvinistischen Kriegsauffassungen ohne pointiert revolutionäre Ansprüche. – FRANZ CARL WEISKOPF (1900–1955), deutsch-tschechischer Germanist und Journalist, problematisierte in seinem autobiographischen Roman *Das Slawenlied* (1931) die komplexen Lernprozesse eines jungen Menschen bürgerlicher Herkunft in der historischen Situation der Auflösung des Habsburgerreiches gegen Ende des 1. Weltkrieges. Weiskopf verfaßte bis 1933 vor allem Erzählungen über das Leben der Arbeiter und Bauern in der tschechoslowakischen Provinz. 1924 erschien seine subtile Lenin-Legende *Der Wundertäter*, 1927 und 1932 seine Rußland-Reportagen mit den programmatischen Titeln *Umsteigen ins 21. Jahrhundert* und *Zukunft im Rohbau*. Politisch deutlicher und drastischer als Renn und Weiskopf verarbeitet ERNST OTTWALT (1901–1943) die Erfahrungen, den eigenen Anteil an der bürgerlichen Klassenherrschaft. In den ›Tatsachen‹-Romanen *Ruhe und Ordnung* (1929) und *Denn sie wissen, was sie tun* (1931) rechnet Ottwalt durch minuziöse Wiedergabe der psychischen und politischen Verfassung bürgerlich-reaktionärer Kreise mit der eigenen Freikorps-Vergangenheit und mit der Klassenjustiz der Weimarer Republik ab.

In der Auseinandersetzung mit Lukács, der die Konzeption der ›offenen‹, reportageartigen, authentische Materialien einarbeitenden Form auch am Beispiel Ottwalts kritisiert hatte, betonte Ottwalt den rezeptionsästhetischen Gesichtspunkt und verteidigte die operativen Erzählmomente gegenüber dem bürgerlich-realistischen Vorerzählen (›*Tatsachenroman*‹ *und Formexperiment*, Linkskurve 1932). – Ottwalt schrieb neben literaturkritischen Arbeiten ein Bergarbeiterstück *Jeden Tag vier* (1930) und schon 1932 eine *Geschichte des Nationalsozialismus*. Während des Exils gehörte er zum Herausgeberkollegium der Moskauer ›Internationalen Literatur‹.

Einen Zusammenschnitt unterschiedlicher, miteinander nicht verknüpfter Episoden über die Odyssee verfolgter europäischer und chinesischer Kommunisten nach den Revolutionsniederlagen von 1918/19 gibt ANNA SEGHERS (d. i. Netty Radvanyi, geb. Reiling, geb. 1900) in *Die Gefährten* (1932), von dem Kritiker meinten, es müsse eigentlich ›Die Genossen‹ heißen. Latenter und offener Widerstand wird unter den schwierigen Bedingungen der internationalen Reaktion in einem Handlungsgeflecht präsentiert, dessen Hauptgewicht auf den proletarischen Kadern liegt; für Anna Seghers ein Novum gegenüber den zuvor bei ihr dominierenden anarchischen Figuren wie in dem weltberühmten Erstling *Der Aufstand der Fischer von St. Barbara* (1928).

Ottwalts Konzeption des Tatsachen-Romans war Gegenstand der lukácsschen Kritik, weil er reportageartige und andere Elemente mit fiktionalen vermischte; denn der »Kampf gegen die wechselseitige Abschwächung der schöpferischen Methoden durch unorganisch-eklektische Mischung ist zugleich ein Kampf für die echte, durchschlagkräftige Form der Reportage«, schrieb Lukács 1935 in einer Hommage an den ›rasenden Reporter‹ EGON ERWIN KISCH (1885–1948). – Kisch, Sohn eines Tuchhändlers in Prag und dort schon vor dem 1. Weltkrieg Lokalreporter und Journalist, ging nach der Revolution nach Berlin, er trat 1925 in die KPD ein. Seine zahllosen Reportagen erschienen in der gesamten Linkspresse. Während der Weimarer Zeit bereiste er Europa, Nordafrika, die Sowjetunion (1925/26 und 1931/32), die USA und das China Tschiang Kai Scheks (1932). Über diese Reisen berichtete er in den Reportagebänden *Der rasende Reporter* (1925), *Hetzjagd durch die Zeit* (1926), *Wagnisse in aller Welt* (1927), *Zaren, Popen, Bolschewiken* (1927), *Asien gründlich verändert* (1932), *Paradies Amerika* (1930), *China geheim* (1933), die seinen Weltruhm begründeten. Er hatte in seiner frühen Zeit vom Reporter eine neutrale Tatsachenberichterstattung gefordert und auch praktiziert, so in seinen Milieustudien aus dem Vorkriegs-Prag, die vor allem starkes Interesse am Schicksal lumpenproletarischer Randgruppen zeigen. Gegen die selektive Wahrnehmung und die Sensationsgier der traditionellen Reportagen entwickelte Kisch seit etwa 1925 das Konzept der parteilichen, das geschilderte Detail zur Vergegenwärtigung von historischen Gesetzmäßigkeiten interpretierenden Darstellungsmethode. Technisch präzise Darstellungen von Arbeitsprozessen, gründliche Kenntnis des Details und die Fähigkeit, Oberflächenerscheinungen in gesamtgesellschaftliche Zusammenhänge einzuordnen, machen die operative Kraft des engagierten Beobachters aus, der durch seine Weise des Teilnehmens zugleich in gesellschaftliche Prozesse eingreift. Kompositorisch bedeutet das auch die Zusammenfassung von Einzelreportagen zu zusammenhängenden größeren Komplexen. – Auf dem Pariser Kongreß zur Verteidigung der Kultur versuchte Kisch 1935 eine Synthese des alten Problems ›Kunstwert‹ und ›Kampfwert‹: »Die doppelte Tätigkeit, die dem sozial bewußten Schriftsteller gestellt ist, die des Kampfes und die der Kunst, würde in ihrer Einheit aufgehoben, sie würde in beiden Teilen wirkungslos und wertlos werden, wenn er in seiner Kunst oder in seinem Kampfe zurückwiche.« Die »Wahrheit« ist das »edelste Rohmaterial der Kunst« – bei Kisch heißt Reportage »Sichtbarmachung der Arbeit und der Lebensweise« (›Zur Tradition der sozialistischen Literatur in Deutschland‹, S. 720 ff.). Parteilichkeit meint hier nicht das ›fabula docet‹, sondern Wirklichkeitsaneignung, die den Leser zu Urteilen provoziert und befähigt: das Konzept eines pseudoobjektiven Sensationsjournalismus bürgerlicher Prägung wurde damit überwunden.

Eine wichtige Reportage über das faschistische Italien schrieb ALFRED KURELLA (1895–1975): *Mussolini ohne Maske. Der erste rote Reporter bereist Italien* (1931). Kurella, offiziell reisend, also anders als Kisch, der teilweise falsche Pässe benutzen mußte, und seit seiner Tätigkeit in der Jugendinternationale mehrfach in Italien, gibt ein aus Impressionen, Gesprächen, Statistiken zusammengefügtes Spektrum früher faschistischer Wirklichkeit.

Andere Wege gingen die proletarischen Autoren. Hier nahmen bei der Aufarbeitung der Weltkriegserfahrungen Theodor Plievier und Adam Scharrer eine Sonderrolle ein: beide standen sowohl dem BPRS fern als auch in deutlicher Opposition zu KPD und SPD.

THEODOR PLIEVIER (bis 1945: Plivier, 1892–1955) entstammte einer Berliner Arbeiterfamilie; er rebellierte früh gegen seine Lebensverhältnisse, brach seine Stukkateurlehre ab und vagabundierte durch die Welt: Erfahrungen, die ihn offenbar nachhaltig prägten. Während der Revolutionszeit verfaßte er zahlreiche anarchistische Flugschriften, die in der Tradition von Max Stirner und Peter Kropotkin standen (z. B. *Anarchie*, 1919; *Raus die Gefangenen*, 1924; *Wahlrummel*, 1924). In ihnen warb er mit Nachdruck für den individualistischen Anarchismus. Neben Abenteuergeschichten ohne explizit politischen Anspruch – *12 Mann und 1 Kapitän* (1929), die von radikal ausgebeuteten outsidern der Gesellschaft, dem Helden Gale in Travens *Das Totenschiff* (1929) vergleichbar, handeln – setzte Plievier in seinen Kriegs- und Revolutionsromanen *Des Kaisers Kulis* (1930) und *Der Kaiser ging, die Generäle blieben* (1932) die Traditionskette der Schilderung spontaner Rebellion fort. Den Flottenaufstand in der kaiserlichen Marine, an dem Plievier als Matrose selbst aktiv beteiligt war, stellt er als weithin unorganisiertes Aufbegehren der unterjochten ›Kulis‹ dar, wobei er die Übereinstimmung zwischen militärischer Unterdrückung im Krieg und kapitalistischer Ausbeutung im Frieden betont. Als lockere Fortsetzung verfolgt er in seinem zweiten Roman den Revolutionsverlauf Ende 1918, wobei er die apologetische Rolle der sozialdemokratischen Führung entschieden kritisiert. Sein Verfahren ist streng dokumentarisch: mit der Akribie des Historikers werden realhistorische Vorgänge nachgezeichnet und durch eine Fülle von authentischen Informationen vergegenwärtigt. Sie basieren auf Interviews mit Beteiligten, eigenen Erfahrungen und der Verarbeitung von historischen Quellen. »Hier ist kein Roman. Hier ist ein Dokument! Und dann: ich bin dabei gewesen«, heißt es in *Des Kaisers Kulis* – Plieviers ästhetische Verfahren sind damit umrissen: Dokumentaristik – etwa im großen Kapitel über die Skagerrak-Schlacht – und persönliche Betroffenheit vermischen sich zum komplexen, spontaneistischen Bild von der deutschen Revolution und ihrer Niederlage. – Plievier erfuhr während der Weimarer Republik eine äußerst widersprüchliche Rezeption: während die ›Rote Fahne‹ seinen ersten Roman in Fortsetzungen abdruckte, wurde er in der ›Linkskurve‹ heftig kritisiert. Erwin Piscator inszenierte *Des Kaisers Kulis* 1930 mit Erfolg. – Während des Exils – Plievier emigrierte 1933 über die Tschechoslowakei, Frankreich und Schweden in die UdSSR – setzte er die Arbeit am Thema Novemberrevolution fort (Erzählung *Der 10. November 1918*, 1935; Fragment *Der Wald von Compiègne*, 1939), nahm aber vor allem auch die anarchoiden Sujets aus seiner Vagabundenzeit wieder auf: *Das große Abenteuer* erschien 1936 in Moskau und Amsterdam, im letzten Kriegsjahr folgte *Stalingrad*.

Auch ADAM SCHARRER (1889–1948) zielte, wenn auch mit anderen erzählerischen Mitteln, auf die Darstellung spontaner Bewegungen an der Basis, nicht auf Parteipolitik. – Scharrer zählt zu den bedeutendsten Querköpfen in der proletarisch-revolutionären Literatur. Bis zum Exil 1933, das er auf dem Umweg über die Tschechoslowakei in der UdSSR 1934 fand, blieb er ein schonungsloser Kritiker der KPD-Politik; er vermochte hautnah proletarische Basisbewegungen der Kriegs-, Revolutions- und Nachkriegszeit zu gestalten. Scharrer war bis zu Beginn der dreißiger Jahre führender proletarischer Kader der linkskommunistischen KAPD – also noch zu Zeiten, als der organisierte Linkskommunismus sich längst zur politisch bedeutungslosen Sekte heruntergewirtschaftet hatte. – Auch Scharrers Romane leben von subjektiv-autobiographischem Erzählen, nicht nur in dem schon genannten Bericht *Aus der Art geschlagen*, sondern auch in dem »ersten Kriegsbuch eines Arbeiters« (Untertitel): *Vaterlandslose Gesellen* (1930 im Agis-Verlag). Dieses vom Verfasser des Berichtes *Krieg*, Ludwig Renn, sehr gelobte Buch zeichnete sich aus durch die konsequent durchgehaltene Optik eines Arbeiters, dessen oppositionelle und revolutionäre Haltung in Krieg und Revolution Handlungsweisen und Kriegsgegnerschaft bestimmten. In der Figur des Metallarbeiters Hans Betzold werden Stationen von proletarischem Verhalten im 1. Weltkrieg deutlich, die, wenn nicht klassentypisch, so doch repräsentativ für den klassenbewußten Teil der Arbeiterklasse waren. In diesem autobiographisch angelegten Roman gelingt Scharrer, was der ehemalige Matrose Plievier mit ganz anderen Mitteln anstrebte: Kollektivschicksal und Kollektivwiderstand der Arbeiter zu vergegenwärtigen. Bei Scharrer weicht die Sachlichkeit eines Ludwig Renn der Parteilichkeit des unmittelbar Betroffenen. Revolutionärer Optimismus im Krisenjahr 1930 scheint allerdings auch in diesem Roman durch; Scharrer läßt ihn enden mit der Beschreibung einer Demonstration: »Aus den Seitenstraßen kommt Gesang. / ›Rot ist das Tuch, das wir entrollen!‹ / Karl Liebknecht spricht. / Auf dem Schloß weht die rote Fahne!«

Das historische Scheitern der revolutionären Arbeiterbewegung kommt hier nicht zur Sprache – der Schluß mag aber im Jahre 1930 operativ verstanden werden als Aufforderung, die Niederlage produktiv zu wenden. Historisch schließt Scharrers *Der große Betrug* (1931) an, es ist die Geschichte einer Berliner Arbeiterfamilie während der Inflationszeit. Hier nutzt Scharrer Elemente des bürgerlichen Familienromans (wie später Bredel in *Die Väter*), indem er die beiden Linien in der Arbeiterbewegung im persönlichen und politischen Schicksal zweier Brüder darstellt. Scharrers Parteinahme, militant gegen die sozialdemokratische Politik der Stabilisierung bürgerlicher Klassenherrschaft gerichtet, bleibt, im mittelbaren Zusammenhang mit seiner politischen Tätigkeit für die KAPD, auf Revolutionierung der Leser ausgerichtet, ohne daß dezidiert für eine proletarische revolutionäre Organisation plädiert würde.

Die Bücher der proletarischen Roman-Autoren Plievier und Scharrer unterscheiden sich deutlich von der auf unmittelbare Agitation und Propaganda für die KPD und ihrer Organisationen, etwa der ›Revolutionären Gewerkschafts-Opposition‹, abzielende Literatur, wie sie vor allem in der ambitionierten Konzeption des ›Roten-1-Mark-Romans‹, den der Internationale Arbeiter-Verlag 1930–1932 herausbrachte, begegnete. Neben Übersetzungen (Orschansky: *Zwischen den Fronten*, Pell: *SS. Utah*) erschienen von Marchwitza: *Sturm auf Essen*, Bredel: *Maschinenfabrik N & K*, Krey: *Maria und der Paragraph*, Bredel: *Rosenhofstraße*, Marchwitza: *Schlacht vor Kohle*, Schönstedt: *Kämpfende Jugend*. Gotsches *Märzstürme*, ein Roman über die Entwicklung der revolutionären Kämpfe in Mitteldeutschland, wurde vor der Auslieferung 1933 von den Faschisten vernichtet (erschienen 1962). Die Reihe wurde programmatisch eröffnet mit dem 1928/29 geschriebenen Kapp-Putsch-Roman *Sturm auf Essen* des Ruhrkumpels HANS MARCHWITZA (1890 bis 1965). Anders als Grünberg in *Brennende Ruhr* stellt Marchwitza, der selbst 1920 Zugführer in der Roten Ruhrarmee gewesen war, »die Kämpfe gegen Kapp, Watter und Severing« (Untertitel) aus eigener Anschauung dar. Im Unterschied zu Grünberg konzentriert er sich auf das in sich widersprüchliche Spektrum politischer und moralisch-individueller Verhaltensweisen der kämpfenden Arbeiter; ›Totalität‹, die Darstellung auch anderer Klassen und Schichten, strebt er nicht an, er kommt ohne geschlossene Fabel aus. Sein zweiter Roman, *Schlacht vor Kohle* (1931), ist stärker an einer durchgehenden Fabel orientiert, läßt sich intensiv auf Arbeitsprozeß und Arbeitsbedingungen der Bergarbeiter ein, thematisiert nicht nur ihre Widersprüche vor Ort, sondern auch kleinliche Konkurrenzsituationen in den Siedlungen, in die hinein sich der Zechenalltag verlängert. Eine Ausweitung des Klassenspektrums versuchte Marchwitza im Roman *Walzwerk* (1932; 1960 stark überarbeitet unter dem Titel *Treue*). In ihrer Eindringlichkeit kaum zu übertreffende Erinnerungen an die Materialschlachten des 1. Weltkriegs gab er in dem Erzählband *Vor Verdun verlor ich Gott und andere Erzählungen* (1932).

Eine unmittelbare Umsetzung aktueller KPD-Politik versucht der Metallarbeiter WILLI BREDEL (1901–1964) in *Maschinenfabrik N & K* (1930). Bredel, der 1923 am Hamburger Aufstand teilgenommen hatte, war später Redakteur der ›Hamburger Volkszeitung‹ und wurde 1930 zu Festungshaft wegen literarischen Hoch- und Landesverrats verurteilt. Seinen Roman organisiert er in Anlehnung an Prinzipien der Arbeiterkorrespondenzen: Die Rahmenhandlung bildet ein Streik, der von der RGO ausgelöst und getragen wird und, obwohl er scheitert, zur strategischen Stärkung der revolutionären Bewegung beiträgt. Eingeschoben sind kurze, locker zusammengefügte Einzelepisoden, die die Situation im Betrieb präsentieren: das Verhalten der Arbeiter unterschiedlicher politischer Richtungen zwischen den beiden Protagonisten, dem makellosen Kommunisten Melmster und einem sozialdemokratischen Betriebsrat, dem »Riesen mit der Kastratenstimme«. Dabei schlägt die Sozialfaschismus-Auffassung (zurückgenommen in der Fassung von 1960) voll durch. Wie das Bild des SPD-Betriebsrats Mächtigkeit und zugleich Impotenz der SPD suggerieren sollte, blieben auch andere Erzählmittel und politische Einschätzungen des Romans plakativ, weil wirkliche Ursachen für historisches Versagen mit Formeln wie Verrat usw. allein nicht greifbar werden. – Daß dieser Roman, neben dem von Ottwalt, eines der Hauptziele der lukácsschen Kritik wurde (*Willi Bredels Romane*, ›Linkskurve‹ 1931; vgl. Bredels Replik: *Einen Schritt weiter*, ›Linkskurve‹ 1932), lag zum einen an seiner wenig geschlossenen Form, der Reihung von schlaglichtartigen Einzelszenen, zum anderen aber an dem, was Lukács als mangelnde Totalität in der Gestaltung begriff: das gesamte Klassenspektrum wurde auch hier nicht dargeboten – wohl aber ein charakteristischer Ausschnitt aus Kämpfen an der proletarischen Basis.

Bredel reagierte auf Lukács' Vorwürfe durchaus selbstkritisch, obwohl sein Verfahren vom Arbeiterkorrespondenten Otto Gotsche in der ›Linkskurve‹ verteidigt wurde (*Kritik der Anderen – Einige Bemerkungen zur Frage der Qualifikation unserer Literatur*, 1932, Nr. 4). In der *Rosenhofstraße* (1931) stellt er nicht mehr ein Betriebskollektiv in das Zentrum der Darstellung, sondern, vermittelt über Aktivitäten einer Straßenzelle der KPD in Hamburg, Alltagsprobleme und ansatzweise Lebenszusammenhänge nicht nur klassenbewußter Arbeiter, sondern auch kleinbürgerlicher Kreise. – Bredels Auseinandersetzung mit nationalsozialistischer Demagogie, soweit sie sich vor allem an den depravierten Mittelstand wandte, der Roman *Der Eigentumsparagraph*, konnte 1933 (in russischer Übersetzung) nur noch in Moskau erscheinen (deutsch zuerst 1961).

Am Beispiel der ›Roten-1-Mark-Romane‹ wird eine gewisse Kluft zwischen den theoretischen Diskursen und der Schreibpraxis der proletarischen Autoren deutlich: trotz der abstrakten Forderung nach Gestaltung von gesellschaftlicher Totalität und Gesetzmäßigkeit bezogen sich die meisten proletarischen Romane weiterhin auf operativ verwendbare – und verwertete – Realitätsausschnitte. So schrieb FRANZ KREY (geb. 1904), nach eigener Aussage »Dichter aus Arbeitslosigkeit« – wie viele andere Arbeiter-Schriftsteller –, seinen Roman *Maria und der Paragraph* (1931) im Rahmen der Kampagne gegen den Abtreibungsparagraphen 218, der die proletarischen Frauen besonders hart traf. Dieser Roman, auch in der ›AIZ‹ abgedruckt, baute Handlungsmuster des Kriminalromans ein, ohne jedoch dessen Klischees zu verfallen – ein Novum im proletarisch-revolutionären Roman, das allerdings keine Fortsetzung fand. – Anderen gesellschaftlichen Teilbereichen stellten sich Gustav Regler mit *Wasser, Brot und blaue Bohnen* (1932), einer zu Unrecht übersehenen Anklage gegen die unsäglichen Haftbedingungen in den Gefängnissen des Deutschen Reiches, und Albert Hotopps *Fischkutter H. F. 13* (1930) über die erbärmliche Lage kleiner Nordseefischer – in Entlarvung sentimentaler Seeromantik allerdings selbst einigen kolportagehaften Zügen, besonders in der Figurengestaltung, nicht entgehend.

Aktuell auf den ›Blutmai‹ in Berlin reagierte – wie viele andere proletarisch-revolutionäre Autoren auch – KLAUS NEUKRANTZ (1895 –1941) mit seinem Roman *Barrikaden am Wedding. Der Roman einer Straße aus den Berliner Maitagen 1929* (1931). Neukrantz, der zeitweilig Redakteur der ›Welt am Abend‹ war und regelmäßig in der ›Linkskurve‹ veröffentlichte (u. a. Rezensionen über Döblin, Plievier), berichtet hier über die Straßenschlachten in der Kössliner Straße in Berlin. Er operiert dabei dokumentarisch: die handelnden Figuren sind weitgehend authentisch angelegt, einmontierte Zeitungsberichte in ihren immanenten Widersprüchen provozieren den Leser zur Parteinahme, exakte Chronologie und genaue Ortsangaben ermöglichen es den Beteiligten, sich und ihre Kämpfe wiederzuerkennen, sie bilden für andere Leser Anschauungsmaterial. Insofern besaß dieses Buch einen hohen Gebrauchswert; es ist kein Zufall, daß es verboten wurde und auch sogenannte Massenkritikabende, die der BPRS zur Diskussion proletarischer Literatur (nach sowjetischem Vorbild) Anfang der dreißiger Jahre einzurichten begann, im Falle Neukrantz polizeilich verhindert wurden.

Wenn sich auch zu diesem Zeitpunkt eine Öffnung der Thematik vom ›reinen‹ Betriebsroman hin zur alltäglichen Situation außerhalb des Arbeitsplatzes deutlich abzeichnet, gehen diese Romane – mit wenigen Ausnahmen – doch nie so weit, ausdrücklich auch Privates als Politisches zu begreifen, es sei denn im Rahmen von Kampagnen und Straßenzellenaktivitäten. Sie sind, trotz weitergehenden Anspruchs, ›Klassenliteratur‹ geblieben, abhängig in erster Linie von der Politik der KPD, erst in zweiter Linie von den Bedürfnissen, die über das pure Dasein als ›Klassenkämpfer‹ hinaus das alltägliche besondere Dasein bestimmten. Sie problematisierten Lebensbedingungen – im Gegensatz zur ›Arbeiterdichtung‹ –, aber zu abstrakt. Das Spannungsverhältnis zwischen diesen Romanen und der eher vagabundierenden, sich Freiräume erobernden Literatur ist deutlich: Defizite und Chancen auf beiden Seiten, wenn auch vielleicht ungleich verteilt. Die »proletarischen Lebensläufe« (W. Emmerich) bestechen durch den hohen Grad an Unmittelbarkeit, mit dem konkrete Erfahrung von Unterdrückung im Aufschreiben demonstriert wird. Sie lassen vermissen, wie denn der erfahrenen Misere innerhalb der durchorganisierten Verhältnisse der Weimarer Republik zu entkommen wäre. – Die ›parteilichen‹ Romane der KPD geben Orientierungen, verabsolutiren aber das ›Primat des Politischen‹ insofern, als sie spontanes Widerstandspotential und Privatheit kaum zu Wort kommen lassen. Die genuin bürgerliche Trennung von Öffentlichem und Privatem scheint sich hier im Kontext von ›Lagermentalität‹ zu verdoppeln. So wird Sexualität und Erotik entweder dämonisiert (wie bei Grünberg), zur Irritation des ›eigentlich‹ Politischen disqualifiziert (wie bei Bredel), oder einfach tabuisiert.

Hier liegt eine Schwäche dieser Romane: Lebenszusammenhänge von Arbeitern erscheinen letztlich doch literarisiert, während die Rebellenliteratur sie zu vermitteln vermag. Am Frauenbild des proletarisch-revolutionären Romans läßt sich zumindest eindeutig feststellen: Frauen sind nur selten aktiv handelnde Personen (die Texte über den § 218, *Cyankali* und *Maria und der Paragraph* mögen als Ausnahme gelten), sie bilden von Grünberg bis Bredel meist Staffage eines ›potenten‹ Männerkommunismus. Alltag blieb Domäne der proletarischen bzw. deklassierten Rebellen.

Ansätze dazu gab es allerdings auch im engeren proletarisch-revolutionären Kontext; so bei RUDOLF BRAUNE (1907–1932), Berichterstatter für das Düsseldorfer KP-Organ ›Freiheit‹. In *Das Mädchen an der Orga-Privat* (1930) und *Junge Leute in der Stadt* (1932) thematisiert er die Anziehungskraft der Großstadt auf Jugendliche aus der Provinz (Möglichkeiten, beim Film entdeckt zu werden, Sport, Revuen u. a.). Er zeigt das Scheitern ihres Traums vom raschen Erfolg und vom großen Geld, die demokratisierenden, ›neusachlichen‹ Versprechen der Großstadt erweisen sich als Illusionen. Braune gelingt es, die Problematik ernüchterter und zynischer Großstadtjugend mit der Darlegung möglicher und realistischer Politisierungsprozesse zu verbinden. – Auch der im kommunistischen Jugendverband der KPD aktive WALTER SCHÖNSTEDT (1909–?) versuchte in *Kämpfende Jugend. Roman der arbeitenden Jugend* (1932) die unmittelbare Einbeziehung der Bedürfnisse umherschweifender Kreuzberger Jugendlicher im proletarischen Berlin in die Politik des KJVD zu thematisieren. Seine Sympathien liegen dabei durchaus bei der lumpenproletarischen »Clique Sau«, einer rebellischen Jugendgruppe, die dem KJVD die Stirn bietet. Auseinandersetzungen zwischen organisierten Jungkommunisten und unorganisierten bzw. sich selbst organisierenden Jugendlichen werden hier nicht vorschnell auf der Ebene der Parteipolitik, sondern ansatzweise auf derjenigen unmittelbarer Erfahrungsbereiche ausgetragen. In *Motiv unbekannt*, dem Roman, der 1933 als 131. und letzter in der ›Universum-Bücherei für Alle‹ in Deutschland erschien, geht Schönstedt ein gleichermaßen unkonventionelles Thema an; es geht um einen arbeitslosen Jugendlichen in Berlin, der zum Strichjungen wird und für sich allein im Selbstmord einen Ausweg findet.

Möglichkeiten proletarischer Gegenöffentlichkeit

Dem taktischen und dem strategischen Anspruch der proletarisch-revolutionären Literatur entsprachen und entsprangen besondere Formen der Öffentlichkeit, der Produktion, der Distribution und Rezeption. Trotz der von Walter Benjamin konstatierten Absorptionsfähigkeit der bürgerlichen Gesellschaft revolutionären Sujets gegenüber war der sozialistischen Literatur der bürgerliche Herstellungs- und Verteilerapparat (Verlage, Zeitung, Rundfunk usw.) nicht nur weitestgehend verschlossen; zahlreiche Literaturverbote und Hochverratsprozesse gegen Schriftsteller und gegen kommunistische Presseorgane, vor allem die ›Rote Fahne‹, behinderten gravierend die Verbreitung der sozialistischen Literatur. So wurden Verbote ausgesprochen und Prozesse angestrengt – längst vor den Bücherverbrennungen 1933 – gegen Becher, Brecht, Bredel, Herzfelde, Kanehl, Kläber, Körner-Schrader, Lask, Lorbeer, Marchwitza, Mühsam, Neukrantz, Piscator, Renn, Weinert und andere; Radikaldemokraten wie Carl von Ossietzky waren hier nicht ausgeschlossen.

Trotzdem vermochte sich die proletarisch-revolutionäre Kulturbewegung ihre eigenen Wege zu schaffen, um die proletarische Öffentlichkeit zu erreichen. Einen Weg dazu wies die radikale Kritik an der ›Institution Kunst‹, die das Bürgertum seit dem 18. Jahrhundert entworfen hatte. Am deutlichsten wird dies vielleicht im Theaterbereich. Bereits das erste proletarische Theater des Kreises um Piscator verließ die Theaterhäuser; die Agitprop-Truppen der späteren Jahre führten diesen Anspruch dann vollends aus: Hinterhöfe von Mietskasernen oder politische Veranstaltungen wurden zum Ort, an dem ›Theater‹, ein anderes Theater gemacht wurde. Auf Bedeutung und Beliebtheit von Tribünenlyrik und gemeinsam gesungenen Kampfliedern auf Demonstrationen, Aufmärschen oder Versammlungen wurde bereits hingewiesen – hier vereinigten sich Produzenten und Rezipienten proletarisch-revolutionärer Literatur in der kollektiven Realisierung ihrer politischen und kulturellen Ansprüche auf Emanzipation gleichsam in der ›Aktion‹.

Ein wichtiger Verteiler war die proletarische Presse; schon die Arbeiterkorrespondenten-Bewegung wollte ein Teil der kulturell-politischen Selbstverständigung und Selbstbetätigung sein – sie fand ihre Leser in zum Teil hektographierten, lokalen Zellen-Zeitungen oder in der (überwiegend kommunistischen) Tagespresse. Deren Feuilletons waren wichtige Foren vor allem für die neu entstehenden Kurztexte, aber auch für Leseproben aus größeren Werken und nicht zuletzt der marxistischen Literatur- und Kunstkritik. In der häufig verbotenen ›Roten Fahne‹ beispielsweise erschienen theoretische Abhandlungen von G. Alexander, Balázs, Becher, Biha, Durus, Lukács, Piscator, Steinikke, Wittfogel u. a.

Aufschlußreich für den literarischen Erfahrungshorizont der kommunistischen Leser, aber auch für die Propagierung fortschrittlicher und revolutionärer Literatur sind die Romanabdrucke: in Fortsetzungen erschienen u. a.: Max Barthel: *Erdgeräusche*, Dostojewski: *Weiße Nächte*, Jack London: *Südsee-Geschichten* und *Die eiserne Ferse*, Franz Jung: *Arbeitsfriede*, Upton Sinclairs *König Kohle*, *Man nennt mich Zimmermann* und *Petroleum*. Seit den späteren zwanziger Jahren folgen die neuen proletarisch-revolutionären Romane in Vorab- oder Nachdrucken, Grünbergs *Brennende Ruhr*, Plieviers *Des Kaisers Kulis*, Marchwitzas *Sturm auf Essen*, Scharrers *Der große Betrug* u. a.

Das Zentralorgan war zwangsläufig Sprachrohr der Partei, ebenso wie die regionalen Parteiblätter (›Hamburger Volkszeitung‹ oder die Düsseldorfer

›Freiheit‹). Diese Zeitungen versuchten kommunistische Partei-Politik den Mitgliedern und Wählern zu vermitteln. Von hier aus stand diese Presse in der Gefahr – und sie ist ihr nicht immer entgangen –, andere Bewegungen in der Arbeiterklasse, auch vor- oder unpolitische, zu übersehen, kurz, sich im Selbstbewußtsein der ›Avantgarde‹ des Proletariats von Teilen der eigenen Klasse abzuschließen. Dieser Gefahr suchten die Zeitschriften und Zeitungen zu entgehen, die sich an ein nicht derart festgelegtes Publikum wandten. Es ist vor allem das Verdienst von WILLI MÜNZENBERG (1889–1940), ein kommunistisches Presse- und Verlagswesen aufgebaut zu haben, das eine recht breite, stärker auf die Klasse als auf die Partei orientierte Programmatik aufwies. Münzenberg war Organisator der Kommunistischen Jugendbewegung, seit 1919 in der KPD und seit 1924 KPD-Abgeordneter des Reichstages. Neben der mehrfach genannten ›AIZ‹, die im Zusammenhang mit der ›Internationalen Arbeiter-Hilfe‹ entstanden war, gewann vor allem die Berliner Tageszeitung ›Die Welt am Abend‹ (1926–1933) an Einfluß, die unter der Leitung von Otto Heller, Kurt Kersten und anderen Auflagen von 100000 Exemplaren erreichte, und ›Berlin am Morgen‹ (1931–1933, mit 60000 Auflage) unter der Redaktion von Bruno Frei. In diesen Blättern wurden, ohne daß zentrale kommunistische Positionen aufgegeben worden wären, offenere – nicht überparteiliche, vielmehr sehr deutlich auf Einheitsfront zielende – Formen kultureller Selbstverständigung gefunden, als es in der ›Roten Fahne‹ der Fall war.

Zu den Münzenberg-Verlagsprogrammen, die sich an spezifische Adressatengruppen wandten, gehörte auch die Frauenzeitschrift ›Der Weg der Frau‹ (1931–1933). – Ausdrücklich an organisierte Praktiker und Rezipienten bestimmter Medienbereiche richteten sich der von der Vereinigung der Arbeiter-Fotografen herausgegebene ›Arbeiter-Fotograf‹ (1926/27–1932), das Nachrichtenblatt des Freien Radiobundes ›Arbeiter-Sender‹ (1929–1933), das Organ des Volksfilmverbandes ›Film und Volk‹ (1928–1930) und ›Arbeiterbühne und Film‹ (1930–1931), das die alte ›Arbeiterbühne‹ ablöste und Zentralorgan des Arbeiter-Theater-Bundes war. Als ›Zeitschrift für Scherz, Satire, Ironie und tiefere Bedeutung‹ verstand sich der satirische ›Eulenspiegel‹ (1928–1933, seit 1932 unter dem Titel ›Roter Pfeffer‹).

Hiermit waren Chancen eröffnet, eine Art proletarischer Gegenöffentlichkeit einzurichten; neben im engeren Sinne ›politischen‹ Verständigungs- und Agitationsmöglichkeiten, etwa Flugblättern, standen hier breite Möglichkeiten gerade der Basis offen, Erfahrungen z. B. über das Fotografieren oder das Filmen auszutauschen, eigene Bilder zu veröffentlichen, Texte zur Diskussion zu stellen.

Für die Verbreitung fortschrittlicher Literatur sorgten die linken Verlage, Münzenberg leitete den ›Neuen Deutschen Verlag‹ (in Verbindung mit den genannten Aktivitäten der IAH, seit 1924), der neben politischen und theoretischen Schriften auch sozialistische Literatur herausbrachte.

Das kommunistische Verlagswesen beförderte zunächst der ›Malik-Verlag‹ von Wieland Herzfelde, ein im Banne des Expressionismus 1916 gegründeter Verlag, der vor allem während der Revolutionsjahre den revoltierenden

Künstlern ein Publikationsforum eröffnete; so in der Reihe ›Die Rote Roman-Serie‹, der ›Sammlung proletarischer Bühnenwerke‹, der ›Malik-Bücherei‹ und in der Zeitschrift ›Der Gegner‹ (1919–1922). Später folgten u. a. mehrbändige Sinclair- und Gorki-Gesamtausgaben, sowjetische und proletarische deutsche Literatur. – Die VIVA, die ›Vereinigung Internationaler Verlagsanstalten‹, 1921 gegründet und 1927 in ›Internationaler Arbeiter-Verlag‹ (IAV) umbenannt, druckte erste Zeugnisse proletarisch-revolutionärer Literatur, das Programm des IAV wurde nicht unmaßgeblich von Kurt Kläber geprägt. Die Serie ›Der Rote-1-Mark-Roman‹ erschien hier.

In bewußter Konkurrenz zu den gewerkschaftlichen und sozialdemokratischen Buchgemeinschaften ›Büchergilde Gutenberg‹ und ›Bücherkreis‹ gründete der ›Neue Deutsche Verlag‹ 1927 die ›Universum-Bücherei für Alle‹ (UB), die bis zur Machtergreifung knapp 130 Bände herausbrachte. Dieser Buchclub gab eine eigene Zeitschrift, ›Das Magazin für Alle‹ (1926–1933), heraus, das Vorabdrucke der eigenen Produktion und Originalbeiträge brachte. Das Konzept von Zeitschrift und Buchgemeinschaft war deutlich auf eine breite Bündnispolitik angelegt; richtete sich der ›Rote-1-Mark-Roman‹ primär an klassenbewußte Arbeiter – allein die Sujets der Titel, die alle dem proletarischen Milieu entstammen, weisen darauf hin –, so ging es der UB um eine Verbreiterung des Bündnisses. So erschienen ausgewählte Werke der ›Weltliteratur‹ (Schiller, Heine; Balzac, Zola), sozialistische Klassiker (Marx, Franz Mehring, Rosa Luxemburg, Lenin); einen auch zahlenmäßig bedeutenden Anteil hatten sowjetische Autoren wie Fédin, Gorki, Ognjew, Pilnják, Rodionow, Serafimówitsch, Tretjakow, Tynjánow – hiermit wurde auf belletristischem Feld, neben den anderen Genres, für Solidarität mit Sowjetrußland geworben.

Neben Werken linksbürgerlicher Autoren (Walter Mehring, Ernst Glaeser und Kurt Tucholsky) wurden auch Romane der jungen proletarisch-revolutionären Literatur gedruckt (Becher, Daudistel, Heller, Hotopp, Kisch, Kläber, Marchwitza, Weiskopf). Insgesamt also ein Pendant zur Pressepolitik Münzenbergs: Klassenpositionen werden deutlich vertreten, aber nicht in der Enge, wie sie sie teilweise bei der KPD, aber auch im BPRS begegneten. – Die ›Universum-Bücherei‹ zählte 1932 40000 Mitglieder, also mehr als der ›Bücherkreis‹, erheblich weniger als die ›Büchergilde Gutenberg‹.

Ohne größeren Einfluß blieb die ›Gilde freiheitlicher Bücherfreunde‹ der deutschen Anarcho-Syndikalisten. Sie hatte 1931 kaum mehr als 1000 Mitglieder und brachte rund 20 Titel heraus, neben Erinnerungen anarchistischer Klassiker (Max Nettlau, Rudolf Rockers Autobiographie über seine Kriegsgefangenschaft in England, *Hinter Stacheldraht und Gitter*, sowie die Gefängniserinnerungen des russischen Anarchisten Alexander Berkmann, *Die Tat*) vor allem Übernahmen aus anderen linken Verlagen, so die Kriegs- und Revolutionsromane Theodor Plieviers und Ernst Ottwalts *Ruhe und Ordnung* (aus dem Malík-Verlag). Der erste Band dieser Buchgemeinschaft blieb der bedeutendste: Bruno Vogels *Alf* (1929), eine beeindruckende Attacke gegen die Unterdrückung von Homosexuellen. – Die Zeitschrift der ›Gilde‹, ›Besinnung und Aufbruch‹ (1929–1933), kümmerte sich um einen von der proletarisch-revolutionären Literatur kaum beachteten Themen- und Autorenbereich: die Literatur der Vagabunden.

Dies waren konstituierende Elemente proletarischer Gegenöffentlichkeit; daß sie der bürgerlichen Kulturindustrie unterlegen blieben, lag nicht zuletzt an deren ökonomischer Mächtigkeit: Johannes R. Becher bemerkte 1931 in der ›Linkskurve‹: »Der Gesamtumsatz des bürgerlichen Buchhandels für das Jahr 1930 betrug 600 Millionen Mark ohne Zeitungen und Zeitschriften. Die proletarischen Verlage erreichten einen Umsatz von 6 Millionen, das ist 1 % des Gesamtumsatzes. Auflagenhöhe der Courths-Mahler: 22 Millionen Exemplare.«

Arbeiterliteratur im Umkreis der SPD

Kulturpolitische Prämissen

Die im Gefolge der Novemberrevolution von der führenden Oppositions- zur Regierungspartei avancierte SPD hatte die Forderung nach revolutionärer Umgestaltung der Gesellschaft endgültig aufgegeben. Die erreichte Form der parlamentarischen Demokratie galt ihr nicht mehr als verbesserter Ausgangspunkt für den sich zuspitzenden Klassenkampf, sondern bereits als erste Stufe zur Überwindung der kapitalistischen Gesellschaft, in der der Partei die Rolle des Garanten für die Verwirklichung von Freiheit und Gerechtigkeit zukam.

Für die sozialdemokratische Kulturpolitik hatte das weitreichende Konsequenzen. Die veränderte Staatsform allein schien endlich dem Proletariat gleiche Chancen, auch auf kulturellem Gebiet, zu eröffnen und damit den Verzicht auf eine offensive proletarische Gegenkultur zu rechtfertigen. An ihre Stelle tritt das Konzept einer sozialistischen ›Kulturgemeinschaft Neuer Menschen‹ (Heinrich Schulz, Valtin Hartig) als Aufgabe sozialdemokratischer Bildungstätigkeit. Ihre ausdrückliche Trennung von der politischen Ebene wird programmatisch: die sozialistische Kulturbewegung ist nicht nur ›dritte Säule‹ der sozialistischen Bewegung neben der politischen und wirtschaftlichen Organisation, in ihr wird darüber hinaus »Sozialismus eine überzeitliche Angelegenheit ohne Klassenscheidung, die aus dem Wirtschaftlichen stammt. Hier hat sein Prinzip bereits allgemein gesiegt«[1]. Sozialistische Kultur im sozialdemokratischen Verständnis ist nicht mehr Klassenkultur, sondern eigentliche Menschheitskultur. Kulturrevolutionäre Positionen, wie sie innerhalb der Partei vor allem seit der Weltwirtschaftskrise auftauchten, blieben Randerscheinungen.

Soweit man von einer SPD-offiziellen Kunsttheorie in der Weimarer Republik sprechen kann, beruht sie auf der Vorstellung der grundsätzlichen Klassenjenseitigkeit von Kultur und Kunst, auf der Annahme eines Wertes »der Kunst an sich, die den Menschen vertieft und erweitert und somit zur umseitigeren Erfassung auch politischer Probleme befähigt«[2]. Nicht über ihre Inhalte, sondern allein über die Form der Aneignung von Kunst realisiert sich das jeweilige Klasseninteresse. Gemeinschaftsgefühl und Gemeinschaftserlebnis werden zu Schlüsselbegriffen für die spezifisch sozialdemokratische Rezeption. Abgelöst vom politischen Kontext und stilisiert zu »klasseneigentümlichen Elementen proletarischer Geistigkeit«[3], sollen sie gleichwohl die Entstehung von Klassenbewußtsein über das Medium Kunst garantieren. Die Entwicklung proletarischen Klassenbewußtseins ist nicht mehr Sache revolutionärer Politik, sondern notwendige Folge kultureller Vorarbeit. »Je höher der Mensch im Proletarier entwickelt wird, um so stärker der Kämpfer ist. [...] Zum Willen zu handeln [...] gehört als Urgrund ein starkes, heißes Gefühl. Die Erweckung, Entwicklung und Stärkung des Gefühls ist Sache der Kunst.«[4]

Die ausgedehnten Kulturorganisationen und Bildungseinrichtungen der SPD (Volksbühnenverband, Arbeitertheaterbund, Arbeitersängerbund, Arbeiterradiobund; Arbeiterbibliotheken und Volkshochschulen; Presse- und Verlagswesen) sahen denn auch ihre Hauptaufgabe darin, die Massen an die Kunst heranzuführen. Den Beweis für die »einigende Kraft des Gemeinschaftserlebnisses, die Verbundenheit zu gemeinsamen Ziel«[5] lieferte nicht nur das ›bürgerliche Erbe‹, sondern auch die im Umkreis der SPD neu entstehende Literatur. Vor allem von Arbeiterschriftstellern geschaffen, galt gerade sie als Ausdruck der endgültigen Kulturfähigkeit des Proletariats, als proletarische Kunst. Unausgesprochen blieb jedoch das Primat der Hochleistungen bürgerlicher Kunst bestehen, mit denen Arbeiterschriftsteller allenfalls konkurrieren konnten.

Forum der neuen Arbeiterliteratur waren neben den Zeitschriften ›Neue Zeit‹ und ›Kulturwille‹ vor allem die Publikationsorgane der sozialdemokratischen Arbeiterjugendbewegung. Den Schwerpunkt bildeten hier Lyrik und szenische Darstellungen, literarische Formen also, die für Massenkundgebungen und Feiern optimal einsetzbar waren. Im Arbeiterjugendverlag erschienen Gedichtbände von Jürgen Brand, Karl Bröger, Otto Krille, Heinrich Lersch, Ludwig Lessen, Bruno Schönlank und Julius Zerfaß; Sommernachts- und Sonnwendspiele, Weihespiele und Sprechchöre von Max Barthel, Hermann Claudius, Hendrik de Man, E. R. Müller, Alfred Thieme und Arno Wollmann. Maßgeblicher Publikationsort neuer Prosaliteratur wurden die ab 1924 eingerichteten Arbeiter-Buchgemeinschaften: die vom Bildungsverband Deutscher Buchdrucker gegründete Büchergilde Gutenberg und der organisatorisch mit der SPD verbundene Bücherkreis (ca. 80000 bzw. 30000 Mitglieder).

Lyrik seit 1918: Arbeiterdichtung

›Arbeiterdichtung‹ definiert sich durch die von sozialdemokratischen Vorstellungsmustern beeinflußte Verarbeitung von Erfahrungen im Produktionsprozeß, in dem ihre Autoren für kürzere oder längere Zeit standen. Parallel zu einer Entwicklung, die von der engen Bindung früherer SPD-Literaten an

die Interessen der Klasse zum freien Schriftsteller auf dem bürgerlichen Literaturmarkt führte, verlagerte sich der Anspruch von ›Arbeiterdichtung‹ immer mehr vom Kampf- auf den Kunstcharakter. Dabei hält sie am sozialistischen Anspruch fest, thematisiert bevorzugt proletarische Arbeits- und Lebensbereiche und beruft sich in leitmotivischem Rückgriff auf Kategorien der
sozialistischen lyrischen Tradition. Der Kompromiß zwischen politischer
Dichtung und reiner Kunstausübung zeigt sich in den Lyrikbänden des Arbeiterjugendverlags und vor allem in den repräsentativen Anthologien *Arbeiterdichtung der Gegenwart* (Hrsg. K. Offenburg 1925), *Jüngste Arbeiterdichtung* (Hrsg. K. Bröger [1]1925, [2]1929), *Das proletarische Schicksal* (Hrsg. H.
Mühle 1929): neben den älteren, die klassenbewußte Tradition nicht verleug-
nenden Autoren wie Krille, Petzold, Preczang stehen junge Dichter wie H.
Claudius, W. Schenk u. a. Quantitativ stellt sich die – so bezeichnete – ›mittlere Generation‹ als Hauptrepräsentantin ›klassischer‹ Arbeiterdichtung der
Weimarer Republik vor: Karl Bröger, Heinrich Lersch und Max Barthel. In
ihrem Werk manifestiert sich der endgültige Umschlag vom Primat sozialistischer Politik zum Primat bürgerlicher Ästhetik am sinnfälligsten.
Wie die Mehrzahl der Arbeiterdichter aus dem proletarisierten Kleinbürgertum stammend, wurden sie durch die Begegnung mit der industriellen Produktionsweise entscheidend geprägt. Schon in ihrer frühen Lyrik erscheint
als Kompensation des sozialen Abstiegs eine Aufwertung des Arbeiterstatus,
die nicht mit der historischen Perspektive der Klasse, sondern mit dem Wert
schöpferischer Arbeit an sich begründet wird. Anders als etwa Gerrit Engelke
und Paul Zech, die die Probleme von Großstadt und Industrie mit expressionistischen Stilmitteln und Attitüden als Dichter-Seher verkünden, berufen
sie sich ausdrücklich darauf, mitten aus dem werktätigen Volk hervorgewach-
sene Dichter zu sein und empfehlen den Arbeitskollegen ihre Lyrik als deren
ureigenstes Anliegen.
Politische Konsequenzen wurden schon in der Kriegslyrik der ›Arbeiterdichter‹ deutlich. Sie hatten sich mit emphatischen Kriegsgesängen aus dem gesellschaftlichen Abseits der ›vaterlandslosen Gesellen‹ herausmanövriert; ihre Lyrik fand als ein Ausdruck der offiziellen Burgfriedenspolitik des rechten
SPD-Flügels in Organisationen und Presse der Partei breite Resonanz. Die im
Verlauf des Krieges in der Lyrik zu beobachtende Wandlung zu gewisser
Kriegsmüdigkeit und pazifistischen Tendenzen bedeutete aber noch keine
Aufgabe ihrer staatstreuen Haltung: vor der Ideologie des Verteidigungskrie-
ges verstummt der proletarische Internationalismus, das vielberufene ›kollek-
tive Weltgefühl‹ der arbeitenden Klasse borniert sich auf die eigene Nation.
Der klassenbewußte Proletarier tritt hinter den nationalen Dichter zurück.
Diese Lyrik, der Beginn ›klassischer Arbeiterdichtung‹, konnte ungehindert
Einzug in den bürgerlichen Literaturbetrieb halten.
In der Nachkriegslyrik KARL BRÖGERS (1886 – 1944), seit 1913 Redakteur einer
sozialdemokratischen Tageszeitung, tritt der Widerspruch von sozialisti-
schem Anspruch und reformistischer Politik am deutlichsten zutage. In seiner Adaption des ›friedlichen Hineinwachsens in den Sozialismus‹, die er
auch theoretisch formulierte (*Vom Sinn neuer Arbeit*, 1919; *Deutsche*

Republik, 1926) liegt der Schwerpunkt auf der bedingungslosen Zustimmung zur bestehenden Staatsform. Seine Verse, etwa »Deutsche Republik, wie alle schwören / letzter Tropfen Bluts soll dir gehören« (*Flamme*, 1920) und die zentralen Gedichte seines Deutschlandzyklus (*Deutschland. Ein lyrischer Gang in drei Kreisen*, 1923) weisen letztlich dieselbe Grundhaltung auf, die schon seine Kriegsgedichte prägte. Chauvinistische Positionen werden nicht revidiert, sondern überdeckt durch eine quasi kosmopolitische, allgemein menschliche Betrachtungsweise, die konkrete Ausbeutungsverhältnisse verwischt in der Gemeinschaft der brüderlich Schaffenden. Der daraus resultierende diffuse Volksbegriff bereitete die reaktionärste Volksgemeinschaftsideologie mit vor. Noch Brögers lyrisches Bekenntnis zum Sozialismus »Es ist, weil es wird, / und es wird, weil es sein muß, / daß wir aufsteigen / zum Sinn unserer Sendung« (*Deutsches Gesicht*, 1927) bietet sich in seinem die Klassenkämpfe gänzlich aussparenden Geschichtsdeterminismus der Inanspruchnahme durch die faschistische soziale Demagogie geradezu an. Der abstrakte Optimismus seiner Zeilen »Doch wer ahnte nicht / dies werdende Volk / das im Aufbruch ist zu sich selbst / und dereinst herrlich steht / im Glanze der Erfüllung?« (ib.) wirkt vor dem Hintergrund faschistischer Machtergreifung nur noch fatal. Das Hantieren mit Abstraktionen kennzeichnet auch Brögers Gedichte auf die Arbeit, die ihm ungeachtet der unveränderten Arbeitsbedingungen zu einem Hymnus auf das kollektive Schöpfertum geraten und im Aufruf zur Klassenharmonie gipfeln, die den reibungslosen Wiederaufbau kapitalistischer Produktion garantiert: »Schöpfer sind alle, / die am Werke dienen, / das eines ist, / und heißt sein Adel: / Arbeit!« (*Flamme*, 1920). Bei Bröger wird Realitätsblindheit, die sich durch gereimte religiöse und mythologische Versatzstücke als Kunst zu legitimieren sucht, zum Programm.

HEINRICH LERSCH (1889–1936), Kesselschmied im väterlichen Handwerksbetrieb, dem die vordringende Industrialisierung die Existenzgrundlage entzog, stellt sich bewußter als Bröger der aufgezwungenen Integration in den modernen Produktionsprozeß. Er bezieht selbstanklägerisch Stellung zu seinen Kriegsgesängen: »Du Blutsänger, Morddichter, da sauf Blut« (*Mensch im Eisen*). Flexibler als Bröger reagiert er auf die Krisen der Weimarer Republik, die ihn zeitweilig zu antikapitalistischen Äußerungen stimulieren, geht konkreter ein auf die am eigenen Leibe erfahrene Verelendung und die Anonymität der geschaffenen Werte. In Lerschs ›Lebensbilanz‹ (*Mensch im Eisen. Gesänge von Volk und Werk*, 1925) treten die verschiedenen Stufen seiner Arbeitserfahrung plastisch hervor: die kollektive Zusammenarbeit im Kleinhandwerksbetrieb (*Freude am Werkfeuer*), der Stolz auf das gemeinsame Werk, der abgelöst wird von der Erkenntnis, daß diese Arbeitsform sich nicht wird behaupten können (»Ungleicher Gegner ich, zum Untergang gedrängt«). Seine Klagelieder über das gestörte Verhältnis zur Arbeit im Lohnarbeiterdasein sind am ehesten realistischer Ausdruck eines ökonomischen Verhältnisses, das den Menschen zum Anhängsel der Maschinen degradiert. Ausweg ist aber auch ihm nicht der Kampf gegen die Ausbeutung, sondern ein religiöser Mythos von proletarischer Sendung: »in Brücken, Häusern und

Maschinen / da kreist dein Blut, der Welt zu dienen! / Du hältst in deinen harten Händen: das Weltgeschenk: dich selbst, zu spenden« (*Was schafft dir deinen Schmerz, Prolet*, 1918). *Mensch im Eisen* ist nicht nur Bild für das messianische Opfer, sondern gleichzeitig Ausdruck seiner Schöpferkraft, die in den produzierten Dingen Gestalt angenommen hat. Das geht einher mit einer geradezu manischen libidinösen Besetzung der Arbeitsmittel (»Vater Hammer«, »Mutter Amboß«), durch die ein Zeugungsmythos konstruiert wird, in dem schließlich die Widersprüche von handwerklicher und industrieller Produktionsweise, zwischen Produzent und Produkt, aufgehoben sind: »Eisen, du vor allem geliebter Stoff! Werk-Same! / Aus den glühenden Leibern der Hochöfen fließt du in die Gebärmütter gewaltiger Bessemer-Birnen.« Die in der Beschwörung des Schöpfungsaktes gerettete Utopie unentfremdeter Arbeit läßt die Frage nach der Verfügungsgewalt über die Arbeit nicht aufkommen.

In der Lyrik MAX BARTHELS (1893–1975) scheint sich zunächst eine Alternative anzudeuten. Als KPD-Mitglied (bis 1923) und Funktionär der Jugendinternationale bekennt er sich seit 1918 zum revolutionären Klassenkampf. In seinen Gedichtbänden *Revolutionäre Gedichte, Die Faust, Arbeiterseele, Utopia, Lasset uns die Welt gewinnen* (alle 1920) fordert er die ›Proleten‹ auf, die Revolution auch in Deutschland zu vollenden. Nach dem Abklingen der revolutionären Massenbewegungen desorientiert, arrangiert Barthel sich mit der SPD. In seiner Gedichtsammlung *Botschaft und Befehl* (1926) sind es nicht mehr die Ausgebeuteten, die angerufen werden, sondern die »Frontsoldaten in der Arbeitsschlacht«. Die dichterische Antizipation des Triumphs der Revolution macht der abstrakten Beschwörung einer erlösten Erde Platz, in der »alle Menschen Freunde, Brüder heißen« (*Der große Hammer*) oder stimmt ein in die Verherrlichung weltumspannender Arbeit. Neben Gedichten auf die moderne Industrie und den Schmelztiegel der Großstadt tritt nachromantische Liebes- und Naturlyrik. Subjektives Naturerlebnis erscheint hier, wie bei Bröger, Lersch, Lessen, aber auch Schenk, Schönlank und Zerfaß als Erfüllung des Menschseins. Natur tritt auf als absoluter Gegensatz zu Maschine, Stadt, Arbeitsalltag. Die Flucht aus der Realität bedeutet gerade bei Barthel, der noch 1920 in den Versen »Allen das Licht, Gesang, Wald, Wiese und Kohle, / Erhabenen, begrabenen Wald nimmt nun das Volk in Besitz« (*Erscheinung*) den Zusammenhang von Natur und Arbeit im Bild verdichtet und aus dem allgemeinen Charakter menschlicher Arbeit als Beherrschung der Naturkräfte das Recht der Arbeitenden auf ihre Vergesellschaftung herleitet, Rückzug auf der ganzen Linie. Übrig bleibt wandervogelhafte Zivilisationsmüdigkeit, die sich durch die Rede von der ›heiligen Natur‹ selbst die höheren Weihen erteilt.

Diese Tendenzen setzen sich in der von Bröger herausgegebenen Anthologie *Jüngste Arbeiterdichtung* fort. Die jüngeren Autoren setzen sich kaum noch mit dem tagtäglichen Existenzkampf der Arbeiter auseinander: Arbeiterdichtung reduziert sich auf Feierabendlyrik: »Eine Stunde des Abends hebt uns zu Himmel empor« (W. Schenk: *Feierabend*).

Arbeiterdichtung trat mit dem Anspruch auf, nicht »Dichtung über die Arbeiterklasse, sondern geformtes Leben dieser Klasse selbst« zu sein.[6] Ihren kommunistischen Kritikern hingegen war es »beinahe unmöglich, die Naht aufzuspüren, welche sie mit dem Proletariat verbindet«[7]. Ihnen galt sie als »der getreueste ›kulturelle‹ Überbau, der der politischen Basis dieser Partei [der SPD] entspricht«[8]. Dieses Urteil bezeichnet eine unübersehbare Tendenz: im Laufe der Entwicklung der Arbeiterlyrik von der Formulierung kollektiver Klassenerfahrungen zu subjektivistischen Gefühlsäußerungen von Künstlerindividuen macht die Empörung über die herrschenden Zustände der illusionären Versöhnung der Konflikte Platz. Inwieweit sich proletarische Inhalte durch die Anpassung an bürgerliche lyrische Kunstsprache verändern, wird nicht problematisiert. Konkrete Klassengegensätze verschwinden hinter der Symbolik von Technik und Natur, Arbeit und Feierabend. Die individuelle Betroffenheit durch entfremdete Arbeit wird umgemünzt in ihre totale Mythisierung. Irrationalismus wird zum beherrschenden Element der Arbeiterdichtung. Der Mythos der Industriewelt ersetzt das passive Verhalten zu den Produktionsmitteln durch ihre Beherrschung in der Einbildung. Sowohl ihre Dämonisierung zum »Moloch«, »hingeducktem Tier« (Grisar) als auch ihre Verherrlichung, die den auf vorindustriellen Arbeitsweisen beruhenden Stolz auf das Arbeitsprodukt wieder zu etablieren sucht (Lersch, Wieprecht, Wohlgemut), verraten nur das Leiden am Bestehenden und die Ausweglosigkeit eines solchen Versuchs.

Auch die Naturlyrik arbeitet, wenn sie nicht rein privat bleibt, mit den Mitteln mythischer Überhöhung: Sonntagsspaziergänge sind Anlaß zur Verschmelzung mit der ›heiligen Natur‹, an deren Busen sich die Bedürfnisse erfüllen, die der Werkalltag versagt. Die Anrufungen der ›Mutter Erde‹ als ›Urgrund des Volks‹ rücken in die Nähe eines Erd-Mythos, an den die faschistische Blut-und-Boden-Ideologie nahtlos anknüpfen konnte.

Arbeiterdichtung als »proletarische Dichtung ohne Klassenbewußtsein« (Rülcker) wird so zur Waffe in der Hand des Gegners. Das Lob der Arbeit, so sehr es auf lassalleanischen Vorstellungen von Arbeit als einziger Quelle des gesellschaftlichen Reichtums beruht, führt, wenn die Klassenfrage nicht gestellt wird, nur dazu, »das Proletariat lyrisch zu erweichen und ihm durch ›ästhetische Stimmungen‹ sein Fließband- und Maschinendasein schicksalsgerecht zu machen«[9]. Das in derselben Tradition stehende Vertrauen auf einen 1918 angeblich geschaffenen ›freien Volksstaat‹, für den sich harte Arbeit lohne, macht blind gegen seine Feinde von rechts. Die Entpolitisierung und Enthistorisierung ursprünglich sozialistischer Ideen durch die Arbeiterdichtung machte sie der sozialen Demagogie des Faschismus nicht nur verfügbar, sie bereitete ihr auch den Weg.

Das Arbeitertheater der SPD

Produktionen für das sozialdemokratische Laientheater erschienen in den Reihen ›Jugend- und Laienspiele‹, ›Sprechchorwerke‹ des Arbeiterjugendverlags und den ›Arbeiter-Fest- und Weihespielen«, ›Arbeitersprechchören‹ des

Arbeitertheaterverlags Jahn. Neben Bröger, Barthel, Grisar waren es Alfred Thieme, Hermann Claudius, Carl Dantz und vor allem Bruno Schönlank, die die besondere Form des lyrisch-dramatischen Chorwerks entwickelten. Gegenüber dem etwa durch die ›Volksbühne‹ repräsentierten Berufstheater der SPD wurden die Sprechchöre und Weihespiele als spezifische Organisationsform der Arbeiterfestkultur betrachtet. Wie das frühe Arbeitertheater hatten sie ihren Ort ausschließlich auf den Festen (Revolutionsfeiern, Maifeiern, Sonnwendfeiern, proletarischen Weihnachtsfeiern und Jugendweihen) der verschiedenen SPD-Organisationen. Im Gegensatz zu den ›nüchternen‹ politischen Versammlungen sollten diese Veranstaltungen »Stunden der Hingabe an die Masse« sein, »Stunden, in denen Herz und Wille des Proletariats ihre eigene Sprache reden« [10].

Die relativ eigenständige Kunstform, die sich aus der chorischen Rezitation von Gedichten zum szenischen Zusammengehen von Einzelsprechern, Chor und Publikum entwickelte, war durchaus geeignet, die Trennung von Ausführenden und Rezipierenden durch die Mitwirkung der Massen aufzuheben. Die ersten proletarischen Sprechchöre fanden sowohl bei SPD- als auch bei KPD-Arbeitern breite Resonanz; in der Zeit der revolutionären Nachkriegsauseinandersetzungen waren sie Ventil und Ausdruck für die spontane Bewegung der Massen.

Formal (in der entindividualisierenden Reduktion auf allgemeinste, Typen) und inhaltlich der expressionistischen Dramatik verpflichtet, formulierten Sprechchöre wie Brögers *Kreuzabnahme* (1920) oder Schönlanks *Erlösung* (1920) den pathetischen Aufruf zur Menschheitsverbrüderung, der im »Sozialismus« als ersehntem Ziel mündet.

Die quasi liturgische Form »antikapitalistischer Messe« (Stieg/Witte, *Abriß*, S. 103) wurde allerdings zum Hindernis für den Versuch, konkrete Handlungsanweisungen zur Erfüllung proletarischer Interessen zu geben. Während die kommunistischen Sprechchorgruppen seit der Stabilisierungsphase dazu übergingen, den Sprechchor zu einem wirksamen Instrument klassenbewußter Agitation und Propaganda zu machen, beharrte man seitens der SPD auf der Ideologie des Gemeinschaftserlebnisses durch kollektive Kunstaneignung.

Als vollendeter Ausdruck von »Massenempfinden, Massengefühl, Massenerlebnis« galten die Sprech- und Bewegungschöre BRUNO SCHÖNLANKS (1891 bis 1965) (*Der Moloch*, 1923; *Der gespaltene Mensch*, 1927), die den statischoratorischen Charakter des Chorarrangements durch die Einfügung von rhythmischen Tänzen und Pantomimen durchbrechen. Durch die suggestive Entsprechung von Sprache und Bewegung sollte bewirkt werden, daß sich nicht nur die »Massen als Resonanz für das Spiel und als tönendes Echo zur Mitwirkung entschließen«, sondern »Mit-Glieder im künstlerischen Schöpfungsprozeß« werden. [11] Inhaltliche Aussagen der Chöre waren hinter diesem Ziel zweitrangig. Versuche der Annäherung an Formen und Inhalte des Agitprop-Theaters wie Schönlanks *Wir wollen zusammen marschieren* (1932), in dem die Seelenprosa durch handfeste politische Argumentation ersetzt wurde, blieben Ausnahme.

Neben den lyrisch-dramatischen Werken standen Handlungsstücke nach der gängigen Dramaturgie, die von den 30 000 Laienspielern (1921) und den 2500 im Arbeiter-Theater-Bund organisierten Gruppen auch außerhalb von Feieranlässen gespielt wurden. So läßt sich z. B. das Repertoire des Leipziger Jahn-Verlags auf 70 bis 100 Stücke schätzen. Die wichtigsten Autoren sind Alfred Auerbach, Gustav Burg, Lobo Frank, Felix Renker, Walter Troppenz, Heinrich Werner.

In theoretischen Äußerungen der Zeitschriften ›Arbeiterbildung‹ und besonders ›Kulturwille‹ über die Intentionen des sozialdemokratischen Laientheaters überwiegen die Stimmen, die auf unpolitische Unterhaltung und Affirmation zielen. So behauptet ein Hein Geißler vom Arbeiter: »Er ist Realist, wenn auch ein Träumer in ihm wohnt. Darum darf das Theater nicht realistisch sein« [12].

Nach E. R. Müller sollen die Aufführungen »den holden Schein einer gedachten Welt bringen« [13]. Der größte Teil dieser Stücke leistet keinen Beitrag zur Einschätzung oder Diskussion realer gesellschaftspolitischer Ereignisse. Durchgehend sind jedoch Hinweise auf die Richtigkeit der sozialdemokratischen Politik und der Strategien der Gewerkschaftsmehrheit; in keinem der Stücke wird eine selbstkritische Haltung gegenüber eigenen Parteiorganisationsstrukturen oder der Gewerkschaftspolitik auch nur angedeutet [14]. Im inhaltlichen Bereich kritisieren die Stücke zwar – falls sie politische Intentionen haben – das Kapital als den gefährlichsten Feind der Arbeiterbewegung; reduziert allerdings auf Figuren des häßlichen Firmenchefs, der aus individueller Motivation verabscheuungswürdig handelt, ohne daß seine Funktion im kapitalistischen Produktionsprozeß thematisiert wird.

Prosa: ›Büchergilde Gutenberg‹ und ›Bücherkreis‹

Mit der Gründung dieser, von der Buchdruckergewerkschaft (Gilde) und Partei (Kreis) getragenen Buchgemeinschaften (1924) war auch organisatorisch der Beginn einer Entwicklung markiert, in der das Schwergewicht literarischer Produktion im Umkreis der SPD auf das Prosaschaffen überging. Als ein weiteres wesentliches Element der ›Volksbildung‹ sollten die Gründungen ein Gegengewicht zur massenhaften Kolpotage etwa der Ullsteinschen 1-Mark-Romane darstellen und ihren proletarischen Abonnenten die Möglichkeit bieten, »Bücher voll guten Geistes und von schöner Gestalt« (Motto der Büchergilde) billig zu erwerben. Im Programm standen Werke der Weltliteratur (Goethe, Dostojewski), der bildenden Kunst, populärwissenschaftliche Abhandlungen und neue ›schöne‹ Literatur. Sie ist im BÜCHERKREIS, der vor allem ein Forum noch nicht arrivierter jüngerer Autoren war (Felix Scherret, *Der Dollar steigt*, 1930; Werner Illing, *Utopolis*, 1930; Otto Bernhard Wendler, *Laubenkolonie Erdenglück*, 1931), stärker an aktuellen Themen orientiert. Sein Lektor FRIEDRICH WENDEL (1886–1960) hatte schon zu Beginn die »engste geistige Gemeinschaft zwischen Lesern und Schriftstellern« propagiert und die Leser aufgefordert, ihre Wünsche und Pläne hinsichtlich der Stoffwahl und der Stoffhandlung zu äußern [15].

Dagegen ist die Romanproduktion der BÜCHERGILDE unter der Leitung ERNST PRECZANGS (1870–1949), wie dessen eigene Romane (*Zum Lande der Gerechten*, 1928; *Ursula*, 1931), vor allem von dem Bestreben gekennzeichnet, »von einer mehr äußerlichen Tendenzdichtung zu einer aus dem Reinmenschlichen, aus seelischen Quellen schöpfenden Kunst zu gelangen«[16]. Die Mehrzahl dieser Romane ist mehr oder weniger autobiographisch und variiert thematisch die Stufen proletarischer Jugend, Rebellion gegen die soziale Umgebung und anarchistische Lehrjahre bis zu sozialistischer ›Läuterung‹ (Barthel, *Das Spiel mit der Puppe*, 1925; Johannes Schönherr, *Befreiung*, 1927 u. a.). Ähnlich wie in den autobiographischen Romanen Brögers (*Der Held im Schatten*, 1919) und Lerschs (*Hammerschläge*, 1930) ist die Tendenz zum bürgerlichen Bildungsroman unübersehbar. Vor allem Bröger hatte die individuelle Aufhebung des ›niederen‹ Zustands des Proletariers in den ›höheren‹ des sozialistisch fühlenden Dichters exemplarisch vorgeführt.

Im Programm der Buchgemeinschaften spiegelt sich aber auch die Notwendigkeit, verstärkt auf linke Strömungen an der Basis zu reagieren. So erschienen in der Gilde Oskar Maria Grafs *Wir sind Gefangene* (1928), neben den exotischen Romanen Jack Londons auch sein sozialistischer Roman *Die Eiserne Ferse* (1927) und vor allem, für die Gilde zunächst exklusiv, sämtliche Romane Travens. Gerade sie waren die größten Erfolge der Büchergilde und wirkten weit über den gewerkschaftlich organisierten Leserkreis hinaus. In der Entdeckung Travens liegt das eigentliche Verdienst Ernst Preczangs, der sich »mit dem Blick über nationale und philiströse Grenzpfähle hinaus«[17] um die Manuskripte bemühte und der BÜCHERGILDE das deutsche Copyright sicherte. B. TRAVEN (d. i. RET MARUT, 1882–1969)[18], Herausgeber des stirnerianisch-anarchistischen ›Der Ziegelbrenner‹ (1917–1921) und aktiv in der Münchener Räterepublik, lebte seit 1923 im mexikanischen Exil. Zu seiner Position als *der* Hausautor der BÜCHERGILDE verhielt er sich alles andere als eindeutig. Durchaus kein Parteigänger der Sozialdemokratie, betonte Traven immer wieder, es seien »allein nur die proletarischen Mitglieder der BÜCHERGILDE, denen zur Freude und Liebe« er seine Arbeiten gebe.

Sich gegen das Etikett ›Arbeiterdichter‹ verwahrend, charakterisiert er sein literarisches Programm so: »Ich sehe keine Arbeiter und habe die Arbeiter auch gar nicht im Sinne. Ich sehe immer nur Menschen. Daß diese Menschen nun meist Arbeiter sind, wenn sie in meinen Werken erscheinen, ist rein zufällig. Erstens sind es die Arbeiter, mit denen ich am meisten gelebt habe, und zweitens habe ich gefunden, erlebt, erfahren, erlitten, daß der Arbeiter, der Prolet, der interessanteste und vielseitigste Mensch ist.«[19] Mit bedingungsloser Parteinahme für die Unterdrückten und Ausgestoßenen der nachrevolutionären mexikanischen Gesellschaft verarbeitet er in den Romanen seine Erfahrungen als Baumwollpflücker (*Der Wobbly*, 1926), Goldgräber (*Der Schatz der Sierra Madre*, 1927) und Forschungsreisender (*Die Brücke im Dschungel*, 1929). Seine Helden sind ausnahmslos Habenichtse, Eigentumslose, nicht Freibeuter, sondern freie Beute für die Aufkäufer ihrer Arbeitskraft wie der geshanghaite Seemann Gale im *Totenschiff* (1926), dessen Untergang gegen eine hohe Versicherungssumme schon eingeplant ist. Der

Zwang, jede Arbeit annehmen zu müssen, um zu leben, wird zum Kampf ums Überleben in einer Gesellschaft, die nur durch extremste Formen der Ausbeutung funktioniert. In seinen eindringlichen Darstellungen vom Leben der mittelamerikanischen Landbevölkerung verweist Traven als einer der ersten auf die besonderen Bedingungen von Rebellion und Revolution in den kolonialisierten Ländern der 3. Welt. Es wird sinnfällig, daß die vorkapitalistische, allein auf den Gebrauchswert orientierte indianische Kulturwelt sich gegen das expansionistische Profitstreben kapitalistischer Zivilisation nicht wird behaupten können. Die Eroberung Mexikos wiederholt sich auf imperialistischer Stufenleiter (*Die weiße Rose*, 1928). Wie in dieser Situation sich Widerstand entwickelt und die anfängliche Rebellion gegen die unmittelbaren Unterdrücker in revolutionäre Organisationsformen umschlägt, bildet den Inhalt des *Caoba-Zyklus* (*Der Karren*; *Regierung*, 1931; *Der Marsch ins Reich der Caoba*, 1933; *Trozas*; *Die Rebellion der Gehenkten*, 1936; *Ein General kommt aus dem Dschungel*, 1940). Die Faszination, die Travens Bücher bis heute ausüben (seit dem Welterfolg des *Totenschiffs* Gesamtauflage von mehreren Millionen, Übersetzungen in 32 Sprachen), ist nicht auf das Bedürfnis der Massen nach ›trivialer‹ Abenteuerliteratur zu reduzieren. Was hier als Abenteuer erscheint, ist gerade die Kehrseite von ›Freiheit und Ungebundenheit‹: ist der Optimismus, mit dem Traven zeigt, warum die Verhältnisse, weil sie so sind, Rebellen und Revolutionäre hervorbringen.

Mit dem Lektoratswechsel an die Parteilinken Erich Knauf (BÜCHERGILDE) und Karl Schröder (BÜCHERKREIS), 1928/29, bekommen die Programme ein ausgeprägteres politisches Profil, der offizielle kulturintegrationistische Kurs bleibt nicht unwidersprochen. Symptomatisch für diese Entwicklung ist der mit Photodokumenten und -montagen illustrierte Roman von ERICH KNAUF (1895 –1944) mit dem programmatischen Titel *Ça ira. Reportageroman aus dem Kapp-Putsch* (1930). Mit geharnischter Kritik an der Taktik der SPD-Führung die erfolgreiche Strategie der Aktionseinheit mit den Kommunisten in Erinnerung rufend, fordert er die Arbeiterorganisationen auf, sich angesichts der drohenden faschistischen Gefahr erneut zusammenzuschließen und bekennt sich zur Notwendigkeit revolutionärer Gewalt. Im operativen Reportageroman sieht Knauf die geeignete Form, seinen Lesern die Aktualität des Klassenkampfes bewußt zu machen: »Der Putsch ist vorbei, der Krieg geht weiter, der Krieg der Ausbeuter gegen die Ausgebeuteten. Dieser Krieg ist in ein Stadium getreten, das sich nicht mehr mit Verlegenheitslösungen und friedlichen Auseinandersetzungen begnügt (...). Unser Wille ist der Sozialismus. Und der Sozialismus ist der Friede! Aber wir sind nicht willens, die linke Backe noch hinzuhalten, wenn man die rechte schlägt. Wir antworten mit Gewalt auf Gewalt.« Auch KARL SCHRÖDER (1885 –1950) kritisiert die in der sozialdemokratischen Bildungsarbeit vorherrschende Tendenz des Strebens nach ›geistigem Besitz‹ als Erziehung zu idealistischem Kleinbürgertum (*Der Sprung über den Schatten*, 1928, in polemischer Anspielung auf Brögers *Held im Schatten*) und fordert: »Über aller Ästhetik steht die Erziehung zum Klassenkämpfer. Bücher sollen nicht schön hingebautes ›Eigentum‹ sein, sondern

Kampfgenossen«[20]. In das Programm des BÜCHERKREISES nimmt er Romane von Mitkämpfern aus seiner Vergangenheit in der linkskommunistischen Arbeiterpartei (KAPD) auf (Adam Scharrer, *Aus der Art geschlagen*, 1930; Franz Jung, *Hausierer*, (1931). Seine eigenen Romane sieht er als »Klassenstudien für einen Gesellschaftsroman der Gegenwart«: in *Aktiengesellschaft Hammerlugk* (1928) ist es ein Vertreter technischer Intelligenz, der sich mit dem Anschluß an die Arbeiterklasse seiner Verwertbarkeit durch das Kapital zu entziehen sucht; die *Familie Markert* (1931) schildert Aporien und Perspektiven des Kleinbürgertums; in *Jan Beek* (1929) wird die Problematik der in der Form bürgerlicher Demokratie steckengebliebenen deutschen Revolution nachgezeichnet. Der Arbeiter Jan Beek, KPD-Mitglied, versucht, sich »als leibhaftig gewordener Revolutionswille« dem »Massenwillen entgegenzuwerfen«; er sprengt einen Zug in die Luft und kommt dabei um. Sein Scheitern erscheint aber weniger als Kritik des politischen Aktionismus denn als Gleichnis für die Schere zwischen Massen- und Revolutionswillen, die von Schröder zum unausweichlichen »Stück proletarischen Schicksals« stilisiert wird. Wie in diesem erfolgreichsten Roman Schröders zeigt sich auch in seinem Buch *Klasse im Kampf* (1932), das vor dem Hintergrund des Berliner Metallarbeiterstreiks 1930 den »Bruderkampf« der Arbeiterparteien zum Anlaß nimmt, die historische Überlebtheit des Parteiprinzips überhaupt zu diskutieren, am deutlichsten die Präsenz linkskommunistischer Kategorien, die freilich keine adäquate Antwort auf die Probleme geben konnten, die sich seit der Weltwirtschaftskrise abzeichneten. Kriterium für die Verwirklichung proletarischer Emanzipation ist hier ein abstrakter Begriff von ›Selbstbewußtseinsentwicklung‹ der Klasse, dem ihre Organisation und Individuen allemal nur näherkommen können. So verbindet Schröder in *Klasse im Kampf* die Kritik an der »Bonzenpolitik« sozialdemokratischer Partei- und Gewerkschaftsführer mit der Schelte der »Spalterpolitik der moskauhörigen Kommunisten«. Angesichts der faschistischen Bedrohung entscheidet allein schon das *Faktum* des »Bruderzwists« über Sieg oder Niederlage; der Appell zur Einigkeit ersetzt eine Analyse der Ursachen der Spaltung. Manifeste Fehler beider Arbeiterparteien erscheinen nicht als politische Fehler, sondern allein als menschliche Unzulänglichkeiten, über die sich »die Jugend der Arbeiterklasse« hinwegsetzen wird.

Der BÜCHERKREIS mußte 1933 seine Produktion einstellen, die BÜCHERGILDE exilierte in die Schweiz; eine von der faschistischen Deutschen Arbeitsfront geführte Unternehmung gleichen Namens existierte von 1933 bis 1945.

Anmerkungen

1 V. Hartig: Kulturbewegung im Sozialismus. In: Die Tat (1925), Nr. 12, S. 885.
2 V. Hartig: Arbeiterschaft und Theater. In: Kulturwille (1924), Nr. 2.
3 F. Wendel: Proletarische Kultur. In: Bücherkreis (1925), Nr. 13, S. 3.
4 H. Baluschek: Immer höher mußt du steigen. In: Bücherkreis (1924), Nr. 1, S. 13.
5 K. Pringsheim: Kultur des Arbeitergesangs. In: Vorwärts (1928), Nr. 298.

6 In: Bücherkreis (1930), Nr. 4, S. 74.

7 A. Kesser: Arbeiterlyrik der SPD. In: Die Linkskurve (1932), Nr. 10, S. 17.

8 K. Neukrantz: Über die Feierabendlyriker. In: Die Linkskurve, (1930), Nr. 12, S. 19.

9 J. R. Becher: Einen Schritt weiter! In: Die Linkskurve (1930), Nr. 1, S. 2.

10 Arbeiterbildung. In: Vorwärts (1925), Nr. 169.

11 L. Frank: Proletarisches Weihnachtsspiel. In: Vorwärts (1925), Nr. 522.

12 H. Geßler: Arbeiter und Theater. In: Kulturwille (1924), Nr. 1, S. 24.

13 E. R. Müller: Bühnenkunst und Jugendspiel. Berlin 1922, S. 5.

14 Vgl. H. Westermann: Sozialdemokratisches Arbeitertheater in der Weimarer Republik. Bielefeld 1979. Unveröffentl. Manuskript (Fritz-Hüser-Archiv Dortmund).

15 F. Wendel. In: Der Bücherkreis 1 (1924/25).

16 E. Preczang, zit. nach W. Emmerich: Proletarische Lebensläufe Bd. 1, S. 289.

17 E. Preczang. In: Bücher voll Guten Geistes. 40 Jahre Büchergilde Gutenberg, 1964, S. 17.

18 Den Spekulationen und Legendenbildungen um die Identität des Autors, die dieser nicht nur durch wechselnde Pseudonyme noch weidlich unterstützte, scheinen die akribischen Forschungen Rolf Recknagels ein vorläufiges Ende gesetzt zu haben; vgl. R. Recknagel: B. Traven. Leipzig 1971. Dazu auch: Johannes Beck/Klaus Bergmann/Heiner Boehnke (Hrsg): Das Travenbuch. Reinbek 1976.

19 Briefwechsel Preczang – Traven. In: Bücher voll Guten Geistes, S. 27.

20 K. Schröder. In: Der Bücherkreis (1930), Nr. 1, S. 78.

Abriß sozialistischer Kinder- und Jugendliteratur bis 1933

Kinderliteratur in bürgerlicher und proletarischer Kindheit

Kindheit im heutigen Sinn hat es nicht immer gegeben. Die Betonung eines besonderen »Status Kindheit« ist ein historisches Novum der bürgerlichen Gesellschaft: Die mit der ökonomischen Umwälzung seit dem 18. Jahrhundert entstehende bürgerliche Kernfamilie ist nicht mehr Produktionseinheit und Praxisfeld für die aufwachsende Generation. Wachsende Arbeitsteilung trennt die bürgerliche Familie von den Stätten gesellschaftlicher Produktion, an die Stelle von Erziehung durch unmittelbare Anschauung, Anteilnahme und Nachahmung im Familienverband treten vergesellschaftete Erziehung (Pädagogik, Schule) und andere Medien (Bücher, Spielzeug). Bürgerliche Kindheit vollzieht sich mehr und mehr in einer aus der Erwachsenenwelt ausgegliederten »eigenen« Kinderwelt. Die sie bestimmende Spieltätigkeit als »Quasi-Arbeit« (Lenzen) bildet einen Schonraum, der auf später benötigte Fähigkeiten und spätere Pflichten vorbereitet. Im Gegensatz dazu bedeuten die Bedingungen der neuen maschinellen Produktion die »Einreihung aller Mitglieder der Arbeiterfamilie ohne Unterschied von Geschlecht und Alter unter die unmittelbare Botmäßigkeit des Kapitals«; sofern die Maschinerie Muskelkraft entbehrlich machte, war »Weiber- und Kinderarbeit (...) daher das erste Wort der kapitalistischen Anwendung der Maschinerie« (Marx). Proletarische Kindheit ist zunächst bestimmt durch Lohnarbeit. Erst die ver-

76

heerenden Folgen der Ausbeutung kindlicher Arbeitskraft wie Krankheit, Verkrüppelung und hohe Kindersterblichkeit machten die tendenzielle Separierung auch proletarischer Kinder aus dem Produktionsprozeß erforderlich (Fabrikschulen, allgemeine Schulpflicht, Gesetze zur Einschränkung der Kinderarbeit, Kinderschutzgesetz 1903).

Seit der Entstehung einer spezifischen Kinder- und Jugendliteratur sind Kinderbücher Instrumente der kindlichen Sozialisation, Erziehungsmittel. Sie bieten ihren Lesern Einstellungen, Verhaltensmuster und Handlungsweisungen, die sich auf den konkreten Werte-, Normen- und Pflichten-Kanon der Gesellschaft beziehen. Die ersten – in der Tradition der Aufklärung stehenden – intentionalen Kinderbücher waren Lernbücher, Realienbücher, die im Prozeß der Selbstverständigung der sich formierenden bürgerlichen Gesellschaft die praktisch-politische Funktion hatten, »das Bürgerkind frühzeitig auf die Realitäten der sich entwickelnden kapitalistischen Produktionsweise, ihre wissenschaftlich-technischen Voraussetzungen und moralischen Standards vorzubereiten« (Richter, Die heimlichen Erzieher, S. 31). Sehr oft werden in den Erzieher-Kind-Gesprächen den Kindern die »unvernünftigen« Verhaltensweisen der »oberen« Adels- und »unteren« plebejischen Schichten zugewiesen, die das »vernünftige Bürgertum« kritisiert: Ihnen »hält der bürgerliche Familienvater, ein idealer, aufgeklärt-absolutistischer Monarch in seinem Reich, das Bilderbuch entgegen wie eine Verfassung der Menschenrechte. Sein Staatsutopismus bedient sich der Bilder und Begriffe der Wirklichkeit von Haus und Familie« (Könneker, Kinderschaukel 1, S. 20). Mit der Aufgabe der bürgerlich-revolutionären Zielsetzung beinhaltet Kinderliteratur seit Mitte des 19. Jahrhunderts nicht mehr Einübung in gesellschaftliche Praxis, sie zieht sich mehr und mehr zurück in den konstruierten Schonraum einer heilen Kinderwelt. Die jetzt entstehende Kindermassenliteratur ist Anpassungs-, Einordnungs- und Beschwichtigungsliteratur. Zudem verstärken sich nach 1871 militaristische und chauvinistische Tendenzen. Gegen diese Produkte der Massenunterhaltung zog Heinrich Wolgast in seiner Schrift »Das Elend unserer Jugendliteratur« (1896) zu Felde. Für ihn liegt der Schlüssel zur Lösung der »Jugendschriftenfrage« in der »künstlerischen Erziehung« der Jugend. Wolgasts Forderung, die Jugendschrift in dichterischer Form müsse ein »Kunstwerk« sein und kein »Beförderungsmittel für Wissen und Moral«, hat Schule gemacht (Jugendschriftenbewegung, Tendenzdebatte in der ›Jugendschriftenwarte‹). Die Wendung zur Kunst impliziert den Verzicht auf praktischen Bezug zur tatsächlichen Lebenswirklichkeit der Kinder, bedeutet Flucht in die Quarantäne der »Kindertümlichkeit«. Gegen diese – als »unpolitisch« geltenden Kinderbücher – setzten im 19. Jahrhundert linke Sozialdemokraten die Forderung nach emanzipatorischen Büchern, die geeignet waren, den Kindern des Proletariats gesellschaftliche Widersprüche transparent zu machen. Sie hatten seit dem 2. Kongreß der Sozialdemokratischen Arbeiterpartei (SDAP) 1871 immer wieder auf die Notwendigkeit einer bewußten sozialdemokratischen Erziehung verwiesen.

Die Auseinandersetzungen um die Frage der sozialistischen Kinder- und Jugendliteratur, die auf den Parteitagen und im theoretischen Organ der Partei,

›Die Neue Zeit‹[1], geführt wurden, zeigen deutlich, daß der Kampf um eine sozialistische Pädagogik auch gegen die Reformisten innerhalb der Partei geführt werden mußte, die sich weitgehend an der bürgerlichen Jugendschriftenbewegung orientierten. Diese starke Fraktion, vertreten etwa durch Karl Kautsky und Heinrich Schulz, lehnte eine spezifische sozialistische Jugendliteratur ab mit der Begründung, daß es »eine Versündigung an der Jugend und an der gerade durch ihre goldene Naivität und Unberührtheit so wunderbaren Kinderjahre wäre, wollte man ihnen durch Parteipolitik ihre durch nichts zu ersetzenden Vorzüge rauben« – angesichts der gleich im Nachsatz konstatierten »mörderischen Kinderarbeit« ein blanker Zynismus. Wird hier die Identität der Lage von proletarischen Erwachsenen und proletarischen Kindern geleugnet, sieht die Linke (Zetkin, Hoernle, K. Liebknecht) im Arbeiterkind nicht »bloß den schutzbedürftigen Pflegling von heute«, sondern den »wehrtüchtigen Kämpfer von morgen«, der konsequent und im »Geiste des Sozialismus« erzogen werden müsse. – Die Frage, wie denn diese neue Literatur auszusehen habe, war allerdings auch innerhalb der linken SPD umstritten. Dagegen, nur »für neuen Wein in alten Schläuchen zu sorgen« (F. Mehring, 1894), gibt J. Borchard zu bedenken, man dürfe sich »nicht völlig blind von einer bürgerlichen Bewegung ins Schlepptau nehmen lassen. Die Form ist nicht alles, die Wertung des Inhalts aber, der in künstlerischer Form vermittelt werden soll, ist bei Bourgeoisie und Proletariat grundverschieden« (1904). Genauer formuliert Clara Zetkin das anzustrebende Ideal sozialistischer Kinderliteratur, wenn sie – in Umkehrung – feststellt, was die bürgerliche nicht enthält: »Sie schweigt von den Idealen der Brüderlichkeit, der Solidarität der Arbeits- und Kampfgenossen, der proletarischen Freiheitsliebe, kurz, sie kennt nicht die sozialen Tugenden, welche der proletarische Klassenkampf gebiert« (1906).

In den ersten sozialdemokratischen Kinderbüchern (F. G. Schulze: *Der große Krach*, 1875; L. Berg: *König Mammon und die Freiheit*, 1879; *Deutscher Jugendschatz*, hg. von Wilhelm Hasenclever, 1880) erscheint der sozialistische Standpunkt in allegorischer Verkleidung, die für die sozialdemokratische Lyrik und Dramatik der Zeit insgesamt symptomatisch ist. Märchen, Gedichte, Erzählungen populärwissenschaftlichen und agitatorischen Charakters stehen nebeneinander. Diese Bilder- und Märchenbücher »für große und kleine Kinder« leiten eine Flut ähnlicher Veröffentlichungen ein (*Arm und reich. Der Arbeit ABC*, 1894, u. a.). Sehr bekannt wurden die Märchenbücher von Carl Ewald (*Der Storch und andere Märchen*, 1901; *Ausgewählte Märchen*, 1903, verschiedene Auflagen), von Robert Grötzsch (*Naukes Luftreise und andere Wunderlichkeiten*, 1904; *Muz der Riese*, 1913) und die Kinderbücher von Emma Adler (*Buch der Jugend*, 1895; *Feierabend*, 1902; *Neues Buch der Jugend*, 1912).

Realistischer erscheint in den Arbeiterbiographien Kindheit als Klassenalltag, etwa in Adelheid Popps *Jugendgeschichte einer Arbeiterin* (1909), die August Bebel ausdrücklich empfahl, da »wir (...) über die Lebensbedingungen der halbwilden afrikanischen Völkerschaften besser unterrichtet [sind] als über die unserer eigenen untersten Volksschichten« (Bebel, Geleitwort). Diese proletarischen Jugendbiographien (auch H. G. Dirkreiter: *Vom Waisenhaus zur Fabrik*, 1914; O. Krille: *Unter dem Joch*, 1914; J. Brand [d. i. Emil Sonnemann]: *Gerd Wullenweber*, 1915) geben Aufschluß über die ›Arbeiterkultur‹, in der Elemente alternativer gesellschaftlicher Organisation sich abzeichnen; über proletarische Lebensweise, proletarische Öffentlichkeit bis hin zur gewerkschaftlichen und politischen Organisation – besonders über die Lebensweise proletarischer Kinder. Dagegen geraten die Versuche W. Scharrelmanns (*Piddl Hundertmark*, 1912; *Berni-Bücher*), die ersten »modernen«, aus der Perspektive von Kindern erzählten Geschichten, in die Nähe sentimentaler Kindheitsidylle. Scharrelmann gibt zwar viele Details, erzählt lebendig und einfach – nicht zuletzt deshalb waren seine Bücher sehr beliebt. Seine Art der Wiedergabe kindlicher Erfahrung erscheint aber poetisch verklärt durch die – als Kunstgriff deutliche – Einfühlung des Dichters in die Mentalität der Kinder. Erst Carl Dantz gelingt im *Peter Stoll* (1925) die authentische Beschreibung von Alltagserfahrung proletarischer Kinder durch die Nähe zur Kinderreportage und die nicht in Romanform gesperrte Montage loser Szenen. Für die Verbreitung der entstehenden sozialistischen Kinderliteratur sorgten sozialdemokratische Verlage und Zeitungen (etwa ›Die Hütte‹, 1902/3; die von Clara Zetkin hrsg. Beilage zur ›Gleichheit‹: ›Für unsere Kinder‹, 1902–21), daneben ein Netz von neu eingerichteten Kinder- und Jugendbüchereien in proletarischen Jugendheimen und Arbeiterbibliotheken.

Sozialistische Kinderliteratur in der Weimarer Republik

Die verschiedenen politischen Vorstellungen über den Weg zur sozialistischen Gesellschaft drücken sich auch in der Sprache der Kinderbücher aus, in der unterschiedlichen Verwendung des oft gleichen sozialistischen Vokabulars, in ihren Bildern, in der Rolle, die den Kindern zugemessen wird. In einer Situation politischer Massenbewegung und zugespitzter Klassenauseinandersetzungen war es allerdings erheblich, ob die Kinder im »sonnigen Kinderland« ihre schlechte Lage kompensieren oder ob sie einbezogen wurden in die Auseinandersetzungen der Erwachsenen.
Für die offizielle Sozialdemokratie war auch die Erziehung der Kinder letzten Endes eine Frage der »sozialistischen Kulturbewegung« als »dritter Säule« neben der politischen und wirtschaftlichen Organisation. Der Verzicht auf die Weiterentwicklung einer offensiven proletarischen Gegenkultur, der einen reformistischen, letztlich bürgerlichen Bildungsfetischismus zeitigte, bedeutete den endgültigen Verzicht auf eine ›Erziehung zum Klassenkampf‹. Die proletarischen Kinderbiographien, die im Umkreis der Sozialdemokratie entstanden, variieren die Ideologie einer heilen Kinderwelt (H. Schulz: *Jan Kiek in die Welt*, 1924; Heinrich Lersch: *Manni*, 1926), oder sie verlegen sich auf die Erziehung ›neuer Menschen‹, denen zumeist durch bessere Ausbildung ihr proletarisches Klassenschicksal erspart bleibt: Die Helden dieser Kinderbiographien werden Lehrer, Flugzeugtechniker usw. (Johannes Schön-

herr: *Befreiung*, 1927; Ernst Preczang: *Zum Lande der Gerechten*, 1928; Anni Geiger-Gog: *Heini Jerman*, 1929).

Im Gegensatz dazu beharrten marxistische Pädagogen unterschiedlicher Provenienz (Bernfeld, Hoernle, Kanitz, Otto und Alice Rühle) auf der prinzipiellen Identität der Klassenlage von Arbeiterkindern und Erwachsenen. Zwar konstatierte Kanitz 1925 die doppelte Unterdrückung der Arbeiterkinder, die als kleine Proletarier die Leiden der gesamten Klasse teilen und als kleine Proletarier diese Not in vielfach verstärktem Ausmaße erleiden (autoritäre Erziehung in der proletarischen Familie); aus der gemeinsamen Erfahrung von Ausbeutung und Unterdrückung wird aber gerade die Notwendigkeit eines solidarischen Kampfes von Kindern und Erwachsenen entwickelt. »Politik ist soviel wie Klassenkampf für das Proletariat« (Hoernle); politische Erziehung heißt, »das Kind bewußt, organisiert und in den konkreten Formen kindlicher Erfahrung und Betätigung teilnehmen zu lassen am Kampf seiner Klasse« (Richter, S. 37).

Die Tradition der »Lesebücher für Groß und Klein« aus der Vorkriegszeit griffen Sammelbände wie die des pazifistischen Anarchisten Ernst Friedrich (*Proletarischer Kindergarten*, 1921) wieder auf. Große Verbreitung als Organisationsausgaben der Kommunistischen Jugendinternationale fanden die für die proletarische Jugend neu erstellten Anthologien *Mein Genosse* (1921) und *Kampfgenoss* (1928). Sie enthalten fortschrittliches Erbe (Heine, Freiligrath, Herwegh u. a.) und das Grundwissen des »jungen Kommunisten« (z. B. Texte der marxistisch-leninistischen Klassiker); an die Stelle von Märchen treten Erzählungen und Reportagen aus den gegenwärtigen Klassenkämpfen (O. M. Graf, K. Kläber, L. Reissner u. a.).

Nicht alle Veröffentlichungen, die mit aktueller Thematik in die konkreten Auseinandersetzungen eingreifen wollten, sind der Gefahr entgangen, Kinder umstandslos mit erwachsenen Klassenkämpfern gleichzusetzen. Das gilt besonders für die agitatorischen Flugschriften der ›Gelben-10-Pfennig-Serie‹ des Verlages der Jugendinternationale (Emko, d. i. Emil Kortmann: *Der Sieg der Gießerstifte*, 1932; Ernste, d. i. Hein Butt: *Das Lied der Weberkinder*, 1932; *12 Zelte am See*, 1932).

Dieser plakativen Identifikation entgehen G. W. Pijets *Straße der Hosenmätze* (1929) und *Wiener Barrikaden* (1930) und besonders ALEX WEDDINGS (d. i. Grete Weiskopf, 1905–1966) *Ede und Unku* (1931), der erste proletarische Kinderroman, der die historische Situation und ihre sozialen Spannungen dadurch für Kinder durchschaubar und nachvollziehbar macht, daß das politische Verhalten und Bewußtsein seiner Helden auf ihren konkreten Alltagserfahrungen beruht. Anders als bei den realistischen Erzählungen, die Arbeiterkämpfe schildern und – historisch getreu – zumeist mit deren Niederlagen enden (Pijet, Kläber), beruht die positive Perspektive in *Ede und Unku* nicht auf dem optimistischen Pathos revolutionärer Programme und Thesen, sondern auf der differenzierten Darstellung kindlicher Überlebenstechniken und phantasievoller List, die zu kleinen Siegen führt.

Als Versuch, die komplexe kapitalistische Wirklichkeit in knapper, auch für kleinere Kinder durchschaubarer Weise darzustellen, können die politischen

Märchen, z. B. Hermynia Zur Mühlens, gelten (*Was Peterchens Freunde erzählen*, 1921; *Es war einmal ... und es wird sein*, 1930; auch Eugen Levin-Dorsch: *Die Dollarmännchen*, 1923; Maria Szuczich: *Silavus*, 1924). Diese ›Märchen der Armen‹ knüpfen in der symbolischen Repräsentation kapitalistischer Herrschaftsformen an die ersten sozialdemokratischen Kinderbücher an. Sie wollen die hinter der vordergründigen Realität der Proletarier im kapitalistischen Alltag wirkenden eigentlichen Triebkräfte zeigen und deuten in der solidarischen Aktion der Ausgebeuteten den Weg in die bessere Gesellschaft an. Ob es aber ein dem entwickelten Stand der Produktivkräfte und der Klassenkämpfe entsprechendes, reines »proletarisches und industrielles Märchen«, wie es Hoernle erwartete – ein vom Proletariat im Erzählen erdichtetes Märchen, in dem die »Kohlenschächte und chemischen Retorten lebendig werden und zu sprechen anfangen, wie einst der Wolf und der Wasserkessel« (Hoernle, Grundfragen, S. 222) überhaupt geben kann, bleibt zu entscheiden.

Hoernle hatte programmatisch formuliert: »Die proletarisch-revolutionäre Kinderliteratur nimmt ihre ›Romantik‹, ihre ›Abenteuer‹ aus den großen Spannungen und gewaltigen Umwälzungen der proletarischen Revolutionen und aus den Rebellionen der unterdrückten Kolonialvölker« (S. 109). Darauf beruhen nicht nur zahlreiche Übersetzungen sowjetischer Kinderbücher, die im Verlag der Jugendinternationale erschienen (etwa H. Bobinska: *Pioniere*, 1926, Bélych/Pantelejew: *Schkid, Die Republik der Strolche*, 1929; N. Bogdánow: *Das erste Mädel*, 1930), sondern auch die proletarisch-didaktischen Reiseerzählungen, die eine eigenständige Stellung zwischen den politischen Märchen und den »realistischen« Erzählungen einnehmen. In der Verschränkung von Märchen-, Fabel- und Parabelelementen mit der konkreten Situation proletarischer Kinder verzichteten sie nicht auf Aktion und Abenteuer, versuchten aber – mehr oder weniger präzise – diese als »Abenteuer des Alltags« praktisch werden zu lassen.

Es handelt sich dabei nicht um bloß »geographisches Reisen«, sondern zugleich um Reisen in die Zeit (Berta Lask: *Auf dem Flügelpferd durch die Zeiten. Bilder vom Klassenkampf der Jahrtausende*, 1925) oder um eine auch geographisch plausible Synopse unterschiedlicher Gesellschaftsformationen wie Fritz Rosenfelds *Tirilins Reise um die Welt* (1931) oder auch Lisa Tetzners – nach der Vorlage eines antimilitaristischen Kinderbuchs von Paul Vaillant-Couturier (*Hans ohne Brot*, deutsch 1928) geschriebene – Erzählung *Hans Urian. Die Geschichte einer Weltreise* (1929); auch als Theaterstück (zusammen mit Bela Balász). Neben den für Kinder hergestellten Büchern gehören zur sozialistischen Kinderliteratur der Weimarer Zeit auch von Kindern selbst verfaßte Texte: für Kinder- und Jugendzeitschriften und Schülerzeitungen entstanden vielfältige Formen von Kinderreportagen und -korrespondenzen (A. Gayck: *Die rote Kinderrepublik* 1928; *Vater streikt*, 1932 u. a.).

Sozialistische Kinder- und Jugendliteratur bewegte sich seit ihrer Entstehung im wesentlichen zwischen zwei Polen: zwischen der milieuhaften Schilderung der Lebensweise proletarischer Kinder, die durch atmosphärische Einfühlung deren Bedingungen verdeckt – und Büchern, die soziale Spannungen verständlich machen, in denen augenscheinlich ist, daß auch die ›kleinen Welten Frontabschnitte großer Kämpfe‹ sind (Brecht).

Anmerkung

1 Die im folgenden skizzierte Debatte ist dokumentiert bei Gerhard Holtz-Baumert: »Überhaupt brauchen wir eine sozialistische Literatur«, Berlin 1972

Literaturhinweise

Brigitte Melzwig (Hrsg): Deutsche sozialistische Literatur 1918–1945. Bibliographie der Buchveröffentlichungen. Berlin und Weimar 1975.
Veröffentlichungen deutscher sozialistischer Schriftsteller in der revolutionären und demokratischen Presse 1918–1945. Bibliographie. Berlin und Weimar ²1969.
Handbuch zur deutschen Arbeiterliteratur. Hrsg. Heinz Ludwig Arnold. München 1977 (2 Bde).
Lexikon sozialistischer deutscher Literatur. Von den Anfängen bis 1945. Halle/S. 1963 (s'Gravenhage ²1973).
Martin H. Ludwig: Arbeiterliteratur in Deutschland. Stuttgart 1976.
Gerald Stieg/Bernd Witte: Abriß einer Geschichte der deutschen Arbeiterliteratur. Stuttgart 1973.
Frank Trommler: Sozialistische Literatur in Deutschland. Stuttgart 1976.

Zur proletarisch-revolutionären Literatur:
Wir sind die Rote Garde. Sozialistische Literatur 1914–1935. Hrsg. Edith Zenker. Leipzig ²1967. – Das Arbeiterlied. Hrsg. Inge Lammel. Leipzig 1970. – Sammlung proletarisch-revolutionärer Erzählungen. Hrsg. Walter Fähnders, Helga Karrenbrock, Martin Rector. Darmstadt u. Neuwied 1973 – »Vorwärts und nicht vergessen«. Ein Lesebuch. Hrsg. Heiner Boehncke. Reinbek 1973. – Texte der proletarisch-revolutionären Literatur Deutschlands 1919–1933. Hrsg. Günter Heintz. Stuttgart 1974. – Proletarische Lebensläufe. Hrsg. Wolfgang Emmerich. Reinbek 1975 (2 Bde). – Deutsches Arbeitertheater. 1918–1933. Hrsg. Ludwig Hoffmann und Daniel Hoffmann-Ostwald. Berlin ²1972.
Aktionen Bekenntnisse Perspektiven. Berlin und Weimar 1966. – Zur Tradition der sozialistischen Literatur in Deutschland. Berlin und Weimar ²1967. – Marxismus und Literatur. Hrsg. Fritz J. Raddatz. (3 Bde.) Reinbek 1969. – Literatur im Klassenkampf. Zur proletarisch-revolutionären Literaturtheorie 1919 – 1923. Hrsg. Walter Fähnders und Martin Rector. München 1971. – Die Rote Fahne. Kritik, Theorie, Feuilleton 1918 – 1933. Hrsg. Manfred Brauneck. München 1973.
Friedrich Albrecht: Deutsche Schriftsteller in der Entscheidung. Berlin und Weimar ²1975. – Walter Fähnders/Martin Rector: Linksradikalismus und Literatur. Untersuchungen zur sozialistischen Literatur in der Weimarer Republik. Reinbek 1974 (2 Bde.). – Walter Fähnders: Proletarisch-revolutionäre Literatur der Weimarer Republik. Stuttgart 1977. – Helga Gallas: Marxistische Literaturtheorie. Kontroversen im Bund proletarisch-revolutionärer Schriftsteller. Neuwied/Berlin 1971. – Alfred Klein: Im Auftrag ihrer Klasse. Weg und Leistung der deutschen Arbeiterschriftsteller 1918–1933. Berlin und Weimar ²1975. – Literatur der Arbeiterklasse. Aufsätze über die Herausbildung der deutschen sozialistischen Literatur (1918–1933). Berlin und Weimar ²1976. – Hanno Möbius: Progressive Massenliteratur? Revolutionäre Arbeiterromane 1927–1932. Stuttgart 1977.

Zur Arbeiterdichtung:
Anklage und Botschaft. Die lyrische Aussage der Arbeiter seit 1900. Hrsg. Friedrich G. Kürbisch. Hannover 1969. – Arbeiterdichtung. Analysen – Bekenntnisse – Dokumentation.

Wuppertal 1973. – Deutsche Arbeiterdichtung 1910–1933. Hrsg. Günter Heintz. Stuttgart 1974. – Hans-Harald Müller: Intellektueller Linksradikalismus in der Weimarer Republik. Seine Entstehung, Geschichte und Literatur. Kronberg/Ts. 1977. – Christoph Rülcker: Ideologie der Arbeiterdichtung 1914–1933. Stuttgart 1970. – Ders.: Proletarische Dichtung ohne Klassenbewußtsein. In: Die Deutsche Literatur der Weimarer Republik. Stuttgart 1974.

Zur sozialistischen Kinder- und Jugendliteratur:
Heinz Wegehaupt: Deutschsprachige Kinder- und Jugendliteratur der Arbeiterklasse von den Anfängen bis 1945. Bibliographie. Berlin 1972.
Philippe Ariès: Geschichte der Kindheit. München/Wien 1975. – Donata Elschenbroich: Kinder werden nicht geboren. Frankfurt/M. 1977. – Kinderschaukel. Ein Lesebuch zur Geschichte der Kindheit in Deutschland. Hrsg. Marie-Luise Könneker. Darmstadt/Neuwied 1976 (2 Bde.).
Ingmar Dreher: Die deutsche proletarisch-revolutionäre Kinder- und Jugendliteratur zwischen 1918 und 1933. Berlin 1975. – Edwin Hoernle: Grundfragen der proletarischen Erziehung. (1929). Frankfurt/M. 1972. – Die heimlichen Erzieher. Kinderbücher und politisches Lernen. Hrsg. Dieter Richter/Jochen Vogt. Reinbek 1974. – Das politische Kinderbuch. Hrsg. Dieter Richter. Darmstadt/Neuwied 1973. – Kritische Stichwörter Kinderkultur. Hrsg. Karl W. Bauer/Heinz Hengst. München 1978. – Klaus Dieter Lenzen: Kinderkultur – die sanfte Anpassung. Frankfurt/M. 1978.

Literatur zwischen sozial-revolutionärem Engagement, ›Neuer Sachlichkeit‹ und bürgerlichem Konservativismus

Das ›Politische Theater‹

Die hundertfünfzigjährige idealistische Dramen- und Bühnentradition gelangte vor ihrem Ende durch wichtige Inszenierungen von Stücken der Klassik und des Expressionismus nochmals zu bemerkenswerten Höhepunkten, die durch ihre neuen Aufführungsformen zu unmittelbaren Vorbereitern einer materialistisch-realistischen Bühnenkunst wurden. Dabei wurden auch die Vorläufer der Moderne, Büchner und Grabbe, exemplarisch herausgestellt. Die neben der französischen und der russischen Theaterkultur gleichbedeutende experimentell kreative deutsche Bühnenkunst kann durch die Regisseur-Namen Ludwig Berger, Bertolt Brecht, Erich Engel, Jürgen Fehling, Heinz Hilpert, Leopold Jessner, Karl Heinz Martin, Erwin Piscator, Max Reinhardt angedeutet werden.

In der im einzelnen sehr unterschiedlichen und widersprüchlichen Entwicklung der neuen, nachnaturalistischen Regie zeigten sich jedoch Tendenzen, die die totalen Abhängigkeiten des Individuums demonstrierten, eine Auffassung von Geschichte als Abfolge von Interessenkämpfen und Massenbewegungen andeuteten, durch ihre Raum-Regie Massenphänomene ins Blickfeld rückten, die Zuschauer verstärkt mit einbezogen und zugleich Verfremdungselemente verwendeten. Dennoch vertrauten sie noch ganz der ästhetischen Faszination durch das dichterische Wort, seiner vermeintlichen seelischen Wirkung für künstlerisch sensibilisierte Zuschauer.

Expressionistischer Protest

Als Erbe aus dem expressionistischen Zeitraum von 1910 bis 1920 wirkten wesentliche neue Erkenntnisse in die zwanziger Jahre hinein: Die bis dahin vorwiegend objektiv begriffene Dramenstruktur individualisierte sich zur offenen Form, zur lose gefügten parabolischen Stationenfolge. Stilisierungsmöglichkeiten wurden in hohem Maße genutzt. Zeitliche und räumliche Kategorien wurden gezielt durchbrochen, um abstrahierend eine Eigensphäre zu schaffen, in der jeweils »ein Gedanke zu Ende gedacht« werden konnte (Kaiser); die neue Lichtregie unterstützte solche Stilhaltung. Damit verbunden war eine bewußte Naturferne, wie sie sich auch auf den expressionistischen Film übertrug und in der Raumregie sichtbar wird. Visionär gestaltete Individuen, die als führende Pioniere oder als Märtyrer gestaltet werden, suchen Prozesse der humanen Selbstbestimmung in Gang zu setzen. Dieser Wille zum Verändern – besonders in Hinsicht auf ethisches Verhalten des Individuums, aber auch in Hinsicht auf kämpferisches Verändern der Gesellschaftsbedingungen – ist fast allen expressionistischen Stücken inhärent und machte während der Kriegs- und Revolutionszeit ihre progressive utopische Sprengwirkung aus. Die ästhetischen Formerneuerungen und die experimentelle Sprachverwendung waren wichtige Ergebnisse der künstlerischen Produktion; die teilweise Konservierung der expressionistischen Schreibhaltung in epigonaler Form während der zwanziger Jahre entwertet den literarischen Expressionismus des zentralen Zeitraums zwischen 1910 und 1920 nicht.

Die Entwicklung einer expressionistischen Dramatik, wie sie in den ›Verkündigungsdramen‹ (Lämmert) *Der Bettler* (1912) von REINHARD JOHANNES SORGE (1892–1916) und *Der Sohn* (1914) von Walter Hasenclever sich andeutete, wurde wegen der bis 1918 bestehenden direkten Theaterzensur zurückgedrängt. Der progressive Impetus der expressionistischen Bewegung konnte sich nur in kleinen Intellektuellengruppen verbal artikulieren und sich nicht im Kontakt mit Bühne und Zuschauerreaktionen erproben. Weiterhin ist die zögernde Entwicklung des Expressionismus wegen der physischen Dezimierung potentieller Künstler zu berücksichtigen: Von den in Kurt Pinthus' Anthologie *Menschheitsdämmerung* (1920) aufgenommenen Autoren waren 27 im Krieg getötet worden. Damit hatten sich die verunsicherten Mittelschichten eines wichtigen Erneuerungspotentials beraubt, so wie die kriegstreibende Bourgeoisie sich mit den 10 Millionen europäischen Kriegstoten eines bedeutenden revolutionären Potentials an jungen Männern der Unter- und Mittelschichten entledigt hatte. 1918 und 1919 ergab sich erstmals die Möglichkeit, eine breite Öffentlichkeit in den Großstädten und eine intellektuelle Leserschaft mit expressionistischen Stilen vertraut zu machen. Ab 1923 geht die Anzahl der Aufführungen rapide zurück. Nach der gescheiterten Revolution und endgültig nach Abschluß der revolutionären Nachkriegsphase 1923 war der literarischen expressionistischen Bewegung als Intention zur gesellschaftlichen Veränderung über ästhetisch-formal veränderte Kunst der materialistische Boden entzogen. Damit ist zugleich das Zeitalter der – wenn nicht dominanten, so doch avantgardistisch-prägenden – Kunststile beendet.

In der zeitgenössischen Diskussion um die Ablösung der expressionistischen Phase und um die Frage einer ›Nachfolge‹ gab das politische Interesse der Diskutanten den Ausschlag: Es ging um die Beeinflussung des Kleinbürgertums für eine Parteinahme zugunsten der Arbeiterbewegung oder zugunsten der nationalistischen Pläne des Großbürgertums. Die liberalen Kräfte setzten auf eine Entpolitisierung der Mittelschichten. Dem von der liberalen – mit ›IG-Farben‹ liierten - ›Frankfurter Zeitung‹ maßgeblich propagierten Kunstkonzept einer ›Neuen Sachlichkeit‹ entsprach auf dem Theater zuerst Carl Zuckmayers auf vitalistische Erneuerungsenergien hoffender Kleinbürgerschwank *Der fröhliche Weinberg* (1925). Als Exponent derjenigen Kräfte, die eine Ablösung des Expressionismus nicht durch eine neue ›Kunstperiode‹, sondern durch neue, die Arbeiterschicht einbeziehende Inhalte forderte, kann Ernst Toller gelten. Er resümiert: »Ich glaube, daß die Neue Sachlichkeit eine Form modernen Biedermeiertums war, nicht den Menschen und Dingen war der Künstler der Neuen Sachlichkeit nahe, nur ihrer Photographie.« (*Quer durch*, S. 281) Die Wichtigkeit des vormaligen Expressionisten Toller für den Beginn eines neuen Theaters hat zuerst Joseph Roth erkannt. Er sieht in der Figur Hinkemann »kein Individuum, sondern ein Collectivum«, »ein Opfer der herrschenden Klasse und jenes Krieges, den sie auf ihrem mangelhaften Gewissen hat«.

»Und dennoch beginnt dieses Drama (neben anderen) einen historischen Abschnitt in der dramatischen Literatur. Denn es führt, wie einmal das ›bürgerliche Trauerspiel‹ den Bürger, statt der Könige, den Proletarier, statt des Bürgers auf der Bühne ein. Es bricht Bahn für die Behandlung der neuen Klasse, des kommenden Menschen. Das ist der Anfang einer neuen Literatur.« (Vorwärts 15. 4. 1924)

Schon der frühere Toller als Vertreter des jugendlichen Protests der unteren Mittelschicht gehörte derjenigen Ausprägung expressionistischer Dramatik an, deren Protestreaktion auf die sich verschärfenden Widersprüche innerhalb der wilhelminischen Gesellschaft sich der entscheidenden Faktoren der gesellschaftlichen Widersprüchlichkeit annahm: der Industrialisierung, des Krieges und der Revolution (u. a. Hasenclever: *Antigone*, 1916, Toller: *Die Wandlung*, 1917, *Masse-Mensch*, 1919, Kaiser: *Gas*-Trilogie, 1917–20).

Die andere Ausprägung der jugendlichen Kunstreaktion auf die Krise der bürgerlichen Gesellschaft bekämpfte mehr die Symptome, indem sie Probleme der Kleinfamilie, der Schule, der Sexualmoral thematisierte, wobei durch Bronnen und Hasenclever die Beziehungen zum radikalen Teil der Jugendbewegung vertreten werden; andere Schriftsteller, die die Krise im zwischenmenschlichen Bereich symbolisch radikal zu lösen suchten, sind Barlach, Kornfeld, Sorge. Die hierher gehörenden Expressionisten OSKAR KOKOSCHKA (1886–1980) und GOTTFRIED BENN (1886–1956) beendeten ihre Dramenproduktion konsequent mit dem Ende der expressionistischen Grundvoraussetzungen und wandten sich der Malerei oder der Lyrik zu. Kokoschkas Stücke *Sphinx und Strohmann* (1907, 1913), *Mörder, Hoffnung der Frauen* (1907, 1910), *Der brennende Dornbusch* (1911) und Benns *Ithaka* (1914) sind provokativ schockierende Beispiele für diese frühe Protestrichtung.

Das Erlebnis der Kriegsgreuel in Konfrontation mit dem wilhelminisch manipulierten Bürgertum rief nach der Kriegswende 1916 erneut mehrere Protestdramen hervor. FRITZ VON UNRUH (1885–1970) war bereits als Dramatiker bekannt, bevor er 1916 vor Verdun sein pazifistisches Drama *Ein Geschlecht* schrieb. Seine Versdichtung *Vor der Entscheidung* (1914) und seine Erzählung *Opfergang* (1916) hatten ihn bereits vor das Kriegsgericht gebracht. *Opfergang* kursierte als verbotene Lektüre an der Frankreichfront und wurde mit 30000 verkauften Exemplaren das bekannteste Werk Unruhs in den zwanziger Jahren. *Ein Geschlecht* wurde verboten und erst 1918 aufgeführt. Wie bei Hasenclever und Bronnen wird hier ein übersteigerter Generationenkonflikt eruptiv ausgetragen. Der nur moralisch argumentierende Protest gegen den Krieg ist von Unruh ausgegangen und machte ihn während der Weimarer Zeit neben Hauptmann zum offiziell repräsentativen Bühnendichter (1926 Schiller-Preis), obgleich er – ebenso wie Hauptmann – in dieser Zeit nichts Vorwärtsweisendes mehr beitrug. Am Ende der Republik beteiligte sich Unruh maßgebend an der antifaschistischen Einigungsbewegung ›Eiserne Front‹. Unruhs Weiterführung des Dramas *Ein Geschlecht* in *Platz* (1920) trägt bereits parodistische Züge wie auch Werfels im selben Jahr erscheinender *Spiegelmensch*, das Ende des literarischen Expressionismus signalisierend.

WALTER HASENCLEVER (1890–1940), dessen Stück *Der Sohn* zwar 1914 in René Schickeles ›Weißen Blättern‹ in der Schweiz gedruckt werden konnte, dessen Aufführung jedoch verboten wurde, wählte tarnend einen antiken Stoff und zeigt in *Antigone* (1916) schrittweise die Demokratisierung der Bevölkerung von Theben bis zur revolutionären Erhebung. Das expressionistische Wandlungsdrama geht hier erstmals nicht mehr von einer individuellen Wandlung eines Protagonisten aus, sondern führt – nahezu operativ – einen Aufstand in einer Militärdiktatur vor. Hasenclever versuchte nach der gescheiterten Revolution andere Wege und wandte sich – wie auch die früheren Expressionisten Kaiser und Kornfeld – dem Lustspiel zu: *Ein besserer Herr* (1927), *Ehen werden im Himmel geschlossen* (1928); wegen des letztgenannten Stücks gab es einen »Gotteslästerungs«-Prozeß. Hasenclever replizierte mit einer satirischen Komödie *Napoleon greift ein* (1930). Der Militärdiktator erhielt Mussolini-Züge, wurde in Kapitalismuszusammenhängen erklärt und sollte die Führersehnsucht lächerlich machen. In Hasenclevers Drama *Die Menschen* (1918) findet sich ein Beispiel jener Werke, in denen die Sprache ihrer dialogisch-kommunikativen Funktion fast völlig beraubt und durch bildlich andeutendes sowie exklamatorisches Sprechen ersetzt ist, hierin vergleichbar Goerings *Seeschlacht* und *Die Retter* oder Kaisers *Gas* und *Gas II*.

REINHARD GOERING (1887–1936) schrieb im Jahr der Matrosenrevolten *Seeschlacht* (1917) und behandelt hier einen pazifistischen Aufstand mit fast religiösem Pathos, das jedoch in resignativen Pessimismus übergeht; in dem Stück *Die Retter* (1919) ist nochmals einprägsam die Kriegsmisere festgehalten, um ebenfalls in Hoffnungslosigkeit zu enden. Den religiösen Impetus teilt Goering mit Paul Kornfeld und mit dem bedeutendsten deutschen Bildhauer seiner Zeit, ERNST BARLACH (1870–1938), der mit dem Drama *Der arme Vetter* (1918) ein expressionistisches Verkündigungsdrama schrieb und die stille Wandlung der Protagonistin zu einem allegorisierenden Schluß führt, einen neuen Menschentypus wie Kaisers *Bürger von Calais* (1914) beschwörend. Barlach teilt die Vorstellung des frühen Hasenclever, Tollers und auch Sorges, daß der Dichter als geistiger Führer fungieren könne. PAUL KORNFELDS (1889–1942) Tragödie *Die Verführung* (1916), die einen Gefängnisausbruch eines vom Leben Verführten stilisiert, stellt mit Kaisers *Von morgens bis mitternachts* den Prototyp eines Anti-Wandlungsdramas dar: der Held scheitert, kann sich nicht ändern, verfällt dem Kreislauf. Die Schuldproblematik sucht Kornfeld in *Himmel und Hölle* (1919) mit religiösen Vorstellungen zu lösen und wendet sich nach dem Scheitern dem Lustspiel zu: *Der ewige Traum* (1922), *Palme oder Der Gekränkte* (1924), *Kilian oder Die gelbe Rose* (1926). Der Vater-Sohn-Konflikt in der expressionistischen Behandlung hat sich angesichts der veränderten Publikumsbedingungen so schnell als Metapher für menschliche Selbstbestimmung verbraucht, daß die Aufführung von ARNOLT BRONNENS (1895–1959) 1915 geschriebenem, von Hasenclevers Drama *Der Sohn* beeinflußten *Vatermord* bei der Uraufführung 1922 nur noch als tragikomische Farce über die Bürgerfamilie der Gegenwart aufgefaßt wurde. Die Motivationen der Personen in Bronnens weiteren spätexpressionistischen Bühnenstücken sind meist im Triebhaften angesiedelt und oft – bis hin zum *Ostpolzug* (1926) – von der Vatermordattitüde geprägt. Bronnens effektsuchende Wirkungsabsicht fand in der Rundfunkarbeit ihr Medium. Seine zunehmend reaktionärer werdende Einstellung war von schlechtem Einfluß beim Berliner Rundfunk.

Die für die zwanziger Jahre wirkungswichtigsten Dramatiker, die in ihrer Frühphase dem Expressionismus zuzurechnen sind, waren Toller und Kaiser. Kennzeichnend für beide ist, daß sie ihre frühen Stücke weder in Gruppenkontakten mit Expressionisten noch in permanenter Auseinandersetzung mit dem politischen Leben und dem zeitgenössischen Theater entwarfen wie Brecht oder Piscator, sondern isoliert von der Gesellschaft: Toller schrieb seine frühen Stücke ab 1919 während der Haftzeit, Kaiser lebte zurückgezogen und ging nicht ins Theater. In ERNST TOLLERS (1893–1939) Verkündigungsdrama *Die Wandlung. Das Ringen eines Menschen* (1917, aufgeführt 1919) wird die Veränderung eines Künstlers zum Kämpfer für die Revolution dargestellt, und Toller suchte durchaus die direkte Wirkung, indem er in München das Buch unter den Streikenden der Munitionsfabriken verteilte. Die pionierhafte Rolle, die er dem Künstler in der *Wandlung* zuspricht, lehnte er auch für sich selbst nicht ab, als er sich für die Arbeit in der Münchener Räterepublik zur Verfügung stellte. Die Funktion der Intellektuellen als Wegbereiter ist auch im folgenden Drama, *Masse – Mensch* (1919), noch erhalten. Die Dialektik von personaler Wandlung des Einzelnen und intendierter Revolutionierung der Massen erreicht in diesem Stück ihren Höhepunkt. Tollers Einschränkung der wünschenswerten Revolution spiegelt ein charakteristisches bürgerliches Vorurteil. Er unterstellt, daß die erforderliche Gegengewalt der Massen aus Rache ausufern und zum Selbstzweck werden könnte, obgleich die Münchener Räterevolution der anarchistischen Gewaltlosigkeit sich gerade durch äußerst wenige Todesopfer ausgezeichnet hatte. Toller läßt das Stück mit der Resignation der Revolutionärin enden. Mit den *Maschinenstürmern* (1922) differenzierte Toller den unhistorischen Begriff ›Masse‹ und bezog die Produktionsverhältnisse mit ein. Die Aufführungspraxis der Moderne in den deutschen Theatern der zwanziger Jahre wurde weder von den Expressionisten noch von Brechts und Piscators Experimenten bestimmt, sondern von den Vertretern überwiegend realistischer Darstellungsweisen, Ibsen, Hauptmann, Galsworthy, überwiegend satirisch realistischer Darstellungsweisen, Sternheim und Shaw, sowie überwiegend visionärer und verfremdend stilisierter Darstellungsweisen, Strindberg und Kaiser. Mit insgesamt 74 Dramen und mehr als 40 Uraufführungen in der Weimarer Epoche war GEORG KAISER (1878–1945) der erfolgreichste zeitgenössische Dramatiker. »Die Erschütterung durch ein Kunstwerk ist Erschütterung der Nur-Verbraucher … Die Tat Drama … bedrängt den Nur-Verbraucher (den Bürger – den Geborgenen) unerbittlich.« So faßt im Vorwort von Golls *Methusalem* Kaiser die Wirkungsabsicht seiner ›Denkspiele‹ zusammen. Seine utopisch reflektierende Intention bleibt direkt oder indirekt in allen Stücken die grundlegende Erneuerung des gegenwärtigen Menschen. Er versucht eine Reihe von gewandelten Menschen auf der Bühne zu entwickeln, die jedoch an der scheinbar wandlungsunfähigen Gesamtgesellschaft scheitern. Er entwikkelt den Typus des Stationendramas, vertreten etwa durch *Von morgens bis mitternachts* (1912, aufgeführt 1916), *Kanzlist Krehler* (1922), *Nebeneinander* (1923). Der Wandlungsoptimismus wird von Kaiser jedoch nicht geteilt; allenfalls der erste Bühnenerfolg 1917, *Die Bürger von Calais*, deuten in begrenzten historischen Relationen die Wandlung eines Individuums und durch dessen Opfer die imitative Wandlung Gleichgesinnter an. Das Drama *Von morgens bis mitternachts* kann dagegen geradezu als Anti-Wandlungsstück gelten. Die inhumane Geld- und Profitwirtschaft verhindert die Wandlung des Angestellten, der Schluß ist Resignation: »Von morgens bis mitternachts rase ich im Kreise.« Kaisers Darstellungsstil bevorzugt verfremdende Mittel und unterbindet wie Brecht die Zuschaueridentifizierung mit den Bühnenprotagonisten. Die resignativen Schlüsse der genannten Stationendramen der Nachkriegszeit sind Ausfluß der Enttäuschung über die gescheiterte Revolution. Den expressionistischen Vater-Sohn-Konflikt politisiert Kaiser in der *Koralle* (1917) und läßt einen Großindustriellensohn auf die Seite der Arbeiterbewegung überwechseln. Hier anknüpfend, gründet der Sohn in *Gas* (1918) die größte Energieproduktionsstätte der Welt und ermöglicht die Mitbestimmung und -beteiligung der Arbeiter. Als jedoch die industrielle Großproduktion selbstzerstörerisch explodiert, verweigern die Arbeiter die Gefolgschaft bei dem Vorschlag, die Produktion einzustellen und ein utopisches Landleben zu führen. *Gas. Zweiter Teil* (1920) malt die Negativutopie einer von Technik enthumanisierten Welt aus. Kaisers Mißtrauen gegenüber der Arbeiterbewegung läßt ihn auch hier seine Hoffnung auf die Führungsfunktionen eines »Milliardärsarbeiters« setzen. Das gleichzeitige Drama *Hölle Weg Erde* (1920) zeigt wie Brechts *Mahagonny* die kapitalistische Gegenwart als Hölle und entwickelt visionär eine zukünftige bewohnbare Erde, die jedoch nach der idealistischen Sicht Kaisers nur durch die jeweils individuelle moralische Läuterung erreichbar ist. Die visionären Modelle verließ Kaiser alsbald und wandte sich u. a. der Komödie zu. *Kolportage* (1924) ironisiert den herrschenden Publikumsgeschmack und benutzt Klischee-Elemente effektvoll zum Aufbau des Stücks. Kaiser paßt sich der zeitgenössischen Thematik vielfach an, wählt als Schauplätze Fabriken und Büros, Gerichtssäle und Polizeistationen, Hafenlokale und Bürgerwohndielen. Dabei bedient er sich auch der Form des Revue-Stücks wie in *Zwei Krawatten* (1929), das mit Mischa Spolianskys Musik mit Rosa Valetti, Marlene Dietrich und Hans Albers höchst erfolgreich in Berlin gespielt wurde. Die erneute Krise der Weimarer Endzeit führte Kaiser zu erneuten Reflexionen über humane Formen des Zusammenlebens. Er zeigt in *Mississippi* (1930) die inhumanen Produktionsverhältnisse und erwägt neue, primitive Lebensformen, denn zu revolutionärer Gegengewalt kann er sich nicht entschließen. Parabolische Versuche sind *Die Lederköpfe* (1928), die die Folgen einer Militärdiktatur prophezeien, und *Der Silbersee – ein Wintermärchen* (1932), ein das Gegenwartsdeutschland stilisierendes Stück; hier wird wiederum vor jeglicher Gesellschaftsveränderung eine Wandlung des sittlichen Bewußtseins erwartet; ob die ehemals verfeindeten Protagonisten, die den nur leicht zugefrorenen Silbersee als Fluchtweg betreten, überleben werden, bleibt am Schluß offen.

Eine Filmadaption Kaisers ist gescheitert, weil der Verleih Karl Heinz Martins Film *Von morgens bis mitternachts* (1920) nicht ins Repertoire nahm, obgleich hier von einem Regisseur, dem die vielleicht markanteste expressionistische Bühneninszenierung gelungen war (Tollers *Die Wandlung* 1919 in der ›Tribüne‹), der wichtige Versuch einer visuellen Umsetzung eines klassischen expressionistischen Stücks mit Ernst Deutsch gemacht wurde. Große Resonanz fand dagegen die spätere Bearbeitung für den Berliner Rundfunk mit Werner Krauß und der populären Einblendung einer Szene beim ›Sechstagerennen‹ aus dem Sportpalast. Kaisers *Gas*-Trilogie ist mit wesentlichen Zügen in banalisierter Form und mit reaktionärer Grundtendenz in Fritz Langs Film *Metropolis* (1926) eingegangen. Die im expressionistischen Film gepflegten Wirkungselemente des Phantastischen und Grausigen als latente Ablenkungsnarkotika erreichten in *Metropolis* die Form offener Massenbeschwichtigung. Die im Theaterexpressionismus angelegte kritische wie utopische Funktion, die durch die Aufführungsstile jedoch leicht zu verwischen sind, hat der expressionistische Film überwiegend ignoriert, wie sich an seiner klassischen Ausprägung, in Robert Wienes *Das Kabinett des Dr. Caligari* (1920), zeigen läßt. Hans Janowitz und Carl Mayer legten einen Drehbuchentwurf vor, in dem durch den Direktor einer Irrenanstalt parabolisch der Machtmißbrauch des kaiserlichen Deutschland verkörpert wurde; der Student Cesare sollte als mißbrauchtes Werkzeug, als Verkörperung wehrpflichtiger Soldaten fungieren. Der Student sollte den Mörder-Direktor überführen; das Anstaltspersonal sollte ihn überwältigen. Diese operative Fabel wurde durch den Einfluß Fritz Langs, Erich Pommers und Robert Wienes (»Das schreckt die Zuschauer ab«) verfälscht und zum Nonsens-Kreislauf gemacht, in dem eine Rahmenhandlung den Studenten als psychisch kranken oder geistesgestörten Erzähler der Filmhandlung präsentiert: Die Macht erweist sich als integer, ihr Kritiker wird als seelisch abnorm und geisteskrank denunziert. Siegfried Kracauer zog das Fazit: *Von Caligari zu Hitler*. Mit Beendigung der revolutionären Phase war auch die Phase des expressionistischen Films (1919–1924) beendet, die militaristischen Fridericus-Filme und die entpolitisierenden Filme der ›Neuen Sachlichkeit‹ übernahmen das Feld.

Bedeutende, aber kurzfristig folgenlose Dramen-Versuche Iwan Golls und Else Lasker-Schülers sollen kurz charakterisiert werden: Den in der Schweiz, abseits von den Zensurzwängen im kriegführenden Europa, am weitesten fortgeschrittenen Stand der kritischen bürgerlichen Literaturentwicklung repräsentiert neben der Züricher Dada-Bewegung der deutsch-französische Lyriker und Literaturtheoretiker IWAN GOLL (1891–1950). Seine Versuche, einen Überrealismus zu schaffen, gehen auf Einflüsse Guillaume Apollinaires zurück, dessen groteskes Stück *Les Mamelles de Tirésias* (1918) für Frankreich bahnbrechend wurde; weiterhin ist der Einfluß der *Ubu*-Farcen zu nennen, deren Autor Alfred Jarry seinerseits auch die deutsche Tradition der offenen Dramenform verarbeitet hatte, z. B. als Übersetzer von Grabbes *Scherz, Satire, Ironie und tiefere Bedeutung* (1827, öffentl. Aufführung 1907). Durch Golls frühe expressionismuskritische Beiträge wird die internationale Phasenverschiebung im Vergleich zum deutschen Expressionismus deutlich. Während Leonhard Frank in der Schweiz als Einzelgänger mit Wirkungsintention auf deutsche Verhältnisse das bekannteste (über 70 000 verkaufte Exemplare) expressionistische Buch *Der Mensch ist gut* (1917) schrieb, ließ Goll seine expressionistische Phase hinter sich und entwickelte – in Kontakten mit Hans Arp, Ludwig Rubiner, Viking Eggeling u. a. – mit Wirkungsintention auf europäische Verhältnisse seine weiterführenden Konzepte und Satiren; 1921 merkt er lakonisch an: »›Der Mensch ist gut‹: eine Phrase.« 1920 veröffentlichte Goll zwei dramatische Satiren in dem Band *Die Unsterblichen*, im gleichen Jahr seine ›Kinodichtung‹ *Die Chaplinade*, die mit ähnlichen Stilmitteln arbeitet wie sein dramatisches Hauptwerk *Methusalem oder Der ewige Bürger* (entstanden 1918, gedruckt 1922, aufgeführt 1924). Die mit der Devise »A bas le bourgeois!« geschriebene Satire bedient sich teilweise parodistischer und vor allem grotesker Mittel als »Vergrößerungsglas«, wie Goll formuliert, und versucht durch »Überrealismus« und »*Alogik*« eine »Negierung des Realismus«. Das konkrete Vorbild des Börsenspekulanten und Schuhfabrikanten Methusalem war der Großindustrielle Hugo Stinnes. Die Sprachmittel und die Bühnendarstellungsmittel repräsentieren alle neuen, literaturverändernden Entwicklungen, die Brecht anläßlich früherer Goll-Stücke 1920 zusammenfaßt: »Zeitung, Bänkelsängerlyrik, Photographie: höchst lebendige Maschinerien, Plakat.« (Werke 15, S. 35) Jazzmusik und Film kamen bei der Berliner *Methusalem*-Aufführung 1924 hinzu. Jedoch hat sich in der deutschsprachigen Theaterentwicklung von hier aus keine markante Traditionsbildung in den zwanziger Jahren ergeben; Brecht übernimmt verschiedene dieser Wirkungsmittel und Toller ab *Der entfesselte Wotan* (1923); Dürrenmatt wird später auf Goll zurückgreifen.

Eine Sonderstellung ohne dramengeschichtliche Folgen nimmt auch die bedeutendste deutschsprachige Lyrikerin ihrer Zeit, ELSE LASKER-SCHÜLER (1869–1945), ein. Sie schrieb mit *Die Wupper* (1909, aufgeführt 1919) eines der frühen Stücke über Arbeiter mit Volksstückcharakter und satirischer Intention in Hinsicht auf die miserablen Kleinstadtzustände. Die Verwebung von persönlichem Erleben und kollektiver Geschichte setzt sich in den Stücken *Arthur Aronymus* (1937) und *IchundIch* (1941, veröff. 1970, aufgeführt 1979) fort. Der Frage, wie die Unmenschlichkeit in der Welt entstehe, sucht das letzte Stück innerhalb mehrfach verschränkter Realitätsebenen nachzugehen: mythische, politische poetische und theatralische Ebenen werden zur Sinnfindung verwendet. Die Dichterin stellt – gespalten – sich selbst als Mitspielerin und als Zuschauerin der fiktionalen Hauptprobe, die als Stückrahmen fungiert, dar. Ein Teil der aktualisierenden Transpositionen literarischer Mythen wird durch Faust-Mephisto-Gespräche in eben dem Höllenteil in Szene gesetzt, in dem Goebbels, Göring, Hess und Schirach nach Erdöl für ihren Vernichtungskrieg suchen. Daß die Sinnfrage nicht mit herkömmlichen Antworten zu befriedigen ist, zeigt die Schlußbegegnung der sterbenden Dichterin mit einem Goethe als Vogelscheuche; innerhalb des Stückes dominieren die Antworten, die sich von der zwischenmenschlichen Verantwortung eine Humanisierung der Gesellschaft erhoffen.

Verarbeitung der Geschichtserfahrungen

Nachdem die verbürgerlichte Sozialdemokratie die Krisenzeiten durch ihre Haltung 1914 und 1919 zu überwinden geholfen hatte, das Deutsche Reich 1924 für Auslandsinvestitionen wieder lohnend wurde, konnte die Amerikanisierung Berlins rasch voranschreiten. Als europäisches Konzernverwaltungszentrum wurde Berlin zur Angestelltenstadt, als deutsches Industriezentrum behielt es in weiten Gebieten seinen Charakter als Arbeiterstadt, als Ausbildungszentrum mit zwei Universitäten und zahlreichen Fachschulen zog es Jugendliche aus dem ganzen Reich an. Als öffentlichkeitskulturell besonders aufgeschlossene Schicht kann noch der mit 170 000 sehr hohe Anteil von Berlinern jüdischen Glaubens genannt werden. Durch die kapitalistische Währungsmanipulation 1923 war zwar der alte Mittelstand ruiniert, er wurde aber in den fünf folgenden Jahren hinsichtlich des Theaterpublikums relativ schnell ersetzt. Zwar stellten die neuen Schichten hauptsächlich das Kino- und Revue-Publikum, doch besaß das Berliner Theaterleben mit seinen zahlreichen Privatbühnen nie die bildungsbürgerliche Exklusivität wie in anderen Städten mit nur einem Stadttheater, so daß man in Berlin mit einer Scheu vor Theaterbesuchen nicht rechnen mußte.

Nachdem München durch die Zerschlagung der demokratischen Ansätze zur reaktionärsten deutschen Großstadt geworden war, findet man seit 1924 alle wichtigen deutschsprachigen Stückeschreiber in der Hauptstadt: Brecht, Bruckner, Feuchtwanger, Fleißer, Horváth, Kaiser, Kornfeld, Mehring, Piscator, Rehfisch, Toller, Wangenheim, Wolf, Zuckmayer. Alle diese Autoren entwickeln Dramenformen gegen die herkömmliche idealistische Ästhetik, sind bemüht, die Demokratisierung der antidemokratisch sozialisierten Bevölkerung voranzutreiben und machen die Bühne zum Forum für die wichtigen öffentlichen Fragen der Republik. Durch die räumliche Nähe der Autoren entstand als eine Vorstufe zu kollektiver Arbeit ein Netz von Querverbindungen und gegenseitigen Anregungen, deren Ergebnisse bis 1932 sich als eine unverkennbare ›Berliner Dramaturgie‹ fassen lassen. Als gemeinsame Merkmale können gelten: der nicht individuell, sondern gesellschaftlich-politisch bestimmte Stoff, seine epische, historisierend prozeßhafte Strukturierung, die scharf konfrontierende Montage der Details, das nicht illusionistische, sondern demonstrierend aufzeigende Spiel mit der Kombination dokumentierender Medien, der Direktappell an den kritisch interessierten Zuschauer, demokratisierende politische Aktivierung. Der begrenzte Wirkungsradius solcher Aktivierung liegt auf der Hand: Ein modernes kritisches Theater hat sich nur in den Großstädten punktuell entwickeln können mit dem unbestrittenen Zentrum Berlin, während die Massenmedien Film und Rundfunk, die bis in die Provinz hinein hätten wirken können, so gut wie nichts zum geistig künstlerischen Leben der jungen Republik beitrugen, weil sie sich als »unpolitisch« verstanden, durchgehend die Interessen des Großkapitals vertraten und überwiegend einer politischen Zensur unterworfen waren.

Mit der wirtschaftlichen Aufschwungphase 1924 begannen die wichtigen Versuche der Zusammenarbeit zwischen Textproduzenten und Aufführungsensembles, die zuvor anscheinend nur in geringem Maße – so zwischen Gerhart Hauptmann und Otto Brahm – stattgefunden hatten. Die Folge war, daß die Stücke beim Spielen verändert wurden, daß der Wortlaut der Aufführungen nicht nachlesbar war. So liegt von Piscator – für Brecht »der größte lebende deutsche Dramatiker« neben ihm selbst – kein einziger Dramentext vor. Die wichtigste Komödie der Weimarer Republik, Hašeks *Abenteuer des braven Soldaten Schwejk* (1928) auf der Piscator-Bühne, ist daher nicht mehr rezipierbar. Brecht zielt mit seinem Urteil nicht nur auf die Textveränderungs-, Regie- und Organisationsarbeit Piscators bei einer Anzahl international beachteter Inszenierungen in Berlin, sondern auf dessen Entwicklung eines ›epischen‹ Bühnenstils und dessen direkten Einfluß auf viele europäische Dramatiker. Die Überwindung der aristotelischen Dramaturgie erleichterte dramatisierende Bearbeitungen aus anderen Literaturgattungen durch Bühnenkollektive, eine Methode, die durch den Film schon längst erprobt war, der seinerseits insgesamt eher der epischen als der dramatischen Gattung vergleichbar ist. Diese Bearbeitungen sind oft episierende Bühnenumsetzungen.

Als unmittelbarer Vorläufer der Berliner Dramaturgie der zweiten Hälfte der zwanziger Jahre kann die Dramenform der Historie als Zeitstück angesehen werden. Inhaltlich argumentieren diese Stücke gegen die Tradition des Historismus, gegen die Glorifizierung der historischen Einzelpersönlichkeit; sie betonen das Schicksal der Abhängigen und die Vergleichbarkeit verschiedener historischer Prozesse mit der Gegenwart. Sie bringen antifeudalistische oder antikapitalistische Revolten in Erinnerung und verfolgen mit ihrer operativen Strukturierung ausdrücklich politisch-didaktische Ziele. Literarisch greifen sie auf das nichtaristotelische englische Theater, auf die antiidealistischen Geschichtsdarstellungen und die episodische Bildtechnik des von Leopold Jessner wiederentdeckten Grabbe und vor allem Büchners zurück, dessen Werke eine breite Wirkung entfalten konnten durch Neuausgaben von Paul Landau (1909), Wilhelm Hausenstein (1916, 1919), Georg Witkowski (1920), Fritz Bergemann (1922), Arnold Zweig (1923), Ernst Hardt (1924); die Neuentdeckung Büchners zeigte sich auch in Form von ALBAN BERGS (1885–1935) 1921 fertiggestellter und 1925 in Berlin mit sensationellem Erfolg aufgeführter Oper *Wozzek* bis hin zu FRANZ THEODOR CSOKORS (1885–1969) Büchner-Drama *Die Gesellschaft der Menschenrechte* (1929).

Über den populärsten revolutionären Schriftsteller Anfang der zwanziger Jahre, Ernst Toller, sind zwei oft vernachlässigte Einflußquellen auf das neue Theater sichtbar zu machen. Die Sprechchor-Tradition der Arbeiterbewegung, die inhaltlich die kritischen und die opportunistischen Züge der Bewegung spiegelt, hatte während der revolutionären Situation bis 1923 und ab 1930 einen wichtigen Einfluß auf die politisch-kulturelle Arbeit. Anscheinend ist sie der letzte markante Ausdruck einer gesellschaftskritischen massenwirksamen Wort-Kultur, wie sie die frühbürgerliche Aufklärung geschaffen hat und wie sie ein demokratisierter Rundfunk hätte fortsetzen können; die Ablösung durch eine massenwirksame Video-Kultur, deren Kennzeichen die von Profit-Interessen bestimmten Medien Film und Fernsehen sind, scheint in die zwanziger Jahre zu fallen. Das Piscator-Theater könnte man als sinnvolle Integration beider Zeichensysteme ansehen. Die lyrisch-dramatische Mischgattung Sprechchorwerk, deren sich u. a. Bruno Schönlank, Max Barthel, Johannes R. Becher, Karl Bröger, Berta Lask, Ernst Toller bedienten, trägt Züge des epischen, historisierenden Theaters. Eine Kombination von Sprechchor- und Arbeitertheaterbewegung läßt sich am Beispiel des Leipziger Arbeitertheaters feststellen, in deren Aufführungen die Chöre eine große Rolle spielten. Hier wurde zum Gewerkschaftstag 1920 vor 50000 Zuschauern der Aufstand des römischen Sklaven Spartakus mit 900 Arbeitern dargestellt, 1921 mit 1800 Spielern die Bauernkriegsszenenfolge *Der arme Konrad*. Für die Aufführungen 1922 bis 1924 schrieb der von der bürgerlichen Justiz zu Festungshaft verurteilte Ernst Toller die Textentwürfe zu den 15 *Bildern aus der Großen Französischen Revolution*, *Krieg und Frieden* und *Erwachen*.

Das für die Buchveröffentlichung und das herkömmliche Theater geschriebene Toller-Stück *Die Maschinenstürmer* (1920/21) mußte dagegen mit eher herkömmlichen Mitteln arbeiten. Mit dem Stoff aus der Ludditen-Bewegung 1815 griff Toller jedoch das charakteristische ›neusachliche‹ Thema der Technik-Entwicklung auf und wandte sich damit gegen die irrationale Technik-Feindschaft der expressionistischen Dramatiker. Der falschen Alternative, Zerstörung der Maschinen, stellte er die sinnvollere gegenüber: Vergesellschaftung der Produktionsmittel. Zudem begründete Toller mit Jimmy Cobbett die Dramenfigur des historisch zu früh gekommenen Protagonisten gesellschaftlicher Fortschritte. Damit konnte den Zuschauern die gerade gescheiterte Revolution als Prozeßstufe innerhalb der revolutionären Prozessse der Geschichte verdeutlicht werden. Die Historie als Information über die Vorgeschichte der revolutionären Bewegungen wurde ähnlich verwendet in Alfons Paquets *Fahnen* (1924), Friedrich Wolfs Bauernkriegsdarstellung *Der arme Konrad* (1924), Berta Lasks *Thomas Münzer* (1925), Béla Balázs' *1871. Die Mauer von Père la Chaise* (1928). Die der Bühne des 20. Jahrhunderts am meisten adäquate Darstellung findet die politisch aktualisierte Historie zweifellos in den Musterinszenierungen des Piscator-Kollektivs, während Carl Zuckmayers Romantisierung *Der Schinderhannes* (1928) – kaum anders als Clara Viebigs Roman *Unter dem Freiheitsbaum* (1922) – ein Rückfall war, der auch in der Verfilmung durch Kurt Bernhardt für die ›Prometheus-Film-GmbH‹ wegen des Ausuferns privater Episoden kaum aufgefangen werden konnte. Die stofflich vergleichbare Verfilmung von Hauptmanns *Die Weber* von Friedrich Zelnik 1927 kann dagegen in diesem Zusammenhang hervorgehoben werden. *Die Weber* und *Der Schinderhannes* waren bereits Folgen der Versuche mit *historischen Filmen* ab 1926.

Die größten Wirkungen der Darstellung einer vorrevolutionären Revolte durch ein Medium des 20. Jahrhunderts hatte SERGEJ EISENSTEINS (1898–1948) Stummfilm *Panzerkreuzer Potemkin*, der vom einzigen Verleih der Arbeiterbewegung, der ›Prometheus-Film-GmbH‹, 1926 importiert wurde und während 7 Monaten gegen die deutsche Zensur mit Kürzungen freigekämpft werden mußte. Für die Berliner Aufführung schrieb der auch für Piscator- und

Brecht-Inszenierungen arbeitende Komponist Edmund Meisel die operativ eingesetzte Begleitmusik.

Eisenstein behandelt die Revolte auf dem Admiralsschiff der Schwarzmeerflotte 1905 und die Solidarität der Bevölkerung von Odessa mit neuen realistischen Mitteln, in deren Mittelpunkt ein dialektisches Montageverfahren steht. Um die operative Hauptfunktion des Films nicht zu gefährden, ließ Eisenstein den historischen Schluß der Revolte, die Auslieferung der Matrosen an die russische Polizei, wegfallen. Ins Zentrum des Films stellt der Regisseur die Matrosen und die Bevölkerung von Odessa als Masse und verzichtet auf herkömmliche Individualisierungen. Die Einteilung der chronikartigen Darstellung erhält durch die Bauform eines fünfaktigen Dramas die notwendigen alternierenden Spannungsbögen, die durch eine wirkungsvolle Montage-Regie gefüllt werden. Die rhythmische Montage zeichnet sich durch gegenläufige Bewegungsrichtungen mit synkopierenden Wirkungen, durch schroffen Wechsel zwischen Totalen und Großaufnahmen, durch Steigerung des Bewegungstempos aus und wird in Ruhepunkten des Ablaufs durch die tonale Montage ergänzt, die auf lyrisch bildhafte Wirkungen der stummen Dingwelt abhebt.

Eisensteins prozeßhaft sich entwickelnde Filmtheorie strebt wie Brechts und Piscators Theatertheorie die Aufhebung der Spaltung zwischen Wissenschaft und Kunst, zwischen rationalen und emotionalen Darstellungsprinzipien an. Gegen eine vereinfachende Widerspiegelungsauffassung setzt er Montage als dialektisches Verfahren: durch die Kombination zweier sinnlicher Phänomene sollen in der Montage richtiges Sehen, Erkennen, Methoden- und Begriffsbildung ermöglicht werden. Dabei gelten Eisenstein die realistischen Erzähler Balzac, Flaubert, Puschkin, Tolstoi als vorbildlich. Die aus revolutionärer Sicht arbeitende Montage kann Einsichten und Handlungsdispositionen produzieren. Eine ›Proletkult‹-Variante von ›Neuer Sachlichkeit‹ läßt Eisenstein durch eine optimistische Technik-Überbetonung einfließen: In den Montagen von Handlungsausschnitten der revolutionären Matrosen und Maschinenbewegungen wird die Technik als Auslöser und Motor der Revolution gesehen.

Die deutsche Zensur zerstörte den Film weitgehend. Der Kritiker Herbert Jhering schrieb am 6.5.1926: »Zur Zeit des Absolutismus konnten *Die Räuber*, konnte *Kabale und Liebe*, konnte *Wilhelm Tell* gespielt werden. Und in der Republik wird man unruhig, wenn der *Panzerkreuzer Potemkin* vorgeführt wird?« Für Soldaten und Jugendliche wurde der Film verboten, dann völlig verboten und schließlich mit Kürzungen freigegeben: Fast alle Großaufnahmen fielen weg, die historisch wahre Erschießung protestierender Einwohner Odessas durfte nicht gezeigt werden, der zynische Schiffsarzt durfte nicht über Bord geworfen werden. Trotz der Behinderungen und trotz der Hetze der Hugenbergpresse hatte *Potemkin* den größten Verleiherfolg und erlangte den Ruf eines der besten Filme der Welt. Wirkungshinweise gibt – neben den herausragenden Kritiken Axel Eggebrechts, Herbert Jherings, Alfred Kerrs – das Brecht-Gedicht *Keinen Gedanken verschwendet an das Unveränderbare!*: »Ich habe erlebt, wie neben mir / Selbst die Ausbeuter ergriffen wurden von jener Bewegung der Zustimmung / Angesichts der Tat der revolutionären Matrosen.« Ausführlich schildert Lion Feuchtwanger in seinem Roman *Erfolg* (1930) die Wirkung auf einen konservativen Zuschauer und legt im übrigen eine politische Filmwirkungstheorie seiner Romanfabel zugrunde. Die Matrosen-Bühnenstücke Pliviers, Tollers und Wolfs sind direkte Folgen des *Potemkin*-Films. Als Beispiele für ein in den zwanziger Jahren häufig belegbares, notwendiges Ausweichen bei politischer Zensur in andere Darstellungsmedien können hier GEORG W. PIJETS (geb. 1907) *Kreuzer unter Rot* (1927) als dramatisierte Szenen für proletarische Spieltrupps genannt werden und FRITZ HAMPELS (1895–1932) reportageähnlicher dokumentarischer Band *Panzerkreuzer Potemkin* (1926) im Malik-Verlag. Der unter dem Namen Slang publizierende Satiriker Hampel ist darüber hinaus zu nennen als Mitbegründer des neuen Genres Bildgedicht. Diese Kombinationen von Fotografie und Text erschienen besonders in der ›Arbeiter-Illustrierte-Zeitung‹; derselben Form bedienten sich teilweise Tucholsky und Heartfield in *Deutschland, Deutschland über alles* (1929) und Brecht mit seinen *Fotoepigrammen* in der *Kriegsfibel* (1955). Der wichtigste deutsche Versuch, eine aktualisierte historische Revolte aus der Arbeiterbewegung im Film darzustellen, war Werner Hochbaums Streifen *Brüder* (1929) über den Streik der Hamburger Hafenarbeiter 1896/97 gegen die 36- bis 48stündigen Arbeitsschichten. Das Schlußwort des »Rädelsführers« nach seiner Haft, Liebknechts »Trotz alledem!«, deutet einen operativen Impetus für eine Volksfront der gesamten Arbeiterbewegung an. Der einzige an den *Panzerkreuzer Potemkin* heranreichende Film eines deutschen Regisseurs über eine vorzeitige Revolte war bereits ein Werk in der Emigration: Erwin Piscator drehte 1934 für MESH-RAB-POM den *Aufstand der Fischer von St. Barbara* in Anlehnung an Anna Seghers, deren Erzählung von 1928 er zu einem monumentalen »Trotz alledem!« gestaltete.

Verbot und Verstümmelung des *Potemkin*-Films waren ein massives Zeichen dafür, daß die Staatsgewalt jegliche Filmverarbeitung der Matrosenrevolten 1917/18 unterdrücken würde. Der Sieg der nationalistischen Reaktion mit der Wahl Hindenburgs 1925, die Durchsetzung der Militärpolitik Hindenburgs, Groeners und Schleichers nach der Absetzung des Heereschefs Seeckt 1926, das erste Kabinett der Rechten 1927 zusammen mit der Dolchstoßlegende vom nicht wirklich verlorenen Krieg machten eine aufklärende Gegenwehr der linken Minderheit immer dringender.

Da die Massenmedien Film und Rundfunk von Industrie und Staat vereinnahmt waren, die Zeitungen bis auf die 8 % linken Blätter opportunistisch bis reaktionär berichteten, war ein Ausweichen auf andere Medien unumgänglich. Die historischen Dokumentarstücke und -bücher lassen sich als Reaktion ansehen auf das mit den unfreien Massenmedien einhergehende totale Geschwätz und auf die Verlogenheit der Kriegsverarbeitung in den Medien.

Das Thema des Ausweichens auf das Theater mangels anderer Öffentlichkeitsmedien ist übrigens in der Weimarer Zeit auch in allgemeiner Art diskutiert worden: Arnold Zweig stellte z. B. auf der Arbeitstagung ›Dichtung und

Rundfunk« 1929 in Kassel die These auf: »Schiller und Lessing hätten …
fast keine Stücke geschrieben, wenn sie Gelegenheit gehabt hätten, in einem Parlament oder von einer Kanzel zu einer Menschenmenge zu reden.« (Hay, S. 197), und Karl Würzburger, bis 1933 Redakteur der ›Deutschen Welle‹, formulierte 1931 angesichts der »zur historischen Dichtung
erhobenen und geläuterten Reportage«: »Friedrich Schiller wäre ohne
Zweifel, wenn er unserem Jahrhundert angehörte, der führende Rundfunk-
dichter.«

1926 kam das Thema der Matrosenrevolten außer durch *Potemkin* durch
das Revisionsgerichtsverfahren gegen die Kieler Matrosen von 1917 in die öffentliche Diskussion. Die affirmative Populär- und Memoirenliteratur über
den Seekrieg wurde ergänzt durch affirmative Kreuzer-Filme 1926/27. Die
wenigen kritischen Gegenstimmen außerhalb der Presse und der pazifistischen Zeitschriften bedienten sich der herkömmlichen autobiographisch
orientierten Formen und fielen auf dem Büchermarkt nicht besonders auf:
Albert Daudistel *Das Opfer* (1925) oder Hans Beckers *Wie ich zum Tode verurteilt wurde. Die Marinetragödie im Sommer* 1917 (1928) mit einer Vorrede
von Tucholsky. Eine Revolte österreichischer Matrosen brachte 1927 der Publizist und spätere Chefredakteur von ›Berlin am Morgen‹, einer Zeitung der
»Internationalen Arbeiterhilfe«, Bruno Frei (geb. 1897) in Erinnerung mit
dem Dokumentarbuch *Die roten Matrosen von Cattaro*, der Materialbasis für
Wolfs *Matrosen von Cattaro* (1930).

Die öffentliche Diskussion über die Matrosenaufstände wurde belebt durch
die Denkschrift der ›Liga für Menschenrechte‹ über die Ermordung revoltierender Matrosen 1917, durch Revolten auf dem französischen Kreuzer
»Waldeck-Rousseau« und dem deutschen Kreuzer »Emden« 1929. Überproduktionskrise und Massenarbeitslosigkeit ließen bis 1933 eine latent revolutionäre Situation entstehen. Die Erfahrungen von 1917 bis 1923 sollten
in Erinnerung gerufen werden. Friedrich Wolfs Antwort 1935 auf die Frage
»Weshalb schrieb ich die *Matrosen von Cattaro*?« kann für Piscator, Plivier
und Toller zugleich stehen: »… der eigentliche Anlaß waren unsere Kämpfe
in Remscheid im März 1920 … Diese Ruhrkämpfe konnte man im Hinden-
burgdeutschland nicht auf der Bühne zeigen. So mußte ich durch die Blume
sprechen, im historischen Gleichnis des Aufstands der *Matrosen von Cattaro*.« In ihren Darstellungen von Matrosen-Revolten arbeiteten Piscator, Plivier, Toller und Wolf mit authentischen Dokumenten, z. T. mit zeitgenössischen Interviews Überlebender.

Ernst Toller ging voran mit der 1928 begonnenen, 1930 veröffentlichten Darstellung des Kieler Matrosenaufstands 1917 *Feuer aus den Kesseln*. Eisensteins *Panzerkreuzer Potemkin*, zusammen mit dem Revisionsgerichtsverfahren gegen die Kieler Matrosen 1926, war direkter Anlaß für die Entstehung. Am 3. 5. 1926 schrieb Toller einen zustimmenden Brief über den Film
an Eisenstein. Anhand der von der ›Liga für Menschenrechte‹ veröffentlichen
Denkschrift über die Morde an Matrosen und anhand der Prozeßakten zeigt
der Autor die mangelnde Bereitschaft der reaktionären Justiz, Unrechtsurteile
der kaiserlichen Justiz aufzuheben. Das dokumentarische Stück behandelt die

gesellschaftliche Umwälzung als aktuelle Aufgabe und gibt als wissenschaftlichen Anhang des Buches weitere fundierende Dokumente.

Mit THEODOR PLIVIER (1892–1955), dessen Dokumentarbuch *Des Kaisers Kulis* (1930) die repressive Behandlung der Matrosen als Fortsetzung der kapitalistischen Unterdrückung in Friedenszeiten demonstriert, hat Toller die eher anarchistische Wertschätzung der revoltierenden Spontaneität gemeinsam, die sich bei Plivier als von Nietzsche und Stirner beeinflußtes Menschenbild artikuliert. Für seine Inszenierung 1930 reduzierte Piscator Pliviers philosophisches Pathos und akzentuierte die Notwendigkeit revolutionärer Solidarisierung. Die stärkste Kritik an bloßer Spontaneität übte Friedrich Wolf in den *Matrosen von Cattaro* (1930). Im Gegensatz zu Toller und Plivier, die keine Protagonisten besonders herausstellen, gestaltet Wolf den Bootsmannsmaat Franz Rasch als Helden mit sozialistischer Perspektive.

Als historisches Dokumentarstück angelegt ist ebenfalls HANS JOSÉ REHFISCHS (1891–1960) *Verrat des Hauptmanns Grisel* (1933). Die Napoleon-Figur als Diktator der Großbourgeoisie spielt hier wiederum an auf die Anfälligkeit der Weimarer Republik für eine Diktatur. Die revolutionären, um Babeuf gescharten Kräfte signalisieren die gegenwärtige Notwendigkeit einer antifaschistischen Volksfront unter Einschluß der Intellektuellen. Der Malik-Verlag hatte 1929 Ilja Ehrenburgs Buch *Die Verschwörung der Gleichen. Das Leben des Gracchus Babeuf* herausgebracht. Als eines der letzten aktualisierenden Historien-Stücke der Republik wurde 1932 durch einen von den Faschisten inszenierten Berliner Theaterskandal JULIUS HAYS (geb. 1900) Darstellung der Hussiten-Revolte *Gott, Kaiser und Bauer* bekannt, in der die Prozeß-Form genutzt wird als Ausschnitt des Konstanzer Konzils. Kaiser Sigismund versucht vergeblich, die hussitischen Revolutionäre auf seine Seite gegen die reaktionäre Papstpartei zu ziehen, jedoch zieht Huss den Tod vor, um ein Revolutionsfanal für eine Selbstbefreiung der Bauern zu geben. Auch Horváth plante ein Historien-Stück über einen zu früh gekommenen Revolutionär im 15. Jahrhundert. Als eines seiner ersten Stückfragmente ist überliefert eine *Chronik aus dem Jahr 1495* über den ungarischen Bauernführer Dosa.

Es kann hinzugefügt werden, daß der Rundfunk zur Erneuerung des Genres Historie als Zeitstück nichts beitrug, da er zugunsten oppurtunistischer Affirmation jegliche politisch-historische Diskussion vermied. So zog etwa die Berliner Funkstunde in diesem Bereich eine apolitische Bearbeitung isolierter Revolten vor: Goethes *Götz von Berlichingen* und Hauptmanns *Florian Geyer* als Sendespiele. In formaler Hinsicht bedeutend war die mehrfach gesendete Funk-Fassung von Kleists Novelle *Michael Kohlhaas*, die Arnolt Bronnen 1928 als Wiederaufnahme des Falles vor dem Hörer in die Form alternierender Handlungs- und Gerichtsszenen gekleidet hatte. Bronnen bringt die Hörer als Figur eines ›Anfragers‹ ins Spiel, die der eines episch berichtenden ›Ansagers‹ gegenübergestellt wird. Ein Dialog dieser Figuren leitet jeweils die Szenen ein.

Eine zweite Variante der Historie, die nicht politisch operativ sein wollte, sondern die von Hegel verspottete Kammerdiener-Perspektive als desillusionierendes Stilmittel einsetzte, ging von Brecht und Feuchtwanger aus und wurde sekundiert von Shaws ironischer Dramatisierung der *Heiligen Johanna* (1923, dt. 1924). Brecht und Feuchtwanger bearbeiteten 1923/24 Christopher Marlowes *Leben Eduards II.* (1592) und legten besonderen Wert auf Diskussionen um eine bühnengerechte Sprache. Die undramatische Episodenreihung weist auf episches Theater; die Stilisierung des Mortimer zu einem zeitgenössischen Repräsentanten von »Sachlichkeit« gehört zum Habitus neuer, apolitischer Geschichtsbetrachtung. In Brechts und Feuchtwangers Gemeinschaftsarbeit *Kalkutta, 4. Mai* (1925/1927) kommt die Widersprüchlichkeit »neusachlicher« Intentionen deutlich zum Vorschein: die Bewunderung technischer Neuerungen und amoralischer »Tatsachen«-Menschen kollidiert mit dem gleichzeitig vertretenen humanen Gleichheitsgrundsatz. Der englische Kolonialismus soll kritisch vorgeführt werden, aber Feuchtwangers Sympathie mit der überragenden, von »Sachlichkeit« bestimmten Figur Warren Hastings läuft der Intention permanent entgegen.

Handelt es sich bei Brecht und Feuchtwanger um Experimente in einer Umbruchszeit, so kann FERDINAND BRUCKNERS (1891–1958) erfolgreiches historisches Schauspiel *Elisabeth von England* (1930) während der Krisenzeit als poetischer Rückzug aus der Gegenwartsdramatik angesehen werden, wenngleich ein humaner Friedensappell von dem Stück ausgehen mag. Die entheroisierenden Züge konnte Bruckner der 1929 übersetzten ›tragischen Historie‹ *Elisabeth und Essex* von Lytton Strachey entnehmen. Die Geschichtsperspektive ist vergleichbar mit derjenigen, die erfolgreiche Unterhaltungsbiographen wie Emil Ludwig und Stefan Zweig in ihrer Beschreibung von Herrschern und Königinnen anwenden. Die englisch-spanischen Machtkämpfe des 16. Jahrhunderts erklärt der Autor teilweise mit psychoanalytischen Kategorien, indem er eine Haßliebe zwischen den Regierenden, Elisabeth und Philipp, poetisch konstruiert. Das von Bruckner in den drei letzten Akten angewandte Simultaneitätsprinzip fällt weit hinter Piscators explikative Anwendung und auch hinter die Simultan-Funktionen in Bruckners *Verbrechern* (1928) zurück und akzentuiert meist nur seelische Nuancen der königlichen Dialoge oder bisweilen ideologiekritische Religionsvergleiche.

Seine schärfste, indirekte Kritik erreicht der Wiener Bruckner – in der österreich-ungarischen Sprachkritik-Tradition der Kraus, Horváth, Hofmannsthal, Musil, Wittgenstein stehend – durch die Bloßstellung des von ideologischer Metaphorik existierenden militanten Katholizismus. Philipp nennt die nichtkatholische englische Königin »eine Pestbeule auf dem weltlichen Leib des Herrn«, die »mit dem Messer« entfernt werden müsse. »Denn lieber will ich über Leichen herrschen als über Ketzer. Ad maiorem Dei gloriam.« Angesichts der Sympathien der Kirchen für den italienischen, den deutschen und spanischen Faschismus erscheint Bruckners Kritik nicht abwegig.

Während die individuelle Produktionsform bei den überwiegend individuell rezipierten Kunstformen Roman und Gedicht vorherrscht, erfordert Theater mit der kollektiven Rezeptionsform anscheinend am meisten eine kollektive Produktion. Die Brecht- und Piscator-Kollektive sind in den zwanziger

Jahren dafür die bekanntesten Beispiele. Als Gegentyp, als unpolitischer, gemäßigt konservativer Einzelproduzent kann Zuckmayer gelten, der Kollektivarbeit mit dem pejorativen Ausdruck »Kollaboration« assoziiert:

»Entschlossen, das Stück zu schreiben, machte ich mich von jeder mir vorgeschlagenen Zusammenarbeit frei – Kollaboration und Kollektivwerk haben mir nie gelegen –, auch war mir klar, daß ich den Stoff nur auf meine Art bewältigen könne, nicht ›die Geißel schwingend‹, sondern das Menschenbild beschwörend – und zog mich zur Arbeit ins ländliche Henndorf zurück.« (Als wär's ein Stück von mir, S. 430)

1920/21 versuchte ERWIN PISCATOR (1893–1966), zusammen mit Hermann Schüller, in einem von mehreren deutschen ›Proletarischen Theatern‹ politisch operative Stücke und Darstellungsformen zu finden. Dabei gelang erstmals auch eine kollektive Textproduktion in *Rußlands Tag* (1920), für das der ungarische Schriftsteller Lajos Barta nur den Entwurf angefertigt hatte. Mit der Wende gegen die herkömmliche Kunstauffassung war eine Wende gegen die versteinerte Institution Theater verbunden gewesen: die Theatertruppe spielte in wechselnden Versammlungslokalen und erreichte so ein neues Publikum.

Als Regisseur im modernsten Berliner Theaterbau, der Volksbühne, konnte Piscator zwischen 1924 und 1927 einige Formen des neuen Dramas erproben. Die erste Textvorlage war 1924 ALFONS PAQUETS (1881–1944) *Fahnen*, die der Autor in der Handschrift als ›amerikanisches Romandrama‹, im Typoskript als ›Drama‹, im Buch 1923 als ›dramatischen Roman‹ bezeichnet hatte, während bei der Inszenierung die Bezeichnung ›episches Drama‹ auftauchte. Diese Mischform hatte zuerst Feuchtwanger 1919 in seinem ›dramatischen Roman‹ *Thomas Wendt* angewandt, der 1920 gedruckt und 1925 in Bielefeld zuerst aufgeführt wurde; im Vorwort hatte Feuchtwanger seinerseits als Anregung Heinrich Manns Dramen-Roman *Die kleine Stadt* (1909) genannt. Die von Paquet ohne künstlerisch-formale Ambitionen zusammengestellte szenische Reportage über den Justizmord an Anarchisten 1887 in Chicago zeigte keine ›Helden‹ mehr und lenkte die Spannung vom historisch bekannten Ende ab zu den Details der szenischen Argumentationen. Das von Paquet vorgesehene Marionetten-Vorspiel wurde von Piscator umgewandelt in die Szene eines Bühnenkommentators, der projizierte Fotos in Moritat-Manier erklärte. Diese zum Epischen tendierende Form hatte Piscator schon in der *Revue Roter Rummel* (1924) verwendet und setzte sie später in Carl Credés *Paragraph* 218 sowie in der New Yorker Bühnenbearbeitung von Theodore Dreisers *Amerikanischer Tragödie* ein, während Thornton Wilder den ›stage manager‹ erst 1938 in *Our Town* (dt. 1944) vorsah.

Nachdem Meyerhold 1923 in Tretjakóws *Die Erde bäumt sich* filmische Zwischentitel erprobt und Brecht im *Leben Eduard des Zweiten von England* 1924 bei Szenenwechsel Zwischentitel – durch Stummfilm-Schriftbänder wahrscheinlich angeregt – eingesetzt hatte, benutzte Piscator solche Zwischentitel 1924 in *Fahnen* mit der Erweiterung seitlich der Bühne angebrachter Filmwände, auf denen Plakate, Fotos, Zeitungstexte, Telegrammtexte erschienen. Durch diese ›undramatischen‹ Mittel wurde die Richtung zum späteren dokumentarischen Theater angebahnt. Meyerhold benutzte 1924 für seine Bearbeitung von Ehrenburgs Roman *Trust. D. E.* und Kellermanns Roman *Der Tunnel* drei Filmleinwände. Der Argumentationszirkel individualisierender Dramatik konnte gesprengt und eine neue Qualität des gesellschaftlich nützlichen Theaters durch historisch wissenschaftliche Beweisführung erreicht werden. Aus dem Schau-Spiel entstand das unterhaltende historische Lehrstück. Da Schule, Film, Presse, Rundfunk die Enthistorisierung des Bewußtseins der bürgerlichen Gesellschaft verhängnisvoll vorantrieben, hätte einem so erneuerten Theater in den Großstädten potentiell ein gewisses Gegengewicht zukommen können.

Piscator gab z. B. durch eine Umstellung zweier Szenen in den *Fahnen* ein eindrucksvolles Beispiel seiner Montagekunst: Er ließ die Chicagoer Justizmörder nach dem Urteilsspruch die Robe ablegen, Fräcke kamen zum Vorschein, hinter dem gehobenen Zwischenvorhang erweiterte sich die Szene zum Festbankett des dankbaren Industriellen. Wenn Szenenmontage oder Verbindung durch Zwischentitel nicht gegeben waren, verwendete Piscator eingespielte Großstadtgeräusche als Übergang. Dieses akustische Mittel bewunderte Piscator seinerseits an der Berliner Rundfunkeinrichtung von Gorkis *Nachtasyl*, bei der vor Beginn der Dialoge Geräuschmontagen sich zu einem anklagenden Sprechchor steigerten.

Ein direkter Beitrag zur Zertrümmerung herkömmlicher Dramenformen war außerdem Piscators Verwendung der Revue als effektvolle Montage disparater Einzelszenen. »Musik, Chanson, Akrobatik, Schnellzeichnung, Sport, Projektion, Film, Statistik, Schauspielerszene, Ansprache« konnten hier in politisch aufklärerischer Zielsetzung Verwendung finden (Das politische Theater, S. 65). Die ursprüngliche Revue aus dem Frankreich des frühen 19. Jahrhunderts konnte hier wieder aufleben; sie hatte zu Kirmeszeiten auf öffentlichen Plätzen aktuelle politische Sketche und Lieder präsentiert. Direkte Vorläufer der Revuen *Roter Rummel* und *Trotz alledem!* 1924 und 1925 waren die ›bunten Abende‹ der Arbeiterbewegung, Mischungen aus Information und Unterhaltung, klassenspezifische Kommunikation zum Austausch gesellschaftlicher Erfahrung. Hier gehörten kollektive Arbeitsweisen, ein relativ homogenes Publikum und die vielfachen Überschneidungen der Gruppen von Agierenden und Rezipierenden zur Tradition. Als formale und inhaltliche Parallele eines massenwirksamen revolutionären Theaters sind auch russische Versuche in der Art von Majakowskis *Mysterium buffo* (1918) mit seiner Bilderbogendramaturgie zu nennen; 1921 wurde Majakowskis Stück auf dem 3. Komintern-Kongreß in deutscher Sprache aufgeführt. Die 1927 von Piscator in *Rasputin* verwendete Segment-Globus-Bühne war 1918 auch für Meyerholds Inszenierung des *Mysterium buffo* schon erprobt worden, so wie Traugott Müllers Zellengerüst für Piscators Aufführung von *Hoppla, wir leben!* (1927) an Meyerholds Konstruktivismus erinnerte. Die russische Theaterentwicklung wurde in Deutschland u. a. bekannt durch *Das entfesselte Theater* (1923) Alexander Tairows, *Das Theater im revolutionären Rußland* (1924), durch Aufsätze Meyerholds und Tairows in der ›Weltbühne‹ und durch Gastspiele, wie das der Meyerhold-Bühne 1930.

Piscators Montagen aus historischen Reden, Aufrufen, Flugblättern, Zeitungsartikeln wurden durchgehend begleitet von historischen Filmaufnahmen aus dem Reichsarchiv und von stark operativ eingesetzter Musik. In späteren Inszenierungen für die Volksbühne, in Paquets *Sturmflut*, O'Neills *Unterm karibischen Mond*, Rehfischs *Wer weint um Juckenack?*, Leonhards *Segel am Horizont*, Gorkis *Nachtasyl* und besonders in Zechs Rimbaud-Stück *Das Trunkene Schiff* spielte das Prinzip der Ausweitung der vom Text vorgegebenen Handlung, um ihre Hintergründe für den Zuschauer sinnlich erfahrbar zu machen, die entscheidende Rolle. So vermittelte die Filmprojektion Rimbauds Umwelt als deutsch-französischen Krieg, Pariser Kommune, Dritte Republik durch Zeichnungen von George Grosz; filmisch konnten auch die Fieberphantasien Rimbauds am einfachsten vermittelt werden, wie schon Iwan Goll 1922 die Träume Methusalems als Filmmontage für sein Stück vorgesehen hatte.

Die Filmmontagen in Piscators Aufführung von EHM WELKS (1884–1966) Hanse-Stück *Gewitter über Gottland* (1927), mit denen der Text historisiert und aktualisiert und der »Gefühlsrevolutionär« Störtebecker neben dem »Verstandesrevolutionär« Asmus innerhalb der jahrhundertelangen Tradition revolutionärer Massenbewegungen gezeigt wurde, waren der Hauptkritikpunkt der Volksbühnenbürokratie gegen Piscator. Die wirtschaftliche Scheinblüte veranlaßte die Volksbühne zu einer naiven »Neutralität«, die die Entpolitisierung und damit die Wahlsiege der Faschisten förderte.

Bei der Trennung von der konservativen Volksbühne wurde Piscator von 16000 Abonnenten, zahlreichen Schauspielern und allen wichtigen Theaterpublizisten unterstützt und konnte im September 1927 ein Theater am Nollendorfplatz gründen, wenn auch eine Neubauplanung von Walter Gropius nur Projekt blieb. In diesem entschieden zu kleinen Haus mit völlig unzureichenden Bühneneinrichtungen produzierte das Piscator-Kollektiv 1927/28 neues Theater des wissenschaftlichen Zeitalters, das modernste Theater Westeuropas.

Das alte künstlerische Mittel, in Malerei, Graphik, Bühnenspiel, Literatur S i m u l t a n w i r k u n g e n zu erzeugen, um räumliche und zeitliche Distanz zu verringern, neue Zusammenhänge zu markieren, Kontraste hervorzuheben, gesellschaftliche Relationen zu verdeutlichen, wurde vom Piscator-Kollektiv neu funktionalisiert. Es handelt sich um ein Darstellungsprinzip, das sich nach der Mechanisierung der Transportmittel, nach dem Ausbau der Luftfahrt, der Funk-, Radio-, Fernsprech-, Foto- und Filmsysteme, die die Welt schließlich »zum Dorf machen«, wie McLuhan sagen wird, zur künstlerischen Nutzung allgemein anbot.

Die im Gesichtsfeld simultan erfaßbaren Bildinformationen sind bei weitem den auf sukzessive Rezeption angewiesenen Wortinformationen überlegen; die Dada-Simultan-Rezitationen im ›Cabaret Voltaire‹ waren keine weiterführende Möglichkeit, die Simultan-Intentionen von Joyce, Dos Passos, Woolf, Döblin, Heinrich Mann (*Die große Sache*), Becher (*Levisite*), Köppen

(*Heeresbericht*) etc. zeigen sich als sukzessive Montageparallelen, die allerdings in der Wirkung der punktuellen Simultaneität vergleichbar sind.

Am deutlichsten zeigt sich bei Piscator der Einfluß der Bildenden Kunst durch George Grosz und John Hartfield, die mehrfach im Piscator-Kollektiv mitwirkten und die durch Simultaneffekte mit ihren Collage/Montage-Techniken eine neue operative Kunstform entwickelten. Durch Bühnen-Fotomontagen trat auch Teo Otto hervor, z. B. in der Aufführung *Der große Plan und seine Feinde* (1932) von Becher und H.W. Hiller für die ›Junge Volksbühne‹.

Nicht zu unterschätzen ist der Einfluß der regelmäßig in Berlin aufgeführten sozialkritischen Volksstücke Johann Nepomuk Nestroys. Zwei Monate vor *Hoppla, wir leben!* spielte das Berliner Thalia-Theater Nestroys Simultanstück *Zu ebener Erde und im ersten Stock* (1835). Nestroys Sprachsensibilität und sein Prinzip der Kontrastmontage lassen sich – erweitert zur satirischen Global-Revue – wieder auffinden in Kraus' Szenarium *Die letzten Tage der Menschheit* (1919). Georg Kaiser konzipierte seine Komödie *Nebeneinander* (1923) nur in gedachter Simultaneität, das Bühnenbild in Collagetechnik für die Berliner Aufführung stammte von George Grosz. Angeregt von Piscators Erfolgen legen verschiedene Autoren das Simultanspiel nahe, so 1928 Bruckner in den *Verbrechern*, Ernst Fischer in *Lenin*, Walter Mehring im *Kaufmann von Berlin*, Hermann Heinz Ortner in *Wer will unter die Soldaten?* (1930), zuletzt Friedrich Wolf 1932: *Bauer Baetz* und *Von New York bis Shanghai*.

Als parallele Versuche mit simultanem Bühnenspiel können die Entwicklung der Kreisler-Bühne und Aufführungen der russischen Regisseure Meyerhold und Tairow sowie des Franzosen Gaston Bary genannt werden. Das zentrale Medium für Simultanwirkungen war der Stummfilm; er mußte aus der nonverbalen Ausdrucksnot heraus Sinnstrukturen aus Bildvergleichen entwickeln. Dabei lassen sich die Möglichkeiten und Grenzen an Griffith und Gance einerseits, an Eisenstein und Pudówkin anderseits andeuten. Auf die berechtigte Kritik seines technisch hervorragenden, aber ideologisch reaktionären Erfolgsfilms *The Birth of a Nation* (1915) reagierte DAVID W. GRIFFITH (1875–1948) mit dem 3½-Stunden-Streifen *Intolerance* (1916), der die Simultaneität des Immergleichen durch Parallel- und Kontrastmontagen zeigte und damit das Publikum überforderte.

Durch die inhaltliche Ähnlichkeit des von Griffith dargestellten Blutbades, das der Werkschutz während des Stielow-Streiks anrichtet, liegt ein Einfluß seiner Montagetechniken auf Paquets und Piscators *Fahnen* ebenso nahe wie der auf Eisenstein, der seinerseits in *Streik* (1925) die berühmte Montage Ermordung von Streikenden / Abschlachtung von Ochsen erfindet, eine Sequenz, deren Reflex in Döblins *Alexanderplatz* oder auch in Brechts *Heiliger Johanna* auffindbar ist. In *Intolerance* verwendet Griffith auch seine seither in Flucht- und Verfolgungsfahrten fernsehpopulär gewordenen Parallelmontagen der »Rettung in letzter Minute«, von zwei Perspektiven aus gesehene, überkreuz geschnittene Szenen. Diese Darstellungstechnik übernahm Griffith direkt aus den erzählenden Evokationen von Simultaneität bei CHARLES

DICKENS (1812–1870), dessen melodramatischem Tenor er auch sonst zuneigt.

Politisch konservativ und weltanschaulich verworren wie Griffith war ABEL GANCE (geb. 1889), einer der kühnsten Erneuerer des französischen Films. In diesem Zusammenhang interessiert die Akzelerationsmontage in seinem Meisterwerk *La Roue* (1923), einer melodramatischen Eisenbahnerhandlung mit demonstrativem Milieurealismus. *La Roue* ist deutlich von EMILE ZOLAS (1840–1902) *Bête humaine* (1890) beeinflußt und bringt als technische Neuerung die montage rapide: schnell wechselnde kurze Einstellungen mit Simultanwirkung. Durch seine Polyvisionsexperimente in *Napoléon* (1926/27) mit drei vertikal simultanen Bildprojektoren, die aber außerhalb Paris nicht verwendet wurden, nahm Gance Simultaneffekte des Cinemascope-Systems vorweg.

Die Anwendungen von Montage und Simultaneitätspräsentationen bei Griffith und Gance zeigen, daß diese Mittel für sich genommen noch nicht erkenntnisfördernd und gesellschaftlich nützlich sind. Erst die Verbindung mit einer theoretisch fundierten Gesellschaftsperspektive wie bei Eisenstein, Pudówkin, Piscator macht sie zu fortschrittlichen Mitteln, wie auch die verängstigt empörte Reaktion der konservativen Kräfte der Republik bewies.

ERNST TOLLER (1893–1939) hatte wie die Expressionisten Kaiser, Kornfeld, Goll u. a. nach der gescheiterten Revolution sich an der satirischen Komödie versucht und 1923 im *Entfesselten Wotan* vor einer deutschnationalen Diktatur gewarnt. Das Vorbild des sich verkannt fühlenden Kleinbürgers Wilhelm Dietrich Wotan, der »die Juden« für seinen Zustand verantwortlich macht, war Hitler. Toller erzielt die Komik aus der Bloßstellung des Geschwätzes, aus der auch Horváth später wichtige Wirkungen zog.

In Zusammenarbeit mit dem Piscator-Kollektiv schrieb Toller als erstes Stück nach seiner Haftentlassung die reportageartige Bestandsaufnahme der Jahre zwischen 1918 und 1927 *Hoppla, wir leben!*, mit der die ›Bühne am Nollendorf-Platz‹ eröffnet wurde und die bereits 1928 in englischer und russischer Übersetzung, 1929 in Warschau in jiddischer Übersetzung erschien. Piscator veränderte Tollers Hauptfigur Karl Thomas, ließ den resignierenden Intellektuellen als anarchistisch denkenden und überwiegend gefühlsbestimmten Arbeiter spielen, dem die Fähigkeit zur langfristigen Perspektive mangelt und dessen Tod von eigener Hand nicht resignativ auf die Zuschauer wirken sollte, sondern Alternativen evozierend. Neben Textstraffungen, Szenenkürzungen und -umstellungen sind vor allem die Simultanbühne und die Filmverwendung als neuartige Dimensionen zu nennen, die das gedruckte Buch-Drama nicht mehr wiedergeben kann.

Der vor dem 3. Akt gesungene Titelsong Walter Mehrings faßt die Thematik des Stücks zusammen: die fehlende Lösung der ökonomisch-gesellschaftlichen Probleme, die den 1. Weltkrieg hervorgerufen hatten und den nächsten vorbereiteten.

> Wir brauchen einen Krieg
> Und größere Zeiten eben!

... Hopla, wir leben –
... Die Minister, die Denker und Dichter:
Es sind wieder dieselben Gesichter!
Es ist wieder ganz wie vor dem Krieg –
Vor dem nächsten eben – – –

Toller und Piscator brachten mit ihrem Vergleich der Zustände 1927 mit den Vorsätzen 1918/19 als erste die gesamte politische Gegenwartsproblematik der Weimarer Republik durch das Medium der Bühne zur Diskussion. Dazu bedurfte es einer Ausweitung und Verallgemeinerung der mehr individualistisch argumentierenden Toller-Dialoge. Piscator faßt die dazu notwendigen Kategorien folgendermaßen zusammen:

»Wirtschaft und Politik sind unser Schicksal, und als Resultate beider die Gesellschaft, das Soziale ... Wenn ich also die Steigerung der privaten Szenen ins Historische als die Grundgedanken jeder Bühnenhandlung bezeichne, so kann damit nichts anderes gemeint sein als die Steigerung ins Politische, Ökonomische und Soziale. Durch sie setzen wir die Bühne in Verbindung mit unserem Leben.« (Das Politische Theater, S. 133 f.)

In einem Etagenbau mit acht Spielkästen ließ Piscator die hierarchische gesellschaftliche Ordnung versinnbildlichen und die Kontraste ausspielen. Die Simultanbühne entindividualisiert das Drama und betont die Massenprobleme. Die aufzeigbaren Relationen sind dem Zuschauer zwar abstrakt bewußt, bedürfen aber der permanenten sinnlichen Konkretion durch Medien, damit sie bewußtseins- und verhaltensrelevant werden.
Das Simultaneitätsprinzip wird durch Filmeinspielungen erheblich vervollkommnet, da der Film visuelle dokumentarische Informationen geben kann, um gleichzeitige akustisch verbale Informationen zu ergänzen oder zu entlarven. Wenn auch der Film auf der Bühne gelegentlich vor und neben Piscator eingesetzt worden war – wie etwa 1923 in Eisensteins Moskauer Inszenierung von Alexander Ostrowskis Komödie *Eine Dummheit macht auch der Gescheiteste* (1868) –, so brachte er ihn als »Kommentar« als erster voll zur Geltung. Die den Krieg rechtfertigende Äußerung eines Krupp-Vertreters (»es geht um die Rettung des deutschen Wesens«) wurde z. B. satirisch mit einer Bildsequenz über das lukrative Aufblühen der Schwerindustrie parallelisiert. Eine unverzichtbare Funktion erfüllte der Film in *Hoppla, wir leben!* innerhalb der zentralen dramaturgischen Konstruktion, der Konfrontation eines viele Jahre lang isolierten Menschen mit der völlig veränderten Umwelt. Piscator faßt diese Filmfunktion so zusammen:

»Neun Jahre müssen gezeigt werden ... Ein Begriff muß gegeben werden von der Ungeheuerlichkeit dieses Zeitraumes. Nur durch das Aufreißen dieses Abgrundes erhält der Zusammenprall seine ganze Wucht. Kein anderes Mittel als der Film ist imstande, binnen sieben Minuten acht unendliche Jahre abrollen zu lassen. Allein für diesen ›Zwischenfilm‹ entstand ein Manuskript, das gegen 400 Daten der Politik, Wirtschaft, Kultur, Gesellschaft, Sport, Mode usw. umfaßte.« (Das Politische Theater, S. 150)

Für den Zuschauer, der diese Jahre durchlebt hat, ergibt sich durch die Raffung und Perspektivierung eine Historisierung der Gegenwart, in die sein eigenes Leben einbezogen ist.

Piscator hebt drei Hauptfunktionen der Filmverwendung hervor: den Lehrfilm, der historische und aktuelle Informationen gibt, den dramatischen Film, der die Bühnenhandlung weiter ausgreifend vorbereitet oder fortsetzt, und den Kommentar-Film, der sich direkt an den Zuschauer wendet und aus einem kollektiven Wissen heraus beliebig Rück- und Vorausblicke unternehmen kann, so daß der bekannte Theaterkritiker Bernhard Diebold ihn mit Funktionen des antiken Chors vergleichen konnte.

Stellte Tollers Zeitstück noch eine Textpartitur dar, die eine ungefähre Rekonstruktion der Piscator-Aufführung ermöglicht, so ergeben die veröffentlichten Ausgangstexte für die folgenden Aufführungen des Piscator-Kollektivs, Alexej Tolstojs *Rasputin* und Jaroslav Hašeks *Abenteuer des braven Soldaten Schwejk*, nicht die geringsten Anhaltspunkte über die Aufführungen.

Mit *Rasputin* versuchte Piscator 1927 eine »Schicksalsrevue ganz Europas«. Die zaristische Kriegspolitik mit ihren internationalen Verflechtungen wurde nach langwierigem Quellenstudium unter Einbeziehung einer großen Menge Filmmaterials in beispielhaften Stationen auf einem erdkugelförmigen Bühnengerüst mit aufklappbaren Spielsegmenten vorgeführt. Durch Filmprojektionen auf die Kugel und auf einen Schleiervorhang sowie eine seitlich aufgestellte »Kalender«-Leinwand wurde die Fabel mit der Gegenwartsproblematik verbunden. Mit dieser Aufführung erreichte Piscator sein Ziel, das Theater zur politischen Tribüne zu machen, mit der man sich politisch auseinandersetzen mußte. Der bürgerlichen Presse waren die Aufdeckungen ökonomisch-gesellschaftlicher Ursachen wichtigster Probleme so unerträglich, daß sie, wie die ›Deutsche Zeitung‹, vor Mordhetze nicht zurückschreckte: »Arbeitet mit Gegengift! ... Reißt sie herunter. Macht vor nichts halt ... Werft alle Piscatoren auf den Kehrichthaufen. Schleppt sie mit den Karren davon ... Macht ganze Arbeit. Und: vergeßt die Zinsen nicht!«

Das Piscator-Kollektiv setzte diesem hysterischen Pathos der neu erstarkten und um das verarmte Kleinbürgertum vermehrten Bourgeoisie das desillusionierende Gelächter entgegen: Im *Schwejk* wurde versucht, »den ganzen Komplex des Krieges im Scheinwerfer der Satire zu zeigen und die revolutionäre Kraft des Humors zu veranschaulichen«. Hašeks Roman konnte wegen der fehlenden Handlung und des ausschließlich passiven Helden nicht dramatisiert werden, sondern wurde mit Hilfe Brechts auf ⅛ gekürzt und für eine Revue-Form in Episoden gegliedert. Der Text Hašeks, der wie Horváth eine große Sprachsensibilität voraussetzt, mußte durch motorische und illustrierende Mittel ausgestellt und ausweitend aktualisiert werden. Dazu zeichnete George Grosz 300 Filmbilder, die die ideologischen Beziehungen zwischen Thron und Altar nicht verschwiegen und ihm einen »Gotteslästerungs«-Prozeß eintrugen. Die Marionetten des deutsch-österreichischen Imperialismus wurden von Marionetten verkörpert. Der epische Verlauf wurde durch zwei laufende Bänder versinnbildlicht, die Spieler und Requisiten transportierten.

Dadurch erhielt zugleich der Bühnenapparat Komik-Funktionen. Weitere Filmeinspielungen und Musik entfalteten die Aufführung als Ganzes zu einer Mehrdimensionalität, die in Buchform nicht abbildbar ist und die auch in mehrfachen tschechischen Verfilmungen nicht erreicht wurde. Diese beste Komödie der Weimarer Jahre, die Piscators Weltruhm begründete, geriet zugunsten der in Film und Buchform leichter vermittelbaren relativ apolitischen Komödie *Der Hauptmann von Köpenick* (1931) in Vergessenheit. Außer den bekannten Einflüssen der Piscator-Arbeit auf Brecht und auf die Arbeit der sozialistischen Laiengruppen sind aus den Diskussionen im Kollektiv u. a. noch folgende Stücke beeinflußt worden oder direkt hervorgegangen: Bill-Bjelowzerkowskis *Mond von links*, Jean Richard Blochs *Der letzte Kaiser*, Credés § *218*, Döblins *Die Ehe*, Glebows *Frau in Front*, Lanias *Konjunktur*, Mehrings *Kaufmann von Berlin*, Mühsams *Judas*, Ernst Ottwalts *Jeden Tag vier*, Pliviers *Des Kaisers Kulis*, Wolfs *Cyankali*, *Die Matrosen von Cattaro* und *Tai Yang erwacht*. Als wichtige Vorstufen für das schwierige dramaturgische Problem, grundlegende ökonomische Prozesse in unterhaltender Form auf der Bühne darzustellen, müssen die beiden Piscator-Aufführungen *Konjunktur* (1928) von Leo Lania und *Der Kaufmann von Berlin* (1929) von Walter Mehring angesehen werden.

An den politischen Kämpfen um die neueste Energiequelle Erdöl waren am deutlichsten die ökonomischen Grundursachen für den Lebensstandard der Massen zu demonstrieren: Upton Sinclairs *Oil* (1927) und B. Travens *Die weiße Rose* (1928) versuchten sich ebenso auf diesem Gebiet wie Lion Feuchtwangers *Petroleuminseln* (1927), Hans José Rehfischs *Skandal in Amerika* (1927) und Friedrich Wolfs Hörspiel *John D. erobert die Welt* (1930). Das Piscator-Kollektiv wollte das Erdöl nach einer Vorlage LEO LANIAS (geb. 1896) zum Helden einer Komödie machen und zugleich eine wichtige Rolle für die an der Theatergründung finanziell beteiligte Schauspielerin Tilla Durieux schaffen. Unter dem Zeitdruck einer Produktion für das neu übernommene Lessingtheater in Berlin mußte diese Aufgabe trotz umfangreicher wissenschaftlicher Recherchen zur internationalen Erdölpolitik wegen der schweren Vermittelbarkeit dieser Problematik scheitern. *Konjunktur* hielt sich als schwaches Stück nur wenige Wochen auf der Bühne. Die adäquate Bühnendarstellung ökonomischer Prozesse blieb Brecht in der *Heiligen Johanna der Schlachthöfe* (1932) vorbehalten.

WALTER MEHRING (geb. 1896) versuchte, das Inflationsgeschehen zu gestalten, ein Sujet, dessen Behandlung als Komödie auch Hofmannsthal erwogen hatte, das hier jedoch als »eines der grandiosesten Täuschungsmanöver, das die Weltgeschichte kennt« herausgestellt wurde, das »den gesamten Mittelstand enteignete« und »die Arbeiterschaft unter den Lebensstandard der chinesischen Kulis herabdrückte«, wie das Programmheft formulierte. Der Anstoß zu dem revueartigen Panorama über das Berliner Leben war 1928 ein Gastspiel des Moskauer jiddischen akademischen Theaters mit der Komödie *200000* nach Scholem Aleichem; Mehring schrieb den Text der Hauptrolle in Jiddisch, das hier zum letztenmal auf einer deutschen Bühne gesprochen wurde. Die Verbindung von Film und Bühnenhandlung ist Piscator in diesem

Stück besonders gut gelungen. Die informierenden Materialien wurden wiederum filmisch projiziert; die Reise des Ostjuden Kaftan nach Berlin wurde filmisch erzählt, bevor der Darsteller in gleitender Montage aus der Filmszene in den Bühnenraum hinaustrat. Der von Ernst Busch szenisch ausgespielte Schluß-Song des zerfallende Werte in den Abfall fegenden Straßenkehrers wurde vom ›Berliner Lokal-Anzeiger‹ (7.9.29) empört zurückgewiesen: »die Kriegsgenerale, unsere Märsche, unsere heiligsten Lieder, unsere Fahnen: ›Dreck! Weg damit!‹«. Die fünfwöchige Spieldauer konnte die Unkosten nicht einbringen, die Piscator-Bühne mußte wiederum schließen.

Nach Gastspielen mit Credés § 218 und Pliviers Des Kaisers Kulis konnte Piscator zusammen mit einem Mitarbeiter-Kollektiv und der ›Jungen Volksbühne‹ einen dritten Versuch mit eigener Bühne im Wallner-Theater im Berliner Arbeiter-Osten eröffnen. Als letztes Stück lief hier 1931 eine von Wolfs Text relativ unabhängig gespielte Aufführung von Tai Yang erwacht. Es zeigte die deutsche Gegenwart und die Notwendigkeit einer gemeinsamen Abwehrfront der Linken gegen die von der Industrie und den Nationalsozialisten drohende Parteidiktatur – parabolisch stilisiert als Handlung während des Shanghai-Aufstands 1927 und 1929.

Piscator siedelte 1931 zu Filmarbeiten für die Internationale Arbeiterhilfe nach Moskau um.

Reaktionen der Medien auf die Weltwirtschaftskrise

Hörspiele am Ende der Weimarer Republik

In der Zeit der Wirtschaftskatastrophe seit 1929 zeigte sich bei der Hörspielproduktion des staatlichen Rundfunks besonders markant, daß »der Staat nicht der übergeordnete dritte Unparteiische, sondern der Exekutor der Wirtschaft und damit der einen Partei ist«. (Brecht, Werke 18, S. 211) Die von den Landesregierungen berufenen »kulturellen Beiräte« hatten den Rundfunk auf dem Gebiet »Kunst, Wissenschaft und Volksbildung« zu »beraten und zu überwachen«. Die Folge war u. a., daß die 4000 – 6000 bis 1933 produzierten Hörspiele überwiegend von opportunistischen Dilettanten und Epigonen geschrieben wurden. Es ist nicht verwunderlich, daß bei dem staatlich gelenkten »Pluralismus« kaum 2 bis 3 % sozial fortschrittliche Autoren zu Wort kamen, obwohl etwa die linken Parteien immer zwischen 35 und 42 % der Bevölkerung repräsentierten.

Die gesendeten Hörspiele, die sich ab 1929 mit der Gegenwartskrise beschäftigen, fallen durch Borniertheit und Irrationalismus auf; einzig Becher, Brecht, Döblin, Weisenborn, Wolf ragen durch kritische Beispiele heraus, doch arbeiten sie stark parabolisch abgehoben oder bedienen sich wie Weisenborn und Wolf einer Sklavensprache, um die Zensur zu überlisten. Hörspiele Horváths und Pijets zum Thema wurden abgelehnt, Brecht und Döblin

111

wurden sinnentstellend verkürzt gespielt. In der Katastrophenzeit flüchtete der Rundfunk in die unhistorisch gesehene Antike und bespielte die »Hörbühne vornehmlich mit Einrichtungen antiker Dramen« (Braun, S. 47), vergleichbar mit der neuen Innerlichkeit und Schicksalsgläubigkeit, zu denen die auf subventionierte apparative Umsetzung angewiesene ›Neue Musik‹ am Ende der Republik gelangte: Strawinskys *Oedipus Rex* (1927), *Psalmensinfonie* (1930), Kreneks *Leben des Orest* (1930), Schönbergs *Moses und Aron* (1928/32), Hindemiths *Das Unaufhörliche* (1931). Der Rundfunk sendete 1931 die erste Übertragung Wagners aus Bayreuth.

Da – wie das Verbot der Hörspiele Horváths und Pijets zeigt – die Gegenwart nicht realistisch beschrieben werden durfte, verlegten Becher, Brecht, Wolf ihre kapitalismuskritischen Hörspiele nach Nordamerika, Weisenborn seines nach Südamerika. Die USA waren seit dem Börsenzusammenbruch 1929 offiziös wieder kritisierbar. Der 40minütige Auszug aus Brechts Stück *Die heilige Johanna der Schlachthöfe*, den die Berliner ›Funk-Stunde‹ am 11. 4. 1932 sendete, lief auf eine unpolitische Klassikerparodie hinaus. Wichtiger wurden Wolfs Arbeiten. FRIEDRICH WOLF (1888–1953) war als möglicher Rundfunkautor nicht mehr zu umgehen nach der erfolgreichen Hamburger Aufführung von *Kolonne Hund* (1927) und vor allem seit dem internationalen Erfolg, den die auf Anregung Herbert Jherings entstandene ›Gruppe junger Schauspieler‹ (1928–1931) mit Wolfs *Cyankali* (1929) bei Gastreisen in Deutschland, der Schweiz, der UdSSR bis zum Sommer 1930 hatte, ein Erfolg, der durch Hans Tintners Verfilmung (1930) mit Grete Mosheim noch ausgeweitet wurde. Wolfs Hörspiel über die Nobile-Polarexpedition *S. O. S. ... Rao Rao ... Foyn ›Krassin‹ rettet ›Italia‹* (1929) kann als beste unter einem halben Dutzend Funkbearbeitungen des Themas gelten und brachte ihm sogleich Übersetzungsanfragen aus Mailand, Moskau und Paris ein sowie einen weiteren Hörspielauftrag für den Berliner Rundfunk.

Das Schema von Wolfs *John D. erobert die Welt* (1930) reagierte auf die zeitgenössische Beliebtheit der Mythisierung herausragender Personen aus Geschichte und Wirtschaft: Friedrich II., Napoleon, Krupp, Ford etc. Das Hörspiel referiert entscheidende Stationen der Entstehung des Erdöltrusts Rockefellers und deutet indirekt in der zensurbedingten ›Sklavensprache‹ an, daß die historisch notwendige Ablösung solcher Machtkonzentrationen wünschenswert sei. Wolf konnte offen Partei nehmen für die mittelständische Wirtschaft, die durch die Monopolbildung vernichtet worden war, er konnte versteckt in der 6., 8. und 9. Szene Partei nehmen gegen die gleichzeitige Verelendung der Arbeiter. In der Figur des Revolutionsreporters John Reed werden die Gegenkräfte am Schluß personifiziert (»John D: Muß dieser Kampf sein? – Reed: das fragen Sie, der Sie selbst einen revolutionären Großkampf im Wirtschaftsleben durchgefochten haben!«).

JOHANNES R. BECHER (1891–1958) bediente sich für seine zaghafte antikapitalistische Gegenwartskritik desselben biographischen und amerikanischen Schemas in der *Tragödie des William Fox oder Die Schlacht am schwarzen Freitag* (1931). Die Börsenverschiebungen, die den Filmmillionär Fox noch nicht arm machen, ruinieren den Kleinstaktionär und Angestellten Tom

Brown, der im Wahnsinn endet. Das heute nicht zugängliche Hörspiel scheint keine Perspektive des Auswegs gezeigt zu haben.

Die ›Sklavensprache‹ für den Rundfunk verstellte sich bei GÜNTHER WEISEN- BORN (1902–1969) noch weiter, indem er die Zerstörungswirkung europäi- scher kapitalistischer Profitgier bei südamerikanischen Indios zeigt und sich freier Rhythmen bedient in seiner ›Chornovelle mit Dialogen für Rundfunk‹ *Die Reiherjäger* (1932). Das Eifersuchtsdrama mit Urwaldexotismus streut nur in Andeutungen Kapitalismuskritik ein und versucht am Schluß durch eine Simultanreihung eine verallgemeinernde Ausweitung der Fabel: »Zur selben Zeit sitzen im Londoner Modemagazin / . . . Zur selben Zeit liegt ein toter Mann im Urwald. / . . . Die Welt ist in Bewegung im fernen Urwald / und auf den Pflastern der Städte.« Weisenborn führt für einen episch berich- tenden Sprecher die Bezeichnung ›Chor‹ ein, um zwei bis fünf gemeinsam sprechende Stimmen sich gegen die Stimmen der handelnden Figuren ab- heben zu lassen. Die Sklavensprache konnte das Mitglied der Widerstands- gruppe Schulze-Boysen und Harnack während des offenen Faschismus wei- ter anwenden, so unter dem Pseudonym Eberhard Foerster in dem Unterhal- tungsroman *Das Mädchen von Fanö* (1935) und als Christian Munk in *Die Furie* (1937).

Von den drei sozialkritischen Autoren, die die deutsche Gegenwart Anfang der dreißiger Jahre im Hörspiel zur Sprache bringen wollten, wurden Hor- váth und Pijet nicht gesendet, Döblin verfälscht. Der große Erfolg von Döb- lins *Berlin – Alexanderplatz* (1929) – mitbewirkt durch den Vorabdruck in der ›Frankfurter Zeitung‹ – sowie seine wachsende Distanz zu sozialistischen Prinzipien – legten eine Rundfunkbearbeitung nahe. Am 30.9.1930 wurde *Die Geschichte vom Franz Biberkopf* als 77minütiges Hörspiel gesendet. Wie der Titel bereits andeutet, ist nicht mehr die Großstadt Handlungssubjekt, sondern der Einzelgänger Biberkopf, dargestellt von Heinrich George, der auch die Rolle in Jutzis Film (1931) spielte. Damit ist das Wichtigste des Ro- mans, die Spiegelung zeitgenössischer Großstadtrealität durch Montagetech- niken, weggefallen, obwohl der Rundfunk hier gleichrangige Äquivalente hätte schaffen können. Das gesellschaftlich-politische Bestimmungsfeld der Figur wird dadurch ausgeblendet und eine Wandlung zum ›neuen Menschen‹ ohne historische Konkretion erstrebt.

Ödön von Horváths Hörspielentwürfe 1929 und 1930, *Der Tag eines jungen Mannes* und *Stunde der Liebe* (zuerst gesendet 1973, Regie: Otto Düben und Franz Xaver Kroetz), sind nach der Stationentechnik konstruiert. In zurück- haltender Kritik wird die Ausbeutung von Angestellten angedeutet, die bei zu geringer Bezahlung noch kostenlose Überstunden leisten müssen. (»Sie zah- len mir ja auch keine Überstunden, . . . Sie stehlen! Aber für Ihren Diebstahl gibts keinen Paragraphen!«) Die Ursachen der Arbeitslosigkeit, ihre Auswir- kungen auf das Zusammenleben, die Ideologie des herrschenden Wirtschafts- bürgertums werden in satirischer Brechung zur Sprache gebracht.

Ebensowenig gespielt wurde GEORG W. PIJETS (geb. 1907) *Mietskaserne*, ab- gesehen von dem Auszug *Treibjagd* (1931), den der Berliner Rundfunk auf- grund öffentlicher Proteste sendete. Hier wurde ausführlich dargestellt, daß die Republik kein Sozialstaat mehr sei. Das Arrangement funkgerecht montierter Szenen der Mietparteien über Untermieter, Kündigungen, Fürsorgeversagen, Alkoholismus, Krankheit, Gas-Selbstmord ergab eine Gesamtanklage, die ohne parteipolitische Argumentation die Gegenwartsnot zusammenfaßte. Die pathetische Anklage wird durch Dialektsprache versachlicht: »Wat willst'n machen Mensch? De Not weckst dir ja iebern Kopp. Wenn ick so denke, det det imma schlechter wird.« Pijets genaue Kenntnis der benachteiligten Bevölkerung stammt aus seiner politischen Arbeit mit Jugendlichen in Moabit. Von 1928 bis 1931 leitete er eine Spieltruppe des ›Freien Radio-Bunds‹ und war Schriftführer des BPRS.

Nach dem Wirtschaftszusammenbruch 1929 mit der sofortigen Folge von 3,5 Millionen Arbeitslosen wußte der Rundfunk zunächst nicht, wie er diesem offensichtlich politischen Phänomen begegnen sollte; in zu guter Erinnerung war die Parole des großen Hörspielpreisausschreibens von 1927: »Eine politische Einstellung darf nicht vertreten werden.« Eine Auftragsarbeit der ›Schlesischen Funkstunde‹ an Erich Kästner für ein Gegenwartshörspiel war politisch nicht riskant. Seine ›lyrische Suite‹ *Leben in dieser Zeit* (14.12.1929) kombiniert Balladen und Chansons mit durchgehenden Kommentaren eines mißvergnügten Zeitbeobachters, Kurt Schmidt, mit dem Tenor: »Daß die Welt zum Schießen ist, / wird kein Konfirmand bestreiten.« – »Wer heute lebt, der hoffe nichts für sich.« – »Beliefre uns mit Not, denn Not lehrt treten! / ... Das muß so sein und ist der Sinn der Erde.« Der Sarkasmus und das empfohlene Heilmittel »Heiterkeit« wirken bestätigend für die Vorurteile und Informationsdefizite der Hörer. Kästner spricht den Erfahrungshintergrund der Mittelschicht von Angestellten und Beamten an, die um 1930 tatsächlich den größten Block der Rundfunkhörer ausmachten: 36 %, während ihr Bevölkerungsanteil nur 19 % betrug (Vergleichszahlen: Selbständige 30 % der Hörer – 20 % der Bevölkerung; Arbeiter 25 % : 51 %). Die sentimentale Begleitmusik Edmund Nicks verstärkte die politisch lähmende Tendenz der Suite, die mit einer nivellierenden Verachtung des Mitmenschen kokettiert.

Für den ›Norddeutschen Rundfunk‹ produzierten – ebenfalls kurz nach Ausbruch der Krise – Erich Ebermayer und Hansjürgen Wille das politisch verdummende Feature *Jugend in Not* (1929), das dokumentarisch Erfahrungsberichte zweier Gymnasiasten, eines Verkäufers, eines Arbeitslosen und einer Sekretärin präsentiert, die von dem völkisch-nationalen Elmau-Ideologen Johannes Müller kommentiert wurden. Der »zu Weisheit und Einsicht geläuterte«, von Adel und Großindustrie geförderte Müller empfiehlt dem Arbeitslosen, »dass man sich durch äusserste Bedürfnislosigkeit auch auf dem Boden grösster Armut lebensfähig erhält ... Geht es in der Stadt nicht, so geh auf das Land.« Er plädiert für eine »wahre Volkswirtschaft«, »damit eine Regeneration unseres Volkes eintritt«.

Das Prinzip des Rundfunks, einerseits unbekannte und fügsame Schriftsteller zu Wort kommen zu lassen und anderseits renommierte und teils sozialkritische Autoren einzuladen, jedoch auf unverfängliche Texte einzuschränken, wird im Verlauf der Krisenjahre weiter deutlich. Ein Beispiel für die letzte

Gruppe ist der sozialdemokratische pazifistische BRUNO SCHÖNLANK (1891–1965). Er wurde mit *Großstadt-Märchen* (1924) und vor allem durch Sprechchorwerke bekannt, die gerade für den Rundfunk hätten verwendbar sein können. Er kam jedoch wegen der Vorliebe des frühen Hörspiels für isolierte Dunkelräume nur mit der Kriminalgroteske *Der Tunnel von Goroje* (1929) zu Gehör.

Mit HERMANN KESSER (1880–1952) ermunterte der Berliner Rundfunk einen Schriftsteller zur Behandlung der Krisengegenwart, der in der monologisch konzipierten Erzählung *Unteroffizier Hartmann* (1916) seine pazifistischen Anschauungen früh artikuliert und mit *Schwester Henriette* (1929) neben Hermann Kasack und Günter Eich funkspezifische Techniken monologischen Sprechens erprobt hatte. Durch die gleichzeitigen Ursendungen dieses Hörspiels in Berlin und London hatte Kesser auch international Beachtung gefunden; 1931 bekam er als erster und letzter Autor den Ehrenpreis der Reichsrundfunkgesellschaft. Kessers ›Hördrama für Radio‹ *Straßenmann* (1930) zielte auf die große Hörergruppe (30 %) des alten Mittelstands, die durch Inflation und Weltwirtschaftskrise massiv geschädigt wurde; sie erhält den naiven Trost, daß alle Bevölkerungsschichten gleichmäßig zu leiden haben, und als Fazit die ideologische Zwecklüge, daß unrecht Gut nicht gedeihe. Der betrogene Betrüger Fritz Straßenmann suggeriert eine klassenlose Gemeinschaft für Krisenzeiten. Börsentiefs seien für Spekulanten ebenso betrüblich wie für Arbeiter, die arbeitslos werden: »Wir kochen doch alle in ein und demselben Kessel!« Die dilettantische Diagnose, daß die »gesamte Zeit korrupt« sei, trägt noch Züge von Kessers 1926 veröffentlichter Erzählung *Straßenmann*, die zwar in der Exposition der Funkbearbeitung, nicht jedoch hinsichtlich möglicher Schlußfolgerungen auf die neue Krise hin verändert worden war. Kessers Volksgemeinschaftsansinnen, sein Plädoyer, die Städte müßten »sauber und ehrlich werden«, konnten wider Willen faschistoide Führerwünsche bestärken, wie sie sich gerade 1930 bei jedem fünften Wähler zeigten.

Die irritierenden Tendenzen sind um so wahrscheinlicher, als Kessers Hörspiel sich hörspieltechnisch fortschrittlicher Mittel bedient: Die ›Stimme des Autors‹ fungiert wechselnd als Autor, Erzähler oder Reporter; zwischen diese Passagen und die Handlungsdialoge montiert Kesser kurze Sequenzen von Geschwätz, Korridor- und Treppenhaus-Stimmen sowie Straßenstimmen aus den Fenstern und von Fußgängern, so daß die Entstehung von Gerüchten und die Suggestion von Einstellungen eindrucksvoll versinnlicht werden.

Der liberale Intendant des Westdeutschen Rundfunks Köln ERNST HARDT (1876–1947) begann 1927 die Sendereihe ›Die Stunde des Arbeiters‹, setzte sich für Brecht ein und wurde 1933 als Verantwortlicher für »eine Stätte undeutschen Geistes« entlassen. Er vertrat ein humanistisches Konzept ästhetischer Bildung für die »Menschwerdung« der Arbeiter und ermunterte den schreibenden Arbeiter KARL AUGUST DÜPPENGIESSER (geb. 1899) zur Darstellung gegenwärtigen Arbeitslosendaseins. Das 1931 gesendete Hörspiel *Toter Mann* stellt – ähnlich wie Werner Brinks Hörspiel *P. St. 3000* (1932) – die soziale Isolierung und psychische Veränderung von Arbeitslosen heraus. Die Ursachen bleiben völlig diffus: »Zuviel Geist und zuviel Verstand waren zu sehr wirksam.« Düppengießer läßt den arbeitslosen Schmied nach einem Unfall und nach erneuter liebevoller Zuwendung seiner Freundin die Lösung der Probleme finden in der Metapher ›Schreiten‹, die von einem in der Natur wandernden ›Jugendführer‹ propagiert wird:

>Wir müssen schreiten, damit sich unter unsern Schritten die Erde verwandle! Wir müssen schreiten, damit dieses Schreiten den Millionen Arbeitslosen ... wieder Sinn geben kann. Nicht das Ziel ist so wichtig als der Glaube daran ... «.

Die Behauptung des Schlußliedes »Mit uns zieht die neue Zeit« ist Teil der Selbstsuggestion, zu der die auf voluntaristische und ästhetische Mittel vertrauenden schreibenden Arbeiter flüchten, indes die sozialistischen schreibenden Arbeiter zur gleichen Zeit politisch analytische und operative Mittel anwenden.

In den folgenden Krisenhörspielen verstärkte sich der Trend zur Flucht auf das Land. Otto Bernhard Wendlers *Heimweg zur Erde* (1931) empfiehlt – wie sein Roman *Laubenkolonie Erdenglück* (1931) – den Arbeitslosen allgemeine Mobilität und Siedlung auf dem Lande; angesichts der 4,5 Millionen Arbeitslosen und des vielfachen ländlichen Notstands eine verantwortungslose Rundfunkpolitik.

Das Arbeitslosenhörspiel HERMANN KASACKS (1896–1966) zeigt besonders deutlich, daß die humanistisch idealistisch geprägten Intellektuellen nicht mehr imstande sind, historische Krisensituationen annähernd zu beschreiben, geschweige denn, Lösungen zu reflektieren. Kasack war Redakteur der ›Berliner Funkstunde‹ und gestaltete bis 1933 ca. 100 eigene Sendungen, darunter die seit 1925 ausgestrahlte ›Stunde der Lebenden‹, die junge Autoren vorstellte, aber auch eine längere Kinder-Sendereihe über Hugh Loftings *Doktor Dolittle und seine Tiere* (1920, dt. 1926) mit seinem rassistisch-überlegenen »Humor« auf Kosten afrikanischer Eingeborener. Kasacks hörspieltechnische Neuerungen in *Stimmen im Kampf* (1930) sind unbestritten. *Der Ruf* wurde am 12.12.1932 gesendet und behandelt die Situation eines arbeitslosen Angestellten. Vier kommentierende Stimmen begleiten das Arbeitslosengeschehen und deuten dem Hörer eine Problemlösung an: »wenn überall bei uns wirklich der Wille zur Arbeit ganz stark da wäre, dann könnte die Arbeitslosigkeit einfach nicht so groß sein.« Dazu bedarf es zunächst einer harmonisierenden »Gemeinschaft«: »Was sollen mir Parteien! Ich suche die Gemeinschaft!« Vage wird gefordert, daß die Arbeitenden auf einen Teil ihrer Arbeit zugunsten der Erwerbslosen verzichten mögen. Ein blinder Aktionismus äußert sich in der Erwartung: »Es muß einmal irgend etwas geschehen, ganz gleich was!« Der im Titel angekündigte ›Ruf‹ erfolgt in Form einer Selbstsuggestion; eine als »die Sehnsucht« des Arbeitslosen personifizierte Rufstimme rät: »Nimm dir Arbeit!« Die Naturversprechungen der völkischen Heimatdichtung werden zu Hilfe genommen und der Hörer mit einbezogen: »Ich bin ein Teil der Natur ... Ich bin ein Teil der Heimat ... Alle, die mich in diesem Augenblick hören, gehen mit mir ... Es gibt nichts Trennendes mehr.« Den 6,5 Millionen verhöhnten Arbeitslosen wird zugleich das schlechte Gewissen suggeriert durch die zum Programm erhobene Redensart: »Wir haben den Willen zur Arbeit in uns, deshalb kommen wir zur Arbeit!«

Horváths Situationsanalysen

Das Theater betreffend, hatten die gespielten oder gedruckten ›Gegenwartsstücke‹ sich in der Scheinblütezeit um 50 % verringert. Von 1928 bis 1929 stiegen sie jedoch um 35 % und von 1928 bis 1930 um fast 60 %. Eines der ersten Arbeitslosenstücke auf der Bühne war Richard Duschinskys *Stempelbrüder* (1929), das jedoch nur ›Milieu‹ und resignative Zustandsschilderung gab. Mit naturalistischer Dramaturgie war die Krise offensichtlich nicht zu diagnostizieren. Im nachhinein haben sich die Diagnosen Brechts, Piscators, Wolfs, Wangenheims als zutreffend erwiesen, obgleich sie den Zeitgenossen suspekt waren: Brecht und Piscator von den Bühnen abgewiesen, Wolf und Wangenheim in reisende Theatertruppen abgedrängt, alle vier von der Zensur behindert und verfolgt.

ÖDÖN VON HORVÁTH (1901–1938), von der Wirkungsgeschichte als wichtiger Vertreter der Berliner Dramaturgie bestätigt, arbeitete seinerseits ohne Erfolg an einem Stück *Die Arbeitslosen*. In seinen als Volksstücke bezeichneten Bühnenstücken zwischen 1927 und 1932 gelang es ihm jedoch, wesentliche Merkmale der Bewußtseinsstrukturen der krisengeschüttelten unteren und mittleren Bevölkerungsschichten festzuhalten. Dem Theater des großen Aufbruchs, der Perspektive einer weltweiten Befreiung der unterdrückten Klasse, der sozioökonomisch argumentierenden Beispieldramatik fügt Horváth seine empirisch arbeitenden Detailrekonstruktionen über die beharrenden Kräfte hinzu, seine Szenenarrangements über Kreislauf und Stagnation kleinbürgerlicher Lebensnormen, seine soziologisch präzisen Studien über das pervertierte Bewußtsein des Mittelstands und dessen Äußerungsform als totaler und totalitärer Jargon, über das getrübte Bewußtsein der Arbeiter und Angestellten und deren Sprachlosigkeit, unter der sie leiden.

Die Einstellung auf eine neue, literarisch unvorbelastete Publikumsschicht, die auch durch die Verarmung der alten Bildungsschicht bedingt war, brachte eine Entindividualisierung der Sprache mit sich. Horváth registrierte jahrelang die blinde Klischeesprache der ›kleinen Leute‹ und verwendet diese Versatzstücke der Sprachlosigkeit für seine Realitätsbeschreibungen. Die Entfremdung der Menschen von einer kreativen Sprache wird gezeigt als Bewußtseinsschwund. Abweichend vom üblichen ›neusachlichen‹ Sprachnaturalismus des zeitgenössischen Theaters als harmonisierende Mischung von Intellektuellen-Umgangssprache und beobachteter Umgangssprache des Mittelstands stellt sich Horváth in die Tradition der österreichischen sprachskeptischen Literatur. Er setzt seine Figuren wesentlich aus Phrasen zusammen, hinter denen borniertes Leere spürbar wird. Daß sie nur Gefäße anerzogener großer Gefühle sind, wird ihnen selbst fast nie bewußt.

Neben der Komödie *Zur schönen Aussicht* (1927), die die Figuren bereits den verhängnisvollen Ruf nach einer starken Führerperson signalisieren läßt, ging Horváth in den Zeitstücken *Revolte auf Côte 3018* (1927) und der Variante *Die Bergbahn* (1929) auf Ausbeutungserscheinungen und auf die Stellung der Intellektuellen im Produktionsprozeß ein. Die blind ignorierte Bedrohung durch den Faschismus 1930 wird in der *Italienischen Nacht* (1931) thematisiert. Die Kritik an den Fraktionierungen der Republikaner angesichts der Gefahr wird markant herausgearbeitet. Eine nicht auf Wien beschränkte Diagnose kleinbürgerlicher Familienherrschaft versucht das Volksstück *Geschichten aus dem Wiener Wald* (1931). Die Freizeitbetäubung der Arbeitslosen und kleinen Angestellten bringt Horváth durch das Oktoberfest-Stück *Kasimir und Karoline* (1932) ins Bild. *Glaube, Liebe, Hoffnung: Ein kleiner Totentanz in fünf Bildern* (1932), das am deutlichsten sozialkritische Stück, konnte in Deutschland nicht mehr aufgeführt werden. Eine Arbeitslose versucht hier, sich als spätere Leiche an ein anatomisches Institut zu verkaufen, um sich einen Gewerbeschein beschaffen zu können.

Die Volksstücke arrangieren sich nicht um eine Fabel, ihre Bilder sind lose, kreisartig addiert, so daß das Ende der Lage des Anfangs jeweils wieder entspricht. So setzt sich *Kasimir und Karoline* aus 117 Szenen zusammen. Die dramatischen Handlungen sind sekundär, sind nur angedeuteter Rahmen. Auch Horváth nennt seine Vorgehensweise in einem Rundfunkgespräch 1932 episch: »Diese neue Form ist mehr eine schildernde als eine dramatische.« Horváth rekonstruiert nur, was er selbst genauestens in Augenschein genommen hat; die Produktionsstätten, die Wirtschafts- und Verwaltungs-Zentren liegen außerhalb seiner Erfahrung. Er beschreibt die ›freigesetzten‹ Menschen: die durch Rationalisierung und Krise arbeitslos Gewordenen, die vom Elternhaus hinausgeworfenen Töchter und Söhne ohne Beruf, die Pensionäre, Kleinhändler ohne Kundschaft, Nachbarn in Dauergesprächen; er beschreibt die noch Arbeitenden, die stundenweise ›freigesetzt‹ sind, um sich in Amüsements von der entfremdeten Arbeit jeweils zu erholen. Diese ›Freizeit‹ spiegelt nur das entfremdete Arbeitsleben und läßt die Personen weder zu sich noch zu Partnern kommen. Dies wird besonders verdeutlicht durch Horváths dramaturgisches Mittel der verstummenden Erstarrung: In die lauten Amüsement-Szenen bricht mehrfach plötzliches Schweigen hinein, hebt die vorhergehende Widersprüchlichkeit hervor und assoziiert zugleich die Todesnähe der abgelebten Gesellschaftsformationen. Die Krisenzeit scheint überall makaber durch die Vergnügungsbilder hindurch: Oktoberfest, Lampionabend, Heuriger, Zoobesuch, Picknick an der Donau, ›Maxim‹-Lokal.

20 Jahre nach den Familienkonflikten der expressionistischen Generation scheint sich im Mittelstand nichts geändert zu haben. Mangel an Arbeitsplätzen verhindert die Emanzipationschancen der jungen Generation, bürgerliche Sozialisationsstrategien bewirken das Übrige. Die Widersprüche der Kleinfamilien-Ideologie werden in den *Geschichten aus dem Wiener Wald* am deutlichsten. Horváth stellt die Kleinbürgerfamilie als gesellschaftliche Institution ins Zentrum. Der ›Zauberkönig‹ genannte Vater entlarvt sich als monarchischer Patriarch, repräsentiert die Hierarchie Gott – Kaiser – Familienvater. Die religiöse Absicherung des kleinbürgerlichen Patriarchats ist bei Horváth hervorgehoben; er kennt auch den besonderen »Mittelstandsgott«, einen »Schutzgott der kleinen Betriebe«. Die unmündig gehaltene Tochter wird

einerseits als Dienstbote im Geschäft benötigt, anderseits als Köder für eine Geldheirat zwecks Sanierung des väterlichen Betriebs erzogen. Emanzipation wird üblicherweise als kommunistisch verdächtigt: »Papa sagt immer, die finanzielle Unabhängigkeit der Frau vom Mann ist der letzte Schritt zum Bolschewismus.« Es geht Horváth nicht um den individuellen Fall dieser besonderen Tochter, sondern wie überall um soziale und ideologische Diagnose. Die doppelte Unterdrückung der Frau, als Teil ihrer Schicht und als Teil der Familie, problematisiert der Autor in fast allen Stücken. Gegen rohen Männeregoismus, der die Gesellschaft bestimmt, gegen die männliche Dummheit und Verlogenheit, die sich selbst für gefühlvoll hält, werden leidende, vergebens nach Freiheit und Glück strebende Frauenfiguren gesetzt. *Kasimir und Karoline* ist zu entnehmen, daß Horváth dies nicht für einen Naturzustand hält: »Die Menschen sind weder gut noch böse. Allerdings werden sie durch unser heutiges wirtschaftliches System gezwungen, egoistischer zu sein, als sie es eigentlich wären, da sie doch schließlich vegetieren müssen.«

Im Prozeß einer »Demaskierung des Bewußtseins« der Figuren, die Horváth wichtig ist, versucht er die eigene Verlogenheit der Zuschauer und deren permanente Verdrängung von offensichtlichen Widersprüchen kenntlich zu machen. Für die ideologischen Klischees, die sich auch als Sprachversatzstücke ausdrücken, hat Horváth das Assoziationsklischee ›Wiener Wald‹ gesetzt; keineswegs war der regionale Bezug, wie die Vorstufen zeigen, der Ausgangspunkt des Stücks. Zugleich konnte Wien als Metapher absterbender historischer Formationen genommen werden. Die Todesmetaphorik ist übermächtig in diesem Anti-Volksstück: Tierschlachten, Totenköpfe, Todesfälle, Gräber, ›schwerverwundete‹ Zinnsoldaten, »himmlisches« Streichorchester. Hierdurch droht die soziologische Bewußtseinsdokumentation in resignative Untergangsvision umzuschlagen, gegen die Horváth ratlos ist, während er in der *Italienischen Nacht* noch einen kämpferischen Ausweg angedeutet hatte.

Wie in den *Geschichten aus dem Wiener Wald* der alte Mittelstand, so dominiert in *Kasimir und Karoline* der neue Mittelstand mit den Angestellten. Der entlassene Chauffeur Kasimir gehört zu den wenigen Angestellten, die sich der Proletarisierung bewußt sind, während die Sekretärin Karoline am falschen Bewußtsein mittelständischen Daseinsverständnisses festhält. Das zentrale Horváth-Thema, der Materialismus von Gefühlen, wird hier im Arbeitslosenbereich variiert. Auch Liebesgefühle, so zeigt sich auf dem Oktoberfest, sind handgreiflich abhängig von der jeweiligen sozialen Situation. Das Leiden der Personen an ihrer Sprachlosigkeit kommt hier besonders zum Ausdruck; verlorene Kommunikation muß durch Floskeln überbrückt werden. Der obligatorische Dialekt in den herkömmlichen Volksstücken ist durch eine von den Medien zersetzte und überfremdete Klischee-Sprache abgelöst, die Horváth mißverständlich »Bildungsjargon« nennt und deren automatischer Gebrauch die Personen daran hindert, sich selbst auszudrücken. Die Dialogsprache wird dabei nach einer Theorie Horváths vom Unterbewußtsein gesteuert und kann vom korrumpierten Bewußtsein nur noch teilweise kontrolliert werden. Als Hauptthema in *Kasimir und Karoline* bezeichnet der Autor den »Kampf des sozialen Bewußtseins gegen das asoziale Triebleben und umgekehrt«. Konsequent ist es daher, im Sprechen der Figuren dieses gespaltene Bewußtsein zu beobachten. Diese Sprachdramaturgie rechnet mit einer hohen Sprachsensibilität des Zuschauers, die nicht sehr häufig vertreten ist. Daher haben Horváths Ziele, Vernunft und Aufrichtigkeit, nicht die größten Verwirklichungschancen.

Wirtschaftskrise im Film

Die deutschen Gegenwartsspielfilme der ›Prometheus GmbH‹ wenden sich ab 1929 der Arbeitslosigkeit zu. *Jenseits der Straße* (1929) von Leo Mittler, dessen melodramatische Handlung mit dem Ertrinkungstod eines Bettlers endet, brachte zum erstenmal in einem deutschen Spielfilm die Arbeitslosigkeit ins Bild, er dokumentiert dazu Elendsleben in Hamburg und arbeitet wirkungsvoll mit Montagen. Der sozialdemokratische Film versucht sich – realistisch im Detail – 1930 an dem Thema: Marie Harder drehte *Lohnbuchhalter Kremke*, an dessen Ende sich der entlassene Angestellte ertränkt und eine Hungerdemonstration vor dem Reichstag »Gebt Arbeit!« ruft.
Die Großindustrie und ihre Filme versuchten, die Arbeitslosenkrise auf ihre Weise zu behandeln. Lupu Pick, der im expressionistischen Film die soziale Thematik aufgegriffen hatte, drehte jetzt den affirmativen *Gassenhauer* (1931). Der Streifen zeigt stellungslose Musiker, die in Hinterhöfen ein Lied spielen, das zum Schlager wird und sie zu Geld bringt. In zynischer Anspielung auf Wilhelm Thieles Filmoperette *Die Drei von der Tankstelle* (1930) erscheint der Ablenkungsfilm *Die Drei von der Stempelstelle* und verweist die Arbeitslosen auf Laubenkolonien und Umsiedlungspläne, alsbald nachgeahmt durch den ›Bücherkreis‹-Roman *Laubenkolonie Erdenglück* (1931) von Otto Bernhard Wendler.
Einen revolutionären Ausweg aus Elend und Chaos zeigte im deutschen Gegenwartsfilm erstmals PIEL JUTZIS (1894–1945) *Mutter Krausens Fahrt ins Glück* (1929), den die ›Prometheus GmbH‹ produzierte. Jutzi hatte viele russische Filme jeweils für Deutschland bearbeitet und 1927 den Dokumentarfilm *Die Machnower Schleuse* gedreht. 1928 versuchte er eine Kombination von Spielhandlung und Dokumentation, wie sie die Piscator-Bühne erfolgreich gezeigt hatte oder Ernö Metzners *Im Anfang war das Wort*, ein Film über die Sozialdemokratie im 19. Jahrhundert. Nach dem Drehbuch Leo Lanias, Mitglied des Piscator-Kollektivs, drehte Jutzi *Ums tägliche Brot – Hunger in Waldenburg*, einen der ersten Reportage-Spiel-Filme mit sozialer Zielsetzung. Obgleich der melodramatische Schluß über das Schicksal der Weber im niederschlesischen Katastrophengebiet jede aktivierende Wirkung zunichte machte, verbot die Zensur den Film und verlangte u. a. Kürzungen bei den Informationen über die Monatseinkünfte des Fürstennachkommen Pleß, der zum finanziellen Freundeskreis des UFA-Mehrheitsaktionärs Hugenberg gezählt wurde. Unbehelligt von der Zensur blieben dagegen Reportagefilme der ›Neuen Sachlichkeit‹, so Walter Ruttmanns und Carl Mayers *Berlin. Die Symphonie einer Großstadt* (1927). Hier wurden Tausende visueller Oberflächenfakten komponiert. Ein Gegenbeispiel ist der verbotene Reportagefilm

Blutmai (1927), den Piel Jutzi aus Augenzeugen-Filmstreifen über die Weddinger Arbeiterdemonstrationen produzierte, auf die der sozialdemokratische Polizeipräsident schießen ließ. Jutzis Film *Mutter Krausens Fahrt ins Glück* war eine Kollektivproduktion, die vom Drehbuch bis zur technischen Verwirklichung reichte. Dadurch, daß Jutzi die Künstler Hans Baluschek, Käthe Kollwitz und Otto Nagel mit heranzog, signalisierte er die Intention einer kritischen Wiederaufnahme der »Zille-Film«-Tradition. Die filmische Erzählform ist entsprechend naturalistisch, wenn auch mit politisierend aktivierender Intention. So spielt Heinrich Zilles Erkenntnis eine wesentliche Rolle: »Eine Wohnung kann einen Menschen genauso töten wie eine Axt.« Der Zusammenbruch der alten Zeitungsfrau Krause nach der Verhaftung ihres Sohnes nimmt den Zuschauer indessen so gefangen, daß die politisch erhellende Handlung zwischen der Tochter, einem proletarischen und einem kleinbürgerlichen Arbeiter nicht ausreichend zur Wirkung gelangt. Die Schlußmontagen zeigen als Alternative zum Selbstmord der alten Frau: die politische solidarisierende Arbeit, hier in Form einer Arbeiter-Kampfdemonstration erstmals in einem deutschen Spielfilm vorkommend.

Wegen der Auflösung der ›Prometheus GmbH‹ 1932 konnte ihr letztes Projekt, *Kuhle Wampe oder Wem gehört die Welt?* (1932), nicht mehr fertiggestellt werden. Die schweizerische Firma ›Praesens‹ konnte wegen ihres Erfolgs mit Eduard Tisses *Frauennot – Frauenglück* (1930) den Film produzieren. Nach den Erfahrungen mit dem ›Dreigroschenprozeß‹ schloß das Kollektiv Brecht, Dudow, Eisler, Ottwalt – erstmals in der Filmgeschichte – einen Vertrag, der sie auch rechtlich zu Urhebern machte.

Der gebürtige Bulgare SLATAN DUDOW (1903–1963) – durch seinen Moskauer Studienaufenthalt von Eisenstein und Majakowski beeinflußt – hatte bei den Prometheus-Dokumentarfilmen *Hunderttausend unter roten Fahnen* (1930) mitgearbeitet; in seiner für ›Weltfilm‹ gedrehten Reportage *Wie der Berliner Arbeiter wohnt* (1930), die von der Zensur verboten wurde, hatte er mit wirksamen Montagen Wohnungselend und gerichtliche Ausweisung dokumentiert. Brecht arbeitete seit 1929 mit Dudow zusammen an der *Beule*, der *Maßnahme*, der *Mann ist Mann*-Fassung von 1931 und der *Mutter*. Der Kameramann Günther Krampf war bereits durch seine Mitarbeit an den eher progressiven Filmen *Cyankali, Schinderhannes, Die Büchse der Pandora* bekannt. Der Komponist HANNS EISLER (1898–1962) hatte die Musik zu den Filmen *Das Lied vom Leben* und *Niemandsland* geschrieben sowie zu Brechts Stücken *Die Maßnahme* und *Die Mutter*. Der Schriftsteller ERNST OTTWALT (1901– um 1940) war besonders mit der Aufführung seines Stücks *Jeden Tag vier* (1930) durch das Piscator-Kollektiv bekannt geworden und durch sein aus Dokumenten und Erzählhandlung montiertes Buch über die reaktionäre Justiz *Denn sie wissen, was sie tun* (1931). Die Darsteller des Films waren überwiegend Laien oder kamen aus der ›Gruppe junger Schauspieler‹, die sich aus arbeitslosen Künstlern rekrutierte. Mehrere Berliner Arbeiterchöre, die Agitpropgruppe ›Das rote Sprachrohr‹ und 4000 Berliner Arbeitersportler wirkten mit. Die Produzenten knüpften hier an die Tradition der Massenspiele wie Meyerholds *Erstürmung des Winterpalais* (1920) und die Aufführungen bei den Gewerkschaftsfesten in Leipzig Anfang der zwanziger Jahre an.

Als Adressaten des Films kann man hauptsächlich Großstadt-Jugendliche des Mittelstands und der Arbeiterschicht annehmen. Die von allen ähnlich erlebte Gegenwart wird anfangs durch typische Kurz-Bilder des Großstadtelends und der Jagd nach Arbeitsplätzen mehr zitiert als referiert; Informationen über Wirtschaftskrise und Arbeitsmarktlage werden hineinmontiert. Die Kurzschnitte lassen so wenig wie die rhythmisch markante und schnelle Musik einfühlende Versenkung aufkommen. Verfremdende Distanz wird auch bei der Einführung der Beispielsfamilie gewahrt: Arbeitslose Eltern sehen die Not nicht als Ergebnis der falsch organisierten Gesellschaft, sondern als selbstverschuldet und schicksalhaft an, woraus der arbeitslose Sohn die individuelle Konsequenz zieht und sich tötet. Die Darstellung dieses Komplexes zeigt die Weiterentwicklung filmischer Mittel gegenüber den unmittelbaren Vorläufern: Anders als die ersten deutschen und amerikanischen Tonfilme, die auf illustrierende und narkotisierende Wirkung der Musik setzten, verwendet Fritz Lang in seinem ersten Tonfilm *M* (1931) eine verfremdende Sprachregie, auf die sich das Brecht-Kollektiv beziehen konnte. Das Kleinbürgerbewußtsein der Arbeiterfamilie wird durch einen unnatürlichen, mechanistischen Austausch von Sprüchen und Stammtischphrasen satirisiert. Mit dem Tod des Sohns zitiert das Kollektiv den Tod am Ende der Gegenwartsfilme *Cyankali, Jenseits der Straße, Mutter Krausens Fahrt ins Glück, Lohnbuchhalter Kremke, So ist das Leben, Ums tägliche Brot – Hunger in Waldenburg* u. a. Jedoch erscheint in *Kuhle Wampe* der Tod am Anfang, um den Zuschauer nicht zu isoliertem Mitleid, sondern zu einem Erkenntnisprozeß über die Ursachen und Folgerungen zu bewegen. Die Zensurbehörde, die den Film im März 1932 verbot, im April auf Protestversammlungen hin mit Kürzungen freigab und im März 1933 endgültig verbot, erkannte die Intentionen sehr deutlich: sie legte nahe, den Selbstmord als private Zufallsreaktion darzustellen und nicht durch die Art des Ablaufs und der Szenenschnitte eine Typisierung anzustreben mit der Folgerung, die Gesellschaft treibe arbeitslose Jugendliche in den Tod. Die Zensur stellte fest, daß der Film geeignet sei, »an den Grundfesten des Staates zu rütteln«, und erreichte zahlreiche Kürzungen: weder über die klinische Entfernung einer Leibesfrucht noch über eine Empfehlung zur Empfängnisverhütung durfte gesprochen werden; Gerichtsurteile über Wohnungskündigungen, ein Hinweis auf Notverordnungen über Kürzungen von Arbeitslosengeld wurden unterdrückt; die Nacktbadeszene einer Gruppe Jugendlicher verletzte die Kirchen und ergab 36 m Schnitt.

Der Film erreicht durch die Anwendung von Eisensteins Kollisionsmontage, durch die ›Trennung der Elemente‹, die Brecht bei den Aufführungen der *Dreigroschenoper*, von *Mann ist Mann* und *Mahagonny* erprobt hatte, ein zweischichtiges semiotisches Erkenntnissystem, das leichter einsehbar ist als Brechts Theater- und Eisensteins Filmintentionen und zudem eine Zukunftskomponente versinnbildlicht. Die Nacktbadeszene, die durchgängigen Natur- und Sportbilder sind realistisch im Detail und erfüllen zugleich innerhalb der

Montagekomposition die Funktion utopischen Vor-Scheins (Bloch), wie sich auch aus den verwendeten Gedichten und Songs ergibt. *Das Frühjahr* analogisiert Menschenglück einschließlich Sexualität mit Naturprozessen, die *Ballade vom Tropfen auf den heißen Stein* reflektiert die Sport-Natur-Erlebnisse dialektisch und politisiert sie nochmals zusammenfassend: »Werdet ihr euch begnügen mit dem leuchtenden Himmel? / ... Die Welt wartet auf eure Forderungen / Sie braucht eure Unzufriedenheit, eure Vorschläge.« Die zugleich realistische wie parabolische Verwendung eines Arbeitersportfestes, das 200000 deutsche Jugendliche der Zeit repräsentiert, ist unter den Bedingungen der profaschistischen Zensur eine optimale Metapher. Der Sport hat hier als Kollektivspiel einen veränderten Stellenwert gegenüber dem Champion-Sport der Boxer und Rennfahrer des jüngeren Brecht: er signalisiert die Selbstbestimmung, freies Spiel als befriedigende Arbeit, in Zusammenhang mit den auftretenden Theater- und Songgruppen eine Einheit von geistiger und körperlicher Lust; zugleich ist er Kampfmetapher, die in dem von Ernst Busch gesungenen *Sportlied* zusammenfassend erläutert wird; schließlich wirkt er – allgemein gesprochen, aber für 1932 am wichtigsten – als antifaschistisches Solidaritätsfanal, das am Schluß im *Solidaritätslied* kulminiert. Die ›Deutsche Allgemeine Zeitung‹ als Sprachrohr der profaschistischen Wirtschaft referiert hier ängstlich und höhnisch, daß »die Not als Zierat verwandt wird für ein ausländisches Fremdwort, das ›Solidarität‹ geheißen hat«. Der revolutionäre Gestus wird überdies mitgeformt durch Eislers kommentierende dissonante Musik, die von der Zensur weniger angreifbar war als bildliche und verbale Informationen.

Die gegenwärtigen Hindernisse für Solidarität werden im Film mannigfach dargetan. Die in Brechts *Brotladen*-Fragmenten (1929/33) und in der *Heiligen Johanna* (1932) behandelte Kleinbürgermentalität bei Arbeitern wird in *Kuhle Wampe* vereinfachend mehr der älteren Generation zugesprochen. Der apolitische »Sumpf« in den Sommer-Slums ›Kuhle Wampe‹, besonders die satirisch präsentierte Verlobungsfeier, welche Züge von Brechts 1926 uraufgeführtem Frühwerk *Die Kleinbürgerhochzeit* trägt, und die abschließende Stadtbahn-Diskussion thematisieren die selbstschädigenden Bewußtseinssperren verbürgerlichter Lohnabhängiger. Der Familienideologie und den Gebärzwängen wird das befreiende Leben von Interessen- und Neigungsgruppen gegenübergestellt als Grundzellen für übergreifende sozialistische Kollektive. Dabei bewahrt sich – auch in der Darstellung – die Individualität der Figuren; entscheidender als private Dispositionen sind jedoch die Verhaltensweisen in einem großen sozialen Prozeß. Um die sozialen Mechanismen aufzudecken, sinnlich erfahrbar zu machen und das dokumentarische Material aktivierend zu organisieren, um den Einzelvorgang gesellschaftlich verallgemeinern zu können, verwendet das Brecht-Kollektiv hauptsächlich folgende Mittel: Zentralprinzip ist ›Trennung der Elemente‹; Kurzschnitt, Kollisionsmontage, Zäsurfunktion der Songs, verfremdende Musik, ironisierende Zwischentitel, Plakat- und Schlagzeilen-Einblendungen schaffen eine pointierte Rhythmik. Die Gespräche imitieren nicht das Alltagssprechen, sondern sind stilisiert verkürzt und auf Kernpunkte reduziert. Die dokumentarischen Gegenwartsspiegelungen werden für die anvisierten Adressaten zitierend kurz referiert, in verfremdende Relationen gebracht, zu einem dialektischen filmischen Erzählen montiert.

Das Theater Brechts

Brecht als der bedeutendste europäische Dramatiker und Regisseur der ersten Jahrhunderthälfte wurde in den zwanziger Jahren noch nicht als dominant erkannt, obwohl er das deutsche Theater vielfältig anregte und einen ungewöhnlichen Bekanntheitsgrad erreichte. Die Nutznießer des Wirtschaftsaufschwungs brauchten Brechts Arbeit in Theater, Presse, Rundfunk zunächst nicht zu fürchten; sie ist analytisch kapitalismuskritisch, aber nicht operativ, agitierend, sondern verfolgt eine Langzeitstrategie innerhalb der bestehenden Öffentlichkeitsmedien, auch besonders auf junge Rezipienten zielend. Noch 1930 resümierte Tucholsky: »Brecht plakatiert keine Überzeugung; es würde ihm wohl schwerfallen, denn die seine ist schwer zu eruieren« (Werke 8, S.106). Brecht liefert Beiträge zur Bewußtwerdung der abhängig Arbeitenden, wobei die Funktion der Intellektuellen dienenden, nicht führenden Charakter hat.

Diese Situation ändert sich für Brecht, als er während der letzten deutschen revolutionären Situation im 20. Jahrhundert, 1930–1932, direkt an den Klassenkämpfen sich beteiligt: Im Mai 1930 verhindert die realitätsblinde Selbstzensur der ›Neuen Musik Berlin 1930‹, an der Paul Hindemith beteiligt ist, eine Aufführung des Lehrstücks *Die Maßnahme*; im August des Jahres lehnt die Neo-Filmgesellschaft Brechts sozialistisch kämpferisches Drehbuch für einen *Dreigroschenoper*-Film ab und beauftragt andere Autoren; im Herbst stellt sich die Justiz erwartungsgemäß gegen Brechts Urheberrecht auf die Seite der Filmindustrie. Im Februar 1932 versuchen die Behörden, eine Aufführung der *Mutter* im Berliner Arbeiterbezirk Moabit zu verhindern, die zuvor im Theater am Schiffbauerdamm mit bürgerlichen Besuchern gespielt werden durfte. Im März wird der Film *Kuhle Wampe* verboten. Die Auseinandersetzung Brechts mit den Reaktionen des Kleinbürgertums in Krisensituationen, *Die heilige Johanna der Schlachthöfe*, wurde 1932 von den Theatern abgelehnt; der Stadtrat von Darmstadt verbietet eine geplante Uraufführung, Heinz Hilpert und Gustaf Gründgens finden in Berlin keine Aufführungsmöglichkeiten. Im August 1932 steht Brecht auf der im ›Völkischen Beobachter‹ veröffentlichten Liste zu verbietender Autoren. Brecht unterschätzt weiterhin wie die meisten anderen linken Schriftsteller und Parteiführer die Gefahr: er kauft sich im August ein Landhaus in Utting. Dem sicheren Tod entgeht Brecht nach dem Reichstagsbrand nur durch den Zufall, daß er sich in einer Privatklinik in Behandlung befand und am 28. 2. 1933 unbemerkt nach Prag fahren kann.

Brechts Schreib- und Theaterstil war vielfältigen Entwicklungsprozessen unterworfen. Am wenigsten Wirkung hatten in der Weimarer Zeit wahrscheinlich seine Gedichte und sein Jugendstück *Baal*.

Poetische Arbeit ist für Brecht seit frühen Jahren lustvolle Produktivität, schöpferisches Rezipieren und Produzieren ist Lebensvollzug, nicht ›Ersatzbefriedigung‹ oder abgehobene Erbauung. Sein jugendliches Leben mit Freundinnen und Freunden, schweifend in den Lech-Auen, lesend, arbeitend, feiernd auf den Schüler- und Studentenbuden, tanzend und trinkend auf Volksfesten, bleibt zeitlebens ein Erinnerungs- und Bildpotential von sprengend utopischer Kraft. Die Unmöglichkeit, diese Glückserfahrungen als Maßstab für das weitere Leben durchzusetzen, war dem aufmerksamen Beobachter seiner Umwelt selbstverständlich immer bewußt: die bürgerliche Enge des politischen und geistigen Lebens in der Heimatstadt, die herrschende Kaufmannsmentalität, die Berichte von den Kriegsfronten, der Kontakt mit Verwundeten während der Münchener Lazarettdienstzeit, die scheiternden revolutionären Kämpfe zeigten die engen Grenzen für menschliche Entfaltungsmöglichkeiten innerhalb der bestehenden Gesellschaft. In dieser Erlebniskonstellation entstand Brechts erstes Stück *Baal* (1918, gedruckt 1922, aufgeführt 1923). Es ist nur eine Verdichtung und Komprimierung der jugendlichen sinnlichen Erlebnisweisen, wie sie in den gleichzeitigen Gitarreliedern und Gedichten zwischen Protest und Glücksverlangen festgehalten sind. Brecht akzentuiert später die wesentlichen Erlebnisweisen in folgender Reihenfolge: es handle sich um eine überaus genußvolle Beziehung zur Landschaft, zu menschlichen Verhältnissen erotischer oder halberotischer Art und zur Sprache. Die Einflüsse Rimbauds, Wedekinds, Whitmans, Verlaines, Villons sind unverkennbar. Der nach einem syrischen Erdgott Baal genannte Dichter und Sänger trägt Züge Paul Verlaines. Nebenher ist Brechts Stück eine Travestie des Grabbe-Dramas *Der Einsame* (1917) eines Hanns Johst. Bei dem Unterfangen, sich mitten in der bürgerlichen Gegenwartswelt einen paradiesischen »Himmel voll von Bäumen und Leibern« zu schaffen, scheut Baal vor zynischen mörderischen Mitteln nicht zurück. »Er ist asozial, aber in einer asozialen Gesellschaft.« Besonders die durch Religion und kapitalistische Zwänge unterdrückte Sinnlichkeit des Menschen wird wieder in ihre Rechte gesetzt; die idealistischen Ansprüche des auslaufenden Expressionismus sind bei Brecht durch einen anarchistischen Materialismus ersetzt. Dabei wird das Glücksverlangen grundsätzlich unterstützt, abgelehnt wird nur die zynische Verabsolutierung des Glücksverlangens zu selbstmörderischer Genußsucht; abgelehnt wird die isolierte Verwirklichung innerhalb von gesellschaftlichen Verhältnissen, die die allseitige Befriedigung menschlicher Bedürfnisse noch nicht zulassen. Baal ist einer von den zu früh Gekommenen, die in der Literatur der zwanziger Jahre eine Rolle spielen werden und deren absoluter Anspruch auf Glück utopisch auf eine Zeit deutet, in der ein von entfremdeter Arbeit befreiter Mensch menschlicher wird leben können.

Brecht, der nichts von ›Zeitstücken‹ hielt, sondern parabolische Stilisierungen mit der Bühnenmöglichkeit permanenter Aktualisierung bevorzugte, schrieb mit *Trommeln in der Nacht* (1919, aufgeführt 1922) sein fast einziges Zeitstück neben den *Gewehren der Frau Carrar* (1937) und *Furcht und Elend des Dritten Reiches* (1938). Die revolutionsmüden Soldaten, die er im Münchener Lazarett kennengelernt hatte, sind in der Heimkehrerfigur Andreas Kragler dargestellt, der die Revolution und den Spartakus-Aufstand im Berliner Zeitungsviertel 1919 als romantisches Ereignis versteht und sich zurückzieht, sobald sein Mädchen ihm wieder privates Glück ermöglicht; wie in *Baal* dominiert der egozentrische Glücksanspruch. Der Zuschauer erlebt die Revolution aus der Sicht des pessimistischen Protagonisten Kragler; Verfremdungsrelationen waren von Brecht noch nicht entwickelt worden, und so wurde dieses Stück als Absage an die Revolution nicht von ungefähr das meistgespielte Stück Brechts während der Weimarer Republik. Die enge Bindung des Stücks an die momentane politische Gegenwartseinschätzung des Autors ließ Brecht in der Folge eine Relativierung als Komödie als wünschenswert erscheinen, und er versuchte, Kragler als egoistischen Kleinbürger, der die Revolution verrät, durch Lachen zu kritisieren. Brechts völlig neue Sprache erregte nach der Uraufführung 1922 Aufsehen, da die Lyrik und *Baal* noch nicht bekannt waren, so daß der Kritiker Herbert Jhering schreiben konnte: »Bert Brecht hat über Nacht das dichterische Antlitz Deutschlands verändert.«

Brechts Erfahrungen in der reaktionärsten deutschen Großstadt, München, und seine vergeblichen Versuche, in Berlin Fuß zu fassen, sind Veranlassung, den jungen Leseenthusiasten und Rimbaud verehrenden Garga *Im Dickicht der Städte* (1923), in der darwinistischen Dschungelwelt Chicagos, scheitern und seine Menschlichkeit verlieren zu lassen. Die Zeit 1912 bis 1915 wird mit ihrer fortschreitenden Industrialisierung gezeigt. Die Arbeitsuchenden ziehen von den Dörfern in die Riesenstädte und erleben die Entfremdung in besonderer Härte, ohne im geringsten die Ursachen zu kennen, die auch Brecht nicht diagnostizieren kann. Er zeigt vielmehr in dieser nihilistischen Phase einen »Kampf an sich«, um zu veranschaulichen, daß Gemeinsamkeit innerhalb der totalen Vereinzelung nicht einmal durch Haßliebe und Kampfverstrickungen möglich ist. Das Interesse des Unternehmers Shlink an dem Bibliotheksangestellten Garga wird teilweise motiviert mit einer rational nicht faßbaren, leicht erotisch getönten Zuneigung, wie Brecht sie in extremer Ausformung in seiner ersten wichtigen Veröffentlichung, als *Bargan läßt es sein* (1921), schon einmal gestaltet hatte. Wie Bargan opfert Shlink seinen Beruf, um eine symmetrische Kommunikation zu dem Partner zu ermöglichen. Als eine der Ursachen mangelnder Gemeinsamkeit stellt Brecht die Unzulänglichkeit der Sprache als Verständigungsmittel hin. Der Idealist Garga verliert im Laufe der Auseinandersetzungen seine humanen Züge, paßt sich dem kapitalistischen Konkurrenzverhalten an und zieht am Ende – ein neuer Shlink – in das Dickicht New York. Shlink seinerseits vermenschlicht sich partiell während der Auseinandersetzungen, bleibt moralischer Sieger und tötet sich, als auch der letzte Versuch mißlingt, Garga als Kampfpartner zu gewinnen.

Im *Dickicht* kündigt sich Brechts ›episches‹ Theater an, das er in *Mann ist Mann* erstmals bewußt ausprobiert. Wichtige Erfahrungen zog er nicht nur aus seinen morgendlichen Teilnahmen an zahllosen Theaterproben während seiner Münchner Zeit, sondern besonders aus der Darstellungsweise KARL VALENTINS (1882–1948) mit seinen Nonsens-Montagen und durchgängigem Antipathos. Brecht rechnete es sich zur »größten Ehre« seines Lebens an, daß er »bei Valentin den Scheinwerfer halten durfte«. Er drehte mit Valentin und Erich Engel 1923 den Film *Mysterien eines Frisiersalons*. Die Filme *Valentins Hochzeit, Oktoberwiese, Die karierte Weste, Der neue Schreibtisch* behandeln wie die Bühnenszenen Valentins die Welterfahrungen und die gewitzte Dialektik des ›kleinen Mannes‹ und seiner optimistischen Hilflosigkeit in der gewandelten Gegenwartsgesellschaft. Brecht stellte Valentin mit Chaplin auf eine Stufe und hob ihren gemeinsamen Verzicht auf Mimik und »billige Psychologismen« heraus. Chaplins Slapstick-Komik, Valentins vertrackte Alltagsdialektik und Wedekinds Balladen- und Vortragsstil sind wichtige Anregungen für das epische Theater. Bei den Proben zu Marlowes *Leben Eduard des Zweiten von England* (1924), das Brecht und Feuchtwanger völlig neu montierten und übersetzten, wurde Karl Valentin z. B. um seinen Rat gebeten, wie Soldaten während einer Schlacht darzustellen seien; er fand spontan, daß sie von Angst gekennzeichnet und blaß seien. Die Gesichter der Soldaten wurden mit Kalk belegt. »An diesem Tage war der Aufführungsstil gefunden«, schreibt Brecht über diesen Beginn seiner eigenen Regiearbeit und den Beginn des ›epischen Stils‹, den Herbert Jhering in der Besprechung konstatierte. Der Theaterkritiker Paul Zucker hatte bereits 1923 in Max Krells Sammelband über das Theater der Gegenwart von der Tendenz des ›epischen‹ Darstellungsstils gesprochen, und auch der Drehbuchautor CARL MAYER (1894–1944), der sich nach *Caligari* dem realistischen Kammerspiel-Film zuwandte, hatte mit *Scherben* (1921), *Sylvester* (1923) und *Der letzte Mann* (1924) nichtdramatische, epische Formen versucht, die der Film-Anhänger Brecht kannte. Brecht selbst verwendete die Formel »*episches Theater*« zum erstenmal während der Arbeit an *Mann ist Mann* (1926).

Dieses Lustspiel stellt eine Zusammenfassung von Brechts gesellschaftlichen und theatertheoretischen Reflexionen in der Mitte der zwanziger Jahre dar. Bei der Rundfunkaufführung (18.3.1927) unter Alfred Brauns Regie sprach Brecht eine Vorrede, in der er sich von der absterbenden Kunstauffassung einer »niedergehenden Schicht« distanziert. Ihm gehe es um einen neuen Typus von Mensch sowohl im Stück als auch beim Rezipienten, den er sich als »vernünftigen und humorvollen Menschen« vorstelle, der nicht mit überwiegendem Gefühlsanteil, sondern abwartend überlegend ein wissenschaftliches Problem sich darstellen lasse. Es geht Brecht um den »oberflächlichen Firnis des Individualismus in unserer Zeit«, ein Vorläufer des neuen Typus Mensch sei der irische Hilfsarbeiter Galy Gay, der in Ostindien Namen und Identität verliert und zu einem Kolonialsoldaten anderen Namens ummontiert wird. Die Austauschbarkeit und Kollektivierung wurde von zahlreichen Schriftstellern der Zeit mit Klage, Anklage, Satire bedacht. Brecht dagegen stellt den wissenschaftlich beobachtbaren Sachverhalt fest, bringt ihn stilisiert als »schmissige Jazzkomödie«, die am ehesten gegen Pathos und falsche Lösungen absichert.

Brecht faßte z. B. den Ersten Weltkrieg als »eine große Stunde des Kapitalismus« auf, »seine bisher größte, gewaltigste Kollektivierung« (GW 15, S. 210); der Zusammenbruch idealistischer Philosophie und Religion, die Teilrevolution 1918–1923, die Deklassierung der mittelständischen Besitzer von Bankkonten, Kriegsanteilpfandbriefen, Versicherungsverträgen durch die Geldentwertung hatten ein übriges getan. Brecht führt die Unhaltbarkeit des bürgerlichen Persönlichkeitsbegriffs vor und versucht wissenschaftlich erfaßbare Gesetzmäßigkeiten einem großen Publikum in unterhaltender Form nahezubringen und kritisierbar zu machen. Die Widersprüche des Stückes sollen nach Brecht nicht eingeebnet werden, sondern diskutierbar bleiben, die Argumentation nicht logisch sukzessiv, sondern in Sprüngen erfolgen und abbrechen, damit das Ungelöste der Gesamtproblematik hervorsticht. Kollektivierungsprozesse sind hier nicht marxistisch zu Ende gedacht. Von den vier Erscheinungsweisen des Hilfsarbeiters und nachherigen Kollektivhelden Galy Gay bezeichnet Brecht die dritte Phase als »unbeschriebenes Blatt«, hier könne bei inhaltlich historisch argumentierenden Lösungsvorsätzen ein Qualitätssprung der Kollektivierung einsetzen, jedoch bestimmt in dieser Umgebung das falsche Kollektiv die Richtung, der Kolonialmilitarismus, zugleich weisend auf »jenes Kollektiv, das in diesen Jahren Hitler und seine Geldgeber rekrutierten«, wie Brecht später kommentierte.

Der bei den ersten Aufführungen von *Mann ist Mann* bis 1928 von Brecht als positiv bewertete Abbau der Persönlichkeit, inszeniert mit dem Spaß von Sportveranstaltungen, mit Zirkuseinlagen, Megaphon, Gongschlägen und Jazzbegleitung wurde bei der zweiten Berliner Aufführung 1931 revidiert. Galy Gay wurde zum sozial negativen Helden eines Antikriegsstücks in asiatischer Einkleidung. Herausgestellt wurde der Satz: »Man kann, wenn wir nicht über ihn wachen / Ihn uns über Nacht auch zum Schlächter machen.« In den Lehrstücken korrigiert Brecht ebenfalls seine Auffassungen von Individuum und Masse. Bei der Forderung nach Einordnung in das Kollektiv handelt es sich um gesellschaftliche Bewußtwerdung in einem Kollektiv, das die Gesellschaftsordnung ohne Eigennutz kämpfend ändern will.

Neben den Lehrstücken für die Selbstverständigung marxistischer Kollektive entstanden ab 1928 die Opernparodien und die Schulopern, jedoch keine Sprechstücke für bürgerliche Theater, die Brecht jetzt zunehmend weniger spielen. Mit der *Beule* (1930) und *Kuhle Wampe* (1931) wandte sich Brecht dem Filmmedium zu. Kurz vor dem Ende der Republik entstanden dann zwei seiner besten Bühnenstücke, *Die Mutter* (1932) und *Die Heilige Johanna der Schlachthöfe* (1932).

Auf Vorschlägen des Komponisten Kurt Weill basiert Brechts Songspiel *Mahagonny*, das zur Badener Musikwoche 1927 uraufgeführt und im Stuttgarter und Frankfurter Rundfunk wiederholt wurde, Vorspiel zum Welterfolg der *Dreigroschenoper* (1928), zu *Happy End* (1929) und *Aufstieg und Fall der Stadt Mahagonny* (1930). Die exotischen Wünsche, kombiniert mit Profitkalkulation, die in der Neureichenstadt Mahagonny parodistisch veranschaulicht über Leichen gehen, münden in die Pointe, daß der christliche Gott den Leute des Geld- und Liebesparadieses nicht mit der Hölle strafen kann, »weil wir immer in der Hölle waren«. Die von Brecht zu den *Hauspostille*-Mahagonny-Gesängen hinzugefügten Texte sind nicht erhalten und wurden nach Erinnerungen von Elisabeth Hauptmann und Helene Weigel 1963 rekonstruiert und zum *Kleinen Mahagonny* ergänzt.

Der verfremdenden Kampf- und Sportmetaphorik Brechts entsprechend wurde in Baden die Aufführung in einem Boxring arrangiert, dasselbe hatte Brecht auch für die Uraufführung der *Hochzeit* im Dezember 1926 in Frankfurt angeregt, und er verwendet den Ring nochmals bei der *Hamlet*-Leseaufführung am 30. 1. 1931 im Berliner Sendesaal. Am 14. 10. 1927 sendete der Berliner Rundfunk Shakespeares *Macbeth* in Brechts Bearbeitung und Alfred Brauns Regie. Brecht ließ Macbeth als Verkörperung des Faschismus darstellen, der schließlich von einer Revolution des Volkes vernichtet wird. Vorwegnehmende plakative Zwischentitel strukturierten die Hörsendung.

In der Vorrede skizziert Brecht die Schwächen und Widersprüche des Werkes und faßt zusammen: »Jene gewisse Unlogik der Vorgänge, jener immer wieder gestörte Ablauf eines tragischen Geschehnisses ist unserm Theater nicht eigen, er ist nur dem Leben eigen.« (GW 15, S. 117) »Es gibt nichts Dümmeres, [als] Shakespeare so aufzuführen, daß er klar ist. Er ist von Natur unklar.« (GW 15, S. 119) In Shakespeares Stücken seien die epischen Elemente besonders ausgeprägt und es müsse im epischen Stil gespielt werden, weshalb in den vergangenen 50 Jahren kein *Macbeth* auf deutschen Bühnen habe gelingen können. In dieser Zeit sieht Brecht in Stücken Shakespeares den puren »Stoff«. Auf eine Umfrage des ›Berliner Börsen-Couriers‹, wie man das Klassikerreservoir noch bringen könne, antwortet Brecht am 25. 12. 1926 »Man konnte es tatsächlich nicht mehr wagen, es in seiner alten Form erwachsenen Zeitungslesern anzubieten. Wirklich brauchen davon konnte man nur mehr den Stoff. (Gewisse klassische Stücke, deren reiner Materialwert nicht ausreicht, sind für unsere Epoche ungenießbar.)« (GW 15, S. 113)

Brechts Berliner Jahre bis 1933 sind ausgefüllt mit dem permanenten Kampf gegen die unhistorische Klassikerrezeption, gegen Amüsier-, Bildungs- und Geldbetrieb des deutschen Theaterapparats, ausgefüllt mit den Bemühungen um die neuen Medien, um neues Theater, neuen Darstellungsstil der Schauspieler, um andere als die traditionellen Publikumsschichten, ausgefüllt mit den geistigen Kämpfen für die reine Befreiung der abhängig Arbeitenden aus überflüssigen Zwängen. Er hat es für relativ sinnlos angesehen, in politischen Kampfzeiten druckreife poetische Stücke für die Zukunft zu schreiben, für die er seine hohe Begabung zweifellos bewiesen hatte; der Brecht der Berliner Zeit bis 1933 wollte nicht Dichter sein, sondern Theatermann und politisch öffentlich wirksamer Analytiker der gegenwärtigen Krisenursachen, Übersetzer wissenschaftlich komplizierter Sachverhalte für Zeitungsleser, Radiohörer, Kinogänger und Theaterbesucher der Großstädte. Seine Beiträge erschienen ab 1930 in den Arbeitsheften ›Versuche‹.

Für die Stücke, die er hätte schreiben können, war der Theaterapparat noch nicht geeignet, die wenigen, die aufgeführt wurden, sind nach seinen Worten nicht angemessen gespielt worden, das gewohnte Publikum konnte sie nicht verstehen, und die Pressekritik war überwiegend skeptisch. Während bis

1928/29 Brechts frühe Stücke an ungefähr 60 deutschen und Wiener Bühnen – *Trommeln in der Nacht* allein an 40 Bühnen – gespielt werden, kommen *Mann ist Mann* nur in Darmstadt und Berlin, die beiden satirischen Opern nur in Berlin, Leipzig, München bzw. Frankfurt, die Lehrstücke in Berlin bzw. Baden und die *Johanna* 1932 schließlich nur noch einmal im Rundfunk an die Öffentlichkeit. Das Theater der Weimarer Republik machte also dem marxistischen Brecht jegliche Wirkung in der künstlerisch wissenschaftlichen Auseinandersetzung um die besten Wirtschafts- und Gesellschaftsformen unmöglich.

Brecht bemühte sich deshalb um so mehr, in Rundfunk und Film, in Zeitungen und Theaterzeitschriften seine Erkenntnisse einzubringen. Als seine wichtigste Wirksamkeit erscheint im nachhinein die Zusammenarbeit mit Schauspielern, Regisseuren, anderen Schriftstellern. Es ist kein anderer Stückeschreiber bekannt, der fast alle seine Arbeiten im Kollektiv produzierte wie der Brecht der Berliner Zeit.

Er bildete Arbeitsgemeinschaften mit Hans Hermann Borchardt, Arnolt Bronnen, Emil Burri, Paul Dessau, Slatan Dudow, Hanns Eisler, Lion Feuchtwanger, Elisabeth Hauptmann, Paul Hindemith, Leo Lania, Asja Lacis, Caspar Neher, Ernst Ottwalt, Bernhard Reich, Kurt Weill, Günther Weisenborn. Hinzu kommen die theoretischen Diskussionen. Als Vertreter seien stellvertretend genannt: Walter Benjamin, Bernard von Brentano, Alfred Döblin, Herbert Jhering, Karl Korsch, Asja Lacis, Fritz Sternberg, Peter Suhrkamp. Diese geistig-künstlerische Zusammenarbeit in Richtung auf eine wissenschaftlich fundierte Medienarbeit zugunsten einer bislang politisch geistig unmündig gehaltenen Bevölkerungsmehrheit ist völlig ohne Beispiel. Solche zukunftsweisende Arbeit wurde durch die konservative Politik der Weimarer Republik erheblich erschwert und durch den faschistischen Staat dann völlig liquidiert.

Seine Vorstellungen vom neuen Theater suchte Brecht, da er seit 1928 nicht weit über Berlin hinaus wirken konnte, auch im Rundfunk zu verbreiten: Im April 1928 sendete Radio Berlin eine Diskussion zwischen dem prominentesten Kritiker für das alte Theater, Alfred Kerr, dem Theaterdirektor Richard Weichert und Brecht; im Januar und April 1929 bracht Radio Köln Gespräche zwischen dem Intendanten Ernst Hardt, dem Theaterkritiker Jhering und dem Soziologen Fritz Sternberg; einen Briefwechsel zwischen den letzteren und Brecht über das neue Drama hatte der ›Berliner Börsen-Courier‹ 1927 schon veröffentlicht. Brecht hat im übrigen am meisten den ›Börsen-Courier‹ für kürzere Publikationen benutzt, gelegentlich die ›Vossische Zeitung‹, die ›Frankfurter Zeitung‹, die ›Literarische Welt‹ und einige spezielle Theaterzeitschriften. In der ›Roten Fahne‹ schrieb Brecht zum erstenmal 1931. Er sucht also durch Provokation und Diskussion in bürgerlichen Medien das bürgerliche Publikum zu erreichen und zu erneuernden Reformen zu drängen, bis mit dem Zusammenbruch der Wirtschaft und der militant werdenden Defensive der bestehenden ökonomischen Ordnung 1929/30 mit den Lehrstücken und der *Mutter* eine Abwendung vom bürgerlichen Publikum und die direkte Hinwendung zu den Revolutionswilligen und Lernwilligen erfolgte.

Nebenher versuchte Brecht seine Theatertheorie zu entwickeln. In den vielfältigen fragmentarischen Äußerungen einer konsequenten Kritik am zeitgenössischen deutschen Theater gebrauchte Brecht seit der Arbeit an *Mann ist Mann* immer wieder die Bezeichnung episches Theater. Brecht inszenierte nach diesem Prinzip und registrierte es etwa bei Piscator oder Leopold Jessner. Der Sammelbegriff ›episches Theater‹ umfaßt eine neue Auffassung von der textlichen Stoffbehandlung, von den schauspielerischen und bühnentechnischen Darbietungsformen und von Rezeptionshaltungen neuer Publikumsschichten. Zusammenfassend formulierten Brecht und Peter Suhrkamp einige hierher gehörende und später weiterentwickelte Thesen als Anmerkungen zur Oper *Aufstieg und Fall der Stadt Mahagonny* in den *Versuchen* 1930.

Die Verfasser wenden sich gegen die Illusion der Schriftsteller, Journalisten, Musiker, Kritiker, innerhalb eines Kulturapparates zu arbeiten, der nicht geändert werden müsse, da er sich »mit jedem ihrer Gedanken von selber verändert«. In Wahrheit habe ihre Produktion bloßen »Lieferantencharakter«, der Apparat nehme nur auf, was den bestehenden Zustand nicht gefährde. Nicht die Produzenten könnten z. B. das Theater ändern, sondern nur neue Zuschauerschichten mit neuen Ansprüchen. Diesen Zuschauern müsse das Theater, das wissenschaftlich auf der Höhe der Zeit sei, nicht nur oberflächlich modisch, sondern mit der epischen statt dramatischen Form von Theater entgegenkommen. »Alles, was Hypnotisierversuche darstellen soll, unwürdige Räusche erzeugen muß, benebelt, muß aufgehoben werden.« Die bloße Darstellung von Handlung mit vordergründiger Spannung auf den Schluß erfülle nicht die Voraussetzungen für gutes Theater, da es herkömmliche Gefühlsweisen konserviere, fatalistische Neigungen bestärke und jegliche Zusammenarbeit ersticke. Der Zuschauer müsse also erzählend und darlegend informiert werden, damit er in abwartender Betrachtung die Prozesse studieren könne und zu eigenen Entscheidungen komme. Gegenstand des Theaters sei nicht »der Mensch«, sondern »der Mensch als Prozeß«, als der »veränderliche – der veränderte Mensch«. Diesen Zielen dienen alle schauspielerischen und bühnentechnischen Vorgehensweisen, insbesondere die später von Brecht auch theoretisch herausgearbeiteten Verfremdungswirkungen, die keine poetologische Kategorie sind, sondern sich als Kunstmittel der materialistischen Dialektik durch historisch inhaltliche Zielerläuterungen legitimieren.

Die gute Zusammenarbeit zwischen Brecht und Weill sowie der Berliner Erfolg der musical-ähnlichen Zeitrevue *Es liegt was in der Luft* (1928) von Marcellus Schiffer und Mischa Spoliansky (mit Margo Lion, Marlene Dietrich u. a.) führten zu dem Plan einer gemeinsamen Oper. Elisabeth Hauptmann machte auf John Gays *Beggar's Opera* (1728) aufmerksam, die ab 1920 vom Londoner ›Lyrik Theatre‹ über zwei Jahre lang gespielt worden war. Brecht formt Gays Satire gegen die feudale Oberschicht völlig um und erfindet eine Figurenkonstellation zur Darstellung der bürgerlichen Gesellschaft und ihrer Geschäftspraktiken als Fabel aus dem Gang-Milieu. Als Inszenierung mit durchgehenden Verfremdungselementen, mit herausgehobenen Songs und satirischer Karikierung der bürgerlichen Rechtfertigungsideologien zählte

Brecht sein Musical *Die Dreigroschenoper* (1928) zum ›epischen Theater‹, das zudem »der völligen Verblödung der Oper« entgegenwirken sollte. Die Berliner Aufführung wurde zum größten Theatererfolg der zwanziger Jahre und lief fast ein Jahr in suite. Die fehlende kämpferische Schärfe der Kapitalismuskritik suchte Brecht in dem Filmexposé *Die Beule* hinzuzufügen, setzte sich jedoch bei der Filmfirma trotz eines Urheberrechtsprozesses nicht durch.

Der Erfolg der *Dreigroschenoper* regte zur Oper *Aufstieg und Fall der Stadt Mahagonny* (1930) an, mit der zugleich eine »Beschädigung der Oper« versucht wurde. ›Mahagonny‹ war zunächst Brechts Metapher für den braunbehemdeten bayerischen Lokalfaschismus, für Spießers Utopia, den Stammtisch-Staat. Faschistoides ist kombiniert mit dem Materialismus des ›Wilden Westens‹, der Brecht 1926 in Chaplins *Goldrausch* aufgefallen war. Eine Gesellschaftsgründung als »Paradiesstadt«, als materialistische Anarchie auf dem Geld- und Lustprinzip beruhend, wird in der Oper satirisch in Szene gesetzt.

Es entwickeln sich alsbald asoziale Verhältnisse mit Verbrechenshäufungen. Die Demonstrationszüge beim brennenden Zusammenbruch dieser Stadt treten mit grotesken Forderungen auf, die verkürzte Übersetzungen bürgerlicher Ideologien und insgesamt die chaotische Ausweglosigkeit des Spätkapitalismus darstellen.

Über die Beschäftigung mit Musikaufführungen, die in Brechts Augen, gerade wenn sie von Laien und Jugendlichen geschieht, »gemeinschaftsbildende Kräfte« weckt, kam Brecht zu den Lehrstücken, die als Experimente zum Funktionswechsel des Theaters erklärt werden können. Brecht beschäftigte sich seit mehreren Jahren mit dem wissenschaftlichen Marxismus, bevor die Erkenntnisse in Zeitungs-Geschichten, Gedichten und Stücken sich umsetzten. Der wichtigste ›Lehrer‹ Brechts war hier der aus der KPD ausgeschlossene Philosoph Karl Korsch.

Da die Verwertungsinteressen des bürgerlichen Theaterapparats die experimentierenden Möglichkeiten immer mehr einschränkten, versuchte Brecht »abseits des Theaters« Spielformen, die »weniger für die Zuschauer als für die Mitwirkenden stattfanden. Es handelte sich bei diesen Arbeiten um Kunst für den Produzenten, weniger um Kunst für den Konsumenten.« (GW 15, S. 239) Brecht hat eine größere Anzahl von Theorieansätzen zu verschiedenen Zeiten formuliert, die jedoch nicht zu einer Gesamttheorie abstrahierbar sind, sondern mit ihren historischen Entstehungszusammenhängen und in ihren Verzahnungen mit dem epischen Vorführrtheater gesehen werden müssen. Eine wichtige Zusammenfassung zum Lehrstück, das er später als ›learning play‹ übersetzen ließ, da es keine ›Lehre‹ vermittelt, sondern Lernprozesse ermöglicht, gibt Brecht im folgenden:

»Es liegt dem Lehrstück die Erwartung zugrunde, daß der Spielende durch die Durchführung bestimmter Handlungsweisen, Einnahme bestimmter Haltungen, Wiedergabe bestimmter Reden und so weiter gesellschaftlich beeinflußt werden kann. Die Nachahmung hochqualifizierter Muster spielt dabei eine große Rolle, ebenso die Kritik, die an solchen Mustern durch ein überlegtes Andersspielen ausgeübt wird.« (GW 17, S. 1024)

Das ›Radiolehrstück für Knaben und Mädchen‹ *Der Flug der Lindberghs* (später *Der Ozeanflug*) (1929) zielt auf eine neue Verwendungsart des Rundfunks durch die Hörer. Den Erfolgen in der Beherrschung der Natur durch technische kollektive Arbeit entspricht die wünschbare Beteiligung der Menschen an den Produktionsapparaten der Medien, die hier mehr stellvertretend symbolisch als konkret vorgeführt wird. Die Rolle des Piloten wurde vom Chor präsentiert und erschwerte somit individualisierende Einfühlung. *Das Badener Lehrstück vom Einverständnis* (1929) reagiert dialektisch auf das vorige Lehrstück, indem es inhaltlich ein abgestürztes Flugzeug und hilflose Flieger ins Zentrum stellt und die Technikerrungenschaften problematisiert. Ein dialektisches Reflektieren wird eingeübt, das die vorfindlichen Klassenverhältnisse und die Rolle des Einzelnen darin erörtert. Solange institutionelle Gewalt herrscht, erscheint individuelle Hilfe als verschleiernd, »also sollt ihr nicht Hilfe verlangen, sondern die Gewalt abschaffen«.

Die Schulopern *Der Jasager* (1930) und *Der Neinsager* (1930) nehmen die Thematik des Einverständnisses mit Entscheidungen des Kollektivs und des Einübens von Widerspruch nochmals auf. Sie basieren auf dem Nō-Spiel *Taniko*. Der »Brauch«, auf lebensgefährlichen Expeditionen die Kranken zurückzulassen, wenn sie ›einverstanden‹ sind, wird variiert, je nach den veränderten Bedingungen; nicht der Brauch, sondern die rational zu erörternde Notwendigkeit steht im Zentrum der Stücke, um dialektisches Argumentieren zu üben. Brechts Arbeit mit Schulopern stand im Rahmen der Agitprop-Arbeit der jungen Pioniere und regte weitere, allerdings undialektische, Versuche an: Paul Hindemiths *Wir bauen eine Stadt* (1931) und Paul Dessaus *Tadel der Unzuverlässigkeit* (1932) und *Das Eisenbahnspiel* (1932).

Eine aktualisierende Konkretisierung des Problems vom Einverständnis geschieht in der *Maßnahme* (1930). In einer revolutionären Situation in Asien ist ein Kämpfer, der die Gesamtstrategie erheblich gefährdete, getötet worden; die Kämpfer haben sich vor ihren Kollektiven (Kontrollchor) zu rechtfertigen. Die Reaktionen auf Brechts direkten Eingriff in die Klassenauseinandersetzungen waren auch bei den linken Kräften zwiespältig: Die ›Rote Fahne‹ (16.12.1930) begrüßte das Werk; in der ›Linkskurve‹ schränkte Otto Biha die Zustimmung ein («eine abstrakte Einstellung«, 1931, 1); Alfred Kurella sprach von einem »Versuch mit nicht ganz tauglichen Mitteln« in ›Literatur der Weltrevolution‹ (1931, 4). Das Stück wurde als Teil der Agitprop-Bewegung diskutiert; so auch von Alfred Keményi (Durus) in ›Arbeiterbühne und Film‹ (1931, 2).

In einer zweiten Fassung änderte Brecht aufgrund der Kritik verschiedene Züge des Stücks und warnte zugleich davor, ohne Kenntnisse des dialektischen Materialismus aus der *Maßnahme* Rezepte für politisches Handeln herauszunehmen. Mit der Musik von Eisler wurde das z. T. in freirhythmischen Versen und mit 6 Song-Einlagen verfaßte Stück mit dem Arbeiterchor von Groß-Berlin im Konzertsaal aufgeführt und mußte daher für die Beteiligten mehr Schaueffekte als Lerneffekte bringen. Gegen *Die Maßnahme* konzipiert wurde *Die Ausnahme und die Regel* (entstanden 1930), die die gängigen Gesetze asozialen Verhaltens, die bereits im *Badener Lehrstück* reflektiert worden waren, nochmals in asiatischer Umgebung zeigen. Das Stück konnte erst 1938 erprobt werden, ähnlich wie das 1934 fertiggestellte ›Schulstück‹ *Die Horatier und die Kuriatier*, das 1958 gespielt wurde.

Die Lehrstücke sind als Versuchsvorschläge anzusehen, in die die Lernenden ihre jeweiligen Erfahrungen eintragen sollen und die in der Zeit des noch nicht gelösten Relationsverhältnisses zwischen Individuum und Kollektiv das notwendige Maß an Unterordnung sowohl als auch an Selbständigkeit und Widerspruch für begrenzte Teilnehmer von Lernwilligen erwägen, um die Fähigkeit zu verbreiten, politische Probleme theoretisch und eingreifend zugleich lösen zu können.

Das nach Maxim Gorkis Roman (1906) gestaltete Stück *Die Mutter* (1932) zielt auf eine Alternative zum heraufkommenden kapitalistischen Faschismus. Das Stück wahrt seine Unabhängigkeit vom Bühnenapparat und ist überall mit einfachsten Mitteln zu verwirklichen. Die Rolle von Arbeitermüttern, ihre Stellung im Sozialisationsprozeß der Kinder und im Familienleben sowie ihre Rolle in den Klassenauseinandersetzungen mußte Brecht in der latent revolutionären Phase 1931/33 besonders interessieren. Als Arbeiterin und Frau/Mutter wird Pelagea Wlassowa als doppelt ausgebeutet gezeigt. Besonderes Gewicht legt Brecht auf die Lernarbeit der Arbeiterklasse in Notzeiten. Lieder wie ›Lob des Lernens‹ akzentuieren im Stückverlauf solche Intentionen. Der Zuschauer verfolgt den Lernprozeß einer Frau mit, die zunächst nur für ihren eigenen Sohn kämpft und schließlich einsieht, daß dem einzelnen nur geholfen werden kann, indem allen mit ihm Vergleichbaren geholfen wird und diese zugleich kollektiv sich selbst helfen. Da die Vermittlung der marxistischen Erkenntnisse über die Eigentumsverhältnisse an Produktionsmitteln die Grundvoraussetzung der Aufklärung ist, werden didaktische Erklärungsmodelle wie die Geschichte mit dem Tisch von Brecht ausführlich ausgespielt. Die Handlung Gorkis wird bis zur erfolgreichen Revolution 1917 weitergeführt, um in einer revolutionären Situation die Erfolgsmöglichkeiten geheimer Widerstandsarbeit und kollektiven Vorgehens gegen die wachsende Reaktion zu signalisieren.

Dies am Todestag Rosa Luxemburgs zuerst aufgeführte Stück wurde trotz der staatlichen Zensurversuche zu einem großen Erfolg, weil die Aufführung von der Jungen Volksbühne, der Revolutionären Gewerkschaftsopposition, der Internationalen Arbeiterhilfe, der Roten Hilfe u. a. mit getragen wurde. Nach mehreren Aufführungen besonders vor Frauenvertrauensleuten und Betriebsräten gab es etwa 30 öffentliche Aufführungen mit 15000 Arbeiterfrauen als Zuschauern.

In der präfaschistischen Endzeit der Weimarer Republik unterbrach Brecht seine Versuche für ein nachbürgerliches, sozialistisches Lerntheater der Kleingruppen und wandte sich entschieden der Öffentlichkeitsarbeit für die beiden entscheidenden Bevölkerungsgruppen der Gegenwart zu, dem kulturell interessierten Kleinbürgertum und der Arbeiterklasse. Wandte sich *Die Mutter* (1932) an ein proletarisches Publikum, so richtete sich *Die heilige Johanna der Schlachthöfe* (1932) eindeutig an ein bürgerliches Publikum, das wie die Adressaten der Musikstücke *Mahagonny* und *Dreigroschenoper* mit der herkömmlichen Theaterkultur vertraut sein mußte. Ökonomische und ideologische Zusammenhänge für ein gemischtes kleinbürgerliches und proletarisches Publikum behandelte Brecht zur gleichen Zeit 1932 im Film *Kuhle Wampe* wie vorher etwa Gustav von Wangenheim im Erfolgsstück der ›Truppe 1931‹, *Die Mausefalle* (1931).

Um die Rezeptionserwartungen des Publikums aufzugreifen und zu destruieren, konzentrierte sich Brecht auf die erstarrte Klassikerrezeption, den idealistischen Individualismus, den christlichen Dogmatismus. Der Jeanne-d'Arc-Stoff hatte durch die Heiligsprechung 1920, durch die Aufführung von Shaws *Saint Joan* 1924 als letzte bedeutende Reinhardt-Inszenierung, durch die 1926 von Friederike Zweig übersetzte legendenkritische Darstellung *Das Leben der heiligen Johanna* von Anatole France sowie durch den herausragenden französischen Film *La Passion de Jeanne d'Arc* (1929) des dänischen Regisseurs Carl Theodor Dreyer eine gewisse Aktualität behalten. Brecht nahm mit Chicago als Handlungsort jene Konfrontation auf, die er in einer Augsburger Theaterkritik 1920 zwischen der Freiheitsvision eines in Upton Sinclairs Roman *Der Sumpf* (1906/dt. 1906, Neubearb. 1923 im Malik-Verlag) dargestellten Arbeiters und derjenigen von Schillers Carlos und Posa herausgestellt hatte. Im Vorspruch des Stückes erläutert der Autor seine satirische Intention: er will die »heutige Entwicklungsstufe des faustischen Menschen zeigen« und stilisiert ihn als Chicagoer Fleischindustriellen Mauler. Alle Herrschenden wie Mauler läßt Brecht im klassischen Tonfall reden. Das bürgerliche Publikum erlebte nach den Krisen 1917/18 und 1923 seit 1929 die dritte große Systemkrise innerhalb weniger Jahre und hatte allen Grund zu fragen, »was die Welt im Innersten zusammenhält«. Hier setzt Brechts Vorsatz ein, den Zirkulationsprozeß des Kapitals als szenischen Vorgang darzustellen. Neben der proletarisch-revolutionären Literaturbewegung, der aber das Theater-, Film- und Rundfunkmedium fast völlig verschlossen war, wurden die grundlegenden ökonomischen Prozesse ausschließlich im Piscator-Theater behandelt, bevor Brecht mit der *Heiligen Johanna* eine materialistische Dramaturgie entwickelte und das wichtigste Konzept seines dialektischen Theaters präsentierte.

Dabei ist von einem grundsätzlichen Unterschied zwischen Piscators und Brechts Möglichkeiten im Distributionsbereich auszugehen: Piscator legt das Hauptgewicht auf die Kombination umfassender visueller Eindrücke mit sprachlich-akustischen Informationen. Er hat Wirkungen nur auf die direkten Zuschauer und in gewissen Grenzen auf die Berliner Theater. Wohl werden die proletarischen Theater- und Agitprop-Gruppen stark von Piscators Revue-Stil beeinflußt, die kommunalen und staatlichen Bühnen der Provinz jedoch blieben abseits. Brecht anderseits vertraut nicht auf die Direktwirkung der Bühne; er bedient sich aller Medien und Literaturformen und legt das Schwergewicht wie Horváth auf die Wortwirkung, daher sind seine Stücke wie die *Heilige Johanna* im Gegensatz zu denen des Piscator-Kollektivs im Rundfunk spielbar und in den ›Versuche‹-Heften einem progressiven bürgerlichen Lesepublikum präsentierbar. Eine Manuskript-Notiz zeigt z. B. eindeutig, wie Brecht beim Entwurf der *Heiligen Johanna* an den Leser denkt.

Brecht unternahm es als erster deutschsprachiger Schriftsteller, die Eigenge-
setzlichkeit der kapitalistischen ökonomischen Prozesse als Grundlage einer
Bühnenfabel zu entwickeln und sinnfällig zu machen, in welcher Weise die
Kapitalorientierung des Systems das Verhalten der Protagonisten bestimmt.
Dazu beschreibt der Autor den nach wissenschaftlichen Kriterien typisierten
Ablauf einer kapitalistischen Überproduktionskrise mit den je 4 Szenen umfassenden Stadien: Ende des Wirtschaftswachtums, Absatzstockung, partielle
Produktionseinschränkung – Überproduktion, Sinken der Kaufkraft, Börsen-
spekulation – Krisenhöhepunkt, Stagnationphase, konstante Arbeitslosigkeit,
hoher Liquidationsgrad des Geldmarktes, Firmenaufkauf, Monopolbildun-
gen. Um für den Zuschauer zum Zeitpunkt der kapitalistischen Weltwirtschaftskrise Ende der zwanziger Jahre einen nachvollziehbaren und unter-
haltsamen Lernprozeß zu ermöglichen, konstruierte Brecht in Johanna Dark
eine Kunstfigur als Paradigma für Bewußtseins- und Verhaltensweisen der
kleinbürgerlichen Mittelschicht. Sie umfaßt Dispositionen, die auch bei
Brechts Bühnen- und Lesepublikum voraussetzbar waren: eine gewisse ursprüngliche zwischenmenschliche Freundlichkeit und eine aufgeschlossene
Erkenntnis- und Lernbereitschaft. Brecht läßt hier wiederum eine Frau einen
exemplarischen Erkenntnisprozeß durchmachen, wie er ihn für andere Adressaten in der *Mutter* (1932) gestaltete. In Abwandlung seines eher rigide formulierten antiaristotelischen Programms in den Anmerkungen zu *Mahagonny* (1930) sind Johanna und die Mutter Wlassowa mit bestimmten Zügen
versehen, die partielle Einfühlung für den Zuschauer ermöglichen. Der nicht-
naturalistische Modell-Charakter des Stücks wird aber durch die verfremdete,
stilisierte Sprache immer aufrechterhalten.
In drei Lernstufen, die sich aus praktischen Erfahrungen mit den Beteiligten
des Produktions- und des Zirkulationsbereichs ergeben, werden Johanna und
die Zuschauer von ideologischen Verblendungen befreit, die sie hindern, Realität wahrzunehmen. Johannas Betätigung als Sozialreformerin repräsentiert
z. B. die illusionäre Politik der deutschen Sozialdemokratie seit Bewilligung
der Kriegskredite 1914 und die Versuche der Gewerkschaften, den Kapitalismus zu humanisieren. Als die Fabrikanten die Schlachthöfe trotz dieses gut-
willigen Verhaltens geschlossen lassen, wird das Scheitern eines solchen Vorgehens einsichtig. Als Konsequenz verjagt Johanna nach biblischem Vorbild
die Kapitalisten aus der Kirche. Johannas urchristliches Verhalten kommt so
mit der dogmatischen christlichen Pluralismusideologie in Konflikt: ihre Kirche und ihre Klasse stoßen sie aus. Sie geht trotz ihrer Angst vor Proletarisierung zur Arbeiterklasse über, ohne sich völlig solidarisieren zu können. Ihr
Gefühl kann die revoltierende Gegengewalt der Entrechteten nicht billigen:
ihr erzählter Traum wiederholt das bürgerliche ideologische Dogma, daß eine
freiheitlich demokratische Grundordnung nur kapitalistisch denkbar sei.
Einen großen Teil der Argumentation verwendet Brecht auf die Selbsttätigkeit des »Guten im Menschen«, die Hoffnung auf die rettende Einzelpersönlichkeit und den ›Schicksals‹-Glauben, die alle Bestandteile der bürgerlichen
ideologischen Vernebelung sind. Die geglaubte Suggestionskraft des »Guten«
widerlegt Brecht und zeigt als Hauptfehler Johannas ihre »Vernunft des Her-

zens«, die sie sowohl bei Schiller als auch bei Shaw auszeichnet. Der idealistische Schicksalsglaube wird parodiert durch Anspielungen auf Schiller, Goethe, Hölderlin, und zwar weniger auf diese Dichter selbst als auf die mißbräuchliche bildungsbürgerliche Rezeption. Brecht setzt das Börsengeschehen und den ökonomischen Krisenablauf diesem Schicksalsglauben gegenüber, um die Veränderbarkeit und Veränderungsnotwendigkeit zu zeigen. Johannas Appelle an den nicht unsympathisch gezeichneten Industriellen Mauler und dessen Menschenliebe demonstrieren die Unangemessenheit überlieferter ethischer Denkweisen. Brechts aphoristisch präzise Sprache desillusioniert den Glauben an Mitleid und Einsicht der Kapitaleigner: »selbst sein Herz hat Weitblick«, geschäftlichen. Würden die Maulers mitleidend handeln, verlören sie ihre führende Rolle. Auch sie unterliegen den Zwängen der Kapitalgesetze: »Und auch wenn sie besser werden, hülfe es / Doch nichts.« Die Produktionsweise hat sich längst verselbständigt. Dieser das reale Leben determinierende Prozeß ist den Protagonisten wie den Zuschauern nur teilweise einsichtig, da auch das Bewußtsein in seiner Erkenntnisfähigkeit ideologisch vorgeprägt ist.

Die Form der *Heiligen Johanna der Schlachthöfe* ist von der durchgehenden Diskrepanz zwischen der von Kapitalgesetzen gesteuerten Handlungsrealität und dem dargestellten Bewußtsein der Figuren geprägt, die aber nicht als Nebeneinander erscheinen, sondern als dialektisch abhängig voneinander. In diesem Stück realisiert Brecht erstmals sein materialistisches dramaturgisches Prinzip, kapitalistische Realität und individuelles Bewußtsein als dialektisch aufeinander bezogen darzustellen, so daß eines nicht ohne das andere veränderbar ist. Erkenntnisprozesse sind nicht durch Addition von Informationen, sondern nur gleichzeitig mit Ideologiezersetzung und praktischer Erfahrung möglich.

Johannas Schlußplädoyer für Gegengewalt wird zwar durch die Selbstverklärung der Kapitalismusanhänger übertönt, auch wird die »folgenlose Güte« der etwas unmotiviert – Schiller parodierend – Gestorbenen in das Selbstlob heuchlerisch mit einbezogen, doch läßt der Autor Johannas letzte Passagen sich nicht gegen die Ausbeuter richten, sondern gegen die Ideologen, also gegen bürgerliche Theologie und Moralphilosophie, Rechtfertigungspolitiker, Massenmedien, affirmativen Kunstbetrieb etc. Literaturwissenschaft und Theaterkritik haben mit einem idealistischen Instrumentarium lange Zeit den Zugang zur materialistischen Dramaturgie verstellt und den Tod der Johanna als Ausdruck einer bürgerlichen Tragik- und Leid-Ideologie angesehen. Die Demonstration falschen Handelns an sympathischen großen Bühnenfiguren wird Brecht nach der Johanna mit der Mutter Courage, Shen-Te, Galilei, Schweyk fortsetzen.

Medien gegen reaktionäre Justiz und Militarismus

Die vier wichtigsten Herrschaftsinstitutionen der Weimarer Republik, Verwaltungsbürokratie, Justiz, Elektro-Chemo-/Schwerindustrie und Reichswehr mit Schwarzer Reichswehr, spielen in der literarischen Darstellung eine sehr untergeordnete Rolle. Diese antidemokratischen Institutionen sind an Selbstdarstellung nicht interessiert, können sich begnügen mit der Darstellung der von ihnen abhängigen Medien Film, Rundfunk und Presse. Nur der Industriebereich erfährt durch die proletarisch-revolutionäre Literatur und wenige liberale Schriftsteller eine gewisse Durchleuchtung. Für die übrigen Bereiche gilt Tucholskys Zusammenfassung über einen Justiz-Roman: »die Bescheid wissen, können nicht schreiben, wollen nicht schreiben, dürfen nicht schreiben. Und die schreiben, wissen bestenfalls etwas Bescheid.« (Werke 10, S.27)

Als besonders verhängnisvoll hat sich herausgestellt, daß der Justizapparat nicht größere Aufmerksamkeit bei den literarisch und für Medien arbeitenden Intellektuellen fand. Um die wenigen und aus purer Notwehr entstandenen Justizdarstellungen würdigen zu können, bedarf es einer Skizze der Justizverhältnisse, denn es ist weithin unbekannt, daß die Justiz der Weimarer Republik eine der reaktionärsten und grausamsten in Europa war.

Klassenjustiz

Die Regierung stellte es den Richtern 1918 frei, vorzeitig in Pension zu gehen; davon machten in Preußen nur 0,15 % Gebrauch, dagegen 10 % der höheren Verwaltungsbeamten. Auch die Universitätslehrer blieben. Die Richter des Kaiserreichs stammten ausschließlich aus reichen Familien, die ihre Söhne so lange versorgen konnten, bis sie 35- bis 38jährig ihre erste bezahlte Richterstelle erhielten. Zur Einübung des Obrigkeitsgehorsams waren für die späteren Richter Militärdienst und Staatsanwaltsämter üblich. Richter und Staatsanwälte jüdischen Glaubens durfte es nicht geben. In der Republik standen den 12000 Mitgliedern des konservativen ›Deutschen Richterbunds‹ und des ›Preußischen Richtervereins‹ weniger als 400 Mitglieder – also 3,3 % – des ›Republikanischen Richterbunds‹ und der ›Vereinigung sozialdemokratischer Juristen‹ gegenüber. 1933 forderte der die übergroße Mehrzahl umfassende Bund seine Mitglieder zum baldigen Eintritt in die NSDAP auf.

Obwohl eine Demokratisierung des Geschworenen- und Schöffenwesens leichter möglich gewesen wäre, trat hier kein Verbesserung gegenüber dem Kaiserreich ein. Die Auswahl wurde faktisch von Amtsrichtern vorgenommen. Die Laienrichter entsprachen daher nicht den Anteilen der Bevölkerungsschichten, sondern entstammten der alten Ober- und Mittelschicht: »der muffigste Mittelstand, die Untertanen«, wie Tucholsky sie nennt. Sogar in Industriegebieten lag der Arbeiteranteil oft nur bei 3 %, statt über 60 %.

Eine analytische und gut lesbare Darstellung der Richtermentalität versuchte der Berliner Rechtsanwalt und expressionistische Erzähler MARTIN BERADT

(1881–1949) in seinem ›Essay‹ *Der deutsche Richter* (1930). Hier sind Erlebnisbericht und satirische Verdichtung zu einer Fundamentalkritik zusammengefaßt, die jedoch am Ende der Weimarer Republik nicht mehr wirksam werden konnte. Als Pendant ist die noch schärfer argumentierende Darstellung des österreichischen Rechtsanwalts Walter Rode *Justiz. Fragmente* anzusehen, die der Rowohlt-Verlag 1929 veröffentlichte. Die erste Darstellung in Romanform gelang ERNST OTTWALT (1901–1943), dem Pastorensohn und früheren Freikorps-Kämpfer, in *Denn sie wissen, was sie tun* (1931) als Verbindung von Dokumentenmontage, Kommentar und fiktionaler Erzählhandlung über einen Durchschnittsrichter. Die Authentizität der Darstellung war dadurch garantiert, daß Waltraut Ottwalt-Nicolas als Gerichtsjournalistin Zugang zu den Gegenwartsmaterialien hatte. Am eindringlichsten und regelmäßigsten hat wohl Kurt Tucholsky, selbst promovierter Jurist, das deutsche Gerichtswesen und die Richtermentalität in der ›Weltbühne‹ dargestellt, so auch in Gedichtform (*Nächtliche Unterhaltung*, 1926, *Ein Richter steht im Walde*, 1932, u. a.).

Besonders das Zusammenspiel der Justiz mit den rechtsextremen Kräften und der Reichswehr ist ein Wesensmerkmal von 1919 bis 1945. 1919 verlor die sozialistische Linke ihre Führungsspitze durch Mord, der von der Presse atmosphärisch vorbereitet und von der Justiz gedeckt wurde: Heinrich Dorrenbach, Kurt Eisner, Hugo Haase, Leo Jogiches, Gustav Landauer, Karl Liebknecht, Rosa Luxemburg. Der Müncher Justizmord an Eugen Leviné wurde mit einem vorrevolutionären Kriegsrecht begründet, während der Eisner-Mörder Arco – zur Tat aufgehetzt durch den ›Bayerischen Kurier‹ und andere rechte und klerikale Blätter – begnadigt wurde. Der Untersuchungsrichter Jorns, späterer Reichsanwalt, leistete den Mördern Rosa Luxemburgs und Karl Liebknechts Vorschub, so daß die verantwortlichen Militärs Pabst, Petri, Pflugk-Hartung, Runge, Vogel u. a. ihre Täterschaft vertuschen konnten. Als der Redakteur der kritischen Zeitschrift ›Das Tage-Buch‹ Josef Bornstein diese Verbrechensbegünstigung des Reichsanwalts offenlegte und verklagt wurde, übernahm PAUL LEVI (1883–1930), Herausgeber der Zeitschrift ›Sozialistische Politik und Wirtschaft‹, Sprecher der SPD-Linken und der »größte forensische Redner der Weimarer Republik« (Gumbel), die Verteidigung. In seinem Plädoyer, das Ossietzky »die größte Rede seit Lassalle« nannte und das zu den wichtigen Dokumenten operativer kritischer Literatur zählt, gab der Anwalt einen Hinweis auf die Signal-Funktion dieses ersten großen staatlich begünstigten Verbrechens der jungen Republik:

»... das war der erste Fall, in dem Mörder mordeten und wußten, die Gerichte versagen. Da begann jener schauerliche Zug von Toten, fortgesetzt im März 1919 schon und ging weiter die ganzen Jahre und Jahre, Gemordete und Gemordete ...«

Außerhalb der Bürgerkriegskämpfe hat es nachweisbar 354 Morde von Rechts und 22 von Links gegeben; gesühnt wurden jedoch nur 1 Mord der Rechtsstehenden und 17 Morde der Linksstehenden. Die Nachforschungen und Veröffentlichungen sind dem Heidelberger Mathematiker EMIL JULIUS

GUMBEL (1891–1966) zu danken, der 1921 genaue Belege publizierte: *Zwei Jahre Mord*, 5. Auflage als *Vier Jahre politischer Mord* (1922). Eine bestätigende *Denkschrift des Reichsjustizministers zu ›Vier Jahre politischer Mord‹* veröffentlichte Gumbel ebenfalls im Malik-Verlag 1924, weil die Regierung es nicht für opportun hielt. Gumbel verlor nach Aktionen der faschistischen Heidelberger Studenten und nach dem feigen Opportunismus der Universitätsgremien sein Lehramt und emigrierte 1932 nach Frankreich. Nicht aufgeführt sind bei Gumbel die von den Freikorps in Massen erschossenen Arbeiter: die durch Noskes Schießerlaß willkürlich getöteten 2000 Einwohner Berlin-Lichtenbergs nach den vom Lützow-Korps im März 1919 provozierten Kämpfen – die 700 bis 1000 Opfer des Racheterrors in München nach Zerschlagung der Räterepublik am 1. Mai 1919 neben den anderen ungezählten Opfern bei der Rückeroberung der provisorischen Räterepubliken – die über 1000 Opfer unter Arbeitern bei der Eroberung des Ruhrgebiets durch Freikorps im März 1920 – die etwa 200 im oberschlesischen Abstimmungsgebiet 1920/21 ungesühnt gebliebenen Morde der Freikorps.

Der Bestsellerautor Erwin Rosen (*Der deutsche Lausbub in Amerika*, 1911) gab eine erste sympathisierende Darstellung der rechten Kampfszene, die sogleich in 100000 Exemplaren verkauft wurde: *Orgesch* (1921).

Unter den vielen Verherrlichungen der Freikorps-Verbrechen ragt der Roman über die Vorgänge in Schlesien, *O. S.* (1930), von Arnolt Bronnen hervor, weil der Rowohlt-Verlag sich für diese faschistische Veröffentlichung hergab und Bronnen prominenter Dramaturg des Berliner Rundfunks war. Der Rowohlt-Verlag drängte Bronnen sogar zu einem ähnlichen Buch, *Roßbach* (1930), und die Ullstein-Zeitschrift ›Der Querschnitt‹ drängte ihn nach den Wahlen 1930 zu einer Biographie über Hitler. Eine Auswertung der zahlreichen Autobiographien von Freikorps-Angehörigen legt Klaus Theweleit vor: *Männerphantasien* (1977).

Die Gerichte konnten hier naturgemäß nur einzelne Fälle rekonstruieren, fällten jedoch fast ausschließlich Fehlurteile mit symbolischer Breitenwirkung; so deckte Noske bei z. T. bis 1926 verschleppten Prozessen als Zeuge alle extensiven Auslegungen seines Schießbefehls von 1919, wo es um die Ermordung unbeteiligter Personen ging. Alarmierend war das Urteil über den Matrosenmord in der Französischen Straße 1919: Ein wegen heimtückischer Erschießung von 29 gefangenen Angehörigen der von Ebert nach Berlin gerufenen Volksmarinedivision angeklagter Oberleutnant Marloh wurde von der Anklage des Totschlags freigesprochen.

Der rechtsradikale Militärputsch unter dem Zeichen des Hakenkreuzes im März 1920 führte zu keinerlei gerichtlicher Verfolgung. Die Hochverräter – darunter Kapp, Lüttwitz, Ehrhardt, Pabst – konnten fliehen oder wurden freigesprochen, allein Jagow erhielt 5 Jahre Festungshaft. Die 705 Beteiligten wurden außer Jagow nicht belangt; von den 775 meuternden Offizieren wurden 48 entlassen und 13 disziplinarisch belangt. Dagegen waren im Vorjahr gegen Münchener Räterepublikaner neben den Todesurteilen 65 Zuchthaus-, 1737 Gefängnis- und 407 Festungsstrafen verhängt worden. Die Einschätzungen der an der bayerischen Räterepublik führend beteiligten Schriftsteller finden sich vornehmlich in Ernst Tollers *Justiz* (1927), Erich Mühsams *Standrecht in Bayern* (1923) und *Von Eisner bis Leviné* (1929) sowie in Ret Maruts individual-anarchistischer Zeitschrift ›Der Ziegelbrenner‹ (1917–1921). Ernst Toller veröffentlichte in 13 Folgen der ›Weltbühne‹ 1924/25 *Dokumente bayrischer Justiz*. Erzählerische Verarbeitungen der Kämpfe gegen den Kapp-Putsch entstanden erst in der Zeit der Wirtschaftskrise: Karl Grünbergs *Brennende Ruhr* (1928/29), Hans Marchwitzas *Sturm auf Essen* (1930) und Erich Knaufs *Ça ira! Reportage-Roman aus dem Kapp-Putsch* (1930).

Die 1920 im Namen der Putschisten erfolgten Morde an Teilnehmern des Generalstreiks und die späteren Erschießungen nach einem Standrecht-Erlaß der Putsch-»Regierung« blieben sämtlich ungesühnt; die Prozesse wurden z. T. bis 1928 verschleppt, Angehörigen wurden gerichtlich Versorgungsansprüche verwehrt. Bekannt wurde besonders der Mechterstädter Arbeitermord vom 25. März 1920, bei dem 61 Marburger Korporations-Studenten 15 willkürlich verschleppte Arbeiter in Thüringen quälten und töteten und auf Empfehlung besonders des Staatsanwalts freigesprochen wurden.

Die von der Weltpresse aufgegriffenen Morde an bekannten deutschen Politikern mußten ernsthafter verhandelt werden. Dazu wurde ein ›Staatsgerichtshof zum Schutze der Republik‹ installiert. Er kam jedoch lediglich bei den Helfershelfern des Mords an Außenminister Rathenau (1922) und des Attentats auf Scheidemann (1922) zu angemessenen Urteilen und versagte in der Folge besonders bei der Aufdeckung der konspirativen Hintergründe der meisten Morde. Als der Rechtstrend am Ende des Jahrzehnts deutlich wurde und der Rowohlt-Verlag sein mehr linkes Image etwas verwischen wollte, veröffentlichte er Ernst von Salomons Buch *Die Geächteten* (1930), in dem der Beteiligte mit »frecher Geschwätzigkeit« (Claude David) um Verständnis für die Rathenau-Mörder warb und das in der ›Frankfurter Zeitung‹ sehr gelobt wurde, so daß sich Salomon zu einer Fortsetzung ermuntert sah: *Die Stadt* (1932). Völkische Jugendbanden beschrieb zur gleichen Zeit Alfred Neumann in *Der Held. Roman eines politischen Mordes* (1930).

Der Mord an dem bayerischen Politiker Gareis 1921 wurde nicht verfolgt, der dringend tatverdächtige Leutnant Schwesinger ohne Verfahren entlassen, der tatverdächtige spätere Rathenau-Mörder Kern wurde nicht verhaftet. Der Mord an dem Zentrumspolitiker Erzberger, 2 Monate später, wurde nicht verfolgt, weil bayerische Polizei unter dem späteren Hitlerputschisten Pöhner den beiden Mördern Vorschub leistete.

Bei einem weiteren aufsehenerregenden Prozeß im Jahr des Rathenau-Mords kam der Antisemitismus der deutschen Richterschaft massiv zur Wirkung: Der bekannte unabhängige Publizist MAXIMILIAN HARDEN (1861–1927), Verfasser der antiwilhelminischen Zeitschrift ›Die Zukunft‹ (1892–1923), entging nur knapp einem von München aus gesteuerten Mordüberfall. Das Gericht versuchte permanent, den jüdischen Zeugen Harden zu erniedrigen, und verhängte kurze Gefängnisstrafen. Tucholsky als Prozeßbeobachter schrieb in der ›Weltbühne‹ (21.12.1922): »Der Urteilsspruch ist klar. Er bedeutet: ›Weitermachen!‹ Er ist ein Anreiz für den nächsten ... Wir haben keine Justiz mehr.« Der Schutz der jüdischen Minderheiten fiel weit hinter die Rechtsprechung des Kaiserreichs zurück: Die vom Gesetz vorgesehene Bestrafung von Beschimpfungen einer Religionsgesellschaft oder einer Bevölkerungsklasse wurde umgangen, indem Gerichte Beleidigungsklagen von Minderheitsangehörigen ablehnten, die sie willkürlich und diskriminierend »Rasse« nannten. Der Antisemitismus der Justiz erreichte seinen Höhepunkt, als am jüdischen Neujahrsfest 1931 nationalsozialistische Schlägerbanden mit 1500 Teilnehmern »jüdisch« aussehende Passanten des Kurfürstendamms mißhandelten und kaum bestraft wurden, während der als Organisator mitangeklagte Berliner SA-Chef eine Geldstrafe wegen Beleidigung erhielt, das Gericht sich jedoch weigerte, der Regierung zu empfehlen, die gewalttätige NSDAP zu verbieten.

Ein mit dem Harden-Fall vergleichbares Verbrechen geschah 1925 in Wien, als der Erfolgsschriftsteller HUGO BETTAUER (1872–1925) – bekannt durch die warnende Negativ-Utopie *Die Stadt ohne Juden* (1922), als Buchautor des Films *Die freudlose Gasse* (1925), als Vorkämpfer der Frauenemanzipation und der Anerkennung von Homosexualität – nach einer Pressekampagne ermordet wurde und der richterliche Antisemitismus den Attentäter praktisch straffrei laufen ließ. Der Attentäter war zunächst »christlichsozial« gewesen, dann »großdeutsch« und schließlich Nationalsozialist geworden. Die *Literaturgeschichte des deutschen Volkes* von Josef Nadler bezeichnet diesen Mord als »sinnvolle Handlung« (Bd 4, S. 469).

Veranstalter der Morde in Deutschland war die rechtsradikale ›Organisation Consul‹, die nach dem Decknamen des Hochverräters des Kapp-Putsches und Bandenführers Ehrhardt benannt war. Im Herbst 1921 hatte die Offenburger Staatsanwaltschaft ein Verfahren gegen die kriminelle Vereinigung eingeleitet, hatte die »Satzung« sichergestellt, die eine Remilitarisierung, den Kampf gegen die Weimarer Verfassung, gegen Juden und Sozialisten zum Ziel hatte. Im Herbst zog der Oberreichsanwalt das Verfahren an sich, um die Spuren zu verwischen. Ehrhardt ließ man aus der Untersuchungshaft fliehen; er bereitete 1923 Hitlers geplanten Marsch auf Berlin vor, wurde von der bayerischen Polizei gedeckt und niemals angeklagt. 1924 schloß der Staatsgerichtshof beim Verfahren gegen die ›Organisation Consul‹ widerrechtlich die Öffentlichkeit aus. Die Anklage auf Hochverrat und Mord wurde unterdrückt. Nach den begünstigenden Plädoyers des Reichsanwalts Niethammer ergaben sich wenige Monate Gefängnis. Eine literarische Umsetzung von Aktivitäten der rechtsradikalen Geheimbünde einschließlich des Antisemitismus versuchte Joseph Roth im Roman *Das Spinnennetz*, der bezeichnenderweise nicht in Deutschland erschien, sondern im Oktober 1923 in der Wiener ›Arbeiterzeitung‹. Eine soziologische Zusammenfassung legte Gumbel 1924 im Malik-Verlag vor: *Verschwörer*.

Carl von Ossietzky lehnte 1932 vor Antritt einer Haftstrafe eine Flucht ins Ausland ab, um den »namenlosen proletarischen Opfern des Vierten Strafsenats« gegenüber keine Vorrechte auszunützen. In der Tat gab es allein von 1924 bis 1927 10000 Anzeigen wegen »Hoch- und Landesverrats«; es gab 267 Verurteilungen pro Jahr, im Kaiserreich dagegen nur 5 pro Jahr. Die Opfer waren überwiegend einfache Oppositionelle, deren Gesinnung geknebelt wurde, zum andern Journalisten und Schriftsteller, die allgemein bekannte gesetzwidrige Tatsachen beschrieben, darunter Willi Bredel und der Gerichtsberichterstatter Slang. Die ›Arbeiter-Illustrierte-Zeitung‹ meldete 1931 (Nr. 4) die 65. Einkerkerung von linken Redakteuren; die Strafen lauteten zwischen 1 und 2 Jahren Festung bis Zuchthaus.

Das Republikschutzgesetz wurde von den Gerichten so extensiv ausgelegt, daß sämtliche Theoretiker und Funktionäre anarchistischer und linker sozialistischer Vereinigungen strafbar waren. Brechts »Lehrer« Karl Korsch setzte sich als Reichstagsabgeordneter für die Opfer einer solchen Gesinnungsjustiz ein, als er 1925 innerhalb dreier Monate 278 Prozesse gegen 1694 Angeklagte zählte; eine Statistik nennt 1924/25 für einen Zeitraum von 16 Monaten 6349 wegen sozialistischer Überzeugung verurteilte Arbeiter. Die Gerichte bereiteten so die Duldung des späteren KZ-Terrors gegen Gesinnungsgegner bei der Bevölkerung vor.

Zur Unterstützung der Familien dieser politisch Verfolgten gründete sich die ›Rote Hilfe‹, die ihrerseits staatlich behindert wurde bei Versammlungen und Geldsammlungen. Damit wenigstens die beiden Kinderheime der ›Roten Hilfe‹ vor staatlicher Willkür geschützt blieben, bildete sich ein Kuratorium: Martin Buber, Samuel Fischer, Stefan Großmann, Gustaf Gründgens, Emil J. Gumbel, Walter Hasenclever, Kurt Hiller, Georg Kaiser, Gustav Kiepenheuer, Egon E. Kisch, Annette Kolb, Rudolf Leonhard, Max Reinhardt, Ernst Toller, Heinrich Vogeler u. a.

Um die sich hier andeutende liberal bürgerliche Justizkritik zu dämpfen, wurden in Abständen Schauprozesse und Terrorurteile als Mittel eingesetzt: Mit der Todesstrafe gegen Eugen Leviné 1919 begann diese Serie und setzte sich mit dem Münchener »Geiselmordprozeß« im selben Jahr fort. Während die 200 standrechtlich erschossenen Räterepublikaner und die mindestens 500 »tödlich Verunglückten« von der Siegerjustiz ignoriert wurden, wurde der Tod von 10 im Luitpold-Gymnasium von Rätesoldaten standrechtlich Erschossenen gerichtlich gesühnt durch 8 Todesurteile und 9 Zuchthausstrafen von je 15 Jahren. Der Prozeß gegen den mitteldeutschen anarchistischen Kämpfer Max Hoelz und die 8 Jahre lang verweigerte Amnestierung sollten gleichfalls Abschreckungscharakter haben. Hoelz hatte zur Abwehr des Kapp-Putsches eine Arbeiterkampfgruppe gebildet und unterstützte 1921 auch den Mansfelder Bergarbeiteraufstand, hatte jedoch keine Morde – wie die Freikorps – geduldet. Hoelz' Rede vor Gericht dokumentiert in individueller Zusammenfassung kollektive Erfahrungen der Arbeiterschicht; sie wendet die Logik des Gerichts umkehrend auf die autoritäre Instanz an: *Anklagerede wider die bürgerliche Gesellschaft* (1921). George Grosz nennt sie in seiner Autobiographie *Ein kleines Ja und ein großes Nein* (1955) »noch heute die klassische Rede eines Rebellen«, eines »wirklichen Volkshelden« (S. 150 f.), »die mutigste Rede vor einem deutschen Gericht« – wie Tucholsky schrieb – »die ich kenne«. Arthur Holitscher, Thomas Mann, Rudolf Olden, der Gerichtsberichterstatter der ›Vossischen Zeitung‹ Sling, Ernst Toller, Kurt Tucholsky, Armin T. Wegner u. a. setzten sich öffentlich für eine Amnestie für Hoelz ein. Am bekanntesten wurde der Band *Gerechtigkeit für Max Hoelz!*

(1926) des anarchistischen Schriftstellers Erich Mühsam, der selbst wegen Teilnahme an der Münchener Räterepublik zu 15 Jahren Festung verurteilt war. Der Materialienband wurde sogleich in 45 000 Exemplaren verkauft und erreichte mindestens 3 Auflagen im Verlag der ›Roten Hilfe‹. 1927 veröffentlichte Egon Erwin Kisch Hoelz' *Zuchthausbriefe* und gab als weltbekannter Publizist mit seiner Schrift *7 Jahre Justizskandal Max Hoelz* (1928) den Ausschlag zur Freilassung. 1929 veröffentlichte der Malik-Verlag Hoelz' *Vom ›Weissen Kreuz‹ zur Roten Fahne. Jugend-, Kampf- und Zuchthauserlebnisse*. Im letzten Teil dokumentiert der Autor den zeitgenössischen deutschen Strafvollzug, »diese staatlich approbierte Kriminalität«, wie Tucholsky ihn nennt, die »sadistische Quälerei von Wehrlosen«, und er verschweigt nicht die Schuldigen: »die Direktoren, die Geistlichen und vor allem die Ärzte«. (Werke 7, S. 100)

Wie sehr der ›Staatsgerichtshof zum Schutze der Republik‹ sich als Propagandainstrument der Regierungsparteien mißbrauchen ließ, zeigt am eindeutigsten der 10wöchige ›Tscheka‹-Prozeß 1925. Während des Verbots der KPD hatte sich eine Untergrundgruppe gebildet, die einen Verräter aus den eigenen Reihen ermordete. Der Mörder ließ sich als Polizeispitzel anwerben und als ›Kronzeuge‹ Strafmilderung versprechen. Dieser spätere NSDAP-Redner brachte frühere kommunistische Freunde zu Aussagen, die den falschen Eindruck erwecken sollten, daß die KPD im Auftrag Moskaus eine heimliche Gerichtskommission, ›Tscheka‹, unterhalte, um Politikermorde vorzubereiten. Durch extreme Unterdrückung der Verteidigung gelangte das Gericht zu Strafen von 80 Jahren Zuchthaus und 3 Todesurteilen, um innenpolitisch die Kommunisten zu diskreditieren – anschließend wurden 12 Reichstagsabgeordnete wegen ›Hochverrats‹ angeklagt – und außenpolitisch die Zustimmung zu intensiverer Militarisierung zu erhalten. Der apolitische Schriftsteller Fallada, der besondere Empörung gegen die achtwöchige Dunkelhaft der Angeklagten artikulierte, faßte im ›Tage-Buch‹ 1925 zusammen: »Es wäre von Interesse, einmal das Buch zu schreiben: Wie inszeniert man politische Prozesse, A. gegen rechts, B. gegen links. Es würde ein sehr phantastisches Buch abgeben, völlig romanhaft.« 1927 veröffentlichte die Deutsche Liga für Menschenrechte ihre wichtige Denkschrift *Das Zuchthaus – die politische Waffe. Acht Jahre politische Justiz*, an der Emil J. Gumbel, Robert M. W. Kempner und Kurt Grossmann beteiligt waren.

Daß die deutsche Justiz nicht nur mithalf, eine mögliche und von der Schwerindustrie gewünschte Militärdiktatur vorzubereiten, sondern speziell die Hitlerparteidiktatur begünstigte, zeigen die Prozesse mit Hitler. Im September 1923 verhängte Reichskanzler Stresemann den Ausnahmezustand, womit die Exekutive in Bayern an den Reichswehrminister fiel; Bayern entzog darauf durch Verfassungsbruch die Reichswehrtruppen dem Berliner Oberbefehl. Reichswehrgeneral v. Seeckt weigerte sich gegenüber der Reichsregierung, Truppen in Bayern aufmarschieren zu lassen, wie es zwei Wochen zuvor gegen Sachsen und Thüringen geschehen war. In dieser allgemeinen verfassungswidrigen Konstellation konnte Hitler mit Wissen der bayerischen Regierung seinen Münchener Putsch vom 8. November inszenieren, um bewaffnet gegen Berlin zu marschieren. Dieser Hochverrat wurde gesetzeswidrig nicht vor dem obersten Reichsgericht, sondern intern vor einem Münchener ›Volksgericht‹ verhandelt. Die Hitler-Bewegung konnte den Prozeß zu einer Reklameveranstaltung machen und erreichte mildeste Strafen. Hitler wurde mit 6 Monaten Festung bedacht, die er schriftstellerisch nutzen konnte. Die gesetzlich vorgesehene Ausweisung des Ausländers Hitler lehnte das Gericht in abermaliger Rechtsbeugung ab. Den weiteren Ausweisungsversuch nach der Entlassung lehnte der bayerische Justizminister ab. Joseph Roth berichtete den Lesern des ›Vorwärts‹ (24.3.1924), daß der Prozeß gegen den »analphabetischen Tapezierer« zeitweise einer »spiritistischen Séance« gleiche: »In München öffnen sich die Gräber der Weltgeschichte, und aus ihnen steigen die begraben gewähnten Leichname.«

Eine kritische Darstellung dieses Justizskandals gab Leo Lania: *Der Hitler-Ludendorff-Prozeß* (1925). Aus sozialdemokratischer Sicht berichtete Robert Breuer: *Der Hitler-Ludendorff-Prozeß vor dem Münchener Volksgericht* (1924); Breuer war Mitbegründer und langjähriges Vorstandsmitglied des Schutzverbands Deutscher Schriftsteller, der jedoch später den verhängnisvollen Severing-Kurs der Anbiederung an die faschistischen Kräfte verfocht und zur Spaltung des SDS beitrug. Eine literarische Umsetzung des Hitlerputsches gab Feuchtwanger 1930 in dem Roman *Erfolg*.

Nach Hunderten von Hochverratsprozessen gegen Kommunisten fand 1930 der erste Hochverratsprozeß gegen Nationalsozialisten statt. Das Reichsgericht ignorierte das von der Regierung vorgelegte Beweismaterial gegen die Hitlergruppe als kriminelle Vereinigung, gab Hitler als Zeugen die Chance einer zweistündigen Reklamerede und ließ ihn schwören, daß er mit »legalen« Mitteln arbeite. Obwohl Hitler ankündigte – wie u. a. der Angeklagte, Richard Scheringer, in seinen Büchern *Der Weg eines Kämpfers* (1932) und *Das große Los. Unter Soldaten, Bauern und Rebellen* (1959) berichtet –: »Und dann werden auch Köpfe rollen!«, diente der ›Legalitätseid‹ in der Folge zur Niederschlagung von Verfahren gegen die NSDAP. Die Justiz ignorierte gleichfalls, daß die Liga für Menschenrechte 1931 38 faschistische Morde innerhalb von 18 Monaten nachwies und Gumbel nochmals 1932 den mörderischen Gewaltcharakter der NSDAP aufzeigte: *Laßt Köpfe rollen*. Das preußische Innenministerium empfahl dringend ein Verfahren gegen Hitler wegen Meineids, um die Ausweisung des Ausländers zu ermöglichen. Der Oberreichsanwalt Werner, der sich bald als Nationalsozialist herausstellte, erhob jedoch keine Anklage.

Der verhängnisvolle Glaube der sozialliberalen Kräfte an die Rechtsstaatlichkeit blieb dennoch bis 1933 ungebrochen: Der Staatsgerichtshof wies am 25. Juli 1932 die beantragte »einstweilige Verfügung« gegen den von Hindenburg und Papen am 20. Juli inszenierten Staatsstreich gegen die sozialdemokratische Regierung Preußens zurück; am 20. und 21. Juli 1932 notierte der »Gauleiter« der NSDAP in Berlin, Goebbels, ins Tagebuch: »In der Reichshauptstadt bleibt alles ruhig ... SPD und Gewerkschaften rühren nicht einen Finger ... Die Roten haben ihre große Stunde verpaßt. Die kommt nie wieder.«

Justizkritik in Presse, Rundfunk, Film

Es ist wahrscheinlich unbestritten, daß das Hauptmedium der Justizberichterstattung und -kritik die Presse sein sollte. Die 8,3 % (1932) linken Zeitungen – bei 35 bis 42 % linken Wählern – konnten hier kaum etwas bewirken. Aus den immer einflußloser werdenden politisch-journalistisch ausgewogenen Zeitungen ragten in ihrer Justizkritik die ›Frankfurter Zeitung‹, das ›Berliner Tageblatt‹ und die ›Vossische Zeitung‹ in Berlin heraus. Die vom IG-Farben-Konzern gestützte ›Frankfurter Zeitung‹ suchte einen Pluralismus rechts außerhalb des Sozialismus. Das ›Berliner Tageblatt‹ des unabhängigen Mosse-Konzerns vertrat durch seinen Chefredakteur Theodor Wolff ebenso wie Hermann Ullstein und der Chefredakteur der ›Vossischen Zeitung‹ die Linie der Deutschen Demokratischen Partei, selbst als diese nach 1924 immer bedeutungsloser wurde. Die ›Frankfurter Zeitung‹ und das ›Berliner Tageblatt‹ besaßen großes Ansehen im Ausland, wurden 1933 von den Faschisten als Aushängeschild verwendet und mit kleinen Schritten gleichgeschaltet. Die ›Vossische‹ gehörte seit 1914 dem größten deutschen Verlagshaus, dem Familienkonzern Ullstein, der bekannt war durch die seit 1894 erscheinende ›Berliner Illustrirte Zeitung‹ mit wöchentlich 1,9 Millionen Exemplaren Auflage und 9 Millionen Mark Jahresgewinn. Ullstein vertrieb neben 15 bis 20 Periodika das Populärblatt ›Berliner Morgenpost‹ und als seismographisches Instrument für Stimmungen der zwanziger Jahre das modernistische Magazin ›Der Querschnitt‹. Auf die Fragen, weshalb der finanziell unabhängige, größte deutsche Zeitungsverlag – noch dazu in jüdischem Familienbesitz – sich nicht zum Kampfmedium gegen den Faschismus gemacht habe, antwortete Hermann Ullstein 1941 im amerikanischen Exil, er habe 1928 diesen Vorschlag gemacht und sei von seinen Brüdern überstimmt worden, da es nicht opportun sei, eine »politische Meinung« zu haben. Für den merkantil liberallen Ullstein Verlag war es nicht abträglich, sich für die ›Vossische Zeitung‹ mit einer Auflagenhöhe von 71000 den mutigen und scharfsinnigen Paul Schlesinger als Prozeßberichterstatter Sling zu halten. Slings Berichte und Reportagen erschienen in seinem Todesjahr 1929 auch gesammelt: *Richter und Gerichtete*. Die ›Vossische‹ konnte es 1927 bis 1929 noch wagen, die ›unpolitischen Erinnerungen‹ des entschiedenen Justiz-Kritikers Erich Mühsam abzudrucken.

Ein kleinerer Kreis kritischer Intellektueller wurde erreicht durch die Justizkritik der von Stefan Großmann und Leopold Schwarzschild geleiteten Wochenschrift ›Das Tage-Buch‹ und von der wichtigsten republikanischen Zeitschrift ›Die Weltbühne‹, die von Siegfried Jacobsohn, Carl von Ossietzky und Kurt Tucholsky geprägt wurde.

Noch deutlicher als die Presse – außer den skizzierten Ausnahmen – versagte bei der Justizkritik das neue Massenmedium Rundfunk. Als die kritische Öffentlichkeit seit 1926/27 von einer »Vertrauenskrise der Justiz« (z. B. ›Frankfurter Zeitung‹ 1. 3. 1927) sprach, beeilte sich der opportunistische Rundfunk, Vorträge über abstrakte rechtswissenschaftliche Themen verstärkt zu senden. Charakteristisch für die »volkserzieherischen«, unkritisch abwiegelnden Intentionen des Rundfunks ist z. B. die Tatsache, daß die erste Sendung des Gemeinschaftsschulfunks aller deutschen Rundfunk-Anstalten am 31. 1. 1932 über die Arbeit des Leipziger Reichsgerichts berichtete, das in der Bevölkerung verhaßt und verachtet war.

Auf dem Hörspielsektor wurden zusammen mit Juristen Sendungen produziert: Der Direktor des Südwestdeutschen Rundfunks Frankfurt, Wilhelm Schüller, verfaßte zusammen mit zwei Richtern und einem Rechtsanwalt seit 1928 unter dem Pseudonym ›Auditor‹ eine Reihe von Hörspielen, »um das Verständnis zu fördern für die ernste und schwierige Aufgabe der Justiz« (Hörburger S. 82): *Der Fall Panicke* (1928), *Mordaffäre Duppler* (1929), *Krugaktien 117* (1929), *Konkurssache Wurmbach* (1930), *Mieter Schulze gegen Alle* (1931), *Vormundschaftssache Gerd Junker* (1932). In Österreich, wo der Widerstand gegen die reaktionäre Rechtsprechung 1927 zum Brand des Wiener Justizpalastes geführt hatte, begann der Rundfunk 1928 mit der Ausstrahlung dieser Sendungen. Dabei wurden die Konflikte als schicksalhaft oder naturnotwendig dargestellt, die Rechtsbürokratie als neutral und unfehlbar. »Allgemein menschliche« Akzente, wie sie auch in Viktor Heinz Fuchs' Hörspiel *Ist Mr. Brown zu verurteilen?* (1929) gesetzt werden, lassen eine nötige Justizkritik nicht erst aufkommen. Die Kritik, die Willi Fehse und Robert Adolf Stemmle in ihrem Hörspiel *Justizwillkür ges. gesch.* innerhalb der ›Judex‹-Reihe des Norddeutschen Rundfunks Hamburg an dem antisemitischen Tenor des Magdeburger Köllin-Haas-Prozesses übten, scheint eher eine Ausnahme im Rundfunk gewesen zu sein.

Das vom Großkapital und von staatlicher Zensur abhängige Massenmedium Film griff die Justizmisere nicht auf. Zu den Ausnahmen zählen Wilhelm Dieterles *Geschlecht in Fesseln* (1928) und Georg Asagaroffs *Revolte im Erziehungshaus* (1930) nach Peter Martin Lampels Bühnenstück. Beide Filme über den Resozialisierungsbereich argumentieren überwiegend eingeschränkt und nur mittelbar andeutend. Wohlfahrtsministerium und staatliche Zensurbehörden versuchten, Asagaroffs Film zu verbieten, und erreichten Streichungen. Die Behandlung eines Justizmords in *Notschrei hinter Gittern* (1927) wurde verboten, obgleich der Film auf Tatsachen beruht. Der Zensor argumentierte, daß »das Vertrauen in unsere Rechtspflege in hohem Maße erschüttert« werde. In dem Film *Freies Volk* (1926) strich der Zensor mit der Begründung »Gefährdung der öffentlichen Ordnung« eine Szene, in der ein Richter einen Adligen anders als einen bürgerlichen Angeklagten behandelt. In dem Film *Sensationsprozeß* (1928) wurde die Einstellung ›schlafendes Gerichtsmitglied bei Mordprozeß‹ gestrichen, da sie geeignet sei, »das Vertrauen des Volkes in die Ausübung der Rechtspflege zu erschüttern«. Justizkritik war u. a. auch ein Verbotsgrund für den sozialdemokratischen Trickfilm *Ins Dritte Reich* (1931). Der Zensor monierte, hier werde »das deutsche Unternehmertum, an einer Stelle auch die deutsche Justiz und die NSDAP . . . aufs schärfste angegriffen«; die »öffentliche Beleidigung einer großen Partei durch den Bildstreifen kann nicht zugelassen werden«, zudem dürfe Mussolini nicht »herabsetzend behandelt werden«. Die Stellen wurden herausgeschnitten, ebenso eine Illustration des »Köpferollens«, das Hitler anläßlich seines »Legalitätseides« vor dem Reichsgericht 1930 den linken Politikern in Aussicht gestellt hatte.

An ausländischen Beispielen war ohne Zensureingriff Justiz- und Strafvollzug-Kritik eher möglich: Jacques Feyder gelang 1923 eine filmische Umsetzung von ANATOLE FRANCE' (1844–1924) *L'affaire Crainquebille* (1901). France, Nobelpreisträger von 1921, war seinerseits durch den französischen Justizskandal Dreyfus politisiert worden und war in Deutschland durch die Werkausgabe 1919–1926 zugänglich. Feyder läßt den Gemüsehändler Crainquebille aus dem Milieu der Pariser kleinen Leute herauswachsen, das später René Clair wieder aufgreift; in den Gerichtsszenen werden eingeschüchterte Angeklagte und Zeugen durch Montagen situationsgemäß in körperlichen Verkleinerungen und Vergrößerungen gegen die allmächtigen Juristen gestellt. Dieses Mittel wurde 1928 von George Grosz in seinem Trickfilm zur Piscator-*Schwejk*-Aufführung eingesetzt, als er den wegen der Kriegstoten und -krüppel interviewten Gottvater zusehends schrumpfen ließ. Die Filme der Nordamerikaner George Hill und Mervyn Le Roy behandeln den unmenschlichen Strafvollzug in den USA. Hill verwendet in *Menschen hinter Gittern* (1930) kritisch die Muster des Gangsterfilms, Le Roy schildert die vernichtende Zwangsarbeitsstrafe in *Ich bin ein entflohener Kettensträfling* (1931) nach einem Tatsachenbericht.

Berichte über Strafgefangene

Ein bisher wenig beachteter Bereich operativer Literatur sind die Aufzeichnungen Gefangener und die vermittelnde Bearbeitung von Dokumenten wichtiger Justizfälle durch Schriftsteller. Hier wurden in Buchform für eine begrenzte kritische Öffentlichkeit vordemokratische Strafpraktiken eingehend referiert. Die europäischen Beispiele stehen hier gleichgewichtig neben deutschen: Wieland Herzfeldes *Schutzhaft* (1919), Ivan Olbrachts *Im dunkelsten Kerker* (1923), Andor Gabors *Horthys Lager. Drei Bilder aus dem ungarischen Leben und vom ungarischen Tod* (1924), Ernst Spitz' *Du gehst vorbei* (1924), Sandor Lehotais *Im Tal der Schatten. Aus dem Tagebuch eines politischen Gefangenen* (1924, Vorwort von Henri Barbusse), André Martys *In den Kerkern der französischen Republik. Ein Bericht des Führers der meuternden französischen Schwarzmeerflotte* (1924), Alexander Berkmans *Die Tat. Gefängniserinnerungen eines Anarchisten* (1927), Ernst Tollers *Justiz. Erlebnisse* (1927), Karl Plättners *Eros im Zuchthaus. Eine Beleuchtung der Geschlechtsnot der Gefangenen* (1929, Magnus Hirschfeld schrieb für dieses Buch des führenden Linkskommunisten im mitteldeutschen Aufstand 1921 ein Vorwort), Max Hoelz' *Vom ›Weissen Kreuz‹ zur roten Fahne* (1929), Fjodor Gladkóws *Ugrjumow erzählt vom Zuchthaus* (1931), Georg Fuchs' *Wir Zuchthäusler. Erinnerungen des Zellengefangenen Nr. 2911* (1931, mit einem widersinnigen Vorwort des reaktionären Modephilosophen Oswald Spengler), Gustav Reglers *Wasser, Brot und blaue Bohnen* (1932 in der ›Universum-Bücherei für Alle‹).

Ausnahmen von der Berichtsform bilden lyrische Stilisierungen inmitten der sadistischen Umgebung wie Ernst Tollers *Gedichte des Gefangenen. Sonettenkreis* (1923) und *Das Schwalbenbuch* (1924). Toller variiert das von Homer bis Hölderlin verwendete Motiv der Schwalben als heiliges Geschlecht, als freie Wesen, als Vorboten der befreienden Tat, dabei sind jedoch die realistisch referierten Beobachtungen durch den isolierten Gefangenen dominant. Auch Kurt Tucholsky gelingen wichtige Gedichte wie *Die Gefangenen* (1931).

Die am weitesten verbreitete fiktionale Verarbeitung von Erfahrungen mit der Justizmaschinerie wurde Jacob Wassermanns *Der Fall Maurizius* (1928), der sich auf das 1925 von Carl Hau nach 18jähriger Haft veröffentlichte Buch *Lebenslänglich. Erlebtes und Erlittenes* stützt; Wassermanns Buch erreichte bis 1933 bei S. Fischer 112 Auflagen. Werner Scheff beschrieb 1930 eine Zuchthausrevolte *Aufruhr in Kraneberg*, Georg K. Glaser eine Erziehungsheim-Revolte *Schluckebier* (1932). Zu den eindringlichsten Schilderungen des deutschen Gefängnislebens zählt Hans Falladas *Wer einmal aus dem Blechnapf frißt* (1934), ein Buch, das auf eigenen Erfahrungen beruht, Erfahrungen, die auch in *Der Trinker* (1950) dominant sind. Fallada mußte seinem Buch 1934 ein verleugnendes Vorwort geben, um noch gedruckt zu werden.

Große Verdienste um eine fortschrittliche Justizkritik hat als Lektor des Berliner Verlags ›Die Schmiede‹ Rudolf Leonhard. Er lud bekannte Schriftsteller zur vermittelnden Dokumentation zweifelhafter Justizfälle ein und veröffentlichte – mit allerdings geringer Verbreitung – 1924/25 u. a.: Alfred Döblin: *Die beiden Freundinnen und ihr Giftmord*, Egon Erwin Kisch: *Der Fall des Generalstabschefs Redl*, Ernst Weiß: *Der Fall Vukobrankovics*, Iwan Goll: *Germaine Berton. Die rote Jungfrau*, Theodor Lessing: *Haarmann. Die Geschichte eines Werwolfs*, Karl Otten: *Der Fall Strauss*, Arthur Holitscher: *Ravacholu. Die Pariser Anarchisten*, Leo Lania: *Der Hitler-Ludendorff-Prozess*, Franz Theodor Csokor: *Schuss in's Geschäft (Der Fall Otto Eissler)*, Kurt Kersten: *Der Moskauer Prozess gegen die Sozialrevolutionäre 1922*, Karl Federn: *Ein Justizverbrechen in Italien. Der Prozeß Murri–Bonmartin*.

Theater als Ersatzmedium

Angesichts der jahrelangen Justizwillkür und angesichts der Unterdrückung freier Kritik in Presse, Rundfunk und Film versuchten die liberalen Intellektuellen am Ende des Jahrzehnts mit gewissen Erfolgen, über die großstädtischen Privatbühnen eine Strafvollzugs- und Justizkritik zu mobilisieren. 1927 kann als ein Jahr der weltweiten Justiz-Diskussion angesehen werden: In Boston wurde der spektakuläre Justizmord an Nicola Sacco und Bartolomeo Vanzetti vollzogen; das faschistische Italien führte die Todesstrafe wieder ein; ein Arbeiteraufstand in Wien wurde ausgelöst durch die parteiische Rechtsprechung und entlud sich symbolisch als Brandstiftung im Justizpalast. Für Berlin kam eine qualitative Änderung des Bühnenmediums hinzu, die Piscator 1929 so zusammenfaßt:

»Nach der ersten Etappe der Piscator-Bühne war ein deutlicher Linksruck im Spielplan der Berliner Theater zu beobachten … Aber auch das ausgesprochene Geschäftstheater interessierte sich plötzlich für aktuelle Dramatik.« (Das Polit. Theater S. 226)

Die hauptsächlichen Themen sind Sozialisations- und Jugendprobleme, Leibfeindlichkeit, staatliche Fremdbestimmung über den weiblichen Körper, Remilitarisierung und besonders die Justizwillkür.

Als die lange Jahre zu Unrecht in Haft gehaltenen und erst 1977 gerichtlich rehabilitierten anarchistischen Arbeiterführer Sacco und Vanzetti nach einem Indizienprozeß zum Tode verurteilt wurden, um politische Gegner der amerikanischen Mittelstandsideologie abzuschrecken, kam es zu weltweiten Protestaktionen. Rudolf Braune beschrieb z. B. die Kampagne der französischen Arbeiter in der Düsseldorfer Zeitschrift ›Freiheit‹, Anna Seghers stellt eine solche Protestdemonstration dar in ihrer Erzählung *Auf dem Wege zur amerikanischen Botschaft*, Titelerzählung ihres Sammelbands von 1930. Die ›Rote Hilfe‹ gab die Dokumentation *Folterkammer Amerika! 7 Jahre Sacco und Vanzetti* (1927) heraus; die ›Universum-Bücherei für Alle‹ ließ Eugene Lyons‹ *Sacco und Vanzetti. Ihr Leben und Sterben* (1928) übersetzen. Das große Interesse in Deutschland kann daran gemessen werden, daß der proletarische Schallplattenverlag ›Die neue Truppe‹ den Abschiedsbrief Saccos und Vanzettis aus Sinclairs Roman *Boston* (1928, dt. 1929) auf Sprechplatten veröffentlichte. Mit UPTON SINCLAIR (1878–1968) hatte sich einer der wirksamsten sozialkritischen Erzähler in der Zola-Nachfolge des Themas angenommen, der schon seit seiner Bloßstellung der Ausbeutungsverhältnisse in der Chicagoer Fleischindustrie – *Der Sumpf* (1906) – auch in Deutschland bekannt war. Hermynia Zur Mühlen hatte 1923 *The Jungle* für den Malik-Verlag neu übersetzt, der auch die gesammelten Romane herausgab sowie die sozio-ökonomischen Literaturanalysen *Das Geld schreibt* (1930), Sinclairs »spannendsten Roman«, wie Tucholsky sagt. Der mehrfach aufgelegte »zeitgenössische historische Roman« *Boston* beruht auf präzisen Detailrecherchen und stellt eine Kombination aus dokumentarischen und fiktionalen Teilen dar.

Mit ERICH MÜHSAMS (1878–1934) Bühnenstück *Staatsraison. Ein Denkmal für Sacco und Vanzetti* (1928) griff einer der mutigsten linken Einzelkämpfer Deutschlands den Bostoner Mord auf für eine alarmierende allgemeine Justizkritik. In seiner Ein-Mann-Zeitschrift ›Kain‹ (1911–1914, 1918–1919) hatte sich Mühsam früher als die meisten Expressionisten für eine Verbindung von Dichtung und politischem Engagement, gegen Krieg und Ausbeutung eingesetzt und wurde für diese Grundüberzeugungen 1910, 1918, 1919–1924, 1933–1934 eingekerkert. Sein erstes Buch nach der Amnestie 1924 war *Revolution. Kampf-, Marsch- und Spottlieder* (1925) und eines der nächsten das Plädoyer für die Freilassung Max Hoelz'. Als Schüler des in Bayern ermordeten Gustav Landauer vertrat Mühsam in seiner ›anarchistischen Monatsschrift‹ ›Fanal‹ (1926–1931) und als Mitarbeiter von Pfemferts Zeitschrift ›Die Aktion‹ einen von der KPD-Politik unabhängigen Anarcho-Syndikalismus, der auf Gewaltlosigkeit basierte und jegliche Herrschaftsverhältnisse über Menschen bekämpfte. Er griff das Justizwesen der Republik und die Vorbereitungen zum Faschismus an. Am 28. 2. 1933 wurde Mühsam zusammen mit 4000 linken Intellektuellen und Arbeiterführern verhaftet und 16 Monate gefoltert. Er weigerte sich, das ›Horst-Wessel-Lied‹ zu singen, und verweigerte den Befehl zum Selbstmord. Nachdem das Konzentrationslager Oranienburg am 6. 7. 1934 von bayerischen und württembergischen SS-Leuten übernommen worden war, wurde Mühsam am 10. 7. 1934 zu Tode gequält. Den Bostoner Justizmord behandelte der Autor 1928 dokumentarisch nach den Prozeßakten; das Stück hatte 1929 mit Ernst Busch als Vanzetti einen großen Bühnenerfolg. Maxwell Anderson, Bernhard Blume und Wilhelm Reupke versuchten ihrerseits, den Mord an Sacco und Vanzetti bühnenmäßig darzustellen. Einen späteren Nachhall bildet Armand Gattis *Chant public* (1966).

Da die Forderung nach Abschaffung der Todesstrafe aus dem Erfurter Programm der Sozialdemokraten nach 1918 in Vergessenheit geriet, lief die Diskussion nach 1927 verstärkt an. Vorangegangen war ALFRED WOLFENSTEIN (1883–1945) mit der Übersetzung von Victor Hugos Beschreibung in Tagebuchform *Der letzte Tag eines Verurteilten*, die der Malik-Verlag 1925 publizierte. Wolfenstein war unabhängiger Sozialist und seit dem Gedichtband *Die gottlosen Jahre* (1914), vor allem seit Ludwig Rubiners *Kameraden der Menschheit* (1919) und Kurt Pinthus' *Menschheitsdämmerung* (1920) sowie durch sein bei S. Fischer erscheinendes ›Jahrbuch für neue Dichtung und Wertung‹ *Die Erhebung* (1919–1920) bekannt. Er übersetzte 1922 Shelley neu ins Deutsche, dessen interessanter Entwurf einer Charta der Menschenrechte erstmals durch Ret Maruts Übersetzung in ›Der Ziegelbrenner‹ bekannt geworden war. Der promovierte Jurist Wolfenstein formulierte 1928 die Protestresolution der Berliner Schriftsteller ›Dichter und Denker gegen Richter und Henker‹ anläßlich der Anklage gegen Becher wegen »literarischen Hochverrats«. Wolfensteins Proteststück gegen die Todesstrafe *Die Nacht vor dem Beil* wurde 1929 uraufgeführt und kurz darauf auch als Hörspiel gesendet.

Das Berliner Lessingtheater brachte im selben Jahr Eleonore Kalkowskas szenische Reportage über den Justizmord an dem polnischen Gastarbeiter Josef Jakubowski: *Josef* (1929), während die Autorin keinen Erfolg hatte mit *März. Dramatische Bilderfolge aus dem Jahre 1848* (1928).

Die Öffentlichkeitsaktion gegen die Todesstrafe – für 1926 werden in Deutschland 89 Todesurteile angegeben – bewog Leonhard Frank ebenfalls, das ihm wenig gemäße Bühnenmedium zu nutzen. Er bearbeitete seine Novelle *Die Ursache* (1915), die bereits mitbewirkt hatte, in einem baltischen Staat die Todesstrafe abzuschaffen (*Links wo das Herz ist*, S. 113), für die Bühne. Das Stück über den Mord an einem sadistischen Lehrer und die folgende Todesstrafe wurde 1929 mit Ernst Deutsch in der Rolle des zum Tod Verurteilten aufgeführt.

Die Diskussion zur Todesstrafe erweiterte sich zu einer öffentlichen Überprüfung des Strafvollzugs und der Fürsorgeerziehung. Hier konnte man an historische Teilerfolge anknüpfen wie an JOHN GALSWORTHYS (1867–1933) Bühnenstück *Justice* (1910), das erst jetzt in Deutschland aufgeführt wurde. Der in seinen frühen Werken gesellschaftskritische englische Jurist und Romancier – bekannt in Deutschland durch den Zyklus *Forsyte-Saga* (1906–1928), als Mitbegründer des PEN-Club und Nobelpreisträger 1932 – hatte besonders durch die realistischen Zuchthausszenen eine Reform des Strafvollzugs unter Innenminister W. Churchill bewirkt.

Einen herausragenden Erfolg hatte PETER MARTIN LAMPEL (1894–1965) mit dem Bühnenstück *Revolte im Erziehungshaus* (1928). Lampel war wie Ernst Ottwalt Pastorensohn und Freikorpskämpfer. Ethisches Engagement, Kameradschaftsvorstellungen, nach mehreren tastenden Versuchen schließlich »Arbeitsdienst«-Vorschläge und »Vaterlands«-Ideologeme finden sich in seinen Veröffentlichungen, deren kritischste, eine Beschreibung des Ausbildungsterrors in der ›Schwarzen Reichswehr‹, 1929 als *Verratene Jungen* im Verlag der ›Frankfurter Zeitung‹ erschien. Seine Erfahrungen als zeitweiliger Erzieher in einem der Fürsorgehäuser für die 100000 Anstaltszöglinge in Deutschland (1928) und die Erlebnisberichte von Jugendlichen über die Zwangserziehung dokumentierte Lampel in dem Band *Jungen in Not* (1928), und er wagte sogar, besonders durch die Illustrationen, seine nicht nur pädagogische, sondern auch erotische Zuneigung zu diesen Jugendlichen anzudeuten. Die erfolgreiche Bühnendarstellung (über 500 Aufführungen) der *Revolte im Erziehungshaus* (1928) suchte die pädagogischen Ansätze Walter Hammers, Wilhelm Macks, Rudolf Schlossers, Karl Wilkers u. a. zu propagieren und Reformen in Gang zu setzen. Die Kirche, »die den Krieg für christlich hält«, will Lampel aus dem Erziehungsbereich ausschließen, den Kontakt zwischen Heim und Außenwelt verstärken, eine normale jugendliche Erotik ermöglichen und Selbstorganisationsformen sich entwickeln lassen. In Lampels Vorschlag der therapeutischen Spielschar-Aktivität laufen Einflüsse der Jugendbewegung, der Theaterarbeit Asja Lacis mit Bespriorniki und der Berliner ›Gruppe junger Schauspieler‹ zusammen. *Revolte im Erziehungshaus* wurde geschrieben für diese Gruppe, die sich in der Zeit, als es 40 % arbeitslose Schauspieler gab, hauptsächlich aus dem Ensemble des aufgelösten Piscator-Theaters gebildet hatte. Nach Herbert Jherings Einschätzung hatte mit dem Erfolg der Gruppe (100 Aufführungen am Hebbel-Theater) die Idee des ›Zeittheaters‹, das die Gruppe intendierte, gesiegt, und zwar wiederum nicht über die großen staatlichen Bühnen, sondern über eine Kollektivinitiative. Weiterhin ist unbestritten, daß von Lampels Stück, aber auch von seiner Dokumentation *Jungen in Not* sowie von den Gefängnisberichten Max Hoelz' (*Vom ›Weissen Kreuz‹ zur Roten Fahne*, 1929) und Karl Plättners (*Eros im Zuchthaus*, 1929) reformierende Einflüsse auf die Fürsorgeerziehungs- und Strafvollzugsbehörden ausgingen. Die parallel laufenden Aktivitäten für alternative therapeutische Modelle schlugen sich auch organisatorisch nieder: 1928 gründete sich der ›Reichsverband für dissidentische Fürsorge‹ als Sammlung sozialistischer Arbeitsgruppen; die ›Internationale Arbeiterhilfe‹ unterstützte die Aufklärungskampagne über Fürsorgeerziehung und gab u. a. August Brandts Bericht *Gefesselte Jugend in der Zwangs-Fürsorgeerziehung* (1929) heraus. Nach Lampels Aufführungen ergaben sich oft Zuschauerdiskussionen. Das Berliner Stadtparlament und der Reichstag griffen die Problematik auf, ein Prozeß bestätigte Lampels Vorwürfe, und der Reichstag beschloß eine Reform der Fürsorgeerziehung.

Lampel selbst imitierte sein Stück mit den *Pennälern* (1929), in dem Gymnasiasten wegen der Lehrerwillkür in die Wälder flüchten. Curt Corrinths *Trojaner* (1929) und Adolf Stemmles *Kampf um Kitsch* (1931) schlossen sich hier an. Lampels Formvorbild griff der Präsident des Strafvollzugs in Preußen, Karl Maria Finkelnburg, auf mit seinem Stück *Amnestie* (1930) und läßt seine eigenen progressiven Thesen durch einen Theologie-Kandidaten – wie Lampel durch den Hospitanten – vertreten. Er bekämpft das »terroristische Prinzip« der Vergeltungsstrafe und propagiert Selbstverwaltung und Eigeninitiative. Ein ›neusachliches‹ Charakteristikum, daß Fachleute und Journalisten über Teilbereiche in den Medien referieren, ist auch bei dem Stück *Voruntersuchung* (1930) von dem Rechtsanwalt Max Alsberg und dem Journalisten Otto Ernst Hesse deutlich. Hesse verfaßte sogleich ein zweites Stück: *Wiederaufnahme beantragt* (1930). Alle diese Stücke verwenden Dokumente der Prozesse, entwickeln jedoch keine eingreifenden Kritikansätze: Christian Meyers *Amrie Delmar* (1929), Megerle von Mühlenfelds *Der Fall Slowenski* (1930), Julius Maria Beckers *Mann Nummer soundsoviel* (1931). Ältere ausländische Stücke kamen hinzu: Eugène Brieux' *Die rote Robe* als Aufführung der Berliner Volksbühne 1928.

Die Bühne fungierte als Ersatzmedium, weil Presse, Rundfunk, Film den Informationsaustausch massiv einschränkten. Während die öffentlichen Aufklärungskampagnen über gravierende Mißstände mit keinerlei literarischen Ambitionen verbunden waren und durch Erreichen punktueller Reformen ihren Mangel wettmachen konnten, den gesamtgesellschaftlichen Kontext zu wenig zu berücksichtigen, versuchte FERDINAND BRUCKNER (1891–1958), auf den Gebieten Jugend und Justiz durch poetisch-stilistische Mittel zu übergreifenden Modellen zu gelangen. Bruckner hatte als von Hofmannsthal beeinflußter Lyriker begonnen und arbeitete mehrere Jahre als Berliner Theaterleiter. Nach seinem Zustandsquerschnitt zur Lage der Nachkriegsstudentengeneration in *Krankheit der Jugend* (1926) gab er in den *Verbrechern* (1928) ein Zustandsbild der Jugend des zerfallenden Kleinbürgertums. Um die aus Not begangenen Diebstähle, den Eifersuchtsmord, die Erpressung wegen homoerotischer Neigungen, den Selbstmordversuch, den Selbstmord und die entsprechenden richterlichen Fehlurteile einschließlich eines Justizmords innerhalb eines Stücks zu arrangieren, erfindet Bruckner zwei dreietagige, sechs- bis siebenzellige Bühnenaufteilungen, ein Mietshaus und ein Gerichtsgebäude. Rochus Gliese reduzierte das Modell bei der Berliner Uraufführung (Regie: Heinz Hilpert, auch erster großer Berliner Erfolg des Schauspielers Gustaf Gründgens) auf eine zweietagige Simultanbühne, die im Gegensatz zu Piscators Spielgerüst realistisch milieuschildernd war. Durch die Gleichzeitigkeit und das stumme Weiterspiel in den benachbarten Räumen entstehen motivliche Verbindungen und Spiegelungen. Wie in Hauptmanns *Ratten* hat auch hier das visuell präsentierte Milieu argumentative Bedeutung. Das isolierte Gegeneinander der Mietzellenbewohner begünstigt soziale Ausfallserscheinungen, die das bürgerliche Gesetzbuch als »Verbrechen« verfolgt. Die simultanen Gerichtsszenen geben einen Eindruck von der statistischen Routine der Fehlurteile; in 4 Prozessen deckt keiner die tatsächlichen Beweggründe auf, 3 enden mit einem Fehlurteil, der einzige profitorientierte Verbrecher geht frei aus, für einen Eifersuchtsmord wird der falsche Täter zum Tode verurteilt. Bruckner zieht das Fazit, die verbrechensähnlichen Zustände würden sich nicht ändern, »solang nicht auch vor dem Leben alle gleich sind«.

Als erster Dramatiker gab Bruckner einen Situationsbericht über die Anfechtungen und den Widerstand der deutschen Jugendlichen nach der Machtübergabe an die Faschisten: *Die Rassen* wurde im November 1933 in Zürich uraufgeführt.

Der meistgespielte justizkritische Autor war HANS JOSÉ REHFISCH (1891–1960), mit dem Piscator 1923/24 am Berliner ›Central-Theater‹ zusammengearbeitet hatte. Er war selbst Jurist und behandelte u. a. den Widerspruch zwischen bürgerlicher Rechtsauffassung und Gerechtigkeit in seinen komischen Gesellschaftssatiren. Die Tragikomödie *Wer weint um Juckenack?* wurde durch Piscators Inszenierung in der Volksbühne 1924 und als Hörspiel des Berliner Rundfunks 1926 zum Erfolg. Für dieses und die folgenden Stücke *Nickel und die sechsunddreißig Gerechten* (1925), *Razzia* (1926) u. a. kann Piscators Kritik gelten, daß Rehfisch seine Themen von zwei Seiten her »entsachliche«, nämlich »Helden« zu zentral und zu lyrisch emotional gestalte und diese Figuren außerdem für bestimmte Schauspielerpersönlichkeiten schreibe. Diese Formhaltung läßt sich herleiten von seinen Vorbildern Shaw und Kaiser, die ihrerseits wie Rehfisch zu den meistgespielten Autoren der zwanziger Jahre gehörten. Im Gegensatz zu Rehfisch hatte Lion Feuchtwanger eine wenig glückliche Hand bei der Kombination von Komik und Justizwesen; seine Komödie *Wird Hill amnestiert?* (1927) verharmlost leichtfertig die Gegenwartsproblematik, indem er »ein Martyrium aus Versehen« darstellt. Rehfisch scheint seine ihm gemäße Form mit aktualisierenden historischen Justiz-Stücken gefunden zu haben: *Die Affäre Dreyfus* (1929) und *Bumerang* (1960), die Darstellung des Hochverratsprozesses gegen Bebel und Wilhelm Liebknecht 1872.

In der *Affäre Dreyfus* hat Rehfisch den Zeitgenossen vor Augen geführt, was ihnen bei einer Machtübernahme durch die reaktionären Kräfte bevorstand. Im historischen französischen Gewand der angestrebten Revision des Prozesses von 1894 konnten der zeitgenössische Militarismus, der herrschende Antisemitismus und die Justizwillkür gezeigt werden. Das dokumentarische Material zu dem Stück bereitete der Publizist Wilhelm Herzog für Rehfisch auf, so daß die historischen Personen, wie z. T. in Büchners *Danton*, ihre historisch festgehaltenen Aussagen innerhalb des Stücks zitieren können. Das Zentrum des Stücks, Emile Zolas Artikel ›J'accuse‹ in der Zeitung ›L'Aurore‹, ist bei Rehfisch als Anklagerede präsentiert. Damit wurde ein weltberühmter Text operativer Literatur in einer historisch vergleichbaren Notsituation nochmals – in ein anderes Medium transponiert – verwendet. Daß eine solche Transposition nicht beliebig möglich ist, zeigte Richard Oswalds Film *Dreyfus* (1930), der von den Schwierigkeiten der Tonfilmanfänge zeugt, die durch abgefilmtes Theater nicht zu lösen waren; hier fällt besonders die schwache Wirkung der Zola-Rede auf. Die Funktion, die die Presse zu Zolas Zeit noch haben konnte, war für Rehfisch nicht mehr gegeben, wenn er zusammen mit dem Publizisten Herzog die Bühne als Aufklärungsforum wählen mußte. Der Prozeß gegen Zola mußte im höchsten Grad als aktuell empfunden werden, als zahllose Redakteure wegen Veröffentlichung antimilitaristischer Artikel durch die Weimarer Justiz verfolgt wurden. Rehfisch und Herzog prangern insbesondere die verheerende antidemokratische Wirkung der Weimarer Presse an, indem der von der Presse gegen Dreyfus geschürte Haß als grassierende Pogromstimmung mit Ausschreitungen gegen jüdische Franzosen dargestellt wird.

Rehfisch griff als erster Bühnenautor nach den Andeutungen Wedekinds in *Frühlings Erwachen* und Marieluise Fleißers *Fegefeuer in Ingolstadt* das ungelöste Problem der Schwangerschaftsverhütung und -unterbrechung zentral auf, das besonders die mittellosen Bevölkerungsschichten betraf. Der 45. Ärztetag schätzte 1925 die jährlichen Schwangerschaftsunterbrechungen auf 800 000; die Zahl der Todesfälle unter diesen Frauen wurde mit 20 000 angesetzt. 1927 erschienen zwei populäre Bücher zum Thema: Emil Hölleins *Gegen den Gebärzwang* in der ›Universum-Bücherei für Alle‹ und Carl Credés *Volk in Not! Das Unheil des Abtreibungsparagraphen* mit Zeichnungen von Käthe Kollwitz. Die Erpreßbarkeit eines Arztes, der bereits einmal wegen Verstoßes gegen den Paragraphen 218 verurteilt worden war, wurde in der Berliner Aufführung von Rehfischs *Der Frauenarzt* (1928) von Rudolf Forster dargestellt, der durch sein differenziertes Spiel die Nähe zum herkömmlichen Rührstück vermied. Die Verurteilungen wegen Verstoßes gegen den Paragraphen und die zunehmende Notlage der Bevölkerung bei steigender Arbeitslosigkeit und sprunghaft steigender Selbstmordkurve ließen den überflüssigen Paragraphen immer bedrohlicher erscheinen und führten zu einer Aufklärungskampagne, die mit den Protestaktionen gegen die Verhaftung Friedrich Wolfs 1931 ihren Höhepunkt erreichte. Die Wirkungsgeschichte der Plädoyers für Schwangerschaftsunterbrechungen von Wolf und Credé wurde dadurch bestimmt, daß sie von eigenverantwortlichen, mobilen Schauspielerkollektiven verbreitet wurden: Friedrich Wolfs *Cyankali* (1929) durch die Berliner ›Gruppe Junger Schauspieler‹ und durch das erste Kollektiv außerhalb Berlins, die Düsseldorfer ›Truppe im Westen‹, Carl Credés § 218. *Gequälte Menschen* (1930) durch Piscators ›Schauspieler-Kollektive GmbH‹.

Die ›Gruppe Junger Schauspieler‹ brachte 1929 mit *Cyankali* nach *Revolte im Erziehungshaus*, *Giftgas über Berlin* und *Josef* ihr viertes aktuelles Zeitstück und erreichte damit den letzten Höhepunkt ihrer Arbeit. Nach 100 Aufführungen im Berliner Lessingtheater reiste die Gruppe 1930 mit dem Stück durch Deutschland, die Schweiz und Rußland und setzte ihr Spiel in Piscators Wallnertheater fort. 1930 verbreitete Hans Tintners Verfilmung mit Grete Mosheim die Wirkung von *Cyankali*; 1931 spielte die Düsseldorfer ›Truppe des Westens‹ das Stück. Die nach dem Ende des zweiten Proletarischen Theaters Piscators verbleibenden Schauspieler spielten 1929/30 Credés § 218 mit dem veränderten Untertitel ›Frauen in Not‹. Piscator und Felix Gasbarra entwarfen zu dem Stück des Arztes Credé über eine zehnköpfige, in einem Zimmer lebende Arbeiterfamilie eine Rahmenhandlung, die den Zuschauerraum mit einbezog und dem »Untersuchungsrichter« am Schluß der Aufführung eine Publikumsabstimmung ermöglichte, deren Ergebnis an den ›Reichsausschuß gegen den § 218‹ weitergeleitet wurde. Nach der Premiere in Mannheim (1929) folgte eine Tournee durch 27 Städte. Auch hier gab es wie gegen Wolf mehrere Aufführungsverbote, darunter bis zu gerichtlicher Freigabe für mehrere Monate in Thüringen, wo der nationalsozialistische Innenminister Frick die Unterdrückung versucht hatte. Am 29. 10. 1930 wurde mit dem Stück die 3. Piscator-Bühne, im Wallnertheater, eröffnet.

Der größte Erfolg in den Kampagnen für eine Selbstbestimmung der Frau für oder gegen eine Geburt wurde anscheinend der Film *Frauennot – Frauenglück* (1930) durch Eisensteins Kameramann Eduard Tisse, der erstmals in einem Spielfilm einen Geburtsvorgang und eine Kaiserschnittoperation zeigte.

In Romanform wurde die Thematik vor allem von Franz Krey in *Maria und der Paragraph* (1931) behandelt, der – anders als Victor Margueritte in *Dein Körper gehört Dir* (dt. 1927) – dokumentarisches statistisches Material einarbeitet und eine operative Darstellungsform versucht.

Kritik der Militarisierung

Die ›Schwarze Reichswehr‹ bestand aus den ›Arbeitskommandos‹, Einsatzgruppen Ehrhardts und Sabotagetrupps. Diese auf einen Revanchekrieg gegen Frankreich und eine Militärdiktatur hinauslaufende Remilitarisierung verstieß nicht nur gegen völkerrechtliche Verträge; die Versailler Bestimmungen waren zugleich Reichsgesetz. Wer sich an der Aufrüstung beteiligte, brach deutsches Recht, wer sie kritisierte und bekämpfte, wahrte das Recht. Die mit dem Militär paktierende Justiz übte auf diesem Gebiet permanente Rechtsbeugung. Seit 1921 war die Selbstjustiz der ›Organisation Consul‹ bekannt, deren Devise in ihrer »Satzung« lautete »Verräter verfallen der Feme«. Die seit 1920 in Bayern üblichen Morde an Personen, die pflichtgemäß Waffenlager anzeigten, wurden gerichtlich nicht verfolgt und griffen bald auf Oberschlesien, Pommern und Mecklenburg über. Seit Ausbau der Schwarzen Reichswehr 1923 häuften sich die Fememorde.

Die Gerichte behandelten alle Fälle als private Morde und begünstigten die Verantwortlichen. Hellmut von Gerlachs demokratisch-pazifistische Wochenzeitung ›Welt am Montag‹ wagte am 10. 3. 1924 die Veröffentlichung von Quiddes Warnung vor der Remilitarisierung ›Die Gefahr der Stunde‹. Der demokratische Mut Siegfried Jacobsohns ermöglichte Carl Mertens 1925 in der ›Weltbühne‹ eine Darstellung der Feme-Gepflogenheiten; 1926 veröffentlichte Mertens sein Buch *Verschwörer und Fememörder*. Emil Julius Gumbel, Berthold Jacob und Ernst Falck ließen 1929 im Malik-Verlag eine Zusammenfassung des Versagens der Justiz bei den Feme-Morden erscheinen: *Verräter verfallen der Feme.*

1924 begann die von Quidde bis Ossietzky reichende Welle von »Landesverrats«-Geheimverfahren, die das Rechtsbewußtsein weiter pervertierten und den Faschismus vorbereiteten. Der Vorsitzende des ›Deutschen Friedenskartells‹ LUDWIG QUIDDE (1858–1941) bot zunächst der Reichsregierung das Belastungsmaterial an und wurde mit Drohungen abgewiesen. Auf seinen Presseartikel hin wurde er in München verhaftet, jedoch nach 7 Tagen wegen des internationalen Proteststurms wieder entlassen. Der Friedenskämpfer CARL VON OSSIETZKY (1888–1938) wurde die Verfolgung seiner Artikel durch die Justiz gewohnt: Am 7.5.1914 wurde er wegen »Beleidigung« eines Kriegsgerichts verurteilt, im Februar 1927 wegen »Beleidigung« der Marine, im Dezember 1927 wegen »Beleidigung« der Reichswehr, im November 1931 wegen »Landesverrat«. Vom 10.5. bis 22.12.1932 saß er im Gefängnis Tegel, vom 28.2.33 bis zu seinem Tod 1938 in faschistischer Gefangenschaft.

Von den kritischen literarischen Verarbeitungen der faschistischen Schwarzen Reichswehr sind die Beispiele Horváths und Lampels am bekanntesten geworden. Der ehemalige Freikorpsoffizier PETER MARTIN LAMPEL (1894–1965) wurde durch den Bühnenerfolg seiner *Revolte im Erziehungshaus* (1928) ermuntert, in rascher Folge zeitkritische Beiträge zu schreiben. Das romanähnliche Buch *Verratene Jungen* (1929) erschien im Verlag der ›Frankfurter Zeitung‹ und referiert Erfahrungen aus den militaristischen Ausbildungsstätten entlegener Forts. Arbeitslose Jungen werden von Militärsadisten für einen Putsch ausgebildet und auf Feindbilder Juden und Sozialisten dressiert. Zur Terrorisierung der Truppe wird ein beliebiges Todesopfer ausgewählt, als Spion deklariert und nach langer Folterhaft durch einen Fememord beseitigt. Der Autor will »wehrhaften Geist« und »Landsknechtstum« unterscheiden und zeigt sich wenig fähig zur sozialpsychologischen und politischen Diagnose, wie auch seine anschließenden Aktivitäten für einen »freiwilligen Arbeitsdienst« zeigen, die von Ossietzky in der ›Weltbühne‹ (20.9.1932) stark kritisiert wurden. Curt Corrinth behandelt in seinem ›Gegenwartsstück‹ *Sektion Rahnstetten* (1930) ähnlich wie Lampel auch erotische Motive und drängt dadurch die politischen Hintergründe der Feme-Thematik an den Rand.

ÖDÖN VON HORVÁTH (1901–1938) bezieht in sein Bühnenstück *Sladek, der schwarze Reichswehrmann* (1929) die politische Ebene und die Justiz mit ein. Der meinungs- und richtungslose junge Freiwillige opfert seine Freundin für einen Fememord. Horváth übertreibt hier nicht, sondern erinnert an das erste Opfer der bayerischen Fememorde, an die 19jährige Marie Sandmayr, die am 6.10.1920 von der »Einwohnerwehr« erdrosselt wurde, ohne daß die dringend Tatverdächtigen – so wenig wie in den weiteren Fällen – gerichtlich belangt wurden. Der junge Pazifist, der den Fall Sladek bekanntmacht, wird erwartungsgemäß wegen »Landesverrat« eingekerkert. Die Demaskierung der brutalitätsanfälligen Kleinbürgerjugend und zukünftigen Hitleranhänger steht im Zentrum von Horváths Stück.

Die für den demokratischen Staat tödliche Verflechtung der Justiz mit dem militärisch-industriellen Komplex und den rechten Parteien konnte in den Medien bis auf wenige Ausnahmen nicht dargestellt werden; die vielen Verbote und Anklagen – unter den bekanntesten: Becher und Ossietzky – taten ihre einschüchternde Wirkung. Nur wenig wurde der Bevölkerung über die

Wiederaufrüstung und die Schwarze Reichswehr bekannt, weil diese gesetzeswidrigen Aktivitäten von den Gerichten geschützt wurden.

Das Schweigen über die Remilitarisierung faßte Tucholsky 1927 zusammen:

»Aber was heute die Reichswehr treibt; was in den kleinen Garnisonen, wo sie unter sich sind, vor sich geht; was da ›auf Stube‹ gemacht wird und bei den Sportsleuten; was die Werbeoffiziere für Leute sind und die Wehrkreiskommandeure; wie die Leute auf Urlaub gehen und wie sie sich beschweren, und worüber sie sich freuen und worunter sie leiden –: davon hören wir kein Wort. Die Reichswehr fühlt sich sehr wohl unter diesem Schweigen; sie hat es nötig. Und wir werden wohl erst in vierzig Jahren, wenn lebendige Wirklichkeit ›Geschichte‹ geworden ist, einen Roman zu lesen bekommen: ›Der Streit um den Sergeanten Noske‹.« (Werke 5, S. 407)

Die Themen nationalistischer Militarismus und reaktionäre Justiz zugleich behandelte Arnold Zweig als Geschichte eines Justizmords im *Spiel vom Sergeanten Grischa*, das – vor seinem Roman – 1917 entstanden war und 1930 uraufgeführt wurde, nachdem die deutsche Justiz sich als eine der Hauptursachen für die Faschisierung herausgestellt hatte.

Ein Justizopfer in der Wiederaufrüstungsszene war der Lagerverwalter Walter Bullerjahn, der von 1925 bis 1931 unschuldig im Zuchthaus saß, weil er angeblich ein Waffenlager an die Interalliierte Kontrollkommission verraten haben sollte. Als geheimen »Kronzeugen« bediente sich das Gericht des ehemaligen Generaldirektors des durch die Entdeckung geschädigten Werkes, Paul von Gontard. Die vorsichtig andeutende Darstellung dieses Skandals durch Felix Zieges im Reportagestil geschriebenes Stück *Affäre Bullerjahn* (1931) trug zur Wiederaufnahme des Verfahrens bei, das zum Freispruch führte – ein einmaliger Vorgang in der Geschichte des Reichsgerichts.

In anderer Verkleidung versuchte GÜNTHER WEISENBORN (1902–1969) eine Diskussion über die Diskrepanz zwischen Friedensbeteuerungen und Aufrüstung in Gang zu setzen. Seine Bühnenverarbeitung eines zeitgenössischen Schiffsunglücks, *U-Boot S 4* (1928), die in der Sprachhaltung noch Anklänge an den Expressionismus – wahrscheinlich durch die Motivnähe von Reinhard Goerings *Seeschlacht* (1917) beeinflußt – zeigt, konnte sich auf der Bühne nicht durchsetzen, weil die Kritik an der Wiederaufrüstung mit Gefahren des Aufführungsverbots verbunden war. Die auf dem Meeresgrund den Erstickungstod erwartende Schiffsmannschaft tritt im Handlungsablauf jeweils in den Hintergrund, wenn Informationen aus dem Parlament über den verstärkten Bau von Kriegsschiffen und über steigende Börsenkurse einmontiert werden. Der Breslauer Rundfunkintendant Friedrich (Fritz) Bischoff erkannte in dem Stück wegen der als hörspieltypisch angesehenen Eingeschlossenensituation (vgl. *Danger, Brigadevermittlung, Der Narr mit der Hacke, Die Mädchen aus Viterbo*) ein »Hörspiel wider Willen« und inszenierte es 1929 im Breslauer und im Stuttgarter Rundfunk als *Amerikanische Tragödie der Matrosen von US 4*, während die Bearbeitung im Berliner Rundfunk stark entpolitisierend vorging.

Weitere Gefahren der profitorientierten Technisierung zeigte Weisenborn in *SOS oder die Arbeiter von Jersey* (1931), wo Vergiftungen durch Strahlenstoffe untersucht werden. Der Hamburger Giftskandal mit 12 Toten von 1928, den Ossietzky in der ›Weltbühne‹ in den von der Tagespresse unterdrückten Zusammenhang mit der Wiederaufrüstung stellte, hatte solche Gefahren als höchst aktuell bewiesen. Als jedoch Peter Martin Lampel die Gefährdungen durch den militärisch-industriellen Komplex zu einer Spielhandlung in *Giftgas über Berlin* (1929) zusammenstellte, die die ›Gruppe Junger Schauspieler‹ nach ihrem Erfolg von Lampels *Revolte im Erziehungshaus* in Josef Aufrichts Theater am Schiffbauerdamm spielen wollte, drohte der am 1. Mai 1929 als Arbeitermörder bekanntgewordene Polizeipräsident Zörgiebel mit der Schließung des Theaters. Die geschlossene Aufführung vor Gästen des Polizeipräsidenten konnte nicht stattfinden, da der Präsident in Sprechchören mit einer Einschätzung seiner verhängnisvollen Amtsführung konfrontiert wurde. In *Giftgas über Berlin* wird ein Putschversuch der Reichswehr und des rechten SPD-Flügels von Arbeitern verhindert. ›Die neue Bücherschau‹ widmete angesichts des wachsenden Zensurterrors das gesamte Mai-Heft 1929 den staatlichen Eingriffen in die geistig-kulturellen Auseinandersetzungen.

Brecht war durch die allgemeinen Zensurmaßnahmen gewarnt und hatte zudem die vom Polizeipräsidenten 1926 verlangten Streichungen in M. Fleißers *Fegefeuer in Ingolstadt* noch im Gedächtnis; er verlegte die Gegenwartsdarstellung von Reichswehrsoldaten in die Zeit vor dem Ersten Weltkrieg, als er mit Jakob Geis die *Pioniere in Ingolstadt* (1929) MARIELUISE FLEISSERS (1901–1974) inszenierte. Da das Heiratsalter der Reichswehrmannschaften 1922 auf 27 festgelegt worden war, außerdem beide Partner schuldenfrei sein mußten und auf Genehmigung des Vorgesetzten angewiesen waren, war der permanente Konflikt im Geschlechtsleben der Soldaten vorprogrammiert. Marieluise Fleißer ließ Figuren der Unterschichten der Provinzbevölkerung Pommerns und Bayerns aufeinandertreffen. Brecht stellt fest:

»Das Lustspiel stellt die Sitten und Gebräuche im innersten Bayern dar. Man kann an ihm sehr gut gewisse atavistische und prähistorische Gefühlswelten studieren. So ist die Urform der Liebe in ihm, wie eine gewisse Urflora in Kalkformationen, noch ziemlich rein erhalten geblieben.« (Völker, S. 151)

Brecht tendierte in seiner Bearbeitung zum Volksstückhaften und zum komisch verfremdeten Vorzeigen der Provinzbrutalitäten. Das Verhältnis zwischen Frau und Mann in der deutschen Provinz stellt sich hier versinnbildlicht dar im Verhältnis Magd–Soldat: beide in entwürdigender Abhängigkeit gehalten, der relativ Stärkere rächt sich unbewußt an dem Schwächeren. Zurück bleibt das Mädchen, das statt Zuneigung bloße Defloration erlebte, was die Aufführung 1929 im Schiffbauerdamm-Theater unnötigerweise szenisch in einer Werkzeugkiste andeuten ließ, damit die Berliner nach der langweilig wirkenden Dresdner Aufführung von 1928 Zündstoff erhielt. Die Partnerbeziehungen erscheinen als deutlich abhängig von den Einflüssen der Umgebung, von ökonomischen Bedingungen, von den internalisierten ideologischen Vorprägungen. Das Dienstmädchen Berta erwartet eine romantische Liebesbegegnung. Sie hat ihre erziehungsbedingten Einstellungen noch nicht reflektiert und keine schlechten Erfahrungen gemacht. Sie ahnt vage, daß es etwas anderes geben müsse als verdinglichte Liebe. Die arbeitslose Alma hat keine Illusionen mehr und ignoriert die provinziellen doppelzüngigen Moralvorstellungen. Marieluise Fleißer demonstriert eine Realität, die Bindungen und Abhängigkeiten aufweist, und zeigt dabei die Unmöglichkeit der Figuren auf, aus den aufgezwungenen Rollen auszubrechen, sich mitzuteilen und sich als Individuen darzustellen. Die Verfangenheit in den Rollen, aus denen die Figuren des Stücks keinen Ausweg finden, drückt sich dabei in deren sprachlichem Verhalten aus. Die Autorin macht durch Brüche und gestisch ausstellendes Spiel deutlich, daß die Figuren nicht verbal ausdrücken können, was in ihnen vorgeht. Die äußerlich angenommene Sprache verdeckt die Antriebe der Menschen; hinter den »Prätentionen« soll ihre »Tatsächlichkeit« entdeckt werden. Durch ihre ständig wechselnden Aufenthaltsorte leben die Pioniere mit dem, was sie vorfinden und wieder zurücklassen können. Sie werden zu Sinnbildern total entfremdeter Arbeit. Den Druck, der von den Vorgesetzten auf sie ausgeübt wird, geben sie an Schwächere weiter, dabei sind die Frauen und der naive Fabian diejenigen, in denen der latente Sadismus der Pioniere ein Opfer findet. In den Texten Marieluise Fleißers deutet sich wie bei Fallada, Kästner, Zuckmayer u. a. die Leidensgeschichte des Kleinbürgertums an; ihre Hoffnungen setzen sie nicht auf das Kollektiv, sondern auf das Individuum.

Die drohende Zensur für Darstellungen der Reichswehr ließ Alfred Herzog 1930 zur ›Sklavensprache‹ in Form der Stilisierung zur Boulevard-Komödie Zuflucht nehmen, um den »ersten ernsthaften Versuch, das Milieu der Reichswehr dramatisch einzufangen . . ., indem er zugleich Anklage gegen sie erhebt«, zu machen. Seine ›Reichswehr-Komödie in drei Akten‹ *Krach um Leutnant Blumenthal* wurde von dem Kollektiv ›Spielgemeinschaft Berliner Schauspieler‹ 1930 aufgeführt und von Max Reinhardt in die Kammerspiele des Deutschen Theaters übernommen. Die Warnung des Autors vor der Anfälligkeit des Offizierskorps für nationalsozialistische, militärdiktatorische Ideen geschieht durch ein Arrangement überwiegend chargierender Typen einschließlich des falsch beschuldigten jüdischen Blumenthal, der schließlich den Abschied nimmt.

CARL ZUCKMAYER (1896–1977) kleidet seine Kritik am bedrohlichen Militarismus der Weimarer Endzeit in ein »preußisches Märchen« der Vorkriegszeit, erschwert jedoch erheblich die aktualisierenden Zeitbezüge. Die Kennzeichnung der politischen Entwicklung um 1930, die Zuckmayer hauptsächlich durch einen »neuen Uniform-Taumel« bestimmt sieht, mutet ebenso naiv an wie der Vorsatz, angesichts der 1931 schon sichtbar werdenden Katastrophe »ohne einseitige Tendenz oder ›Propaganda‹« zu schreiben. Noch 35 Jahre nach der Entstehung des Stücks spricht Zuckmayer euphemistisch von dem »vorbestraften Schuster Wilhelm Voigt«, dessen Prozeßakten er gelesen habe. Da der Autor jedoch im *Hauptmann von Köpenick* (1931) den historischen Namen Voigt beibehält, ist die vage Verarbeitung des vorherigen Lebens des 57jährigen Voigt nicht zu rechtfertigen. Das Leben Voigts war von Polizei und Justiz zerstört worden: Der 14jährige Voigt floh vor seinem jähzornigen Vater, der später die Mutter ermordete; die Polizei erzwang durch Prügel falsche Geständnisse des Jungen über Bettelei und Mundraub; die Bestrafung verhinderte Voigts ersehnten Eintritt in die Armee; der 17jährige fälschte in Berlin einige Zahlungsanweisungen und verbüßte 12 Jahre Zuchthaus. Der Autodidakt studierte »vornehmlich die letzten zwei Jahrhunderte« und zieht das Fazit in seinem *Lebensbild* (1909): »Aus meinen geschichtlichen Studien während meiner Haft ergab sich für mich als Resümee, daß Gewalt allemal vor Recht geht ...« (S. 37) Aus Rache machte Voigt den Versuch, eine Gerichtskasse zu berauben, und wurde ohne Anhörung der Entlastungszeugen zu 15 Jahren Zuchthaus verurteilt. Zuckmayer schwächt diese ihm – nicht zuletzt durch WILHELM SCHÄFERS (1868–1952) Roman *Der Hauptmann von Köpenick* (1930) – zugänglichen Fakten erheblich ab, um das Komödiantische nicht zu gefährden. Die möglichen satirischen Perspektiven verschüttet Zuckmayer gleichfalls bei seiner Ironisierung des Uniformfetischismus. Er entpolitisiert den Militarismus, individualisiert den Uniformträger, kann so die freundlichen Seiten beleuchten. Die entscheidende Schwäche liegt in der Handhabung der Titelepisode: der Zuschauer identifiziert sich mit Voigt, auch als Uniformiertem; das Gelächter trifft die von der Uniform besiegten Nichtmilitärs. Dem Autor fällt nichts ein, diese Schadenfreude umzukehren und das militaristische Bewußtsein der Zuschauer zu entlarven. Dagegen wiegen poetische Mängel gering, die Alfred Kerr sieht: »Er verwechselt leider ›dichterisch‹ mit ›sentimental‹. Das kranke Mädchen wirkt furchtbar.« (Die Welt im Drama, S. 194) Zwar bemüht sich der Autor, durch das filmische Mittel der Kontrastmontage gerade das Elend des genannten sterbenden Mädchens mit dem Potsdamer Uniformenluxus zu konfrontieren, doch verblaßt die Wirkung sogleich, zumal wiederum Offiziere relativ unkritisch gegen Nichtsoldaten ausgespielt werden. Schließlich ist noch auf die vierstündige Spieldauer der breit angelegten Bilderfolge hinzuweisen, die jeden Regisseur zu Kürzungen und damit 1931–1932 wahrscheinlich zu weiteren Abschwächungen satirischer Züge veranlaßte. Die Nationalsozialisten reagierten höchst gereizt nur auf die Zuchthausszene; Goebbels' ›Angriff‹ drohte, Zuckmayer werde bald Gelegenheit finden, ein preußisches Zuchthaus von innen kennenzulernen.

Zuckmayer war 1925 bekannt geworden durch die Proteste reaktionärer Gruppen anläßlich seines anspruchslosen Schwanks für das nostalgische Kleinbürgertum *Der fröhliche Weinberg* und hatte sich in *Katharina Knie* (1928) bemüht, dem durch Ewald André Duponts ›neusachlichen‹ Erfolgsfilm *Varieté* (1925) und Chaplins *Zirkus* (1928) neu belebten Genre des Zirkusfilms auf der Bühne Konkurrenz zu machen, indem er teils die Gegenwartsverhältnisse ›neusachlich‹ in ihren Oberflächensymptomen beschrieb, teils die Seiltänzerin mit einer agrarisch bodenfassenden Ehe liebäugeln ließ, bis schließlich der Zirkus als Familienunternehmen gerettet wird. Perspektivlos und affirmativ stellte Zuckmayer den Komplex Politik, Militarismus und Nationalsozialismus in *Des Teufels General* (1946) dar, das nach der Niederlage Hitlerdeutschlands sehr erfolgreich gespielt und in den Schulen gelesen wurde.

Gesellschaftskritik in Lyrik und Kabarett

In den zwanziger Jahren werden durch die Umschichtungen des Lesepublikums und durch Verlagerungen im Medienbereich lyrische Formen dominant, die zuvor keine wesentliche Rolle spielten. Lyrische Texte erhalten immer stärker Öffentlichkeitscharakter nach Inhalt und Distributionsweisen. Das subjektive Monologisieren über Phänomene der Innerlichkeit und ahistorisch erlebte Erscheinungsweisen von Welt tritt in den Hintergrund; die großen Vertreter dieser überkommenen Lyrik, Rilke, Hofmannsthal, George, sterben 1926, 1929, 1933.

Die Lyrik-Diskussion hatte ein neues Stadium erreicht durch die Gründung eines ›Cartells‹ von Lyrikern am Jahrhundertanfang durch Dehmel, Hofmannsthal, Holz, Liliencron, dem sich unter vielen anderen Dauthendey, Lersch, Mombert, Morgenstern, Mühsam, Rilke, Zech anschlossen. Der Zusammenschluß in der bis 1933 arbeitenden Vereinigung verbesserte die Verlagsverträge und schützte vor Raubdrucken in Anthologien und Zeitschriften. Besonders ergab sich aber für die Lyrik-Diskussion der Vorteil, daß der Nutzwert finanzieller Art, aber auch auf den Adressaten bezogene Intentionen und Wirkungen öffentlich besprochen werden konnten.

Inflation und Abwertung führten zu einer massenhaften Verarmung bildungsbürgerlicher Schichten, die die Leser der zahllosen Lyriksammlungen der Vorkriegszeit gewesen waren. Sämtliche Familienangehörigen waren jetzt zur Mitarbeit oder mindestens zur Hausarbeit genötigt, so daß auch die Lesemußezeit drastisch reduziert war. Auch während der wirtschaftlichen Erholungsphase wurden die Produktion lyrischer Anthologien und die Abdrucke in Zeitschriften nicht wesentlich gesteigert, so daß das Cartell der Lyriker sich 1929 sicherheitshalber zusätzlich dem ›Schutzverband Deutscher Schriftsteller‹ anschloß. In der von Willi Fehse und Klaus Mann herausgegebenen *Anthologie jüngster Lyrik* beschrieb Stefan Zweig 1927 die Situation der jüngeren Lyrikergeneration: »Sie hat keine Verleger. Sie hat keine Zeitschriften. Sie hat keine Förderung ... Und sie hat – dies am schmerzlichsten! – kein Publikum.«

Die Hoffnungen der Lyriker auf den Rundfunk erfüllten sich nicht. Zwar traten viele 1926 in die ›Gesellschaft für Senderechte‹ ein, nachdem Hauptmann und Hofmannsthal 1926 beim Reichsgericht die Honorierungspflicht bei Sendungen durchgesetzt hatten; auch erklärte ein Vertreter des Süddeutschen Rundfunks 1929 auf einer Arbeitstagung in Kassel: »Der Rundfunk hat ... mehr lyrisches Gut vermittelt, als in irgendeiner anderen Epoche geschehen ist und geschehen konnte.« (Hay, S. 169) Doch der Rundfunk propagierte die herkömmliche Ästhetik der Vorkriegszeit. Als ›modernste‹ Lyrik galt hier die expressionistische. In Hermann Kasacks ab 1925 laufender Sendereihe über Gegenwartsdichtung ›Die Stunde der Lebenden‹ z. B. kamen repräsentative Namen wie Brecht, Kästner, Klabund, Mehring, Ringelnatz, Tucholsky, Weinert nicht vor.

Der hier zu behandelnde Bereich der gegenwartsbezogenen, gegen die überkommene Ästhetik geschriebenen Lyrik wurde in den Bewertungsinstanzen der Schul- und Universitätstraditionen überwiegend gering eingestuft. Hier wirkte sich neben politischer Opportunität die Hegelsche Lyrik-Kategorisierung aus als »Sichaussprechen des Subjekts«, als Ausdruck des »empfindenden Gemüts, das ... bei sich als Innerlichkeit stehenbleibt«. Dieser aus der klassisch-romantischen Lyrik generalisierten Bestimmung ist jedoch als Genealogie von ›Gebrauchslyrik‹ das zuerst von Herder theoretisch fundierte Genre des ›Zeitgedichts‹ gegenüberzustellen. Herder als der bedeutendste Begründer der historischen Denkweise in Deutschland griff hier besonders auf französische Erfahrungen zurück. Innerhalb der ab 1793 veröffentlichten *Briefe zur Beförderung der Humanität* reflektierte Herder z. B. über die »Theilnehmung der Poesie an öffentlichen Begebenheiten und Geschäften« und erwartete nach der Französischen Revolution eine Durchdringung von Literatur und öffentlichem Leben, eine Beteiligung aller »Classen des Volks« (18. Brief); er verurteilte, daß Schriftsteller »blos für Schriftsteller« schreiben. Bis 1848 hatte – ausgehend von Herder – das ›Zeitgedicht‹, das sich gegen den Absolutheitsanspruch des Ästhetischen wandte, einen hohen Stellenwert, wofür Heine, Prutz, Weerth stellvertretend genannt werden können. Die Distribution durch Tageszeitungen ist für die meisten charakteristisch sowie später auch die Liedform etwa bei Herwegh, Freiligrath, Hoffmann von Fallersleben.

Die politische Unterdrückung im Bismarck-Reich, die Abkapselung gegen die französische Kultur, die bis zur Erneuerung des Urheberschaftsgesetzes 1901 anwachsende Vermarktung der Literatur bei sinkendem Honorar hatten einen fast völligen Zerfall der lyrischen Dichtung zur Folge, aus dem nur wenige Namen um die Jahrhundertwende positiv herausragen.

Erst die intensivierten Kontakte mit der französischen Kultur lassen eine neue deutschsprachige Lyrik entstehen. Neben der breiten Rezeption Baudelaires ist der Einfluß von K. L. Ammers Rimbaud-Übersetzung von 1907 besonders greifbar. Hinzu kommt die von Paris beeinflußte Tradition der Chansons und Kabarettlyrik, die Bierbaum in seinem Sammelband 1900 als »angewandte Kunst« bezeichnete. Die Vorbereitung des Terminus Gebrauchslyrik läßt sich in einem Vortrag des Lyrikers Max Herrmann-Neiße erkennen: der Rezipient solle »nur am eigenen proletarischen Leben die Brauchbarkeit künstlerischer Dinge messen und bloß dem Ergebnis dieses sachlichen Experiments glauben«. (›Die Aktion‹ 12. 1922. S. 306)

Der Anwendungsbereich des Terminus ›Gebrauchslyrik‹ Ende der zwanziger Jahre kann an Beiträgen Brechts, Tucholskys, Benjamins und Kästners abgelesen werden. Am 4. 2. 1927 schreibt Brecht in seinem sehr bekannt gewordenen *Kurzen Bericht über 400 junge Lyriker* in der ›Literarischen Welt‹: »Und gerade Lyrik muß zweifellos etwas sein, was man ohne weiteres auf den Gebrauchswert untersuchen können muß.« Die im selben Jahr erschienene *Hauspostille* ist »für den Gebrauch der Leser bestimmt«. In der ›Weltbühne‹ vom 27. 11. 1928 verwendet Tucholsky für Oskar Kanehls Gedichtsammlung *Straße frei* die Bezeichnung ›Gebrauchslyrik‹ und expliziert sie folgendermaßen: »Es hat zu allen Zeiten eine Sorte Lyrik gegeben, bei der die Frage nach dem Kunstwert eine falsch gestellte Frage ist: ich möchte diese Verse ›Gebrauchs-Lyrik‹ nennen.« Benjamin bezeichnet in der ›Frankfurter Zeitung‹ vom 23. 6. 1929 die Chansons Brechts und Mehrings als ›Gebrauchslyrik‹. Im selben Jahr nennt Kästner sich in seinem Band *Lärm im Spiegel* einen ›Gebrauchspoeten‹.

Sucht man den möglichen »Gebrauch« in Kommunikationskategorien zu erfassen, so lassen sich zwei Traditionsstränge unterscheiden: die kommunikativen Wir-Formen von Öffentlichkeitslyrik und die reflektierend monologisierenden Ich-Formen, die auf den seelisch gleichgestimmten Einzelleser zielen. Die klassisch-romantische Epoche mit dem weiten Epigonalbereich bis ins 20. Jahrhundert hinein hat den zweiten Typ dominant werden lassen, während das protestantische Kirchenlied, die Kampflieder der Bauernkriege ebenso wie die Geselligkeits- und Gelegenheitsdichtungen bis in die Rokokozeit hinein den Öffentlichkeitstyp repräsentieren. Die Zeitungs- und Flugblattlyrik sowie die Lieder des Vormärz und der 48er-Revolution setzen diese Tradition fort, die dann während der Unterdrückung der Arbeiterbewegung im Bismarck-Reich in den Untergrund von Arbeitergesangvereinen abgedrängt wird, während gleichzeitig das wilhelminische Bürgertum die romantische Lyrik-Tradition kommunikabler macht durch Vertonungen, sei es für Einzelgesang oder Laienchöre des bürgerlichen Mittelstands. Die Arbeiterbewegung entwickelt neben ihrer Gesangstradition und neben den Kampfliedern der kurzen Revolutionsphase nach 1918 die lyrisch-dramatische Mischgattung des Sprechchors.

Der andere in der Weimarer Republik sich breit entfaltende Zweig von Öffentlichkeitslyrik entstand um die Jahrhundertwende aus dem Bedürfnis einer kritisch liberalen Schicht innerhalb des Metropolenbürgertums nach Selbstverständigung und kritisch kommunikativer Abendunterhaltung: Die zunächst in satirischen Wochenschriften wie ›Simplicissimus‹ (1896 ff.) entstehende satirische und ironisch desillusionierende Unterhaltung drängte am Anfang des Jahrhunderts in die Öffentlichkeit. Unter den frühen Kabarett-Gründungen sind zu nennen: 1901 in München die ›Elf Scharfrichter‹ und 1903 das aus dem ›Simplicissimus‹-Kreis um Wedekind und den Karikaturisten Th. Th. Heine entstandene ›Simpl‹, in Berlin 1901 ›Schall und Rauch‹ und das ›Überbrettl‹, in Wien ab 1906 das ›Nachtlicht‹ und die ›Fledermaus‹. Französische Gastspiele und der mit der Pariser Weltausstellung 1900 einsetzende Massentourismus bürgerlicher Schichten hatten das Bedürfnis nach Kabarettkunst auch beim deutschen Großstadtpublikum entstehen lassen. Der Einfluß des politisch weiter entwickelten Frankreichs auf die Öffentlichkeitslyrik ist von Herder über die Vormärzschriftsteller und Heine bis zu Brecht und Tucholsky durchgehend nachweisbar.

Als neue Distributionsform von Öffentlichkeitslyrik sind die Tourneen Frank Wedekinds und Richard Dehmels in der Vorkriegszeit zu nennen. In den zwanziger Jahren haben Brecht, Herrmann-Neiße, Klabund, Mehring, Tucholsky neben vielen anderen ihre Gedichte, Songs, Chansons gelegentlich oder überwiegend selbst vorgetragen; die bekanntesten Vortragskünstler eigener Texte wurden Ringelnatz und Weinert, der über 2000 Abende auf

Tourneen gestaltete. Neben der herkömmlichen Distributionsform kritischer Öffentlichkeitslyrik in satirischen Zeitschriften hatte Otto Julius Bierbaum die Buchform mit dem Sammelband *Deutsche Chansons. Brettl-Lieder* (1900) eingeführt. Hier waren Dehmel, Holz, Liliencron, Wedekind neben anderen vertreten. Ein wesentlicher Anknüpfungspunkt für die Erneuerung realistisch-kritischer Lyrik und für die von Bierbaum so genannte »angewandte Kunst« ist also der Naturalismus. Als Verbindungsfigur kann RICHARD DEHMEL (1863–1920) genannt werden, aus dessen sehr disparaten Werken fast nur noch die volksliedähnlichen Chansons, Kinderlieder und Kabarett-Texte lesbar sind. Von Dehmel aus lassen sich Abzweigungen zum Frühexpressionismus und zur ›Neuen Sachlichkeit‹ erkennen: 1903 las er mit Peter Hille, Else Lasker-Schüler, Erich Mühsam u. a. Gedichte im ›Cabaret zum Peter Hille‹ und nahm groteske Züge der Dadaisten und Expressionisten vorweg: »Auf einer Pappelspitze sitzt / ein Mann in Unterhosen, / streut Rosen / ...«. Inhaltlich nahm Dehmel z. B. durch die Radsportbegeisterung, die er mit Wedekind teilte und deren lyrische Umsetzung etwa Brecht noch 1927 in Hannes Küppers Song *The Iron Man* öffentlich honorierte, ›neusachliche‹ Themen voraus und bediente sich zugleich der für Lyrik unüblichen schlichten Umgangssprache. Dadurch blieb etwa sein später vertonter Text *Radlers Seligkeit* über Jahrzehnte im Kabarett-Repertoire:

> Wer niemals fühlte per Pedal,
> dem ist die Welt ein Jammertal!
> Ich radle, radle, radle.
> Wie herrlich lang war die Chaussee!
> Gleich kommt das achte Feld voll Klee.
> ... Einst suchte man im Pilgerkleid
> den Weg zur ewigen Seligkeit.
> Ich radle, radle, radle.

Ein direkter Weg führt auch nach Inhalt und Bänkelton von Dehmels Ballade *Der Pirat* zu den Seefahrer-Gedichten Brechts, Mehrings, Ringelnatz'.
Als Zwischenstufe zwischen Kabarettlyrik des Jahrhundertanfangs und Gebrauchslyrik der zwanziger Jahre können die kommunikativen Lyrik-Versuche der Intellektuellen-Cabarets angesehen werden: Zum Bereich des ›Neuen Clubs‹ der Berliner Frühexpressionisten, den Kurt Hiller 1909 gegründet hatte, gehörte das ›Neopathetische Cabaret‹, und 1911 gründete Hiller das literarische Kabarett ›Gnu‹. Das ›Cabaret Voltaire‹ 1916 in Zürich, der ›Club Dada‹ 1917 in Berlin mit Huelsenbeck, Hausmann, Jung sind Stationen vor der Gründung des ›Politischen Cabaret‹ in Berlin 1920 durch Huelsenbecks Freund Walter Mehring und den zahlreichen Kabarett-Gründungen der zwanziger Jahre.
Während die antiästhetischen Grotesk- und Nonsens-Effekte der Dada-Bewegung in ihrer Wirkung auf die folgenden Jahrzehnte gut erforscht sind, bedürfen die aus dem Frühexpressionismus weiterwirkenden Stilelemente, die über dem dominanten metaphysischen Ernst der Expressionisten vergessen wurden, einer kurzen Skizzierung. Hier gibt es sowohl Züge des Grotes-

ken und der Nonsens-Poesie als auch die versifizierende Beschreibung von Großstadt-Alltagswelt in Umgangssprache, beides Ausdruck provokativer Antikunst gegen die zeitgenössische Salonlyrik und die Schulrezeption der klassisch-romantischen Gedichte. Damit war eine Erweiterung und Veränderung der Leserschicht verbunden. Hier ist der Urvater des späteren Massenmediums »comic strips«, WILHELM BUSCH (1832–1908), zu nennen, dessen Verstexte die größte Popularität im deutschen Sprachraum besaßen und der nach Courths-Mahler und May den dritten Platz in der absoluten Bestsellerliste behauptet. (»Wenn das Rhinozeros, das schlimme, / Dich kriegen will in seinem Grimme, / Dann steig auf einen Baum beizeiten, / Sonst hast du Unannehmlichkeiten.«) Die Entwicklung wird weiter markiert etwa von Morgenstern, Scheerbart, Holz, Dehmel, Henckel, bevor die Frühexpressionisten den antipoetischen Ton aufgreifen.

Eines der ersten und berühmtesten expressionistischen Gedichte, Jacob van Hoddis' *Weltende* (11. 1. 1911), kombiniert ausdrücklich disparate Elemente: »Die meisten Menschen haben einen Schnupfen. / Die Eisenbahnen fallen von den Brücken.« Alfred Lichtenstein beschreibt am 4. 10. 1913 in der ›Aktion‹ den Einfluß dieses Gedichts auf seine eigenen, etwa *Dämmerung*, und betont, daß sie »die Dinge komisch nehmen (das Komische wird tragisch empfunden. Die Darstellung ist ›grotesk‹), das Unausgeglichene, nicht Zusammengehörige der Dinge ... bemerken«. Van Hoddis' *Visionarr* oder das *Varieté* nehmen ebenso wie Lichtensteins *Erotisches Varieté* lyrische Ingredienzen und Stilhaltungen der zwanziger Jahre vorweg. Lichtenstein parodiert auch am treffendsten expressionistische Topoi: Die *Gesänge an Berlin* etwa sind charakteristisch: »Kaschemmen, ihr, ich drück euch an die Brust.« – »Den Himmel süßt der kleine Mondbonbon.« oder das Weltuntergangsgedicht *Prophezeiung*: »Polternd fallen Pferdeställe. / Keine Fliege kann sich retten. / Schöne homosexuelle / Männer kullern aus den Betten.«

Der in der Schulrezeption selbst zum Klassizisten ausgedünnte Georg Heym wendet sich im *November* despektierlich gegen Klassizisten: »stefan george steht in herbstes-staat. / An Seiner nase hängt der Perlen helle.« Im *Lettehaus* montiert er karikierend Vokaleffekte: »Da ich mein Herz im Blauen hoch verlur. / Das O verschwand. Das dumpfe U entfuhr.« Eines desillusionierenden, sachlichen Stils bedient sich der junge Ernst Blaß, bevor er in den Einfluß Stefan Georges und Paul Ernsts geriet. Die *Jungfrau, Vormittag* oder *Sonntagnachmittag* können als Beispiele genannt werden: »Die Töchter liegen weiß auf dem Balkon. / In Oberhemden spielen Väter Kachten: / ... Und singen tut sich eins der Grammophon.« Hier konnte Kästner unmittelbar anknüpfen. Max Herrmann-Neiße benutzt oft denselben Ton: »Aus einer Bibelstunde tappt ein Paster / Und spuckt ins Rinnsteinwasser Pfirsichkerne. / Ein Trunkner steht ganz hell und zählt den Zaster.« Gedichte des 1910 von Karl Kraus entdeckten Wieners Albert Ehrenstein, wie *Der Ober, Die Zeitschrift geht ein, Fischgericht, Betty, Ethel* gehören gleichfalls zu diesem Bereich: »Ich sehne mich nach deinen Winterwimpern, / Sommersprossen, der Frühlingshand, / Herbstrotem Haar«, – »Lyrisch piepst die Sternenbrut, / Flimmerndes Geziefer.« Ehrenstein, der sich als Opfer Wiens, einer der Brutstätten deutschsprachigen Antisemitismus, ansah, nimmt vielfach die »linke Melancholie« der zwanziger Jahre vorweg: »Wir sind ja nur ein armes Gurgelwasser / Im Röcheln der Hure Zeit.«

Ein weiterer wesentlicher Quellbereich für die Lyrik der zwanziger Jahre ist die literarische Parodie. Solange die Rezeption die Erlebnispoesie überbetonte, war weder den Originalen – wie die Fülle der Goethe-Parodien im 19. Jahrhundert zeigt – viel anzuhaben, noch konnten die Parodien selbständigen Wert erlangen. Sobald aber das reflektierte Konstruieren, das Kombinieren und Worte freisetzende Spielen wieder mit Lyrik in Zusammenhang gebracht werden konnte, waren neue Aussagequalitäten möglich von Arno Holz' *Dafnis* (1904) bis zu Mehrings *Ketzerbrevier* (1921) und Brechts *Hauspostille* (1927). Als im engeren Sinn literaturkritischer Parodist, der in die zwanziger Jahre hineinwirkte, kann HANNS VON GUMPPENBERG (1866–1928), einer der Münchner »Elf Scharfrichter« und Verlaine-Übersetzer, genannt werden, dessen *Teutsches Dichterroß in allen Gangarten vorgeritten* von 1901 regelmäßig vermehrt 1929 in 13 Auflagen vorlag und in differenzierten Nachbildungen die Manier Georges und Rilkes und der Tagesgrößen kritisierte. Die Tradition wurde fortgesetzt von Hans Heinrich von Twardowski, der seine Parodien zuerst in der ›Weltbühne‹ erscheinen ließ und 1918 in der Sammlung *Der Rasende Pegasus* auch expressionistische Lyrik karikierte, sowie vor allem in der Prosa-Parodie von ROBERT NEUMANN (1897–1975), der zuerst *Mit fremden Federn* (1927) hervortrat, und von dem Gründer des Leipziger Kabaretts ›Retorte‹ und Redakteur der satirischen Zeitschrift ›Der Drache‹ HANS REIMANN (1889–1971).

An Breitenwirkung überflügelt wird jedoch die herkömmliche Literaturparodie durch satirische Kontrafakturen allseits bekannter Gebrauchslyrik, nämlich zu Volks- und Kinderliedern, Kirchenliedern, liturgischen Texten und Gebeten. Hinzu kommen bekannte Gedichte aus der Schulrezeption wie *Kennst du das Land?* und das Cento als Klischeezeilen montierendes Gedicht.

Christian Morgenstern kann z. B. mit seiner parodistischen Heiligenlegende *St. Expeditus* oder der Litanei für Aufrüstung *Laß sie Dreadnoughts bauen* als Vorläufer gelten. Lichtensteins *Gebet vor der Schlacht* (»Meinen Freund, den Huber oder Meier tötest, mich verschonst«) läßt sich anschließen sowie Mehrings Fortsetzungen mittelalterlicher Liturgie-Parodien und Brechts *Liturgie vom Hauch*, seine Andachts- und Choralparodien, Tucholskys *Gebet für die Gefangenen* bis zu Karl Holtz' *Vater unser* (1919) (»Denn dein ist das Reich / und Noske, / und Ebert, / und der Stinnes. / Amen.«) und Albert Ehrensteins *Briefen an Gott* (1928).

Die Weihnachtslied-Kontrafakturen erlangten nicht nur durch Kästner, Klabund, Tucholsky neue Variationen, sondern konnten sich auch auf Traditionen im Arbeitervolkslied stützen: Zu den weitest verbreiteten gehörte *Arbeiter-Stille-Nacht* (»Stille Nacht, traurige Nacht, / ... Gräbt der Bergmann für niedrigen Lohn / für die Reichen das Gold«).

Von dem Satiriker Ludwig Thoma, einem der führenden Mitarbeiter des ›Simplicissimus‹, und Gedichten in der Art seines *Wuotansenkel* läßt sich ein

Traditionszweig verfolgen über Ringelnatz' *Turngedichte*, Kästners *Kennst du das Land, wo die Kanonen blühn?* (»Dort reift die Freiheit nicht. Dort bleibt sie grün.«) bis zu Albert Ehrensteins unbekannteren und besseren Satiren *Kennst du das Land, wo die Germanen blühn?* oder *Germanenschabbes* (»Ehret die Weibchen, die Zeitvertreibchen – / Der Bubikopf hat / In seinem nicht kopflosen Weltkrieg / Immerhin die Knie-Freiheit erfochten.«) und WERNER FINCKS (1902–1978) *Germania spricht* in seiner Sammlung *Neue Herzlichkeit* (1931).

Der parodierenden Form des Centos bedient sich Klabund – »Wer nie sein Brot mit Tränen aß / Bist du, mein Bayernland!« – ebenso wie Kurt Schwitters – »Und wer besitzt, der muß gerüstet sein. (Goethe.) ... Das is nu die vierte Leiche / seit Februar. Ich habe gleich gesagt: ›Wenn das erst anfängt!‹ / (Unsere Reinemachefrau.)« – oder Erich Weinert mit seinem *Einheitsvolkslied*: »Stimmt an mit hellem, hohen Klang! / ... Der Kaiser ist ein lieber Mann / In einem kühlen Grunde.«

Da Öffentlichkeits- und Gebrauchslyrik wenig für die herkömmliche Buchform geeignet ist, mußten außer der mündlichen Verbreitung Periodika zur raschen Distribution gefunden werden. Da die bürgerliche Presse für Satire nicht empfänglich war und das sozialdemokratische Blatt ›Lachen Links‹ (1924–1927) sich auch eher zurückhaltend gab, kam hier hauptsächlich die parteiunabhängige ›Weltbühne‹ in Frage. Daneben ist eine Anzahl kleinerer und thematisch enger begrenzter satirischer Zeitschriften zu nennen. Wieland Herzfeldes ›Jedermann sein eigener Fußball‹ wurde im Februar 1919 nach dem ersten Heft verboten, seine Zeitschrift ›Die Pleite‹ konnte sich von 1919–1924 behaupten und wurde von George Grosz graphisch gestaltet. Außerhalb Berlins wurde am bekanntesten ›Der Drache‹, von Hans Reimann 1919 in Leipzig gegründet; für ihn schrieben bis 1925 alle satirischen Lyriker. Nach diesem Vorbild suchte sich im mehr provinziellen Hannover 1920 die ›medi-zynische‹ Wochenschrift ›Die Pille‹ unter Bernhard Gröttrup zu profilieren, konnte sich jedoch nur bis 1921 halten. In Frankfurt am Main erschienen 1924 drei Hefte des ›Scharfrichters‹, in denen u. a. Erich Mühsam schrieb, einer der bekanntesten frühen Kabarettlyriker, der wie Scheerbart den aphoristischen Sechszeiler beherrschte (*Es stand ein Mann am Siegestor*) und dessen antisozialdemokratisches Lied *Der Revoluzzer* (1907) – gesungen von Ernst Busch – neue Popularität erlangte. In Frankfurt und später in Berlin behauptete sich von 1924 bis 1929 erfolgreich Hans Reimanns ›Das Stachelschwein‹; Graf, Kästner, Roda Roda, Karl Schnog, Weinert waren bekannte Mitarbeiter. Als satirische Arbeiterzeitung erschien in Berlin 1923 bis 1927 ›Der Knüppel‹ mit dem von Heinrich Zille gegründeten ›Eulenspiegel‹ als Nachfolger bis 1932 und dem ›Roten Pfeffer‹ bis Februar 1933. Die letzte Neugründung hatte ausdrücklich die Bekämpfung des Faschismus im Programm: 1931 bis 1933 gab HARDY WORM (1896–1973) die satirische Wochenzeitung ›Die Ente‹ heraus, in der u. a. Kästner, Mühsam, Roda Roda, Weinert und der Zeichner Karl Holtz mitarbeiteten.

An den Texten des Satirikers WALTER MEHRING (geb. 1896), der für die ›Pleite‹, ›Jedermann sein eigener Fußball‹, für die satirische Arbeiterzeitung ›Der

Knüppel‹ und vor allem für ›Die Weltbühne‹ schrieb, wird durch eine heutige Berliner Revue-Wiederentdeckung offensichtlich, daß sie gesprochen und gesungen werden müssen und als Buchtext relativ schwierig rezipierbar sind. Mehring hatte sich am linken Berliner Dada-Kreis beteiligt und nannte 1919 das Titelgedicht seines in zweiter Auflage verbotenen Bandes *Das politische Cabaret (Berlin simultan)* »Erstes original Dada-Couplet«: »Das Volk steht auf! Die Fahnen raus! / – bis früh um fünfe, kleine Maus! / Im UFA-Film: / ›Hoch, Kaiser Wil'm!‹ / Die Reaktion flaggt schon am DOM.« Der Refrain »Rutsch mir den Puckel lang!« wird kennzeichnend bleiben für den entschieden antibürgerlichen Mehring, der sich aber als Dichter mit teilweise idealistisch anarchistischen Vorstellungen von politischem Engagement freihalten will; für Benjamin ein »linker Melancholiker«. Mehring entwickelte 1919 das Reportagegedicht, das aktuelle und vom Konkurrenz-Tempo geprägte Großstadterlebnisse im Stakkato zu verbalisieren sucht, wie es wenige Jahre später für die Rundfunkreportage charakteristisch werden wird, so im *6 Tage Rennen*: »Musik Musik / Räder greifen / Ineinander / Auseinander! / Reifen / Knirscht am frischen Holz«, so in *Salto mortale, Sensation, Die Reklame bemächtigt sich des Lebens, Heimat Berlin*. In seinem *Ketzerbrevier* (1921) nennt Mehring Chanson und Song als Grundlagen der »kommenden Dichtung« als »internationales Sprachenragtime«. Er sucht seinerseits Tanzmusik-Rhythmen und Jazz-Synkopen in Versen nachzuahmen. Mehring war Leiter des Berliner Kabaretts ›Schall und Rauch‹, Gründer eines eigenen ›Politischen Cabarets‹, schrieb für die ›Wilde Bühne‹, die ›Pfeffermühle‹ und die großen Kabaretts der zwanziger Jahre. Mit einigen Songs erreichte der Autor zeitweilig Schlager-Popularität: etwa mit den Titeln *In Hamburg an der Elbe (gleich hinter dem Ozean)* oder *Die kleine Stadt*, vertont von Werner Richard Heymann, gesungen von Trude Hesterberg. Mehring gilt als einer der Väter des deutschsprachigen Songs, der sich durch die Begleitinstrumente und den Jazz-Rhythmus vom Chanson abzuheben begann. Die Bezeichnung ›Song‹ setzte sich allgemein durch, nachdem die Jazz-Form nach dem Berlin-Gastspiel des ›King of Jazz‹ Paul Whiteman in Europa die Oberhand gewann, Brecht/Weill in der *Dreigroschenoper* 1928 die erfolgreichsten Songs des 20. Jahrhunderts geschaffen hatten und schließlich der Tonfilm wie in Josef Sternbergs *Der blaue Engel* (1930) die Songform popularisierte.

Mehrings *Ketzerbrevier* (1921) bildete als erste Sammlung systematisch die Formen satirischer Kontrafakturen katholischer Erbauungstexte aus, wie sie später durch Brechts *Hauspostille* (1927) bekannter wurden. Vorbildlich für Brecht und Ringelnatz wurde z. B. auch Mehrings Seefahrtsmetaphorik. Beide Traditionsstränge finden sich vereinigt im *Psalm über das Gleichnis von der Meerfahrt* (1930), der in jiddischer Sprache geschrieben ist. Die Ingredienzen einer Erneuerung der lyrischen Sprache der Zeit hatte Mehring schon in der Conférence zur Wiedereröffnung von ›Schall und Rauch‹ 1919 gegeben: sie bedürfe »des Rot- und Kauderwelsch – des Küchen-/lateins; des Diplomatenargot; des Zuhälter-/ und Nuttenjargons, dessen die Literatur / sich – fallweise – bedienen muß, um nicht an / lyrischer Blutarmut auszusterben.«

Die Wandlung des deutsch-französischen Lyrikers IWAN GOLL (1891–1950) vom optimistischen Expressionisten zum Realisten mit Zügen des Absurden läßt sich an den 3 Fassungen des Großgedichts *Der Panama-Kanal* (1912, 1918) ablesen: der welterschließende Kanal stand zunächst für internationale brüderliche Arbeit; in der letzten Fassung 1918 endet der Text resignativ. Goll nahm wie viele Autoren das typisch expressionistische Großstadt-Thema mit kritisch-realistischer Darstellungsweise wieder auf. 1920 versuchte er in *Paris brennt* – einer in der französischen Dichtung weit häufigeren lyrischen Großform – die Gegenwartswelt mit realistischen und grotesken Mitteln als Simultangeschehen ins Bild zu bringen. In der Sammlung *Eiffelturm* 1924 gelingen ihm wirkungsvolle Verfremdungen:

> Rheinkohle statt Gold
> Die Fische und die nackten Nymphen
> Sterben im romantischen Wasser aus
> ... Aurora ist kein Frauenname mehr
> Doch paßt er gut für eine Aktiengesellschaft.

Die *Berliner Gedichte* von 1931 schlagen z. T. den typischen Berlin-Ton der zwanziger Jahre an, wie ihn Kästner, Mehring, Tucholsky, Weinert geprägt haben, einschließlich der melancholischen Anachronismen, so in *Hedwig Warmbier, Blumenfrau auf dem Potsdamer Platz* (»Wie schwer wird deinem Arm das Glück Italiens / und die Last der Gärten!«).

Zusammen mit Claire Goll schrieb der Dichter in der Folge überwiegend französische Gedichte, die von der Bildlichkeit her Züge des deutschen Expressionismus tragen.

JOACHIM RINGELNATZ (1883–1934) hatte sich nach mehreren Berufsversuchen schon vor dem Ersten Weltkrieg ganz der Kabarett-Lyrik gewidmet, trat ab 1909 im Münchner ›Simpl‹, nach 1920 in Berlin im Romanischen Café, in ›Schall und Rauch‹, in der ›Weißen Maus‹, bei den ›Wespen‹ auf. Der Untertitel seines 1912 veröffentlichten Gedichtbands *Die Schnupftabaksdose* lautete programmatisch »Stumpfsinn in Versen und Bildern« und blieb charakteristisch für die Rezeptionserwartungen an den späteren Ringelnatz sowie für seinen Nachruhm bei Leserschichten, die die herkömmliche Lyrik nur aus unzulänglicher Schulvermittlung kannten und diese desillusionierenden Verse als Gegengewicht gegen die Schullyrik verwenden konnten. Der Demaskierung bürgerlicher Gefühls- und Ausdrucksformen galten die *Turngedichte* (1920); sie richten sich sowohl gegen den aus dem 19. Jahrhundert überkommenen militanten deutschen Patriotismus als auch gegen den modischen Sportkult. Die Sportarten werden referierend reportageartig beschrieben, satirisch kommentiert und als Vorgang in groteske Übersteigerungen hinein fortgesetzt: »Ich kenne wen, der litt akut / an Fußballwahn und Fußballwut.« – »Und es endet zuletzt / Reizvoll, wie es beginnt: / Kock wird tödlich verletzt.« – »Klimmzug. / Das ist ein Symbol für das Leben. / Immer aufwärts, himmelan streben! / ... Stelle dir vor: Dort oben winken / Schnäpse und Schinken.« Ringelnatz' Seemanns-Beschreibungen erfinden eine verfremdende Perspektive des understatement in *Kuttel Daddeldu* (1920).

In vielen Texten läßt sich eine sprachkritisch reflektierte Umsetzung von Entfremdungserlebnissen feststellen, verkleidet in Nonsens-Sprachspiele. Ringelnatz äußert seinen Protest gegen die chaotische Wirklichkeit der zwanziger Jahre in apolitischen Formen, aber seine Gedichte sind nicht affirmativ mißbrauchbar. In seinem unter dem Namen Gustav Hester veröffentlichten Erfahrungsbericht *Als Mariner im Krieg* (1928) versucht er deutlicheren Protest, nennt den Krieg das Werk von Spekulanten und Großkapitalisten. Die Gedichte sind seltener ideologiekritisch: »Wir haben zu großen Respekt vor dem, / Was menschlich über uns himmelt. / Wir sind zu feig und zu bequem, / Zu schauen, was unter uns wimmelt.« Unanfechtbar stilisiert sich die Satire als Kindermund, als *Kindergebetchen*: »Lieber Gott und Christussohn, / Ach schenk mir doch ein Grammophon. / Ich bin ein ungezognes Kind, / Weil meine Eltern Säufer sind. / Verzeih nur, daß ich gähne. / ... Und schenk der Oma Zähne.« Die provinzielle Borniertheit wird sarkastisch aufgedeckt: »Wir sind international gesinnt. / Un, zwo, trois, gsuffa! / Es lebe die Polizei! / ... Wir sind tolerant. Die preußischen Sauereien / sind uns bekannt. / Kommt zum Oktoberfest!«

Der Widerstand gegen die Machtergreifung des mörderischen Provinzialismus 1933 konnte sich nur verschlüsselt artikulieren: »Die Nachtigall ward eingefangen, / Sang nimmer zwischen Käfigstangen. / ... Im tiefsten Keller ohne Licht / ... Sang sie / Nicht – –, / Starb ganz klein / Als Nachtigall.« Ein weiteres Gedicht 1933 beginnt: »So ist es uns ergangen. / Vergiß es nicht in beßrer Zeit! –« Die faschistische Regierung zeigte sich empfindlich für Ringelnatz' heimliche Sprengkraft: die ›Deutsche Verlags-Gesellschaft‹ in Stuttgart wurde 1943 als »unzuverlässig« liquidiert unter Hinweis auf ihre Autoren Ringelnatz und Fallada.

Konsequent wie kein Gedichtschreiber der zwanziger Jahre – und darin den Erzählern Proust und Musil oder Benjamins *Berliner Kindheit* vergleichbar – setzt Ringelnatz die Erfahrungen des modernen Weltbildes um in relativierende *Perspektivität*: Im *Geheimen Kinder-Spiel-Buch* (1924) und im *Kinder-Verwirr-Buch* (1931) zieht er weltdecouvrierende Vorteile aus der Kinderperspektive und sieht dies bei anderer Gelegenheit verbunden mit der Unfähigkeit zu konventioneller Kommunikation: »Ich danke dir: Ich bin ein Kind geblieben, / Ward äußerlich auch meine Schwarte rauh. / Zu viele Sachen weiß ich zu genau / Und lernte mehr und mehr die Wände lieben.« Entsprechend heißt es in der immer wieder auf Vortragsreisen rezitierten *Ansprache eines Fremden*: »Ich bin etwas schief ins Leben gebaut. / Wo mir alles rätselvoll ist und fremd.«

Die Sammlung *Flugzeuggedanken* (1929) signalisiert die relativierende Perspektivität schon im Titel. Die Beschreibung der spiegelbildlichen Rückkehr einer Fallschirmspringerin ins Flugzeug – am Schluß als rückwärts gespielte Filmaufnahme enträtselt – ist charakteristisch für Ringelnatz' Perspektive-Experimente. Absurde Effekte werden ähnlich erzielt durch Relationsmarkierungen zwischen einem Flieger und einem Meeresfisch, zwischen einem Wal und einer Briefwaage auf dem Meeresgrund, zwischen einem das Fallreep hochsteigenden Matrosen und dem nachfolgenden Fürsten Wittgenstein. Perspektive-Gedichte sind schließlich auch die bekannte Altonaer Ameisenreise oder der Sauerampfer am Bahngleis. Das Stratosphären-Gedicht *Die neuen Fernen* kann als Pendant angesehen werden zur »Mikrowelt in einem Ei«. Die Abkehr von der Normaldistanz, das entschiedene Umkehren von Relationen, das vergrößernde Isolieren von unbemerkten Details, die durchgängige Motorik, die Bewegungs- und Simultaneitätsbeschreibungen (*Lied aus einem Berliner Droschkenfenster*) scheinen durchaus Parallelen zu filmischen Prinzipien zu sein, besonders zur pars-pro-toto-Montage und zum Kurzschnitt isolierter Großaufnahmen ohne orientierende und beziehungsstiftende Überblickaufnahmen, Techniken, die etwa der russische Film entwickelte. Aus der Destruktion des überkommenen Weltbildes geht bei Ringelnatz indes kein menschenbezügliches neues Weltbild hervor.

Einer der bekanntesten Chanson-Dichter der zwanziger Jahre war mit seinen 1500 lyrischen Texten in über 70 Publikationen KLABUND (1890–1928). Er ist zugleich ein Beispiel für die Tatsache, daß der neue lyrische Ton der »Alexanderplatz-Lyrik« nicht Ergebnis literarischer Unkenntnis oder Geringschätzung der überlieferten Poesie ist, sondern gerade auf der Basis eingehender Kenntnis der Weltliteratur sich entwickelt. Die neue Distributionsform der Reclam-Ausgaben machte sich z. B. bei den Altersgenossen Fallada und Klabund so bemerkbar, daß sie als Gymnasiasten die Weltliteratur in der Reclam-Bibliothek ihrer Eltern studierten.

Klabunds *Geschichte der Weltliteratur in einer Stunde* (1921), die so nützlich ist wie Hermann Hesses zehn Jahre später erschienene *Bibliothek der Weltliteratur*, zeugt noch von der ausgiebigen, durch Krankheit bedingten Jugendlektüre. Die von Klabund bevorzugten Lyriker JOHANN CHRISTIAN GÜNTHER (1695–1723) und Goethe teilen ihren Einfluß mit Gassenhauern, Dirnen- und Landstreicherliedern in der Art der auch von Walter Mehring benutzten *Lieder aus dem Rinnstein*, die Hans Oswald 1903/05 herausgab und die Klabund als Primaner las. Er selbst sammelte auf Reisen aktuelle Küchen- und Studentenlieder und gab sie, mit eigenem vermischt, als *Der Leierkastenmann* heraus, der 1917 die 4. Auflage erreichte.

In den Kabaretts der Nachkriegszeit in Berlin galt Klabund schon als klassischer Chanson-Texter, der nur mit dem gleichaltrigen Tucholsky konkurrierte. Er spielte – wie auch Tucholsky – Klavier und trat oft selbst mit Couplets auf. Das auditive Moment der Klabund-Lyrik ist so stark, daß die Tradierung als Buchanthologie nicht gewährleistet ist, sondern nur durch Kabarett, Radio und Fernsehen geschehen kann. In Berlin verkörperte die Chansonsängerin Blandine Ebinger Klabunds Typ des bleichen, unterdrückten Mädchens und machte seine Lieder bekannt. Refrain-Überraschungen kombiniert der Autor höchst effektvoll, z. B. das Schlenkern der Beine des gelangweilten Mädchens, des kokettierenden Backfischs, der wartenden Verlassenen und des Geliebten am Galgen:

                                ...
Manchmal troppt mir eine Träne,
Und im Herzen puppert's schwer;
Und ich baumle mit de Beene,
Mit de Beene vor mich her.
Manchmal in den Vollmondnächten
Is mir gar so wunderlich:
Ob sie meinen Emil brächten,
Weil er auf dem Striche strich!
... Und ein Galgen ragt, und er ...
Und er baumelt mit de Beene,
Mit de Beene vor sich her.

Immer wieder beschreibt Klabund die Verelendung des Kleinbürgertums mit
zugleich verelendeter Erotik ohne gesetzlich gestattete Abtreibungsmöglich-
keit. Im *Bürgerlichen Weihnachtsidyll* zeigt der Autor eine Familienszene
anläßlich einer unerwünschten Schwangerschaft:

Was bringt der Weihnachtsmann Emilien?
... Sie geht so fleißig auf den Strich.
... Doch sieh, was wird sie bleich wie Flieder?
Vom Himmel hoch, da komm ich nieder.
... Mama, es ist ein Reis entsprungen!

Klabund gehört wie etwa Albert Ehrenstein und Brecht zu den von chinesischer Dichtung beeinflußten Schriftstellern; so begann er 1915 eine Reihe
von Nachdichtungen chinesischer Lyrik. Hier begann zugleich seine Kriegsgegnerschaft; er bezeichnet sich als »Revolutionär der Seele«, der eine sozialistische Wirtschaftsordnung anstrebe, aber gewaltloser »Taoist« bleibe.
Wirtschaftliche Unabhängigkeit bringt ihm erst der Aufführungserfolg seiner
Bearbeitung des chinesischen *Kreidekreises* (1925), die von einem Theater-
kollektiv um Elisabeth Bergner dem hungernden Klabund in Auftrag gegeben
worden war, nachdem Albert Ehrensteins Bearbeitung als nicht bühnenwirksam verworfen wurde.
Klabunds bedeutendstes Buch, *Die Harfenjule. Neue Zeit-, Streit- und Lei-
densgedichte* (1927) präsentiert Gedichte von 1911 bis 1926: Bänkelsang,
Protestsongs, Zeitgedichte, Liebesgedichte für Carola Neher. Der Autor, der
sich »lyrischer Schriftstellereibesitzer« mit langjährigem Dampfbetrieb«
nennt, registriert den Kreditverfall für Lyrik: »Sanfte Töne gehen in kesse
Charlestontöne über. Die Jetztzeit wird zur Jazzeit.« Er wählt deshalb die Distributionsform eines Schlagerhefts, »ein ruppiges Heft auf Zeitungspapier«,
das 180 Texte für 50 Pfennige anbietet.
Der promovierte Jurist KURT TUCHOLSKY (1890–1935) gehörte zu den herausragenden Publizisten seiner Zeit und beschäftigte sich nur nebenher mit
der Gedichtform. Er schrieb in fast allen progressiven Zeitungen und Zeitschriften und machte durch seine Beiträge Siegfried Jacobsohns ›Weltbühne‹ mit 15000 wöchentlichen Exemplaren zum Hauptorgan der bürgerlich-
republikanischen Opposition. Tucholsky war zusammen mit Carl von Os-

sietzky – Redakteur der ›Weltbühne‹ seit 1927 – der kenntnisreichste und schärfste publizistische Kritiker des neuen Militarismus und der reaktionären Strafjustiz; er war neben Walter Benjamin der urteilssicherste Literaturrezensent der zwanziger Jahre, einer der wenigen Satiriker der bürgerlichen Szene, Meister des aktuellen Gedichts und ein unübertroffener Chansontexter.

Die Couplet-Form war besonders geeignet, herkömmliche Erwartungshaltungen mit neuen zu konfrontieren, sowie neue Erwartungen mit Enttäuschungen zu verknüpfen. 1918 heißt es in *Nationale Verteidigung*: »in dicken Phrasenrauch gehüllt / ruft ihr nach mehr Soldaten. / ... Es sollen dorthin sterben gehn / die andern, die andern! / ... Die Zeit ist aus. Jetzt kommen wir: Die andern! Die andern!« Doch schon Weihnachten 1919 fragt sich der Autor: »Was schenke ich dem kleinen Michel? / ... Ein neues gescheites Reichsgericht? / Das hat er noch nicht. Das hat er noch nicht! / ... Doch schenkt ihm keine Reaktion! / Die hat er schon. Die hat er schon!« Die kämpferische Satire von 1919 ist im *Deutschen Lied* 1923 bereits der resignativen Klage gewichen: »Staatsanwalt, der schikaniert, / Wärter, der sie malträtiert. / Ihre Stimmen leiern / in Preußen und in Bayern: / ›Kaserne! Kaserne! / Sonne, Mond und Sterne!‹« Die politische Detailanalyse Tucholskys ist – im Gegensatz etwa zu Kästner – immer konkret und prägnant: »und damit sich die Richter nicht am Zug der Freiheit erkälten, / und überhaupt zur Rettung des deutsch-katholisch-industriellen Junkergeschlechts / machen nach den Wahlen alle Parteien einen Ruck nach rechts.« Das Fazit *Zehn Jahre deutsche ›Revolution‹* (1928) endet realistisch: »Wir haben die Firma gewechselt. Aber der Laden ist der alte geblieben.« Kein Schriftsteller hat so präzise wie Tucholsky die Kumpanei zwischen Großkapital und verarmtem Kleinbürgertum und ihre gemeinsame faschistische Diktatur vorausgesagt: *Prophezeiung* (1922) »Natürlich kommt noch mal die Stinnes-Zeit: / mit Streikverboten, Posten an den Ecken, / ... Wie bläht sich dann der kleine Mittelstand! / Geschwollen blickt er auf zum Reichsverweser. / Die Pazifisten? Und die ›Vorwärts‹-Leser? / Die Kerle müssen alle an die Wand!«; 1930 hieß es eindeutig in *Deutschland erwache*: »daß der Nazi dein Todesurteil spricht –: / Deutschland, fühlst du das nicht –?«

Als Prozeßbeobachter und Kenner der Materie widmete sich Tucholsky in zahlreichen Gedichten der reaktionären Justiz, die die Republik unterhöhlte. Das Übel beginnt bei der Schul- und Universitätsausbildung: »Auf Universitäten forsch gesoffen, / in Kaiser-Fackelzügen mitgeloffen, / so wuchs das auf zum Referendar. / ... Sie können alle Paragraphen nennen / und lernen Menschen nur aus Akten kennen.« Die Ermordung von 15 Arbeitern durch Marburger Jura-Studenten machte Tucholsky in mehreren Artikeln und Gedichten im Reich bekannt: »Das darf dich einmal richten und verwalten / wenns ausstudiert hat. / Volk! / Feg sie hinweg.« Die Justizkontinuität in der faschistischen Zeit prognostizierte der Autor in *Deutsche Richter von 1940*: »Wir sind die Blüte der Arier / und verachten kühl und grandios / die verrohten Proletarier –.« In einer Bilanz acht Jahre nach Kriegsende heißt es: »Sie sind alle wieder oben. / Justizverbrecher, Schimmernde Wehr. / Alles wieder erschoben.« In dem Couplet *Frage und Antwort* (1927) zeigt sich das Reichsgericht als Filiale des Reichswehrministeriums.

Seine Begabung und Neigung für die Gestaltung herkömmlicher lyrischer Stimmungen, die sich in zahlreichen, z. T. ungedruckten Chansons niederschlug, satirisiert Tucholsky 1925 im *Monolog mit Chören*, indem er die Bedürfnisse der Privilegierten und der Mehrheit kontrastiert. Wie Brecht signalisiert er die Einsicht, daß die Not der Mehrheit herkömmliche Lyrik einstweilen unmöglich macht: »Unsere Not schafft erst deine Einsamkeit, deine Stille und deinen Garten!« Wenn Tucholsky dennoch Gefühlserkenntnisse am Rande der großen Geschehnisse lyrisch umsetzt, so geschieht es meist in Berliner Mundart und mit Blick auf die Benachteiligten, denen sich auch Käthe Kollwitz und Heinrich Zille widmeten. Die größte Verbreitung erhielten hier *Mutterns Hände* als Abdruck in Willi Münzenbergs ›Arbeiter-Illustrierte-Zeitung‹ und gesungen von der populärsten Chansonsängerin Berlins, Claire Waldoff, in der Vertonung von Friedrich Hollaender.

Große Schwierigkeiten ergaben sich bei der Verbreitung politischer Chansons; in den Revuen Rudolf Nelsons konnte jeweils ein politisches Tucholsky-Lied eingefügt werden, durch das Kabarett ›Schall und Rauch‹ wurde die *Rote Melodie* bekannt mit der Musik Friedrich Hollaenders; sie wurde gesungen von Rosa Valetti, die 1938 in Wien von den Faschisten ermordet wurde. In dem Rollengedicht erinnert eine Mutter an die Kriegstoten – Brecht und Kästner behandelten die Themen ähnlich – und warnt mit Anspielung auf Ludendorffs Münchner faschistische Aktivitäten vor erneutem Militarismus.

Nachdem die reaktionären Kräfte sich wieder durchgesetzt hatten, ging Tucholsky wie Mehring und Leonhard nach Paris und 1929 nach Schweden. Als in Deutschland die Faschistenherrschaft wütete, wie er es 10 und 15 Jahre zuvor vorausgesagt hatte, zog er das Schweigen vor und tötete sich 45jährig.

Wie Hans Fallada die erzählerische Stimme des ›Kleinen Mannes‹ während der Endkrise der Weimarer Republik war, so ERICH KÄSTNER (1899–1974) die lyrische. Beide wurden durch Zeitungen und Zeitschriften bekannt; ihre Bücher wurden dadurch von neuen Leserschichten massenhaft gekauft, die vorher kaum diese Art Unterhaltung gesucht hatten. Fallada und Kästner gaben seismographisch Detailbeleuchtungen des Kleinbürgertums, des ›Neuen Mittelstands‹, ohne Auswege aus der Krise anzudeuten; Kästners 1931 in der ›Weltbühne‹ gedrucktes *Lied vom Kleinen Mann* stellt – anders als Fallada – den Kleinen Mann mit masochistischen Zügen in selbstverschuldeter Misere dar, ähnlich wie schon der Text *Knigge für Unbemittelte* (1928). Kästners Suche nach Schuldigen ist überwiegend naiv: In dem 1930 erschienenen Gedichtband *Ein Mann gibt Auskunft* heißt es in der *Ansprache an Millionäre*: »Warum wollt ihr euch denn nicht bessern?« Im Buch *Lärm im Spiegel* (1928) entlädt sich im *Offenen Brief an Angestellte* der falsch generalisierende Zorn gegen »Vorgesetzte«: »Blast sie auf, und wenn sie platzen! Gibt es schönre Luftballons?« In einem *Brief an den Weihnachtsmann* in der ›Weltbühne‹ 1930 wünscht Kästner:

Lege die Industriellen
kurz entschlossen übers Knie.
... Und nach München lenk die Schritte,
wo der Hitler wohnen soll.
Hau dem Guten, bitte bitte,
den Germanenhintern voll!

Tucholsky kritisiert ein anderes Weihnachtsgedicht, *Dem Revolutionär Jesus zum Geburtstag*, treffend: »Da pfeift einer, im Sturm, bei Windstärke 11 ein Liedchen.«; er weist auf die Überbleibsel des Provinziellen hin: »Ich vermeine, manchmal in Kästner das Sächsische zu spüren – eine gewisse Enge der Opposition, eine kaum fühlbare, aber doch vernehmliche Kleinlichkeit, eine Art Geiz.« (Werke 8, S. 311 f.) Benjamin spricht zu Recht von Kästners »grotesker Unterschätzung des Gegners«, von seiner »neunmalweisen Ironie«, Schwermut »aus Routine«, »Süffisanz« und »Fatalismus«. (Schriften 3, S. 280 ff.) Kästners Zeitkritik ist für die Angesprochenen so goutierbar wie Brechts *Dreigroschenoper*. Er steht dem Humoristen näher als dem Satiriker; Karl Kraus sagt: »Ich schimpfe nicht, ich verstümmle.« Kästner schimpft.

Die Gedichte, die sich den Kindern, den alternden Müttern, den Einsamen und Enttäuschten, den mißbrauchten Frauen zuneigen, haben oft Kästners latenten Menschenhaß vergessen lassen, mit dem er anscheinend permanent gekämpft hat. Viele Gedichte enthalten Vernichtungswünsche, schon im ersten Gedichtband *Herz auf Taille* (1928): *Die Welt ist rund*.

Ja, wenn die Welt vielleicht quadratisch wär!
Und alle Dummen fielen ins Klosett!
Dann gäb es keine Menschen mehr.
Dann wär das Leben nett.
... Es lohnt sich nicht, die Menschen zu verachten.
Nimm einen Strick. Und schieß dich damit tot.

Bei den *Zeitgenossen, haufenweise* im selben Band ergibt sich das Fazit: »Man sollte kleine Löcher in sie schießen!« In der ironisch gemeinten *Misanthropologie* von 1930 enthüllt sich der in der Naturidylle von anderen Menschen gestörte Sprecher als inhumaner Eiferer: »Diese Menschheit ist nichts weiter als / eine Hautkrankheit des Erdenballs.« Ähnlich zynisch gibt sich Kästner etwa in den Gedichten *Maskenball im Hochgebirge, Ein Hund hält Reden, Sogenannte Klassefrauen*.

Das Misanthropische mischt sich bei ihm mit bornierter Zivilisationskritik. Am Anfang der Sammlung *Gesang zwischen den Stühlen* (1932) stellt er in der *Entwicklung der Menschheit* fest, daß die Menschen bei allem Fortschritt »noch immer die alten Affen« sind und setzt sarkastisch und ohne konkrete Kritik im *Letzten Kapitel* das Ende der Zivilisation für den 13. Juli 2003 an: die »Weltregierung« entschließt sich, um »endgültig Frieden zu stiften«, »alle Beteiligten zu vergiften«.

Ähnlich fragwürdig ist Kästners eifernde Diktion bei sexuellen Themen. Er sieht im erotischen Enttabuisierungsprozeß der Weimarer Zeit zu Unrecht Untergangssymptome. Berechtigte Kritik an entfremdeter Sexualität mischt sich wie bei den Erzählern Ernst Glaeser, Karl Jakob Hirsch, Hermann Kesten verdächtig mit dem Auskosten provokanter Frivolitäten. Ein Teil des Publikumserfolgs mag darauf beruhen; die erotisch lustvollen Illustrationen von Kästners Freund E. O. Plauen, der 1944 durch eine Denunziation dem »Volksgerichtshof« ans Messer geliefert wurde, mußten in der zweiten Auflage des Buches *Herz auf Taille* noch vor 1933 wegen aufgeregter Proteste ausgelassen werden.

Wenn Kästner das ziellose pessimistische Lamentieren vermeidet und einzelne politische Negativphänomene wie den deutschen Militarismus beschreibt, gelingen ihm eindringliche Gestaltungen über die Aktualität von Tageszeitungen hinaus, so in *Stimmen aus dem Massengrab* (»Wir haben Dreck im Mund. Ihr hört uns nicht. / Ihr hört nur auf das Plaudern der Pastoren, / wenn sie mit ihrem Chef vertraulich tun.«), im *Primaner in Uniform*, in *Verdun viele Jahre später*. Mit der mutigen Satire *Die andre Möglichkeit* über das Thema »Wenn wir den Krieg gewonnen hätten« und dem Schluß »zum Glück gewannen wir ihn nicht!« schuf Kästner sich viele Feinde. Die Kriegsgefahr bezeichnete er 1928 im *Knigge für Unbemittelte* präzis und eindeutig: »Den Millionären geht es schlecht. / Ein neuer Krieg käm ihnen recht.«

In den poetologischen Überlegungen innerhalb des *Lärm im Spiegel* rechnet sich Kästner zu den »Gebrauchspoeten«. Ihre Funktion sei, »wie natürliche Menschen« zu empfinden und »die Empfindungen (und Ansichten und Wünsche) in Stellvertretung« auszudrücken.

Zur Form der Gedichte ist angemerkt: »Mit der Sprache seiltanzen, das gehört ins Varieté.« Kästner verwendet die Normalsprache des ›Neuen Mittelstands‹, »gereinigt« vom Berliner oder sächsischen Dialekt, alle Inversionen meidend. Diese Sprache erweitert erheblich das Reimrepertoire (Sommersprossen/ausgeschlossen; Minuten/interviewten; Lakritzen/sitzen). Als die poetisch ambitionierte Lyrik den Reim ablegt, macht Kästner den Reim für die vom Zeitungsmedium – er schrieb z. B. wöchentlich für Leopold Schwarzschilds ›Montag Morgen‹ – erschlossenen neuen Leserschichten nochmals ergötzlich. Der Literaturkenner Tucholsky allerdings wendet ein: »aber irgend etwas ist da nicht in Ordnung. Es geht mir manchmal zu glatt ... die Rechnung geht zu gut auf;« (Werke 7, S. 129). Kästner bevorzugt volksliedähnliche, meist kreuzweise reimende vier- bis fünfzeilige Strophen. Der promovierte Literaturwissenschaftler Kästner setzt sich erfolgreich zum Ziel, bewährte lyrische Konstellationen in die Sprach- und Assoziationswelt der neuen Leserschichten zu übertragen und zugleich die Lyriktradition parodierend zu variieren. Das Gedicht *Besagter Lenz ist da* bedient sich herkömmlicher Anthropologisierung (»Die Bäume räkeln sich. Die Fenster staunen.«); der Aggregatzustand der Luft wird verdichtet, um die Hautberührungsqualität zu nuancieren (»Die Luft ist weich, als wäre sie aus Daunen.« – Mörike: »O flaumenleichte Zeit der dunkeln Frühe!«); der säkularisierte Empor-Gestus, Aufatmen und Sehnsucht zugleich bezeichnend, wird durch Benennung »neusachlicher« Requisiten evoziert (»Am Himmel tanzen blanke Aeroplane / ... Die Seelen laufen Stelzen durch die Stadt.« – Mörike: »Der Sonnenblume gleich steht mein Gemüte offen; / Sehnend, / Sich dehnend«).

Als Tucholsky 1928 BERTOLT BRECHT (1898–1956) und Gottfried Benn für »die größten lyrischen Begabungen« in Deutschland hielt, bezog er sich nur auf *Bert Brechts Hauspostille* (1927), also ein Zehntel des lyrischen Gesamtwerks. Brechts Hinwendung zur operativen Lyrik vor 1933 und die Erweiterung seines Werks während der Emigration sowie während der Arbeitspausen im ländlichen Buckow erweisen ihn schließlich als den wichtigsten deutschsprachigen Lyriker der ersten Jahrhunderthälfte.

Die ersten Gedichte des 14- und 15jährigen Brecht behandeln – etwa in *Das Lied vom Geierbaum* oder *Der brennende Baum* – inhaltlich ein durchgehendes Thema in Brechts gesamtem Werk: Kampf und Krieg, Suchen nach Lebenssinn angesichts des drohenden Todes. Als literarische Technik sind zwei Methoden erkennbar: im *Geierbaum* die metaphorisierende, parabolische Umsetzung bestimmter Theoreme in Bild- und Handlungskonstellationen – hier der Propaganda-These vom feindlich eingekreisten deutschen Reich –, im *Brennenden Baum* die realistisch gehaltene Wiedergabe konkreter Erlebnisse mit Tendenzen zur Überhöhung ins Sinnbildliche. Die lyrische Sprachhaltung ist im ersten Fall beeinflußt durch Luthers Apokalypse- und Psalmenübersetzungen, im zweiten u. a. durch Gedichte des belgischen Lyrikers EMILE VERHAEREN (1855–1916). Brecht schreibt schon in dieser Periode streng adressatenbezogen: in einer Schachzeitung, in einer Schülerzeitung, in den ›Augsburger Neuesten Nachrichten‹; außerdem schreibt er Postkartengedichte. Die Texte sind nicht monologisierend, sondern kommunikativ; sie werden im Freundeskreis gelesen und verbessert. Den egozentrischen Lust-Gedichten der folgenden ›Baal‹-Periode gehen Gedichte eines betroffenen jugendlichen Ernstes voran, die das wortlose Leid anderer sagbar machen wollen; so etwa in der ehrfürchtigen Vision des Lebens von Müttern vermißter Soldaten: »Denn sein Platz muß frei sein. Sein Platz ist bereit. / Und werden sie alt: er ist immer jung.« Während der 18jährige Brecht Horaz' Devise vom wohlschmeckenden und ehrenvollen Tod für das Vaterland als »Zweckpropaganda« erkennt und fast vom Gymnasium verwiesen wird, veröffentlicht er gleichzeitig seine erste Ballade unter eigenem Namen, in der er den Tod eines Arbeitertrupps beim Bau eines gesellschaftlich nützlichen Eisenbahndamms beschreibt; implizit ein Gegenthema gegen den überflüssigen Soldatentod im kapitalistischen Konkurrenzkrieg.

Die Balladenform wird in Brechts Gedichten bis zur Mitte der zwanziger Jahre der stärkste Ausdruck seiner antibürgerlichen Oppositionshaltung. Er setzt hier die Balladenerneuerung Frank Wedekinds fort, und die Gedichte beider müssen auf dem Hintergrund der unmäßigen Produktion patriotisch wilhelminischer Balladen um die Jahrhundertwende gesehen werden. Wedekind, dessen Werkausgabe von 1912 Brecht schon früh selbst besaß, machte wahrscheinlich den nachhaltigsten Eindruck auf den jungen Schriftsteller. Er rechnete ihn zu den »großen Erziehern des neuen Europa« und gestand im Nachruf 1918: »Nie hat mich ein Sänger so begeistert und erschüttert.« Zu Wedekind-Gedichten machte Brecht eigene Melodien; sie wurden von den Augsburger Freunden zur Gitarre gesungen, darunter das *Lied vom armen Kind*, in dem Wedekind das balladenhafte Motiv des Heereszugs grotesk in einen Elendszug umkehrt. Brechts spätere Ballade *Kinderkreuzzug* und das in den USA entstandene Film-Exposé konnten sich hier anschließen.

Die satirische Groteskwirkung hat Brecht in seiner berühmtesten Ballade, der *Legende vom toten Soldaten*, aufgrund seiner Erfahrungen in einem Augsburger Lazarett 1918 benutzt. Wegen dieses Gedichts gab es 1922 bei Brechts Auftritt in der ›Wilden Bühne‹ einen Tumult, den Walter Mehring in einer anschließenden Publikumsansprache als »Blamage des Publikums« zurückwies; die Geldgeber des Kiepenheuer-Verlags verhinderten die Aufnahme der Legende in die *Hauspostille*, die daraufhin im Propyläen-Verlag gedruckt wurde; die Faschisten erklärten die Annullierung von Brechts deutscher Staatsbürgerschaft mit diesem Gedicht. Brecht stellt in der Ballade nichts anderes dar als das verantwortungslose Rekrutieren der letzten Menschenreserven am Ende des Krieges und die zynische Gewohnheit vieler Ärzte, Kranke und Verwundete wieder für »kriegsverwendungsfähig« zu erklären. Brechts Einfall, in grotesker Weise eine Leiche wieder zum Fronteinsatz eskortieren zu lassen, wurde z. B. im gleichen Jahr von George Grosz als Musterung einer Leiche durch eine Ärztekommission dargestellt und 1919 in der satirischen Zeitschrift ›Die Pleite‹ veröffentlicht, während gleichfalls 1919 der französische Regisseur Abel Gance mit dem pazifistischen Film *J'accuse* berühmt wurde, in dem die Anklage von toten Soldaten ausgeht, die sich aus ihren Gräbern erheben.

Ein anderer Zweig von Brechts Lyrikton und -motiven geht einerseits auf französische und angelsächsische Einflüsse zurück, anderseits auf die schwäbische Subkultur des Augsburger Brechtkreises. Hier ist besonders zu denken an Jahrmarktsmusik und -moritaten, an erotische Lieder und ältere Volkslieder – geplant war eine Sammlung ›Des Knaben Plunderhorn‹ –, an sakrale Gebrauchstexte in archaisierender Sprache – die »gestische« Sprache Luthers ist hier Vorbild –, an die Wirkungsmöglichkeiten der gestisch reichen schwäbischen Umgangssprache der Familie Brecht; den »schwäbischen Volksgestus« wird der Autor später an Hölderlins *Antigone*-Übersetzung hervorheben. (Über Lyrik, S. 94) Zahlreiche Gebrauchstexte über diverse Sinnenfreuden der jugendlichen Subkultur sind direkt aus dem Augsburger Leben hervorgegangen. In der handschriftlich überlieferten Sammlung *Lieder zur Klampfe von Brecht und seinen Freunden* 1918 sind einige zusammengestellt. Den Gebrauchscharakter von Lyrik hebt der Autor am deutlichsten in einer Notiz von 1920 hervor; er denkt an einen Sammelband, »auf Zeitungspapier groß gedruckt, fett gedruckt auf Makulationspapier, das zerfällt in drei, vier Jahren, daß die Bände auf den Mist wandern, nachdem man sie sich einverleibt hat«. Dazu sollten Reklame-Formeln aufgenommen werden und im Inhaltsverzeichnis auch Titel stehen, die im Buch gar nicht vorkommen. (Über Lyrik, S. 119) Der Verbrauchscharakter wurde später in den Versuche-Heften wieder akzentuiert, der Gebrauchscharakter in der *Taschen-* und *Hauspostille* sowie in dem Plan von 1949, die Gedichtbände im Format von 1820 herauszugeben: »Kleiner, in die Tasche zu stecken.« Dem äußeren Gebrauchscharakter entsprechen Verfremdungs-Versuche im Innern: Gedichte als Fragmente, isolierte Bruchstücke fremdartiger Erfahrungswelten, fehlt eine orientierende Exposition, ihr synkopierender Rhythmus und ihre aufgerauhte Sprachform wirken oft wie Übersetzungen.

Der französische Einfluß auf den jungen Brecht ist durch die Namen Villon, Verlaine, Rimbaud bestimmt. Brecht besaß die Villon-Ausgabe von 1907 in der Übersetzung von K. L. Ammer. Die Figur des faszinierenden Asozialen in anarchischen Epochen hat bei dem vagabundierenden Magister der Sorbonne FRANÇOIS VILLON (1432–1463) ihren Ursprung; Brecht versieht sie wie Villon mit Zügen des verlorenen Sohnes und erreicht dadurch eine sich widerstrebend einstellende Sympathie der Rezipienten, so wie Brecht auch die zahlreichen Dirnenfiguren der Balladen und Songs, bei *Evlyn Roe* angefangen, immer eine innere »Unschuld« bewahren läßt. Das Gedicht *Prototyp eines Bösen* von 1917 ist Brechts erster Text im Villon-Ton: »Der der Witwen Lamm geschlachtet / Und die Milch der Waisen soff / ... Darum bitt ich hiemit um Erbarmen.« In die Baal-Figur sind dann hauptsächlich Züge des Lyrikers PAUL VERLAINE (1844–1896) und Frank Wedekinds eingeflossen. Brecht benutzte u. a. die Verlaine-Übersetzungen Richard Dehmels, der wie Brecht in den ›Augsburger Neuesten Nachrichten‹ publizierte und seinerseits Brechts frühe Dichtungen beeinflußte. Die Männerfreundschaft zwischen Verlaine und ARTHUR RIMBAUD (1854–1891) spiegelt sich gleichfalls im *Baal*, während Rimbauds Gedichte ihrerseits großen Einfluß wie schon auf die Expressionisten so auch auf Brecht hatten. Die in mehreren frühen Texten behandelte Thematik bisexueller Sinnlichkeit verliert durch die sachliche, offene Darstellung jeglichen Sensationscharakter und wendet sich auch implizit gegen den homoerotischen Ästhetizismus des George-Kreises. In der 1920 entstandenen *Ballade von der Freundschaft* ist Brecht eine der herausragenden Gestaltungen dieser Thematik gelungen. Rimbauds Einfluß auf Brecht zeigt sich außer im *Dikkicht* z. B. in der Baal-Ballade *Vom ertrunkenen Mädchen*, die auch in der *Hauspostille* steht. Sein von Shakespeare inspiriertes Gedicht *Ophélie* (1870) und *Le Bateau ivre* (1871) beeinflußten durch K. L. Ammers Übersetzung von 1907 dieses und andere Brecht-Gedichte wie ähnlich entsprechende Texte Benns und Heyms. Die zahlreichen Ertrinkenden und Ertrunkenen in Brechts frühen Werken sind einerseits Übernahme eines lyrischen Topos seit Baudelaires Ästhetik über die mögliche Schönheit des als häßlich Geltenden, anderseits benutzt Brecht das Motiv mit antimetaphysischer Akzentuierung, um naturhaftes Absterben und Zerfallen den abendländischen Todesmystifikationen gegenüberzustellen: »Als ihr bleicher Leib im Wasser verfaulet war / Geschah es, daß Gott sie allmählich vergaß.« Brecht verteidigt in Verbindung mit dem Tod-Motiv immer zugleich den Eigenwert jeglichen menschlichen Lebens, besonders wenn es sich um Verfolgte, Außenseiter, Verbrecher handelt. So variiert die *Ballade von den Geheimnissen jedweden Mannes* den urchristlichen Gedanken, daß ein Mensch nicht lediglich die Summe seiner Taten ist: »Ihr, die ihr ihn werft in die schmutzgelben Meere / Ihr, die ihr in schwarze Erde ihn grabt: / In dem Sack schwimmt mehr, als ihr wißt, zu den Fischen / Und im Boden fault mehr, als ihr eingescharrt habt. / ... Weil er

niemals, den ihr kanntet, war / Und der Täter nicht nur seiner Tat.« Tucholsky hat auch hier die zeitgenössische Umsetzung formuliert: »Gäbe es auch
nur hundert deutsche Richter, die diese Gedichte verständen –: es stünde besser um unsere Justiz.« (Werke 6, S. 61)
Die angelsächsischen Einflüsse auf Brechts Lyrik sind kurz durch die Namen
Whitman und Kipling zu kennzeichnen. Die unkonventionellen Versformen
und freien Rhythmen des wichtigsten nordamerikanischen Lyrikers WALT
WHITMAN (1819 – 1892) dienten mit ihrem Lobpreis der körperlichen Freuden
des Badens und Liebens und Sonnens bereits den Augsburger Freunden zum
Einüben reflektierter Sinnlichkeit. Brecht teilt die Vorliebe für Whitman mit
Becher, Leonhard Frank, Thomas Mann, Paquet, Schlaf, Wedekind, Wegner
u. a. Die Balladenformen und die exotisierende Abenteuer- und Soldatenthe-
matik Brechts sind stark von RUDYARD KIPLING (1865 – 1936) beeinflußt, der
auch auf *Mann ist Mann* einwirkte und von dem Brecht mehrere Balladen
übersetzte. Ein Kenner der Weltliteratur wie Lion Feuchtwanger stellte 1928
in der ›Weltbühne‹ fest, daß er »neben Kipling, Brecht für den ersten Balla-
dendichter unter den Zeitgenossen halte«.
Als Sammelband für Balladen war ab 1922 die bei Kiepenheuer angekündigte
Hauspostille geplant, die jedoch erst 1927, mit anderen Gedichtformen vermischt, im Propyläen-Verlag erschien. ›Postillen‹ sind nach Perikopen gegliederte Predigtsammlungen; Brecht will jedoch nur allgemein den Eindruck
eines Sakralbuches erwecken. Die 25 bei Kiepenheuer gedruckten Privatexem-
plare einer *Taschenpostille* (1926) erschienen in solch parodistischer Aus-
stattung: 11 × 15 cm Taschenformat, schwarzer biegsamer Ledereinband,
zweispaltiger, bibelähnlicher Druck, rote Kapitelüberschriften und die Graphik eines Wasser-Feuer-Menschen wie bei alten Erbauungsbüchern. Die
fünf Lektionen evozieren christliche Ritualpraktiken: ›Bittgänge‹ sind Flur-
prozessionen, Feldbegehungen am 25.4. und drei Tage vor ›Himmelfahrt‹,
›Exerzitien‹ sind von Ignatius von Loyola eingeführte Meditationsübungen,
›Chroniken‹ spielen auf Kapitel der Bibel an, es folgen Psalmen und Gesänge
sowie ›Die Kleinen Tageszeiten der Abgestorbenen‹; in diesen kleinen Horen
des ›Breviers‹ werden die Themen Gottesliebe, Nächstenliebe und Erlösung
thematisiert. Das gesamte Buch destruiert provokativ unreflektierte Fühl-
und Denkgewohnheiten christlicher Sozialisation, zugleich destruiert es,
nach Brechts eigener Einschätzung, »diese destruktive Gesellschaftsordnung«
(Über Lyrik, S. 49). Die einzelnen Gedichte werden oft nur – bei impliziten
Rollengedichten, bei Kontrafakturen, bei indirekten Parodien – im Rahmen
der Lektion-Überschrift und deren überliefertem Assoziationsgehalt verständlich. Der Gesamttenor, daß der Mensch nicht göttlichen, sondern natürlichen und gesellschaftlichen Gesetzen unterworfen sei, wird in der parodierenden ›Anleitung zum Gebrauch der einzelnen Lektionen‹ bestärkt durch
die Aufforderung, »jede Lektüre in der Hauspostille mit dem Schlußkapitel
zu beschließen«, so wie sakrale Lesungen durch ein Gebet beschlossen werden. Dieses Schlußkapitel wendet sich gegen die Auferstehungsreligionen:
»Ihr sterbt mit allen Tieren / Und es kommt nichts nachher.«
Das antimetaphysische Programm der Brechtschen Lyrik wird metaphorisch

besonders deutlich in der Verwendung von Himmels-Konnotationen. Die Himmel sind apfelgrün, aprikosenfahl, azurn, bleich, gelb, groß, grün, jung, kalt, nackt, schön, schwanger, schwarz, still, ungeheuer wundersam, violett, wolkenlos, wunderbar; die entsprechenden Konnotationen dienen besonders zur Distanz-Evokation, zur Verkleinerung des Menschen im Naturzusammenhang, gelegentlich als Lichtäquivalent von Emotionszuständen. Die lyrischen Subjekte erleben die Himmel nicht als geheimnisbergend oder gar transzendenzverheißend, sondern als allgegenwärtiges Signal verlorenen und schädlichen Jenseitsglaubens, verbunden mit der permanenten Verstärkung von Einsamkeit und Hinfälligkeit. Brecht faßt diese Weltbefindlichkeit 1921 zusammen: »Fast alle bürgerlichen Institutionen, [...] beinahe die gesamte christliche Legende gründen sich auf die Angst des Menschen, allein zu sein, und ziehen seine Aufmerksamkeit von seiner unsäglichen Verlassenheit auf dem Planeten, seiner winzigen Bedeutung [...] ab.« (Werke 15, S. 59 f.) Im *Dickicht* artikuliert Shlink Brechts Gegenparole: »Die Liebe, Wärme aus Körpernähe, ist unsere einzige Gnade in der Finsternis!« Die terrestrischen Vorstellungssuggestive – Fluß, Teich, See, Weiher, Gras, Wiesen, Blätter, Unterholz, Baum, Wald – werden betont, um die sinnliche Erfahrungswelt gegen die abstrakten Himmelsspekulationen aufzuwerten. Die zu erwartenden Freuden gehen jedoch über jugendlich genießende Ausgelassenheit kaum hinaus; Motive des Verfalls, Absterbens, Vermoderns überwiegen. Das utopische Potential von Glücksmomenten ist relativ gering; häufiger sind vergangene, bloß noch erinnerte Glücksmomente, Kombinationen von Liebe und Tod: *Ballade vom Tod der Anna Gewölkegesicht* (»Einmal sieht er noch ihr Gesicht: in der Wolke!«) – *Gesang von einer Geliebten* (»Jetzt ist sie nirgends mehr ... / ... zuweilen, wenn ihr mich trinken seht, sehe ich / ihr Gesicht, bleich im Wind ... und ich / verbeuge mich im Wind.«) So entsteht im ganzen »ein wunderliches Gemisch von Zartheit und Rücksichtslosigkeit ..., von wüstem Geschrei und empfindlicher Musikalität«, wie Feuchtwanger 1928 in der ›Weltbühne‹ schrieb.

Funktionen von Gedichten, Naturmetaphorik und Naturerleben hat Brecht in Balladenform im Film *Kuhle Wampe* (1932) behandelt. Das lustvolle Erleben der sommerlichen Natur wird als »Tropfen auf den heißen Stein« im gleichnamigen Gedicht besungen. Für die Mitspielenden und Zuschauer des Films handelt es sich hier zwar um etwas Wünschenswertes, aber zugleich Ablenkendes und Vertröstendes: »Werdet ihr euch begnügen mit dem leuchtenden Himmel? / ... Werdet ihr abgespeist? Werdet ihr getröstet? / Die Welt wartet auf eure Forderungen / Sie braucht eure Unzufriedenheit, eure Vorschläge.« Politisch argumentierende Öffentlichkeitslyrik setzt sich in der zweiten Hälfte der zwanziger Jahre gegen die frühe Individuallyrik Brechts durch. In der Berliner Zeit wurde die Städtelyrik dominant, die Kritik an historischen Figuren, die Darstellung der aus gesellschaftlichen und ökonomischen Fehlern entstehenden Not. Schließlich wendet sich Brecht der politischen Kampflyrik zu, um die zwangsläufige Faschisierung der kapitalistischen Wirtschaftsordnung zu entlarven. Im Arbeitsprojekt *Aus einem Lesebuch für Städtebewohner* überwiegen die Gedichte über stoische Haltungen im mörderischen Existenzkampf, über die Unmenschlichkeit der Riesenstädte ohne Zukunftsperspektive. Das *Lesebuch für Städtebewohner* folgt anarchistischen Vorstellungen wie die *Hauspostille*, ohne deren Lob des Sinnenglücks noch zu ermöglichen. Als letzte Gedichtsammlung vor seiner Emigration publizierte Brecht 1932 in den ›Versuche‹-Heften die »Kinderbuch« genannten *Drei Soldaten* mit Zeichnungen von George Grosz. Die drei Soldaten haben erkannt, daß der vergangene Krieg ein »Krieg der Reichen« war, entlarven das Unrechtssystem von Wirtschaft, Justiz, Kirche, Gesundheitswesen und wenden sich an die Unterprivilegierten, die sich durch Eigenaktivität befreien müssen, um dann auch Kriege überflüssig zu machen: »Denn das Giftgas, wie man's nimmt / Ist immer für Proletarier bestimmt.« – »Leider ... / Braucht man das Elend, um die Löhne zu senken.« – »Wer solche Gerichte über sich duldet / Der ist eben schuld. Denn er schuldet / Es der Gerechtigkeit / Daß er sie von solchen Gerichten befreit.« Brecht diagnostiziert die präfaschistischen Zustände als Klassenkampf der Privilegierten, faßt die Situation als Kriegszustand auf und plädiert für solidarische Gegenwehr der Lohnabhängigen. Am Beispiel der Wohnungsnot in den Großstädten demonstriert er den inneren Kriegszustand: »Viel mehr als jemals durch die Kanonen / Sterben Leute, die in schlechten Häusern wohnen.«

Im Gegensatz zum *Lesebuch für Städtebewohner* sind die operativen Gedichte der Endzeit der Republik durch betont einfache Bildlichkeit und Sprache gekennzeichnet, meist gezielt für bestimmte Adressatengruppen geschrieben und gehen von einem antifaschistischen Solidaritätsgedanken aus. Die Vertonungen verstärken die solidarisierenden Intentionen der Gedichte; die Kampflieder summieren übergreifende Probleme, dienen der Selbstverständigung der Singenden, fördern in den Gruppen die Disposition zu eingreifendem Verhalten. Brechts *Solidaritätslied* für den Film *Kuhle Wampe* verbindet in der Vertonung von Hanns Eisler in phrygischer Kirchentonart rationale Informationswirkungen mit partiell starker Emotionalität: »Vorwärts und nicht vergessen / Worin unsre Stärke besteht! / ... Vorwärts, nie vergessen / Die Solidarität! / ... Wessen Morgen ist der Morgen? / Wessen Welt ist die Welt?« Über den Film gelangte das Solidaritätslied in die Arbeiterliederbücher, während andere Texte, wie *Diese Arbeitslosigkeit, Herr Doktor, Das Lied vom SA-Mann*, von Brecht für die ›Rote Revue‹ 1932 geschrieben, z. T. von proletarischen Sängern wie Ernst Busch auf politischen Veranstaltungen und gleichfalls über Schallplattenaufnahmen verbreitet wurden. Am bekanntesten wurde durch Busch *Das Lied vom SA-Mann*: »Sie gaben mir einen Revolver / Und sagten: Schieß auf unsern Feind! / Und als ich auf ihren Feind schoß / Da war mein Bruder gemeint.« Helene Weigel machte Brechts proletarische Wiegenlieder ähnlich bekannt: »Du, mein Sohn, und ich und alle unsresgleichen / Müssen zusammenstehn und müssen erreichen / Daß es auf dieser Welt nicht mehr zweierlei Menschen gibt.« Als Programm für stringent operative Dichtungen ist Brechts Text *Wer keine Hilfe weiß* aus der Endzeit der Republik zu lesen: »Wie soll der kein Schwindler sein, der den Hungernden / Anderes lehrt, als wie man den Hunger abschafft? / [...] Wer keine Hilfe weiß / Der schweige.«

›Die Angestellten‹

Der medienbezogenen Organisierung von Erfahrung und Klassenkommunikation durch die Arbeiterkorrespondentenbewegung ab 1924, dem ›Bund proletarisch-revolutionärer Schriftsteller‹ ab 1928 und der Radiokorrespondentenbewegung ab 1929 ist die hilflose Vereinzelung innerhalb der deklassierten Angestelltenschicht gegenüberzustellen. Der nichtproletarische ›Kleine Mann‹ begann erst nach der zweiten Wirtschaftskrise der zwanziger Jahre realistisch erzählend sich zu artikulieren und fand hier ein gewisses Medium der Selbstverständigung. Der zahlenstarken, weitverzweigten Arbeiterschriftstellerbewegung stehen nur wenige Zufallserfolge auf der Angestelltenseite gegenüber, da sie auf liberale Verlage und kapitalistische Presse angewiesen ist. Die hier als Bevölkerungsschicht herausgegriffene »künstliche Mitte« (Bloch) war erstmals als »Neuer Mittelstand« angesprochen worden, als die Sozialdemokratie sich anschickte, die stärkste Reichstagsfraktion zu werden und den Gegnern eine Spaltung ihrer Anhänger nützlich erschien. Seit der Debatte um die Sonderversicherung der Angestellten 1911 sprachen die Konservativen euphemistisch vom »Neuen Mittelstand«. Damit wurde den Angestellten und kleinen Beamten entgegen den Konsequenzen ihrer materiellen Lage eine erhabene Stellung jenseits des Klassenkampfes suggeriert. Den Angestelltenorganisationen kam es in ihrer Mehrzahl darauf an, »Standesgefühl, Zusammenhalt, ein Sichabschließen gegen hinabziehende Einflüsse« zu vermitteln, wie Kracauer zitiert. Die Firmen forcierten diese Trennung: Kracauer berichtet von einem Direktor, der »einen seiner Angestellten zur Rede stellte, weil dieser im Hof mit einem Arbeiter Zwiesprache gepflogen habe«. Die Zahl der Angestellten betrug 1880 300000, 1907 1,5 Millionen und 1928 3,5 Millionen. Die Angestelltenschicht rekrutierte sich Mitte der zwanziger Jahre zu 3 % aus der Oberschicht, zu 72 % aus den mittleren Schichten und zu 25 % aus der Arbeiterschicht. (Speier, S. 44)

Nicht den Angestelltengewerkschaften – die sich vor 1933 freiwillig und nach 1945 von den Siegermächten gezwungen von der gewerkschaftlichen Arbeiterbewegung distanzierten – gebührt das Verdienst, öffentlichkeitswirksam auf die Besonderheiten der Lebensbedingungen der Angestellten aufmerksam gemacht zu haben, sondern dem Soziologen und Publizisten SIEGFRIED KRACAUER (1889–1966). Er veröffentlichte 1929 in der ›Frankfurter Zeitung‹ *Die Angestellten*, eine Gegenwartsstudie von hohem wissenschaftlichen und gleichzeitigem Unterhaltungswert, die man – Bloch variierend – »Soziologie in Revueform« nennen könnte. Die Wirkung der »geradezu aufsehenerregenden Serie« charakterisierte Tucholsky so: »Die Spezialisten toben wild umher – sie haben Jahrzehnte verschlafen, und nun kommt da so ein Außenseiter!« (Werke 8, S. 334). Kracauer erkennt Berlin als typische Angestelltenstadt und die Angestellten selbst als diejenige Schicht, deren Denken und Fühlen der konkreten Wirklichkeit ihres Alltags mehr entfremdet sind als die aller anderen Schichten. In diesem Beispiel von analytisch-dokumentarischer Literatur sind Wissenschaft, Journalismus, Literaturproduktion eine selten enge Verbindung eingegangen. Benjamin hat darauf hingewiesen, daß in Kracauers Text »Anfänge der lebendigsten Satire« stecken, besonders wenn er akademische tayloristische Gutachten zusammenmontiert.

Im ersten Kapitel rechnet der Autor streng mit der modernistischen Oberflächen-Reportage ab. Er selbst erfüllt die wichtige Voraussetzung wissenschaftlicher Orientiertheit für Reportage-Produzenten, versagt sich aber die politische Wertung. Benjamin folgert, die Serie könne zur wichtigen Politisierung der Intelligenz-Schichten beitragen. Für die Durchschnittsangestellten ist Kracauer ratlos wie Fallada.

Benjamin und Kracauer diagnostizierten, daß die moderne Erlebnisweise, vornehmlich in der Angestelltenschicht, den Charakter der Zerstreuung habe, und sahen hier Ansätze möglicher Demokratisierung, während Adorno Zerstreuung eher für den Ausdruck der Ich-Schwäche, der Selbstentfremdung, der Funktionalisierung von Freizeit auf die entfremdete Arbeit hin hielt.

Kracauer sieht das Kino als charakteristisches Medium für die Angestellten der Großstädte. Außerhalb der reinen Ablenkungsfilme, die die Scheinwelt der Zuschauer bestätigten, haben vielleicht die Chaplin-Filme in den zwanziger Jahren am ehesten den melancholischen kleinen Mann in poetischer Typisierung mit utopischem Optimismus ins Bild gebracht. Tucholsky faßte dies Berlinisch in *Schepplin* (1931) so zusammen: »Vor dir hat jeda schon jesessen. / Trotz Koppweh, Ärja, Not un Schmerz. / Vor dir hat jeda det vajessn. / Ik wer da sahrn: du hast Herz!«

Die wenigen Filme, in denen Angestellte realistisch dargestellt werden, sind ihrerseits ratlos. Die Leiterin des sozialdemokratischen ›Film- und Lichtbilddienstes‹, Marie Harder, zeigt in *Lohnbuchhalter Krempe* (1930) einen älteren Angestellten, der aus Rationalisierungsgründen arbeitslos wird und in dem eine »verschollene Bürgerlichkeit nachspukt« (Kracauer), so daß er seine Tochter von einem nicht »standesgemäßen« Lastwagenfahrer abbringen will und sich schließlich ertränkt. Der Realismus dieses Films wird nur durch die Schlußillusion geschmälert: die Arbeitslosen stehen vor dem Reichstag und rufen chorisch »Gebt Arbeit!«. Der gleichfalls 1930 entstandene Berliner Film *Menschen am Sonntag* von dem Kollektiv Robert Siodmak, Edgar G. Ulmer, Billie Wilder, Fred Zinnemann dokumentiert lediglich ohne Analyse die Gegenwartslage. Die Laiendarsteller – Verkäuferin, Mannequin, Weinvertreter, Chauffeur – spielen sich selbst bei einem Sonntagsausflug; eingeschnitten sind satirische Szenen des Besuchs eines Provinzlers in der sonntags menschenleeren Angestelltenstadt Berlin. Beobachtung und Resignation sind auch hier Charakteristika der ›Neuen Sachlichkeit‹.

Repräsentativ für den ideologischen Mißbrauch der Angestelltensehnsüchte ist Wilhelm Thieles sehr erfolgreicher Film *Die Privatsekretärin* (1931): Dank ihrer hübschen Beine heiratet ein Mädchen aus der Provinz einen Berliner Bankdirektor.

Die anspruchsvolle analytische Reportage in der Verfahrensweise Kracauers scheint selten zu sein. Ein Beispiel ist BRUNO FREIS (geb. 1897) *Warenhausangestellter* in der ›Linkskurve‹ 1932.

Der Rundfunk hat sich der Probleme der Angestellten, die 1930 (zusammen mit Beamten) 19 % der Bevölkerung und 36 % der Rundfunkhörer ausmachten, nicht konkret angenommen. Erich Kästners *Leben in dieser Zeit* (1929) blieb sarkastisch diffus und ratlos, Hermann Kasacks *Der Ruf* (1932) behauptete naiv oder zynisch: »Wenn überall bei uns wirklich der Wille zur Arbeit ganz stark da wäre, dann könnte die Arbeitslosigkeit einfach nicht so groß sein.« Ein höchst zweifelhafter Versuch ist auch das ›Hörmodell‹ *Gehaltserhöhung?! Wo denken Sie hin!* von Walter Benjamin und Wolf Zucker, das 1931 im Frankfurter und Berliner Rundfunk gesendet wurde und in didaktisch einübender Weise Angestellten-Fragen behandelte. Die Autoren suggerieren eine Verbesserung der Not durch rhetorische Überredungsstrategien gegenüber Vorgesetzten.

In der Romanliteratur wurden die Angestellten erst nach den Krisenerfahrungen, nach 1930, thematisiert. Kafkas Roman über den Bankangestellten Josef K., *Der Prozeß* (1925), konnte als neues Paradigma selbstverständlich von den Zeitgenossen noch nicht rezipiert werden.

Am bekanntesten aber wurden durch Zeitungsnachdrucke die herkömmlichen fiktionalen Bearbeitungen der Thematik durch Fallada. An HANS FALLADA (1893–1947) läßt sich zeigen, wie die soziale Schicht der traditionellen Leser durch Inflation und Weltwirtschaftskrise ruiniert worden war und deren Literaturproduzenten gleichfalls. Ein Pubertäts-Roman (1920) und ein antibürgerlicher Liebesroman (1923), in dunkel expressionistischer Manier geschrieben, konnten nicht die ökonomische Basis einer Schriftstellerexistenz abgeben. Fallada wurde Gutsangestellter, Strafgefangener, Zeitungsangestellter. Erst über diese Erfahrungen konnte der deklassierte Richter-Sohn acht Jahre später adäquat und an seinesgleichen gewandt berichten, während die mit poetischen Ambitionen verfaßten Werke im Stil des Erstlingswerks vom Verlag zurückgewiesen wurden. Ernst Rowohlt drängte den Autor zum aktuellen Zeitroman, den er mit *Bauern, Bonzen und Bomben* (1931), *Kleiner Mann – was nun?* (1932), *Wer einmal aus dem Blechnapf frißt* (1934) und nochmals mit *Wolf unter Wölfen* (1937) sowie mit dem *Alpdruck* (1947), *Jeder stirbt für sich allein* (1947) und *Der Trinker* (1950) schuf. Die Darstellung der norddeutschen Bauernrebellion, deren verworfener Titel poetisch pessimistisch *Ein Zirkus namens Mondo* lauten sollte, hat als matte Satire und im Grad politischer Bewußtheit sehr viel Vergleichbares mit Erich Kästners zeitkritischen Gedichten und dessen Roman *Fabian* – ebenfalls 1931 –, dessen verworfener Titel poetisch pessimistisch *Der Gang vor die Hunde* lauten sollte. Der Erzähler resigniert angesichts der Schwächen und der Feinde der Sozialdemokratie. Die ausgezeichneten Schilderungen des Kleinstadtlebens und des Zeitungsbetriebs übertreffen an dokumentarischem Realitätsgehalt denjenigen von *Kleiner Mann – was nun?*

Der pessimistische Schluß des Kleinstadtromans *Bauern, Bonzen und Bomben* – zufälliger Tod des zwischen die Interessenparteien geratenden kleinen Angestellten, Amtsenthebung eines positiv dargestellten sozialdemokratischen Politikers – ist in der Geschichte des arbeitslosen ›kleines Mannes‹ Johannes Pinneberg möglicherweise während der Fortsetzungsveröffentlichung in der ›Vossischen Zeitung‹ in letzter Minute nicht ähnlich wiederholt, son-

dern zum glücklichen Ende stilisiert worden. Um die Zeitungsleser des alsbald zu Weltruhm gelangten und in 50 deutschen Zeitungen nachgedruckten
Romans in der Krisensituation 1932 nicht zu enttäuschen, unterdrückte Fallada den Schluß, bei dem der ›kleine Mann‹ nachts eine Prostituierte in die
Wohnung seiner Familie mitbringt. Statt dessen montiert er einen Schluß
aus zwei wichtigen Stützen seiner Zukunftshoffnung: Naturgeborgenheit
und Liebe zur Familie. Fallada hat auf dieses »Was nun?«, die Gegenwarts-
frage der gesamten Schicht, für die er spricht, da sie »nur schwer von sich
sprechen« kann, wie Kracauer schreibt, keine Antwort. Diese Romantisierung der die Umwelt ignorierenden Liebe verstärkte Frank Borzage in seiner
Verfilmung *Little Man What Now?* (1934).

Der S. Fischer Verlag wollte dem Fallada-Erfolg des Rowohlt Verlags 1933 die
übersetzte Geschichte des kleinen Londoner Angestellten Stevens entgegensetzen; das idyllische Moment ist in *The Fortnight in September* (1931) des
Versicherungsangestellten und Gelegenheitsdichters ROBERT C. SHERIFF (geb.
1896), der gerade durch sein Antikriegsstück *Die andere Seite* (dt. 1929) bekannt geworden war, noch weit stärker vertreten als bei Fallada: Natur, Urlaub, Strand lassen die Erniedrigungen des Arbeitslebens gebrochen verklärt
erscheinen.

Das Leben der permanent unterbezahlten weiblichen Angestellten, die von
der Provinz in die Großstädte kommen, beschreibt IRMGARD KEUN (geb.
1910), die von Döblin zum Schreiben gebracht wurde und auf die Tucholsky
1932 in der ›Weltbühne‹ hinwies. Ihre Romane *Gilgi – eine von uns* (1931)
und *Das kunstseidene Mädchen* (1932) dokumentieren die Sprache und den
vom Filmklischee geprägten Habitus arrivierter Spießbürger, die um die jungen Mädchen werben; sie dokumentieren die Erwartungen und Enttäuschungen der 18- bis 22jährigen Frauen. Doris, das »kunstseidene Mädchen«, sucht
die wirtschaftliche Misere mit Film-Tröstungen zu überspielen: »Und ich
denke, daß es gut ist, wenn ich alles beschreibe, ... ich will schreiben wie
Film, denn so ist mein Leben.« Das gestohlene Attribut bürgerlichen Erfolgs,
ein wertvoller Feh-Mantel, ist nur von begrenztem Erfolg; der ratlos-offene
Schluß im Wartesaal wiederholt unausgesprochen Falladas Frage »was
nun?«. Die Verelendung des Kleinbürgertums wird eindringlich verdeutlicht,
ohne Fragen nach gesellschaftlichen Zusammenhängen zu stellen. Als nach
einer klischeehaften Verfilmung der ›Vorwärts‹ *Gilgi – eine von uns* 1932 abdruckte, hatten die Angestellten-Bedingungen sich bereits so verschlechtert,
daß es zahlreiche Proteste bei der Redaktion gab. Während der Emigration
veröffentlichte Irmgard Keun in *Nach Mitternacht* (Amsterdam 1937) wichtige psychologische Verhaltensanalysen des ›kleinen Mannes‹ im faschistischen Deutschland.

Aus den Erlebnissen des überqualifizierten, deklassierten Intellektuellen her-
aus beschreibt MARTIN KESSEL (geb. 1901) – Doktor der Philosophie wie sein
Altersgenosse Erich Kästner – die Welt der Angestellten in *Herrn Brechers
Fiasko* (1932). Variationen des Angestelltenbewußtseins werden am Beispiel
eines Konzernbüros dargestellt. Die herkömmlich dichterischen Ambitionen
Kessels, der 1926 für seinen Gedichtband *Gebändigte Kurven* mit dem Kleist-

preis ausgezeichnet worden war, trüben eher die Beobachtungsergebnisse durch irrationale Poetisierungen, z. B. der Funktionen der Konzerndirektion. Die ratlos pessimistische Grundstimmung ist derjenigen Falladas, Kästners und Keuns vergleichbar. Die Darstellungen des »kümmerlichen, wehrlosen Angestelltenproletariats, das nicht von seiner falschen Bürgerlichkeit lassen kann«, wie Tucholsky anläßlich des Romans Christa Anita Brücks *Schicksale hinter Schreibmaschinen* (1930) formuliert, betonten alle den Faktor der Vereinzelung der Verelendeten, dem RUDOLF BRAUNE (1907–1932) die politische Idee der Solidarität entgegensetzte. *Das Mädchen an der Orga Privat. Ein kleiner Roman aus Berlin* (1930) schildert die Rechtlosigkeit der Stenotypistinnen in einem Konzernbüro und einen Proteststreik. Das Leben arbeitsloser Jugendlicher stellte Braune in seinem letzten Roman *Junge Leute in der Stadt* (1932) anhand eines Einzelgängers dar, der zu solidarischem Handeln und politischem Bewußtsein gelangt. Formal fällt an diesem Roman die Zeitraffung einer 24-Stunden-Handlung auf; ähnlich versuchte Irmgard Keun einen 48-Stunden-Ausschnitt in *Nach Mitternacht*.

Der Versuch FRANZ JUNGS (1888–1963), einerseits das Leben völlig deklassierter Angestellter oder »Selbständiger« im Kurzroman *Hausierer* (1931) zu erfassen, andererseits damit zugleich ein parabolisches Schema allgemeiner ökonomischer Wirkungsgesetze zu gestalten, führte zu dem Ergebnis, daß keine Seite zureichend gelang. Jung arbeitet mit einprägsamen Analogien: »Bei jedem Geschäft liegt der sonst gesetzlich zu ahndende Betrug, bei jeder Schiebung der Diebstahl, bei jeder Konzernbildung Raub und Erpressung.«

Im Erscheinungsjahr von Falladas Angestellten-Roman erschien WERNER TÜRKS (geb. 1901) *Konfektion* (1932), der – völlig abweichend von Fallada – politisch argumentiert und die Möglichkeiten der Arbeiterbewegung ins Bewußtsein rückt. Bemerkenswert sind die wütenden Ausfälle der Unternehmerpresse gegen Türks Buch, während die Presse gegen Fallada nichts einzuwenden hatte. In direkter Anspielung auf Fallada stellte Türk 1935 während der Prager Emigration in einem Roman *Kleiner Mann in Uniform* das Schwanken des Angestellten- und Beamten-Kleinbürgertums zwischen Arbeiterbewegung und Faschismus dar, bevor die faschistischen Uniformen siegen. Gleichfalls gegen Falladas Bild vom ›kleinen Mann‹ gerichtet war F. C. Weiskopfs Roman *Lissy oder Die Versuchung* (Zürich 1937), der das Leben einer Arbeitertochter als Angestellte, als Arbeitslose und als Ehefrau eines Nazi-Kämpfers zwischen 1931 und 1933 beschreibt und die Frau schließlich zum kommunistischen Widerstand stoßen läßt.

Als wirksamst operatives‹ Werk zum Thema ›Angestelltenbewußtsein‹ erwies sich kurz vor der Machtübergabe an den Faschismus Gustav von Wangenheims dialektische Szenenmontage *Die Mausefalle* (1931), die von der ›Truppe 31‹ über 300mal auf einer Tournee gespielt wurde. Die Deklassierung und Verelendung der Angestellten wurde durch Montage widersprüchlicher Realitätsszenen zum Lernstück faschismusanfälliger Mittelschichtenzuschauer.

Zur Darstellung des provinziellen Bürgertums

Im expressionistischen Jahrzehnt hatte die satirische Charakterisierung des Bürgers mit Vorliebe sich der Groteske bedient. Der aufgestaute Haß gegen die Unterdrückung im wilhelminischen und im habsburgischen Reich wählte die schärfste Form der Kritik, die zugleich die Verfolgung durch Strafgesetze und Zensur wegen ihres indirekten Sprechens vermied, wenngleich Frank Wedekind als Sänger grotesker Bänkellieder eine Freiheitsstrafe verbüßen mußte und vor allem der noch neu zu entdeckende deutsche Poe-Nachfolger, Oskar Panizza, der wegen seines *Liebeskonzils* (1895) anderthalb Jahre im Gefängnis verbrachte und dessen »eindringliche Kraft der Phantasie« Tucholsky mit derjenigen Kafkas verglich. Der Bürgerhaß ist jedoch stets mit einem positiven Gegenbild verbunden, hat wie jede Satire einen utopischen Impetus. SALOMO FRIEDLÄNDER (1871–1946), der Kantianer und Groteskenschriftsteller, spricht vom »schattenhaften Vorspuk der paradiesisch unverzerrten Welt« und gibt folgende Zusammenfassung:

Der groteske Humorist speziell hat den Willen, die Erinnerung an das göttlich geheimnisvolle Urbild des echten Lebens dadurch aufzufrischen, daß er das Zerrbild dieses verschlossenen Paradieses bis ins Unmögliche absichtlich übertreibt. Er kuriert das verweichlichte Gemüt mit Härte, das Sentimentale durch Zynismen, das in Gewohnheiten Abgestandene durch Paradoxie: er ärgert und schockiert ... (Serke, S. 220)

Als Myona blieb Friedländer – seinerseits beeinflußt von Paul Scheerbart und Alfred Kubin – durch seine erste, mehrfach aufgelegte Sammlung *Rosa die schöne Schutzmannsfrau* (1913) bekannt; es schlossen sich in der Weimarer Zeit an der ›Un-Roman‹ *Die Bank der Spötter* (1919) und die Grotesken-Bände *Nur für Herrschaften* (1920), *Das widerspenstige Brautbett* (1921), *Mein Papa und die Jungfrau von Orléans* (1921), *Trappistenstreik* (1922), *Ich möchte bellen* (1924) bis zum *Lachenden Hiob* (Paris 1936) im Exil.

Der Wien-Berliner expressionistische Schriftsteller ALBERT EHRENSTEIN (1886–1950) hatte 1911 in seiner Novelle *Tubutsch* das Erlebnis des Absurden, das Grauen des Nichts beschworen und nahm 1919 die veränderte Situation zum Anlaß, seinen *Selbstmord eines Katers* (1912) umgearbeitet als groteske Gestaltung seiner Lebenssicht im *Bericht aus einem Tollhaus* zu veröffentlichen. Es war folgerichtig, daß Ehrenstein als einer der ersten öffentlich auf die Bedeutung Kafkas hinwies, dessen groteske Erzählung *Die Verwandlung* (1915) z. B. ihm leichter als anderen Zeitgenossen zugänglich sein mußte.

Der groteske Roman im Stil des Wieners GUSTAV MEYRINK (1868–1932) erreichte als einzige Grotesk-Form weitere Leserschichten als kritische Intellektuelle; die Horrorwirkungen, die seine in Auflagen über 150000 verkauften Romane *Der Golem* (1915), *Das grüne Gesicht* (1916), *Walpurgisnacht* (1917) erzielen, setzten sich besonders in den expressionistischen Filmen fort; seine satirischen Intentionen gehen im Horror oft verloren, und das Groteske wird selbstzweckhaft. Sein Landsmann FRITZ VON HERZMANOVSKY-ORLANDO

(1877–1954) verhöhnte in seiner Romangroteske *Der Gaulschreck im Rosennetz* (1928) vor allem den österreichischen Bürokratismus und entlarvte die Verfassung als auf den Gesetzen des Tarockspiels beruhend; sein Tarockanien hat jedoch statt satirischer überwiegend skurrile Züge im surrealistischen Gesamtrahmen.

Weitaus konkreter ist die Kleinbürgerkritik am Beispiel der katholischen Stadt Neiße in *Cajetan Schaltermann* (1921) von MAX HERRMANN-NEISSE (1886–1941); die Geschichte des herabgekommenen Lyrikers Schaltermann ist vor allem wegen des Kompositionsprinzips mit Überlagerungen und schnellem Szenenwechsel im Filmstil wichtig und leitet in der Sprachhaltung zu den Satirikern der späteren zwanziger Jahre über. Ähnliches gilt für die Kleinstadtsatire ALEXANDER MORITZ FREYS (1881–1957) *Solneman, der Unsichtbare* (1914), die mit ihrem telegrammartigen Protokollstil und der Tonlage des kühlen understatements Sprachhaltungen der ›Neuen Sachlichkeit‹ vorwegnimmt.

Der Berliner Dadaismus weitete die Groteske zur visuellen Wirkung hin aus. Nicht von ungefähr erfand der ›Dadasoph‹ RAOUL HAUSMANN (1886–1971) parallel zu John Heartfield die Fotomontage und steuerte die Satiren *Hurrah! Hurrah! Hurrah!* (1921) bei. WIELAND HERZFELDE (geb. 1886), Herausgeber satirischer Zeitschriften und Verleger auch mehrerer Dadaisten und der frühen Werke George Grosz', ließ als Band 2 seiner Malik-Bücherei den *Bürgerspiegel. Eine Sammlung satirischer Anekdoten, Epigramme, Witze und Glossen* erscheinen und veröffentlichte 1920 als Parallelerscheinung zur Verwendung von Traumassoziationen des französischen ›surréalisme‹ der Richtung André Bretons seine Traumaufzeichnungen als *Tragigrotesken der Nacht*. Eine von Breton abweichende Variante des ›Überrealismus‹ wurde in den bürgerkritischen grotesken Stücken Iwan Golls vertreten. Eine vorhergehende deutsche lyrische Variante in Form der surrealistischen Weltzertrümmerung CHRISTIAN MORGENSTERNS (1871–1914) wirkte noch weit in die zwanziger Jahre hinein und setzte sich in den satirisch-grotesken Gedichten Ringelnatz' fort; weniger bekannt wurden LUDWIG RUBINERS (1881–1920) – Herausgeber der wichtigen Expressionisten-Anthologie *Kameraden der Menschheit* (1919) – groteske Gedichte wie *Kriminal-Sonette*.

Der von der Zensur verfolgte BRUNO VOGEL (geb. 1898) versuchte, die grotesken Wirkungen seines inkriminierten Bands *Es lebe der Krieg!* (1924) in einer Kritik des Kleinbürgertums *Ein Gulasch. Skizzen* (1926) zu variieren. Die von den Zeitgenossen nicht wahrgenommenen Dichtungen OTTO NEBELS (1892–1973) begannen mit der Anti-Kriegssatire *Zuginsfeld* im ›Sturm‹ 1920/21, die wie Kraus am Sprachverfall den Verfall der bürgerlichen Gesellschaft festmacht. Sprachspiel und Montage sind auch die Prinzipien weiterer Werke Nebels; im ›Sturm‹ 1924 erschien z. B. die erste seiner ›Trübsinnscheuchen‹ *Schaltjahr* (»wenn von Berg zu Tal das liebe Nashorn ... aus dem frisch bezognen Flußbett ... um den dicken Kugelkaktus unbestochen über große, bleiche Damenwäsche in den Herren Flaschenkeller rollt«).

Es erscheint nicht unwichtig, das Leseverhalten und die Selbstdarstellung des Kleinbürgertums, besonders des 1923 ruinierten alten Mittelstands, zu erkunden, zumal sein Wahlverhalten in den dreißiger Jahren eine entscheidende regressive Veränderung in der europäischen Geschichte bewirkt hat. Obgleich Presse und Film die wichtigsten bewußtseinsprägenden Medien der Zeit waren, wird man der Lektüre von Populärromanen noch einen wichtigen Stellenwert zumessen können. Mit Hans Fallada, Marieluise Fleißer, Leonhard Frank, Oskar Maria Graf und den aus Österreich-Ungarn stammenden Wahldeutschen Ödön von Horváth und Joseph Roth hat das Kleinbürgertum darüber hinaus wichtige Erzähler und Gegenwartschronisten gehabt, von denen Fallada und Frank sowie Roth als Journalist sogar einen gewissen zeitgenössischen Bekanntheitsgrad hatten. Zwei Charakteristika dieser Autoren lassen sich isolieren: sie sind entschiedene Einzelgänger und völlig unorganisiert, auffällig ist weiter ihre durchgängige Theorielosigkeit sowohl im engeren literarischen als auch im sozio-ökonomischen Bereich. Sie kommen aus Kleinhandels- und Handwerkerfamilien oder haben sich wie Fallada und Horváth ihrer großbürgerlichen Herkunft total entfremdet. Sie sind präzise Beobachter ihrer Umwelt und erregen Interesse durch ihre Sprachsensibilität (Fleißer, Graf, Horváth, Roth) oder durch ihre Fabuliersuggestionskraft (Fallada, Frank, Roth). Sie sind parteilich nicht gebunden, jedoch alle sozialkritisch republikanisch (Roth bis 1925) orientiert. In der ›Republik ohne Republikaner‹ erhalten diese Schriftsteller jedoch nur wenig Resonanz; ihr Kontakt mit dem republikanisch engagierten Bevölkerungsteil ist (außer bei Graf) zu gering, als daß eine kritische Weiterentwicklung der Autoren hätte forciert werden können. Der durchschnittliche Adressat ihrer Werke wird von Tucholsky 1919 so beschrieben:

Der Bürger. Das ist – wie oft wurde das mißverstanden! – eine geistige Klassifizierung, man ist Bürger durch Anlage, nicht durch Geburt und am allerwenigsten durch Beruf. Dieses deutsche Bürgertum ist ganz und gar antidemokratisch, dergleichen gibt es wohl kaum in einem andern Lande, und das ist der Kernpunkt alles Elends. (Werke 2, S. 52)

Einer zwischen 1877 und 1883 geborenen Generation deutschsprachiger Erzähler, die durch ihr starkes pazifistisches Ethos hervorgetreten ist, kann LEONHARD FRANK (1882–1961) zugezählt werden. Mit Hermann Hesse, René Schickele und Stefan Zweig hatte Frank gemeinsam die Distanz zu Preußendeutschland; das Ende des Ersten Weltkriegs hatten diese européens prématurés – wie auch Ernst Bloch, Iwan Goll, James Joyce, Harry Graf Kessler, Klabund, Romain Rolland, Carl Sternheim, Franz Werfel – in der Schweiz erlebt.
Ihre Jugendwerke zeigen z. T. antibürgerlich-antikapitalistische Züge. Zugleich haben sie deutliche poetische Ambitionen in Fortsetzung der großen realistischen Erzähldichtung des 19. Jahrhunderts und wollen breitere Leserschichten erreichen.
Frank, Hesse und Zweig zeigen deutlich Einflüsse der Psychoanalyse-Theorie Freuds, bei Frank vermittelt durch den Freud-Schüler in der Münchener Bohème, Otto Groß, der Milieu und Familie bei Kindheitseinflüssen weit wichtiger einschätzte als Freuds libidinöse Akzentuierungen. Wie der 28jährige

Hesse in *Unterm Rad,* der 26jährige Musil in den *Verwirrungen des Zöglings Törleß* das terroristische bürgerliche Erziehungssystem als Modelle der Gesamtgesellschaft ihrer Zeit darstellten, so der 31jährige Frank in seinem erfolgreichen Roman *Die Räuberbande* (1914), der sogleich mit dem Fontane-Preis ausgezeichnet wurde und dessen ausgewogene Qualität von seinen späteren Romanen nicht wieder erreicht worden ist. In den Zeitromanen *Das Ochsenfurter Männerquartett* (1927), *Von drei Millionen Drei* (1932) und *Die Jünger Jesu* (1949) versuchte Frank, an diese Darstellung der süddeutschen Kleinbürgerwelt als Mischung aus Idyll und Bösartigkeit anzuschließen. Im Vergleich zu Falladas, Fleißers, Grafs, Horváths Kleinbürgerprovinz-Beschreibungen bleiben diejenigen Franks eher dem Vorkriegsmilieu verhaftet und handlungsmäßig sowie sprachlich überwiegend untypisch. Die Arbeitslosenproblematik etwa wird zwar in *Von drei Millionen Drei* ansatzweise entfaltet, doch verliert sie sich in episodischen und pikaro-ähnlichen Handlungsgeflechten. Negativ wirken sich auch Franks Bemühungen aus, starkes persönliches Gefühlsengagement in direkter Weise dichterisch umzusetzen. In der Liebesgeschichte innerhalb des *Ochsenfurter Männerquartetts* und späteren Beispielen sind die Gefühlserlebnisse stilistisch wenig gelungen dargestellt. Das gilt auch für den »Inzest«-Roman *Bruder und Schwester* (1929), mit dem Frank ein beliebtes Thema der Zeit aufnahm, das von so unterschiedlichen Autoren wie Thomas Mann (*Wälsungenblut,* 1921), Albrecht Schaeffer (*Das Gitter,* 1921), Frank Thiess (*Die Verdammten,* 1921), Klabund (*Borgia,* 1928), Kasimir Edschmid (*Lord Byron,* 1929), Robert Musil (*Der Mann ohne Eigenschaften,* 1930/33), Heinrich Mann (*Ein ernstes Leben,* 1932) behandelt wurde. Als sehr gelungener Versuch, diffizile Liebesbeziehungen entgegen herkömmlicher Tabus zu gestalten, kann dagegen Franks Erzählung *Karl und Anna* genannt werden, die im Juni 1926 in der ›Vossischen Zeitung‹ erschien: ein Heimkehrer imitiert einen Kameraden und umwirbt dessen Ehefrau erfolgreich; der später heimkehrende Ehemann wird abgewiesen. Da in der Bühnenbearbeitung von 1929 die Funktion der Erzählerfigur für die Darstellung seelischer Resonanzen ausfallen muß und durch Figurendialoge sprachungewohnter Menschen kaum ersetzt werden kann, hat man hier ein Musterbeispiel mißlungener Medientransposition vor sich, wie Erich Kästner 1929 in der ›Weltbühne‹ in einem hervorragenden kommunikationsspezifischen Essay gezeigt hat. Die Mitte zwischen den Positiva der Erzählung und den Negativa des Schauspiels hielt Joe Mays Ufa-Verfilmung *Heimkehr* (1928). Ein stilistisch oft nicht zureichend umgesetztes Gefühlsengagement ist außer im erotischen auch im politischen Bereich bei Frank feststellbar: die betont operativ argumentierenden frühen Erzählungen gegen die Todesstrafe, *Die Ursache* (1915), und gegen den Krieg, *Der Mensch ist gut* (Zürich 1917), konnten sich noch – dem Zeitgeschmack entsprechend – eines forcierten Pathos bedienen, während Franks sozialkritisches Engagement in seinem mit fast 100000 Exemplaren meist verkauften Roman *Der Bürger* (1924), der das Schwanken des bürgerlichen Intellektuellen zwischen den Klassen vorführt, auf den herkömmlich realistischen Erzählstil angewiesen ist und die mangelnde Gesellschafts- und Wirtschaftsanalyse allzu spürbar werden läßt. Der »Gefühlssozialist« Frank verlegt in dem handlungsarmen Roman die Entscheidungsfaktoren in den innerseelischen Erlebnisraum. Die verfälschende Antinomie ›spießige Erwachsenenwelt‹ – ›idealistisch progressive Jugend‹, beliebter Topos der gesamten zwanziger Jahre, wird im *Bürger* zum erstenmal auf relativ konkreter sozialer Ebene abgehandelt. Der verbal geforderten Konsequenz einer Hinwendung zur Arbeiterbewegung vermochte Frank selbst nicht zu folgen. Literarhistorisch wichtig wurde nach der Rückkehr aus der Emigration Franks Erinnerungsbuch *Links wo das Herz ist* (1952).

JOSEPH ROTH (1894–1939) erlebte die zwanziger Jahre wie Leonhard Frank in Berlin und hatte sich ähnlich wie er aus ärmlichen Verhältnissen durch Schreiben herausgearbeitet. In einer zerstörten Familie in Galizien war Roth auf phantastische Tagträume angewiesen gewesen und entwickelte früh einen Grund-Topos seines Werks, die beredte Trauer um ein verlorenes Paradies, das nicht existiert hat. Die rückwärtsgewandte Melancholie erreicht ihren Höhepunkt in den monarchistischen Österreich-Romanen und den religiösen Romanen der dreißiger Jahre. Als Journalist an der Wiener Zeitung ›Der Neue Tag‹ arbeitete er mit Kisch, Rudolf Olden und Alfred Polgar zusammen, dessen Stilhaltung ihn stark beeinflußte. Hier wurden der entschieden subjektive Blick auf Details der Welt und entsprechend sprachliche Nuancierungen kultiviert. Roth schrieb schon 1917: »Hauptsache ist das Erleben, die Intensität des Fühlens, das starke Sich-Hineinbohren in das Ereignis.« (Briefe, S. 35). In den über 100 Beiträgen im Wiener ›Neuen Tag‹ 1919/20 galt Roths Gefühlsinteresse überwiegend den Opfern der bürgerlichen Gesellschaft. Sein erstes Feuilleton *Die Insel der Unseligen* (20. 4. 1919) galt den Insassen einer Nervenheilanstalt. Er bekämpfte den völkischen Nationalismus wie den Klerikalismus, ohne jedoch politisch rational argumentierende Folgerungen anzudeuten. Seit 1920 lebte Roth in Berlin und schrieb hauptsächlich für die ›Neue Berliner Zeitung‹ (1920/26), den sozialdemokratischen ›Vorwärts‹ (1922/24), die ›Frankfurter Zeitung‹ (1923/27), das ›Prager Tagblatt‹ (1923/33), ›Lachen Links‹ (1924/26) und die satirische Zeitschrift ›Der Drache‹ (um 1925). Die Mitarbeit beim liberalen ›Börsen-Courier‹ kündigte Roth 1922, weil er nicht als »Sonntagsplauderer« täglich seinen »Sozialismus verleugnen« wollte. (Briefe, S. 40) Das Nebeneinander von unterhaltendem Feuilleton und sozialkritischen Reportagen mit Akzentuierung der letzteren, das politisch-aufklärerische Interesse des Journalisten hielt bis 1926 an, obwohl er seine wichtige Mitarbeit beim ›Vorwärts‹ aus bisher ungeklärten Gründen Ende 1924 beendete. Die Beiträge im ›Vorwärts‹ waren gekennzeichnet vom Kampf gegen die Reaktion, der Herausarbeitung des sozialen Elends und der Klassengegensätze. Die Jahre 1923/24 stellen den Höhepunkt von Roths verbalem, politisch progressivem Engagement dar. Er schreibt drei Zeitromane zugleich: *Das Spinnennetz* erschien 1923 in der austro-marxistischen Wiener ›Arbeiter-Zeitung‹, *Hotel Savoy*, als sein erster Roman in Deutschland, in der ›Frankfurter Zeitung‹ 1924, *Die Rebellion* 1924 im ›Vorwärts‹.

In dem Zeitroman *Das Spinnennetz* geht es um die satirische Gegenwartsdiagnose der in München zentrierten Konterrevolution. Roth gehört zu den ganz wenigen Schriftstellern, die schon während der frühen Weimarer Zeit die faschistische Gefahr eindeutig prognostiziert und sinnlich erfahrbar vermittelt haben. Dabei spielt das Kleinbürgertum eine entscheidende Rolle. Der Erzähler stellt die psychischen und sozialen Bedingungen, die den Typus des militanten Kleinbürgers hervorbringen, in den Vordergrund. Die Borniertheit des frustrierten Protagonisten, der schon in der Kindheit zum Spießbürger verkrüppelt wurde, stellt Roth als öffentliche politische Gefahr dar. Der streckenweise in Berichtsform geschriebene Roman zeichnet sich durch kurze Kapitel, parataktischen Stil und daher schnelles Erzähltempo aus.

In der Wirkungsgeschichte bezeichnend ist, daß weder die zeitgenössische Gegenwart noch die österreichisch-westdeutsche Nachkriegszeit an solchen Faschismusdiagnosen interessiert waren: *Das Spinnennetz* wurde erst 1967 als Buch gedruckt. Der Autor wurde und blieb bekannt durch seine Radetzkymarsch-Nostalgie.

Hotel Savoy führt einen Ich-Erzähler – wie in der Erzählung *April* (1925) und *Flucht ohne Ende* (1927) – ein, der als apolitischer Mensch die sozialen Mißstände innerhalb des vorgeführten Ensembles von Ausgeflippten mehrerer Schichten und Länder registriert, jedoch politisch ratlos und passiv ist. Die teilnahmslose Erzählhaltung vermeidet jegliche Suggestion des Lesers, macht jedoch auch wenig deutlich, daß der apolitische Mensch sich letztlich reaktionär verhält. Roths Unsicherheit und widerspruchsvolles Nebeneinander kritisch rationalen und subjektivisch emotionalen Welterlebens drängte mangels theoretischer und praktischer politischer Arbeit keiner Klärung zu, sondern vergrößerte sich sowohl weltanschaulich als in den literarischen Ausdrucksformen. Das Anwachsen der Reaktion und der Zweifel an der Erneuerungskraft der sozialistischen Bewegung – mit Horváth teilte Roth die Einschätzung, daß sich das Proletariat zum Kleinbürgertum hin entwickle – ließen den Autor seit 1926 apolitisch resignativ werden. In der *Rebellion* erhalten religiöse Motive eine starke Bedeutung, wenngleich sie allegorisch für soziale Konflikte stehen. Dieser ideologische Strang zieht sich dann über den *Hiob* (1930), *Tarabas* (1934) bis hin zur *Legende vom heiligen Trinker* (1939), wobei er nur leichten ironisierenden Relativierungen ausgesetzt ist, indes das mythologisch-ideologische Instrumentarium in dem großen antifaschistischen Essay *Der Antichrist* (1934) deutlich versagen mußte und weit hinter *Das Spinnennetz* zurückfiel. Auch formal bedeutete die religiöse Akzentuierung mindestens seit *Hiob* eine Umkehr zur klassizistisch geschlossenen Erzählweise. Der Kiepenheuer-Verlag, der die kritischen Autoren Brecht, Feuchtwanger, Glaeser, Heinrich Mann, Seghers, Toller, Arnold Zweig veröffentlichte – Brecht allerdings wegen der *Legende vom toten Soldaten* 1927 nicht mehr drucken mochte –, war wegen der Publikation von Feuchtwangers *Erfolg* (1930) von Provinzbuchhandlungen boykottiert worden und mußte daher Roths apolitischen *Hiob* begrüßen. Seit 1928 räumte der Autor dem Verlag ein starkes Mitspracherecht bei der Gestaltung seiner Bücher ein und konnte im Herbst 1932 durch den verkaufssuggestiven Titel »Radetzkymarsch« die Finanzschwierigkeiten des Verlags beseitigen helfen.

Aus seiner Reise in die Sowjetunion zieht Roth das eigenartige Fazit: »Das

Problem ist hier keineswegs ein politisches, sondern ein kulturelles, ein geistiges, ein religiöses, ein metaphysisches.« (Briefe, S. 95)

In zahlreiche Widersprüche verwickelt sich Roth, als er durch das Vorwort seines romanähnlichen Buches *Flucht ohne Ende. Ein Bericht* (1927) in die Diskussion um das ›Dokumentarische‹ in der Literatur eingreift. Er scheint sich nicht bewußt zu sein, daß seine Beziehungen zur politischen Gegenwart fast ausschließlich emotionaler Art sind, daß seine Romane – außer *Das Spinnennetz* – nicht auf die Darstellung der historischen und gesellschaftlichen Wirklichkeit zielen, sondern auf emotionale Identifizierung mit dem Helden. Im Vorwort zur *Flucht ohne Ende* formulierte Roth provokativ: »Es handelt sich nicht mehr darum zu ›dichten‹. Das wichtigste ist das Beobachtete.« In der Tat weisen dieses Buch, wie auch *Zipper und sein Vater* (1928) sowie *Der stumme Prophet* (1929/1966) formal deutlich dokumentarische Züge auf, sei es in ›offenen Schlüssen‹, im Einblenden von Briefen und Tagebüchern, sei es allgemein in der Rücknahme fiktionaler Brechungen. Roth blies in zwei literarischen Artikeln zum Rückzug: *Es lebe der Dichter!* (1929) und *Schluß mit der ›Neuen Sachlichkeit‹!* (1930, nochmals 1937). In diesem Zusammenhang gibt er den wirkungsgeschichtlich wichtigen Hinweis, daß von der ›Frankfurter Zeitung‹ zuerst der Ruf nach ›dokumentarischer Literatur‹ ausgegangen sei, daß hier die ersten Kriegsromane erschienen, daß »aus der unmittelbaren Nähe dieser Zeitung« Siegfried Kracauers *Ginster*, Ernst Glaesers *Jahrgang 1902* und sein eigenes Buch *Die Flucht ohne Ende* kamen, daß aber »bei dem Ruf nach dem Dokumentarischen durchaus nicht die berühmte ›Neue Sachlichkeit‹ gemeint war, die das Dokumentarische mit dem Kunstlosen verwechseln möchte«. (Werke 4, S. 224) Roth findet dann den Terminus »künstlerischer Berichter«. Hatte er früher Erzählungen als »Verkehrsmittel« bezeichnet, so ängstigt ihn mit elitärem Unterton das Anwachsen dokumentarischer Publikationen: es »begann das simple Zeugnis der Unberufenen und Zufälligen zu grassieren«. (Werke 4, S. 252) Dies ist Roths Abschied vom Gegenwartsroman, er flüchtet sich in Österreich-Erinnerungen, in die traditionelle geschlossene Form, die subtil nuancierende Sprache.

Im Dokumentarischen war er durch die Zeitgenossen ein- und überholbar, so daß er, um sich als unverwechselbares Subjekt zu bewahren, auf sein jüdisch-österreichisch geprägtes Erlebnispotential und auf seinen durchtrainierten impressionistischen Sprachstil zurückgriff. Auch inhaltlich sucht er in *Hiob* (1930), *Radetzkymarsch* (1932), *Tarabas* (1934), *Das falsche Gewicht* (1937), *Die Kapuzinergruft* (1938) mit mythisierenden Mitteln das Individuum zu retten und feiert das selbstlose Dienen in patriarchalischen Idealbeziehungen.

Joseph Roth kann als Beispiel für Brechts gegen Lukács vertretene These gelten, daß ein Schriftsteller heute nicht mehr adäquat arbeiten könne, ohne wissenschaftliche, sozio-ökonomische Analysemodelle zur Kenntnis zu nehmen. Was dem hochbegabten Erzählmedium Balzac 100 Jahre zuvor noch an adäquater Weltbeschreibung gelingen konnte, mißlang dem hochbegabten Erzählmedium Roth auf z. T. sehr hohem Niveau. Die Darstellungen österreichisch-ungarischen Garnison- und Kleinstadtlebens sind von größtem Unterhaltungs- und Dokumentationswert; als analytisch erfahrungsverarbeitende Modelle sind sie dagegen nur für denjenigen Leser wertvoll, der Roths suggestive Verallgemeinerungen relativieren kann.

Von hier aus erscheinen auch verarbeitende, interpretierende Umsetzungen wie Johannes Schaafs Film von 1971 äußerst nützlich, um den »dokumentarischen« Anteil in diesen Werken zu erschließen und weiterzuvermitteln.

Mit ironischen bis satirischen Darstellungen widmeten sich am Ende der Weimarer Republik mehrere Autoren den Bewußtseins- und Verhaltensformen des Bürgertums. HERMANN KESSER (1880–1952), 1916 hervorgetreten durch seine pazifistische, monologisch konzipierte Novelle *Unteroffizier Hartmann*, stellte 1926 in *Straßenmann* einen durch die Inflation arrivierten Kleinhändler als betrogenen Betrüger dar, ohne allerdings die ökonomischen Zusammenhänge der schon während des Krieges vom Großkapital geplanten Geldentwertung zu erkennen. Nach dem Wirtschaftszusammenbruch 1929 erhielt die Erzählung neue Aktualität und wurde 1930 von Kesser zu einem ›Hör-Drama für Radio‹ bearbeitet, das ihm wegen seiner hörspieltechnisch progressiven Gestaltung zu Recht den Ehrenpreis der Reichs-Rundfunk-Gesellschaft einbrachte; die »Stimme des Autors« entfaltet sich im Hörspiel als Mischung von Erzähler, Reporter, Kommentator und wird effektvoll kombiniert mit Kurzsequenzen von Passanten-, Fenster-, Treppenhausstimmen als Gerüchteküche. Der progressiven Form entspricht jedoch ein antiquierter, verschleiernder Inhalt mit dem nivellierenden Fazit: »Wir kochen doch alle in ein- und demselben Kessel!« Doch dies war die Voraussetzung, um von den reaktionären, industriehörigen Rundfunkanstalten gesendet zu werden. Zwei sozialkritische Hörspiele des scharfsichtigsten Spießbürger-Analytikers der Zeit, Horváth, wurden gar nicht erst gesendet: *Der Tag eines jungen Mannes von 1930* und *Stunde der Liebe* (1929/30). Statt dessen konnte Horváths Roman *Der ewige Spießer* 1930 erscheinen.

Die bürgerlichen Reaktionsweisen auf die Inflationszeit stellte ROBERT NEUMANN (1897–1976) in seinem überfrachteten Zeitroman *Sintflut* (1930) dar. Der Erzähler nimmt die Attitüde des teilnahmslos Referierenden an, der nicht zu kommentieren und zu werten hat, eine Haltung, die von Graf, Fleißer, Frank, Horváth, Roth gleichermaßen angestrebt wurde. Konsequent als tragische Groteske wurde die Inflationszeit von Heinrich Eduard Jacob in spätexpressionistischem Stil dargestellt: *Untergang von dreizehn Musiklehrern* (1924). Panoramamäßig, in realistischer Schreibweise ist die Berliner Inflationszeit in einem der besten Fallada-Romane, *Wolf unter Wölfen* (1937), dokumentiert. Falladas wichtigste Darstellung des norddeutschen Kleinbürgertums enthält sein Roman *Bauern, Bonzen und Bomben* (1931). Eine sehr realistische Analyse des zeitgenössischen Kleinbürgertums gab der sozialdemokratische Schriftsteller Karl Schröder in der *Familie Markert* (1931); die verschiedenen Reaktionsweisen auf die Wirtschaftskrise zeigen auch die Anfälligkeit dieser Bevölkerungsschicht für faschistoide Bewußtseinshaltungen.

Die über 25 Jahre hin am meisten kontinuierliche Beobachtungs- und Beschreibungsarbeit in Hinsicht auf das Bewußtsein des deutschen Kleinbürgertums hat KURT TUCHOLSKY (1890–1935) geleistet. In den Kabaretts wurden seine Chansons gesungen, regelmäßig brachte er Beiträge der verschiedensten Genres in Zeitschriften – besonders in der ›Weltbühne‹ (z. B. die ›Wendriner-Geschichten‹) und in der ›Arbeiter-Illustrierten-Zeitung‹ –; als Einzelveröffentlichungen erschienen *Der Zeitsparer. Grotesken* (1914), *Träumereien an preußischen Kaminen* (1920) und besonders die aus der Zusammenarbeit mit John Heartfield entstandenen polemischen Bild-Text-Collagen *Deutschland, Deutschland über alles* (1929), für die das ›Börsenblatt für den Deutschen Buchhandel‹ eine Verlagsannonce verweigerte und die auch in der ›Universum-Bücherei für Alle‹ erschienen. Der Spiegel, den Tucholsky seiner Zielgruppe vorhielt, konnte jedoch weder in der Intellektuellenzeitschrift ›Die Weltbühne‹ noch in der ›Arbeiter-Illustrierten-Zeitung‹ die richtigen Leser erreichen.

Ähnlich wie Fallada hat sich auch die Darstellung des Provinzbürgertums durch ERNST PENZOLDT (1892–1955) eine gewisse Popularität erhalten. Wie Fallada Neumünster, Frank Würzburg, Fleißer Ingolstadt beschreibt Penzoldt Erlangen, verfremdet als ›Regnitz‹ oder kleinstädtisch als ›Mössel an der Maar‹. Durchgehend ironisiert werden die heuchlerische Doppelmoral und das verlogene Pathos der Provinzbewohner. *Die Powenzbande* (1930) strebt zwar außer den pazifistischen Weltkriegsszenen durchweg bizarre Zeitlosigkeit an, bildet aber doch eine sarkastisch humorvolle Opposition gegen die erstarrten Bürgerkonventionen.

In den Interessenbereich neuer Leserschichten stießen die Übersetzungen ausländischer Autoren vor. Die kritischen Darstellungen des Kleinbürgertums durch den russischen Erzähler LEONÍD LEÓNOW (geb. 1899) in *Der Dieb* (1927, dt. 1928), des Satirikers MICHAIL SOSTSCHENKO (1895–1958) Entdeckungen muffiger Relikte in *So lacht Rußland* (1927), die Satiren und Fabeln in der russischen Tradition in DEMJÁN BÉDNYS (1883–1945) *Die Hauptstraße* (1922, dt. 1924), die Johannes R. Becher übersetzte, erfreuten sich einer gewissen Beliebtheit. Diese alten Verhältnisse selbst wurden in sozialkritischen, satirischen Filmen nochmals einer breiteren Masse ins Gedächtnis gerufen. 1926 nahm eine deutsch-sowjetische Zusammenarbeit in der Filmproduktion ihren Anfang. Ihr Wegbereiter Alexander Rasumny drehte nach Novellen Anton Tschechows 1926 *Überflüssige Menschen* und suchte die neuen Stilmittel Eisensteins und Pudówkins zu verwenden. Ein weiteres Beispiel dieser Koproduktionen ist *Der lebende Leichnam* (1929) von Fedor Ozep nach Leo Tolstois Schauspiel von 1900. Als teilweise Kleinbürgersatire angelegt war beispielsweise der pazifistische internationalistische Film *Niemandsland* (1931) von Victor Trivas nach einer Idee von Leonhard Frank mit der Musik von Hanns Eisler.

Die ungarischen Provinzverhältnisse konnte der deutsche Leser kennenlernen im *Kartenhaus. Der Roman einer Stadt* (1924, dt. 1926) von MIHÁLY BABITS (1883–1941). Italien ist neben Svevo hauptsächlich durch LUIGI PIRANDELLO (1867–1936) repräsentiert, der durch sein Schein/Sein-Spiel *Sechs Personen suchen einen Autor* (1921, dt. 1925) seit 1921 in Europa bekannt wurde. In der Folge seiner deutschen Bühnenbeliebtheit wurden auch seine Romane und Novellen übersetzt, die die Schicksale einfacher Menschen behandeln: *Die Wandlungen des Mattia Pascal* (1904, dt. 1925), *Kurbeln. Aus den Tagebuchaufzeichnungen des Filmoperateurs Serafin Gubbio* (1915, dt. 1927), *Einer, keiner, hunderttausend* (1926, dt. 1927), *Novellen für ein Jahr* (1927); die ›Universum-Bücherei für Alle‹ brachte 1928 die Novellen-Auswahl *Den Tod im Rücken*.

Der traditionell große Einfluß der französischen Romanliteratur ist unterbrochen, wie Feuchtwanger 1927 im ›Berliner Tageblatt‹ (2. 11.) anführt: »Insbesondere in Deutschland haben die Jüngeren sich von den Franzosen abgekehrt; sie orientieren sich an den Angelsachsen.« Ausnahmen bilden in diesem Zusammenhang Balzac, dessen Werke ab 1924 in einer der ersten Taschenbuchausgaben im Rowohlt Verlag erschienen, und Zola, der von neuen Leserschichten rezipiert wurde, wie z. B. eine 16bändige Ausgabe der ›Universum-Bücherei für Alle‹ zeigt. Eine Neuentdeckung Ende der zwanziger Jahre war in Deutschland *Germinie Lacerteux* von Edmond und Jules de Goncourt. Innerhalb der Schilderungen des französischen Bürgertums hatten diese Mitbegründer des europäischen naturalistischen Romans das Leben einer Hausangestellten als ›document humain‹ festgehalten und damit erstmals in die Literatur eingeführt. Bezeichnenderweise war *Germinie Lacerteux* (1864) nicht während der deutschen Gründerzeit, sondern erst 1896 während der Verschärfung der Klassenauseinandersetzungen nach Aufhebung der Sozialistengesetze, nach dem Anwachsen der Arbeiter-Frauenbewegung, nach der Zulassung von Frauen in Gewerkschaften in Deutschland veröffentlicht worden. 1928 erschien eine neue Übersetzung des Romans von Kurt Kersten, im gleichen Jahr eine von Bernhard Jolles für den sozialdemokratischen ›Bücherkreis‹. Im deutschen Bereich wurde das Genre von der naturalistischen Schriftstellerin CLARA VIEBIG (1860–1952) in dem Berlin-Roman *Das tägliche Brot* (1901) vertreten, der 1930 mit 46000 Exemplaren verbreitet war. Hier werden das konkurrenzbedrohte Kleinbürgertum und vor allem das elende Leben der Hausangestellten geschildert.

Die neueren französischen Romane über das Kleinbürgertum wurden in der Krisenzeit zwar noch übersetzt, aber in der Kritik nicht mehr wahrgenommen: Provinzverhältnisse der Normandie beschreibt *Im Kreis der Familie* (1932, dt. 1932) ANDRÉ MAUROIS (1885–1967); die Armseligkeit des hoffnungslosen Alltags der Pariser Kleinbürger dokumentiert der Hauptvertreter der école populiste, EUGÈNE DABIT (1898–1936), in *L'hôtel du Nord* (1929, dt. 1931). Berühmtheit erlangte dagegen – ausgehend von der Aufführung in Berlin – RENÉ CLAIRS (geb. 1898) erster Tonfilm *Unter den Dächern von Paris* (1930) (vgl. auch *Porte des Lilas*, Die Mausefalle, 1957), der das Vorstadtleben mit musikalischem Optimismus präsentiert.

Ein durchgängiges Thema der amerikanischen Literatur der zwanziger Jahre, die Kritik des saturierten Bürgertums und die Verelendung des Kleinbürgertums, wirkt sich in der zweiten Hälfte der zwanziger Jahre in Deutschland aus. Voran gingen die Stummfilme CHARLES CHAPLINS (1889–1978), u. a. *Der Vagabund* (1916), *Charlie als Auswanderer* (1917), *Ein Hundeleben* (1918), *The Kid* (1921), *Feine Leute* (1921), *Zahltag* (1922), *Der Pilger* (1923), *Gold-*

rausch (1925), *Lichter der Großstadt* (1931). Der nach der Inflation ruinierte Kleinbürger konnte sich im Typus Chaplin wiedererkennen.

Von dem großen Leserinteresse an den sozialkritischen Romanen des Amerikaners THEODORE DREISER (1871–1945) am Ende der zwanziger Jahre zeugt Ernst Weiß' Übersetzung *Theodore Dreiser, ›Das Buch über mich selbst‹. Jahre des Kampfes* (1932). Dieses sehr verspätete Interesse setzte erst im Jahr des Justizmordes an Nicola Sacco und Bartolomeo Vanzetti ein und begann mit Dreisers bekanntestem Buch *An American Tragedy* (1925, dt. 1927), das die Illusionen vom amerikanischen Erfolgstraum zerstört anhand der Fabel um einen trieb- und milieubedingten, als Bootsunfall getarnten Mord in der naturalistischen Erbschaft von Sudermanns *Reise nach Tilsit* und Zolas *Thérèse Raquin*. In dieselbe Zeit fiel die große Wirkung der Verfilmung dieses Zola-Romans als deutsch-französische Koproduktion durch JACQUES FEYDER (1888–1948): *Du sollst nicht ehebrechen* (1928), die beste Adaption Zolas und filmgeschichtlicher Höhepunkt des sogenannten Kammerspiels. Die Regisseure Sergej Eisenstein und Josef Sternberg transponierten Dreisers Buch in den Film *Eine amerikanische Tragödie* (1931). Dreisers frühere, eher sozialdarwinistisch registrierende Bücher *Sister Carrie* (1900) und *Trilogy of Desire* (ab 1912) wurden 1928 und 1929 deutsch herausgebracht und erhielten mit ihrer Darstellung von Verelendung und Börsenspekulantentum alsbald neue Aktualität.

Mit der Nobelpreisverleihung an SINCLAIR LEWIS (1885–1951) als erstem nordamerikanischen Autor erkannte Europa die USA-Literatur erstmals offiziös an. Der mittelständische Spießbürger wurde auch für Deutschland am überzeugendsten durch seine realistisch satirischen Romane repräsentiert. Die Geschichte des Maklers *Babbitt* in einer Middletown Anfang der zwanziger Jahre traf zugleich europäische Zustände. Lion Feuchtwanger hat diese Parallele ausdrücklich hervorgehoben in seiner Babbitt-Wiederaufnahme als B. M. Smith innerhalb seiner Gedichtsammlung *PEP J. L. Wetcheeks amerikanisches Liederbuch* (1927), die den »amerikanisierten« Menschen satirisiert. Der Verkaufserfolg des 1925 übersetzten Romans zog im selben Jahr Lewis' Ärzte-Satire *Arrowsmith* (1922, dt. 1925) und 1927 eine zweite Übersetzung von *Main Street* (1920, dt. 1922) mit auf den deutschen Markt. Die Religionssatire *Elmer Gantry* schloß sich 1928 an und erschien neben Lewis' *Hauptstraße* in der ›Universum-Bücherei für Alle‹; es zeigte sich, daß die deutschsprachige Literatur des 20. Jahrhunderts außer einigen Kisch-Reportagen keine markante Religionskritik leistete vor Heinrich Böll. Weit geringeren Einfluß als Dreiser und Lewis hatten die Nordamerikaner SHERWOOD ANDERSON (1876–1941) und THOMAS WOLFE (1900–1938). Andersons Kurzgeschichtenband *Winesburg, Ohio* (1919), der das Kleinstadtleben des mittleren Westens festhält, der Roman *Dark Laughter* (1925), der das gestörte Sexualleben erörtert, der Roman *Beyond Desire* (1932), der einen Textilarbeiterstreik von 1929 dokumentiert, wurden in den zwanziger Jahren nicht übersetzt, so daß der Autor nur durch den autobiographischen, technikkritischen Roman *Der arme Weiße* (1920, dt. 1925) bekannt wurde. Thematisch von Dreiser und Lewis, erzähltechnisch – wie auch Anderson – von Joyce beeinflußt war das erste in Deutschland bekannt gewordene Werk THOMAS WOLFES *Schau heimwärts Engel!* (1929, dt. 1932), das desillusionierend amerikanische Lebensweisen beschreibt und in die Zeit der Wirtschaftskrise paßte. Verspätet rezipiert wurden die pessimistisch realistischen Schilderungen des Engländers ARNOLD BENNETT (1867–1931): *Die Laster der kleinen Leute* (1923, dt. 1927), *Die Familie Clayhanger* (1910, dt. 1930) und *Konstanze und Sophie oder Die alten Damen* (1908, dt. 1932) über die Zeit, in der »der Schatten der Konzerne und der Trusts beginnt, sich über die Five Towns zu lagern«, wie Benjamin über Bennett notiert, »dessen Haltung« seiner eigenen im Sommer 1933 »sehr verwandt ist«. (Schriften, 3, S. 390 u. 663)

Die einprägsamsten deutschen Provinzbeschreibungen behandeln Oberbayern und wurden von Marieluise Fleißer und Oskar Maria Graf geschrieben.

Sehr spät ist die Bedeutung der Bücher OSKAR MARIA GRAFS (1894–1967) erkannt worden. Der bayerische Handwerkersohn vom Lande fand als Kind eine umfangreiche Familienchronik vor, die die Feststellung enthielt, daß die Herrschenden »unser Geschlecht wegen nichts ausgesogen, geschunden, verkrüppelt und zerstückelt haben, solang erinnerlich ist«. Der Münchner Bohemien Graf suchte diese Form operationaler Literatur fortzusetzen: Unterhaltung und Weitergabe von Erfahrungen innerhalb der Kleinbürger- und Kleinbauernschicht. So nannte er die autobiographische Darstellung *Frühzeit* (1922) – den ersten Teil seines wichtigsten Buches *Wir sind Gefangene* (1927) – ein »Dokument dieser Zeit« und sprach zugleich offen sein finanzielles Interesse wie seine Gegnerschaft zu »Heimatdichtern« aus, wenn er sich »Provinzschriftsteller« nannte und seine Leser »Kundschaft«. Seine zahlreichen Dorf- und Stadtgeschichten und -romane sind durchgehend sozialkritisch, teils satirisch, wenngleich ergötzliche Sammlungen wie *Das bayerische Dekameron* (1928) erheblich höheren Absatz hatten. Die »verschlagene Habgier und stockige Abgeschlossenheit« der bayerischen Kleinbürger beschreibt Graf realistisch und ohne Haß, wobei die Verhaltensweisen als schichtspezifisch, weniger als bayerisch erscheinen. Die Darstellung der Landbevölkerung, die in der kritischen Literatur der zwanziger Jahre zu kurz kommt, ist Graf hier durchaus zutreffender gelungen als Fallada oder auch Heinrich Mann in *Ein ernstes Leben* (1932).

Grafs literarische Grundform ist die Kalendergeschichte mit ihrer »besonderen Begebenheit« – hier überaus häufig unnatürliche Todesfälle –, eine volkstümliche Nebenform der poetisch anspruchsvollen Novelle. Das operative Moment in der Tradition der Kalendergeschichte, die beispielgebende Information aus Geschichte und Gegenwart in unterhaltender Form, führt Graf weiter. Formal ist der Habitus zuhörernaher, mündlichem Stil nachgebildeter Erzählhaltung bemerkenswert, der auch die Romane bestimmt. Von hier aus und mit weiteren Parallelen ist Graf mit Fritz Reuter (1810–1874) vergleichbar.

Wie Brecht Marieluise Fleißers Darstellung der Ingolstädter als Beitrag zum epischen Theater bezeichnete, nannte Walter Benjamin am 22.11.1931 in der ›Frankfurter Zeitung‹ Oskar Maria Grafs bayerische Kalendergeschichten Versuche im »epischen« Stil, der »das Lehrhafte gegen das Insichgekehrte, den Erzähler gegen den Romancier zur Geltung bringt«. Das »Epische im neuen Sinne« löse das »vornehme Sichselbstgenügen, die Sublimierung des Privaten«, das sich im herkömmlichen Roman finde, auf.

Vor seiner Emigration 1933 war Graf besonders durch das Buch *Wir sind Gefangene* (1927) bekannt, das ihm Morddrohungen des ›Völkischen Beobachters‹ eintrug, sowie durch die Erzählbände *Zur freundlichen Erinnerung* (1922), *Finsternis* (1926), *Im Winkel des Lebens* (1927), *Kalendergeschichten* (1929) und die Bücher *Die Chronik von Flechting* (1925) und *Bolwieser. Roman eines Ehemannes* (1931).

Graf beteiligt sich gelegentlich an erzähltechnischen Experimenten der zwanziger Jahre, die z. B. wetteifern in der Attitüde des »unbeteiligten« Erzählers bei epischen Kurzformen, für die später Hemingway repräsentativ wird und für deren Verwendung in Romanform Flaubert 1857 der Prozeß gemacht worden war. Es sind hier drei Beispiele zu nennen, die solche Erzählerdistanz an der Darstellung von Verhaltensweisen äußerlich teilnahmlos erscheinender Protagonisten erproben. Das Thema ist jeweils eine langfristig betriebene, sublime Racheaktion. In ihrem weithin unbekannt gebliebenen Buch fiktiver *Knabenbriefe* (1906), das Walter Benjamin noch 1929 »ein Erkennungszeichen für ein paar Leute« nennt, »die es gelesen haben und sich nicht davon trennen wollen« (Schriften, 3, S. 210), gibt Charlotte Westermann den interessiert höflichen Briefwechsel zweier befreundeter jugendlicher Fürsten der italienischen Renaissance-Zeit wieder, die auf einer anderen Stufe ihres Bewußtseins zugleich auf die besten Giftwirkungen sinnen, einander aus dem Weg zu schaffen. Brecht erinnert sich noch 1954 des »kalten, endgültigen Tons, fast den eines Testaments« dieser Briefe. Unmittelbar von dieser Kommunikationsattitüde angeregt, veröffentlichte Brecht am 29.6.1924 im ›Berliner Börsen-Courier‹ die Darstellung einer Renaissance-Rache aus Anlaß der geringfügigen Verhöhnung eines Verwandten als *Der Tod des Cesare Malatesta*. Oskar Maria Graf übertraf diese Beispiele in der Geschichte *Joseph Hirneis* (1927) durchaus, weil er sich nicht mit einer selbstgenügenden Stilpose zufriedengab, sondern durch den distanzierten, aussparenden Erzählduktus »vorerst nur das nackte Tatsächliche« aus dem Leben eines zynisch unterdrückten Knechts beschreibt, der nach einer Erbschaft in sublimer Rache das gesamte Dorf enteignet.

Graf gehört zu den Schriftstellern, deren analytische und prognostische Beschreibung sozialpsychologischer Verhaltensweisen von den Oberflächengeschehnissen zunächst verdeckt wird und deren Werk in historisch fortgeschritteneren Epochen eine Dimension hinzugewinnt, weil dann erst die prognostischen Elemente erkannt werden (Musils *Törleß*, Manns *Untertan*, Horváths *Geschichten aus dem Wiener Wald* z. B.).

MARIELUISE FLEISSER (1901–1974) kann als Schülerin Feuchtwangers und Brechts bezeichnet werden. Doch als Feuchtwanger sich gerade vom Theater entfernte und sich als Erzähler näher an die Gegenwart heranschrieb, machte Marieluise Fleißer, deren erste Erzählung *Meine Zwillingsschwester Olga* 1923 auf Empfehlung Feuchtwangers in der Zeitschrift ›Das Tage-Buch‹ erschien, einen Umweg über das Theater, das sie aus Begeisterung für Brecht wählte und das für sie so wenig wie für Feuchtwanger das gemäße Ausdrucksmedium war. In dem 1924 geschriebenen lyrischen Stück *Die Fußwaschung* suchte die Autorin die geistig-sinnliche Verkrüppelung der Jugendlichen in der oberbayerischen Provinzkultur darzustellen. Die aus Sexualneid und Aberglauben unterdrückte Jugend erlebt ihre düsteren Jahre als Vorhölle mit den Auswegen Selbstmord oder religiöser Wahn.

Die Ausdruckshaltung der von Feuchtwanger als »verworren« und »expressionistisch« kritisierten *Fußwaschung* wurde durch die Kontakte mit Brecht und seinen Veröffentlichungen überwunden und ins Epische transportiert. Brecht setzte die Uraufführung unter dem Titel *Fegefeuer in Ingolstadt* (1926) durch.

In der 1925 entstandenen, im ›Berliner Tageblatt‹ gedruckten Erzählung *Abenteuer aus dem Englischen Garten* wendet Marieluise Fleißer – hier mit Horváth vergleichbar – ihr untrügliches Sensorium für das Gehörte und Gesehene in zwischenmenschlicher Kommunikation an. Sie registriert seismographisch das Schweigen und das Geschwätz, das Anfassen und das Abstoßen, das Liebesuchen und Fremdbleiben zwischen einem schüchternen und brutalen Maurergesellen, dessen Zärtlichkeit durch Arbeit und fremdbestimmte Gefühlsklischees deformiert ist, und einem Zuneigung suchenden Mädchen, das von divergierenden Gefühlskonventionen geprägt ist. Die Autorin läßt den Maurer als Ich-Erzähler monologisieren; nicht wie Arthur Schnitzler und noch Hermann Kesser in Schriftstellersprache, sondern durch hochdeutsch stilisierten Bewußtseinsausdruck zeitgenössischer oberbayerischer Menschen. Die latente Komik ist dabei unfreiwillig – so wie *Pioniere in Ingolstadt* (1929) eine ›Komödie‹ genannt wird.

Der Kiepenheuer-Verlag mochte sich nicht versagen, im Jahr des Theaterskandals das Reizwort »aus Ingolstadt« verkaufsfördernd mit auf den Umschlag des Erzählbands *Ein Pfund Orangen* (1929) zu drucken.

Bei ihrem folgenden, heute zu Unrecht verdrängten Buch *Mehlreisende Frieda Geier. Roman vom Rauchen, Sporteln, Lieben und Verkaufen* (1931) sucht Marieluise Fleißer das Gesetz des Handelns an sich zu bringen und signalisiert es provokativ im Brecht-Stil schon im Titel. Die gedemütigten und tyrannisierten Mädchen der Stücke und Erzählungen erhalten hier die kämpferische Gegenfigur einer berufstätigen Frau mit Auto. Sie versucht Emanzipation über die Berufstätigkeit und durch die Absage an die domestizierende deutsche Ehemanns-Erotik und Familienbindung. Dieser Versuch mußte unter den Bedingungen patriarchalischer Lebens- und Wirtschaftsstrukturen des 20. Jahrhunderts, unter denen Marieluise Fleißer lebte und schrieb, scheitern, doch sind die Faktoren der Unmündigkeit und die Hemmnisse der Emanzipation deutlich ins Bild gebracht.

Die Autorin läßt die eigenen Erfahrungen als Einzelkämpferin über Schwierigkeiten der Aufklärung in einer süddeutschen Provinzstadt Ende der zwanziger Jahre stark mit einfließen.

Der ökonomisch vom elterlichen Geschäft abhängige Sportstar Amricht kann sich dem Zusammenspiel von Kirche, Sexualangst, Patriarchat und aufkommenden Faschisierungstendenzen nicht entziehen und verrät die Geliebte, die schließlich von seinen eigenen Sportkameraden am Judenfriedhof fast gelyncht wird.

Marieluise Fleißers ideologiekritische Arbeit mit der Sprache dokumentiert bemerkenswerte sozialpsychologische politische Erkenntnisse über mittelständisches Verhalten in Wirtschaftskrisen. Ihre Sprache bildet die Gewalt männlicher Unterwerfungspraktiken ab: Um das Mädchen zu zwingen, ihm als Angestellte seines Geschäfts zu dienen, will er das »Weib mit einem Kind beschweren« (S. 270) und sinniert bei ihrer Abwehr, wie er »zum Henker den Keim der künftigen Versöhnung im Mutterschoß unterbringen« soll (S. 275). Die Familie vermißt bei dieser Selbstverteidigung des Mädchens die »Fähigkeit des gläubigen Friedens«, so wie die gleiche Ideologie den Konkurrenzkampf der Zirkulationssphäre die »Frömmigkeit des Handels und Wandels« nennt.

SIEGFRIED KRACAUER (1889–1966), seit 1921 Redakteur der ›Frankfurter Zeitung‹, hatte bereits 1925 in dem Beitrag *Die kleine Stadt* einen ironischen Reisebericht über die norddeutsche Provinz veröffentlicht und ließ 1928 in 17 Teilen *Ginster. Fragmente aus seinem Roman* in der ›Frankfurter Zeitung‹ erscheinen, eine romanartige Skizze, die – vermittelt durch Oskar Loerke – im selben Jahr anonym bei S. Fischer erschien: *Ginster. Von ihm selbst geschrieben.* Die Kritik, zuvörderst Joseph Roth, verglich den jungen Hochbauingenieur Ginster, der permanent von der Einberufung in den Krieg bedroht ist, mit Chaplin, der ebenfalls mit täuschender Naivität sich gegen die Zwänge behaupten kann. Kracauer erfindet in Anlehnung an Bakunins Bild der bürgerlichen Gesellschaft als Friedhof das Großprojekt einer städtischen Friedhofsplanung, an der Ginster mitwirken soll. Die ironisch distanzierte Erzählhaltung ohne moralisierende Autorkommentare dokumentiert die zeitgenössische Verfassung des mittelständischen Bewußtseins und läßt sich in der sensiblen Sprachverwendung mit Marieluise Fleißer, Graf und Horváth, in der Wiedergabefähigkeit gestischer Details – auch in der spezifischen Essayform anderer Kracauer-Werke – als symbolisches Material zur Interpretation bürgerlicher Bewußtseinsgeschichte mit Texten Benjamins und Blochs vergleichen.

WALTER BENJAMIN (1892–1942) als einer der bedeutendsten Kulturphilosophen und Kritiker der jüdischen und europäischen Literatur und Philosophie einschließlich des Marxismus und der europäischen Moderne von Baudelaire bis Proust – dessen ersten Roman-Band er 1926 zusammen mit Franz Hessel übersetzte – veröffentlichte 1928 seine Textsammlung *Einbahnstraße*, eine »Verkoppelung von … brütenden Mythen mit dem exaktesten Alltag«, eine »Strandgut-Orgie« (Bloch), die die Bewußtseinskultur des zu Ende gehenden bürgerlichen Zeitalters in der isolierten Dingwelt rekonstruiert und sinnlich dokumentiert.

ERNST BLOCH (1885–1977) verbindet mit Benjamin – trotz gegensätzlicher philosophischer Prinzipien – die Verwurzelung in der undogmatischen, narrativen jüdischen Religion und Philosophie, das Prinzip der dialektischen Montage, die Fähigkeit zu einer essayistischen Revueform des Philosophierens, der Sinn für die im Strom der Geschichte übersehenen Einzelheiten. Die aus 62 Texten bestehende Sammlung *Spuren* (1930), die wie Benjamins Werk erst fast 40 Jahre später rezipiert wurde (Verkauf 1930 –1932: 100 Exemplare), prüft die in der Erzählüberlieferung dokumentierten Bedürfnisse und Sehnsüchte der Menschen und komprimiert in meist parabolischen Formen diejenigen Erfahrungs- und Hoffnungselemente des untergehenden Bürgertums, die zum Aufbau einer neuen Welt dienen könnten.

Herkömmliche Bestsellerliteratur

Das Hervorheben von Neuansätzen in der Literatur- und Medienentwicklung darf nicht darüber hinwegtäuschen, daß das Leseverhalten in statistischer Sicht zumeist wenig die Neuerscheinungen mit einbezog; hier dominierten weiterhin nicht nur die beliebten älteren Unterhaltungswerke, sondern es dominierten vor allem diejenigen Bücher, die von älteren Schriftstellern der Vorkriegszeit neu produziert wurden. So waren 68 % der Bestseller-Autoren der zwanziger Jahre über 40 Jahre alt, und die 32 % der jüngeren Autoren kommen nur zustande, weil junge Kriegsteilnehmer Bücher schrieben. Der Anteil der Männer unter 40 ist 44 %, der der Frauen 20 %. Auffällig ist dagegen der hohe Anteil über 60 Jahre alter Schriftstellerinnen (40 %, Männer 24,5 %). Von den ca. 190 in der Weimarer Republik neu erschienenen Romanen und Erzählbänden mit mehr als 100 000 verkauften Exemplaren sind nur 61 von neu auftretenden Autoren geschrieben. Unter den 190 Büchern dominiert der Block völkisch-konservativer Autoren wie Beumelburg, Brehm, Dwinger, Ettighofer, Ganghofer, Goote, Grimm, Herzog, Hindenburg, Hunnius, Jansen, Lettow-Vorbeck, Luckner, Richthofen, Salomon, Sonleitner, Stratz, Wehner, Vesper. An bekannten bürgerlichen Autoren ragen nur Fallada, Feuchtwanger, Hauptmann, Hausmann, Klabund, Ludwig, Heinrich und Thomas Mann, Alfred Neumann, Remarque, Renn, Schleich, Ina Seidel, Wassermann, Stefan Zweig heraus. Es läuft darauf hinaus, daß Heinrich Manns *Der Untertan* (Auflage 1931: 500 000) der einzige kritisch realistische Bestseller im Sinne republikanischer Demokratisierung der zwanziger Jahre ist.
Die beiden erfolgreichsten Bestseller-Autoren der zwanziger Jahre, Hedwig Courths-Mahler und Ludwig Ganghofer, lassen sich mit ihrer Produktion geradezu als Gegenmodelle gegen Heinrich Manns Warnung vor dem autoritären Charakter verstehen; beide propagieren den Typus des autoritären Charakters. LUDWIG GANGHOFER (1855 –1920) hatte die alpine Gebirgswelt für den Großstadtleser popularisiert. Seine überdurchschnittliche Übereinstimmung mit einem konservativen Kleinbürgergeschmack sicherte ihm den vierten Platz in der deutschen Bestsellerliste nach Hedwig Courths-Mahler, Karl May und Wilhelm Busch. Nicht das bayerische, sondern das Berliner Publikum, angeführt vom letzten deutschen Kaiser, machte Ganghofer zum ›bayerischen Volksschriftsteller‹, seine Gebirgsbewohner sind ländlich kostü-

mierte Kleinbürger. Die autoritären Strukturen der Romane sind offensichtlich wie bei Courths-Mahler; die ständische Hierarchie wird verherrlicht, soziale Vorurteile werden befestigt, Außenseiter diskriminiert, Untertanenmentalität gefördert, ein inhumaner Biologismus wird propagiert. Bei einer 25-Millionen-Gesamtauflage und über 30 Verfilmungen bekommen diese Beeinflussungsfaktoren für das politische Bewußtsein der Bevölkerung Gewicht, zumal die Rezeptionskurve bis 1935 permanent anstieg und Ganghofer z. B. in der Krisenzeit der sechziger Jahre von Buchgemeinschaften wieder erfolgreich propagiert wurde.

Die neben Ganghofer am meisten gelesenen Produzenten von Bergromanen, von denen sich die ›Tatsachen‹-Schriftsteller wie Carl Haensel der Gefühlshaltung, nicht der Ideologie nach unterscheiden wollten, waren JAKOB CHRISTOPH HEER (1859–1925), RUDOLF STRATZ (1864–1936) und ERNST ZAHN (1867–1952). *Der weiße Tod* (1897) und *Montblanc* (1899) von Stratz, der hauptsächlich nationalistische Offiziersromane schrieb, waren 1930 mit 100000 Exemplaren im Umlauf; *Montblanc* eröffnete die Reihe der alpinen Sportromane. Der Schweizer Heer war Lehrer und später Schriftleiter der ›Gartenlaube‹, die seine Bergromane im deutschen Sprachraum bekannt machte. Der Gletscherroman *An heiligen Wassern* (1898) und *Der Wetterwart* (1905) reflektieren technische Fragen neben Gebirgsromantik; *Der König der Bernina* (1900) schildert effektvoll die Jahreszeiten im Engadin. 1930 waren von diesen drei Büchern über 1 Million Stück verkauft; 1927 erschien postum eine zehnbändige Werkausgabe. Der Bahnhofswirt von Göschenen am Gotthardtunnel Ernst Zahn erreichte mit seinen 60 Romanen schon zu Lebzeiten eine Dreimillionen-Auflagenhöhe. *Lukas Hochstraßers Haus* (1907), *Frau Sixta* (1926) und *Herrgottsfäden* (1901) waren 1930 in 270000 Exemplaren verbreitet. Zahns Novellenband *Helden des Alltags* (1905) wurde zum populären Terminus wie Paul Kellers Bestsellertitel *Ferien vom Ich* (1915). Anspruchsvollere Unterhaltung auf dem Gebiet bot HEINRICH FEDERER (1866–1928) z. B. mit *Berge und Menschen* (1911; 1930: 120000).

Als typisches Fabel-Movens der Bestseller-Literatur kann im folgenden noch auf das Aschenbrödel-Motiv hingewiesen werden, weil sich darin die Wirkungsweise besonders der meistgelesenen deutschen Schriftstellerin Hedwig Courths-Mahler veranschaulichen läßt. Dieses Motiv war durch Eugenie Marlitts *Goldelse* (1867), *Heideprinzeßchen* (1872) u. v. a. ungemein populär geworden; zum 100. Geburtstag dieser Autorin erschien 1925 eine neue 5bändige Ausgabe der Marlitt-Romane. Ihre direkte Nachfolge als Autorin der Familienzeitschrift ›Die Gartenlaube‹ trat durch die Ergänzung des letzten Marlitt-Fragments Bertha Behrens 1888 an, die sich den sprechenden Namen WILHELMINE HEIMBURG (1850–1912) wählte und mit mindestens 25 Erfolgsromanen bis in die Weimarer Republik hineinwirkte. Das Aschenbrödel-Motiv drängt sich z. T. schon in den Titeln auf: *Lumpenmüllers Lieschen* (1879), *Ein armes Mädchen* (1884), *Mamsell Unnütz* (1893), *Über steinige Wege* (1908).

Die mit 16 Romanen in den zwanziger Jahren erfolgreiche Autorin ELISABETH WERNER (1838–1918) war wie Eugenie Marlitt und Wilhelmine Heimburg prominente Autorin der Gartenlaube gewesen und hatte sich den Produktionsanweisungen gebeugt: keine politische oder religiöse Tendenz, keine Ehescheidung, Erotik oder Selbstmord. Nur »Künstlern« konnte sie außereheliche Erotik gestatten (*Gesprengte Fesseln*, 1875) und brachte im selben Jahr die Dinge in *Am Altar* wieder ins Gleichgewicht. Mit ihrer *Alpenfee* (1890) schloß sie sich der Ganghoferei an.

Den absoluten deutschen Auflagenrekord hält HEDWIG COURTHS-MAHLER (1867–1950). Die verkauften Exemplare in deutscher Sprache werden – ähnlich wie bei May – auf 40 Millionen geschätzt. Von den über 200 Romanen wurden über 20 verfilmt. Die Autorin konnte dem Aschenbrödel-Motiv ihres Vorbilds Eugenie Marlitt nachleben und sich von der Hausangestellten bis zur Millionärin emporschreiben; so machte sie ihre eigenen literarischen Aschenbrödel-Variationen den Lesern glaubhafter. Ihren ersten größeren Erfolg hatte sie 1912 mit dem Roman *Die wilde Ursula*. Fortan wurde sie in zahllosen Zeitschriften gedruckt und in Leihbüchereien am meisten verlangt. Als das Kriegsglück sich neigte, sprach sie den Frauen und Etappenlesern anderen Trost zu: *Das Glück steht am Wege* (1916). Nachdem 60 Jahre zuvor Alexandre Dumas seine Romane bereits mit einem Dutzend spezialisierter Mitarbeiter zusammen schrieb und nachdem die massensuggestive Filmindustrie nebenher angelaufen war, schrieb die letzte einzelne Massenproduzentin der Literaturgeschichte täglich 16 Stunden, um besonders bei Kriegsende und in den Bürgerkriegsjahren monatlich ihren Roman veröffentlichen zu können. Sie wollte nichts als »Märchen« schreiben, die »sorglose Stunden« bereiten sollten. Im Vergleich zu Hedwig Courths-Mahler wirkt das wohlmeinende gesellschaftskritische Engagement Eugenie Marlitts kämpferisch emanzipiert, während die Courths-Mahler-Romane nicht nur durchgehend affirmativ, sondern mit ihrer Übermittlung autoritärer Persönlichkeitsstrukturen gesellschaftsschädigend wie Ganghofer wirken.

Wie Helmut H. Koch überzeugend nachgewiesen hat, sind in den Werken Courths-Mahlers Gewaltstrukturen wirksam, die im Extremfall und unter bestimmten historischen Bedingungen die Gestalt faschistischer Gewalt annehmen können. Auffällig ist eine sadomasochistische Triebstruktur zahlreicher Romanfiguren, die eine Unterwerfung unter jedwede Art politischer Führerschaft erleichtert. Dominant ist etwa die Glorifizierung weiblicher Demut in den Romanen; Unterwürfigkeit wird belohnt, die gedemütigte Figur triumphiert jeweils am Ende. Das Unterwerfen wird nicht leidend, sondern masochistisch mit Lustgewinn erfahren. Die Herrschaft des Mannes über die sich unterordnende Frau gilt für Courths-Mahler ausnahmslos und selbstverständlich. Obwohl die Autorin dem deutschen Faschismus ablehnend gegenüberstand und sich in eine »innere Emigration« begab, bereitete sie unbewußt die Machtübergabe an Typen des autoritären Charakters mit vor. Die auf dem Buchmarkt und im Fernsehen der siebziger Jahre zu beobachtende Courths-Mahler-Renaissance muß unter diesen Voraussetzungen gesehen werden.

Die bekanntesten Parodien auf Courths-Mahler sind ALFRED HEINS (1894–1945) *Kurts Maler. Ein Lieblingsroman des deutschen Volkes*, der 1922 in einer Auflage von 1 Million verkauft wurde, und HANS REIMANN

(1889–1969) *Hedwig Courths-Mahler. Schlichte Geschichten fürs traute Heim* (1922) mit Zeichnungen von George Grosz.

Als Beispiel einer ›neusachlichen‹ Bestseller-Autorin kann VICKI BAUM (1888–1960) genommen werden. Sie nahm das Hotel-Schema wieder auf: *Menschen im Hotel. Ein Kolportageroman mit Hintergründen* (1929). Kriminalroman und Film hatten der Popularisierung dieses Schemas vorgearbeitet, so in AGATHA CHRISTIES (1891–1977) auch in Deutschland erfolgreichen Romanen oder in dem zunächst einzig übersetzten Roman ARNOLD BENNETTS (1867–1931) *Grand Babylon Hotel* (dt. 1919). Als Filmbeispiele sind zu nennen Mauritz Stillers *Hotel Imperial* mit Pola Negri (1926) und Johannes Guters *Grand Hotel* (1927) nach dem Drehbuch von Béla Balázs. Alsbald wurde auch *Menschen im Hotel* mit Greta Garbo verfilmt und wirkte verkaufsfördernd auf das Buch zurück. Als sozialkritischen Gegenroman kann man im übrigen den mit genauer Detailkenntnis beschriebenen New Yorker Alltag im *Hotel Amerika* (1930) MARIA LEITNERS (geb. 1894) ansehen, die während der belgischen Emigration um 1940 von Faschisten ermordet wurde.

Vicki Baum ihrerseits kann für den »Ullsteingeist« der Zeit stehen, für die Lebenshektik der Metropolen, die dem trügerischen Wirtschaftswunder nicht traut und das Geschäft wie das Erleben verdoppeln möchte. In ihren beiden ersten Erfolgsromanen erfindet Vicki Baum sozialpsychologisch hellsichtig (kurz vor 1929, kurz vor 1933) zwei todkranke Menschen, die bewußt nochmals aufleben wollen. Hatte die Autorin vor ihrem Hotel-Roman im Hotel gearbeitet, so hatte sie auch für ihren Studentenroman *Stud. chem. Helene Willfüer* (1928) Akten- und Milieu-Studien betrieben. Im Zentrum dieses erfolgreichen Romans steht zunächst die Emanzipationsfrage einer unverheirateten Mutter, die dann aber zur Illustriertenlösung einer Professorenheirat führt. Die Spannungsbögen der Romane sind nach den Fortsetzungsrhythmen der Wochenillustrierten komponiert. Vicki Baum steigerte den Absatz der ›Berliner Illustrirten‹ durch die Vorabdrucke erheblich und steigerte damit zugleich den Umsatz ihrer früheren Bücher nachträglich auf je über 140 000. Als das Hotel in der Emigrantenwelt neuen Symbolwert erhielt, kehrte die Autorin gelegentlich zum Bewährten zurück: *Hotel Shanghai* (1939), *Hier stand ein Hotel* (1944).

Sehnsucht nach Abenteuer und Fremde

Angelsächsische Einflüsse in der Erzählliteratur

Die selbstgenügsame provinzielle Enge Deutschlands bis 1918 nahm das gleichzeitige Leben anderer Erdteile einerseits aus dem Blickwinkel des Kolonialismus wahr, der als soziale Beschwichtigungsideologie fungierte und entsprechende Literatur förderte; andererseits lieferte die Literatur exotistische Fluchtphantasien in der Art Karl Mays, dessen Werke z. B. von Autoren wie Bloch, Ehrenstein, Leonhard Frank, Döblin, Zuckmayer kritisch enthusiastisch rezipiert wurden. Ein Erklärungsmoment für die große Zunahme der Exotismus-Rezeption im deutschsprachigen Raum seit Mitte der zwanziger Jahre ist die qualitative Veränderung der Arbeit durch die Rationalisierungswelle: Die Entfremdung des Individuums äußert sich in Frustrationserlebnissen, Arbeit wird als trivial und sinnlos erfahren, Identitäts- und Realitätsverlust haben die Suche nach Freiräumen zur Folge; der Freiheitsdrang kann sich gegen Kultur und Zivilisation überhaupt richten. Die deutsche Phasenverschiebung gegenüber der früheren und reicheren nordamerikanischen exotistischen Literatur entspricht dem in den USA fortgeschritteneren Fordismus. Es erscheint als charakteristisch, daß bedeutende Exotisten wie Robert Müller und Willy Seidel selbst längere Zeit in den USA gelebt und den Amerikanismus durchlitten hatten. In der zweiten Hälfte der zwanziger Jahre entwikkelte sich außerdem ein humanes Interesse an außereuropäischen Entwicklungen. Es wurde zunehmend auch durch Reportagen und Reiseberichte deutschsprachiger Schriftsteller befriedigt. Der Höhepunkt erzählender und kritisch informierender Bücher mit exotischen Schauplätzen wurde in den Werken B. Travens erreicht.

Ein zu Unrecht vergessener Exotist, WILLY SEIDEL (1887–1934), eröffnete mit seinem Samoa-Roman *Der Buschhahn* (1921) diese Reihe. Die Hinwendung des Erzählers aus dem Kreis des Insel-Verlags zum Primitiven enthält wie bei seinen Vorgängern antizivilisatorische Züge, doch wird der Reisende, der das 1878 bis 1918 von Deutschen besetzte polynesische Samoa besucht, dort vom Weltkrieg überrascht und tiefgehend desillusioniert. Die »paradiesische« Natur stellt sich als für Europäer höchst bedrohlich heraus, die Kluft zwischen Eingeborenen-Tradition und Weißen ist unüberbrückbar. Diese Erkenntnisse fördern eine sozialkritische und realistisch-psychologische Darstellungsweise. Die Sprache ist überwiegend distanziert berichtend, verwendet jedoch zur Umsetzung intuitiv erfaßter Fühl- und Denkvorgänge der Eingeborenen innere Monologe. Die bei rituellen Vorgängen eingestreuten Lieder und Märchen bei Seidel sind authentische übersetzte Texte. Als Erklärungsmodell der Fluchtphantasien und übersteigerter Reiselust bietet Seidel die patriarchalische autoritäre Erziehung an. Er läßt seinen Protagonisten desillusioniert nach Europa zurückkehren, auf politische Erneuerung hoffend. Derselbe Desillusionsvorgang bestimmt Seidels Java-Roman *Schattenpuppen* (1927).

Willy Seidel war zu seinem Samoa-Aufenthalt von den Erzählungen des schottischen Schriftstellers ROBERT LOUIS STEVENSON (1850–1894) angeregt worden, besonders von dessen *Island Night's Entertainments* (1893), die subtile psychologische Darstellungen der Verhaltensweisen von Eingeborenen enthalten. Die kolonialismus- und sozialkritischen Werke Stevensons waren noch im 19. Jahrhundert in Deutschland bekannt geworden und erschienen 1918 sowie 1924–27 (12 Bde) in jeweils neu übersetzten Gesamtausgaben. Tucholsky hob *Markheim* als »geniale Novelle« hervor, und Feuchtwanger, der den *Junker von Ballantrae* (1889, dt. 1911) als »großes, beispielhaftes, unlangweiliges klassisches Buch« pries, schrieb 1926 in der ›Weltbühne‹, daß die Nachwuchsschriftsteller sich von den französischen Erzählern abgewandt hätten und Stevensons Technik – etwa seine Bildhaftigkeit und Diktion –

»leidenschaftlich und skrupellos abschauten«. (21.9.1926). Besonders augenscheinlich ist der Einfluß auf Brecht, wie auch aus dessen ›Glossen zu Stevenson‹ (1925) hervorgeht; z. B. sind Reminiszenzen der feindlichen Brüder aus *Ballantrae* in Brechts Frühwerken auffindbar.

Die wertfrei distanzierten Erzählfiguren des Ingenieurs und Juristen Stevenson bekommen bei dem Mediziner WILLIAM SOMERSET MAUGHAM (1874 – 1965), dessen zwei Südsee-Bücher 1927 übersetzt wurden, gelegentlich zynisch-desillusionierende Züge. In *The Moon and Sixpence* (1919, dt. 1927) stellt er die Südseeinseln als Wunschland und Gefahr des Künstlers dar, wobei ihm PAUL GAUGUIN (1848 –1903), der Begründer eines neuen, an der Kunst der Primitiven inspirierten Malstils, als Modell diente. Gauguin seinerseits war durch PIERRE LOTIS (1850 –1923) Südseeroman *Le mariage de Loti* (1880) zu einem Tahiti-Aufenthalt bewogen worden, den er 1897 in seinem kolonialismuskritischen Buch *Noa Noa* beschrieb.

Gegenüber dem angelsächsisch-französischen Anteil am Südsee-Exotismus ist der deutschsprachige geringer, aber nicht belanglos: Der spätere Jakobiner Georg Forster hatte 1777 in *O-taheiti* die Südseewelt geschildert. Dem Begründer des Südseeromans, dem Nordamerikaner HERMAN MELVILLE (1819 –1891) (*Typee*, 1846, *Omoo*, 1847, *Mardi*, 1849, *Piazza Tales*, 1856), ist im deutschen Bereich der sozialkritische Exotist FRIEDRICH GERSTÄCKER (1816 –1872) vergleichbar, der im Erscheinungsjahr 1847 bereits Melvilles *Omoo* übersetzt hatte und mit seinen Büchern *Tahiti* (1854), *Blau Wasser* (1858), *Die Missionare* (1868), *Inselwelt* (1890) u. a. einer der meistgelesenen Schriftsteller des 19. Jahrhunderts war. Nach Willy Seidel berichtet der Luxemburger Norbert Jacques über eine Reise in *Südsee* (1922). Der deutsche Regisseur FRIEDRICH WILHELM MURNAU (1888–1931) drehte seinen letzten Film *Tabu* (1931) in Tahiti für Hollywood. Brecht desillusioniert die eskapistische Südseemode in seinen Geschichten *Gespräch über die Südsee* (1926) und *Schlechtes Wasser* (1926).

Der Wiener Expressionist ROBERT MÜLLER (1887–1924), der seinerseits mehrjährige Auslandserfahrungen als Arbeiter in Südamerika, als Matrose und Journalist verarbeitete, steuerte 1919 die Südseenovelle *Das Inselmädchen* bei. In seinem Hauptwerk *Tropen. Der Mythos der Reise* (1915) zeigt er sich als intellektuell anspruchsvollster Exotist seiner Zeit. In der Form des essayistischen Romans, wie sie von Broch, Flake und besonders Musil später weiterentwickelt wurde, versucht Müller innerhalb eines Handlungsarrangements in den Amazonasdschungeln den utopischen Entwurf eines neuen Menschentypus und durch Eintauchen der doppelgängerischen Helden in Lebensformen der Indios neue Realitätsebenen – unter Einschluß immoralistischer Haltungen wie bei Gide und dem frühen Heinrich Mann als Reaktion auf totale Selbstentfremdung – zu erschließen. Die von Nietzsche und Gobineau, von Buddhismus und Hinduismus beeinflußten Reflexionen lassen Müller den Krieg als möglichen Förderer einer »Herrschaft des Geistes« begrüßen, bis eigene Fronterlebnisse ihn verändern und zu einem auch vom deutschen Hauptinitiator des Aktivismus, Kurt Hiller, anerkannten führenden Vertreter des Wiener Aktivismus werden lassen.

Eine Stevenson vergleichbare Wirkung in den zwanziger Jahren hatte in Deutschland der Anglo-Inder RUDYARD KIPLING (1865–1936). Beider Einfluß auf Brecht z. B. ist genügend bekannt. Seine auch für Kinder geschriebenen *Dschungelbücher* (1894/95), die sogleich übersetzt worden waren, sorgten für Popularität auch seiner exotischen Romane und Gedichte und wurden 1927 von Benvenuto Hauptmann neu übersetzt. Züge des Märchens, der Tiergeschichte, der Fabel, des exotischen Reiseberichts werden benutzt, um in den Wolfsgesetzen des Dschungels den ethischen Rigorismus einer hierarchischen Gesellschaftsordnung ins Bild zu bringen. Von hier gingen direkte Einflüsse auf die Entwicklung der Scout- und Pfadfinder-Ideologie aus. 1925–1927 erschien eine deutschsprachige zehnbändige Werkausgabe. Die authentischen Darstellungen indischer kolonialer Lebensverhältnisse wiegen Kiplings Nachteile, die Verherrlichung des britischen Imperialismus und soldatischer Tugenden, teilweise auf. Kipling konzentriert seine Bücher um vier Gruppen von Handlungsträgern: Kinder, Tierfiguren, soldatische Männer oder Eingeborene der jeweiligen Länder. In seinem 1925 neu übersetzten bedeutendsten Buch *Kim* (1901) entfaltet die ironisch souveräne Erzählerfigur das typische Leitmotiv des Lernens, hier u. a. im Austausch mit dem weisen Lama und den Erfahrungen der hierarchischen Verhältnisse des britischen Empire. Kipling stellt aufgrund eigener Erfahrungen die Kindheit als Wunde dar, die das Leben prägt und die Kinderfiguren aus einem fundamentalen Mißtrauen heraus leben und handeln läßt. Für das europäische Indienbild sowie für die Romantechnik wichtig wurde der 1924 veröffentlichte, 1932 übersetzte bedeutendste Roman EDWARD MORGAN FORSTERS (1879–1970), *A Passage to India*. Sozialkritischen Realismus verbindet der Autor mit der psychologischen Kunst der Bloomsbury-Group um Virginia Woolf, die ihm ermöglicht, auch homoerotische Erlebnisweisen schreibend zu übermitteln.

Thematisch und erzählerisch steht der im Deutschland der zwanziger Jahre populärste englischsprachige Autor JACK LONDON (1876–1916) unter Kiplings Einfluß, ideologisch in widersprüchlichen Variationen unter dem Darwins, Marx' und Nietzsches. Er kann wie Kipling den Vorteil für sich in Anspruch nehmen, als Jugendbuchautor den späteren Erwachsenen in Erinnerung zu bleiben und so die Nachfrage zu fördern. In Deutschland wurden vor dem Ersten Weltkrieg nur die Tierbücher übersetzt: *Wenn die Natur ruft* (von H. Löns) 1907, *Wolfsblut* 1912. Ab 1922 wurden Londons Romane über Seeabenteuer, Goldfieber, Londoner Slums, Alkoholismus, Eisenbahnpioniere etc. fortlaufend übersetzt. Seine Wolfs-Metaphorik wird von Klabunds *Pjotr* über Musils *Die Portugiesin*, Alfred Brusts *Die Wölfe*, Hesses *Der Steppenwolf*, Eichs *Der Präsident* bis zu Falladas *Wolf unter Wölfen* wirksam bleiben. Der »amerikanische Karl Marx« – wie Anatole France Jack London nannte – parallelisiert die Wolfsgesetze der kapitalistischen Gesellschaft mit denen der Wildnis. Er machte die deutschen Leser mit der amerikanischen sozialistischen Bewegung und den syndikalistischen ›Industrial Workers of the World‹ bekannt. Neben zahlreichen Einzelausgaben war vor allem die 31bändige Werkausgabe des Universitas-Verlags (1926–1931) weit verbreitet. Londons

Schilderungen revolutionären Potentials wie in *The Iron Heel* (1907, dt. 1922 *Die eiserne Ferse*) oder *The People of the Abyss* (1903, dt. 1928 *Menschen der Tiefe*) machten ihn zum wichtigen Autor für proletarische Leser und zum Schreibvorbild für proletarische Schriftsteller.

Als »deutscher Jack London« wurde B. TRAVEN (1882–1969) bezeichnet. Gebürtiger Westpreuße, Sohn eines Töpfers aus Schwiebus/Swiebodzin entledigte er sich seines Namens Hermann Albert Otto Max Feige, war als Ret Marut Verfasser der wichtigen anarchistischen Zeitschrift ›Der Ziegelbrenner‹, war von Gustav Landauer, Erich Mühsam, Max Levien sowie besonders von den Schriften Max Stirners und des Radikaldemokraten Percy B. Shelley – den er den »größten Lyriker der Weltliteratur« nennt – beeinflußt und debütierte als emigrierter Exotist mit den *Baumwollpflückern* 1925 im sozialdemokratischen ›Vorwärts‹. Nachdem kein nordamerikanischer Verleger *Das Totenschiff* zu drucken wagte, übertrug Traven alle deutschen Rechte an die ›Büchergilde Gutenberg‹, die u. a. durch seine Romane von 5000 (1925) auf 85 000 Mitglieder (1932) anwuchs. Fast alle Bücher Travens, die in 25 Millionen Exemplaren verbreitet sind, behandeln den Kampf der Indios gegen den imperialistischen Kapitalismus. »Der Indianer ist ... der Bruder des europäischen Proletariers« ist Travens Devise. Sich absetzend von dem »Märchenschreiber Cooper« nennt Traven seine Bücher »Dokumente, denen er, leichterer Lesbarkeit wegen, die Form von Romanen gibt«. Bücher wie *Das Totenschiff* (1926), *Der Wobbly* (1926), *Der Schatz der Sierra Madre* (1927), *Die Brücke im Dschungel* (1929), *Der Karren* (1931), *Regierung* (1931), *Der Marsch ins Reich der Caoba* (Zürich 1933), *Trozas* (Zürich 1936), *Die Rebellion der Gehenkten* (Zürich 1936), *Ein General kommt aus dem Dschungel* (Zürich 1940) beschreiben Kämpfe gegen die Ausbeutung durch den nordamerikanischen Imperialismus. Traven stellt die Bedingungen der mexikanischen Bauernrevolution in einer Kombination von Engagement und erzählerischer Distanz dar, die auch konservative Rezipienten – der Wirkung des Eisenstein-Films *Potemkin* (1926) vergleichbar – von der Notwendigkeit dieser Revolten überzeugt. B. Traven strebt eine Befreiung von jeglicher Herrschaft von Menschen über Menschen an und diskutiert keine Staatsformen. Die Ermordung eines indianischen Hacienda-Besitzers durch den amerikanischen Ölinteressenten Collins wird in der *Weißen Rose* (1928) dargestellt. Verhaltensweisen der führenden Wirtschaftselite, deren Darstellung Heinrich Mann in *Der Kopf* (1925) und *Die große Sache* (1930) oder auch Robert Neumann in *Die Macht* (1932) nicht durchgängig gelingt, sind bei B. Traven überzeugend. Kurt Tucholsky schrieb am 25. 11. 1930 in der ›Weltbühne‹, daß hier »die Schilderung der Geschäfte an Balzac« heranreiche. Tucholsky stellt B. Traven in diesem Bereich über den Russen ILJA EHRENBURG (1891–1967), dessen Romane *Die ungewöhnlichen Abenteuer des Julio Jurenito* und *Trust* seit 1923 und 1925 in Deutsch vorlagen. Die Erzähltechnik der *Weißen Rose* weicht von den früheren Romanen durch eine additive Simultandarstellung des Wechsels mehrerer Handlungsstränge ab, die Tucholsky ›Schwebe-Technik‹ nennt und die am ehesten in Filmen anzutreffen ist. Der Anschein starker psychologischer Nuancierungen in B. Travens Romanen entsteht durch die poetische Technik, die emotionalen Regungen der Eingeborenen, die sich gedanklich nicht verbalisieren können, durch Verhaltensbeschreibungen zu verdeutlichen, die beim europäischen Leser vergleichbare Gefühlsassoziationen evozieren.

Einen mit Traven teilweise vergleichbaren Erfolg hatte der überwiegend apolitisch schreibende ERNST FRIEDRICH LÖHNDORFF (geb. 1899) mit seinen Mexiko-Büchern *Blumenhölle am Jacinto* (1930) und *Der Indio* (1933), in dem der Untergang der Yaquis geschildert wird. Das nordamerikanische Indianer-Abenteuer-Genre versuchten ohne eigene Erfahrungen Oskar Maria Graf mit *Ua-Pua ...! Indianer-Dichtungen* (1921), Carl Zuckmayer mit *Präriebrand* (1925). Claire Goll bemühte sich um die Verbreitung von Kenntnissen über Afrikaner und übersetzte ein Buch von René Maran als *Batuala. Ein echter Negerroman* (1922).

Eine in der satirischen Tradition des 18. Jahrhunderts stehende Variante der exotistischen Kontrastliteratur stellen Erich Scheurmann und Hans Paasche dar; sie lassen markante Europakritik durch afrikanische oder polynesische Protagonisten vortragen: Der ehemalige Kapitänleutnant und spätere Pazifist Paasche, der 1920 von der Reichswehr ermordet wurde, veröffentlichte in seinem Buch *Das verlorene Afrika* (1919) eine besonders scharfe Kritik der deutschen kapitalistischen Politik und wählte die fiktionale Form der Satire in der *Forschungsreise des Afrikaners Lukanga Mukara ins innerste Deutschland. Geschildert in Briefen Lukanga Mukaras an den König Ruoma von Kitara* (1921). Das Pendant ist *Der Papalagi. Die Reden des Südseehäuptlings Tuiavii aus Tiavea* (1920) von Erich Scheurmann.

Der große Anteil des Seefahrt-Motivs an der schon genannten in Deutschland einflußreichen angelsächsischen Literatur scheint einem bemerkenswerten Bedürfnis der Leser der zwanziger Jahre zu entsprechen, zumal das Genre in Deutschland wenig entwickelt war; eine »abenteuerliche und sprachlich hochstehende ... Erzählkunst, wie sie bei uns nicht nur selten ist, sondern fehlt«, wie Thomas Mann (*Entstehung des Doktor Faustus*) in Hinsicht auf JOSEPH CONRAD (1857–1924) sagt. Mit den Werken des englisch schreibenden Polen Joseph Conrad wurde in der zweiten Hälfte der zwanziger Jahre der bedeutendste angelsächsische Romancier der Jahrhundertwende und Wegbereiter der Moderne erheblich zu spät in Deutschland rezipiert. Die Geschichte eines Seeoffiziers und späteren Handelsvertreters im afrikanischen Urwald wird in *Lord Jim* (1900, dt. 1927) z. B. von mehreren Erzählfiguren in mehrfach wechselnden Perspektiven vorgetragen. Die durchbrochene Chronologie wird erzähltechnisch durch Leitmetaphern ersetzt. Für den angelsächsischen Bereich war Conrad in Anlehnung an Henry James Vorläufer der Schreibtechnik imitativer Bewußtseinsverbalisierung als Variante des inneren Monologs im interpunktionslosen ›stream of consciousness‹. In Deutschland wurde diese Technik allerdings gleichzeitig durch James Joyces *Ulysses* (Paris 1918/1921, dt. Zürich 1927) und Virginia Woolfs *Mrs. Dalloway* (1925, dt. 1928) bekannt und von Becher, Benn, Jung, Kesser, Schnitzler, Unruh, Walden u. a. angewendet. Neben *Lord Jim* erschienen 1926/27 als Übersetzungen zugleich Conrads Romane *Das Herz der Finsternis (*1899) und *Nostromo*

(1904), die Beispiele kapitalistischer Korruption im kolonialen Kongo und Südamerika darstellen und sowohl psychologische Detailschilderungen als auch gesellschaftskritische Gesamtentwürfe durch experimentelle Erzähltechniken komponieren.

Die Werke des sozialkritischen nordamerikanischen Romantikers HERMAN MELVILLE (1819–1891) wurden bis auf den symbolisierenden Walfang-Roman *Moby Dick* (1851) schon im 19. Jahrhundert übersetzt. Erst nach den wegbereitenden Kafka-Romanen (1925/26) erschien *Moby Dick* 1927 in einer – allerdings sehr verballhornten – Übersetzung. Melville gibt den Ozean – wie Ismaels Wüste – als eines der Sinnbilder bürgerlicher Entfremdung, den weißen Wal – obgleich er ihn nie eindeutig charakterisieren kann und deshalb um so symbolkräftiger wirken läßt – als Verkörperung des Bösen und der Grausamkeit. Die Ursachen dieses zeitgenössischen Übels werden mannigfach angedeutet: Fehlerhaftigkeit der gesellschaftlichen Gesetze, die auf Privateigentum und verändertem Faustrecht beruhen. Er schreibt gegen politische Gewalt, gegen das Geschäft mit den Kirchen, gegen die Glorifizierung von Raub und Eigentum. In die Melville-Tradition stellte sich auch Hemingway mit seinem Gleichnis vom unversiegbaren menschlichen Fortschrittsmut, selbst in der Niederlage: *The Old Man and the Sea* (1952).

Bis auf B. Travens *Totenschiff* erreichten die deutschsprachigen Romanversuche nicht die erzähltechnische und wirklichkeitskomprimierende Qualität der angelsächsischen. Michail Bakunins Metapher für den spätbürgerlichen Staat als ›unermeßlicher Friedhof‹ erscheint bei Traven schon in den Titeln: *Das Totenschiff* (1926) und *Die Rebellion der Gehenkten* (1936). Traven kommentiert selbst: »Diese Toten atmen und arbeiten, sind aber dennoch tot ... Nach diesem großen Freiheitskriege ist die Freiheit des einzelnen Menschen zum Teufel gegangen.« (Traven-Buch, S. 148). Zwei Themenstränge ergänzen sich zum Totenschiff als Bild vom untergehenden Spätkapitalismus: Die Verdinglichung des Menschen zum Schatten seiner Pässe und Berechtigungsnachweise. Der lebenslange Emigrant Traven schuf wenige Jahre vor der geistigen Ausblutung Deutschlands und dem großen bürokratischen Völkermord ein Sinnbild der Opfer des Faschismus. Der zweite Themenstrang sind die unverändert aktuellen Profit-Praktiken der kapitalistischen Seefahrt: unterqualifiziertes, unterbezahltes Personal, das international gegeneinander konkurriert, überalterte, unbrauchbare Schiffe, Versicherungsbetrug. Brecht hat dieses Motiv etwas später in der Geschichte *Safety first* so pointiert, daß er den Schiffsbesitzer zwingt, auf einem Totenschiff mitzufahren, und kommt im *Dreigroschenroman* (1934) nochmals darauf zurück. Travens *Totenschiff* wurde, obwohl es keinerlei parteiliche Aufrufe enthält, in Preußen verboten. Die Gesetzgebung des Weimarer Regimes erwies sich auch hier als präfaschistisch. Das Verbot konnte jedoch nicht aufrechterhalten werden: die gewerkschaftliche ›Büchergilde Gutenberg‹, für die B. Traven den Roman in deutscher Fassung herstellte, verkaufte innerhalb von vier Wochen 100 000 Exemplare. Bertolt Brecht stellte gegenüber Werner Helwig (›Die Tat‹, Zürich, 19. 4. 1969) fest, das *Totenschiff* sei eines jener namenlosen Werke der Weltliteratur, darin er einiges von sich selbst vorläuferhaft angekündigt fände. Im ›Berliner Tageblatt‹ (Nr. 128, 1932) wurde eine bemerkenswerte Parallele zu Hašeks *Abenteuern des braven Soldaten Schwejk* (1920/23, dt. 1926/27) gezogen, die Brecht gleichfalls zur Weltliteratur zählte (Werke 19, S. 550): »Eine glänzende Satire über das heutige Europa, die beste, die es heute gibt. Aber ein düsterer Hintergrund, und, ähnlich wie bei Jaroslav Hašek, hinter dem beißenden Humor bitterster Schmerz.« (Traven-Buch, S. 36).

Die herkömmlichen deutschen Seefahrtsbeschreibungen standen hauptsächlich in der Tradition des Heimatromans, so in GORCH FOCKS (1880–1916) in 500000 Exemplaren verbreiteten Geschichten wie der Fischerroman *Seefahrt ist Not* (1913), und gingen in die völkischen Meerkampf- und Wikingerromane über z. B. mit Martin Luserkes *Sar Ubos Weltfahrt* (1926) oder *Wikinger-Roman-Trilogie* (1938/42) und Hans Friedrich Bluncks *Die große Fahrt* (1934).

Eine expressionistische Variante der Seeabenteuer-Erzählungen beginnt bei Alfons Paquets *Erzählungen an Bord* (1913) und reicht bis zu Theodor Pliviers *Zwölf Mann und ein Kapitän* (1930), Erzählungen über exotische Regionen mit anarchistischen Vagabunden. Eine Mittelstellung nimmt hier der wie Paquet und Plivier teilweise anarchistisch geprägte KURT KLÄBER (1897–1959) ein mit dem Roman *Passagiere der III. Klasse* (1927). Hier dient eine Ozeanreise jedoch nur als strukturelles Mittel – wie sonst die Raumtypen Hotel, Nachtasyl, Mietshaus –, um möglichst viele internationale proletarische Figuren in Kontakt zu bringen und einen kapitalismuskritischen Querschnitt durch die Gegenwart zu konstruieren. Auffallend ist Kläbers nichtrealistische, manieriert spätexpressionistische Stilhaltung. Den skandinavischen Naturalismus vertrat der in Deutschland beliebte norwegische Erzähler JOHAN BOJER (1872–1959) mit den *Lofotfischern* (1921, dt. 1923), die den harten Alltag der ärmlichen Fischer schildern, jedoch den Übergang zur Industrialisierung durch Fischdampfer nicht angemessen kritisch reflektieren. Das von Melville begonnene Genre der Walfangerzählung repräsentiert in Deutschland der Erfolgsautor Ernst Erich Löhndorff mit *Satan Ozean* (1930).

Als ›neusachliche‹ Variante sind die verschiedenen Seefahrtsbücher HEINRICH HAUSERS (1901–1955) anzusehen, der sentimentale Seefahrtsromantik durch distanzierten Reportagestil zeitgemäß machen wollte: *Brackwasser* (1928), *Donner überm Meer* (1929), *Die letzten Segelschiffe* (1931).

Die progressive realistische Literatur gab nur wenig Beispiele antiromantischer Darstellungen der Seefahrt, so etwa ALBERT HOTOPPS (1886–1941) kapitalismuskritischen Roman *Fischkutter H. F. 13* (1930), der allerdings wie viele Darstellungen des Arbeitsalltags die Erzählspannung oft durch kolportagehafte Erfindungen erzeugen muß.

Als Zeitgefühl einer breiten Leserschicht erscheint deutlich, daß man in einem Entdeckungs- und Aufbruchszeitalter zu leben meint; die historischen geographischen Entdeckungsbeschreibungen erfreuen sich neuer Beliebtheit. Der Brockhaus-Verlag brachte ab 1922 seine 13bändige Reihe *Alte Reisen und Abenteuer* von *Fernão de Magalhães. Die erste Weltumseglung* bis *Vasco da Gama*. Zum andern waren diese Entdecker Gegenstand schriftstellerischer Verarbeitungen in Form der *vie romancée*, so Georg Forster in Ina Seidels *Das Labyrinth* (1922), Henry M. Stanley in Jakob Wassermanns *Bula Matari* (1932), Wassermanns *Christoph Columbus* (1929), Heinrich Hubert Houbens *Christoph Columbus. Tragödie eines Entdeckers* (1932), Egmont Colerus' *Zwei Welten. Ein Marco Polo-Roman* (1926), Stefan Zweigs *Magellan* (1938). Die kriegerische Eroberung durch Cortez glorifiziert im Stil des neuromantischen Immoralismus Eduard Stuckens 1931 neu aufgelegter Roman *Die weißen Götter* (1918/20). Die Schilderungen der Terror- und Greueltaten werden Selbstzweck, der König Montezuma als dekadent dargestellt und die Bereitschaft der kämpfenden Indios zum Untergang gönnerhaft begrüßt und respektiert.

Auf der Bühne wurde das utopische Moment des Seefahrt-Motivs trivialisiert in der *Fahrt nach Orplid* (1923) Wilhelm Schmidtbonns, der sich auch hier den modernen Themen und Stilen anzupassen wußte, aber über Zivilisationsenttäuschung nicht hinausgelangte. Bernhard Blumes *Fahrt nach der Südsee* (1924) gibt sich ebenfalls pessimistisch und endet im Untergang der anarchischen Bestrebungen. Wilhelm Speyers *Südsee* (1923) desillusioniert die Wirklichkeitsflucht, kritisiert aber den englischen Kolonialismus nur als umweltschädigend. Gerhart Hauptmann griff das Thema der Synthese zwischen abendländischem und primitiven Bewußtsein auf in den Stücken *Der weiße Heiland* (1920) und *Indipohdi* (1920), die das Motiv des weißen Gottes für den indianischen und den polynesischen Bereich behandeln. Der dem Empedokles und der Shakespeare-Figur nachgebildete Prospero in *Indipohdi* sucht die entfremdete Welt durch sein Selbstopfer in einem Krater zu erlösen.

Erst Erwin Piscator ironisiert durch die Aufführungstechnik den anarchischen Eskapismus – z. B. denjenigen Rimbauds in PAUL ZECHS (1881–1946) szenischer Ballade *Das trunkene Schiff* (1926) durch Projektionen von Grosz-Zeichnungen und Parallelinformationen über die Pariser Kommune – als kleinbürgerliche Scheinlösung. Schon 1924 hatte Piscator die realistischere Exotik des früheren Seefahrers EUGENE O'NEILL (1888–1953) mit einem der Einakter über das Trampschiff ›Glencairn‹, *Unterm karibischen Mond* (1918, dt. 1924), erfolgreich auf die deutsche Bühne gebracht.

Die Funktion der informierenden und unterhaltenden Medien zwischen affirmativen und kritisch realistischen Intentionen kann an der Darstellung Ostasiens in der Umbruchzeit der zwanziger Jahre überprüft werden. Der Ferne Osten wird vom Exotikum zum Politikum. Dabei ist zu berücksichtigen, daß die Disposition der Rezipienten, realitätsbezogene Informationen über weit entfernte Länder zu verarbeiten, oft durch emotional tief verankerte Lektüre-, Bühnen-, Rundfunk- und Filmeindrücke vorgeprägt ist.

Das kolonialistische Großbritannien schuf sich durch märchen- und kolportagehafte Japan-Operetten von der menschenfeindlichen Politik ablenkende Unterhaltungen: Arthur Sullivans *Mikado* (1885), Sidney Jones' *Geisha* (1896), denen sich Giacomo Puccinis *Madame Butterfly* (1904) anschloß. Die permanente Beliebtheit dieser Oper zeigt sich schon in der Tatsache, daß sie als erste Opernübertragung der Welt am 8. 6. 1921 über den Rundfunk ausgestrahlt wurde. In einer Zeit politischen Rückschritts und beginnender wirtschaftlicher Not Ende der zwanziger Jahre konnte der österreichische Operettenstil des 19. Jahrhunderts sich gegen die amerikanisierende Berliner Operette erneut durchsetzen: FRANZ LEHÁR (1870–1948) hatte mit dem Sänger Richard Tauber jahrelange Erfolge im Berliner Metropoltheater der Theaterunternehmer Rotter. *Das Land des Lächelns* – eine »Mischung aus Grinzing und Peking«, wie Herbert Jhering schrieb – war 1929 eine inhaltlich und stilistisch an *Butterfly* orientierte Umsetzung für das Kleinbürgertum, so wie Lehárs *Lustige Witwe* als »Hitlers Lieblingsstück« genannt wurde. Tauber-Schallplatten erreichten Auflagen von Hunderttausenden.

Der letzte große musikalische Erfolg an eskapistischer Exotismusdarstellung vor der Machtübergabe an Hitler war Paul Abrahams *Blume von Hawaii* (1931).

Parodistisch und die politisch ablenkenden Funktionen solcher Unterhaltungskultur offenlegend, versuchte die ›Truppe 31‹ mit Gustav von Wangenheims Stück *Da liegt der Hund begraben* (1932) in einer Simultanbühnenaufführung die Exotismusvorliebe für politische Aufklärung zu nutzen.

Gestützt wurde das antirealistische Asienbild durch populäre neuromantisch-impressionistische Bücher wie WALDEMAR BONSELS' (1881–1952) *Indienfahrt* (1916), das mit 350000 verkauften Exemplaren bis in die dreißiger Jahre hineinwirkte, oder Hesses *Siddharta* (1922) sowie durch René Schickeles expressionistisches Indienbuch *Aïssé* (1915). Zum andern nahm sich der Stummfilm sogleich des Themas an, beginnend mit Fritz Langs *Das indische Grabmal* (1921).

Die realistischen Beschreibungsansätze E. M. Forsters und Kiplings setzten sich im deutschsprachigen Bereich fort in Ernst Friedrich Löhndorffs *Amineh. Die zehntausend Gesichter Indiens* (1932). Der einzige zeitgenössische Asiate mit großem europäischen Bekanntheitsgrad war seit seinem Nobelpreis 1913 der Bengale RABINDRANATH TAGORE (1861–1941), der mit seinen Erzählungen (dt. Auswahl *Der Gärtner*, 1914), antikolonialistischen Romanen (*Gora*, 1910, dt. 1924), Dramen und Essays (dt. Werkausgabe 1920/21) eine wichtige Wirkung in Deutschland hatte. Das zeitgenössische Japan schilderte NAOSHI TOKUNAGA (geb. 1899): *Die Straße ohne Sonne. Ein japanischer Arbeiter-Roman* (dt. 1930).

Als Bemühungen, asiatische Kulturzeugnisse für deutsche Leser zu dokumentieren, müssen zudem die Nachdichtungen chinesischer Lyrik von Klabund und Ehrenstein gewertet werden. Der Österreicher ALBERT EHRENSTEIN (1886–1950) hatte selbst China kennengelernt und neben Gedichten auch den gesellschaftskritischen und erotisch interessanten alten Roman *Djin Ping Meh* übersetzt. Der Malik-Verlag ließ 1924 sein Buch *China klagt. Nachdichtungen revolutionärer chinesischer Lyrik* erscheinen. Ehrenstein arbeitete Chinesisches in eigene Erzählungen ein; seine *Räuber und Soldaten* (1927) wurden 1929 sogar ins Englische übersetzt und erschienen 1931 nochmals in dem Sammelband *Mörder aus Gerechtigkeit*. Der Kölner Rundfunk brachte eine Hörfassung des *Mörders aus Gerechtigkeit* mit der Akzentuierung der korrupten Rechtsprechung.

Über den englischen und japanischen Imperialismus auf dem asiatischen Festland, über die Freiheitskämpfe der Chinesen, über die Errichtung der Tschiang-Kai-Schek-Diktatur 1927 wurden die westlichen Länder erst durch zwei russische Filme von 1928 eindringlich orientiert. Einer der ersten ›kämpfenden Dokumentarfilme‹ der Welt war 1928 *Das Dokument von Shanghai* des russischen Regisseurs J. Bloch, der seine Wirkung durch eine suggestive Montage erreicht, während W. Pudówkins *Sturm über Asien* (1928) die Wirkung außerdem aus der Identifikationsfigur des jungen Mongolen Bair bezieht, der während der Filmhandlung zu National- und Klassenbewußtsein gelangt. WSÉWOLOD PUDÓWKIN (1893–1953) hatte hier nach dem Drehbuch von Ossip Brik 4 Jahre nach der Abschaffung der Monarchie in der Mongolei einen auch im Westen erfolgreichen Film geschaffen, der neben *Panzerkreuzer Potemkin* (1925) den sowjetischen Film international berühmt machte.

Es ist naheliegend, Anna Seghers' Montagetechnik mit räumlich separaten Spielhandlungen in ihrem Buch *Die Gefährten* (1932) als mitbedingt durch Montagewirkungen in russischen Filmen anzusehen, zugleich wäre der amerikanische Einfluß z. B. über Griffiths Montagen wie in *Intolerance* (1916) oder über Dos Passos' auch durch Filmtechniken beeinflußten Roman *Manhattan Transfer* (1925, dt. 1927) zu nennen. Die verhältnismäßig kurze Darstellung des Kampfes chinesischer Kommunisten neben den Kämpfen in anderen Ländern gehört zu den ganz wenigen erzählenden Werken über die proletarischen Kämpfe im Fernen Osten. Diese Lücke im deutschsprachigen Raum wird außer durch Filme durch Romanübersetzungen und durch Reportagen ausgefüllt. Der französische Archäologe ANDRÉ MALRAUX (1901–1976) war wie Anna Seghers Sinologe und hielt sich 1923 bis 1927 in Ostasien auf; 1926 gehörte er zum Stab des Komintern-Vertreters Borodín. Seine Kampuchea-Reise 1923 verarbeitete Malraux mit fiktionalen Zügen in *La voie royale* (1930, dt. Der Königsweg, 1930). In den von Nietzsches Denken beeinflußten anarchistischen Romanen *Eroberer* (1928, dt. 1929) und *La condition humaine* (1933, dt. 1934) beschreibt er die chinesischen Revolutionskämpfe, besonders in Kanton und Shanghai, wo Tschiang-Kai-Scheks Truppen ihre vorherigen kommunistischen Bundesgenossen ermordeten. Eine Ablenkung von der Revolution hin zur Beschreibung des Bauernlebens versuchte die amerikanische China-Missionarstochter PEARL S. BUCK (1892–1973) in *The Good Earth* (1931, dt. 1933).

Die bekanntesten Reportagenbände über Asien stammen von zwei deutschsprachigen tschechoslowakischen Publizisten. EGON ERWIN KISCH (1885–1948) veröffentlichte 1932 seine Reportagen *Asien gründlich verändert* und nach seiner illegalen Chinareise *China geheim* (1933). Der aus Brünn stammende Redakteur der Münzenberg-Zeitung ›Die Welt am Abend‹, OTTO HELLER (1897–1940/45), präsentierte in *Wladi Wostok! Der Kampf um den Fernen Osten* (1932) einen neuen Reportage-Typus als Montage von politisch-wissenschaftlicher Dokumentation und Reisebericht. Heller wurde während der Pariser Emigration verhaftet und im Lager Mauthausen ermordet. Eines der frühesten kritischen Reisebücher schrieb der Publizist und Erzähler Arthur Holitscher: *Das unruhige Asien. Reise durch Indien, China, Japan* (1926). Hinzu kamen Übersetzungen wie Anna Louise Strongs in der ›Universum-

Bücherei für Alle‹ erschienene *China-Reise. Mit Borodín durch China und die Mongolei* (1928) oder Tretjakóws, von Alfred Kurella übersetztes Buch *Den Schi-Chua. Ein junger Chinese erzählt sein Leben. Bio-Interview* (1932).

SERGEJ MICHAILOVIC TRETJAKÓW (1892–1939) hatte wie Eisenstein und Pudówkin einen bedeutenden Einfluß auf die deutsche progressive Kunst der Weimarer Republik, besonders mit seinen Konzepten von operationaler Kunst, die Walter Benjamin in seine bahnbrechende Studie *Der Autor als Produzent* einbezog und die in direkter Weise auf Brecht wirkten, dessen Werke Tretjaków seinerseits ins Russische übersetzte. Tretjaków setzte das hohle Wort »Sachlichkeit« aus der deutschen Kunstdiskussion in klare Relationen zu den Bedürfnissen der arbeitenden Mehrheit der Bevölkerung und proklamierte eine »faktographische« Schreibweise, eine »Tatsachenliteratur«. In der von Piscators Mitarbeiter Leo Lania bearbeiteten Fassung wurde Tretjakóws Stück *Brülle China!* 1929 in zwei Ausgaben gedruckt und in Frankfurt zuerst aufgeführt. Es zeigt koloniale Unterdrückungspraktiken und revolutionäre Gegenwehr. Sehr einflußreich war das Berliner Gastspiel des Moskauer Staatstheaters mit *Brülle China!* 1930. Die Leitung hatte einer der wichtigsten europäischen Regisseure, WSÉWOLOD MEYERHOLD (1874–1942), der in der UdSSR den ›Theater-Oktober‹ verwirklicht hatte und für eine demonstrierende Episierung der Aufführung eintrat. Zugleich organisierten die sozialistischen Parteien eine weltweite Aktion ›Hände weg von China!‹ Diesen Titel trug auch das Heft 7 der ›Agitationsspiele des Kommunistischen Jugendverbandes Deutschlands‹. Brecht erarbeitete in diesem Umfeld zusammen mit Emil Burri, Slatan Dudow, Hanns Eisler und Elisabeth Hauptmann 1930 seine auf China bezogenen Lehrstücke *Die Maßnahme* und *Die Ausnahme und die Regel* oder auch Gedichte wie *300 ermordete Kulis berichten*.

Die Masseninformation über das revolutionäre China geschah außer über linke Zeitungen fast ausschließlich über die Medien Bühne und Film. Den Abschluß vor 1933 bildete eine Piscator-Tournee durch Deutschland mit Friedrich Wolfs *Tai Yang erwacht* (1931). Erwin Piscator machte 1930/31 einen letzten Versuch, eine eigene proletarische Bühne innerhalb des Theatersystems zu ermöglichen: er mietete jetzt das Wallnertheater im Osten Berlins. *Tai Yang* war seine letzte Inszenierung vor der Emigration. Wolf knüpft in dem Stück direkt an Klabunds erfolgreichen *Kreidekreis* (1925) an und läßt die Protagonistin zu Klassenbewußtsein und politischer Arbeit kommen. 1932 arbeitete Wolf mit der ›Spieltruppe Südwest‹ zusammen, die mit Mitteln des Straßentheaters sein aus Kurzszenen, Songs, Pantomime, Kommentar montiertes Stück *Von New York bis Shanghai* (1932) spielte.

Der reaktionäre Rundfunk der Weimarer Republik, dem auf diesem Gebiet wichtige Informationsfunktion hätte zukommen können, beschränkte sich auf die exotische Mode asiatischer Atmosphäre, außer vielleicht dem anscheinend nicht erhaltenen Hörspiel *Revolution in China* des Frankfurter und Münchner Dramaturgen Otto Zoff, das der Breslauer Rundfunk 1929 sendete. Selbst Ehrensteins Hörspiel *Mörder aus Gerechtigkeit* (1932) sprach kaum politische Entwicklungen an, und von dem gerühmten Hörspiel mit asiatischem Hintergrund, Eduard Reinachers *Narr mit der Hacke* (1930), konnte man das noch weniger erwarten.

›Neusachliche‹ Sujets

Als eine exakte Parallele zu den Funktionen der exotistischen Reiseliteratur können die Funktionen der USA-Berichterstattung und der Amerika-Mode der zwanziger Jahre angesehen werden. Die Bewunderung für den Kriegssieger und Beherrscher der europäischen Wirtschaft mischte sich mit der Sehnsucht nach mehr Lebensqualität durch technische Errungenschaften und nach harmonischem, nichtrevolutionärem Ausgleich zwischen den Bevölkerungsklassen. Der Haupteinwirkungsfaktor auf das Amerika-Bild und die Bewußtseinsregulierung war der amerikanische Film der von Ilja Ehrenburg so genannten ›Traumfabrik Hollywood‹, zumal die Kapitalverflechtungen zwischen der deutschen und amerikanischen Filmindustrie sich massiv auswirkten und die USA 1928 85 % aller Weltfilme produzierten. Die fortlaufend veröffentlichten Reportagen und Reiseberichte über die USA erfreuten sich der größten Beliebtheit. ›Die Literarische Welt‹ brachte z. B. am 14.10.1927 eine umfangreiche Auswahlbibliographie. Hinzu kamen Glorifizierungen des Monopolkapitalismus wie Henry Fords *Mein Leben und Werk* (1923) mit 200000 verkauften Exemplaren. Züge einer unfreiwilligen Imitation des Fordprinzips tragen die ab 1924 ins Deutsche übersetzten naiv simplen 26 *Tarzan*-Romane EDGAR RICE BURROUGHS' (1875–1950), wenn z. B. die Mischung aus Raubtierinstinkt und Menschenintelligenz zum Großunternehmer Lord Greystoke aufsteigt und dem kleinbürgerlichen Leser suggeriert, daß der Kampf ums Dasein aus eigener Kraft gemeistert werden kann.

Die deutschen Amerika-Berichte der Zeit waren fast ausschließlich beschönigend. Ihre Wallfahrtsorte wiederholten sich ständig: Ford-Werke in Detroit, Schlachthäuser in Chicago und Hollywood. Der Technikkult der optimistischen Reisenden kann sich hier voll entfalten. Die Beobachtungs- und Erlebnishaltung der ›Sachlichkeit‹ geht mit deutlichen Vorannahmen an die vorgefundene Realität heran: mit der liberalistischen Illusion von der sich selbst regulierenden Wirtschaft und dem Glauben an eine sich zunehmend widerspruchsfreier entwickelnde Technokratie. Die Ideologie der ›Neuen Sachlichkeit‹ isoliert die eine Seite der gesellschaftlichen Realität, die sprunghafte Entwicklung der Produktivkräfte; sie akzeptiert die Dominanz des schlechten Bestehenden über die menschlichen Individuen. Dies zeigt sie unbewußt vor allem in ihrer alles andere als ›sachlichen‹ Metaphernsprache. Am markantesten zeigt sich das in der Beschönigung der menschenzerstörenden Fließbandarbeit. Hier tritt z. B. immer wieder die grundfalsche Vorstellung auf, daß durch mechanisierte Arbeit am Fließband der Kopf zum Denken freigestellt werde. Die Sportmetaphern für Arbeitsvorgänge schwanken zwischen Naivität und Zynismus:

»Die Transportbänder bewegen sich oft mit überraschender Geschwindigkeit. Die Arbeiter laufen bei der Arbeit mit, oft rückwärts gewandt. Es entsteht daraus fast ein sportlicher Eindruck, so etwa wie von der ›Beinarbeit‹ eines Boxers.« (Heinrich Hauser: *Feldwege nach Chicago*. 1931. S. 231)

»Trubel von Arbeitern, die sich gebärdeten wie die Bewohner eines mit einem Stock aufgerührten Ameisenhaufens oder wie eine Menge raufender Oberbayern ... als wenn der Arbeiter die ganze Arbeit als einen Sport betrachtet.« (Franz Westermann: *Amerika, wie ich es sah*. 1925. S. 32 f.)

»Ihr Zusammenarbeiten war so vollkommen wie das von zwei ausgezeichneten Tennisspielern. Die Arbeit ging ihnen von der Hand wie ein ganz ›langer Ball‹, ein Ball, der zwanzigmal hin und her geht über das Netz, der immer wieder zurückgeworfen wird, so daß man schon müde wird, ihn zu verfolgen.« (Heinrich Hauser: *Friede mit Maschinen*. 1928. S. 28 f.)

Die Metaphorik der ›neusachlichen‹ Berichte enthistorisiert und entsoziologisiert gesellschaftliche Produktion und referiert Arbeit und Gesellschaft mit organizistischer und biologistischer Terminologie, als handle es sich um Naturgesetzlichkeiten. Obgleich es zu den Vorsätzen der Reisenden gehört, gegen den sowjetischen Kollektivismus einen amerikanischen Individualismus oder wenigstens einen ›guten‹ Kollektivismus auszuspielen, kommen die arbeitenden Menschen Amerikas höchst selten in den Blick. Nur so konnte die ›Neue Sachlichkeit‹ ihre Funktion einer Überdeckung der Klassengegensätze teilweise erfüllen. In dem Reportagenbuch mit dem satirischen Titel *Egon Erwin Kisch beehrt sich darzubieten: Paradies Amerika* (1930) demontiert der Autor in einer Reportage über die Warenhauskultur, *Individualität, erzeugt am laufenden Band*, das heuchlerische Individualitätsversprechen. Kischs Prinzip ist die Ideologiekritik anhand des wichtigsten Ideologieproduzenten Hollywood. Er streut daher die Reportagen über die Traumfabrik an mehreren Stellen des Buchs ein und stellt z. B. Charles Chaplin als positive Gegenfigur heraus, die ihrerseits durch die Filmkonzerne stets gefährdet ist. Kisch schildert nicht ›neusachlich‹ die Oberflächeneindrücke, sondern – etwa in der Reportage über die Ford-Werke – konzentriert sich auf die Darstellung des Verhältnisses von Mensch und Arbeit, beschreibt die Arbeit der Kranken, die Wohnverhältnisse, die Löhne, Fords Privatjustiz des ›lay off‹. Kisch gelangt in seinem USA-Buch über die additive Reporterbeliebigkeit, über die unterhaltende Exotik und die gleichgültige Detailverwertung hinaus zu einer neuen, kritischen Reportagenform.
Bestärkt wurde das verbreitete Vorurteil über das Paradies USA weniger durch die Wortmedien – außer der Zeitung – als durch Film, Revue und Musik. Der aus seinem oppositionellen Entstehungszusammenhang losgelöste Jazz konnte bald in die gängige Musikkultur integriert werden. Er kann als Symbol für den Amerikanismus der Mittelschichten gelten, der in der Jazz-Rezeption ein Ventil fand. Für die Metropolen setzte sich die neue Musik seit Paul Whitemans Aufführung von George Gershwins *Rhapsody in Blue* (1924) durch, für die Provinz seit dem sensationellen Tonfilmerfolg *The Jazz Singer* (1927). Mit eingepaßten Jazz-Elementen arbeitet z. B. die Mode-Oper des Amerikanismus *Jonny spielt auf* (1927) von Ernst Krenek, die zur erfolg-

reichsten neuen Oper der Weimarer Ära wurde. Der farbige Musiker Jonny geht aus den europäischen Konfrontationen siegreich hervor; das Finale lädt ein zu einer Fahrt in die »Freiheit«: »Versäumt den Anschluß nicht, die Überfahrt beginnt ins unbekannte Land der Freiheit!« Eugen d'Albert imitierte das Erfolgswerk mit der ›Kriminaloperette‹ *Schwarze Orchidee* (1928), George Antheils ›neusachliche‹ Oper *Transatlantic* (1930) erweist sich trotz der Szenerie auf dem Ozeandampfer, in Fahrstühlen und in Gangsterquartieren nicht nur als latent romantisch, sondern verbreitet im Finale kapitalistische Arbeitsermunterung: »Arbeit zeigt uns den Weg, alle Rätsel der Welt freudig, freudig zu lösen. Denn unsere Arbeit schafft uns die Welt!« Max Brands in Amerika spielende Oper *Maschinist Hopkins* (1929) argumentiert zwar kapitalismuskritisch, privatisiert jedoch die Konflikte und propagiert die Maschinenwelt als Grundlage einer herrschaftsfreien Gesellschaft, die durch einen neuen Menschentyp geschaffen werden müsse. »Nur der Maschine diene ich. In ihr wirkt der schaffende Geist, dem ich folgen muß.«

Einzig Kurt Weill und Bertolt Brecht desillusionierten auf dem Musiktheater den ›neusachlichen‹ Amerikanismus in *Aufstieg und Fall der Stadt Mahagonny* (1930), indem sie ihn auf das einfache kapitalistische Grundmuster reduzierten. Außer durch Veröffentlichungen wie John Anderssons, von Augustin Souchy bearbeiteten *Schreckensherrschaft in Amerika* (1922), wie der von der ›Roten Hilfe‹ zusammengestellten Dokumentation *Folterkammer Amerika! 7 Jahre Sacco und Vanzetti* (1927) oder durch B. Travens Romane wurde ein kritisches USA-Bild hauptsächlich durch Übersetzungen amerikanischer Autoren geschaffen. Es gab eine relativ breit gestreute Rezeption naturalistisch-realistischer und sozialkritischer Romane in der Weimarer Zeit: Upton Sinclairs Romane in den Übersetzungen Hermynia Zur Mühlens und Elias Canettis waren z. B. neben den Büchern Maxim Gorkis die Hauptfundamente des Malik-Verlags. Die Romane Andersons, Dos Passos', Dreisers, Lewis', Londons, Norris', Wolfes bestimmten in geringerem Maß das Amerikabild mit. Zur Zerstörung des Amerikanismus trugen der Justizmord an Sacco und Vanzetti und die Weltwirtschaftskrise wahrscheinlich mehr bei als die kritischen Romane und Reportagen.

Der durch den Ersten Weltkrieg unterbrochene Massentourismus lebte zwischen 1925 und 1928 wieder auf und zeigte sich als ein so wirksames Beschwichtigungsmittel, daß der faschistische Staat ihn später in der ›Kraft-durch-Freude‹-Reiseorganisation selbst in die Hand nahm. Die widersprüchlichen im Reisen angelegten Möglichkeiten, Narkotikum einerseits oder aufklärerischer Erfahrungszuwachs und Anstoß zur Humanisierung der Welt andererseits zu sein, gelten selbstverständlich auch für Reiseliteratur. Als zerstreuende Abwesenheit in der Realität oder als Abwesenheitssuggestion durch Film- und Illustriertenbilder oder durch Lektüre kann sich ein massenhafter Eskapismus als Reaktion auf Entfremdung erweisen. Bestärkt wurde die Zerstreuungssuggestion durch die literarische Zeittendenz, die Grenzen zwischen fiktionalem und nichtfiktionalem Erzählen aufzuheben – also Lukács' Forderung nach strikter Trennung von künstlerischer und wissenschaftlicher Erkenntnisweise zu ignorieren –, wie sich an Texten des bewährten

Reiseerzählers aus dem Umkreis der ›Frankfurter Zeitung‹, Alfons Paquet, und des Modeschriftstellers Kasimir Edschmid zeigen läßt.

Paquet veröffentlichte 1927 *Städte, Landschaften und ewige Bewegung. Ein Roman ohne Helden* und sprach damit den literaturtheoretischen Zwiespalt an, einerseits die bisher zum Objekt der Geschichte degradierten abhängig Arbeitenden zum Subjekt zu machen, andererseits auf die Darstellung von Einzelmenschen angewiesen zu sein, um das Leserinteresse überhaupt zu gewinnen, den Zwiespalt, den Georg Lukács aufzuheben suchte in der Forderung nach der Gestaltung eines jeweils repräsentativen Typus als Handlungsfigur. Das Verbindende und Interesseweckende bleibt bei Paquet das unverwechselbare Erlebnissubjekt, also das Erzählmedium.

Bei Edschmid wird das reportageartige Arrangement *Glanz und Elend Südamerikas* (1931) nur deshalb zum ›Roman eines Erdteils‹, weil offensichtlich zusätzlich ein fiktiver Reisender als Handlungsfigur eingearbeitet wurde. Anläßlich eines weiteren bekannten Reisepublizisten der Zeit, Arthur Holitscher, stellt Walter Benjamin fest, daß in dessen »Roman« *Es geschah in Moskau* (1929) »sich beide Elemente nur unvollständig« durchdringen, aber schließlich durch die »kompositorische Ironie« zusammengehalten würden. (Schriften, 3, S. 166) Eine der Funktionen von Reportagen sah Ernst Glaeser 1929 in seiner Sammlung *Fazit* darin, dem Romanschriftsteller bei der Erschließung neuer Themen voranzugehen.

Im Vergleich zu den Büchern über die USA sind diejenigen über die UdSSR weitaus in der Minderzahl. Völlig unterrepräsentiert sind die meisten anderen Länder. Tucholsky bemerkt z. B. 1927: »England gibt es kaum.« Dagegen sei Paris überschätzt. Auch Polen und Skandinavien tauchen selten auf; Alfred Döblin veröffentlichte 1925 seine *Reise in Polen*. Das faschistische Italien wird im Gegensatz zum Balkan und den osteuropäischen Ländern mehrfach beschrieben: 1926 in der ›Weltbühne‹ durch Efraim Frisch, 1928 in der ›Frankfurter Zeitung‹ durch Joseph Roth, in Buchform durch Alfred Kurella: *Mussolini ohne Maske. Der erste rote Reporter bereist Italien* (1931) und durch Dino Montanara *Illegal durch Italien* (1932). Bestseller blieb jedoch (1929: 56. Tsd.) das apolitische Buch Heinrich Federers *Gebt mir meine Wildnis wieder. Umbrische Reisekapitel* (1918). Eine Reihe sehr bekannter Autoren trat mit Reisereportagen hervor; teilweise ging die Initiative von großen Zeitungen aus: Marieluise Fleißer reiste auf Kosten der ›Vossischen Zeitung‹ nach Andorra: *Andorranische Abenteuer* (1932) oder Joseph Roth für die ›Frankfurter Zeitung‹ nach Albanien, Frankreich, Polen, Rußland, Ungarn. Der durch Europa vagabundierende schreibende Phantast THEODOR DÄUBLER (1876–1934) erreichte in seinen Griechenlandbeschreibungen *Der heilige Berg Athos* (1923) und *Sparta* (1923) realistische Ansätze. Über Lateinamerika berichteten Colin Roß *Südamerika, die aufsteigende Welt* (1922), Wilhelm Herzog *Im Zwischendeck nach Südamerika* (1924), Richard A. Bermann *Das Urwaldschiff. Ein Buch vom Amazonenstrom* (1927), Alfons Goldschmidt *Auf den Spuren der Azteken. Ein mexikanisches Reisebuch* (1927) und B. Traven *Land des Frühlings* (1928). Der Theaterkritiker Alfred Kerr präsentierte 1924 im S. Fischer Verlag *O Spanien. Eine Reise*. Der Mitbegründer der Dada-Bewegung in Zürich und Berlin, RICHARD HUELSENBECK (1892–1974), veröffentlichte 1928 *Der Sprung nach Osten. Bericht einer Frachtdampferfahrt nach Japan, China, Indien* und *Afrika in Sicht. Ein Reisebericht über fremde Länder und abenteuerliche Menschen*. Damit rückte Afrika, der Kolonialerdteil der Siegermächte Frankreich und Großbritannien, wieder in den Blickpunkt: Hans Grimm veröffentlichte die völkische Kolonialphantasie *Volk ohne Raum* (1928); der österreichische Schriftsteller Colin Roß gab sich ›neusachlich‹: *Mit Kamera, Kind und Kegel durch Afrika* (1928). Kasimir Edschmid ließ sein mondän sich gebendes Reisebuch *Afrika nackt und angezogen* (1930) zwischen Bericht und Fiktion schwanken. Ernst Friedrich Löhndorff schloß sich im selben Jahr mit ähnlichem Verkaufstitel, aber soliderem Inhalt an: *Afrika weint* (1930). Kurt Tucholsky veröffentlichte 1927 *Ein Pyrenäenbuch*, der in Deutschland lebende Däne MARTIN ANDERSON NEXÖ (1869–1954) *Sonnentage. Reisebilder aus Andalusien* (1924), bei der Widersacher Kasimir Edschmid *Stiere, Basken, Araber. Ein Buch über Spanien und Marokko* (1927). Nicht als kulinarische Unterhaltung, sondern als politisches Kampfbuch wirkte dagegen die demaskierende Balkan-Darstellung durch den weltbekannten Pazifisten HENRI BARBUSSE (1873–1935) in *Die Henker* (1926, dt. 1927). Ernst Toller veröffentlichte seine kritischen Reiseberichte als *Quer durch* (1930).

Seereisen waren von bleibender Beliebtheit. Jahrzehnte nach dem Tod des Verfassers von *Oblomow* (1859), IWAN A. GONTSCHAROW (1812–1891), wurde dessen Beschreibung einer mehrjährigen Weltumseglung 1925 ins Deutsche übersetzt: *Die Fregatte Pallas* (1858). Angesichts dieser großen Nachfrage verarbeitete der weitgereiste ALBERT DAUDISTEL (1890–1955), der als Münchener Revolutionär eine mehrjährige Haftzeit verbringen mußte und später nach Island emigrierte, seine Erlebnisse zu dem antimilitaristischen autobiographischen Roman *Das Opfer* (1925) und zu dem Band *Eine schön mißglückte Weltreise* (1926). Der berühmteste deutschsprachige Reportagepublizist seiner Zeit, Egon Erwin Kisch, nahm in seine bekannteste Sammlung, *Der rasende Reporter* (1924/25), die *Weltumseglung der ›A. Lanna 6‹* auf. KURT FABER (1883–1929) erreichte die Bestseller-Skalen: *Unter Eskimos und Walfischfängern. Eismeerfahrten eines jungen Deutschen* (1916), *Rund um die Erde* (1924).

Zum erstenmal finden sich Frauen unter den Reisenden. Allen voran die ›Frau von den Barrikaden‹, Larissa Reissner, mit ihren *Afghanischen Skizzen* (1925, dt. 1926). MARIA LEITNER (1894–1940/43) dokumentierte soziale Unterdrückung – auch besonders der Frauen – in fremden Ländern in Reiseberichten: *Kapstadt, die ›Perle Afrikas‹* (1928), *Eine Frau reist durch die Welt* (1932). Als Mitglied der belgischen Widerstandsbewegung wurde sie von Faschisten ermordet. Die spätere Leiterin des Berliner Kinderfunks LISA TETZNER (1894–1963) komponierte Märchenelemente und kritische Informationen über diverse Länder zu dem beliebten Kinderbuch *Hans Urian. Die Geschichte einer Weltreise* (1929). MAX MEZGER (1876–1940) hatte großen Verkaufserfolg mit *Monika fährt nach Madagaskar* (1929) ALMA M. KARLIN (1891–1950) erreichte Bestsellerumsatz: *Einsame Weltreise. Die Tragödie einer*

Frau (1929), *Erlebte Welt* (1930), *Im Banne der Südsee* (1930). Die Pädagogin ANNA SIEMSEN (1876–1969) veröffentlichte 1929 das von Tucholsky hervorgehobene Reisebuch *Daheim in Europa*.

Junge Schriftsteller setzen sich durch nichtfiktionale Darstellungen von den elitär ästhetischen Literaturauffassungen der Väter ab und nutzen zugleich die marktgünstige Publizität: Klaus und Erika Mann stellten sich 1929 in *Rundherum. Das Abenteuer einer Weltreise* dar. Die ›Neue Sachlichkeit‹ schlägt im Reisehabitus und in Verkaufstiteln durch: Luigi Barzini *Peking–Paris im Automobil. Eine Wettfahrt durch Asien und Europa in 60 Tagen* (1923); der sozialdemokratische Schriftsteller Erich Grisar veröffentlichte: *Mit Kamera und Schreibmaschine durch Europa* (1932).

Während Werfel und Arnold Zweig ihre Reisen in den Vorderen Orient in Romanform verarbeiteten, veröffentlichte ARMIN T. WEGNER (geb. 1886) seine illustrierten Reisebücher *Das Zelt. Aufzeichnungen, Briefe, Erzählungen aus der Türkei* (1926), *Am Kreuzweg der Welten. Eine Reise vom Kaspischen Meer zum Nil* (1930), ein Buch, das sogleich in 200000 Exemplaren verkauft wurde. Wegner legte den Zusammenhang zwischen Geldgebern, Reisereportern und Reklame im Buch selbst offen:

»Die Reise ... wurde im Auftrage des Volksverbandes der Bücherfreunde ... ausgeführt. In Persien bediente sich der Verfasser eines Flugzeuges der deutschen Junkerswerke. Den Rest des Weges ... hat er auf einem von den deutschen Ardiewerken in Nürnberg hergestellten ... Motorrade ... zurückgelegt; Tiberiassee, Jordan und Totes Meer wurden mit einem Wanderzweier der Klepperfaltbootwerke in Rosenheim ... durchquert. Für die photographischen Aufnahmen verwandte der Verfasser eine Leicakamera der deutschen Firma Leitz in Wetzlar.«

Zehn Jahre vor Wegners Palästina-Beschreibung *Jagd durch das tausendjährige Land* (1932) hatte bereits ARTHUR HOLITSCHER (1869–1941) – bekannt durch seine Asien-, UdSSR- und USA-Reisen – im S. Fischer Verlag seine *Reise durch das jüdische Palästina* (1922) veröffentlicht. Tucholskys Einschätzung Holitschers ist über ein halbes Jahrhundert hinweg gültig geblieben:

»Dieser größte deutsche Reisende mit den Fotografieraugen, der Landschaft, Gesellschaftsbau und Menschen blitzartig einfängt und sie scharf kopiert, so scharf, daß man Porträt und Fotografen nicht mehr vergißt.« (Werke 3, S. 175)

Die neuen Medien führten zu einer sprunghaften Ausbreitung einer neuen Zerstreuungsart der großstädtischen Angestelltenmassen, des Voyeur-Sports. Siegfried Kracauer nennt diesen Sport eine »Verdrängungserscheinung großen Stils« und ein »Hauptmittel der Entpolitisierung«. Als erste deutsche Sportreportage wurde am 21.6.1925 eine Ruderregatta aus Münster übertragen, und die Popularisierung des Rundfunks in den folgenden Jahren mag zum großen Teil der Anziehungskraft der Fußball-Reportagen zu danken sein. Für die Sportteile der Film-Wochenschauen und der Tageszeitungen gilt ähnliches. Die aus realen Zusammenhängen gerissene Visualisierung schnellster Bewegungsabläufe im Film kann als qualitative Veränderung der menschlichen Wahrnehmungsgeschichte angesehen werden: Wettfahrten, Flucht, Luftfahrt werden zu dominanten Motiven. Dieser neue Schein-Sport der Medien überlagerte die progressive Bewegung des aktiven Sports, die sich aus demokratischen Traditionen des Vormärz speiste und – nachdem die Deutsche Turnerschaft nach der Reichsgründung auf wilhelminischen Kurs gegangen war – sich im 1893 gegründeten Arbeiter-Turn- und Sportbund fortsetzte, der 1928 770000 Mitglieder hatte. Deutschland besaß außerdem im Arbeiter-Radfahrerbund ›Solidarität‹ (1928 220000 Mitglieder) die größte Radsportorganisation der Welt. Der Film *Kuhle Wampe* dokumentiert Funktionen und Möglichkeiten der Arbeitersport-Bewegung. Die Popularität der Berliner Sechstagerennen, die häufig literarisch verarbeitet werden, und der Tour de France, die u. a. in dem ›Rennfahrerroman‹ *Giganten der Landstraße* (Büchergilde Gutenberg 1928) von André Reuze zum Ausdruck kommt, entspricht diesem Phänomen. Die literarischen Darstellungen von Sportkämpfen sind erwartungsgemäß von angelsächsischen Vorbildern wie Hemingway und Shaw beeinflußt. Insgesamt werden auch später die Sportproblematisierungen der Angelsachsen – Sean O'Casey, Clifford Odets, Alan Sillitoe – in der deutschsprachigen Literatur qualitativ nicht erreicht; mit Ausnahme vielleicht von Friedrich Torbergs *Die Mannschaft, Roman eines Sportlebens* (Mährisch-Ostrau 1935) und in der folgenden Generation von den Darstellungen Siegfried Lenz'. Ernst Krenek brachte mit *Schwergewicht oder Die Ehre der Nation* (1928) die Thematik auf die Opernbühne.

Zum typischen Voyeur-Sport wurde in den Metropolen und in den Medien das Boxen. Bekannt geworden ist für die zwanziger Jahre vor allem Brechts Beschäftigung mit der Problematik des Machens und Gemachtwerdens bei Boxstars. 1924, als Shaws Boxerroman *Cashel Byrons Beruf* in Deutschland erschien, besiegte Samson Körner, dessen Lebensweg Brecht in *Scherls Magazin* in die *Arena* teilweise beschrieb, den Schwergewichtsmeister Hans Breitenstraedter; Brecht arbeitete seit dieser Zeit an einem Boxerroman *Das Renommee*, zu dem umfangreiches, nicht veröffentlichtes Material vorliegt und dessen Grundidee der negativen Selbstbindung durch Berühmtheit in der Erzählung *Der Kinnhaken* (1926) zusammengefaßt erscheint. Felix Hollaender beschreibt einen Boxer in seinem Roman *Das Erwachen des Donald Westhof* (1927); Heinrich Mann formuliert eine Erklärungshypothese während der Schilderung eines Boxkampfs im Roman *Die große Sache*: »Der Boxkampf ist das Höchste, vor Lieben geht für den Jungen das Boxen sowieso ... Auf dem Bett waren die anderen nicht dabei, aber man empfindet mehr, wo viele sind.« Eine filmische Darstellung gelingt zu der Zeit dem belgischen Journalisten und Filmkritiker Charles Dekeukeleire mit *Combat de Boxe* (1927), der vom neusachlichen Filmstil Walter Ruttmanns (*Berlin. Die Symphonie einer Großstadt*, 1927) beeinflußt ist.

Eine Modephilosophie des Sports versuchte Kasimir Edschmid zu entwickeln. Er suggeriert den Gedanken, »durch den Körper über den Körper hinauszukommen«. In seinen Romanen *Sport um Gagaly* (1927) und *Feine Leute oder Die Großen dieser Erde* (1931) geht es um die elitären Sportarten Autorennen, Tennis, Trabrennen, Motoryachtregatten, um ordensähnliche Gruppen, von Disziplin und latenter Erotik bestimmt: Was Passari und Pista und die Madosdy erlebten, »war dem nicht unähnlich, was, unter Männern allein, Leonidas für seine Jünglinge zu einem Geliebten gemacht hatte. Die jungen Männer von Olympia hatten ebenfalls tiefere Zusammenhänge, als miteinander in die Betten zu gehen.« Der Film-Avangardist Hans Richter (*Vormittagsspuk*, 1928, *Inflation*, 1928) nahm sich in der Form der synthetischen Reportage des Rennsports an, vielleicht angeregt durch Edschmids Schilderung eines Trabrennens in *Sport um Gagaly*; Richters *Rennsymphonie* wurde als Prolog zum Film *Ariadne in Hoppegarten* (1928) gezeigt.

Zu den wenigen kritischen Darstellungen neben Horváths Sportmärchen gehören Rudolf Leonhards im Breslauer Rundfunk gesendetes Hörspiel *Der Wettlauf*, an dessen Ende – vergleichbar mit dem allegorischen Untergangsgewitter in Manns *Der Untertan* – eine zusammenstürzende Tribüne steht, und Marieluise Fleißers *Mehlreisende Frieda Geier. Roman vom Rauchen, Sporteln, Lieben und Verkaufen* (1931) mit einer desillusionierenden Analyse provinziellen Männlichkeitswahns in der Figur des Sportstars Amricht.

Die Kombination von Sportgeist, Kampf gegen Naturabhängigkeit, Technikentwicklung zeigt sich in der zeitgenössischen Faszination durch Flugereignisse. Die Herleitung dieses ›neusachlichen‹ Sujets aus dem nationalistisch militaristischen Erbe auf dem deutschen Büchermarkt fällt nicht schwer: Das in der Kriegszeit meistverkaufte deutsche Kriegsbuch war das von Manfred von Richthofen autorisierte Ullstein-Buch *Der rote Kampfflieger* (1917), in Frankreich dagegen *Le Feu* von Henri Barbusse. Besonders die Ozeanflüge erregten weites Interesse. Ein lang anhaltender Verkaufserfolg wurde Leonhard Adelts Novelle *Der Ozeanflug* von 1914. Rundfunkreporter wie Alfred Braun entwickelten die direkte Augenzeugen-Reportage, die den Hörer während des Geschehens synchron mit einbezieht. Nach den Reportagen über Ozeanflüge erschien Braun in Umfragen der Welt als der bekannteste Deutsche neben dem Reichspräsidenten. Brecht versuchte bekanntlich neue kommunikative Hörspielformen anläßlich des Lindbergh-Flugs 1927, während zur Zeit der verstärkten Aufrüstung am Ende der Republik das militaristische Moment der Luftfahrt wieder betont wurde wie in der viel verkauften Romanbiographie *Boelcke, der Mensch, der Flieger, der Führer der deutschen Jagdfliegerei* (1932) von Johannes Werner. Die Luftwaffen-Aufrüstungstendenzen gegen den Artikel 198 des Friedensvertrags, wonach das Reich keine Luftstreitkräfte unterhalten durfte, hatte 1929 Walter Kreiser als Herbert Jäger in der ›Weltbühne‹ unter ›Windiges in der deutschen Luftfahrt‹ offengelegt und wurde am 23.11.1931 zusammen mit dem Herausgeber Carl von Ossietzky vom Reichsgericht zu 18 Monaten Gefängnis verurteilt aufgrund eines wilhelminischen Gesetzes von 1914.

Der französische Berufsflieger ANTOINE DE SAINT-EXUPÉRY (1900–1944) – mit den Büchern *Wind, Sand und Sterne* (1939) und *Der kleine Prinz* (1943, dt. 1950) klassischer Autor des Schulunterrichts der deutschen Nachkriegszeit – stellt in seinen autobiographischen Fliegerbüchern die angeblich unaufhebbaren Widersprüche zwischen privatem Glücksanspruch und notwendigen

Opfern für den technischen Fortschritt dar. Dies individuelle heroische Tatleben verherrlicht auch sein Buch *Nachtflug* (1931, dt. 1932), das 1932 in der Rundfunkbearbeitung von Erich Ebermayer und Klaus Mann gesendet wurde.

Der alternde Gerhart Hauptmann versuchte vergebens, den erfüllten Menschheitstraum des Fliegens zu mythisieren und nach Goethes Faust-Manier mit antiken Mythen zu verbinden in seinem daktylischen Epos *Des großen Kampffliegers, Landfahrers, Gauklers und Magiers Till Eulenspiegel Abenteuer, Streiche, Gaukeleien, Gesichte und Träume* (1928).

Wissenschaftliches Interesse und Propaganda des faschistischen italienischen Regimes mischten sich verhängnisvoll bei der Polarexpedition des Generals Nobile, bei der 1928 das Flugzeug ›Italia‹ abstürzte und Überlebende von dem sowjetischen Eisbrecher ›Krassin‹ gerettet wurden, während der norwegische Polarforscher Roald Amundsen, der mit mehreren Büchern, darunter *Die Jagd nach dem Nordpol* (1925) und *Mein Leben als Entdecker* (1929), in Deutschland bekannt wurde, bei seiner Rettungsaktion ums Leben kam. Die Hörspielbearbeitungen der Nobile-Expedition werfen ein Licht auf die Variationsbreite der »Tatsachen«-Verarbeitung. WALTER ERICH SCHÄFERS (geb. 1901) Hörspiel *Malmgren* (1929, Neuinszenierung 1950) wird gelegentlich als einer der ersten Höhepunkte der Hörspielgeschichte angesehen. Dieses vorschnelle Lob verdankte es z. T. dem Umstand, daß es gleichzeitig mit Hermann Kessers *Schwester Henriette* (1929) Formen der ›erlebten Rede‹ und des ›inneren Monologs‹ verwendete und damit neue Hörerschichten (1930: über 3 Millionen Rundfunkanschlüsse) mit Ausdrucksmitteln vertraut machte, die bisher durch Schnitzlers *Leutnant Gustl* (1901), *Fräulein Else* (1924), aber auch durch Herwarth Waldens *Buch der Menschenliebe* (1916), Kessers *Unteroffizier Hartmann* (1916), durch Texte Bechers, Benns, Jungs, Unruhs sowie durch gerade erschienene Übersetzungen von Dos Passos' *Manhattan Transfer* (1927), Joyces *Ulysses* (1927) oder Virginia Woolfs *Mrs. Dalloway* (1929) allenfalls einer sehr kleinen Leserschicht bekannt waren. Kesser sah den ›inneren Monolog‹ bemerkenswerterweise als Äquivalent zur Großaufnahme des Films an. Mit dieser neuen Form übermittelt Schäfer ein kaum nachvollziehbares Opferethos und eine mystifizierende Todesverklärung, die mit masochistischem Anklang den Tod verantwortungslos verharmlost wie Arien der Sterbenden in der klassischen Oper. Die Kombination von episch-distanzierter Reportage und poetisch ambitionierten freien Rhythmen der Figuren suchte formal neue Lösungen und scheiterte durch ideologisierende Verinnerlichung zeitgenössischer Probleme. FRIEDRICH WOLFS (1880–1953) Hörspiel *S.O.S. ... Rao Rao ... Foyn ›Krassin‹ rettet ›Italia‹* (1929) versuchte eine politisch agitierende Wirkung, vergleichbar dem sowjetischen Reportagefilm *Helden inmitten des Eises* (1928) der Brüder G. und S. Wassiljew, indem er die mangelhaft vorbereitete italienische Expedition kritisierte und die Tatsache betonte, daß ein russischer Bauer den Funkruf der ›Italia‹ gehört und weitergeleitet hatte. Während Wolfs kritisch realistische Form einflußlos blieb, prägte der lyrisch individualisierende, seelische Konflikte ausleuchtende Stil Schäfers mit ähnlichen Vorhaben Eichs und anderer die Hörspieltradition bis in die sechziger Jahre. Der *Kampf um den Südpol* in Stefan Zweigs bekanntestem Buch *Sternstunden der Menschheit* (1927) tendiert gleichfalls in diese Richtung. Extrem zugespitzt erscheint diese Stilisierung bei Reinhard Goering, der *Die Südpolexpedition des Kapitäns Scott* (1930) als mythisierendes Schicksalsdrama anlegte. In der Laudatio auf den Kleist-Preisträger Goering 1930 heißt es von dem Stück: »Es vermittelt Gottnähe.« Der populäre Scott-Film *Das weiße Schweigen* hatte dieses Terrain mit bereitet. Selbst der engagierte Hörspieltheoretiker und Kritiker der Rundfunkpolitik Arno Schirokauer verfiel in seinem Hörspiel *Magnet Pol* (1930) einer mystischen Opferideologie: »Es ist das Vorrecht weniger, *für* etwas zu sterben. *Wie* das Phantom heißt, das ist nicht wichtig.« Die progressiven Züge des Spiels sind jedoch bemerkenswert: es verzichtet auf eine geschlossene Handlung, stellt die Polarforschung als Arbeit von Kollektiven dar und hebt mehrfach die 500 Todesopfer auf diesem Gebiet hervor. Der Feature-Charakter wird durch die Verwendung authentischer Tagebuchnotizen unterstrichen.

Während Schirokauers Name am 26. 4. 1933 in der ›Berliner Nachtausgabe‹ auf der Liste »verbrennungswürdiger« Bücher erschien, konnte Carl Haensel als prominenter Vertreter der ›Tatsachenliteratur‹ und nationalistischer Funktionär des Schutzverbands Deutscher Schriftsteller sich im Polar-Genre rasch umstellen und 1935 die gescheiterte Andrée-Expedition von 1897 in dem Hörspiel *Ballon Oernen verschollen* darstellen, so wie er als Jurist schon 1933 mit dem *Politischen ABC des Neuen Reichs* hervortrat. Haensel variierte die Literatur über Entdeckungen mit seinem ›Tatsachenroman‹ *Kampf ums Matterhorn* (1928) als Mischung aus Sport- und Entdeckungsgeist und Individuumsheroik. Er griff damit teils auf Theodor Wundts erfolgreichen Roman *Matterhorn* (1916) zurück und zog andernteils verfügbare Dokumente heran. Unter der ›neusachlichen‹ Oberfläche, die auch die Werbewirkung für Zermatt (Steigerung der Gästefrequenz z. B. von 80 auf 2000) notiert, schimmert ein idealistischer Individualismus hindurch: »Er suchte in den Bergen letzten Endes dasselbe, das alle Bergsteiger suchen ..., die Möglichkeit, zu sich selbst zu gelangen und sich selber zu finden.« Eine relativ kritische Darstellung gab in dem Hörspiel *Fahnen am Matterhorn* (1931) FELIX GASBARRA (geb. 1895). Der Mitarbeiter Piscators, der nach 1945 mit weiteren Hörspielen hervortrat, ging die Bergbesteigung satirisch an. Die Täuschungsmanöver des nationalistischen Wettstreits, die Todesopfer, der fehlende gesellschaftliche Nutzen werden realistisch ins Bild gebracht. Innerhalb der Medienszene der Pionier-Thematik kann *Fahnen am Matterhorn* als oppositionelles Stück angesehen werden. Die Schulfunkhörspiele setzen heute die Tradition von Gasbarras *Fahnen am Matterhorn* unter Abzug der Satire fort, während eine Traditionsbildung aus Brechts *Ozeanflug* von 1929 sich nicht ergab.

In diesem Bereich stieß der Geologe und Filmregisseur Arnold Fank auf ein seit langem vorgeprägtes Gefühls- und Unterhaltungsbedürfnis. Das charakteristisch deutsche Genre des Hochgebirgsfilms wurde von ihm ab 1920 entwickelt: *Kampf mit den Bergen* (1921), *Berg des Schicksals* (1924), *Der heilige Berg* (1927), *Stürme über den Montblanc* (1930). Die Mischung aus faszinierenden Naturaufnahmen und Gebirgsmystifizierung wurde faschisierend fortgesetzt durch Leni Riefenstahls und Luis Trenkers Bergfilme, von denen sich ein ideologischer Zusammenhang zum Bayern- und Tirolerkult sowie zu Hitlers Obersalzberg-»Berghof«, zum »Alpenfestungs«-Verteidigungswahn und entsprechenden Phänomenen leicht herstellen läßt. Riefenstahls Bergfilm *Das blaue Licht* liegt eine mystische Sage zugrunde. Trenkers Bergkriegsfilm *Berge in Flammen* sucht den Krieg als sportliches Ereignis zu verharmlosen; sein Bergfilm *Der Rebell* agitiert nationalistisch antifranzösisch.

Das Interesse an fremden Kulturen, unerschlossenen Bereichen der Erde, Reduzierung der menschlichen Naturabhängigkeit läßt sich durch die herkömmlichen Literaturformen nicht mehr zureichend befriedigen. Als neue Medienformen bringen die zwanziger Jahre hier das Sachbuch und den Dokumentarfilm. Für das sachkundig geschriebene Buch, das einen Wissensbereich einem breiten Leserkreis erschließt, hat sich seit Wilhelm Fronemanns Buch über Jugendliteratur *Das Erbe Wolgasts* (1927) der Terminus ›Sachbuch‹ (S. 27) eingebürgert. Als eine mißlungene »Anmeierei an ein halbgebildetes Publikum« kritisiert Tucholsky (Werke 6, S. 59) auf diesem Gebiet das Buch des nordamerikanischen Chemikers Paul de Kruif *Mikrobenjäger* (dt. 1927). Gelungene Beispiele sind das von Robert Musil hervorgehobene *Arcturus-Abenteuer. Die erste Tiefsee-Expedition der New Yorker Zoologischen Gesellschaft* (dt. 1928) von William Beebe oder die von Walter Benjamin hervorgehobene *Insel der fünf Millionen Pinguine* (dt. 1932) von Cherry Kearton, des weiteren die Eskimo-Bücher des amerikanischen Arktisforschers Vilhjalmur Stefánsson, *Das sterbende Afrika* (1923) des deutschen Völkerkundlers Leo Frobenius, *Mit den Zugvögeln nach Afrika* (dt. 1924) des schwedischen Ornithologen Bengt Berg. Weite Verbreitung fanden in den zwanziger Jahren die Beschreibungen der skandinavischen Forscher Roald Amundsen (*Jagd nach dem Nordpol*, dt. 1925, *Der erste Flug über das Polarmeer*, dt. 1927 u. a.), Sven Hedin (*Abenteuer in Tibet*, dt. 1923, *Mount Everest*, dt. 1923 u. a.), Fridtjof Nansen (*In Nacht und Eis*, dt. 1922, *Sibirien ein Zukunftsland*, dt. 1922 u. a.), Knud Rasmussen (*Neue Menschen. Ein Jahr bei den Nachbarn des Nordpols*, dt. 1920). Kaum zu überschätzende Verdienste in der bleibenden Dokumentation zivilisationsferner Lebensweisen hat der Nordamerikaner ROBERT FLAHERTY (1884–1951), der ein Pendant zum russischen Dokumentarfilm schuf; vor allem mit dem Labrador-Film *Nanuk, der Eskimo* (1922), dem Samoa-Film *Moana, Sohn der Südsee* (1926) und *Man of Aran* (1934).

Verarbeitung der Kriegserfahrungen

Der Erste Weltkrieg kostete 10 Millionen Menschen das Leben, jede Minute des Kriegs brachte 5 Tote, für jede Tötung wurden 15565 Dollars ausgegeben. Die Zusammenarbeit der Mehrheit der Sozialdemokratie mit der alten

Reichswehr verhinderte jedoch nicht nur eine Revolution, sondern ließ den wilhelminischen Militarismus neu aufleben und den faschistischen Zweiten Weltkrieg vorbereiten. Als aktive Kriegsgegner verbleiben nur die Vereinigungen der Friedensbewegung, die Kommunisten und die linksbürgerlichen Intellektuellen mit einigen Zeitschriften.

Die zwischen 1910 und 1920 entstandene militaristische Unterhaltungsliteratur zählt nach Dutzenden von Bestsellern und erfährt keine wesentlichen Unterbrechungen ihrer Neuauflagen bis in die dreißiger Jahre. Die rechtfertigende, kriegsfreundliche Memoirenliteratur schloß sich diesem Nachkriegsstrom an. Tucholsky faßte 1927 zusammen: »Es ist ungemein bezeichnend, daß unter dieser Memoirenliteratur auch nicht ein einziges lesbares Buch ist.« (Werke 5, S. 407) Seit der Währungsstabilisierung erfolgte eine deutliche Stärkung dieser Richtung durch militaristische Filme. Die schriftstellerische Opposition kam bei der thematischen Marktübersättigung erst zu Gehör, nachdem gemäßigt kritische ausländische Kriegsdarstellungen in Film und Zeitungen ein qualitativ abweichendes Informationsbedürfnis ertestet hatten. Die Demokratiegegner antworteten mit Zensur, mit verstärkter Filmproduktion und ab 1929 mit einer Massenproduktion militaristischer Unterhaltungsromane.

Die Selbstverständigung und -bestätigung der bürgerlichen Republikgegner über den Weltkrieg wurde aus dem Strom affirmativer heroisierender Literatur gespeist, der aus der Vorkriegszeit bis 1945 hin kaum Unterbrechungen erfuhr. Tucholsky resümiert 1925: »Das geschlagene Deutschland hat ... wohl das schauerlichste an Revanche-, Rache-, Mord- und Totschlag-Literatur geleistet.« (Werke 4, S. 45) Die Erfolgsbücher der Beumelburg, Binding, Carossa, Courths-Mahler, Flex, Herzog, Jünger, Keller, Kull, Lettow-Vorbeck, Löns, Luckner, Mücke, Plüschow, Richthofen, Schauwecker, Skowronnek, Spiegel, Stegemann, Stratz etc. wurden von der seriösen Literaturkritik zwar nicht wahrgenommen, können aber in ihrer Langzeitwirkung den wenigen kriegskritischen Büchern der ersten Nachkriegszeit – etwa denen von Leonid Andrejew, Henri Barbusse, Leonhard Frank, Bernhard Kellermann, Karl Kraus, Andreas Latzko, Romain Rolland, Armin T. Wegner – als weit überlegen angesehen werden. Selbstverständlich sind auch die wenigen kriegskritischen Theaterstücke bis 1923/24 (z. B. von Brecht, Goering, Hasenclever, Kaiser, Kraus, Schickele, Toller, Unruh, Wolf, Zweig) wirkungsmäßig vernachlässigenswert. Dasselbe gilt für die Antikriegsgedichte von Max Barthel, Kurt Eisner, Edwin Hoernle, Berta Lask, Karl Liebknecht, Werner Möller, Ernst Preczang, Fritz Rück, Bruno Schönlank, Walter Steinbach, Kurt Tucholsky, Paul Zech etc. sowie für die Bildende Kunst, etwa Käthe Kollwitz' Holzschnitt-Zyklus *Der Krieg* (1922) und ihre späteren Antikriegs-Lithographien oder die Arbeiten Otto Dix', George Grosz', John Heartfields, Karl Holtz', Frans Masereels u. a.

Auch die Wirkung der entschieden antimilitaristischen Zeitschrift ›Die Weltbühne‹ mit Auflagen von jeweils 16000 wird man als sehr begrenzt einschätzen müssen. ›Die Weltbühne‹ widmete, geprägt von den antimilitaristischen Publizisten Siegfried Jacobsohn und Kurt Tucholsky, jedes erste Augustheft der Kriegsbekämpfung und behandelte zudem die Friedenserhaltung permanent als wichtigstes Thema. Der bedeutendste internationale Friedenskämpfer der zwanziger Jahre wurde CARL VON OSSIETZKY (1888–1938). Er schloß sich als Hamburger Justizangestellter schon 1908 der Friedensbewegung an, wurde 1919 Sekretär der ›Deutschen Friedensgesellschaft‹ in Berlin, 1924 Redakteur des ›Tage-Buchs‹ und 1927 Redakteur und Herausgeber der ›Weltbühne‹. Seit 1933 wurde Ossietzky in Konzentrationslagern gefoltert und erhielt 1936 den Friedensnobelpreis. Der parteilose Radikaldemokrat war einer der bekanntesten Kritiker der »Generalrepublik«; durch kontinuierliche analytische Bemühungen um das Gegenwartsgeschehen gelangte Ossietzky vom humanistischen Pazifismus zur Basis einer sozialistisch akzentuierten »geeinten antifaschistischen Bewegung«. Nicht zuletzt der jahrelange weltweite Protest gegen Ossietzkys Einkerkerung zeigt, daß ›Die Weltbühne‹ das wichtigste deutschsprachige Organ der demokratischen Intellektuellen in Europa bis 1933 gewesen ist.

Während in den Jahren 1924 bis 1927 eine Neuproduktion kriegsbezogener Literatur fast völlig fehlt, indes die alte nationalistische Literatur nachgedruckt wurde, fand eine Medienausweitung statt: Die 1922 einsetzende Produktion militaristischer Filme steigerte sich um 1925/26 überproportional und erreichte besonders die neu entstandene, politisch noch schwankende Mittelschicht. Das liberale ›Berliner Tageblatt‹ brachte am 12.9.1926 eine kritische Zusammenstellung von »20 Militärfilmen in anderthalb Jahren« und fügt eine Liste von 14 neuen Titeln hinzu.

Die militaristische Politik während der zweiten Hälfte der Weimarer Republik wurde ab 1925 relativ offen betrieben, so daß Kurt Tucholsky 1925 in der ›Weltbühne‹ mit prophetischer Präzision schreiben konnte: »Wir stehen da, wo wir im Jahre 1900 gestanden haben. Zwischen zwei Kriegen.« (Werke 4, S. 41) In den radikaldemokratischen Zeitschriften ›Das Tage-Buch‹, ›Das Andere Deutschland‹ und ›Die Weltbühne‹ wiesen Axel Eggebrecht, Hans Fallada, Hellmut von Gerlach, Berthold Jacob, Walter Kreiser, Fritz Küster, Carl Mertens, Carl von Ossietzky, Leopold Schwarzschild, Heinrich Ströbel, Kurt Tucholsky u. a. verstärkt auf die ›Schwarze Reichswehr‹ und die illegalen Praktiken der Reichswehr hin, was ihnen z. T. »Landesverrats«-Prozesse eintrug. Die gesetzwidrigen Ausgaben der Reichswehr betrugen nach Berichten des Rechnungshofes jährlich um 50 Millionen Mark und führten z. B. 1928 nach der ›Phoebus-Affaire‹ zum Austausch des Reichswehrministers. Nachdem die Kontrollkommission der Siegermächte 1927 formal feststellte, daß Deutschland »abgerüstet« sei und das Land verließ, konnte die Aufrüstung zum Wahlkampfthema 1928 gemacht werden, wobei das wortbrüchige Verhalten der Sozialdemokraten zugunsten des Panzerkreuzer-Baus weltweites Aufsehen erregte. 1933 fanden die Faschisten ein gut ausgerüstetes Heer vor, das doppelt so stark war, als die Friedensverträge zuließen.

Die Militarisierung des öffentlichen Bewußtseins wurde 1925 durch die Wahl des kaiserlichen Generals Hindenburg zum Reichspräsidenten besonders deutlich. Als Signal wirkten die Aufhebung des Uniformverbots und Hindenburgs Versuch, die kaiserlichen Fahnenfarben wieder einzuführen. Die Wahl des Kandidaten der Rechtsparteien zeigte zugleich die Spaltung der Bevölkerung in zwei etwa gleich starke Lager, die sich bis zur letzten Wahl 1933 aufrechterhielt: den antirepublikanischen Rechtsblock einerseits, die republikanische Mitte und die Kommunisten anderseits. Diese Halbierung legte eine Verschärfung des politischen Kampfes nahe, da nicht nur Regierungsprogramme zur Debatte standen, sondern ein System-Wechsel denkbar erschien.

Tucholsky spricht 1926 von den »lawinenhaften Publikationen, Diskussionen, Vorträgen, Büchern, Zeitungsartikeln, Broschüren und Streitschriften über den Krieg« (Werke 4, S. 309). Die Zeitschrift des 1918 von Hitlers späterem Arbeitsminister Franz Seldte gegründeten ›Stahlhelm‹ druckte z. B. regelmäßig »Fronterlebnisse« ab; 1925 brachte diese Auffangorganisation das Wörterbuch der »Frontsprache« *Schwere Brocken* heraus. Um diese Zeit wurden kritische Gegenstimmen auch außerhalb sozialistischer Organe laut, die von der Zensur und den gegnerischen Medien bekämpft und um 1930 von chauvinistischer und ›neusachlich‹ affirmativer Kriegsliteratur schließlich wirkungslos gemacht wurden.

Der Anstoß der kriegskritischen Medientätigkeit kam von außen, während deutsche Berichte – wie die 1924 in der ›Roten Fahne‹ abgedruckten – die Ausnahmen darstellten. Vorangegangen waren *Das Joch des Krieges* (1918) von Leonid Andrejew, *Le Feu* (1916, dt. 1918) von Henri Barbusse, *Menschen im Krieg* (1918) von Andreas Latzko, Upton Sinclairs *Jimmie Higgins* (1919, dt. 1919), John Dos Passos' *Three Soldiers* (1921, dt. 1922, 1927 als Ausgabe der ›Universum-Bücherei für Alle‹), Egon Erwin Kischs *Soldat im Prager Korps* (1922), Isaak Babels *Budjonnys Reiterarmee* (1926, dt. 1926). Hinzu kamen Bücher über die Entstehung des Kriegs wie *Die Verbrecher* (1926) von dem populären Schriftsteller Victor Margueritte, Eberhard Buchners *Kriegsdokumente* (1928) oder Emil Ludwigs Dokumentation über den Anteil der europäischen Kabinette und Diplomaten als Bestseller *Juli 14* (1929).

1925 setzte mit King Vidors *The big Parade* die Serie amerikanischer Kriegsfilme ein, die als einzige Hollywood-Filmgattung in Europa nicht affirmativ, sondern irritierend und desillusionierend wirkten, da sie aus der amerikanischen Kriegsperspektive heraus gedreht waren. Als Eisensteins *Panzerkreuzer Potemkin* eine internationale revolutionäre Perspektive wirkungsvoll vorführte, wurde 1926 die Reichswehr von der Justiz um »Gutachten« über den Film gebeten, um Zensurvorwände zu finden, und die reaktionäre deutsche Filmindustrie ging zusätzlich zur allgemeinen Militärfilmproduktion zur gezielten Gegenproduktion über: noch 1926 erschien der heroisierende Kreuzer-Film *Emden* sowie 1927 *U-9 Weddigen* und der dreiteilige »Dokumentarfilm« *Der Weltkrieg*, von der seit 1927 zum Hugenberg-Konzern gehörenden UFA auf der Basis von Wochenschauaufnahmen gedreht, um »geschichtliche Tatsachen mit unbestreitbarer Objektivität« darzustellen.

Das 1926 verabschiedete »Schund- und Schmutzgesetz« erleichterte weiter die Unterdrückung kritischer Veröffentlichungen. Bechers Antikriegsbücher *Der Leichnam auf dem Thron. Schlagt dem Krieg den Schädel ein* (1925), *Levisite* (1926) und *Der Bankier reitet über das Schlachtfeld* (1926) konnten sofort verboten werden und führten zur »Landesverrats«-Anklage. Ebenso erging es HEINRICH WANDT (1890–1965), dem zeitweiligen Sekretär Clara Zetkins und Chefredakteur der ›Freien Presse‹, der dokumentarische Berichte über das Offiziersleben in der Etappe in seiner Zeitschrift veröffentlichte und daraufhin laufend durch Prozesse eingeschüchtert wurde; seine Bücher *Etappe Gent* (1926), *Erotik und Spionage in der Etappe von Gent* (1928), *Der Gefangene von Potsdam* (1927) u. a. wurden mehrfach verboten. Sofort nach Erscheinen beschlagnahmt wurde BRUNO VOGELS (geb. 1898) *Es lebe der Krieg! Ein Brief* (1924) und der Autor durch alle Prozeßinstanzen gejagt. Innerhalb eines Briefes an die kriegsbegeisterte Mutter eines Freundes sind verschiedene fragmentarische Formansätze (Brief an einen Vater, Feldpostbriefzitate, Ich-Erzählungen, Dramenszenen) versucht, und der Autor gibt durch Montagen des Rührenden neben dem Schockierenden, des Militärdrills neben den Sexualbedürfnissen, des Sterbens neben der Leichenfledderei so realistische Kriegsskizzen, daß sie den Gerichten unerträglich erschienen. Die desillusionierende Wirkungsweise dieses Buchs war vergleichbar mit ERNST FRIEDRICHS (1894–1967) Montage von Kriegsfotos und satirischen viersprachigen Kommentaren in *Krieg dem Kriege!* (1924), dem unmittelbaren Vorläufer von Brechts *Kriegsfibel*. Wegen seiner anarchistisch antimilitaristischen Veröffentlichungen wurde Friedrich zwölfmal verurteilt (»in der Abgeschlossenheit meiner Zelle kam ich auf immer neue und bessere Ideen«).

1926/27 erlebte eine satirische Darstellung des österreich-ungarischen Kriegsapparats als deutsche Übersetzung – in Prag verlegt – eine ungewöhnliche Resonanz und bildete mit Abdrucken in 20 Tageszeitungen zugleich den Auftakt für die Veröffentlichungen der wichtigen deutschsprachigen Kriegsdarstellungen in epischer Form. JAROSLAV HAŠEKS (1883–1923) *Die Abenteuer des braven Soldaten Schwejk während des Weltkrieges* erschien 1926 in Grete Reiners Übersetzung, erreichte 1929 die 4. Auflage und kam 1930 in der 32000 Mitglieder zählenden ›Universum-Bücherei für Alle‹ der von Willi Münzenberg geleiteten ›Internationalen Arbeiterhilfe‹ heraus. Der von Johannes R. Becher, Max Brod, Willy Haas, Kurt Tucholsky, F.C. Weiskopf u. a. begeistert rezensierte und von Brecht zur Weltliteratur gerechnete Hašek wurde erst auf dem Umweg über Deutschland in der Tschechoslowakei akzeptiert. Die einfache und derbe Sprache, die kunstlose literarische Durchformung, das satirische understatement machten Hašek der Literaturwissenschaft lange Zeit suspekt, wie aus ähnlichen Gründen seine deutschsprachigen Zeitgenossen Oskar Maria Graf und B. Traven, mit denen er zudem bestimmte anarchistische Züge gemeinsam hat. Hašek ist ein Beispiel dafür, daß die Literaturproduktion nicht mehr dominant an die Buchform gebunden ist; er schrieb seine 1200 Erzählungen, Satiren, Skizzen, Humoresken ausschließlich für Zeitungen und Zeitschriften, unter mehr als 100 Pseudonymen. Das romanähnliche *Schwejk*-Buch, das Hašek in seinen letzten zwei Lebensjahren in distanzierter Resignation angesichts der reaktionären Entwicklung des neuen tschechoslowakischen Staats schrieb, erschien ebenfalls nicht in Buchform, sondern in Fortsetzungsheften.

Schwejk wirkt als Einübung und Befestigung des Widerstandswillens Unterdrückter, sein Prinzip des Lächerlichmachens durch scheinbares Ernstnehmen wirkt zersetzend auf die autoritativen Ideologiekonstruktionen. Der versteinerte Begriffs- und Phrasenapparat der militärischen, kirchlichen, bürokratischen Hierarchien stürzt als hohl zusammen, sobald Schwejk sie seinerseits unbewußt satirisch verwendet. Das pathetische Denken der Weimarer Reaktion fühlte sich voll getroffen; anders ist das Verbrennen von Hašeks Büchern im Mai 1933 nicht zu erklären. Selbst in den Neuauflagen ab 1949 im Verlag Kiepenheuer und Witsch fürchtete man die destruierenden Glossen des braven Soldaten und kürzte das Buch ohne Kennzeichnung um 300 Seiten, so daß Kritik an Kirchenfunktionären, an Soldaten jüdischer Konfession, an weiterwirkenden Beamten des besiegten Regimes ebenso unterdrückt wird wie ein großer Teil von Hašeks antimilitaristischen Ausführungen.

Die literarischen Einflüsse Hašeks reichen von Kischs *Soldat im Prager Korps* (1922), Ilja Ehrenburgs *Das bewegte Leben des Lasik Roitschwantz* (1928), Weiskopfs *Slawenlied* (1931), Heinrich Manns *Lidice* (1943) bis zu Brechts *Schweyk im zweiten Weltkrieg* (1943, Urauff.: 1957). Unmittelbar angeregt von Hašeks Buch fühlte sich wahrscheinlich auch Oskar Maria Graf, der in seinem Rechenschaftsbuch *Wir sind Gefangene* (1927) die erlebte Weltkriegsrealität durch Ironie zu desillusionieren suchte. Graf hatte durch Kriegsdienstverweigerung an der russischen Front Bestrafungen und Irrenhaus auf sich genommen und war nach 14 Monaten entlassen worden.

Hašeks Anti-Pathos war ein Novum im Strom der Kriegsliteratur und -filme, und der Promotor war kein deutscher, sondern ein Prager Verleger, während Ludwig Renns antipathetische romanhafte Reportage *Krieg* zwischen 1924 und 1928 von mehreren Verlegern abgelehnt wurde und erst nach einem Vorabdruck in der ›Frankfurter Zeitung‹ innerhalb weniger Monate 100000mal verkauft wurde. Mit dem Abdruck von Romanen Zweigs, Renns, Hemingways verhalf die ›Frankfurter Zeitung‹ dem kritisch gemeinten Kriegsroman zum Durchbruch. Die von den zeitgenössischen Kritikern Belá Balázs, Bernard von Brentano, Alfred Kantorowicz, Alfred Kerr, Karl August Wittfogel, Arnold Zweig u. a. vertretene These, daß die subjektiv als Antikriegsbücher gemeinten Werke doch insgesamt kriegsgewöhnend wirken könnten, so daß Karl Hugo Sclutius in der ›Weltbühne‹ (2. April 1929) von »Pazifistischer Kriegspropaganda« sprechen konnte, scheint durch die »pluralistische Attitüde« der Öffentlichkeitspolitik des mächtigsten deutschen Konzerns, der IG-Farben-Industrie – mit einem Aufsichtsratsvorsitzenden, der zugleich den Reichsverband der Deutschen Industrie leitete – nicht gerade widerlegt zu werden: Die 1856 gegründete ›Frankfurter Zeitung‹, gediegenste bürgerliche Tageszeitung der zwanziger Jahre, war wie die Frankfurter Societäts-Druckerei vom IG-Farben-Konzern abhängig, andererseits war dieser Konzern u. a. die Geldquelle für Otto Strassers ›Kampfverlag‹, die erzkonservative ›Europäische Revue‹ oder Robert Leys »Gauzeitung« ›Westdeutscher Beobachter‹. Ludwig Renns zweiter Roman *Nachkrieg* (1930) erschien trotz des großen Verkaufserfolgs des *Krieg* nicht mehr im Societäts-Verlag, sondern im Wiener Agis-Verlag, indes der Societäts-Verlag 1930 auf unverfängliche Kriegsbücher auswich: *Kameraden im Westen. Ein Bericht in 221 Bildern* oder *Das Buch der guten Werke*, in dem der bekannte Theaterkritiker Bernhard Diebold Berichte über menschenfreundliche Taten während des Kriegs präsentierte. Mit dem verdienstvollen Erstabdruck von Hemingways *A Farewell to Arms* (1929), das an der italienischen Front spielt, wich die ›Frankfurter Zeitung‹ also nicht nur der deutschen Kriegsproblematik, sondern auch dem Antikriegstitel aus und erfand den Titel *In einem anderen Land*; Hemingways aussparende, lakonische Erzählweise ist mit derjenigen in Renns *Krieg* oder auch in Freys *Pflasterkästen* vergleichbar, vor allem mit Koeppens später entstandenem *Heeresbericht*.

Die ›Frankfurter Zeitung‹ hatte den Abdruck Renns erst gewagt, nachdem sie im Sommer 1927 zunächst den erzähltechnisch und stilistisch eher konventionellen, in der Nachfolge von Zolas *La débâcle* (1892) stehenden Roman *Alle gegen einen* – als Buch Ende 1927 *Der Streit um den Sergeanten Grischa* genannt – von ARNOLD ZWEIG (1887–1968) veröffentlicht hatte. Zweigs Buch wurde mit 100 000 verkauften Exemplaren innerhalb von zwei Jahren der nach Hašek zweite große Erfolg eines antimilitaristischen Kriegsbuches.

Während mit Ludwig Renn 1928 der perspektivisch eng eingrenzende Berichtstil am Kriegsthema sich entfaltet, der von Journalisten und schreibenden Laien eingeführt wurde, war Zweig in den vorangehenden 15 Jahren als Berufsschriftsteller mit Erzählungen und Novellen in der Tradition psychologisch sensibler Schilderungen mit häufigem Rückgriff auf tiefenpsychologische Theorien hervorgetreten. Anhand des Justizmords an dem russischen Kriegsgefangenen Grischa I. Paprotkin beschreibt Zweig den Mechanismus des imperialistischen Kriegsapparats. Grischa als »einer jener vierzig Millionen Uniformierten« wird für Feuchtwanger »zum Gleichnis des Armen überhaupt, des gutmütigen, unwissenden … Unterdrückten.« (›Berliner Tageblatt‹, 9. 11. 1927) Die Intention des distanzierten, chronikartigen Referierens, die Kennzeichen der nachfolgenden kritischen Kriegsberichte sein werden, durchbricht Zweig indessen bewußt sehr häufig durch engagierte Stellungnahmen des Erzählers. In den Hugo Stinnes und Ludendorff nachgebildeten Romangestalten werden die Praktiken des militärisch-industriellen Blocks deutlich entlarvt. Der Autor vertritt eine humanistische, radikal-demokratische Position und vertraut dem moralischen Appell an das Rechtsbewußtsein der Herrschenden; angesichts der Rechtsbeugungspraktiken des Weimarer Staates mußte der latente Gerechtigkeitsglaube des Erzählers mißverständlich bleiben. »Arnold Zweig hat das beste deutsche Kriegsbuch geschrieben … Das deutsche Kriegsbuch ist noch nicht geschrieben«, resümierte Tucholsky (Werke 5, S. 411).

Die Überzeugung einer unzureichenden Darstellung der Kriegsursachen ließ Zweig das Thema weiterbearbeiten. 1931 wurde der Erziehungs- und Wandlungsprozeß stark herausgehoben in *Junge Frau von 1914*, und schließlich in *Erziehung vor Verdun* – 1935 im Exil erschienen – die Emanzipation des Intellektuellen Bertin aus den Bewußtseinsklischees der bürgerlichen Klasse entwickelt. Die Gefühls- und Reflexionsstadien der von bürgerlicher Sozialisation geprägten Menschen bei ihrem Trennungsprozeß von der kapitalistischen Gesellschaftsordnung detailliert festgehalten zu haben, ist Zweigs wichtiger Anteil an der Literatur des 20. Jahrhunderts.

Der die Zeit von 1913 bis 1918 beschreibende Romanzyklus *Der große Krieg der weißen Männer* umfaßt folgende Teilbände:

Die Zeit ist reif (1913 bis 1915) Berlin 1957

Junge Frau von 1914 (1915 bis 1916) Berlin 1931

Erziehung vor Verdun (1916 bis 1917) Amsterdam 1935

Der Streit um den Sergeanten Grischa (1917) Potsdam 1927

Die Feuerpause (1917 bis 1918) Berlin 1954

Einsetzung eines Königs (1918) Amsterdam 1937

Daß die Sozialdemokraten ihren Mitgliedern und Wählern ein völlig apolitisches Verhältnis zum Krieg zumuteten, läßt sich etwa daran ablesen, daß der ›Vorwärts‹ im Erscheinungsjahr des *Grischa* Georg von der Vrings lyrisierenden Kriegsroman *Soldat Suhren* abdruckte, religiös eingefärbte Erlebnisse eines jungen Dichters an der Front, die als Buch auch in der ›Universum-Bücherei für Alle‹ erschienen.

Mit der Veröffentlichung von LUDWIG RENNS (1889–1979) *Krieg,* der 1928 auch als Buch in ihrem ›Societäts-Verlag‹ herauskam, machte die von ›IG-Farben‹ gestützte ›Frankfurter Zeitung‹ sich zum wichtigsten Promotor einer ›Neuen Sachlichkeit‹ in Deutschland. Die Präsentation von skandalösen Tatsachen ohne kommentierende Erzählereingriffe rechnete mit einer liberalen, sensiblen Öffentlichkeit, die diese Zeitung zwar in den Lesern ihres Literaturteils sehen konnte, die es jedoch insgesamt in Deutschland nicht gab. Seit Renns *Krieg* 1928 wurden die Beschreibungen punktueller Fronterlebnisse ohne reflektierende Verarbeitung der politisch-ökonomischen Kriegsvoraussetzungen zum Schema der meisten Publikationen, während Graf, Hašek, Kraus, Vogel, Zweig u. a. noch das System Krieg insgesamt einzuordnen suchten.

Ludwig Renn als ehemaliger Offizier versetzt sich in die Lage eines anfangs apolitischen Gefreiten, der tagebuchähnlich seinen Desillusionsprozeß in der tödlichen Schützengrabenmonotonie aufzeichnet. In stilisiert karger Sprache werden die Beobachtungen registriert, ohne dem Leser Erklärungskonstrukte zu geben. Die Fakten sollen sich selbst vermitteln, ein kritisches Pendant zum Oberflächenrealismus der filmischen Kriegswochenschauen. Zusammen mit *Nachkrieg* (1930), in dem die Zeit des Erzählers in der »Sicherheitswehr« geschildert und seine Wandlung zum Marxisten angedeutet wird, bilden Renns Darstellungen wichtige Beispiele der zeitgenössischen Sachlichkeitsintention hinsichtlich der Kriegsverarbeitung. Da der nichtproletarische Kommunist den Herrschenden besonders verdächtig war, wurde Renn wegen militärwissenschaftlicher Vorträge an der Berliner Marxistischen Arbeiterschule von 1932 bis 1935 eingekerkert.

Fast zur gleichen Zeit wie Renns *Krieg* in der ›Frankfurter Zeitung‹ erschien ERICH MARIA REMARQUES (1898–1970) *Im Westen nichts Neues* in Ullsteins ›Vossischer Zeitung‹ im November 1928, als Buch 1929. Als beliebiges und apolitisches Identifikationsangebot für die um 1900 geborenen, sich als verlorene Generation stilisierenden Männer, aber auch für die durch Inflation enteigneten, durch Rationalisierung und Weltwirtschaftskrise geschädigten Mittelschichten erreichte das Werk eine geschätzte Weltauflage von 8 Millionen und gilt damit als meist gelesener Roman der ersten Jahrhunderthälfte. Die additive Kurzszenenreihung des Romans, dieser ›frappante Lesefilm‹ (Angelo Cesana), bot sich dringend als Drehbuch an und kam bereits 1930 als *All Quiet on the Western Front* von Lewis Milestone nach Deutschland zurück, um sogleich verboten zu werden, da er »die reinigende und erlösende Sinngebung« des Krieges nicht zeige. Während das deutsche Filmplakat 1930 damit Reklame macht, daß Buch und Film in der Sowjetunion verboten seien, macht der Ullstein-Verlag 1930 damit Reklame, daß das Buch dort in 400000 Exemplaren verkauft sei. Wie im Falle des Verbots des *Panzerkreuzer Potemkin* 1926 ging der unterbrochene Informationsfluß ausweichend über ein anderes Medium weiter: Der Rowohlt Verlag publizierte *Im Westen nichts Neues in Bildern* (1931).

Außer durch autobiographische Züge, die von der chauvinistischen Kritik wie auch von den Remarque-Parodien zu Unrecht bezweifelt wurden, wurde das Buch besonders geprägt durch Filmeinflüsse und durch wirkungsbewußte journalistische Schreibtechniken. Indem Remarque eine einprägsame Filmeinstellung Vidors übernimmt, scheint er der desillusionierenden pazifistischen *Big Parade* seine Reverenz zu erweisen: während einer Schlacht streckt der Protagonist die Hand nach einer Blume aus. Remarque hat gelernt von der Stummfilmtechnik im action-Film: die nonverbale Vermittlung kann das Interesse nur sehr kurze Zeit bei einer Geschehenskonstellation halten und wechselt daher die Einstellungen sehr rasch, wobei die Kontrastmontage bevorzugt wird. Durch die Kurzszenentechnik, wie sie sich mit anderer Grundhaltung etwa bei Hašek und Vogel oder auch in Isaak Babels 1926 übersetztem Buch *Budjonnys Reiterarmee* findet, löst Remarque zwar die »unepische« Monotonie des westlichen Grabenkriegs, aber die Montage, soweit sie nicht einem einheitlichen Ziel unterworfen ist, sondern nur additiv verwendet wird, »zerstückelt die Welt«, wie André Bazin schreiben wird. So gibt Remarques »Bericht« keinerlei Kriegsanalyse, sondern wendet den Haß der Leser berechtigt, aber zu kurz greifend gegen Lehrer, Vorgesetzte und Spießbürger. Durch das ziellose melancholische Pathos wird das Kriegserleben der Leser nur wiederbelebt und die Enttäuschung über das Gegenwartsleben bestärkt, nicht reflektiert verarbeitet. Die Ratlosigkeit des Autors wird noch deutlicher in dem mißlungenen Buch *Der Weg zurück* von 1931.

Remarques Verkaufserfolg zog als direkt nachweisbare Wirkung mehrere Gegenschriften nach sich, eine Unzahl von Schmähkritiken, Parodien und sehr viele Rechtfertigungsromane, beginnend mit Josef Magnus Wehner. Die Rechte fühlte sich irritiert, weil die entlarvte Sinnlosigkeit des Krieges die konservativen Werte gefährden mußte. Sie eiferte außer in Zeitungsbeiträgen in den Broschüren ›*Im Westen nichts Neues‹ eine Täuschung* (1929) von Wilhelm Müller-Schuld und *Im Westen nichts Neues und sein wahrer Sinn* (1929) von Gottfried Nickl. Eine anonyme Parodie (von Hans Reimann) deckte Schwächen Remarques auf: *Emil Marius Requark: Vor Troja nichts Neues* (1930). Es ist bezeichnend, daß gerade einer der bedeutendsten Grotesken-

Schriftsteller, der mit mehr als zehn Grotesken-Büchern hervorgetretene Neukantianer SALOMO FRIEDLÄNDER/MYONA (1871–1946), sich von Remarques emotionsansprechendem Effektstil provoziert fühlte und das Pamphlet *Hat Erich Maria Remarque wirklich gelebt?* (1929) publizierte. Im nachhinein scheint es so, daß der schockierende, groteske Darstellungsstil des Kriegsgeschehens der am meisten angemessene der zwanziger Jahre war; die verbissenen Reaktionen der Machthaber bestätigen es: Verbot der Antikriegsbücher Johannes R. Bechers und Bruno Vogels, Prozesse gegen George Grosz, Kampf gegen die ›Weltbühne‹ und satirische Zeitschriften, Vertragsbruch Kiepenheuers wegen Brechts *Legende vom toten Soldaten*. Die berechtigte Kritik an Remarques Buch schlug bei Myona um in sinnlose Herabsetzung des Autors; Tucholsky schreibt in seiner Ablehnung in der ›Weltbühne‹: »Bei großen literarischen Erfolgen, die man für gefährlich hält, muß man die Leser angreifen – nicht den Autor.« (Werke 7, S. 285). Als polemischen Gegenroman gegen Remarque konzipierte Josef Magnus Wehner seine Kriegsverherrlichung *Sieben vor Verdun* (1930), zu dem sich zahlreiche chauvinistische Romane gesellten.

Während Hašek, Kisch, Daudistel, Vogel, Renn, Zweig u. v. a. ihre Kriegserlebnisse spontan und ohne Marktanreiz schrieben, wird ab 1929, seit Remarques Verkaufserfolg, die gehäufte Veröffentlichung von Kriegsbüchern einerseits wegen des Marktsogs deutlich, wie es ebenfalls bei der Häufung historischer Romane nach Feuchtwangers Erfolg ab 1925 zu beobachten ist, zum andern gab das Genre die Möglichkeit, die eigenen Einschätzungen über die 10jährigen Nachkriegserfahrungen auf das Kriegserlebnis zu projizieren und auch als Nichtschriftsteller nebenher politische Ansichten zu veröffentlichen. Unter den 180 (Walter Juncker, 1930) bzw. 300 (Ernst Jirgal, 1931) gezählten internationalen Kriegsbüchern (ohne Regimentsgeschichten und Offiziersmemoiren) waren die völkisch-militaristischen der Beumelburg, Bröger, Dwinger, Euringer, Schauwecker, Thor Goote, Wehner, Zöberlein etc. in der absoluten Mehrheit. Die wenigen kritischen Darstellungen fallen nicht ins Gewicht: Hans Beckers' *Wie ich zum Tode verurteilt wurde* (1928, mit einer Vorrede Tucholskys), Alexander Moritz Freys *Die Pflasterkästen* (1929), Karl Grünbergs *Vor Verdun verlor ich Gott* (1932), Edlef Köppens *Heeresbericht* (1930), Theodor Plieviers *Des Kaisers Kulis* (1930), *Der Kaiser ging, die Generäle blieben* (1932), Joachim Ringelnatz' *Gustav Hester. Als Mariner im Krieg* (1928), Alfred Polgars *Hinterland* (1929), Peter Riss' *Die große Zeit. Stahlbad Anno 17* (1931), Adam Scharrers *Vaterlandslose Gesellen. Das erste Kriegsbuch eines Arbeiters* (1930).

Ein breites politisches Spektrum von Kriegsgegnern sammelte 1929 Kurt Kläber in der Anthologie *Der Krieg. Das erste Volksbuch vom Grossen Krieg*, der sich 1930 Heinz Cagans Buch *Wider den Krieg. Stimmen der Dichter gegen den imperialistischen Krieg* zur Seite und Ernst Jüngers *Krieg und Krieger* entgegenstellte. Neu aufgelegt wurden Kischs Kriegstagebuch und das älteste Buch gegen den technisierten Krieg, das ab 1912 in kurzer Zeit 70 Auflagen erlebt hatte, *Das Menschenschlachthaus. Visionen vom Krieg* des sozialistischen Pädagogen WILHELM LAMSZUS (1881–1965).

Die Kriegsgegner suchten nochmals ausländische Stimmen zu Gehör zu bringen. Die ›Universum-Bücherei für Alle‹ brachte von Henri Barbusse *Tatsachen*, von John Dos Passos *Drei Soldaten*, von Jaroslav Hašek *Die Abenteuer des braven Soldaten Schwejk*, von Emile Zola *Der Zusammenbruch*, S. Fischer verlegte *Die Bestie erwacht* (1930) des irischen Schriftstellers Liam O'Flaherty, übersetzt wurde das nach Barbusse (*Le Feu*) bekannteste französische Antikriegsbuch, *Die hölzernen Kreuze* (1919, dt. 1930) von Roland Dorgelès; Romain Rollands *Johann Christoph* (1912) wurde 1931 als ›Volksausgabe‹ neu aufgelegt, Heinrich Mann schrieb das Vorwort zu Albert Jamets *Korporal der französischen Armee. Der unbekannte Soldat spricht* (1932); das erfolgreiche gleichnamige Bühnenstück zog den Roman nach sich: Robert C. Sheriffs und Vernon Bartletts *Die andere Seite* (1930).

Es ist bemerkenswert, daß die desillusionierende Perspektive durch Sanitäter und Ärzte lediglich 1919 in drei Büchern auftaucht und dann anscheinend erst wieder 1929 in Freys *Pflasterkästen* und Hemingways *A Farewell to Arms*. 1919 handelte es sich um die Beschreibung fremder Kriegsschauplätze (Türkei, französische Seite, amerikanischer Sezessionskrieg): Armin T. Wegners *Der Weg ohne Heimkehr. Ein Martyrium in Briefen* (1919), Georges Duhamels *Das Leben der Märtyrer 1914–1916* (dt. 1919), Walt Whitmans *Wounddresser* (1865, dt. 1919). Die verspätete Übersetzung Whitmans besorgten Iwan Goll und Gustav Landauer, während das zweite in Amerika überaus einflußreiche kritische Buch über den Sezessionskrieg – Stephen Cranes *The Red Badge of Courage* (1895) – erst 1954 ins Deutsche übersetzt wurde, indes das deutsche Publikum seine Einstellungen zum Sezessionskrieg hauptsächlich aus MARGARET MITCHELLS (1900–1949) reaktionär romantisierender Südstaatenperspektive in *Gone With the Wind* (1936, dt. 1937) bezog, einem Bestseller mit 12 Mill. Exemplaren, der auch das finanzielle Fundament des Eugen Claasen Verlags begründete.

Mit ALEXANDER MORITZ FREY (1881–1957) meldete sich 1929 ein Schriftsteller zu Wort, der mit Hitler in derselben Einheit den Krieg erlebt hatte und 1933 aus Deutschland vertrieben wurde, obgleich in seiner detailrealistischen, unpolitischen Darstellung Hitler nicht vorkommt. Frey nimmt in den *Pflasterkästen. Ein Feldsanitätsroman* (1929) die Perspektive der Großaufnahme des Kriegselends aus der Sicht der Sanitäter und Ärzte ein. (»Wo fängt das, was man Wunde nennt, an, wo hört es auf? Muskeln, Sehnen, Knochen, Hemd, Waffenrock sind in der Größe eines Tellers zu einem blutigen Matsch vermengt. Was heißt da verbinden?« S. 274) Obgleich er die Kriegsursachen so wenig wie Remarque diskutiert, außer der Kritik an den Machthabern und der Offizierskaste, gelingt dem Autor durch seine untertreibende, distanzierte Stilhaltung eine realistischere Vermittlung der Kriegsproblematik als Remarque.

Zwei Beispiele für kritisch engagierte Antikriegsbücher können hier abschließend angeführt werden. PETER RISS (geb. 1899) bedient sich in seinem Buch mit dem satirischen Titel *Die große Zeit. Stahlbad Anno 17* (1931) nicht eines die Fakten unbeteiligt referierenden Erzählmediums, sondern eines sensiblen Leidenden und Mitleidenden in der Gestalt eines 18jährigen Soldaten, der vom Hunger ausgezehrt, mit Ruhr und Verwundungen zwischen Leichenteilen und Ratten in den Gräben vor Reims vegetieren muß, bis nahezu alle Altersgenossen um ihn herum zerschossen und verblutet sind. Für diese toten Rebellen einer ›roten Kompanie‹ schrieb Riss seinen kämpferischen Roman gegen die bürgerliche Kriegspolitik:

»Zu Dung für die Felder der nationalen Herrlichkeit der Kohlen- und Erzbarone, der kapitalistischen Unterdrücker wollen sie uns machen! Damit die Früchte für ihre Banken und Börsen reifen können! . . .«

»›Gefallen‹ – sagen Presse, Pfaffen und Generäle! Ein geschicktes, ein niederträchtiges Wort! Es soll die verzweifelten Hinterbliebenen ablenken von dem wahren Begriff ›gemordet‹! . . .«

»Sie sind zum Tode verurteilt: ihre Richter und Mörder sind Generäle, Diplomaten, Pfaffen, Kohlen- und Erzbarone, Pulver- und Granatenfabrikanten . . .«

»Alle Sprachen der Welt reichen nicht aus, unsere schwarze Verzweiflung zu beschreiben, mit der wir die Reste der neunzehn Toten nach hinten bringen und verscharren.«

EDLEF KÖPPEN (1893–1939), seit 1925 Mitarbeiter und von 1932 bis 1933 Leiter der literarischen Abteilung des Berliner Rundfunks, hatte die Möglichkeit, auch ehemals geheime Dokumente aus dem Heeresarchiv Potsdam für sein Antikriegsbuch *Heeresbericht* (1930) zu verwenden. Eine fiktionale Erzählhandlung über den Lernprozeß eines 21jährigen Studenten auf den französischen und russischen Schlachtfeldern sowie Ausschnitte aus dessen Tagebuch aus einer Ich-Perspektive werden montiert mit Zeitungsmeldungen, Predigtausschnitten, Speisekarten u. ä. sowie offiziellen Berichten der Heeresleitung und der Kabinette. So wird, besonders während des Heimaturlaubs, das manipulierte Bewußtsein der Bevölkerung mit den desillusionierten, kritischen Auffassungen der Frontsoldaten konfrontiert. Das Ideologisierungsinstrument der Zeitungen, wie es besonders Karl Kraus in diesem Zusammenhang immer wieder entlarvte, wird von Köppen als dominant behandelt.
Während die epische Umsetzung des Kriegsthemas 1926/27 durch die Hašek-Übersetzung und Arnold Zweig eine neue Qualität gewann, setzte das Berliner Theater 1926 mit Paul Raynals schwachem Stück *Das Grabmal des unbekannten Soldaten* ein Signal, das darauf hinauslief, aus dem Krieg resultierende, individuelle Sonderprobleme abzuhandeln und anderen Medien analytische Verarbeitungsmodelle zu überlassen. Raynals Ausfaltung seelischer Konstellationen zwischen Fronturlauber, Braut und Vater, die Heroisierung des Selbstopfers des Soldaten verfehlen die Kriegsproblematik, wie die französischen Kritiker vorher durchaus betont hatten. Gerhard Menzels erfolgreiches Stück *Toboggan* (1927) stellt den Kampf eines Verwundeten gegen den Tod dar und endet in einer Szene mit der »ungetreuen« Geliebten, ohne den Bühnenaufwand an Soldatenmassen für Antikriegswirkungen zu nutzen. Der Kleist-Preis 1927 für Menzel bestärkte die Richtung einer unpolitischen Kriegsdramatik mit politisch affirmativen Folgen. Menzels Hörspiele

der folgenden Jahre und sein Drehbuch für den kriegsverherrlichenden UFA-U-Boot-Film *Morgenrot* (1932/33) von Gustav Ucicky lassen große Zweifel an der pazifistischen Wirkungsabsicht *Toboggans* aufkommen. Das Untreue-Motiv, in *Toboggan* und Leonhard Franks *Karl und Anna* (1929) existentiell gemeint, weitete sich in Friedrich Bethges *Reims* (1931) massiv zum »Verrat«-Komplex: erotische »Untreue« steht zugleich für die Geschichtslüge der deutschen Rechten, daß der Erste Weltkrieg durch »Verrat«, durch einen »Dolchstoß« der Heimat verlorengegangen sei.

Das Gemeinsame der Kriegsstücke in der Zeit der Wirtschaftskrise sind ihre ›neusachlichen‹ Züge. Der Krieg wird als schicksalhafte Verselbständigung und Fehlverhalten »der Technik« angesehen, dem der Einzelne sich opfernd zu beugen hat. Die gegenwärtige Notsituation macht es überflüssig, den Krieg romantisierend zu beschönigen, er kann vielmehr veristisch in seiner Schlagkraft der technischen Vernichtung vorgeführt werden; die Gegenwartsnot hat die Menschen ohnehin mit dem Elend vertraut gemacht, und die Kriegsbilder geben zugleich das Bewußtsein ein, daß Not und Todesnähe noch weit stärker möglich sind als in der Gegenwartskrise. Die »Tatsachen« werden nach Maßgabe der ›Neuen Sachlichkeit‹ als solche fatalistisch hingenommen, ohne daß die überkommenen ideologischen Normen außer Kraft gesetzt werden müssen. Diese Art »Sachlichkeit« zeichnet Stücke wie Robert Cedric Sheriffs *Die andere Seite* (dt. 1929), Maxwell Andersons und Laurence Stallings *Rivalen* (dt. 1929), Sigmund Graffs und Carl Ernst Hintzes *Die endlose Straße* (1930), Friedrich Bethges *Reims* (1931), Maxim Zieses *Der Tag J* (1931), Paul Joseph Cremers *Die Marneschlacht* (1933), Edgar Kahns und Max Monatos *Langemarck* (1933) aus. *Die endlose Straße* der Journalisten SIGMUND GRAFF (1898–1979) und CARL ERNST HINTZE (1899–1931) brachte es nach 1930 auf über 5000 Aufführungen. Der unpolitische Verismus (»niemand zulieb und niemand zuleid – parteilos wie die Front war – haben wir dieses Stück geschrieben«) ermöglicht auch den leichten internationalen Austausch dieser Darstellungen; sie behandeln den Krieg nicht in historisch nationalen Perspektiven. In der Zeit des Kreditwirtschaftswunders wurde die 1926 geschriebene *Endlose Straße* in Deutschland noch abgelehnt und kam erst auf dem Umweg über den Erfolg am Londoner Gate Theatre und nach dem deutschen Erfolg von Sheriffs *Die andere Seite* über Aachen (1930) nach Berlin (1932). Das Stück des Magdeburger ›Stahlhelm‹-Redakteurs Graff, dessen Redaktionschef Seldte 1933 unter Hitler Minister wurde, konnte bis zur Einführung der allgemeinen Wehrpflicht 1936 gespielt werden.

Sogar Erwin Piscator konnte sich dem Sog der Kriegsstücke nicht entziehen und inszenierte nach den dreimonatigen und wegen Max Pallenbergs Südamerika-Tournee zu früh abgebrochenen Erfolgsaufführungen der *Abenteuer des braven Soldaten Schwejk* als Gastregisseur im Hebbel-Theater Maxwell Andersons und Laurence Stallings *What Price Glory?* in der Bearbeitung von Zuckmayer als *Rivalen*. Das amerikanische Erfolgsstück über die französische Kriegsfront wurde mit bekannten kapitalismuskritischen Schauspielern wie Ernst Busch und Fritz Kortner präsentiert, doch trotz der desillusionierend arbeitenden Regie, die z. B. die Soldaten gegen das nach rückwärts ziehende

Rollband in Zuschauerrichtung marschieren ließ, konnte das pazifistische Stück kein Bewußtsein über die Entstehung von Kriegen in Gang setzen. Das Berliner Publikum jedoch honorierte die Inszenierung, die sich länger auf dem Spielplan hielt als alle Inszenierungen von Piscators eigenen Bühnen zusammengenommen. Für Arbeiter-Antikriegsveranstaltungen brachte die ›Rote Tribüne‹ die Anthologie *Der Krieg* (1927) heraus.

Im Gefolge von Remarques und Renns objektivistischen Berichtsromanen, die den analytischen Bezug zur Gegenwart ausklammerten, so daß sie sogar für Rundfunklesungen akzeptierbar waren, nahm sich 1929 der Rundfunk des Kriegsthemas an und erreichte mit ERNST JOHANNSENS (geb. 1898) Hörspiel *Brigadevermittlung* internationales Echo. Im selben Jahr publizierte der Autor außerdem in allzu rascher Folge *Front-Erinnerungen eines Pferdes*, die dem »Gedächtnis der 9 586 000 Pferde, die dem Weltkrieg zum Opfer fielen«, gewidmet sind, und *Vier von der Infanterie. Ihre letzten Tage an der Westfront 1918*, das sofort in 2. Auflage erschien und in 14 Sprachen übersetzt wurde.

Obgleich die zeitgenössische Kritik eine unerschrockene »Sachlichkeit« bei Johannsen feststellte, ist eine an Ernst Jünger geschulte Ästhetisierung der Kriegstechnik doch nicht zu übersehen; so widersprechen Epitheta der Feudalsphäre (majestätisch, Springbrunnen) verräterisch der vorgeblichen Antikriegsintention: »Da steigt schön drüben im Dorf majestätisch ein riesenhafter Springbrunnen aus Erde, Qualm, Steinen, Staub und Splittern.« (S. 9). Die Bildflut der Materialschlacht-Beschreibungen läßt die intendierte Anklage vergessen. Kameradschaftsfreuden und Soldatenwitze versöhnen im Roman und im Hörspiel mit dem Grauen des Gaskriegs.

GEORG WILHELM PABST (1885–1967), der herausragende deutsch-österreichische Filmregisseur der ›Neuen Sachlichkeit‹, der neben seinen bahnbrechenden Leistungen allerdings am Ende der Republik seinen Namen hergab für die entstellende Entpolitisierung literarischer Vorlagen – so zur Umkehrung von Ilja Ehrenburgs Roman *Die Liebe der Jeanne Ney* zum antikommunistischen Film 1927 oder zur Verfilmung der *Dreigroschenoper* (1931) gegen Brechts Einspruch – konnte in Johannsens Roman seine eigene Attitüde des »objektiv« Unbeteiligten, der nur die Erscheinungen registrierte und arrangierte, wiederfinden und drehte danach seinen ersten Tonfilm *Westfront 1918* (1930). Der Schmerz und der Haß der Zuschauer können sich lediglich gegen ein kriegsproduzierendes »Schicksal« wenden. Pabst rechnete wie auch Victor Triva in seinem nach Leonhard Frank gedrehten Film *Niemandsland* (1931) und die »neusachlichen« pazifistischen Romanciers mit der selbstredenden Kraft der gezeigten skandalösen »Tatsachen« und mit Reaktionen einer ethisch sensiblen liberalen Öffentlichkeit, die es nicht gab. Derselbe idealistische Glaube steht hinter Pabsts deutsch-französischem Verständigungsfilm *Kameradschaft* (1931) wie hinter der Wiederaufführung von René Schickeles Elsaß-Drama *Hans im Schnakenloch* (1915) 1929.

Der Rundfunk hatte bis zu Johannsens *Brigadevermittlung* 1929 lediglich wenige Kriegsstücke adaptiert, die sich schon bei Theateraufführungen als politisch unverfänglich erwiesen hatten, besonders Raynals *Le tombeau sous l'Arc de Triomphe*, Menzels *Toboggan* und Sheriffs *A Journey's End. Briga-*

devermittlung erfüllte formal und ideologisch die Bedingungen, um zu einem der meistgespielten Hörspiele im In- und Ausland zu werden, das 1958 neu produziert und 1962 und 1967 neu gedruckt wurde. Wie das paradigma-bildende Hörspiel *Danger* (1924) von Richard A. W. Hughes wählte Johannsen den gefährdeten, unterirdischen dunklen oder künstlich erhellten Raum mit eng aufeinander bezogenen Eingeschlossenen als Handlungsort, hier eine Kriegstelefonzentrale im Unterstand. Die verbale Kommunikation ist hier naturgemäß dominant und wird ergänzt durch Telefonieren. Die Zeitrückblende – wenn auch nicht kritisch analytischer Gegenwartsbezug – wird von einem Erzähler geleistet. Während die fluchende, aber letztlich resignierende Schicksalsergebenheit der Opfer durchgehendes Motiv der meisten Kriegsdarstellungen ist, drängt sich in *Brigadevermittlung* die fatalistische Einstellung besonders in den Vordergrund: das Dasein der Kriegsfunktionäre wird nicht ausgespart wie sonst meistens, sondern durch die angedeuteten Telefongespräche zu einer ungreifbaren Schicksalsbehörde stilisiert. Johannsens Motiv des blinden Durchhaltens wird zum Zentralideologem der zeitgenössischen reaktionären Kräfte bis 1945.

Es kennzeichnet die opportunistische Rundfunkpolitik, daß am Tage der Erstsendung der *Brigadevermittlung* auch das offen chauvinistische Hörspiel *Douaumont* des nach 1933 populärsten Rundfunkdramatikers Eberhard Wolfgang Möller gesendet wurde. Eine apolitische Kriegsdiskussion versuchten Ernst Glaeser und Wolfgang Weyrauch 1930 in dem Hörspiel über Xenophons *Anabasis*, das Weyrauch 1959 neu gestaltete. Alsbald überwogen im Rundfunk aber die kriegsfreundlichen Hörspiele wie Hans Ehrkes *Batalljon 18* (1932) mit dem stoischen Wahlspruch »Was kommt, das kommt!« oder Karl Lerbs' »Funkballade« *U-Boot 116*. Eine christlich pazifistische Opposition kam zu Wort in Leo Weismantels Sprechkantate *Die Totenfeier* und Ernst Wiecherts allegorisierendem *Spiel vom deutschen Bettelmann* (1932).

Zeitromane der ›verlorenen Generation‹

Der Topos der ›lost generation‹, der Ende der zwanziger Jahre durch Glaeser, Kästner, Kesten, Remarque u. a. vertreten wurde, war in den USA etwas früher, besonders durch F. SCOTT FITZGERALD (1896–1940) geschaffen worden, der sich durch den Roman *This Side of Paradise* (1920) zum Sprecher der libertinistischen, gegen den Puritanismus rebellierenden Jugend gemacht und in *Tales of the Jazz Age* (1922) und *All the Sad Young Men* (1926) verkaufsfördernde Sammeltitel gefunden hatte. Seine desillusionierende Amerika-Darstellung *The Great Gatsby* (1925) wurde 1928 auch in deutscher Übersetzung erfolgreich, die Scheinblüte der zwanziger Jahre wird durch einen neureichen Alkohol-Schmuggler ins Bild gebracht, der sich jedoch selbst zugrunde richtet.

Positiv über das für Deutschland als repräsentativ empfundene Buch Glaesers

Jahrgang 1902 äußerte sich gelegentlich der bedeutendste Vertreter der lost generation für die Weltliteratur, ERNEST HEMINGWAY (1899–1961), der erst über seine frühe Wirkung in Deutschland auch für Frankreich und Nordamerika entdeckt wurde. Hier war es vor allem der Vorabdruck des Antikriegsromans *A Farewell to Arms* (1929) in der ›Frankfurter Zeitung‹ und Carl Zuckmayers erfolgreiche Dramatisierung des Buchs 1932 für das Berliner ›Deutsche Theater‹. Der Durchbruch in Amerika signalisiert sich in der Verfilmung Frank Borzages 1932, in dem als ironische Reverenz vor der deutschen Tradition Musik aus Wagners *Tristan und Isolde* eingeblendet ist.

Repräsentanten der lost generation nach dem Krieg zeichnete Hemingway vor allem in dem Roman *The Sun Also Rises* (1926), der 1928 deutsch als *Fiesta* erschien und die typischen Figuren Boxer, Angler, Stierkämpfer enthält. Hemingways einflußreicher Sprachhabitus kommt hier wie auch in der Novellensammlung *Männer* (1929) und in den 1932 übersetzten Kurzgeschichten *In unserer Zeit* deutlich zur Wirkung: der lakonische substantivische Stil betont triviales Vokabular, Emotionen werden ausgespart und sind nur aus dem Verhalten erschließbar.

Hemingways Erfolg ermöglichte wahrscheinlich die Übersetzungen der Romane zweier französischer Vertreter der lost generation, ANDRÉ MALRAUX' (1901–1976) und HENRY DE MONTHERLANTS (geb. 1896). Hemingways outrierter Männlichkeitskult erscheint bei den Franzosen ideologisiert durch einseitige Nietzsche-Rezeption. Montherlants Stierkämpfer in den *Tiermenschen* (1926, dt. 1929) tragen Züge des »Übermenschen«. Die gesuchten Kampfsituationen in Sport, Stierkampf, Krieg, die Todesnähe (vgl. auch die Pilotengefahren bei Saint-Exupéry) ebenso wie die hier auch bisexuell ermöglichten Rauschzustände suggerieren einen Rest existentieller Selbsterfahrungsweisen angesichts der als sinnlos empfundenen bürgerlichen Gegenwartswelt. Wichtiger als Beispiel eines schreibenden Freiheitskämpfers (China, Spanien, französische résistance) und für die neuere Romantechnik wurde Malraux. In den *Eroberern* (1928, dt. 1929) beschreibt er die Kanton-Kämpfe 1925 als Montage aus Tagebuch, Dokumenten, Erzählerreflexionen.

Programmatisch für die nicht direkt von den Kriegskämpfen geprägten deutschen Männergenerationen nahm ERNST GLAESER (1902–1963) das Wort in *Jahrgang 1902* (1928). Als Sohn eines Richters wie Johannes R. Becher und Hans Fallada sucht Glaeser die Unterdrückung durch den Vater schriftstellerisch zu kompensieren, was sich wie auch bei Kesten u. a. in Aggressionen gegen »die Erwachsenenwelt« äußert. Auffallend und merklich aus frühen Repressionen resultierend erscheint das aufgeregte Verhältnis zur Sexualität, wie es zumindest auch in Falladas ersten Romanen sich darstellt und fast alle Romane Kestens und Glaesers durchzieht. Lediglich in der Perspektive der Halbwüchsigen, die Fallada, Glaeser, Kesten in ihren ersten Romanen anwenden, mag dieses infantil unausgeglichene Verhältnis nachvollziehbar sein. Glaeser wurde von seinem Vater 1926 des Hauses verwiesen, nachdem er wegen seines Bühnenstücks *Seele über Bord*, dessen Kasseler Aufführung von Faschisten unter Führung des späteren obersten Nazi-Richters Freisler gestört wurde, der »Gotteslästerung« angeklagt und festgenommen worden war. Glaesers *Jahrgang 1902* (1928) steht unter dem Motto »La guerre, ce sont nos parents«. Die notwendige und nützliche Demontage der Väterwelt, die Glaeser in *Jahrgang 1902* und *Frieden* (1930) durch 12- bis 17jährige Erlebnisfiguren vornimmt, führt zu isolierenden Fixierungen der abstrakten Sammelbegriffe »Krieg« und »Erwachsene«. Die Perspektive der Halbwüchsigen hinsichtlich Krieg und Revolutionszeit wird vom Autor nicht durch Reflexionen über materialistisch evidente Kriegsursachen oder über Relationen zu Gegenwartsanalysen ergänzt. Der hohe Umsatz von 100000 Exemplaren des *Jahrgangs 1902* in wenigen Jahren läßt auf eine starke Identifikationstendenz der Glaeserschen Jahrgangsgenossen schließen. Der wünschenswerte Antimilitarismus wird relativiert durch die Kombination mit allgemeiner apolitischer Gegenwartsapathie oder dem naiven Verlangen nach einer »praktischen, klassenlosen Solidarität«, die wie auch bei Kästner auf den »Idealen« der jungen Generation beruhen soll. (*Frieden*, S. 383) Glaeser verhilft seinen Lesern zum Alibi einer »verlorenen Generation«, also zu einer politisch gefährlichen Apathie, obwohl sich der Unterschied zu früheren Generationen reduzieren läßt auf den Verlust diverser Illusionen und die Einbuße von Privilegien, die bestimmten Bevölkerungsschichten, zu denen der Autor als Amtsrichtersohn zählt, vordem garantiert waren. Das historisch-analytisch nicht abgesicherte Gefühlsengagement Glaesers gegen Kriege kommt auch in seiner gleichzeitigen Rundfunkarbeit zum Ausdruck.

Bemerkenswert für die apolitische Behandlung der Kriegsursachen auch nach 1945 ist die Hörspieldarstellung des Rückzugs 10000 griechischer Soldaten 400 Jahre vor unserer Zeitrechnung mit dem Anführer Xenophon, einem Vertreter der Gewaltlosigkeit. Dieses 1930 gesendete Hörspiel *Anabasis* von Ernst Glaeser und Wolfgang Weyrauch wurde 1959 umgeschrieben, neu inszeniert und kann als charakteristisch für die Hörspieltradition auch der fünfziger Jahre gelten.

Die abstrahierende Form des Hörspiels begünstigte Glaesers spätere Bevorzugung der Perspektive einer reflektierenden Innensicht, die ratlos auf Geschehnisse nur noch reagiert und für Belange und Figuren außerhalb der direkten Erzählersphäre kaum ein Sensorium entwickelt.

Diese betonte Standpunktlosigkeit hatte um 1930 durchaus zur zeitweiligen Einbeziehung marxistischer Positionen geführt, so im Reportagenband *Der Staat ohne Arbeitslose*, den Glaeser zusammen mit F. C. Weiskopf 1931 herausgab. Besonders angegriffen wurde von den Faschisten später auch Glaesers Sammelband *Fazit. Ein Querschnitt durch die deutsche Publizistik* (1929).

Die Standpunktlosigkeit in den ersten Romanen war noch verstehbar aus der formalen Konstruktion des Blickwinkels des jugendlichen Ich-Erzählers, obwohl schon Kurt Tucholsky als parteilich ungebundener Kritiker dies entschieden bemängelte: »Doch ich habe nicht verstanden, was der Autor will; alles ist vieldeutig, schillernd.« (Werke 8, S. 325) Die Zeitgenossen haben diese Erzählhaltung als »Neue Sachlichkeit« bezeichnet, haben wie Hemingway den Dokumentarstil des in über 20 Sprachen übersetzten und verfilmten *Jahrgang* 1902 gelobt.

Strukturkomponenten Glaesers sind in mehreren Romanen Erinnerungsreportage mit Tagebuchcharakter, einsame Ich-Erzähler oder Er-Erzähler mit weit zurückliegenden Erlebnissen. Symptomatisch für die jugendlichen Ich-Erzähler ist die nicht mitagierende, sondern distanziert versteckte Beobachtungsposition, ähnlich der des beobachtenden 13jährigen Josef bei Hermann Kesten. Glaesers frühe Sprachsensibilität – vergleichbar mit der Marieluise Fleißers und Horváths –, die besonders die Klischeesprache des Mittelstands satirisiert, wirkt überzeugend, solange sie dem Autor vertraute Sphären dokumentiert, und versagt deutlich bei später zunehmenden forciert poetisch symbolischen Ambitionen.

Der kämpferisch kritische HERMANN KESTEN (geb. 1900) fällt in *Josef sucht die Freiheit* (1927) – die Figur wird in *Ein ausschweifender Mensch* (1929) und *Der Scharlatan* (1932) wieder aufgenommen – weit hinter die gesellschaftsanalytischen Möglichkeiten seiner Zeit zurück, indem er das alte Problem der Generationengegensätze nochmals dichterisch stilisiert: »Europa ist voll von Vätern. Es ist kein Platz da für uns.« Am Ende seiner Wahrheitssuche, die dem Autor Gelegenheit gibt, die degoutante Welt vorzuführen, flieht der 13jährige Josef zu seinem auswärts lebenden Vater, so will es die Neigung des Autors zum Paradoxen und zur relativierenden Ironie. Die Verderbtheiten und Unzulänglichkeiten des Einzelmenschen verhindern eine positive Welt, dunkle Mächte verkehren alle guten Ideen in ihr Gegenteil, die Sympathischen werden betrogen; die Menschen sind »nur noch Nachbildungen eines degenerierten Typus Mensch« ... »Das Individuum ... ist tot ... die Menschheit war ein Kollektiv geworden«, so hieß es 1931 in *Glückliche Menschen*. Kesten war 1929 vom Berliner Westen nach Neukölln gezogen, um die Menschen für diesen Roman kennenzulernen, und stellt z. B. überzeugend die Folgen von Arbeitslosigkeit dar. Doch die Beobachtung der Erscheinungen genügt offensichtlich nicht zur Erfassung von Gesamtzusammenhängen, gerade beim Thema Arbeitslosigkeit. Kestens resignative Feststellung, daß das Individuum in den Zeiten des Kollektivismus tot sei, führt ihn nicht zu Analysen von Massenproblemen, sondern er verteidigt den abgestorbenen Individualismus aus dem Negativen, indem er die vorgeführten Menschen primär als Produkte ihrer selbst und nur nebenher als Produkte der Gesellschaft darstellt. Borniert wird diese Verteidigungshaltung endgültig in den immer erneuten Versuchen, radikale ideologische Positionen auf psychische Abnormitäten ihrer Verfechter zurückzuführen. Bei alledem galt Kesten den literarisch Gebildeten der Zeit als ein engagierter Kritiker, der sich parteilich nicht festlegte, der die erlebte »Schlechtigkeit der Welt« in interessanter Sprache wiedergab, durch seine erotischen Direktheiten unterhielt und schließlich durch seine literaturparodistischen Einlagen der Literaturkenntnis des Lesers schmeichelte. Hier besonders ist der heutige Leser im Nachteil, auch ist er sich nicht sicher über die Grenzen zwischen gewollter Satire und unfreiwillig lächerlichem Pathos.

In einer Kritik in der ›Literarischen Welt‹ vom 7. 6. 1929 schreibt Walter Benjamin: »In seiner Ironie ist ein Einschlag von Verantwortungslosigkeit.« Joseph Roth formuliert dort am 1. 11. 1929 eher zustimmend anläßlich Kestens Novellenband *Die Liebesehe*: »Man hüllt sich warm in die schützende Skepsis und wandert mit einer gewissen Heiterkeit, die endgültig ist, weil nichts Schlimmeres mehr sie stören kann, durch die angenehm wüste Welt.« Außer durch die Erzählperspektive des 13jährigen Josef im ersten Roman hat Kesten in seinen ersten Werken kaum formale Neuerungen versucht. Im *Scharlatan* greift er sogar auf den konventionellen Erzählanlaß von Mitschülertreffen zurück, wie man ihn gehäuft findet zwischen Werfels *Abituriententag* (1928) und Heinrich Spoerls und Hans Reimanns *Feuerzangenbowle* (1933).

Ein bis 1933 viel diskutierter und in 30 000 Exemplaren verbreiteter Zeitroman für Intellektuelle war *Fabian* (1931) von ERICH KÄSTNER (1899–1974). Wie seine Altersgenossen Ernst Glaeser und Ödön von Horváth war Kästner als Jugendlicher indirekt vom Ersten Weltkrieg geprägt worden. Er war noch 1917 »Primaner in Uniform« geworden und behielt eine Herzkrankheit zurück (»Und Sergeant Waurich hieß das Vieh«), mußte aber nicht mehr an Kämpfen teilnehmen. 1928, im Erscheinungsjahr von Glaesers *Jahrgang 1902*, ließ Kästner seine erste Gedichtsammlung *Herz auf Taille* beginnen mit *Jahrgang 1899* und zielte durch die Wir-Form auf einen Generationszusammenhang. »Wir haben der Welt auf die Weste gespuckt, / soweit wir vor Ypern nicht fielen./ Man hat unsern Körper und hat unsern Geist / ein wenig zu wenig gekräftigt.« Poetologisch distanziert sich der Autor mit dem ›Wir‹ vom individualistischen Ich herkömmlicher Lyrik, soziologisch-kommunikationsspezifisch macht er sich zum Sprecher einer abgrenzbaren Generation. Der verächtlich behandelte Gegner ist gekennzeichnet durch das beliebte Kleidungsrequisit antibürgerlicher Dichtung, die bourgeoise Weste. In *Elegie mit Ei* setzt sich diese Stilisierung fort: »Wir sind die kleinen Erben großer Übeltäter ... Wir wollen endlich unsre eignen Fehler machen ...« Indem Kästner Junge und Alte antipodisch gegenüberstellt, indem er »die Welt« mit »bürgerlich« gleichsetzt, nimmt er für ihn typische und irreführende Verallgemeinerungen vor.

1930 hat sich die hier an Glaeser und Kästner aufgezeigte zweifelhafte Generationspsychologie bereits zum Topos verfestigt. ÖDÖN VON HORVÁTH (1901–1938) schreibt in der Vorrede seines Romans *Der ewige Spießer* (1930): »Wenn ich mich nicht irre, hat es sich allmählich herumgesprochen, daß wir ausgerechnet zwischen zwei Zeitaltern leben.« Horváth demontiert Kästners falsches Generations-Wir; der Spießer Kobler und die positive Lehrerfigur des Romans gehören beide derselben – Horváths – Generation an. Horváth erweist sich in seinen weiteren Romanen *Jugend ohne Gott, Ein Kind unserer Zeit* (beide Amsterdam 1938) als souveräner Analytiker der Generationenpsychologie. Die expressionistische und »neusachliche« Attitüde des Väterhasses erweist sich dabei als blind und von wirklichen Interessengegensätzen ablenkend. Eine negative Figur in Horváths *Kind unserer Zeit* wendet sich gegen die humanen Ideale der Älteren und benutzt sarkastisch das Anti-Vater-Klischee: »Der Krieg ist der Vater aller Dinge. Ich hab mit meinem Vater nichts mehr zu tun.« (Werke 1972, 6, S. 416) Horváth ist also für falsche Verallgemeinerungen wie für falsche Sentimentalitäten weit weniger als Glaeser und Kästner anfällig.

Kästners Zeitroman *Fabian* ist als Satire gemeint. Die Möglichkeit utopischen ›Vorscheins‹, die die satirische Erzähldistanz im Gegensatz zum reportageartigen zeitgenössischen Roman geboten hätte, ignoriert der Autor jedoch. Er verfügt weder über ein wissenschaftlich diskutables Instrumentarium der Wirtschafts- und Gesellschaftsanalyse, wie es etwa Brechts *Dreigroschenroman* (1934) zugrunde liegt, noch über die utopische Phantasie und die Detailbeobachtungsschärfe, die Musils Kakanien-Satire (1930/1933) konstituiert, um zwei gleichzeitige, mit politisch wissenschaftlichem Ernst geschriebene satirische Romane zu nennen. In diesem Zusammenhang mag Robert Neumanns Erkenntnis nicht so abwegig sein, *Fabian* bestehe »fast nur aus zu Prosa gewalzten Kästnergedichten« (*Mit fremden Federn*, 1961, S. 92).

Es besteht eine merkwürdige Diskrepanz zwischen Kästners Wirkungsanspruch und seinen Lösungsandeutungen. 1950 schreibt der Autor, *Fabian* habe 1931 »mit allen Mitteln in letzter Minute Gehör und Besinnung erzwingen« wollen. (Schriften 2, S. 9) Die positiven Rezensionen des Buchs lassen vermuten, daß die lebensgefährliche Entpolitisierung der Intellektuellen durch *Fabian* noch verstärkt wurde.

Der Verfasser hofft auf eine Negation der Negation: sein Protagonist Fabian repräsentiert die apolitische »freischwebende Intelligenz« der Weimarer Republik, die in der korrupten Gegenwart »rein« bleiben will und »auf den Sieg der Anständigkeit« wartet, obwohl sie erkennt, daß dieser abstrakte Moralismus selbstzerstörerisch wirkt. Offensichtlich billigt der Autor dieses Verhalten nicht, denn er gibt Fabians moralische Versuche, in allen Situationen die scheinbare Autonomie des Subjekts zu wahren, der Lächerlichkeit preis, er denunziert Fabians Gesellschaftshypothese, daß man zunächst die »Trägheit der Herzen« bekämpfen müsse, dadurch, daß sie gleichzeitig von einem zynischen Opportunisten vertreten wird, er läßt schließlich Fabian in einem satirischen Schluß scheitern.

Kästner lamentiert über die Unvereinbarkeit von individueller Moral und Spätkapitalismus, deutet jedoch kaum Alternativen an. Seine eigenen Vorstellungen lassen sich als quasidialektisch rekonstruieren, wenn man die Protagonisten Dr. Labude und Dr. Fabian als Teilverkörperungen des Autors ansieht. Fabian vertritt ein resignativ kontemplatives Moment, erlebt die Großstadt wie sein bekannterer Vorgänger Malte Laurids Brigge als passionierter Zuschauer, ohne sich die Zeit zur permanenten Reflexion nehmen zu können wie der finanziell unabhängige »Mann ohne Eigenschaften«. Labude vertritt ein optimistisch aktives Moment, er will »das Kleinbürgertum sammeln und führen«, das »Kapital kontrollieren und das Proletariat einbürgern«. Erst müsse man »das System vernünftig gestalten, dann werden sich die Menschen anpassen«. (5. Kap.) Er träumt die charakteristische Kästner-Utopie, nach der nur die Kinder »für Ideale reif« seien (18. Kap.), und entsprechend soll die idealistische Jugend ein »Regime der Altersklassen« errichten. Nur ein Kind stimmt Labudes Programm voll zu (14. Kap.), und am Schluß überlebt ein Kind mühelos. Da Kästner seine beiden Sprecher mit Tod enden läßt, deutet sich keine dialektische Synthese an, die vielmehr dem hilflosen Leser überlassen bleibt.

Der Autor beschreibt die ihm vertrauten Bereiche: Die Hauptpersonen sind »überqualifizierte« Akademiker, die arbeitslos sind oder in falschen Berufen arbeiten müssen. Der Bereich der Werbung und der Zeitung wird hier für Großstadtverhältnisse dargestellt wie in Peter de Mendelssohns bei Reclam erschienenem Roman *Fertig mit Berlin?* (1926), in Gabriele Tergits *Käsebier erobert den Kurfürstendamm* (1931), in Siegfried Kracauers vor 1933 nicht mehr gedrucktem *Georg* (1973), in Falladas auf die Provinz bezogenen *Bauern, Bonzen und Bomben* (1931) oder in Rudolf Brunngrabers auf Österreich bezogener Darstellung *Karl und das 20.* Jahrhundert (1933). Arbeitslosigkeit, Misere der Sozialhilfe, Arbeitssuche werden eindringlich verdeutlicht; die gewohnten Unzulänglichkeiten und Infamien im deutschen Universitätswesen kommen zur Sprache.

Die geträumte Gegenwelt projiziert der Autor ins zeitenthobene Kindermilieu: »Kinder sind hübsch und offen und gut, / aber Erwachsene sind unerträglich.« (Schriften, 1, S. 211) Die Kinder vertreten in seinen Werken die positiven gesellschaftlichen Eigenschaften; Störungen im harmonischen Zusammenleben können zielstrebig beseitigt werden. Anderseits kommt Kästner das Verdienst zu, das Großstadt-Sujet mit realistischen Ansätzen in die Jugendliteratur eingeführt zu haben. Die zeitgenössischen Interessenkämpfe werden jedoch verschwiegen, Außenseiter werden durch lustige Aktivitäten vereinnahmt. Die Kinder-Utopien werden formal nicht als Utopien gekennzeichnet, sind mit witzigem Charme und mit besten pädagogischen Absichten vorgetragene Täuschungen: *Emil und die Detektive* (1928), *Pünktchen und Anton* (1931), *Das fliegende Klassenzimmer* (1933). Die Film- und Bühnenbearbeitungen unterstützten diesen Trend. Daß Kästner andere Modelle seiner eigenen Weltsicht unterordnete, zeigt seine Übersetzung *Peter Pan oder Das Märchen vom Jungen, der nicht groß werden wollte* (1904, dt. zuerst *Peter Gerneklein*, 1905) von James M. Barrie. Kästners Fassung bezieht den Prozeß des Erwachsenwerdens – anders als Barrie – nicht mit ein; es wird ein Kindermythos gegen die Gesellschaft errichtet.

Auf ein Beispiel der Umwandlung eines eher belanglosen Jugendbuchs – Wilhelm Speyers *Der Kampf der Tertia* (1928) – in einen realistisch-kritischen Film machte Walter Benjamin am 1.2.1929 in der ›Literarischen Welt‹ aufmerksam; an Max Macks Film ist die Darstellung des Kollektivums als Subjekt der Vorgänge bemerkenswert, die Benjamin als von russischen Massenfilmen Wséwolod Pudówkins beeinflußt ansieht.

An die Erfolge Kästners und Speyers konnten sich Jugendbücher für Erwachsene mit verklärendem Überlebenshumor als Bestseller anschließen: Heinrich Spoerls *Die Feuerzangenbowle* (1933), EHM WELKS (1884–1966) *Die Heiden von Kummerow* (1937) und *Die Gerechten von Kummerow* (1943).

Kästner schrieb während des Faschismus Märchenromane mit Operettenfilm-Motiven: *Drei Männer im Schnee* (1934), *Die verschwundene Miniatur* (1935), *Georg und die Zwischenfälle* (1938), so wie Hans Fallada unter gleichen Umständen Märchenhaftes schrieb: *Märchen vom Stadtschreiber, der aufs Land flog* (1935), *Altes Herz geht auf die Reise* (1936), *Kleiner Mann, Großer Mann* (1939), *Junger Herr – ganz groß* (1943).

Jugendliche als neue Leserschichten

Bühnenaufführungen 1926 über die Gegenwartsprobleme von Jugendlichen haben wahrscheinlich das öffentliche Signal für die vielfältige literarische Behandlung der Thematik zwischen 1927 und 1933 gegeben. Selbstverständlich ziehen sich Darstellungen von Jugendproblemen durchgängig durch die Literaturgeschichte. Zumeist sind es Teile von Erinnerungen und Romanen oder verstreute Erzählungen, die insgesamt nicht den Jugendlichen als Adressaten suchen. Bei öffentlichkeitswirksamen Stücken wie Wedekinds 1891 geschriebene und erst 1912 vom Berliner Oberverwaltungsgericht zur Aufführung freigegebene ›Kindertragödie‹ *Frühlings Erwachen* werden andere Distributionsbarrieren sichtbar. An der Einstellung zu Wedekinds Stück hatte sich bereits das zaristische Rußland liberaler als die deutschsprachigen Länder gezeigt: Wséwolod Meyerhold erprobte 1907 zum erstenmal seine Simultanbühne mit *Frühlings Erwachen*. Schließlich wird an der um 1910 geborenen Lesergeneration deutlich, daß sie – wie es nach 1925 sichtbar wird – expressionistisch beeinflußte Stilhaltungen nur noch in verdeutlichender Bühnengestaltung, nicht aber in Buchform rezipiert. Kennzeichnend ist, daß Hans Falladas expressionistisch dunkel assoziativ erzählenden Jugendbücher, die Ernst Rowohlt sich bereits 1918 als Nachkriegsstart gesichert hatte – *Der junge Goedeschal* (1920), *Anton und Gerda* (1923) – Mitte der zwanziger Jahre nicht mehr gelesen und schließlich makuliert wurden.

Zwei Test-Bücher zur Markterkundung, die sprachlich auf eine neue Leserschicht ohne das herkömmliche ästhetische Sensorium eingingen, waren der Tatsachenbericht des Soziologen Leopold von Wiese *Kindheit* (1924) und die offenen Schilderungen des 20jährig verstorbenen Franzosen Raymond Radiguet *Den Teufel im Leib* (1923, dt. 1925). Der den bürgerlichen Normen während des Kriegs entwachsene 16jährige François gibt eine sensible Selbstanalyse parallel zu seinen Liebeserlebnissen mit einer verheirateten Frau. Ernst Glaeser wird 1928 in *Jahrgang 1902* teilweise diese Kriegskonstellation aufgreifen mit dem großen Unterschied seines neurotischen Verhältnisses zur Erotik. Wiese beschreibt seine 8jährige Erziehung in einem preußischen Kadetten-Internat als Warnfanal gegen die sich mehrenden »Anzeichen einer freiwilligen ›Militarisierung‹ des Erziehungswesens ... nach den Grundsätzen eines unfreien Geistes«. Roheit, Verachtung alles Geistigen, individuelle Feigheit, Mißbrauch der Gruppenübermacht kennzeichnen hier die feudalbürgerliche Militärkaste, die von der Novemberrevolution nicht beseitigt wurde.

Die 1926 uraufgeführten Stücke von Ferdinand Bruckner und Marieluise Fleißer hatten eine bestimmte Signalwirkung. Bruckner gibt in *Krankheit der Jugend* einen Einblick in die Studentengeneration der Nachkriegszeit in Großstädten wie Wien, Paris, Berlin. Das Stück stellt sich in die Tradition des Schnitzlerschen Konversationsdramas, akzentuiert stark die verhaltenssteuernde Macht der Sexualität und thematisiert Jugendkonflikte von homoerotischen Wünschen bis zu Selbstmorden und Morden. Die als »Krankheit« metaphorisierten Verfallserscheinungen des alten Gesellschaftssystems werden als Symptomen-Überblick referiert, nicht mit sozio-ökonomischen Relationen versehen. Marieluise Fleißers expressionistische Stilisierung der Provinzjugendnöte in der *Fußwaschung*, die Brecht zum *Fegefeuer in Ingolstadt* (1926) filterte, zeigt die enthumanisierenden Einwirkungen des katholischen Kirchenchristentums. Unwahrhaftigkeit, Sexualneid, Frömmelei des kirchlich und schulisch unterdrückten Kleinstadtbürgertums lassen schon die Kinder zu Opfern werden und in Anpassungsverkrüppelung, Selbstmord oder religiösem Wahn enden. Die Autorin bildet die verkümmerte, kommunikationsuntaugliche Lokalsprache in hochdeutscher Stilisierung nach. Nimmt man die Aufführungen von Wedekinds *Frühlings Erwachen* hinzu, die 35 Jahre nach der Entstehung des Stücks noch als Gegenwartsanalysen wirkten, so wird das Bedarfssignal für eine literarische Öffentlichkeitsarbeit zu Jugendproblemen deutlich.

Die Reaktion der Verleger auf das Bedarfssignal war ein Versuch mit Übersetzungen. Bewährte ausländische Bücher sind risikoloser und billiger zu produzieren. Die 1927 mit *Chéri* (1920, dt. 1927) und *Mitsou* (1919, dt. 1927) in Deutschland bekannt gewordene SIDONIE-GABRIELLE COLETTE (1873–1954) konnte hier einspringen mit dem später von ihr selbst am meisten geschätzten Roman *Le blé en herbe* (1923), der als *Phil und Vinca* 1928 bei Kiepenheuer und im Volksverband der Bücherfreunde erschien und das Leben eines 14/15jährigen Liebespaars beschreibt. Die Darstellung einer von herkömmlichen Erwartungshaltungen abgelösten Kinder- und Jugendlichenwelt mit polyerotischen Tendenzen in JEAN COCTEAUS (1889–1963) Roman *Les enfants terribles* (1929, dt. 1930 als *Enfants terribles* bei Kiepenheuer) konnte auf dasselbe Leserbedürfnis reagieren. Der Oberösterreicher Richard Billinger ignoriert mit seinem Buch *Die Asche des Fegefeuers* (1931) ähnliche Tabus.

Im deutschen Bereich entstanden innerhalb dieser bürgerlichen Tradition zunächst Internats- und Schülerromane. Bereits 1925 hatte sich Klaus Mann mit wenig Erfolg an der Darstellung von Jugendlichen – einschließlich ästhetisierend homoerotischer Zuneigungen zwischen Mädchen – in dem »romantischen Drama« *Anja und Esther* versucht. Die Anlehnung an Erlebnisse in Paul Geheebs ›Odenwaldschule‹ war der fortschrittlichen Koedukations-Heimpädagogik eher abträglich. *Die Kindernovelle* (1926) erscheint ihrerseits mehr als Projektion des Autors auf verschiedene Figuren denn als kreative Verarbeitung von Erfahrenem. Um realistische Darstellungen sind der gelegentlich mit Klaus Mann zusammenarbeitende Erich Ebermayer in einem Roman um Gustav Wynekens Schule Wickersdorf, *Kampf um Odilienberg* (1929), und Walther Harich in *Die Primaner* (1931) bemüht. Die von Rowohlt 1931 als Neuauflage gebrachten *Verwirrungen des Zöglings Törleß* (1906) von Musil erlangten im zeitgenössischen Kontext parabolische Qualität über faschistoide Entwicklungen.

Mit Lampels *Revolte im Erziehungshaus* (1928) und den *Pennälern*, Corrinths *Trojanern* (1929), Heinrich Manns singspielähnlichem Stück *Bibi* (1929), dem *Blauen Engel* (1930) und den *Mädchen in Uniform* (1931) hatten sich endlich Gegenwartsprobleme Jugendlicher in den Medien Platz geschaffen, wenn sie auch fast alle die politische Gegenwart unterdrückten.

Friedrich Torbergs Schul-Roman wurde wie Ebermayers *Kampf um Odilienberg* im Berlin-Wiener Zsolnay-Verlag herausgebracht: *Der Schüler Gerber hat absolviert* (1930). Der Österreicher hatte 1929 innerhalb einer Woche von 10 Schüler-Selbstmorden gehört und versuchte, typische repressive Schulerfahrungen erzählerisch zu vermitteln. Tucholsky nannte den Professor-Gott Kupfer einen neuen Professor Unrat. Der nach Motiven von Heinrich Mann von JOSEF VON STERNBERG (1894–1969) gedrehte Film *Der blaue Engel* (1930) reduzierte zwar Manns Satire durch Carl Zuckmayers Drehbuchbearbeitung zu einer sentimentalen Schulmeister-Geschichte, spielte jedoch neben der *Letzten Kompagnie* (1930) von Kurt Bernhardt und *Melodie des Herzens* (1929) von Hanns Schwarz in der Herausarbeitung des neuen Tonfilm-Stils eine zentrale Rolle. Die Geräuschmontage, die Erweiterung des Bildraums zum geräuschevozierten Raum, die konkurrierenden Liedmotive »Üb immer Treu und Redlichkeit« (obrigkeitshöriges Kleinbürgertum) und »Ich bin von Kopf bis Fuß auf Liebe eingestellt« (sich befreiende Jugendwelt), die von Emil Jannings und Marlene Dietrich geschaffenen Rollentypen eroberten dem Themenbereich breite Popularität.

Mit den *Mädchen in Uniform* (1931) drehte Leontine Sagan einen der ersten realistischen Tonfilme über Jugendliche. Der fast nur von Frauen hergestellte Film erörtert den despotischen Erziehungsstil in einem Potsdamer Internat und wurde als Beitrag zur Demokratisierung und zum Antimilitarismus verstanden.

Als Beispiele von Bestsellern für Jugendliche können schließlich noch genannt werden: *Kramer & Friemann* (1920, 1940: 109000) und *Gottfried Kämpfer* (1904, 1930: 82000). FRITZ MÜLLER-PARTENKIRCHEN (1875–1942) ist aus der Bauern- und Heimatliteratur bekannt und skizzierte idyllisierend das Lehrlings- und Schülerleben wie in *Kramer & Friemann* oder *Kaum genügend* (1927). HERMANN ANDERS KRÜGERS (1871–1945) ›herrnhutischer Bubenroman‹ *Gottfried Kämpfer* galt jahrzehntelang als Konfirmationsgeschenk unter progressiven Christen. Krüger setzte sich als DDP-Abgeordneter im Thüringer Landtag für eine Verständigung mit der UdSSR ein und wurde nach einer Rußlandreise mit einer Lehrerdelegation 1925 seines Amtes als Direktor der Landesbibliothek in Altenburg enthoben.

Die 1926 von Theatern ausgehende Jugend-Diskussion brachte indirekt das latente Thema homoerotischer Zuneigungen mit in die Debatte. In dem Entwurf eines ›Allgemeinen Deutschen Strafgesetzbuchs‹ 1929 wurde unter Paragraph 297 »Unzucht zwischen Männern« verschärft bedroht und zeigte damit das Scheitern einer geistig sittlichen Demokratisierung. Ein Gegenentwurf wurde 1927 von Magnus Hirschfeld und den Juristen Felix Halle und Kurt Hiller veröffentlicht. Diese Entwicklung bis hin zur Gefangenschaft und Ermordung der Homosexuellen in faschistischen Konzentrationslagern war nicht selbstverständlich. Abgesehen von der lyrischen Ästhetisierung homoerotischer Gefühle durch Schriftsteller des George-Kreises, deren Rezeption auf einen kleinen Intellektuellenkreis beschränkt blieb, schien die ›Wandervogel‹-Bewegung, die breiten Anklang im jugendlichen Bürgertum gefunden hatte und die seit ihren Anfängen starke homoerotische Tendenzen unterstützte, für die Namen wie Hans Blüher und Gustav Wyneken stehen, ein Indiz für die anwachsende Toleranz zu sein. Zudem konnte erwartet werden, daß die sich auch auf Tageszeitungen erstreckende Öffentlichkeitsarbeit MAGNUS HIRSCHFELDS (1868–1935) gewisse Mindestwirkungen gehabt hätte. Hirschfeld war Gründer des Instituts für Sexualforschung, seit 1899 Herausgeber des ›Jahrbuchs der Sexualwissenschaft‹, Gründer der ›Weltliga für Sexualreform‹, zusammen mit Kurt Hiller Initiator des ›Wissenschaftlichhumanitären Komitees‹, Verfasser u. a. einer mehrbändigen, ab 1924 erscheinenden *Geschlechtskunde*, der Bücher *Sexualpathologie* (1921), *Sexuelle Zwischenstufen* (1922), *Transvestiten* (1925) und – zusammen mit Andreas Gaspar – der *Sittengeschichte des Weltkriegs* (1930). Einen Überblick über erotische Verhaltensweisen und Wünsche von Jugendlichen versuchten Siegfried Bernfeld: *Trieb und Tradition im Jugendalter. Kulturpsychologische Studien an Tagebüchern* (1931) und Ernst Goldbeck: *Die Welt des Knaben* (1926).

Literarisch wagte sich Brecht zuerst an das Thema. Selbst zwar nicht homoerotisch interessiert, jedoch stets für Männerfreundschaften begeistert, bisexuelle Verhaltensweisen und homoerotische Neigungen akzeptierend, plant Brecht außerdem in Hinsicht auf den Öffentlichkeitseffekt, da er als Schriftsteller und Regisseur bekannt werden muß. Die literarische Vermittlung geschieht über Rimbaud, Verlaine und Whitman, und die Publikationsdaten für wichtige Texte mit homoerotischen Einlagen sind: *Bargan läßt es sein* im ›Neuen Merkur‹ 1921, Kiepenheuer-Ausgabe des *Baal* (1922), 1924 Buchausgabe, Zeitschrift-Teildruck und Aufführungen des ersten Stücks in der Dramengeschichte mit homoerotischem Titelhelden: *Leben Eduards des Zweiten von England* nach Marlowe.

Der erotische Radikalismus Hans Henny Jahnns dürfte trotz des Kleist-Preises für den Autor, trotz Brechts Inszenierung des *Pastor Ephraim Magnus* 1923, trotz Klaus Manns und anderer bekannter Kritiker Unterstützung von Jahnns Werken wenig Nachhall gefunden haben. Die Aufführungen und Bücher Ferdinand Bruckners, Peter Martin Lampels, Klaus Manns, Klabunds, Raymond Radiguets dürften neben Brecht am ehesten die Funktion einer aufklärenden Sensibilisierung für homoerotische Einstellungen erfüllt haben, bevor der in den zwanziger Jahren bedeutendste europäische Roman mit homoerotischem Bekenntnischarakter, André Gides *Falschmünzer* (1925, dt. 1928), die frauenabweisende, egoistisch individualistische Welt jugendlicher Männer in einer romantechnisch neuen Erzählweise darstellte. Durch den Erfolg angeregt, konnten der bereits 1911 in Belgien anonym erschienene, 1920 in erweiterter Form gedruckte *Corydon* (dt. 1932), Gides Erklärung und Verteidigung der Päderastie in Form platonischer Dialoge, und Gides Jugenderinnerungen *Stirb und werde* (1924, dt. 1930) neben anderen Büchern übersetzt werden.

Der Leipziger BRUNO VOGEL (geb. 1898) verband mit der Niederschrift seines homoerotischen Bekenntnisromans *Alf* (1929) keine ästhetisch-künstlerischen Interessen wie Gide, sondern intendierte unterhaltend lesbare Information für Jugendliche: »Weißt du, man müßte eigentlich mal ein Buch schreiben, in dem alles steht, was wir Jungens so tun und denken.« (99) Die »herrlich heidnischen Freuden einer bedingungslosen Hingabe an den anderen Menschen« (102) zwischen den Mittelschicht-Jugendlichen Alf und Felix werden jäh abgebrochen: »Er las, daß ein Paragraph 175 des Reichsstrafgesetzbuchs ihre Liebe zueinander mit Gefängnis bis zu fünf Jahren bedrohte.« (110) Die Eltern reagieren panisch: »Wenn ich einmal erfahren würde, daß da mit dem Felix und dem Maartens was los ist – ich bringe mich um!« (104) Der 16jährige Alf meldet sich zum Sterben an der französischen Front. Das Buch erschien 1929 im anarchistisch-syndikalistischen Verlag ASY und in der ›Gilde freiheitlicher Bücherfreunde‹; die 2. Auflage 1931 erschien in stark zensierter Form.

Während der Strafrechtsdiskussion brachte Richard Linsert, unterstützt vom ›Wissenschaftlich-humanitären Komitee‹, dem auch Vogel angehörte, sein Enquete-Werk *Paragraph 297. Unzucht zwischen Männern?* (1929) heraus. Als 1932 die Zahl der männlichen Prostituierten auf 10000 geschätzt wurde, war selbst die deutsche Justiz hilflos. Der proletarische Schriftsteller Walter Schönstedt ließ es sich nicht nehmen, die arbeitslose Großstadtjugend und drastisch realistisch das homosexuelle Prostitutionsmilieu in *Motiv unbekannt* (1933) zu schildern. Als einer der wenigen Romane über Mädchenhomosexualität wurde *The Well of Loneliness* (1928) von MARGARET RATCLYFFE (1886–1943) bekannt.

Dem nach Beendigung der revolutionären Phase 1923 entstehenden Bedarf an operativen, politisierenden Jugendbüchern suchte auch die Arbeiterbewegung zunächst durch Übersetzungen nachzukommen: Der Verlag der Jugendinternationale veröffentlichte 1927 den ersten sowjetrussischen Erziehungsroman und 1929 ein Besprisorniki-Buch: Nicolai Ognjew: *Das Tagebuch des Schülers Kostja Rjabzew. Aufzeichnungen eines Fünfzehnjährigen* und Grigorij Bjelych und Lenjka Alexej Pantelejew: *Schkid. Die Republik der Strolche.* Der sozialdemokratische ›Arbeiterjugend-Verlag‹ publizierte in diesem Bereich Andreas Gayks *Die rote Kinderrepublik. Ein Buch von Arbeiterkindern für Arbeiterkinder. Aus Briefen, Tagebuchblättern und Hordenaufzeichnungen zusammengestellt* (1928). Der erste erfolgreiche sowjetrussische Tonfilm, *Der Weg ins Leben* (1931) von Nikolai Ekk, behandelt Sozialisationsprobleme einer Besprisorny-Gruppe von 1923. Der Arbeiter- und Gerichtsreporter Georg K. Glaser als ehemaliger Fürsorgezögling gab die Zeitschrift ›Der Besprisorny‹ heraus. Es schien so auszusehen, daß das Problem der Besprisorniki, der im Bürgerkrieg heimatlos gewordenen und verwahrlosten Kinder, von denen es im europäischen Rußland 1925 noch 250000 gab, in Deutschland nicht akut werden würde, jedoch brachte die Arbeitslosigkeit alsbald große Mengen Arbeitssuchender auf die Landstraße, wie es von Justus Erhardt in *Straßen ohne Ende* (1931), von Leonhard Frank in *Von drei Millionen drei* (1932) und von Ernst Haffner in *Jugend auf der Landstraße* (1932) dargestellt wird. Eine der besten Kennerinnen der Besprisorniki-Probleme, Asja Lacis, hielt sich von 1920 bis 1925 und 1928 bis 1930 in Deutschland auf. Sie veranlaßte Walter Benjamin zu seiner Beschäftigung mit dem wissenschaftlichen Marxismus und brachte ihn mit Brecht zusammen. Ihre Theater-Erfahrungen mit Kindern und Jugendlichen brachte Asja Lacis auf Bitten Johannes R. Bechers und Hanns Eislers zusammen mit Walter Benjamin in die Form des ›Programms eines proletarischen Kindertheaters‹ (1928).

Daß eine deutschsprachige Jugendliteratur – im Gegensatz zur Kinderliteratur – nur zögernd und erst in den letzten zwei Jahren der Republik sich entwickelte, liegt hauptsächlich daran, daß die längere Schulzeit der Oberschichtenkinder ein abgehobenes »Jugendalter« begünstigte und der frühe Berufsbeginn der Arbeiter eine Integration in die Erwachsenenwelt und deren Informations- und Unterhaltungsmedien nahelegte. Das änderte sich nach 1930 mit dem Anwachsen der Jugendarbeitslosigkeit. Während die sozialistisch argumentierende Kinderliteratur wichtige Beispiele produzierte, deutete eine spezifische Literatur der Arbeiterjugend sich erst seit 1930 an, als Willi Münzenberg, der langjährige Kenner der Jugendarbeit, seine Erfahrungen zusammenfaßte: *Die dritte Front, Aufzeichnungen aus 15 Jahren proletarischer Jugendbewegung* und Pijet seine Erzählungen *Wiener Barrikaden* (1930) veröffentlichte. Der Societäts-Verlag der ›Frankfurter Zeitung‹ wagte es 1929, Lampels Beschreibung der Geheimaufrüstung *Verratene Jungen* zu drucken und gewann mit ERNST ERICH NOTH (geb. 1909) einen jungen Berliner für sich, der als Student in Frankfurt als Albert Magnus besonders Sozialreportagen schrieb und wie Lampel sozialkritisch, jedoch parteipolitisch unentschieden eingestellt war. Sein Buch *Die Mietskaserne, Roman junger Menschen* (1931) mußte sogleich neu aufgelegt werden. Noth hatte sich vorgenommen, einen »Sachbericht in Romanform« zu schreiben und machte – nach Zolas Vorbild in *Pot-Bouille* – das verwahrloste Berlin-Mariendorfer Mietshaus zur Hauptgestalt. Das Familienelend des proletarisierten Kleinbürgertums wird deutlich herausgearbeitet; die Darstellung der nationalsozialistischen Ortsgruppe – zu ⅔ aus höheren Schülern bestehend und von Studenten organisiert – gibt gute soziologische Aufschlüsse. Noths wenig repräsentativer Einzelfall eines Aufstiegs vom Hinterhof zur Universität steht bei dem Altersgenossen WALTER SCHÖNSTEDT (geb. 1909) nicht zur Diskussion. Der in *Kämpfende Jugend. Roman der arbeitenden Jugend* (1932) dargestellte »Doktor« als marxistischer Theoretiker wird eher karikiert dargestellt, so wie auch die zentrale »Clique« von dem jungen kommunistischen Arbeiter Schönstedt überzeugender gestaltet wird als die reflektiert kommunistischen Jungen Theo und Karl. Der revolutionäre Elan antifaschistischer Jugendlicher im potentiell revolutionären Jahr 1932 bei der Unterstützung für Straßenzeitungen, Betriebszellenarbeit oder Aufklärungsarbeit auf dem Lande wird in dem operativen Roman nachhaltig dokumentiert. Eine operative Gestaltungsform erschien dagegen Albert Lamm in *Betrogene Jugend. Aus einem Erwerbslosenheim* (1932) nicht mehr möglich.

Karl Aloys Schenzinger malte das zeitgenössische Elend, um eine Anwerbung für die Faschisten darzustellen, und schuf damit den Prototyp des Jugendbuchs der folgenden 12 Jahre: *Der Hitlerjunge Quex* (1932).

Eine parabolische Stilisierung der Weimarer Verhältnisse gelingt GEORG K.

GLASER (geb. 1910) in *Schluckebier* (1932). Er versucht, in der Unterdrükkung der Randgruppe in Erziehungsheimen das Unterdrückungssystem gegen die »Arbeiter aus Selbold, die Bauern aus dem Ried und die Rotfabriker« zu spiegeln. Die Erzählhaltung des ersten Teils, die autobiographisch die Tantalus-Situation des Arbeiterjungen Schluckebier vorführt, wechselt im zweiten Teil des Buchs zur Wir-Perspektive des Revoltekollektivs der Anstalt ›Billigheim‹. Die Herrschaftsverhältnisse der Republik, die der 22jährige Glaser am Arbeitsplatz, durch Elternhaus und Polizei, in Schulen, Erziehungsheimen und Gerichtssälen erlebt hatte, werden im Unterdrückungsapparat der Anstalt verbildlicht; in seiner Autobiographie *Geheimnis und Gewalt* (1953) resümiert Glaser: »›Billigheim‹ – das kleine Weimar.«

Literaturhinweise

Walter Benjamin: Gesammelte Schriften. Hrsg. v. Rolf Tiedemann u. Hermann Schweppenhäuser. Frankfurt/M 1972 ff.

Alfred Braun: Achtung. Achtung. Hier ist Berlin! Aus der Geschichte des Deutschen Rundfunks in Berlin 1923–1932. Berlin 1968.

Die deutsche Literatur in der Weimarer Republik. Hrsg. v. Wolfgang Rothe. Stuttgart 1974.

Michael Gollbach: Die Wiederkehr des Weltkrieges in der Literatur. Zu den Frontromanen der späten Zwanziger Jahre. Kronberg 1978.

Reinhold Grimm (Hrsg.): Deutsche Dramentheorien. Beiträge zu einer historischen Poetik des Dramas in Deutschland. Bd. II. Frankfurt/M 1971.

Heinrich Hannover u. Elisabeth Hannover-Drück: Politische Justiz 1918–1933. Mit einer Einleitung von Karl Dietrich Bracher. Frankfurt/M. 2. Aufl. 1977.

Gerhard Hay (Hrsg.): Literatur und Rundfunk 1923–1933. Hildesheim 1975.

Christian Hörburger: Das Hörspiel der Weimarer Republik. Versuch einer kritischen Analyse. Stuttgart 1975 (Stuttgarter Arbeiten zur Germanistik 1).

Peter Uwe Hohendahl: Das Bild der bürgerlichen Welt im expressionistischen Drama. Heidelberg 1967.

Anton Kaes (Hrsg.): Kino-Debatte. Texte zum Verhältnis von Literatur und Film 1909–1929. Tübingen 1978.

Hans Kaufmann: Krisen und Wandlungen der deutschen Literatur von Wedekind bis Feuchtwanger. Berlin 1969.

Gerhard P. Knapp: Die Literatur des deutschen Expressionismus. Einführung – Bestandsaufnahme – Kritik. München 1979.

Lothar Köhn: Überwindung des Historismus. Zum Problem einer Geschichte der deutschen Literatur zwischen 1918–1933. In: Deutsche Vierteljahrsschrift für Literaturwissenschaft u. Geistesgeschichte 48. 1974. S. 704–766 u. 49. 1975. S. 94–165.

Siegfried Kracauer: Die Angestellten. Aus dem neuesten Deutschland. Frankfurt/M 1971.

Siegfried Kracauer: Von Caligari zu Hitler. Frankfurt/M 1979.

Helmut Lethen: Neue Sachlichkeit 1924–1932. Studien zur Literatur des ›Weissen Sozialismus‹. Stuttgart 2. Aufl. 1975.

Das literarische Leben in der Weimarer Republik. Hrsg. v. Keith Bullivant. Königstein 1978.

Literatur und Gesellschaft. Dokumentation zur Sozialgeschichte der deutschen Literatur seit der Jahrhundertwende. Hrsg. v. Beate u. Dietrich Pinkerneil u. Victor Žmegač. Frankfurt/M 1973.

Wolfgang Martens: Lyrik kommerziell. Das Kartell lyrischer Autoren 1902–1933. München 1975.

Franz Norbert Mennemeier: Modernes deutsches Drama. Kritiken und Charakteristiken. Bd. 1: 1910–1933. München 2. Aufl. 1979.

Im Namen des Volkes! Rote Hilfe gegen Polizeiterror und Klassenjustiz. Arbeiterkorrespondenzen. Gefängnisbriefe. Gerichtsreportagen. Kurzgeschichten. Gedichte. Zeichnungen. Bilder und Dokumente aus den Jahren 1919–1933. Berlin 1976.

Rainer Otto u. Walter Rösler: Kabarettgeschichte. Abriß des deutschsprachigen Kabaretts. Berlin 1977.

Erwin Piscator: Das Politische Theater. Neubearbeitet von Felix Gasbarra. Reinbek 1963.

Karl Prümm: Die Literatur des soldatischen Nationalismus der 20er Jahre. 2 Bde. Kronberg 1974.

Wolfgang Reif: Zivilisationsflucht und literarische Wunschräume. Der exotistische Roman im ersten Viertel des 20. Jahrhunderts. Stuttgart 1975.

Donald Ray Richards: The German Bestseller in the 20th Century. A complete Bibliography and Analysis 1915–1940. Bern 1968.

Wolfgang Rothe: Der Expressionismus. Theologische, soziologische und anthropologische Aspekte einer Literatur. Frankfurt/M 1977.

Günther Rühle: Theater für die Republik 1917–1933. Im Spiegel der Kritik. Frankfurt/M 1967.

Günther Rühle: Zeit und Theater. Von der Republik zur Diktatur. 2 Bde. Berlin 1972.

Erhard Schütz: Kritik der literarischen Reportage. Reportagen und Reiseberichte aus der Weimarer Republik über die USA und die Sowjetunion. München 1977.

Jürgen Serke: Die verbrannten Dichter. Mit Fotos von Wilfried Bauer. Berichte. Texte. Bilder einer Zeit. Weinheim 2. Aufl. 1977.

August Soppe: Der Streit um das Hörspiel 1924/25. Entstehungsbedingungen eines Genres. Berlin 1978.

Hans Speier: Die Angestellten vor dem Nationalsozialismus. Ein Beitrag zum Verständnis der deutschen Sozialstruktur 1918–1933. Göttingen 1977.

Roberta Strauss-Feuerlicht: Sacco und Vanzetti. Wien 1979.

Jerzy Toeplitz: Geschichte des Films. 2 Bde. Berlin 2. Aufl. 1975.

Traditionen deutscher Justiz. Politische Prozesse 1914–1932. Ein Lesebuch zur Geschichte der Weimarer Republik. Hrsg. v. Kurt Kreiler. Berlin 1978.

Das B. Traven-Buch. Hrsg. v. Johannes Beck, Klaus Bergmann, Heiner Boehnke. Reinbek 1976.

Frank Trommler: Sozialistische Literatur in Deutschland. Ein historischer Überblick. Stuttgart 1976.

Kurt Tucholsky: Gesammelte Werke. 10 Bde. Reinbek 2. Aufl. 1975.

Klaus Völker: Bertolt Brecht. Eine Biographie. München 2. Aufl. 1978.

Hans-Albert Walter: Bedrohung und Verfolgung bis 1933. Deutsche Exilliteratur 1933–1950. Bd 1. Darmstadt 1972.

Was will Literatur? Aufsätze. Manifeste und Stellungnahmen deutschsprachiger Schriftsteller zu Wirkungsabsichten und Wirkungsmöglichkeiten der Literatur. Hrsg. v. Josef Billen und Helmut H. Koch. 2 Bde. Paderborn 1975.

Weimarer Republik. Hrsg. vom Kunstamt Kreuzberg, Berlin, und dem Institut für Theaterwissenschaft der Universität Köln. Berlin 1977.

Zeitkritische Romane des 20. Jahrhunderts. Die Gesellschaft in der Kritik der deutschen Literatur. Hrsg. v. Hans Wagener. Stuttgart 1975.

Geschichte und Gesellschaft
im bürgerlichen Roman

Ideologische und literaturhistorische Situation der kritisch-bürgerlichen Intelligenz

Die Romanciers dieses Abschnitts – Heinrich und Thomas Mann, Döblin, Broch, Musil, Kafka, Hesse u. a. – gehören zu den von Wissenschaft und Literaturkritik kanonisierten »Großschriftstellern« (Musil) dieser Epoche, ja gelten neben Autoren anderer Gattungen wie Brecht als die gewichtigsten deutschen Beiträge zur Weltliteratur dieses Jahrhunderts. Trotz im einzelnen stark unterschiedlicher Biographien und Wirkungsgeschichten gelten einige Fakten nahezu für alle: im Kaiserreich sozialisiert, bilden sie hier die Grundlagen ihrer Welterfahrung und -deutung und legen zumeist hier schon die Basis ihres literarischen Ruhms. In Weltkrieg und Revolutionszeit durchleben alle eine fundamentale Weltanschauungskrise, die biographisch bis zu Identitätsstörungen reicht und theoretisch-literarisch zur kritischen Bilanzierung der bürgerlichen Traditionen führt. In der Weimarer Republik entwickeln sie sich zu Demokraten ohne Parteibasis und zu kultureller Repräsentanz ohne Bezugsgruppe. Die Machtergreifung Hitlers dann zwingt die meisten ins Exil: ihre in der Republik gefestigte kritisch-bürgerliche Position bringen sie nun in den antifaschistischen Kampf ein.

Der Umgang mit diesen Autoren ist bis heute deswegen so widersprüchlich geblieben, weil sie alle ideologiegeschichtlich den Endpunkt der Einbindung bürgerlicher Kunst in die Tradition des idealistischen Kultur- und Gesellschaftsbegriffs bezeichnen. Diese historische Funktion haben sie, unterschiedlich in den Lösungen, konsequent realisiert – gerade im Roman. Auf der anderen Seite haben diese Autoren sich ebenso konsequent der Einordnung in eine womöglich parteimäßig organisierte sozialistische Perspektive verschlossen. In der Bundesrepublik Deutschland konnten sie darum bald als Klassiker der Moderne integriert werden, die aufgrund ihrer ästhetischen Innovationskraft den Aufbau einer bürgerlichen, sich avantgardistisch verstehenden Literatur ermöglichten. In der DDR dagegen wurden sie nach anfänglichem, z. T. sich hinziehendem Zögern zu Modellfällen solcher Autoren, die im Durchdenken und Gestalten der Traditionen ihrer Klasse bis auf Schrittlänge an den Sozialismus heranreichen und insofern Figurationen einer ›nicht mehr‹ bürgerlichen, ›noch nicht‹ sozialistischen Übergangsposition darstellen.

In der Forschung werden diese Autoren, wenn überhaupt politisch, als Vernunftrepublikaner, bürgerliche Humanisten, kritische Demokraten, skeptische Liberale, Liberalkonservative etc. bezeichnet. Es sind dies etwas hilflose ideologische Titel, die dem Fehlen definierender Abgrenzungskriterien entsprechen. In der Tat sind solche weder soziologisch noch ideologisch zweifelsfrei zu erheben. Die Situation der bürgerlich-kritischen Romanciers steht 1918–33 wesentlich unter zwei Randbedingungen: Die zwanziger Jahre sind einmal davon geprägt, daß nach der Oktoberrevolution die sozialistische Literatur erstmals im welthistorischen Maßstab in Konkurrenz zur bürgerlichen Literatur tritt. Und sie sind zum anderen davon bestimmt, daß die bürgerliche Gesellschaft im Stadium der fortgeschrittenen Industrialisierung eine Massenkultur ausgebildet hat, die den traditionell ›großen‹ Roman abdrängt. Statt dessen entwickeln sich zunehmend kulturindustrielle Produktionen wie Film, Illustrierte, Zeitung, Unterhaltungsroman etc., und von den tradierten Literaturformen können sich eher die operationalen Gattungen, vor allem also das (politische) Drama, die Rede und die Kampfschrift behaupten.

So entsteht das Paradox, daß die großen Romane der Weimarer Republik, in denen die bürgerliche Epoche bilanziert wird und wichtige Gesellschaftserfahrungen sich vermitteln, auf ein Subjekt zugeschnitten sind, das historisch abgedankt hat. Alle diese Romane nämlich zehren von der Repräsentationsfähigkeit des Individuums, ohne sie noch voraussetzen zu können. Dies gilt darstellungsästhetisch, indem das Sich-Abarbeiten des Subjekts an widerständiger Welt zum Muster von Welterfahrung und -aneignung schlechthin werden konnte –: der deutsche Roman an Variation von Goethes »Wilhelm Meister«. Und das gilt ferner auch rezeptionsästhetisch, insofern diese Romane sich auf das liberale, kulturell differenzierte, reflexionsfähige und hierfür auch müßige Individuum richten.

Für die Manns aber wie für Döblin, Broch oder Musil, selbst für Hesse oder Rilke tritt im Massensterben des Ersten Weltkrieges die Gleichgültigkeit des Individuums unverleugbar hervor. Für diese Autoren offenbart der Krieg schlagend, daß in der von »Masse« bestimmten Gesellschaft der einzelne längst zum entfremdeten, anonymen Massenteilchen geworden ist. In der Riesigkeit der Institutionen, der Verkehrs- und Wohnformen, in der Subsumtion ganzer Menschenheere unter technische Funktionen, in der abstrakten Herrschaft des Kapitals über den wesenlos Einzelnen scheint Entfremdung zum Gesetz geworden zu sein. Das Individuum repräsentiert nur noch seine eigene, zumal unbewußte Entfremdung, stumm im Leiden, in Angst und Sorge sich reproduzierend, im Alltag verzehrt. Dieser Mensch, der zudem noch im Krieg in einen sinnlosen Tod, mit der gleichen Vermassung wie tagtäglich in die Fabrik, getrieben wird, eignet sich nicht als Romanträger in der Nachfolge Wilhelm Meisters.

Die zweite entscheidende Tatsache läßt sich in der Folge des Weltkriegs, der den Autoren als Epochenwende erscheint, als Legitimationskrise beschreiben. Der imperialistische Weltkrieg hatte die Menschenunwürdigkeit der für ihn verantwortlichen Gesellschaften hervortreten lassen. Die sich von der bürgerlichen Aufklärung herschreibenden Werte – Humanität als Brüderlichkeit, Gleichheit, Freiheit, Gerechtigkeit, Individualität – erweisen sich als untauglich zur ideologischen Grundlegung literarischer Praxis im Imperialismus. Dies trifft die Literaten ganz konkret: Selbstbild und Praxis leiteten sich von der Idee des »freien Schriftstellers« her, der die Orientierungsbedürfnisse der Gesellschaft zu befriedigen gerade aufgrund seiner Freiheit legitimiert war. Die offenbare Abhängigkeit aber von Literaturmarkt und Verlagen erweist dies als Illusion. Zunehmend sind die Autoren auf Brotdienst in Zeitschriften und Zeitungen oder anderweitige Berufstätigkeit zur Subsistenzsicherung angewiesen. In der Tat bedurfte es der Inflationserfahrung, um viele der bürgerlichen Autoren davon zu überzeugen, daß die Basisnorm dieser Gesellschaft nicht geistiger Wert, sondern ökonomischer Profit ist.

Sicher sind solche Erfahrungen auch schon lange vor dem Ersten Weltkrieg möglich gewesen. Doch haben zuvor die bürgerlichen Oppositionsbewegungen, wenn nicht gleich zu präfaschistischem Nationalismus, eher zu den esoterischen Rückzugspositionen des Ästhetizismus (so z. B. bei den Brüdern Mann), dem sozialethischen Engagement des Naturalismus oder dem antiautoritären Protest des Expressionismus geführt. Systematisch desillusioniert und damit zu einer prinzipiellen Revision der eigenen Schriftstellerrolle gezwungen aber wurde jener Teil der bürgerlichen Literaten, die den vergangenen progressiven Ideologemen des Bürgertums sich verpflichtet fühlten, erst durch die ökonomischen und politischen Folgen des Ersten Weltkrieges. Der tiefsitzende Antikommunismus einerseits und der Autoritätsverlust bürgerlicher Leitbilder andererseits bringen die bürgerlich-demokratischen Literaten freilich in eine Lage schwerer Orientierungsstörungen. Diese Anomie führt bei allen unseren Autoren zu Handlungsdefiziten: etwa in Form von Organisationsunfähigkeit oder privaten Persönlichkeitsstörungen sowie literarisch zu einer zunehmenden Theoretisierung der schriftstellerischen Praxis. Diese wurde grundlegend problematisiert und bedurfte daher der ständigen Reflexion, der Legitimation und, bis in die Schreibtechniken hinein, der Neubegründung. Die sogenannte Intellektualisierung des Romans bei Mann, Broch und Musil u. a. ist davon die Folge, ebenso aber auch die nahezu anarchische Produktionsfolge Döblins, der trotz aller theoretischen Bemühung nie zu einer konzeptionellen Kontinuität durchdrang und mit jedem Werk etwas völlig Neues versuchte.

Diese allgemeinen Überlegungen zur Kennzeichnung der Autorengruppe reichen jedoch nicht aus. Da das ideologische Profil der kritisch-bürgerlichen Schriftsteller sich nicht auf programmatische Inhalte von Parteien der Weimarer Republik beziehen läßt, müssen die zumeist sehr individualistisch erscheinenden Denkstile wenigstens im Ansatz als Funktion einer sozialen Gruppe, nämlich der sogenannten freischwebenden Intelligenz, beschrieben werden. Die relativ hohe soziologische Unbestimmtheit vieler bürgerlicher Intellektuellengruppen hat schon 1929 den Soziologen KARL MANN-HEIM in seinem Buch *Ideologie und Utopie* dazu veranlaßt, eine sozial wenig verortete, »dynamische Mitte« zu konstruieren, die aus dem unmittelbar parteimäßigen, ideologischen Kampf herausgenommen ist. Der vage, bis heute lebendige Begriff der »freischwebenden Intelligenz« spiegelt dabei das Selbstverständnis jener Intellektuellen, die in der Weimarer Republik zunehmend marginalisiert wurden. In der Perspektive kritisch-bürgerlicher Intelligenz gaben die Weimarer Verhältnisse ein Erscheinungsbild ab, das nicht dem demokratischen government of discussion, sondern eher einem Kampfplatz unvermittelbarer, noch dazu parteipolitisch dogmatisierter Interessen ähnelte.

In diesem Wahrnehmungsbild bilden sich politisch-ökonomische Umschichtungsprozesse der Weimarer Republik ab, die für den Funktionsverlust der traditionellen Bildungsintelligenz verantwortlich sind. Die Monopolisierung wirtschaftlicher Macht und die Rationalisierung der Produktion, die Zerschlagung einer breiten bürgerlichen Mittelschicht in der Kapitalumschichtung der Inflationszeit, die Rechtsabwanderung des Kleinbürgertums, die ohnehin national-konservative Struktur der Verwaltungsintelligenz in Staat und Dienstleistung, die drohende Faschisierung des Staates und schließlich die mangelnde politische Überzeugungskraft der SPD führen in den zwanziger Jahren zu einem tiefgreifenden Bezugsgruppenverlust der kritischen Intellektuellen.

Mannheim versuchte in dieser Lage der parteilichen Zersplitterung des politischen Denkens dadurch entgegenzuwirken, daß er der sozial entwurzelten Intelligenzgruppe idealtypisch die Funktion der Synthese der auseinanderfallenden Partikularinteressen zuschrieb. Was Marx als historische Funktion des Proletariats ausgearbeitet hatte: die Realisierung einer verallgemeinerungsfähigen Gesellschaftsform, wird hier zur Funktion der Intelligenz und insofern idealistisch verkürzt: so als folge dem synthetischen Denken die gesamtgesellschaftliche Synthese nach.

So wird bei Mannheim zur Tugend, was die Not der Intellektuellen war: keine gesellschaftlich bestimmende Funktion haben, nicht im Zwang politischer Entscheidungen stehen, nicht an parteimäßige Standorte gebunden sein, nicht von kollektiven Gruppeninteressen getragen werden. Dies sind Kennzeichen einer Negativität, die vom einzelnen Schriftsteller, Künstler oder Journalisten als Mangel erfahren werden, hier aber zu Merkmalen einer »neuen« Elite werden. Deren Funktion besteht nicht im technokratischen Einsatz in den gesellschaftlichen Institutionen, sondern in einer geistigen »Totalorientierung« über das »Ganze«, d. h. über die grundlegenden Ziele, Werte und Normen der Gesellschaft. Die Unzugehörigkeit zu Klassen und Parteien sowie die geistige Mittellage wird zu der Fähigkeit umgedeutet, zwischen links und rechts, oben und unten, gestern und heute zu vermitteln.

Während realhistorisch das liberale, autonomiebewußte Bildungsbürgertum in der Phase des Monopolkapitalismus sozial aufgerieben und in seiner kulturellen Bedeutung disfunktionalisiert wird, bekommt der freischwebende Intellektuelle bei Mannheim eine auf »Dynamik und Ganzheit ausgerichtete Haltung« zugeschrieben, die ihn zur geistigen »Zusammenschau« der in Klassen zerrissenen Gesellschaft befähigen soll. Richtig ist, daß die kulturtragende Intelligenz klassensoziologisch nicht mehr eindeutig bestimmbar ist. Das gilt deutlich auch in der Literatur: aus patrizisch-altkonservativer Kaufmannschaft: die Brüder Mann; aus protestantisch-provinziellem Pfarrhaus: Hesse; aus technisch-naturwissenschaftlicher Intelligenz: Musil, aus industrieller Bourgeoisie: Broch; aus verarmtem jüdischem Kleinbürgertum: Döblin; aus jüdischem Provinzproletariat und urban-kaufmännischer Mittelschicht: Kafka. Sie alle teilen miteinander den relativen Bruch mit ihrer Herkunft, die sehr gute akademische bis wissenschaftliche Ausbildung, eine fundamentale Belesenheit, ein starkes Schwanken in politisch-ideologischen Fragen, das »Deliberative ihrer Mentalität« (Mannheim) sowie – mit Einschränkung – als Erbe bürgerlich-demokratischen Denkens: den Glauben an eine rationale Form der Auseinandersetzung und Einigung über Konflikte. Mannheim sieht nun zwei Möglichkeiten für die »freischwebende Intelligenz«:

entweder den Gang in die autoritäre Abhängigkeit, d. h. für ihn Anschluß an einen klassenmäßig-politischen Standpunkt; – oder Entscheidung »zu sich selbst«: Selbstreflexion und Verallgemeinerung der eigenen, isolierten Situation. Mit letzterem kehrt der demokratische Intellektuelle seine Außenseiterrolle in der Weimarer Republik um zur einzigen Position, von der aus gesellschaftliche Erkenntnis möglich sein soll. In der Tat bestimmt diese Denkfigur auch das Selbstverständnis vieler Autoren. Nicht zufällig formuliert Döblin in *Wissen und Verändern* (1931) eine Funktionsbestimmung des Intellektuellen, die dem Mannheimschen Konzept genau entspricht.

Die Probleme, die sich mit diesem Konzept der Intelligenz ergeben und die direkt auch solche unserer Autoren sind, hat ebenfalls 1929 der Sozialdemokrat Hans Speier beschrieben. Er zeigt, wie der Prozeß der Marginalisierung der Intellektuellen schon 1848 einsetzt und diese im Monopolkapitalismus zu einer für die Bourgeoisie überflüssigen ·Grenzschicht werden. Die Verwissenschaftlichung und Kollektivierung der Gesellschaft im Industriekapitalismus verschiebt die Ansprüche des Kapitals an die Intelligenz: von der Aufgabe kultureller Weltdeutung, die den Aufstieg des Kapitals zu flankieren hatte, wird die Leistung der Intelligenz zunehmend auf Organisation, Planung und technisch-wissenschaftliche Mittelbeschaffung fixiert. Speier macht deutlich, daß die Theorie Mannheims auf kulturell-schöpferische Intelligenz begrenzt ist und den realen Autoritätsschwund dieser Gruppe in den zeitgenössischen Klassenkämpfen dadurch kompensiert, daß er sie an klassisch-idealistische Totalitätsvorstellungen (wie z. B. Menschheit) anbindet.

Hier aber gilt Lukács' Wort von der »Illusion der Klassenjenseitigkeit« – eines der zentralen Ideologeme, das, gekoppelt mit dem individualistischen Kulturbegriff, den historischen Übertritt der bürgerlichen Demokraten zum Sozialismus so erschwert. Deutlich klafft die Schere zwischen zunehmender Degration der Intelligenz und den illusionären Versuchen zur Bildung einer nur noch geistigen Identität, in der sich keinerlei Gruppen-/Klassensubjekt mehr vermittelt. Nicht nur 1918/19 infolge der Revolution, sondern vor allem nach Ende des »euphorischen Zwischenspiels« (L. Schwarzschild) bis 1929, in der Phase fortgeschrittener Polarisierung der Parteien und wirtschaftlicher Not setzt eine Flut von Selbstbehauptungsversuchen der Autoren ein. Schriftsteller aller Richtungen schreiben über die ›Rolle des Schriftstellers in der Gesellschaft‹, ›Dichtung und Politik‹, ›Partei und Intellektuelle‹, ›Geist und Politik‹ (H. u. Th. Mann, Döblin, J. Wassermann, G. Benn, J. R. Becher, H. Broch, R. Musil, K. Tucholsky u. a.).

Sie versuchen hierin Identitätssicherungen in einer Lage, in der die Freiheit der Künste sowohl durch eine profitorientierte Kulturindustrie wie auch staatliche Zensur- und Gesetzesmaßnahmen real schon bedroht ist; in der durch Medienkonkurrenz und Publikumsverlust die traditionell hoch bewertete Rolle des Schriftstellers starken Diskriminierungen ausgesetzt ist und die gesellschaftliche Isolation zunimmt. Dagegen stehen ansatzweise Versuche, in Selbstorganisation wie dem Schutzverband (SDS) oder der »Akademie der Künste« die Isolation der Künste durch Politisierung zu überwinden. Die literarische Intelligenz leidet dabei insbesondere unter dem Verlust ihrer angestammten Lesergruppe. Der politische und kulturelle Liberalismus, der als Ferment zwar noch in vielen Autoren wirkt, doch in der Weimarer Republik schwindsuchtartig an Bedeutung verliert, kann immer weniger als Integrationszentrum der bürgerlichen Intellektuellen dienen. Die Autoren, die die Weimarer Republik als historisch notwendige Ablösung des feudal-bourgeoisen Kaiserreichs verstehen, sind in ihrer Verteidigung einer auf Klassenausgleich bauenden sozialen Demokratie ebenso idealistisch wie antibürgerlich und antikommunistisch zugleich. Die Ansprachegruppe für eine derartige Position ist quantitativ gering, sozial unbestimmt und organisatorisch kaum vertreten: es sind versprengte und enttäuschte Bildungsbürger, Kosmopoliten, unpolitische Pazifisten, ihrer Klasse entfremdete Bürger, Intellektuelle aus dem Kultursektor sowie verschwindende Anteile aus der studentischen Jugend und akademisch-wissenschaftlichen Intelligenz. Die ehemals relativ starke Mittelschicht aus kulturorientiertem Bürgertum ist ökonomisch depossidiert und politisch deutschnational formiert worden. Der Kampf gegen diese Rechtsentwicklung ihrer ehemaligen Bezugsgruppe bestimmt insbesondere die publizistischen Bemühungen von Autoren wie Thomas Mann. Der relative Verlust ihrer Bezugsgruppe prägt sich bei allen Schriftstellern in der Struktur ihrer Weltdeutung und Werke aus. In der schillernden Widersprüchlichkeit der Selbstorientierung, die Döblin produktiv ausagiert, die Musil zum Grundthema seines Romans vom »Mann ohne Eigenschaften« macht, die Thomas Mann mit der großbürgerlichen Vornehmheit seiner in ganz Europa getragenen Vorbild-Rolle zudeckt – in dieser Widersprüchlichkeit liegt nämlich eine negative Gemeinsamkeit: der Verlust an strukturierenden Leitbildern, das Aussetzen von Orientierungsmustern, die fehlende Integration in die Gesellschaft. Die Grundhaltung aller Autoren ist defensiv: sie sind Verteidiger eines historisch, wie sie selbst wissen, ungleichzeitig gewordenen Kulturerbes, von dem sie gleichwohl als Autoren erst ermöglicht und getragen sind. Das mag damit zusammenhängen, daß diese Gruppe fast durchweg vor dem Krieg in zwar kritisch gebrochenem Verhältnis zum Kaiserreich, aber doch im Bewußtsein der Selbstverständlichkeit bürgerlicher Kultur ihre schriftstellerische Identität aufbauten und in die kulturschaffende Elite vordrangen. Für sie alle reißt der Weltkrieg, wie Musil formuliert, »vier der besten Jahre« aus der Lebensmitte weg. Die Kriegserfahrung, die vielen den Zusammenbruch der humanistischen Werte bürgerlicher Kultur bedeutet, prägt sich auch solchen Autoren bleibend auf, die durch ihre demokratisch-politische Aktivität das Wertevakuum der Nachkriegszeit zu überwinden suchen. Heinrich Mann, der von sich mit Recht sagen konnte, den notwendigen Untergang des Kaiserreiches vorab im Roman gestaltet zu haben, ist der einzige mit relativ stabilem Selbstbewußtsein und einer Identifikation mit der Republik, die weit in der Vorkriegszeit wurzelt. Die ideologischen Neukonzepte der meisten anderen sind bei aller subjektiven Ehrlichkeit durchweg Not-Behelfe und Mittel der Anomie-Bewältigung, die aus der persönlichen und gesellschaftlichen Weltanschauungskrise helfen sollten. Ein Gegenpol zu Heinrich Mann ist Musil, der als wohl einziger die Spannung einer Wertleere ohne Ersatzideologien und emotionale Kompensationen ertragen und im Roman gestalten konnte. Kafka schließlich ist so sehr der Dichter seiner eigenen Entfremdung, daß er, weitgehend ohne Bezug auf zeitgenössische ideologische Kämpfe, in der bloßen symbolischen Verallgemeinerung seiner Leidenserfahrung zum authentischsten Zeugen einer heillosen, auf Zerstörung zulaufenden Gesellschaft wird.

Vor der Darstellung einzelner Autoren soll gezeigt werden, in welcher Weise das veränderte Bezugssystem der Weimarer Republik die politisch-literarische Deutung eben derselben Entfremdungserfahrungen umgestellt hat, die vor dem Krieg vorwiegend in konservativen Denkmustern verarbeitet wurden.

Das Grundverhältnis der bürgerlichen Künstler zur Welt war vor dem Krieg wesentlich schon nicht mehr praktisch, sondern kontemplativ. Die Erfahrung einer zunehmend unverfügbaren, mächtigen gesellschaftlichen Objektwelt einerseits und das Leiden am Bewußtsein der eigenen Ohnmacht wie auch die entsprechenden Gegenrollen des artistischen Ironikers oder immoralischen Bohemiens andererseits sind insgesamt gebrochene Spiegelungen imperialistischer Wirklichkeit. Denn die hier häufig gestaltete Spaltung von Subjekt und Objekt, ja die Vernichtung des Subjekts durch das Objekt entstammt sozialpsychologisch dem entfremdeten Bewußtsein des Individuums, von seinen Tätigkeiten, von seinen Objekten, ja von sich selbst getrennt zu sein. Deutlich reflektiert sich hier die objektive Lage des einzelnen in der technisch-industriellen Gesellschaft: der Betrieb, die Bürokratie, der Markt, die Stadt, die Gesellschaft, ja die Geschichte – sie alle gerinnen zu einer Schicksalhaftigkeit, die dem einzelnen allenfalls die Kultur seines Leidens als Rest seiner Individualität läßt. Die hierin liegende Subjektivierung und zugleich Verallgemeinerung von Entfremdung erklärt einmal die starke Psychologisierung der ästhetischen Kultur, zum anderen aber auch die Einsamkeit, Anonymität und Unverläßlichkeit der zwischenmenschlichen Beziehungen. Die in Romanen (z. B. H. Manns) dargestellten Interaktionen sind den Wünschen und der Verfügung handelnder Personen entglitten, sind brüchig, zynisch und korrumpiert von Machtmotiven und ökonomischen Interessen. Daran gemessen sind die Gegenrollen des décadent offensichtlich Umkehrungen seines realen Funktionsverlustes: die Ersetzung der praktisch verlorenen Objekte durch die ästhetisch-reflektorische Herrschaft über sie. Die Ironie Thomas Manns bleibt lebenslang davon bestimmt.

Der Erste Weltkrieg nun erscheint in solcher Perspektive als Erlösung von Langeweile und Ödheit bürgerlicher Philistrosität; als Wiedergewinn verlorenen Handelnkönnens, nämlich Heroismus; als Überwindung der eigenen Dekadenz; als Befreiung vom »Friedensplunder« (R. Musil) und Wiedererlangung gesellschaftlicher Integration. Doch an die Stelle von Langeweile tritt Angst und Grauen, an Stelle des Heldentums der Serientod, an Stelle der elitären Dekadenz die Egalität der Menschen im Vernichtungskalkül der Generale; mit dem »Friedensplunder« wurden zugleich Völker- und Personenrechte, Würde, Moral und Menschlichkeit zerstört; und Integration entlarvte sich als fremdbestimmte Nivellierung zum Massenteilchen. Im Krieg fegte der enttarnte Imperialismus die Selbsttäuschungen der Intellektuellen fort.

Insofern ist der entscheidende Zugewinn nach 1918 die Überwindung der bloßen Psychologisierung von Entfremdung. Statt dessen liegt der Schwerpunkt nun auf der Ebene geistiger Orientierung: einmal rekonstruktiv als Frage nach Sinn und Ursachen des gesellschaftlichen Zusammenbruchs; zum anderen normativ als Bearbeitung und Kritik der gegenwärtigen Verhältnisse; und schließlich utopisch als Suche nach grundlegenden Werten und Zielen gesellschaftlicher Neugestaltung.

Statt einer fatalistischen Fetischisierung der Objektseite zuzuneigen, gewinnt ganz notwendig mit der erlebten und mitgetragenen Veränderung der Gesellschaft der Mensch seine Kompetenz als Subjekt seiner Geschichte zurück. Das zeigen die politischen Schriften der Autoren ebenso wie die in manchen zeitgeschichtlichen Romanen und experimentellen Utopien aufgeblendete Perspektive auf praktisches Handeln. Unmittelbar gehen hier die positiv bewerteten Erfahrungen der Revolution ein. Ihr Zusammenhang mit Krieg und Kaiserreich führt zu einem Bewußtwerden der öffentlichen Verantwortung und damit zur Politisierung des Schriftstellers. Sicher fehlt, trotz der bei verschiedenen Autoren einsetzenden Marx-Lektüre beziehungsweise der Berührung mit marxistischen Intellektuellen, die ökonomische Dimension der intendierten gesellschaftlichen Erneuerung fast völlig. Doch ist die Arbeit auf moralischem und literaturpolitischem Sektor ein wesentlicher Fortschritt in der Reflexionsbreite der bürgerlichen Autoren. Fehler der Weimarer Regierung bleiben nicht unkritisiert: daß die Verstaatlichung ausbleibt, beklagt Döblin ebenso wie er oder Heinrich Mann die Beibehaltung des konservativen Verwaltungs- und Justizapparats durch die SPD-Regierung, die unterbliebene Entmachtung des Militärs, die Klassenjustiz, die reaktionäre Entwicklung und die Kartellisierungsprozesse in der Inflationszeit kritisieren –: in der Tat zentrale Geburtsfehler der Weimarer Republik.

Beachtenswert ist auch der häufig doch unternommene Schritt in die Organisation des »Schutzverbandes Deutscher Schriftsteller« (SDS), der, wenn auch weitgehend unpolitisch, die sozialen Interessen der Schriftsteller zu organisieren versuchte. Die »Freie Gewerkschaft geistiger Arbeiter« von 1920 oder die vielen Arbeitsgemeinschaften geistig Schaffender zeigen Ansätze eines Bewußtseins, das sich vom traditionellen Konservatismus des Mittelstandes zu befreien und der Arbeiterschaft ähnliche Solidaritätsformen sucht. Selbst wenn bei solchen Versuchen z. T. ständische Proteste gegen die Einebnung von Vorkriegsprivilegien mitschwingen, so ist gerade auch darin – und das unterscheidet die bürgerlichen Literaten von den reaktionären Standesorganisationen der akademischen Intelligenz – eine Ahnung von der »Industrialisierung des Geistes« (Musil) in der kapitalistischen Formierung der Jahre um 1923 enthalten. Eine pazifistische und völkerverbindende Ausrichtung hat der PEN-Club (gegr. 1921), der auch in Deutschland Fuß faßt. Wichtigste Erfahrung vor 1923 aber bleibt die zwar erfolglose, für die Überwindung der Isolation der Kunst aber wesentliche Berührung mit den »Räten geistiger Arbeiter«. In ihnen wird im Gefolge der Novemberrevolution für kurze Zeit ein linkes Bündnis für sozialistische und rätedemokratische Ziele praktiziert. Hier konnten pazifistische, sozialistische, bildungs- und rechtspolitische Ziel-

vorstellungen einen historischen Augenblick lang zu dem »geistespoliti-
schen« (Hiller) Konzept einer befreiten Gesellschaft vereinigt werden.

Das Scheitern der Revolution, die persönlich erlittene wirtschaftliche Verarmung und die Schärfe der Klassenkämpfe stürzen viele Autoren in eine Phase
eines zugleich depressiven wie arbeitsintensiven Rückzugs. Die z. T. pathetischen, politisch-publizistischen Eingriffe voller Hoffnungen auf eine neue
Zukunft gehen zurück und weichen langfristigeren Romanprojekten. Neben
den weiter gepflegten theoretischen Aufsätzen und Reden sind die vielen Kritiken, Rezensionen, Artikel, die Musil, Döblin, Heinrich und Thomas Mann
etc. in den zwanziger Jahren schreiben, oft nur auf höchstem Niveau stehende Zeugnisse des materiellen Notstands der Schriftsteller.

Nach den Erfahrungen der kurzen Kongruenz von Vernunftidealismus und
gesellschaftlicher Realität jedoch ist ein Rückfall in den Subjektivismus des
Leidens nicht mehr möglich. Alle Autoren zeigen poetologisch und romanpraktisch den Übergang zu realistischeren Literaturformen. Diese sind inhaltlich von daher begründet, daß die Autoren über die individualistische Künst-
lerperspektive hinaus soziale, politische und ökonomische Zusammenhänge
in das Reservoir ihres literarischen Objektbereichs aufnehmen und daraus
poetologisch die Konsequenz ziehen. Die an Momenten der Selbsterfahrung
des Künstlers gewonnenen Gesellschaftsbilder der Vorkriegszeit werden jetzt
Gegenstand der Selbstkritik. Die Technik einer literaturimmanenten Selbst-
revision hatten etwa Heinrich und Thomas Mann schon vor dem Krieg z. B.
in *Die kleine Stadt* und *Der Tod in Venedig* entwickelt. Diese Technik wird
jetzt strukturbildend für die Romane *Der Zauberberg* und *Der Kopf* – Romane, die typisch sind für die Bewältigungsform der tiefgreifenden Verunsicherung der Intelligenz in Krieg und Revolution, typisch aber auch für die Phase
relativer Stabilität der Weimarer Republik.

Daß diese Stabilitätsphase, die ökonomisch nur erborgt war und die vehe-
mente Kartellisierung im produktiven und kulturellen Sektor und damit die
Entliberalisierung der Gesellschaft nicht aufhielt, nur unverläßlich sein konnte, blieb den Autoren insofern nicht unverborgen, als ihr Krisenbewußtsein
anhielt. Im Zeichen aber der sozialpsychologisch umgreifenden Ernüchterung
und Enttäuschung, die letztlich der Niederlage der Arbeiterklasse in den Jahren 1918–23 entspringt, sowie einer um Selbstbehauptung ringenden, darin
höchst produktiven Kulturszene auf allen Gebieten der Literatur, Musik und
bildenden Kunst entstehen die Essays und Romane, die an Reflexionsbreite
und formaler Innovationskraft bis heute die bürgerliche Literaturentwicklung
bestimmen. Aufgrund seiner seit je bestehenden formalen Flexibilität, vor allem aber aufgrund der entwickelteren Realitätssicht und des Demokratiebe-
wußtseins der Autoren wird der Roman zur differenziertesten Literaturgattung, in der bürgerliche Welterfahrung sich ausformulieren kann. Dabei
spielt die Rezeption der französischen Realisten des 19. Jahrhunderts wie Balzac, Stendhal, Flaubert, Zola oder des immer stärker in den Vordergrund rük-
kenden russischen Romans etwa Tolstojs, Dostojewskis, Gogols sowie in den
späten zwanziger Jahren Marcel Prousts *A la Recherche du temps perdu* und
James Joyces *Ulysses* eine wichtige Rolle. In Deutschland sind es vor allem

die Romane Thomas und Heinrich Manns, Brochs, Musils, Döblins u. a., die allererst, neben Kafka, das Urteil einer differenzierten Romanästhetik rechtfertigen. Die Romane, die vorwiegend nach 1924 erscheinen, sind gattungsmäßig nicht eindeutig: sie tragen Züge des Bildungs- und Entwicklungsromans (z. B. Th. Manns *Der Zauberberg*, Musils *Der Mann ohne Eigenschaften*, auch Hesses *Demian* und *Steppenwolf*, Wassermanns *Christian Wahnschaffe*), des polyhistorischen und intellektuellen Romans (Brochs *Schlafwandler*, Th. Mann, Musil), des Zeitromans (Döblins *Alexanderplatz*, H. Manns *Die große Sache*), der zeitgeschichtlichen Rekonstruktion (H. Manns *Der Kopf*, Broch, Musil), des Schlüsselromans (*Der Kopf*, *Mann ohne Eigenschaften*), des utopischen Romans (Döblins *Berge, Meere und Giganten*) und des »mythisierenden« Romans (H. H. Jahnn, Doderer, Gütersloh).

Eine solche an traditionell inhaltlichen Kriterien festgemachte Einteilung ist kaum mehr als ein Notbehelf: das erhellt schon daraus, daß dieselben Romane Züge mehrerer Gattungstypen tragen. Doch auch die Orientierung an ästhetischen Charakteristiken (wie Erzählformen) trägt nicht weit und ist als Gliederungsprinzip zu abstrakt. Dagegen lassen sich inhaltliche wie ästhetische Merkmale der Romanentwicklung am ehesten mit dem für alle Romane strukturbildenden Gesichtspunkt der Historisierung fassen: hieran nämlich sind das geschichtliche Bewußtsein, die Denkmuster wie auch das Verhältnis zu den gattungsmäßig entwickelten Formen der Erzählung abzulesen. Folgende Aspekte der Historisierung sind hier zu nennen: die Historisierung der persönlichen Identität und Erfahrungsstruktur, die Historisierung durch die Epochenwende Erster Weltkrieg, die Historisierung als Ergebnis der Auseinandersetzung mit gegenwärtigen politischen Verhältnissen der Weimarer Republik; und die Historisierung der ästhetischen Produktionsmittel.

Die erste Form der Historisierung hat ihren Grund in der Krise des Persönlichkeitssystems der Autoren, die zweite in der Krise des kulturellen Systems der bürgerlichen Klasse, die dritte im normativ-politischen System der Weimarer Republik und die vierte im Bewußtwerden dessen, was Hegel schon 100 Jahre zuvor mit dem Satz vom »Ende der Kunst« gemeint hatte.

Die exogenen Erschütterungen der Autoren durch den Ersten Weltkrieg stellen diese unter den Zwang der Reorganisation ihrer Identität. Der naturwüchsige Zusammenhang, der zwischen der gesellschaftlichen Entwicklung des Kaiserreichs und noch den oppositionellen Rollenidentitäten des Künstlers, Bohemiens oder Protest-Sohnes bestand, ist nach der Niederlage 1918 vorbei. Autoren, die weit in die Mannesjahre vorgerückt sind, haben z. T. gänzlich neue Existenzformen und Selbstbilder – zudem in einem höchst instabilen sozialen Umfeld – aufzubauen. Es ist kein Zufall, daß die Erneuerung und zugleich Historisierung des Romans von diesen älteren und nicht den 20– 30jährigen Autoren der Weimarer Republik kommt: sie, die am intensivsten in Auseinandersetzung mit ihrer Vergangenheit stehen, welche ungültig, jedenfalls ungleichzeitig geworden ist, machen die an sich selbst erfahrene Geschichtlichkeit eigener Identität zur Grundlage der Personengestaltung im

Roman. Historisierung heißt ferner: der Roman bekommt die Funktion einer in Erzählung umgesetzten lebensgeschichtlichen Selbstreflexion, die nicht mehr solipsistisch oder entwicklungspsychologisch verkürzt ist, sondern Identitätsentwicklung in ihren sozialen Bedingungszusammenhängen erscheinen läßt. Das gilt für Th. Manns *Zauberberg* ebenso wie Musils *Mann ohne Eigenschaften* und selbst noch für Wassermanns *Christian Wahnschaffe*. Romanpraktisch ist die Folge, daß in einer zum Vorkriegsroman unvergleichlich höheren Weise Individualprozesse in ihrer gesellschaftlichen Vermitteltheit erscheinen.

Die exogene Persönlichkeitskrise ist ferner von allen Autoren als solche, und damit als gesellschaftlich-allgemeine verstanden und im Denkmuster der Epochenwende ausgelegt worden. Damit wird ein wichtiger Schritt über die subjektivistische Erzähltradition hinaus getan. Selbst wenn der Roman handlungsmäßig an persönlichen Entwicklungsgängen festgemacht ist (Hans Castorp, Ulrich, Terra und Mangolf), bekommt er die Funktion einer historischen Rekonstruktion und damit die Möglichkeit, Einzelschicksal und Kollektivprozesse aufeinander zu beziehen. Er trägt so zur Bilanzierung jener gerade für das Selbstverständnis vieler Bürger wichtigen Frage nach den Ursachen des Zusammenbruchs der Vorkriegsgesellschaft bei. Die Deutung dieser Niederlage erfolgt nun freilich durchweg in kulturellen, ansatzweise soziologischen Denkmustern: 1918 erscheint nicht als Niederlage des auf dem Klassenbündnis von Adel und Bourgeoisie ruhenden Imperialismus (so nur in Ansätzen in H. Manns *Der Kopf*), sondern vielmehr als Zusammenbruch des Normensystems, der die Neubestimmung der ethischen Basiswerte notwendig macht (Musils *Mann ohne Eigenschaften*); als Endpunkt des mit der Renaissance beginnenden Zerfalls einer gesellschaftsintegrierenden Wertgeschlossenheit (Brochs *Schlafwandler*); als Niedergang eines wechselseitig an Besitz und Bildung sich kultivierenden, jetzt nur noch besitzorientierten und geistig dem Irrationalismus zutreibenden Bürgertums (Th. Mann); als Ergebnis einer bereits seit Luther (so in Döblins *Wissen und Verändern*) oder seit 1848 (so H. Mann im *Untertan*) staatlich eingeübten Untertanenmentalität, die mit dem Scheitern bürgerlicher Revolution den Anschluß an die Modernisierungsprozesse der westlichen Staaten verloren hat; als Entlarvung der erstarrten bürgerlichen Konventionalität und kulturellen Leere (C. Sternheim *Europa*) oder schlicht als *Der Untergang des Abendlandes* im Gefolge der kulturkritischen Universalgeschichte von Oswald Spenglers gleichnamigem Bestseller. Charakteristisch für den von hier ausgehenden Neokonservatismus ist es dagegen, den historischen Bruch durch die Weltkriegskrise prinzipiell zu verleugnen: dafür repräsentativ steht das späte Romanwerk des Österreichers Heimito v. Doderer. Wie auch immer – unverkennbar ist das Bemühen, den Roman zu einem gegenwartsbezogenen Lernmodell gerade durch die Aufarbeitung jüngst durchlebter Geschichte zu machen.

Am intensivsten wird die Historisierung des Romans durch die Erfahrung mit der Weimarer Republik erzwungen. Grundlegend dafür ist zunächst, daß die bürgerliche Gesellschaft durch den im weltgeschichtlichen Plan ihre Nachfolge beanspruchenden Kommunismus als historisch prinzipiell überholt kritisiert wurde. Für die bürgerlichen Autoren dann wird, vor allem gegen Ende der Republik, die Rechtsentwicklung zum Anlaß des Versuchs einer umfassenden Rekonstruktion des Irrationalismus – mit dem politischen Ziel, das Bürgertum vor der Verführung durch den Faschismus zu warnen. Th. Manns Essay-Studien (oder die Novelle *Mario und der Zauberer*), die hier als Beispiel dienen können, sind trotz historischer Schwächen und geistesgeschichtlicher Befangenheit ähnlich angelegt wie die spätere Untersuchung von Georg Lukács über *Die Zerstörung der Vernunft* (1962) in Deutschland.

Der Kampf gegen den Irrationalismus als Kampf für Demokratie erfordert andererseits wegen der Traditionslosigkeit demokratischen Denkens in Deutschland eine historische Freilegung der verschütteten Ansätze demokratischer Vernunft, wie sie vor allem Heinrich Mann in seinen Essays und Romanen in bezug auf die deutsche Aufklärung (Kant), die Französische Revolution (1789) und die deutsche Niederlage der demokratischen Bewegungen 1848 und 1871 leistet. Schließlich führt die zunehmende Ideologisierung der politischen Auseinandersetzungen zu einer publizistischen, im Roman oft in Satire und Groteske umgesetzten Ideologiekritik (Musil, H. Mann, Döblin), die historisierend insofern ist, als insbesondere Musil die geschichtlich regressive Ungleichzeitigkeit der gegenwärtig miteinander ringenden Geltungsansprüche auf gesellschaftliche Macht und Wahrheit darstellt.

Die eigentliche Revolutionierung des Romans – wenn man sie nicht als endliches Ergreifen der in Goethes *Wanderjahren* gewiesenen Richtung verstehen will – erfolgt im Bereich der ä s t h e t i s c h e n S t r u k t u r des Romans. Dabei ist die ästhetische Innovation nicht wie vor dem Krieg das Ergebnis eines abgehobenen Avantgardismus, sondern geht unmittelbar aus den soziologischen und ideologischen Inhaltsmomenten des Romans hervor.

Die zunehmende Komplexität der gesellschaftlichen Wirklichkeit hat auf seiten der Romanästhetik drei einschneidende Folgen. Zum einen die Mehrdimensionalität des Erzählens (historisch, soziologisch, psychologisch, philosophisch) und den Polyperspektivismus als Mittel, die komplizierten funktionalen Verflechtungen der Realität zu gestalten; zum zweiten die Aneignung anderer Medien, um weiterer Formen der Wirklichkeitserfassung habhaft zu werden (Filmtechnik, Dokumentarismus, Collage, Theorie); zum dritten neue Formen der Verallgemeinerung, die gegenüber den hergebrachten der mythischen, religiösen, symbolischen Verallgemeinerung vor allem in einer dem experimentellen und soziologischen Denken abgenommenen Modelltechnik besteht.

Die Verwissenschaftlichung und Rationalisierung der Gesellschaft ändern die Erzählstruktur insofern, als Diskurs und Reflexion wesentlich den neuen Romanstil bestimmen (Th. Mann, Broch, Musil). Die Einsicht in die Vergesellschaftung des Individuums – negativ: seine Anonymität, Vermassung – führt romanästhetisch zu einer radikalen Entpsychologisierung des Stils, zur Auflösung des einseitig personenzentrierten Handlungsschemas zugunsten der Darstellung von Personen und Handlungen im soziologischen Feld. Darin spiegelt sich negativ das »Ende des Individualismus« (Musil) wie positiv die

Hinwendung zu kollektiven Zusammenhängen beziehungsweise zur Masse, wie sie Döblin fordert.

Die zunehmend begriffene Entfremdung des Individuums findet romantechnisch ihren Niederschlag in einer radikal gehandhabten Figurenperspektive (z. B. bei Kafka, Döblin): sie spiegelt die Ohnmacht und Gefangenheit des Subjekts in den verdinglichten Grenzen seiner Wahrnehmung. Entfremdung findet ihre sprachliche Mimesis allerdings auch in Sprachformen, in denen die subjektive Ausdrucksfähigkeit entweder pathologisch verzerrt, restringiert oder in gesellschaftlicher Konventionalität starr und leer wird (Döblin, Broch, Musil).

Sozialpathologische Verhaltensdeformationen – wie z. B. in *Kobes* von H. Mann oder *Die Ermordung einer Butterblume* von Döblin – führen oft zu Groteske oder Satire (die auch ideologiekritische Funktionen übernimmt: Musil, Döblins *Der deutsche Maskenball*). Beides sind Mittel der ästhetischen Konfrontation und Verzerrung gesellschaftlich oder ideologisch als falsch erkannter, aber nicht bewußter Verhältnisse. Der Verlust ideeller Grundwerte des Bürgertums und die damit verbundene Orientierungsschwäche dagegen führen zu Ironie als der Erzählhaltung eines sozial desintegrierten, enttäuschten Idealismus des Schriftstellers (Th. Mann).

Eng mit der Entdeckung des Unbewußten als Träger geheimer Wünsche, unterdrückter Triebe oder gesellschaftlich versenkter Normen (S. Freud) hängt die Entstehung des Erzählmittels des stream of consciousness zusammen; auch der traditionelle innere Monolog und die erlebte Rede können in dieser Weise zur Erfassung spontaner Subjektivität eingesetzt werden.

Dem Verlust der Selbstverständlichkeit des Zeitkontinuums (Relativitätstheorie, Zeitpsychologie H. Bergsons) und des Geschichtskontinuums (Ende von Geschichtsphilosophie) korrespondiert die Auflösung der Zeit im Roman. Zeit erscheint in vielfacher Brechung von erlebter, chronikalischer, mythischer und physikalischer Zeit. Vergangenheit, Gegenwart, Zukunft sind in Imagination oder Erinnerung ineinandergeblendet und erschließen überraschende Zusammenhänge zeiträumlich getrennter Sachverhalte (Th. Mann, Musil, Döblin).

Alle diese formalen Innovationen konvergieren in der strukturellen Normlosigkeit des Erzählens überhaupt. Das traditionelle Erzählen geht ja nicht in formalen Merkmalen auf, sondern ist Ausdruck einer Sicherheit des Wissens und Gestaltens sowie einer Gemeinsamkeit mit dem Leser, welche nur vor dem Hintergrund soziokulturell gut integrierter Gesellschaften denkbar sind. Die sozialen und politischen Krisen der bürgerlichen Gesellschaft aber verunsichern mit dem Selbstverständnis der Autoren zugleich das Erzählenkönnen überhaupt. Hört jemand zu? und: darf ich noch erzählen? und wenn ja: wie? bilden die Pole, innerhalb derer das Erzählen sich reflektiert. Das reiche Experimentieren nun mit impliziten und expliziten Erzählerfiguren, personalen, uni- und multiperspektivischen und auktorialen Erzählformen, z. T. das Nebeneinander aller in einem Werk, sind Ausdruck der Schwächung der Rollenidentität des Erzählers in moderner Gesellschaft (W. Benjamin).

Die Romanästhetik entspricht dabei insgesamt einer Entwicklung, die der bürgerlichen Kunst mit ihrer Basis im liberalen Bürgertum auch ihre »kulturelle Selbstverständlichkeit« entzieht. Kunst, ihrer selbst problematisch, wird notwendig reflexiv. Hinzu kommt, daß die Widersprüchlichkeit gesellschaftlicher Verhältnisse und der Antagonismus der Klassenkämpfe mindestens indirekt die vielbeschworene »Krise des Romans« mitverursachen und zu einer Reform der ästhetischen Produktionsmittel zwingen, die der umfassenden historischen Dialektik zumindest näher kommt. Das erklärt nicht nur die erstaunliche Experimentierfreude, sondern zugleich die Theoretisierung der Produktion, die sich in zahlreichen poetologischen Essays bei Broch, Musil, Döblin, Th. Mann, Flake, Doderer, Wassermann etc. findet. Schließlich entspricht der neue Roman jener von Hegel formulierten Ablösung der höchsten Formen des Wissens in Religion und Kunst durch Reflexion auf zweifache Weise: einmal dadurch, daß das *Weltbild des Romans* (Broch) von außerästhetischer Theoriebildung abhängig wird, zum anderen, indem die Formen und Mittel des Romans selbst reflexiv werden. Im freien Verfügenkönnen über alle historisch abgelagerten Stilformen drückt sich ein Weltzustand aus, der nicht mehr in der Geschlossenheit eines Stils zu sich selbst kommt, sondern in seiner strukturellen Zukunftsoffenheit eine jede ästhetische Teleologie überholt.

Beim Einfluß von Philosophie und Wissenschaft auf die Entwicklung des Romans, dessen Deutungsstruktur und Ästhetik ist das Zurücktreten der Philosophie Nietzsches und Diltheys einerseits und des Wissenschaftspositivismus des 19. Jahrhunderts andererseits festzustellen. Weder kann von einer Weltdeutung gesprochen werden, die sich an den Naturwissenschaften als Modell von Erkenntnis überhaupt – wie etwa im Naturalismus – orientiert; noch kann von einem im Gegenzug dazu entwickelten Typ der Kulturkritik und des ästhetischen Supremats ausgegangen werden, wie er für den Ästhetizismus der Jahrhundertwende gilt und die Frühphase wichtiger Autoren der Weimarer Republik noch bestimmt (H. und Th. Mann, Hesse).

Philosophiegeschichtlich wurde die psycho- und soziogenetisch verfahrende Ideologie- und Kulturkritik Nietzsches wie auch dessen historisch-normativ begründete ästhetische Aristokratie abgelöst durch Versuche, Philosophie als Wissenschaft neu zu begründen. Hier ist die Phänomenologie EDMUND HUSSERLS (1859–1938) grundlegend, von dem ausgehend dann die Fundamentalontologie und Existenzphilosophie MARTIN HEIDEGGERS (1889–1975) und KARL JASPERS' (1883–1969) entwickelt werden konnten.

Der andere Strang des naturwissenschaftlich orientierten Positivismus, z. B. des Typs des Wissenschaftstheoretikers Ernst Mach, der etwa noch Musil nachhaltig beeinflußte, wurde abgelöst durch eine Reformulierung des positivistischen Wissenschaftsmodells auf einer logiktheoretischen, sprachanalytischen und forschungstheoretischen Grundlage, wie sie von der Wiener Schule (Ludwig Wittgenstein, Rudolf Carnap, K. R. Popper) geleistet wurde. Diese Seite der Philosophieentwicklung ist für die bürgerlichen Romanciers – sieht man von der Ausnahme Musils ab – ohne Bedeutung.

Dies gilt ebenfalls für die nach 1918 neu interpretierte marxistische Philosophie. Hier gilt nur die Ausnahme Döblins, bei dem, wie bei Brecht, über Karl Korsch vermittelt, eine Auseinandersetzung mit der materialistischen Philosophie nachweisbar ist. Die antimarxistische Grundeinstellung nahezu aller Autoren führt hier zu charakteristischen Rezeptionsblockierungen. Die Philosophie Ernst Blochs ebensowenig wie die von Georg Lukács oder die marxistisch beeinflußten sozialphilosophischen Forschungen der frühen Frankfurter Schule haben je auf die bürgerlichen Romanciers dieser Epoche Einfluß genommen.

Zur marxistischen Philosophie wie zur neopositivistischen Wissenschaftstheorie bestehen auch kaum strukturelle Korrespondenzen, die jenseits der Einflußforschung durch Strukturvergleich des literarischen Diskurses mit dem philosophischen zu erheben wären. Freilich gilt dies um so mehr für jene verbleibende Philosophietradition, die Existenzialontologie, welche langsam die Nietzscheanische Philosophie abzulösen beginnt, die doch für Jahrzehnte das philosophische Paradigma der Literaturentwicklung seit 1890 gebildet hatte. Dieser Paradigmawechsel des philosophischen Bezugssystems bürgerlicher Romanentwicklung ist ebenfalls durchaus nicht über konkrete Einflußbeziehungen nachweisbar. Vielmehr stellen Phänomenologie und Existenzialontologie einerseits und der große bürgerliche Roman andererseits strukturell verwandte Antworten auf veränderte gesellschaftliche Bedingungen intellektueller Auseinandersetzung mit der Wirklichkeit dar.

Dabei sind drei Ebenen struktureller Entsprechungen festzustellen. Erstens ist für beide Bereiche die außerphilosophische beziehungsweise außerliterarische Erfahrung von der Entfremdung des bürgerlichen Intellektuellen in der Massengesellschaft als grundlegend anzunehmen, d. h. die Erfahrung eines Krisenzusammenhangs, welcher aus dem Zusammenbruch des normativen Orientierungssystems nach 1918 sowie aus dem damit verbundenen Sinnverlust resultiert. Zweitens aber werden gesellschaftliche Desintegrationsprozesse, wie sie nach 1918 dominieren, als Zurückgeworfensein auf das eigene Selbst sowie als Zwang zur Suche und Konstruktion neuer Sinnangebote und Leitbilder gedeutet. Das eine führt zu Analyse und Gestaltung der Erfahrungsstruktur des atomisierten Subjekts; das andere zu sehr unterschiedlichen Anstrengungen, Modalitäten eines »möglichen Selbstseins« (Heidegger) philosophisch beziehungsweise literarisch darzustellen. Drittens schließlich ist die Wissenschafts-Skepsis der Existenzialphilosophie wie auch der mit Wissenschaft durchaus gut vertrauten Literaten ohnehin groß. Wissenschaft, Technik und rationalisierte Lebenswelt (Bürokratie, Großorganisation, Rollendifferenzierung) rücken deshalb leicht zu einem Block »industrieller Herrschaft« zusammen, die mit gesellschafts- wie wissenschaftsfeindlichen Positionen abgewehrt zu werden versucht wird.

Aus der HUSSERLschen Philosophie (*Logische Untersuchungen*, 1900/01; 1913/21; *Cartesianische Meditationen*, 1931) ist insbesondere jene Außerkraftsetzung eingelebter Erfahrungsmuster und Geltungsansprüche bedeutsam, die in der Herstellung der »phänomenologischen Epoché« als Haltung der Enthaltung oder als prinzipiell von Inhalten unterschiedenes Selbstbewußtsein besteht. In dieser Suprematie der Bewußtheit über das konkrete, gesellschaftlich vermittelte Erlebnisbewußtsein ist jenes »Pathos der Distanz« als Erzählhaltung wiederzuerkennen, das vor allem den intellektuellen Roman strukturell organisiert. Dieser nämlich baut zwischen der Mächtigkeit gesellschaftlicher Vermittlung und deren Erzählung die transzendentale Instanz einer uneinholbaren, intentional bestimmten Bewußtheit auf, die allererst die »Erzählbarkeit von Welt« ermöglicht (Th. Mann, Broch, Musil, Döblin, Canetti).

MARTIN HEIDEGGER nun wendet die Husserlsche Phänomenologie in Existenzialontologie und geht damit jenen Weg, den viele Autoren versuchen, die das Elend gesellschaftlicher Bestimmtheit in den meist ideologisch regressiven Versuch wenden, jenseits historisch-gesellschaftlicher Verfaßtheit des Menschen Grundstrukturen eines wesentlichen Seins anzunehmen. In den Romanen wird letzteres nicht nur mit existenziellen, sondern auch archaischen, mythischen und religiös-mystischen Erfahrungen verbunden. In seinen Untersuchungen *Sein und Zeit* (1927) und *Einführung in die Metaphysik* (1935/53) analysiert Heidegger – unausgesprochen und unreflektiert – Strukturen der entfremdeten Subjekterfahrung in der gegenwärtigen Gesellschaft unter dem Titel der »Uneigentlichkeit«. Deren Modalitäten sind Geworfenheit, Angst, Sorge und Zeitlichkeit, also gerade die Erfahrungsgehalte des durchschnittlichen und alltäglichen Existierens in der repressiven Mangelgesellschaft. Diesem Durchschnitt des »Man« (auf welches alle um Besonderheit, Abgrenzung und Individuierung kämpfenden Literaten nicht zurückfallen wollen) wird im »Ruf des Gewissens« jenes »eigentliche Seinkönnen« entgegengehalten, das dem »Man« nicht verfällt, sondern sich zu sich selbst entscheidet: die Angst vor dem Tode etwa wendet sich so in ein »Sein« und »Vorlaufen zum Tode«. Das Bedrohlich-Reale, dem wir verfallen, ist das Uneigentliche gegenüber der Entschlossenheit, in der wir das Geworfensein (in Gesellschaft), die Sorge (um Zukunft) und die Angst (vor dem Tode) zu unserer eigentlichen Möglichkeit wenden.

Solche intellektuellen Manöver versprechen unvordenkliche Seinserfahrung, die von der Last der sozialen Leidensgeschichte und der Auseinandersetzung mit der faktischen Gewalt gesellschaftlicher Herrschaft suspendieren. Philosophie funktioniert als strategischer Rückzug von der Alltagserfahrung (der Weimarer Republik) und öffnet Imaginäres und Irrationales – ein Sein, das im Modus des Schweigens verharrt oder (bei den Romanciers) in vielfachen Formen inkompatibler, antigesellschaftlicher, aber existenzieller Erfahrungen ausphantasiert wird (Musil, Hesse, G. Hauptmann, Doderer, Th. Mann, Broch).

Unverkennbar ist, wie diese – immer auch mißverstandene – Existenzialontologie als philsosophisch begründeter Abwehrreflex der bürgerlichen Intelligenz gegen Erfahrungen von Entfremdung ebenso wie gegen normativ politische und moralische Ansprüche auf soziale Praxis funktioniert. Das Einzigartigste und Unbestimmteste, wie Heidegger das »Sein« qualifiziert, ist in der Tat geeignet, als einzigartig und unbestimmt, also beliebig, freilich aber »existenziell« erfahren zu werden und von der Verelendung individuellen und gesellschaftlichen Lebens abzulenken. Was das »eigentliche Seinkönnen« bei Heidegger ist, erscheint in der Literatur als trübe Flut irrationalistischer und antigesellschaftlicher Utopien, reformulierter Mythen, archaischer Regressionen, mystischer Offenbarungen und vager Sprachmagien, die um Unaussprechliches zu kreisen vermeinen.

Diese ideologische Doppelstruktur von phänomenal richtiger Erfahrungsanalyse und irrationalistischer Lösungsstrategie zeigt sich sehr deutlich auch in Husserls Resümee der dreißiger Jahre: *Die Krise der europäischen Wissenschaften und die transzendentale Phänomenologie* (1934–37, 1962). Hierin wird die Akzeptanzkrise der modernen Wissenschaften, welche in ihrer Entfremdung von der Lebenswelt begründet liegt, in eine antiwissenschaftliche Lösungsstrategie gewendet, die als Reformulierung der Metaphysik zu verstehen ist. Diese Denkfigur ist charakteristisch auch für eine Reihe von Romanstrukturen, insoweit diese, reagierend auf die Entfremdungsfolgen der im Zeichen der Wissenschaft rationalisierten Lebenswelt, statt an dieser sich abzuarbeiten, in imaginäre Zonen metaphysischer Gesamtschau sich verlieren (z. B. Broch).

Der Psychiater und Existenzialphilosoph KARL JASPERS hat in seinem als Band 1000 der Sammlung Göschen erschienenen Werk *Die geistige Situation der Zeit* (1931) in repräsentativer Weise die gesellschaftlichen Krisenprozesse der Weimarer Republik abstrahiert zur Krise des abendländischen Denkens überhaupt, einer Krise, die Folge solcher Fundamentalprozesse wie Emanzipation, Wissensproduktion, Säkularisierung mit ihren Nebenfolgen des Sinnverlusts, wie der Rationalisierung und Apparatisierung des Lebens sein soll. Die Lösung der Krise ist: Existenzerhellung des einzelnen, also Bewußtheit der je eigenen Freiheit als Transzendenz aller Verfallenheit ans schlechte Konkrete der Gesellschaft. Bewußtheit ist schon Praxis.

Die Philosophie des Existenzialismus entwickelt so Denkstrukturen, Erfahrungsdimensionen und Weltdeutungen, wie sie – literatursprachlich formuliert – in den großen Romanen der klassischen Moderne sich finden. Beide, Philosophie und Roman, stehen weiterhin in der kritisierten, aber nicht überwundenen Tradition des bürgerlichen Idealismus, welcher – so groß auch seine historischen Leistungen sind –, seine Grundstruktur, nämlich Ideologie zu sein und also gesellschaftliche Verhältnisse zu verschleiern im objektiven Interesse der Herrschaft, nie völlig verleugnen kann.

Die Erfahrung von Entfremdung und der Block der Institutionen: Franz Kafka

FRANZ KAFKA (1883–1924) hat im Vergleich mit anderen Autoren schon biographisch eine Sonderstellung: niemals vom psychischen Bann seiner Familie befreit, verbringt er sein Leben nahezu ausschließlich inmitten der politischen und ethnischen Spannungszone der deutsch-tschechisch-jüdischen Altstadt Prags. Fast erscheint er wie ein Gefangener der höchst eigenen Ängste,

Konflikte und Liebe seiner Familie, deren Beziehungsstruktur er in allen Bereichen gesellschaftlicher Organisation wiederkehren sieht – in Schule, Universität und vor allem den betrieblichen und staatlichen Bürokratien, die er als Jurist der Prager Arbeiter-Unfallversicherung sehr genau von innen kennenlernt. In Familie, Bürokratie und Gesellschaft erlebt Kafka das immer gleiche Grundverhältnis, in welchem der einzelne der Willkür der Macht ausgeliefert und zum Opfer gebracht wird. Biographisch-psychologische Forschungen haben nachgewiesen, daß die Kafkaschen Bilder gesellschaftlicher Autorität zurückgehen auf den mächtigen, fast dämonisch überhöhten Vater, obwohl dieser selbst den mühevollen Weg aus ärmsten ostjüdischen Provinzverhältnissen zur westlich assimilierten Kaufmannschaft Prags zu gehen hatte und zeitlebens eine schwankende Stellung in den tschechisch-deutschen Klassenauseinandersetzungen hatte, die um 1900 besonders in Prag an Schärfe zunahmen.

Trotz dieser besonderen biographischen Voraussetzungen findet das Werk Kafkas vor allem nach dem Zweiten Weltkrieg in aller Welt Verbreitung. Diese Rezeptionsbreite, die die Besonderheit von Biographie und historischer Epoche weit hinter sich läßt, hat mehrfache Gründe: zum einen spielt das angstbesetzte Verhältnis von ohnmächtigem Einzelnen und undurchschauten Herrschaftsinstitutionen in den Industriegesellschaften eine zunehmend größere Rolle. Zum anderen bieten die Verallgemeinerungsformen Kafkas (Parabel, Gleichnis, Symbolhandlung etc.) Anknüpfungsmöglichkeiten für Erfahrungen solcher Rezipienten, die von anderen soziologischen Voraussetzungen als Kafka bestimmt sind. Und schließlich kann das Werk Kafkas auch als Ausdruck unbewußter Erfahrungen gelesen werden, die aufgrund der nur sehr langsamen Veränderungen im innerseelischen Gefüge der Menschen selbst in einem relativ weiten historischen Zeitraum kollektiv weitgehend strukturidentisch sind.

In auffälligem Gegensatz zu der jetzt weltweiten Verbreitung der Werke Kafkas steht dessen fast ängstliche Zurückhaltung gegenüber Veröffentlichungen. Zu seinen Lebzeiten hat er nur ein Skizzenbuch (*Betrachtungen*, 1913), einzelne Erzählungen (*Das Urteil, Der Heizer*, 1913; *Die Verwandlung*, 1915; *In der Strafkolonie*, 1919), zwei schmale Erzählbände (*Ein Landarzt*, 1919; *Ein Hungerkünstler*, 1924) sowie vier weitere Erzählungen zum Druck gebracht. Für Kafka, dem das Schreiben nahezu lebenserhaltend nötig war, ist die Professionalisierung der Autorenrolle im Rahmen literarischer Öffentlichkeit, im Gegensatz etwa zu H. und Th. Mann, absolut nebensächlich gewesen. Darin drückt sich nicht nur eine überscharfe Selbstkritik aus, sondern vor allem eine im Gefühl tiefer Einsamkeit begründete Verkennung der überindividuellen Bedeutsamkeit seiner Werke. Die Kenntnis des übrigen Œuvres verdanken wir Max Brod, der sich über die testamentarische Verfügung, alle nachgelassenen Schriften zu verbrennen, mit einer dem Freund gegenüber vielleicht problematischen, die Nachwelt jedoch verantwortlich bedenkenden Entscheidung hinweggesetzt hat.

Bereits in der frühen *Beschreibung eines Kampfes* (1904/05; 1936) bringt

Kafka in traumhaften Imaginationen seine Grundprobleme zum Ausdruck. Während eines Spaziergangs des namenlosen Ich mit einem Bekannten entwickelt sich das Grundmuster einer fundamental gestörten Subjekt-Objekt-Beziehung. Das Ich ist von Gefühlen der Isolation und Fremdheit beherrscht: Dinge, Beziehungen, Personen, selbst die Sprache erscheinen dem um Autonomie kämpfenden Ich unerreichbar. Ihm fehlt der »Grund des Einverständnisses«, das den Menschen »auf unserer Erde eingerichtet« leben läßt. Dagegen werden in Phantasien Sehnsüchte nach narzißtischem Verschmelzen mit den Dingen, nach Allmacht über die Objekte frei. In dem »Kampf« des Ich zwischen Furcht vor Objektverlust und Sehnsucht nach totaler Objektverfügung muß es die Möglichkeit zu sozialer Identität verlieren.

Freilich sind die diesem »Kampf« zugrunde liegenden Familien-Figurationen kaum sichtbar. Kafka charakterisiert später seine Frühphase als »noch traumbeschattet«. Die Erzählung *Das Urteil* (1912), die während einer Nacht förmlich aus Kafka herausbricht, läßt dagegen die Konflikte Kafkas als solche des Sohnes eines als übermächtig verinnerlichten Vaterbildes erscheinen. Georg Bendemann muß daher im Kampf um die Position des Vaters (Geschäft, Frau und Anerkennung haben) notwendig unterliegen. Als es um den entscheidenden Punkt geht, ob Georg eigentlich eine Frau »haben« kann, wird der Vater, obwohl gebrechlicher Witwer, gegenüber den Wünschen des Sohnes zum »Riesen«. Damit ist das Urteil Georgs gesprochen: in der vatergeprägten Gesellschaft ist für ihn kein Ort. Der seelische Masochismus des Sohnes und der im Patriarchen verdichtete Sadismus der Gesellschaft fallen im Todesurteil zusammen, das der Sohn an sich selbst vollzieht. Der russische Freund Georgs symbolisiert, was allenfalls fern vom Vater möglich wäre: in einsamer Kälte, als Junggeselle, erfolglos, vor dem Todesurteil, aber nicht dem Untergang bewahrt, ist er das Bild eines um alle Ansprüche beraubten Lebens, wie Kafka es immer wieder vor sich sah.

Eine nicht weniger grauenvolle Existenz zeichnet Kafka in Gregor Samsa (*Die Verwandlung*, 1915), an dem das Urteil einer vernichtenden Arbeitswelt und bürgerlichen Kleinfamilie vollstreckt wird – freilich so, daß der psychologische Vertrag, auf dem beide ruhen, in seiner ganzen Inhumanität sich entlarvt. Auch hier scheint der Vater schwach, senil, dazu bankrott –: der Sohn ernährt die Familie. Die Opfer der Entfremdung in der Arbeit nimmt Gregor auf sich, weil er so die liebevolle Zuwendung der Frauen (Mutter und Schwester) sich erhofft. Liebe jedoch bekommt nicht er, sondern der Vater: die psychische Konstellation, in der der Vater die familiäre Liebe monopolisiert, bleibt auch in dessen Degration erhalten. Der Sohn wird psychisch ausgehungert. In seinem Protest und seiner Sehnsucht nach Liebe regrediert er, von Kafka genial mit Gregors »Verwandlung« zum Käfer verdeutlicht, auf einen Zustand infantiler Bedürftigkeit, um so endlich liebende Zuwendung vor allem der Mutter zu erlangen. Doch wird Gregor, gefangen in der Sprachlosigkeit seiner unbewußten Wünsche, von der Familie zum »Ungeziefer« und »Zeug« verdinglicht und in den Tod getrieben.

So schließt sich im Frühwerk der »Beweis«, daß es unmöglich ist zu leben«: in der Entfremdung im Beruf, in der väterlichen Gesellschaft, in der Verelendung des Sohnes durch die autoritäre Familie und schließlich im Masochismus seiner eigenen Psyche öffnet sich nie die Lücke, in die der Sohn sich hineindefinieren könnte. Kafka hat vor allem nach dem qualvollen Scheitern seiner Verlobungen nur noch im Schreiben ein Refugium gesehen, das eine Winzigkeit von Lebenkönnen enthielt. Er lebte nicht, um zu schreiben, sondern er schrieb, um zu leben.

Im *Amerika*-Roman (1912 ff; 1927) versucht Kafka die Frage durchzuspielen, ob in einer anderen als der väterlichen Umwelt, nämlich Amerika, der Weg zu einem geglückten Leben offen ist. Im Schema des Stationenromans versetzt Kafka die Hauptfigur Karl Roßmann in eine Reihe unterschiedlicher Situationen, die freilich den unbegreiflich anpassungsbereiten Karl gewaltsam lehren: der allmächtige, ungerechte Vater, der ihn aus der Familie verstieß, kehrt überall wieder. Die Herrschaftsstruktur der Familie erweist sich so als Moment gesellschaftlicher Herrschaft überhaupt. Die perennierende Niederlage des Sohnes entlarvt das »System von Abhängigkeiten«, als das Kafka Amerika zeichnet und den Kapitalismus meint: »Der Kapitalismus ist ein System von Abhängigkeiten, die von innen nach außen, von außen nach innen, von oben nach unten und von unten nach oben gehen. Alles ist abhängig, alles ist gefesselt. Kapitalismus ist ein Zustand der Welt und der Seele«. (Janouch: *Gespräche mit Kafka*).

Das »*Amerika*«-Fragment hätte vielleicht mit dem Oklahoma-Kapitel geschlossen werden können, das eine Art liberalistischer Gegenutopie eines dem Menschen dienenden Systems schildert. Doch ist nicht klar, ob nicht aufgrund der parodistischen Züge und der auch hier vorhandenen Autoritätsstaffeln und Ungleichheiten schon in die Utopie ihre Negation eingebaut ist.

Mit dem Romanfragment *Der Prozeß* (1914/15; 1925) schließt Kafka die stark biographisch bestimmte Phase ab. Josef K., ein Bank-Prokurist, wird am Morgen seines 30. Geburtstages verhaftet und befindet sich seitdem in einem Prozeß, den ein unbekanntes Gericht gegen ihn führt. Was Kafka erzählt, ist gemäß der konsequenten Figurenperspektive das, was K. bewußtseinsmäßig zugänglich ist. Das Rätselhafte des Erzählten ist insofern eine Funktion eines in sich selbst verstörten Bewußtseins. Josef K. lebt ein dürftiges, gefühlloses Junggesellenleben mit Beziehungen zu Männern, die beruflich, und zu Frauen, die sexuell bestimmt sind. Ein Leben nach dem Muster »innerweltlicher Askese«, wie es Max Weber als den »Geist des Kapitalismus« beschrieben hat: In Berufs- und Arbeitswelt ist er distanzlos mit den Herrschaftsnormen der Bank identifiziert – ein leistungsorientierter, angepaßter Aufsteiger, dem Konkurrenz- und Hierarchiesystem verschrieben.

Josef K. ist damit der Prototyp eines »enteigneten Bewußtseins« (Kilian), doch darin auch Symptom verdinglichter Verhältnisse, die sich seinem Bewußtsein aufgeprägt haben. Infolge seiner Verhaftung, von der er ahnt, daß sie zur Selbstbilanzierung anhält, offenbart sich seine Identitätsschwäche. Wenn er handelt, so stereotyp in Normen, die seiner Herkunftsgeschichte entsprechen, im »Prozeß« aber ständig zu Fehlverhalten führen. Nur in seiner Angst erfährt er im Ansatz sich selbst. Es ist zunächst noch Furcht um die soziale Stellung, dann aber Angst vor der verleugneten Sinnlosigkeit seines entfremdeten Lebens, Angst vor der Anonymität des Prozesses, vor Mächten und Gewalten, die ihm unbekannt und unverfügbar sind. Josef K. bleibt defensiv, lernunfähig, von Selbst-Entdeckung abgeriegelt. Er versteht nicht, daß in merkwürdiger Verzerrung beim Gericht dieselben Verhältnisse herrschen wie in der Geschäftswelt der Bank: Hierarchisierung, Entpersönlichung, Anonymität, Bürokratisierung, Herrschaft – jetzt nur zerstörerisch auf Josef K. gerichtet. Das Herrschaftsprinzip ist universell: im Gericht, in der Bank, in der Privatsphäre K.s, ja in ihm selbst – überall herrscht die Unterwerfung und Verdinglichung des Menschen durch den Menschen oder durch den fetischisierten Apparat seiner Organisation. Dieses Prinzip ist mörderisch im wörtlichen Sinn: auf der untersten Stufe der Institution entlarvt sich diese als Gewalt, Mord, Folter. Im Individuum selbst bricht Herrschaft als sadistische Sexualität durch. Psychisch, sozial, rechtlich, ökonomisch und schließlich physisch wird der Mensch im »System der Abhängigkeiten« ausgelöscht. Das Labyrinthische der Kafkaschen Welt zieht sich in der Parabel *Vor dem Gesetz* noch einmal zusammen: nicht irgendeine Objektivität – etwa ein ›an sich‹ bestehendes Gesetz, ein Gott, ein Schicksal – macht die Welt zum tödlichen Labyrinth, sondern, daß eine von Herrschaft systematisch durchorganisierte Welt sich dem Bewußtsein der Unterdrückten einlebt. Ihre im unbewußten Leiden angelegte Sehnsucht nach Erkennen, Wahrheit und Freiheit bricht an der Sperre des Bewußtseins selbst ab.

Kafka ist der Dichter der ins Individuum versenkten Herrschaft und eines unbewußten Leidens daran, das sich aus sich selbst nicht mehr befreien kann. Ängste und Imaginationen öffentlich nicht zugelassenen Leidens werden ins Werk objektiviert, so daß gerade in den Verzerrungen und Wunden des bildgewordenen Unbewußten die Herrschaft der Gesellschaft sich enttarnt.

Nach dem Abbruch des *Prozeß*-Romans folgen Erzählungen. In ihnen gelingt es Kafka, sich von der unmittelbaren Selbstthematisierung zu befreien und ihn bewegende Probleme ästhetisch wie inhaltlich auf eine ungleich abstraktere Ebene zu heben. So schildert er in *Der Jäger Gracchus* (1917; 1931) eine steuerungslose Existenzform: im Umhertreiben zwischen Nicht-Sterben und Nicht-Leben wird der Jäger zur Parabel von Entfremdung und Weltlosigkeit, die Kafka zuvor in ihrer psychosozialen Erscheinungsweise dargestellt hatte. In den China-Parabeln *Beim Bau der Chinesischen Mauer* (1918/19; 1931), *Zur Frage der Gesetze* und *Das Stadtwappen* (1920; 1936) gestaltet Kafka bündig seine Auffassung von Gesellschaft. Immer bildet sich diese unter den Zielen der sozialen Integration, Sicherheit und Sinnbildung. In der realen Organisation aber wird sie zur Herrschaftsgesellschaft: Ziele werden zu irrationalen Traditionen; Arbeitsteilung und Institutionalisierung zerstören die soziale Einheit, die Riesigkeit der Gesellschaft macht sie anonym; Herrschaftseliten bilden sich, bestehen ohne Legitimation, zehren von Legenden und Verblendung der Unterdrückten; der Einzelne ist zum Massenteilchen verkommen.

Wichtig sind ferner die Tierparabeln *Forschungen eines Hundes* (1922; 1931), *Der Bau* (1923; 1931) und *Josefine, die Sängerin oder das Volk der Mäuse* (1924). Im *Bau* behandelt Kafka in z. T. parodistischer Ironie die Idee einer solipsistischen Existenz, die sich gegen alle Umweltbedrohung abzusichern sucht. Dabei zeigt sich freilich die Unauflöslichkeit einer Dialektik von Innen und Außen, Subjekt und Objekt, Individuum und Gesellschaft. In den *Forschungen* untersucht Kafka sein Verhältnis zu den Formen menschlichen Wissens. Legende, Mythen, Glaube, positive Wissenschaft, individuelle Forschung – sie alle führen nicht zur erstrebten Wahrheit. Ferner enthält diese Erzählung wie auch *Josefine* und *Der Hungerkünstler* (1922/24) Kafkas Kunstauffassung. Für ihn ist Kunst ein Medium von »Wahrheit« und »hoher Freiheit« und duldet keinerlei Sonderstatus des Künstlers. Kunst fordert Entäußerung und Aufopferung in der Mitte des »Volkes«. Damit spricht Kafka über den Großteil zeitgenössischer Literatur das Urteil.

Im letzten Romanfragment *Das Schloß* (1920/22; 1926) erzählt Kafka die Geschichte des Landvermessers K., der als Fremder bei einem Schloß-Dorf in dem Glauben anlangt, dort angestellt zu sein. Der Roman erhellt noch einmal Kafkas Gesellschaftsbild.

Das Modell ist vormodern: Schloß und Dorf ruhen auf patriarchalisch-feudalen Verhältnissen. Wie in den »chinesischen« Erzählungen bildet Kafka sein Bild gegenwärtiger Gesellschaft am Material vergangener. Dadurch entsteht eine eigentümliche Ineinanderblendung von Erfahrungsformen, die der Entfremdung im Kapitalismus entsprechen, und Institutionen, die vom Schein ›mythischer‹ Herrschaft zehren. Doch geben die Überblendungsmuster gerade ein Phänomen moderner Gesellschaft frei: hochorganisierte Institutionen erscheinen den unterworfenen Individuen als »mythische«, irrationale Mächte. Dies zeigt Kafka dadurch, daß er aus der Perspektive K.s erzählt, d. h. die Realität nur in ihrer subjektiven Erscheinungsform abbildet. Diese selbst aber wird im *Schloß* insofern transzendiert, als durch die Mittel der Konfrontation, durch parodistische und groteske Entschleierung und durch eingelegte Berichte der Grundriß der objektiven Gesellschaft durchscheint: »was die Personen des Romans mystifizieren, entmystifiziert der Erzähler« (G. Sautermeister). Der Landvermesser also hat das Ziel: im Dorf zu leben und zu arbeiten. Dazu bedarf er der Anerkennung durch das Schloß. Kafka zeigt die Widerstände, die sich zusammensetzen aus der Voreingenommenheit der Mitmenschen, ihrer Angst vor der Macht, der Unkontrolliertheit der Schloß-Bürokratie und ihrer irrationalen Herrschaft. Wie im *Prozeß* wird auch hier die Herrschaft am sinnfälligsten in der Verfügung über Frauen, in der zerstörten Psyche der Unterdrückten und der Geheimpraxis der Institutionen. Die Dorfbewohner handeln (mit Ausnahme Amalias) gemäß der sozialpsychologischen Regel, nach der in autoritären Gesellschaften die Unterdrückten sich durch Identifikation mit dem Aggressor selbst zu beherrschen gelernt haben und Fremde, Außenseiter, Normbrecher (Barnabas-Familie) ächten.

Dies ist der Aspekt der Selbststeuerung der Herrschaft: um sich vor den Peinigern zu schützen, unterwirft sich der Ohnmächtige zuvorkommend der

Macht, der er doch entgehen will. Der Preis ist die Zerstörung einer humanen Vernunft.

Dies gilt sogar noch für K. und dies auch ist der Grund seines Scheiterns. Das Schloß bleibt jederzeit Objekt seiner Wünsche und Ziele. Wie Josef K. den Freispruch – d. h. seine Autonomie – von dem Gericht erwartet, das ihn zerstört, so erwartet K. die Anerkennung seiner Person von einer Institution, von der angenommen zu sein den Preis der Unterwerfung fordert.

Damit zeichnet sich das Grundschema der Kafkaschen Welt ab. Der Einzelne erscheint immer im Zustand der Ohnmacht gegenüber der Allmacht der Institution. Doch ist er emotional auf diese fixiert: sowohl in der Angst, von ihr zerstört, wie in der Sehnsucht, von ihr aufgenommen zu werden. Diese Ambivalenz entspricht soziologisch der Stellung des Subjekts in den industriellen und bürokratischen Superorganisationen der modernen Gesellschaft: diese bekommen projektiv Züge einer Allmacht, die sich im Subjekt ambivalent als Angst vor Selbstverlust sowohl wie Sehnsucht nach Versorgtwerden äußert.

Dieser Selbstentfremdung korrespondiert die »Mythisierung« der Gesellschaft. Das Werk Kafkas weckt eine Ahnung davon, daß das Verhältnis des Menschen zu seinen Objekten im organisierten Kapitalismus kein rationales mehr ist, sondern auf historisch und ontogenetisch frühe Objektbeziehungsformen zurückgeht. Kafka ist damit an die tiefsten Schichten seiner in der kapitalistischen Welt verankerten Lebensgeschichte herangekommen. Sein Werk schildert den Zwangszusammenhang einer Gesellschaft, die ihre Herrschaft gerade in den unbewußten Ängsten und im verblendeten Bewußtsein der Individuen befestigt. Solange aber eine solche psychische und ideologische Verblendung fortbesteht, ist der Mensch – und wie anders als im Interesse der Herrschenden – um die Möglichkeit der Autonomie gebracht. Nirgends zeigt sich dies komprimierter als in der Parabel *Auf der Galerie* (1919).

Diese sehr abstrakte Werkstruktur ist es, die eine so reiche, auf zwei Grundströmungen zu vereinfachende Wirkungsgeschichte hervorgebracht hat: auf der einen Seite die Deutungen, die in Kafkas Werk existentielle, ontologische oder religiöse Symbole entdecken und darin häufig den Mystifikationen der Kafkaschen Figurenperspektive aufsitzen –; und auf der anderen Seite die biographischen, psychoanalytischen und materialistischen Interpretationen, die gerade diese Mystifikationen als Funktionen von familiären oder sozialen Erfahrungen verstehen.

Die Suche nach anderem Leben und die Kritik tradierter Ordnung: Robert Musil

Der Österreicher ROBERT MUSIL (1880–1942) kann als Autor gelten, der die Zerstörung bürgerlicher Subjektivität soziologisch, psychologisch und ästhetisch nachvollzieht, dennoch aber zeitlebens eine subjektiv-idealistische Position beibehält: so stehen seine Werke in einem unaufgelösten Widerspruch von Vergesellschaftung und Individualisierung, Wissenschaft und Emotionalität, historischer Kritik und Konservierung. Diese Spannung markiert die Krise des Subjektivismus, die aus dem qualitativen, spätestens 1910 abgeschlossenen Wandel vom liberalen Konkurrenz- zum Monopolkapitalismus, literarisch mit einiger Verzögerung, resultiert (L. Goldmann). Musil ist nun aufgrund seiner Vorbildung zur Erfassung der Folgeerscheinungen dieses Wandels disponiert: in Technik, Mathematik, Physik, Psychologie und Philosophie hochgebildet, durch die Schule des Positivismus gegangen (Musil promovierte über den Theoretiker des Positivismus Ernst Mach), kann er sich ein zureichendes Bild der wissenschaftlichen und gesellschaftlichen Zerstörung des Individuums machen. Zum anderen bildet er unter dem Einfluß des Machschen Positivismus und Nietzsches Kulturkritik eine Art Ideologiekritik, die sich gegen das aussichtslose Festhalten am irrationalistischen, philosophischen oder romantischen Individualismus und seinen spätbürgerlichen Kulturformen richtet. Schließlich aber ist Musil ein Autor, der zeitlebens um die Formulierbarkeit mystischer Erfahrungen und des unaustauschbaren Kerns der Persönlichkeit ringt. Diese Spannung von positivistischer Vernunft und Faszination durch ästhetische und emotionale Erfahrungen bestimmt sein Werk von *Die Verwirrungen des Zöglings Törleß* (1906) bis zu seinem Riesentorso *Der Mann ohne Eigenschaften* (1930/43; 1952; 1977).

Im stark autobiographischen Roman *Törleß* entwickelt Musil diesen Widerspruch an den psychischen Konflikten der Pubertät. Törleß lebt in einer k. u. k. Kadettenanstalt, deren autoritäre Organisation zum Modell einer »totalen Institution« wird, in der sich die inhumane Klassenstruktur »draußen« pointiert abspiegelt. Zu dieser Umwelt geraten die erwachende Sexualität von Törleß, seine autoreflexive Beobachtungsgabe und Intellektualität von Beginn an in Konflikt. Diese Konstellation teilt der *Törleß* noch mit anderen zeitgenössischen Schulromanen wie z. B. Hesses *Unterm Rad*, E. Strauß' *Freund Hein* oder mit Episoden aus Wedekinds *Frühlings Erwachen*, Th. Manns *Buddenbrooks* oder Rilkes *Malte Laurids Brigge* und *Die Turnstunde*. Doch interessiert Musil weniger das Problem ›Schule und Pubertät‹ als der Zusammenhang von totalitärer Institution und ihr korrespondierender Psychostruktur sowie das Problem einer autonomen Ich-Entwicklung. Zum einen schlägt die Herrschaftsstruktur des Instituts in den Schülern selbst als Sadomasochismus durch. Die Gruppendynamik der Herrschaft, die Beineberg und Reiting errichten, wird gebildet von einem Zusammenhang von Gewalt, Masochismus und Homosexualität, wie er später für psychische Aspekte faschistischer Herrschaft kennzeichnend wird. Im Hinblick auf die Ich-Entwicklung des Törleß, der beobachtend an diesem Geschehen teilnimmt, zeigt Musil, wie dieser in einen Zustand zunehmender Entfremdung und Desorientierung gerät: Eltern, Schule, Schüler, schließlich sogar die leblosen Dinge, Sprache, Rationalität und körpereigene Sexualität werden ihm zu Bruchstücken eines sinnlosen Ganzen, hinter das er nicht kommt: eine Erfahrungsstruktur, die sich auch in Rilkes *Malte*-Roman oder in Hofmannsthals *Brief des Lord Chandos* beobachten läßt. In Momenten mystischer Wahrnehmung ahnt Törleß eine Existenzform, die weder rational noch gesellschaftlich vermittelbar scheint und ihm den Umriß einer »ganz anderen« Ich-Identität aufschließt. Bis in den *Mann ohne Eigenschaften* wird Musil der Frage nachgehen, ob hier subjektive Selbsttäuschung oder eine ästhetische und humane Form des Lebens vorliegt, das den Zwängen und der Pathologie der entfremdeten Gesellschaft entgeht.

In den Novellenbänden *Vereinigungen* (1911) und *Drei Frauen* (1924) widmet sich Musil der Erkundung dieses »anderen Zustands« und entwickelt hier den analytischen Bildstil, der seinen Ansprüchen auf Präzision und Innerlichkeit der Sprache zugleich genügt. Die Erzählungen bewegen sich in einem Grenzbereich von psychischen Erscheinungen, wie sie in Freuds Psychoanalyse des Unbewußten entdeckt wurden; von mystischen Erfahrungen, wie sie in den Zeugnissen der Mystiker vorliegen; und Ideen einer Ich-Identität, die sich aus der Tradition des deutschen subjektiven Idealismus und der Lebensphilosophie speisen. Die Handlungen der Novellen sind durchweg nach üblichen Schemata von Beziehungskonflikten (Liebe, Ehe) gebildet. So wird der »andere Zustand« z. B. häufig an Erfahrungen festgemacht, in denen die rollenspezifische Identität des Mannes bis zur Selbstauflösung fragwürdig wird: im männlichen Handeln und Rationalisieren nämlich entsteht eine »eindimensionale« Objektwelt, die wesentliche Bedürfnisse unbefriedigt läßt und ins Unbewußte abdrängt. Diese Instabilität ›männlicher‹ Identität wird in der Begegnung mit Frauen erwiesen. Das Erlebnis mystischer »Inbeziehung« (Musil) löst die entfremdete Subjekt-Objekt-Trennung des Alltags auf zu einer Verschmelzung, in der die Trennung von Außen und Innen, Mann und Frau überwunden scheint – freilich um den Preis des Realitätsverlustes. In seinen kaum spielbaren Dramen *Die Schwärmer* (1921) und *Vinzenz und die Freundin bedeutender Männer* (1923) führt Musil diese Problematik wieder näher an die Gesellschaft heran: die Versuche der Personen, sich des »Unwirklichen« (Musil) zu bemächtigen, funktionieren hier als radikale Kritik des auf Geld, Kitsch und Stereotypie ruhenden bürgerlichen Rollenhaushalts. Demgegenüber weisen einzelne Figuren auf Ulrich und Agathe im Roman vor: Figuren mit dem Bewußtsein des Möglichen, Abenteurer der »Gefühlserkenntnisse« und »Denkerschütterungen« (Musil).

In der Nachkriegszeit legt Musil in Tagebüchern und Essays die Grundlagen zu *Der Mann ohne Eigenschaften*. Die wichtigsten Arbeiten dabei sind: *Die Nation als Ideal und als Wirklichkeit* (1921), *Das hilflose Europa* (1922), *Der deutsche Mensch als Symptom* (1923), *Geist und Erfahrung* (1921), *Ansätze zu neuer Ästhetik* (1925), *Skizze der Erkenntnis des Dichters* (1918). In diesen Studien ringt Musil um neue, den politischen und wissenschaftlichen Entwicklungen Rechnung tragende Leitbilder. Dabei erscheint ihm die Zeit nach 1918 »als babylonisches Narrenhaus«, als »Jahre ohne Synthese«. Diese politisch-soziale Unordnung ist weniger die Folge des Krieges als Ergebnis unterirdischer Veränderungen der Vorkriegsgesellschaft. Der Krieg ist ihm »die Absage an das bürgerliche Leben, der Wille lieber zur Unordnung als zur alten Ordnung, der Sprung ins Abenteuer«. Die massensuggestive Kriegsbegeisterung ist für Musil Ausdruck dieser Stimmung, die er als »Selbstmordwilligkeit« bezeichnet. Mit dem Krieg streift das Bürgertum seine humanistischen Traditionen ab (»Friedensplunder«), ohne neue Leitbilder zu haben: darum »Abenteuer«. Niederlage und Nachkriegswirren offenbaren nun dem bürgerlichen Intellektuellen die ideologische Desorientiertheit seiner Klasse: »Das Leben, das uns umfängt, ist ohne Ordnungsbegriffe.« Hier setzt Musils Roman an, mit dem er »Beiträge zur geistigen Bewältigung der Welt« geben will.

Gegen die gesellschaftliche und kulturelle Desintegration der Vor- und Nachkriegszeit versucht der *Mann ohne Eigenschaften,* noch einmal das jedem bürgerlichen Roman grundlegende Ziel zu verwirklichen, nämlich der übermächtigen, entfremdeten Wirklichkeit einen authentischen Sinn abzuringen. Der Roman, der »Synthese« und »positive Konstruktion« sein soll, erzählt so zwar die Zeit vor 1914, doch nur weil sie die Ursachen des gegenwärtigen Orientierungsverlustes bereits »submarin« enthält: insofern ist der Roman »ein aus der Vergangenheit entwickelter Gegenwartsroman« (Musil).

Der Ansatz des Romans liegt also wesentlich auf der Ebene ethischer Erneuerung. Die Suche aber nach »neuer Moral« erzwingt eine komplexe und reflektierende Romanform. Da er die »Grunderscheinungen unserer Moral berührt«, kann er nicht ›Geschichten‹ partieller moralischer Abweichungen erzählen (wie im *Törleß* oder in den Novellen). Wo Welt- und Leitbilder zerstört sind, wird auch die »erzählerische Ordnung« des traditionellen Romans berührt. Im Roman reflektiert Ulrich darüber, daß der »Faden der Erzählung«, der die Geschehnisse des Lebens übersichtlich »aufreiht«, einem überholten Denkmuster entspricht, demzufolge Handlungen und Ereignisse einer Person zugeordnet werden können. Heute – nach »Auflösung des anthropozentrischen Verhaltens« und dem »Ende des Individualismus« – bilden aber Handlungen einen überpersönlichen Systemzusammenhang (eine »Welt aus Eigenschaften ohne Mann«), der die Individuen, ihre Lebensgeschichte und damit die »eindimensionale« Reihung von Handlungssequenzen zerstört hat. In sozialen Systemen kommen »Gedanken«, »Eigenschaften« und »Gefühle« nur noch als »Typen« vor, als gesellschaftliche Normen und Rollen, aus denen Lebensgeschichten konstruiert sind. Dieser Ansatz wirkt auf die Erzählstruktur zurück. Die »Darstellung konstituierender Verhältnisse«, die der Roman bieten will, ist als Darstellung einliniger Handlungsfolgen nicht mehr möglich. Musil zerstört denn auch – innerhalb des Zeitraums: Wien 1913/14 – die Chronologie des Geschehens und entwickelt »unerzählerische« Erzählformen, die dem »Abstraktwerden des Lebens« entsprechen.

Im Roman bildet Musil das alte Österreich zum Modell, an dessen sozialer und ideologischer Verfassung er die Morbidität des Vorkriegseuropas zeigt. Mit den Mitteln der Satire entlarvt Musil, indem er einzelne Figuren zu Ideenträgern macht, nahezu alle zeitgenössischen Ideologien: die ständisch-feudale Staatsromantik (Leinsdorf), den Wirtschaftsliberalismus (Fischel), die

Ministerialbürokratie (Tuzzi), den Kulturkonservatismus (Diotima), den Nietzsche-Kult (Clarisse), den Ästhetizismus (Walter), den Deutschnationalismus (Sepp), den Puritanismus (Lindner), den Rechtspositivismus (Ulrichs Vater, Schwung) sowie in der Figur Arnheims die monopolistische Wirtschaftskonzentration, die in Arnheim ihren literarischen Ideologen findet. An dem schizophrenen Mörder Moosbruggers entlarvt er die konservative Rechtsprechung und Psychiatrie und macht ihn zum verzerrten Symbol eines unverstandenen, aber ›phantastischen‹ Lebenssinns. Ulrich, der ehemalige Offizier, Ingenieur, Mathematiker, revidiert an sich selbst die »Moral der Leistung«, die in Wahrheit eine Herrschaftsmoral sei. Historischer Hintergrund dafür ist die Indienstnahme der Wissenschaft durch den Kapitalismus. Für Kapitalisten wie Arnheim bilden Profitinteresse und Konkurrenzdruck das Motiv zu strenger Rationalisierung des Handelns, wofür das Geld »die kräftigste und elastischste Organisationsform« ist. Die Abhängigen ihrerseits, insbesondere im Bereich wirtschaftlicher und staatlicher Planung (Tuzzi, Fischel, Ulrich als Ingenieur), entwickeln sich zu »Funktionären« mit »Untertanenverstand«: dieser kann nicht anders, als technischen Fortschritt, wachsenden Umsatz und Rationalisierung als historisches Gesetz zu verstehen.

Indem so im *Mann ohne Eigenschaften* die gesellschaftliche Wirklichkeit jede Legitimation verliert, bekommt das Mögliche Gewicht. Die Entwertung des Sozialen schlägt bei Ulrich um in die Aufwertung von Utopie, Phantasie, Traum, aber auch von abweichendem Verhalten (wie Verbrechen). Sein »Urlaub vom Leben«, mit dem Ulrich eine radikale Distanzhaltung einnimmt, hat den doppelten Sinn der Kritik gesellschaftlicher Wirklichkeit wie der Erkundung eines möglichen »rechten Lebens«. Nachdem Ulrich verschiedene Utopien erfolglos durchgeprobt hat, glaubt er, nach der Begegnung mit seiner Schwester Agathe, die Idee »gelungenen Lebens« nicht mehr als Moment von Gesellschaft, sondern als deren Gegenpol verstehen zu müssen. So reduziert sich der utopische Ansatz, nämlich Rationalität und Emotionalität zu versöhnen, zur »Utopie der Zwillinge«, die er mit Agathe in der geschlechtslosen Enklave seines Gartens und später auf einer Mittelmeerinsel zu realisieren sucht.

Diese Illusion eines gesellschaftsjenseitigen Lebens trägt nun selbst Male der Entfremdung. In die narzißtische Geschwisterliebe geht die Melancholie objektloser Innerlichkeit mit ein. Die ausgeschlossenen Dinge rächen sich, indem das Subjekt selbst verdinglicht. Im Denken und in der Phantasie, schließlich nur noch im Schein ist Ulrich Subjekt des Utopischen. Der Versuch, jenseits von Gesellschaft Identität zu bilden, schlägt in Identitätslosigkeit um. Konsequent wird von Musil die ehemals revolutionäre Emphase des bürgerlichen Subjekts weitergedacht bis zu ihrer totalen Auszehrung.

Trotz des ungewissen Romanausgangs scheint es so, daß Musil die Utopien Ulrichs und also auch die Geschwisterliebe scheitern lassen wollte, ohne daß die »utopische Gesinnung«, jenes Festhalten an der Idee sinnvoller Ordnung und Selbstverwirklichung je aufgegeben würde. Doch zeigt sich ein zunehmender Beziehungsverlust zur gesellschaftlichen Wirklichkeit, und der utopische Freiraum schrumpft zuletzt zu mystisch stilisierter Weltferne. Die Resignation, in der das Modell liebender Kommunikation – die Geschwisterliebe – untergeht, erfaßt Ulrich nicht nur, sondern wohl auch den Autor. Dieses Scheitern aber bezeichnet genau den historischen Stellenwert Musils: ein radikaler Bürger, der im Schweizer Exil die eine Möglichkeit seiner Klasse durchspielt und mit der solipsistischen Utopie der Geschwister die absolute Grenze des bürgerlichen Subjektivismus erreicht – während in Deutschland die Gegengrenze, die mit dem Faschismus sich selbst vernichtende bürgerliche Herrschaft, historisch absehbar wird. Das mystische »tausendjährige Reich« (Musil), das die Geschwister in sich selbst zu realisieren suchen, und das andere »tausendjährige Reich« Hitlers bilden die Kontrafakturen des bürgerlichen Zeitalters.

Österreichischer Mythos und Aufhebung von Geschichte

Der Beitrag Österreichs zur Entwicklung des modernen deutschen Romans, der heute als »klassische Moderne« gilt, ist außerordentlich. Es sind ja nicht nur die großen Drei – Kafka, Musil, Broch –, sondern auch Joseph Roth, Doderer, Gütersloh, Efraim Frisch, Italo Svevo, Stefan Zweig, A. Schnitzler, Werfel, Jakob Wassermann (ab 1898) u. a., welche die Geschichte des Romans im 20. Jahrhundert unauflöslich mit dem Untergang der k. u. k. Monarchie nicht nur, sondern auch – fast durchgängig – mit der jüdischen Tradition kultivierter Intellektualität und historischer Sensibilität verbunden haben. Dabei ist sicherlich als Voraussetzung anzunehmen, daß schon vor dem Krieg der Vielvölkerstaat eine »soziokulturelle Selbstverständlichkeit« niemals hat bilden können; daß Erfahrungen sprachlicher und psychosozialer Identitätsdiffusionen in der Intelligenz weit verbreitet waren; daß die Wahrnehmung öffentlich tabuierter, sozialer Diversifikationsprozesse, aber auch psychisch unbewußter Vorgänge (s. die Begründung der Psychoanalyse durch den Wiener S. Freud) hochentwickelt war; daß industrielle und wissenschaftliche Modernisierungsprozesse anders als in Deutschland, wo sie das Medium auch des staatlichen und gesellschaftlichen Selbstbewußtseins bildeten, in Österreich eher verzögert einsetzten und als problematisch erfahren wurden; daß ferner mit dem Zerfall des k. u. k. Österreich die geographische und staatliche Identität sich radikal veränderte, während in Deutschland nach der endgültigen Niederlage der Arbeiterklasse 1923 kaum mehr als die politische Herrschaftsform wechselte; und daß schließlich weit intensiver als in Deutschland die längst schon ungleichzeitigen Hüllen feudal-absolutistischer Staatlichkeit und »katholischer« Kultur sowohl liebevoll (aber nicht politisch) besetzt waren, wie auch nach 1918 abgestreift werden mußten. Während in Deutschland die liberale Intelligenz sich schnell mit der bürgerlichen Demokratie arrangiert bzw. den Weimarer Staat gegen die konterrevolutionären Mächte zu verteidigen hatte, entstand in Österreich stärker ein »epochales Bewußtsein«

davon, daß 1918 ein tiefer, die Grundlagen soziokultureller Selbstverständigung der Autoren erschütternder geschichtlicher Bruch, ja das Ende eines Zeitalters eingetreten war.

Es ist darum kein Wunder, daß – sieht man von Heinrich Manns *Kaiserreich-Trilogie* und Thomas Manns *Zauberberg* ab – es vor allem (jüdische) Österreicher waren, die den Romantypus der Epochenbilanz entwickelt haben – den historisch weiträumigen, im Bewußtsein des geschichtlichen Strukturwandels und der Suche nach neuen Leitbildern konstruierten, polyhistorischen und geschichtsphilosophisch bestimmten Großroman. Doch auch unterhalb dieser Ebene beschäftigt der Untergang des habsburgischen Vielvölker-Artefakts und seiner gesellschaftlichen, politischen und kulturellen Folgen eine Reihe von Autoren, die im folgenden dargestellt werden.

Der Darstellung des Untergangs der k. u. k. Monarchie widmet der christlich-humanistische Repräsentant des alten Österreich, FELIX BRAUN (1885–1973), seinen Roman *Agnes Altkirchner* (1927; später als *Herbst des Reiches*), indem er um die Hauptfigur, eine Generalstochter, lockere Handlungskomplexe aus verschiedenen Schichten der Wiener Gesellschaft der Jahre 1913–1919 gruppiert. Ebenfalls im Österreich des Jahres 1913 läßt der Prager Freund Kafkas, MAX BROD (1884–1968,) seinen Roman *Stefan Rott oder das Jahr der Entscheidung* (1931) spielen. Wichtig ist Brod ferner als Autor pazifistischer Grundhaltung und zionistisch tangierter Eschatologie (*Jüdinnen*, 1911; der utopische Roman *Das große Wagnis*, 1918; der historische Roman *Tycho Brahes Weg zu Gott*, 1916, als erster Band der religiösen Trilogie *Kampf um Wahrheit*). Das gewichtigste Epos des Untergangs Österreichs freilich liegt vor in Joseph Roths Roman *Radetzkymarsch* (1932; Fortsetzung mit *Die Kapuzinergruft*, 1938), der mit unnachahmlich melancholischer Ironie den Verfall der Familie Trotta in die österreichische Geschichte von der Schlacht bei Solferino über den Tod des Kaisers Franz-Joseph 1916 bis zur faschistischen Okkupation 1938 verwebt. Demgegenüber ist der in Thematik und Melancholie der Deutungen Roth und Rilke verwandte Roman *Die Standarte* (1934) von ALEXANDER LERNET-HOLENIA (1897–1976), der die Liebesgeschichte eines Fähnrichs während der österreichischen Auflösung 1918 erzählt, eher als eleganter Unterhaltungsroman einzustufen.

Zu den Autoren im perennierenden Bannkreis des »Habsburgischen Mythos« (Claudio Magris), den Musil, wie es schien, nicht hintergehbar destruiert hatte, gehören ferner der Dichter-Maler ALBERT PARIS GÜTERSLOH (d. i. A. Conrad Kiehtreiber, 1887–1973) und der promovierte Historiker HEIMITO VON DODERER (1896–1966), beide gebürtige Wiener, die ihrem Selbstverständnis nach wie auch ideologisch und literaturgeschichtlich als Verwandte angesehen werden können. Doderer anerkannte im älteren, zur expressionistischen Aufbruchsgeneration gehörenden Gütersloh (s. dessen frühen Roman *Die tanzende Törin*, 1910) seinen intellektuellen Vorbereiter und Meister (*Der Fall Gütersloh*, 1930). Ihre konservativ-kulturpessimistische Politik, Rationalismus und Massenzivilisation gleichermaßen ablehnende, in Grundzügen existenzialontologische und geschichtsjenseitige Geisteshaltung prädestinierte beide Autoren dazu, in den fünziger und sechziger Jahren vom ideologisch ähnlich strukturierten, westdeutschen und österreichischen Kulturbürgertum erstmals breiter rezipiert zu werden. Dagegen blieb die internationale Verbreitung aufgrund der irrationalistischen Ideologeme wie aber auch wegen der schwer übersetzbaren spezifischen österreichischen Atmosphäre ihres Werks nahezu aus.

Vom Stil expressionistischer Enthüllungssatire, aber auch bereits vom ästhetischen Einfluß Jean Pauls und der englischen Humoristen des 18. Jahrhunderts, besonders Lawrence Sterne geprägt, ist der kleinbürgerliche Lebensform und Ideologie entlarvende Hochstapler-Roman *Der Lügner unter Bürgern* (1922), für den Gütersloh den Fontane-Preis erhält. Die Tendenz zu übergeschichtlichen Typologien, die von relativ willkürlichen Figuranten repräsentiert werden, wie auch zur didaktischen Erzählhaltung zeigt besonders die Heiligen-Vita *Innozenz oder Sinn und Fluch der Unschuld* (1922), worin Gütersloh mit versteckten Allegorien und apokalyptischen Inszenierungen auf den Untergang Österreichs – freilich ohne jede historische Konkretheit – verweist. Ähnliches gilt auch für die erneut das Spiel abstrakter Antinomien aufnehmenden Romane *Kain und Abel* (1924) und die späte Faust-Adaption *Die Fabel von der Freundschaft* (1965).

Insbesondere in der von Gütersloh sogenannten »Universalchronik« *Sonne und Mond* (1962, begonnen 1935), der die Geschichte vom Jahre 1213 bis ins 20. Jahrhundert nicht etwa als materiellen Prozeß darstellt, sondern durch kaum überschaubare ahistorische Konstruktionen allegorisiert, zeigt sich das freilich mißlingende Bemühen um die Idee des »totalen Romans«, von der auch Doderers Romanpoetik bestimmt ist.

»Der Roman-Schriftsteller ist nicht Geschichtsschreiber seiner Zeit«, entscheidet Doderer und löst damit den »totalen Roman« vom ästhetischen Zwang ab, »Geschichte oder eigentlich die Geschichten zu Ende zu erzählen«. Deutlich ist dieses Konzept gegen den polyhistorischen Roman Brochs oder Musils gerichtet, in welchem – wie vergeblich auch immer – die Suche nach der möglichen Totalität eines ästhetisch vermittelbaren historischen Sinnzusammenhangs niemals aufgegeben ist. Wenn Lukács in seiner *Theorie des Romans* (1916/20) für die moderne Kunst bereits die »transzendentale Obdachlosigkeit« als Not diagnostiziert hatte, so machen Gütersloh und Doderer daraus die Tugend der – scheinbaren – Kompositionslosigkeit, d. h. ihr Erzählen organisiert sich als barock verwobener Improvisationsteppich ohne Intention auf geschichtlichen Sinn, der die ästhetische Struktur des Erzählens teleologisch bestimmen würde. Damit haben Gütersloh und Doderer, im apriorischen Verzicht auf den Hegelschen »Sinnverlauf der Geschichte«, sich vom erzählerischen Abarbeiten am historischen Material weitgehend dispensiert. Geschichte geht als ästhetische Spielmasse in der improvisierenden Flut der »Diversionen« und »Facetten« (Doderer) unter. Dies gilt freilich weniger für Doderer, der sich – zu Recht – von Gütersloh durch eine strengere Komponiertheit seiner Romane unterschieden weiß.

Doderers frühes und mittleres Romanwerk ist heute nahezu vergessen. Der spätexpressionistische Roman *Die Bresche* (1924) wendet bürgerliche Entfremdungserfahrung, wie stets, in die Sehnsucht nach antizivilisatorischer und geschichtsloser Seinsautonomie. *Das Geheimnis des Reichs. Roman aus dem russischen Bürgerkrieg* (1930) verarbeitet Erfahrungen Doderers aus seiner russischen Kriegsgefangenschaft; der Roman ist strikt antirevolutionär und verwendet erstmals die das Spätwerk kennzeichnende polyzentrale Erzähltechnik. Während des Faschismus, den Doderer bis 1939 unterstützt, bis er sich »innerlich« von ihm abwendet, entstehen die Romane *Ein Mord den jeder begeht* (1938) und *Ein Umweg* (1938), beides Werke, die das Grundthema Doderers, nämlich die »Menschenwerdung«, modellhaft als transformierende Bewegung eines sich konkret bestimmenden Selbstbewußtseins (»Charakter«) in die entdifferenzierte und ineffable Substanz des bloßen Seins (»Person«) beschreiben. Bezüge zur irrationalistischen Seinsontologie Heideggers sind unübersehbar.

In den dreißiger Jahren auch entsteht die Frühfassung des Großromans *Die Dämonen, Nach der Chronik des Sektionsrates Geyrenhoff*, den Doderer 1956 nach tiefgreifenden Änderungen und erst nach der Veröffentlichung des weiteren Wien-Romans *Die Strudlhofstiege oder Melzer und die Tiefe der Jahre* (1951) veröffentlicht, womit eine breitere Rezeption erst eigentlich einsetzt. Von dem auf 4 Bände geplanten, symphonisch konstruierten Österreich-Epos *Roman Nr. 7* erschienen nur der 1. Teil: *Die Wasserfälle von Slunj* (1963) und als postumes Fragment *Der Grenzwald* (1967).

In der *Strudlhofstiege* wie in den *Dämonen* geht es, entgegen ihrer historisch konkreten Situierung in Wien 1911 und 1925/27, genau ums Gegenteil: die Aufhebung von Geschichte. Deren katastrophalen Verlauf mit einem, beziehungsweise – bedenkt man die Entstehungszeit – zwei verlorenen Weltkriegen trachtet der um seine bürgerliche Autonomie fürchtende Doderer mittels riesiger ästhetischer und intellektueller Anstrengungen abzuwehren – genauer: Ästhetik und Intellektualität sind Abwehr von Geschichte, sind Medien scheinontologischer Verzauberungen historischen Elends zu zeitloser Seinsidentität, in welche Doderer wie die ihm nahestehenden Figuren sich flüchten – nicht ohne die dämonisierte Realität, ähnlich wie Heidegger, als »Seinsvergessenheit« zu denunzieren. Die Enthistorisierung ist bereits erzähltechnisch abzulesen: die historisch differenzierten Zeiten von 1911 und 1925, durch den »Einhieb« (Doderer) von 1918 zerrissen, werden mittels einer an Proust geschulten Erinnerungstechnik gleichermaßen im epischen Präteritum präsentiert. Insofern 1911 und 1925 dem Erzähler gleich nah und gleich weit sind, tritt durch den historischen Krisenprozeß (Untergang des k. u. k. Österreich) dessen Identisches hervor: als Epiphanie des wahren, geschichtlich nicht tangierbaren Seins. Die Tiefe der Jahre in der *Strudlhofstiege* wird durch die Transformation sozial vermittelter Realität in unvordenkliche Seinssicherheit (was immer das sei) hergestellt, in welcher »Person« wie »Geschichte« sich dem zeitlos statischen Glanz der Dinge »hingeben« dürfen (dies nennt Doderer: Apperzeption). Dafür allegorisch steht der zentrale »genius loci« (Doderer), nämlich die Strudlhofstiege, ein straßenüberspannendes Treppenbauwerk, dessen den Krieg überdauernde Identität die »unverrückbar befestigte Welt« (D. Weber) verbürgt. Solcherart hypostasiertes Sein als Negation historischer Dynamik schlägt, obwohl von Doderer als zeitüberdauernde Substanz gegen historisch-soziale Zeitlichkeit mobilisiert, in reaktionäre Affirmation des bloß Bestehenden um, das vorgeblich nur es negiert. Der Autor verpflichtet sich, mittels seiner Apperzeptions-Kunst, zu »restloser Zustimmung zum erfahrbaren Leben« (Doderer).

Zur Zeit Wiens 1926/27 spielen *Die Dämonen* (1956), für welche die *Strudlhofstiege* »Umweg« und »Rampe« (Doderer) zugleich darstellt. Teleologisch organisiert wird das Romanganze durch das den Romantitel konzentrierende, eben dämonische Geschehen am 15. Juli 1927. An diesem Tag geht, historisch zutreffend, nach dem Freispruch faschistischer Mörder durch die Klassenjustiz im Zuge spontaner Arbeiterdemonstrationen und blutigen Eingreifens der Polizei der Justizpalast in Flammen auf. Im Aufstand der dämonisierten Massen von unten (und »von unten« entstammen auch die »Dämonen« der Ideologien, der Unterwelt, der Sexualität –: für Doderer Vorstufen des Totalitarismus) sieht der Autor symbolisch die Freiheit Österreichs untergehen.

Diese denunziatorische, antidemokratische Fälschung ist Konsequenz des ästhetischen Systems von Doderer. Im Bewußtsein höherer Menschlichkeit gelingt es ihm, die gehaßte gesellschaftliche Wirklichkeit, symbolisch »einzukesseln«, wie er sagt, und damit seine distante, von Berührungsangst bestimmte Haltung als privilegierter Konservativer, aufrechtzuerhalten. Das gesamte Romanwerk ist der strategische Versuch, zu zeigen, »daß Fiktionen und Metaphern stärker sind als das nackte Direkte« (Doderer). Charakteristisch für diese metaphorische Überbietung und radikale Abwehr von Wirklichkeit und sozialen Ansprüchen ist es, wenn Doderer die während der Demonstration erschossene Frau eine »zusammengebrochene Metapher« nennt. Es geht bei diesem strukturell durchgehaltenen Verfahren der absoluten Dominierung der Wirklichkeit durch Sprache um nichts weniger und nichts mehr als um die Rettung der regressiv ungleichzeitig gewordenen Identität eines idealistischen Autors, dessen Ideologie (die sprachontologische Reduktion der Wirklichkeit) und dessen Kunstvermögen (die strategische Metaphorisierung der Geschichte) den normativen Anforderungen auf »geistige Bewältigung der Welt« (Musil) nicht standzuhalten vermögen. Die ins Ästhetische gewendete phänomenologische »Apperzeption« (ein zentrales Ideologem Doderers) als Sprache gewordene Hingabe an das reine Sein vermag seine Herkunft aus dem den Faschismus vordenkenden und begleitenden, antidemokratischen und zivilisationsfeindlichen Irrationalismus niemals zu verleugnen. An der ästhetischen Bewältigung der kapitalistischen Massengesellschaft und der technisch-wissenschaftlich formierten Kultur ist Doderer gescheitert.

Ein wenig beachteter Versuch, das untergehende Habsburgerreich in einem Hochstapler-Roman zu spielen, ist EFRAIM FRISCHS (1873–1942) *Zenobi* (1927). Der galizische Titular-Rechnungsfeldwebel Franz Xaver Zenobi macht sich darin das hochstaplerische Normalverhalten der bürgerlichen Umwelt extrem zu eigen, verliebt sich in eine Hochstaplerin, die er nicht durchschaut, führt Gespräche mit einem regierenden Monarchen und fällt in der Hochstaplerwelt erst auf, als er am 1. Mai eine Rede für den Acht-Stunden-

Tag hält und wegen »Klassenhaß« verhaftet wird. Jetzt wendet er sich einem Justizopfer zu, wird von den Verarmten als Berater gegen Justizwillkür aufgesucht und geht im beginnenden Weltkrieg verloren. Frisch läßt es – selbst ratlos – offen, ob das Gerücht zutrifft, er sei als »Brigadier der roten Armee« gesehen worden: »Er kann nicht untergegangen sein. Die Zeit braucht ihn.« Frisch wurde wie seine österreichisch-ungarischen Landsleute Soma Morgenstern und Joseph Roth den deutschen Lesern hauptsächlich durch seine Mitarbeit an der ›Frankfurter Zeitung‹ bekannt. Literaturgeschichtlich wichtig ist seine Mittlerfunktion als Kritiker, Übersetzer und als Herausgeber der demokratisch liberalen Monatsschrift ›Neuer Merkur‹. Vor allem als Wegbereiter neuerer französischer Literatur ist Frisch neben Walter Benjamin, Franz Blei, Ernst Robert Curtius, Bernard Guillemin, Kurt Tucholsky zu nennen. Er übersetzte die Romane *Bella* (1927) und *Eglantine* (1928) von Jean Giraudoux sowie *Les Enfants Terribles* (1930) von Jean Cocteau, besprach ROGER MARTIN DU GARDS (1881–1958) großes Panorama der bürgerlichen Vorkriegszeit *Les Thibault*, das 1928/29 übersetzt erschien, und setzte sich für den in Deutschland seit Rilkes Übersetzung *Die Rückkehr des verlorenen Sohnes* (1914) wieder vergessenen ANDRÉ GIDE (1869–1951) ein, der allein schon durch seine ›Nouvelle Revue Française‹ einer der bedeutendsten Vertreter der europäischen Literaturszene der Zwischenkriegszeit war. Gide versuchte gegen die Zeit eine Rettung des Individuums und propagierte die große Emanzipation des einzelnen mit gleichzeitiger Zerstörung der bürgerlichen Tabus. Die von Gide selbst durchgearbeiteten Übersetzungen von Bernard Guillemin und Ferdinand Hardekopf sorgten ab 1922 für ein zunehmendes Interesse: *Die Verliese des Vatikan* (1914, dt. 1922) als Karikatur eines Abenteuer- und Kriminalromans mit dem vorgeführten »acte gratuit« – Vorwegnahme einer existentialistischen Verhaltensintention – wurden 1925 ergänzt durch die eher konventionelle Pygmalion-Variante *La symphonie pastorale* (1919).

Poetologisch-literaturgeschichtlich am wichtigsten wurden *Die Falschmünzer* (1925, dt. 1928), der bedeutendste homoerotische Bekenntnisroman der Zeit, gefolgt vom *Tagebuch der Falschmünzer* (1926, dt. 1929).

Der literarische Mittler Efraim Frisch referierte deutschen Lesern gleichfalls Neuerscheinungen der angelsächsischen, polnischen, russischen Literatur und beschrieb 1926 für die Leser der ›Weltbühne‹ einprägsam den italienischen Faschismus wie später Alfred Kurella in seinen Reportagen *Mussolini ohne Maske, Der erste rote Reporter bereist Italien* (1931).

Die submarinen Untergangssymptome des Habsburgerreiches hatte als erster der italienisch- und deutschsprachige Autor ITALO SVEVO (1861–1928) in Romanform verarbeitet, er blieb jedoch bis in die Mitte der zwanziger Jahre hinein völlig unbekannt. Den Vergreisungsprozeß der feudal-bürgerlichen Gesellschaft faßt Svevo mit ironisch relativiertem, psychoanalytisch geprägtem Instrumentarium als vorzeitige Senilität, Angst vor dem Altern, fehlende Identität bei seinen Hauptfiguren innerhalb des späthabsburgischen Triest. *Una vita* (1892) und *Senilità* (1898) wurden nicht übersetzt; erst der Züricher Rhein-Verlag wagte 1928 nach der aufsehenerregenden Übersetzung des erzähltechnisch revolutionierenden *Ulysses* von James Joyce 1927 (von Brecht zu den drei besten Büchern des Jahres gerechnet) die Edition der von Piero Rismondo und Svevo selbst besorgten Übersetzung des Hauptwerks *Zeno Cosini* (1923) – wie *Ulysses* Darstellung des Alltagsbewußtseins eines Durchschnittsmenschen –, während der Berliner Kiepenheuer-Verlag erst 1932 im Zuge der mit Roths *Radetzkymarsch* eingeleiteten Habsburg-Nostalgie den Novellenzyklus *Ein gelungener Scherz* herausbringt.

Der in Böhmen gebürtige, doch vom liberal-jüdischen Wiener Bürgertum geprägte KARL KRAUS (1874–1936) steht trotz seiner zeitweise großen öffentlichen Wirkung und der seit den sechziger Jahren wieder bedeutsam werdenden Kraus-Renaissance noch immer wie ein erratischer Block in der Landschaft der politisch-literarischen Öffentlichkeit. Sein Name wird zu Recht mit der von ihm gegründeten Zeitschrift *Die Fackel* (1899–1936) identifiziert, die Kraus – von wenigen, durch politisch-biographische Krisen verursachte Unterbrechungen abgesehen (z. B. 1914 und 1933) – 37 Jahre erfolgreich organisieren und inhaltlich bestimmen konnte. Von den 30000 Seiten schrieb Kraus fast 25000 allein – seit 1911 ist er der einzige Beiträger. *Die Fackel* – »voll von Verrat, Erdbeben, Gift und Brand aus dem mundus intelligibilis« (Benjamin) –: das ist Karl Kraus.

Am ehesten unabhängig von der Zeitschrift ist die ausgedehnte Lese- und Vortragstätigkeit von Kraus, das »Theater der Dichtung« –: eine Veranstaltungsform, in der Kraus nicht nur eigene Werke, sondern vor allem Theaterstücke mehrstimmig las, worin es der gescheiterte Schauspieler zu außerordentlicher Kunst brachte. Nestroy, Shakespeare und Offenbach sind die bevorzugten Autoren. Die nicht-mimetische, sprachphysiognomisch genial beherrschte Realisation dramatischer Literatur entspricht dabei dem Krausschen Werkbegriff, nach welchem Dichtung die höchste Form gestalteter und verdichteter Sprache zu sein hat. Da für Kraus Sprache gleichsam die Mimik der Dinge und des Geschehens selbst ist, bedarf das Drama nicht noch der zusätzlichen mimetischen Visualisierung.

Relativ unabhängig von der *Fackel* entstehen zwischen 1913–30 acht kleine Bände Lyrik (*Worte in Versen*), die kaum in Berührung zur zeitgenössischen Lyrikproduktion stehen, sondern formal-ästhetisch eher den Versuch der Restauration klassischer Gedichtsprache darstellen. Auch in dieser Klassizität setzt sich der lebenslange Kampf des Sprachkritikers um eine fast ontologisch zu nennende Ursprünglichkeit des sprachlichen Ausdrucks fort.

Vom dramatischen Werk ist neben den Einaktern *Traumstück* (1923) und *Traumtheater* (1924) sowie dem an Aristophanes' *Vögel* angelehnten »republikanischen Weihefestspiel« *Wolkenkuckucksheim* (1923) und ferner dem gegen die Korruptheit der Presseindustrie und gegen den Wiener Polizeipräsidenten Schober gerichteten Stück *Die Unüberwindlichen* (1928) mit Recht berühmt geworden das Monumentaldrama *Die letzten Tage der Menschheit* (als Buch 1922). In 220 Szenen montiert Kraus aus dokumentarischem Material und fiktiven Passagen ein riesiges apokalyptisches Panorama der im Krieg sich vernichtenden europäischen Gesellschaften. Die detaillierte satirische Analyse der deutschen und österreichischen Vorkriegsgesellschaft und des systemkonsequenten Weltkriegs ist dabei als dramaturgische Umsetzung der in der *Fackel* entwickelten Enthüllungsmethode des selbstredenden Zitats und des lakonischen Glossierens zu verstehen. Hier hat ebenfalls die dokumentarische, keineswegs neusachliche Darstellungstechnik ihren Ursprung. Die in den Kurzszenen durchgängige Figur des »Nörglers«, des unbestechlichen Zeitkritikers (in welchem Kraus sich selbst porträtiert), ist als Gegenspieler der korrupten, auf die apokalyptische Katastrophe bewußtlos zutreibenden Gesellschaften angelegt, während jedoch in der proletarischen Masse keinerlei Gegenkräfte sichtbar werden. Das unaufführbare Großdrama ist vielleicht das bedeutendste Stück Antikriegsliteratur der zwanziger Jahre und hat großen, noch kaum erforschten Einfluß auf das deutschsprachige Drama gehabt (z. B. auf Brechts episches Theater).

Kraus hat nach seinem polemischen Bruch mit dem Wiener Ästhetizismus um Hermann Bahr (*Die demolierte Literatur*, 1897) schnell sich als Einzelgänger in der literarischen Öffentlichkeit etabliert. Die von Beginn erfolgreiche *Fackel* (30 000 Auflage) ist in ihrer ersten Phase noch als sozial engagierte Antikorruptionszeitschrift zu bezeichnen. Obwohl Kraus durchaus als antiliberaler Kulturkonservativer einzustufen ist, ergeben sich aufgrund der ausgezeichnet recherchierten, satirischen Enthüllungen gesellschaftlich-politischer Mißstände (vor allem im Bereich Presse, Justiz, Moral) frühe Berührungen mit der österreichischen Sozialdemokratie, weswegen anfänglich auch sozialistische Autoren in der *Fackel* zu Wort kommen (so Wilhelm Liebknecht). Nachdem Kraus nach 1901 die *Fackel* im eigenen Verlag erscheinen ließ, auch die Druckerei praktisch beherrschte und sein Unternehmen zu einem ökonomisch und politisch autarken Kleinbetrieb gemacht hatte, dominieren bis zum Weltkrieg immer mehr jene Themen, die gleichsam zu Krausschen Markenzeichen avancieren: Pressekorruption, Klassenjustiz und die Destruktion der öffentlichen Phraseologie. Dieses kritische Potential verbindet sich durchaus mit einem zunehmend konservativen Ästhetikideal und einer aristokratischen Kulturkritik an den Modernisierungsprozessen durch Industrialisierung und Verwissenschaftlichung der Welt.

Die kritische Enthüllungskunst von Kraus verschiebt sich nach 1901 von der Aufdeckung sozialer Mißstände mehr und mehr zur Kritik der öffentlichen Rede, d. h. vor allem der journalistischen »Phrase« und des juristischen Diskurses. Beide repräsentieren für Kraus die Denaturierung der Sprache. Bezogen auf ein erotisch hochbesetztes, nahezu naturmythologisches Sprachideal wird die »Phrase« von Presse und Justiz, in der sich Lüge, Ungerechtigkeit und doppelte Moral verschleiern, zu Indikatoren sozialer Degeneration. Kraus konzentriert sich völlig auf das Subsystem der publizistischen, juristischen und moralischen Rede, die er mit höchster Kunst enttarnt, ohne sie freilich als Erscheinungsweise tieferliegender sozioökonomischer Prozesse deuten zu können. Der Sprachidealismus einerseits, der affektive Haß auf Presse und Justiz andererseits wie schließlich die lebenslange Ablehnung wissenschaftlicher, also etwa soziologischer oder politökonomischer Analyse von Gesellschaft machen den Status der Krausschen Satire und Polemik eigentümlich prekär. Zwar ist der Journalismus »Ausdruck der veränderten Funktion der Sprache in der hochkapitalistischen Welt«, und die »Phrase in dem von Kraus so unablässig verfolgten Sinn ist das Warenzeichen, das den Gedanken verkehrsfähig macht« – wie Walter Benjamin (*Karl Kraus*, 1931) feststellt –: jedoch löst Kraus diesen Sachverhalt genau nicht gesellschaftsanalytisch auf, sondern in einer für das Gebanntsein aufs Phänomenale typischen Weise eher idealistisch. Die Presse ist nicht Ausdruck, sondern Ursache gesellschaftlicher Misere; die Phrase ist nicht »Warenzeichen«, sondern Verfehlung des ontologisierten und ahistorischen Sprachideals; die Justiz ist nicht Klassenjustiz, sondern die judifikatorische Verlängerung doppelter Moral und Einschränkung der – idealistisch begriffenen – Freiheitsrechte des Individuums etwa in der Sphäre der Sexualität.

In der auf *Fackel*-Beiträge zurückgehenden Schrift *Sittlichkeit und Kriminalität* (1908) gelingen Kraus dennoch tiefgreifende Einsichten in die Produktion von Kriminalität durch die das Recht monopolisierende Moral –: eine Kritik, die in einer für die Zeit um 1910 provozierenden Forderung nach freier Sexualpraxis begründet ist – auch für Frauen. Das Frauenbild von Kraus steht dabei jedoch stark unter Einfluß von Otto Weiningers Studie *Geschlecht und Charakter* (1903) sowie ungelöster lebensgeschichtlicher Problematik, wenn Kraus die Weiblichkeit naturhaft mit Sexualität identifiziert. Deshalb ist er auch konsequenter Gegner der politischen, sozialen und ökonomischen Befreiung der Frau.

Im Weltkrieg, auf den Kraus – wie später auch auf Hitlers Machtantritt – zunächst mit Schweigen reagiert, entfaltet Kraus jedoch stärker politisch-ökonomische Einsichten und macht die *Fackel* ab 1915 unter den erschwerten Zensurbedingungen aufgrund seiner listigen Technik des Zitats und der Glosse zu einem der wichtigsten Antikriegsorgane (»Satiren, die der Zensor versteht, werden mit Recht verboten«, formuliert Kraus). Diese Politisierung, die sich mit einer Zunahme apokalyptischer Motive verbindet, bringt Kraus erneut in die Nähe der österreichischen Sozialdemokratie. Die restaurativen, apokalyptischen, idealistischen und egozentrischen Motive in Kontraindikation zu der radikalen Zerstörung der sprachlichen Erscheinungsformen kapitalistischer Gesellschaft hat Benjamin zu Recht als »das seltsame Wechselspiel zwischen reaktionärer Theorie und revolutionärer Praxis« gekennzeichnet. Es bleibt Merkmal dieses großen Hassers im Namen der Sprache, als deren Diener er sich versteht, daß er in seiner Kritik von Gesellschaft nicht deren Legitimität angreift, sondern deren Sprachzerstörung, Denaturierung und Dekadenz: dies ist zumeist, nicht aber eindeutig bei Kraus eine Denkfigur konservativer Kulturkritik. Der Weltkrieg bringt diese Grundkonstante vorübergehend ins Wanken, wenn Kraus seine zunächst dominante These politisch zu differenzieren beginnt, nach welcher die Phrasen-Presse und die Technik-Entwicklung den Krieg kausal verschuldet hätten.

Doch bleibt das publizistisch sehr wirksame Attachment an die SDAPÖ bis 1924 ein nur vorübergehendes und weicht einer Kritik der Sozialdemokratie von einer antirevolutionären, rechten Position aus. Kraus kehrt zu seiner einzelgängerischen Kritikposition zurück, deren bleibende Erweiterung durch den Weltkrieg, nämlich ein prinzipieller Humanismus, erhalten bleibt. Von den revolutionären Klassenauseinandersetzungen der deutschen und österreichischen Republik doch läßt Kraus sich strukturell nicht mehr berühren. Oscar Pollak konnte 1923 darum nicht ohne Grund formulieren: »Dieser Kampf gegen das Kapital findet Karl Kraus nicht mehr an der Front.« Das wollte Kraus auch gar nicht. Neben seinen klassischen Bereichen der Kritik (Presse, Justiz, Verwaltung, Technik, Verwissenschaftlichung) nimmt die Polemik gegen den Sozialismus einen immer größeren Raum ein. Der Abgrenzungsstrategie der »freischwebenden Intelligenz« der Weimarer Republik nicht unähnlich, reproduzierte sich Kraus aus der doppelten Gegnerschaft zur bürgerlichen Gesellschaft wie zu ihrer sozialistischen Alternative, wie auch zunehmend zur faschistischen Bedrohung, die Kraus früh erkannte und rückhaltlos bekämpfte. Kraus blieb radikaler Einzelgänger, der in den politischen Polarisierungsprozessen der Republik freilich auch an Gewicht verlor, was nicht zuletzt an der bis zu seinem Tod ständig sinkenden Auflageziffer der *Fackel* ablesbar ist.

Mit seinem Tod, der seiner Vernichtung durch die Faschisten zuvorkommt, welche seinen Nachlaß verschleppen und zerstören, erlischt auch die *Fackel*, die über Jahrzehnte mit scharfem, satirischem Licht in die Dunkelzonen gesellschaftlichen Unrechts geleuchtet hatte. Postum erscheinen noch die Werke *Die Sprache* (1937) und *Die dritte Walpurgisnacht* (1933/1952).

Wertphilosophie und polyhistorischer Roman: Hermann Broch

Die Ebene einer Epochenbilanz erreicht neben Musil nur der österreichische Textiltechnologe, Mathematiker, Psychologe und Kulturtheoretiker HERMANN BROCH (1886–1951) in seiner Roman-Trilogie *Die Schlafwandler* (1931/32). Broch begann vor dem Ersten Weltkrieg, seine Arbeit als Industrieller kontrapunktierend, als Kulturkritiker. Unter dem Druck der »Haß-Hölle« in der bourgeoisen Familie, den Erfahrungen in der Industrie und unter den Einflüssen Nietzsches, Schopenhauers und Weiningers entwickelt er die üblichen Standards des antibürgerlich-vitalistischen Kulturpessimismus. Ähnlich wie Musil erscheint ihm Österreich als »verkleinertes Bild der gesamten ökonomischen und sozialen Weltsituation«, die »schlafwandelnd« auf ihren Untergang zutreibt. In den Studienbüchern *Kultur*, dem Großgedicht *Cantos* (1913) oder dem Aufsatz *Philistrosität, Realismus, Idealismus der Kunst* (1910) sind die Motive des späteren Broch vorgebildet: das apokalyptische Denken, das ethisch-humanistische Motiv und ferner der werttheoretische Ansatz, in welchem die rationalisierten Lebensformen als Endstufe eines aus ursprünglicher Wertgebundenheit entlassenen Weltzustandes erscheinen. Den Weltkrieg – den er bereits in *Cantos* als unvermeidlich ansieht – deutet Broch als das welthistorische Offenbarwerden der »Wertzerrissenheit« und »Wertvernichtung« und sieht, wie Musil, daß der Nachkriegsfriede »erst recht zum Kampf kontradiktatorischer Wertsysteme« führt. Dieses

Denkmuster entspricht einer Beobachterperspektive, in der die Klassenverhältnisse nicht realdialektisch, sondern nur in ihrer »chaotischen« und »wertdogmatischen« Erscheinungsweise widergespiegelt sind. Es ist darum konsequent, wenn Broch, auch darin Musil verwandt, die ethische Erneuerung ansieht als Alternative zur gesellschaftlichen Anomie: eine neue »geistige Verständigungsbasis für die Welt« zu legen, ist in den zwanziger Jahren Brochs vordringliches Ziel.

In *Eine methodologische Novelle* (1918) nimmt Broch das konstruktivistische Verfahren der *Schlafwandler* insofern vorweg, als er hier in die Erzählung die »methodologischen« Prinzipien des fiktionalen Entwurfs hineinnimmt. Einmal ästhetisch, indem er Charaktertypen und Handlungen aus dem zeitgenössischen Literaturvokabular ›zitiert‹. So wird das Erzählte zur Fiktion des schon Fiktiven, womit ein simpler Abbildrealismus problematisiert werden soll. Zum anderen erkenntnistheoretisch, indem er Figuren und Handlungen aus soziologischen Konstrukten baut, so daß Realität nicht ›an sich‹, sondern als immer schon konstituierte erscheint. Beides führt dazu, daß die Novelle zur »Setzung« eines Erzähl-Ich wird, womit das Erzählprinzip den Status des späteren Theorems der »Setzung« eines wertschaffenden intelligiblen Ich erhält. Abgesehen von der ideologischen Ausdeutung, die Broch dem gibt, treten hierbei die heimlichen Voraussetzungen der klassischen multiperspektivischen Erzählform hervor. Inhaltlich erzählt Broch von einem Lehrer, der seine Kleinbürgerlichkeit in der durchaus banalen Liebe zur Tochter seiner Wirtin überwindet und in einem mystisch erhöhten Erlebnis mit ihr in den Tod geht. Auch dies ist ›Zitat‹ eines Klischees. Broch erzählt damit ein mögliches Ende – er führt auch ein anderes an. Doch durch den »Kitsch« des Liebestodmotivs hindurch geht Broch hier einem Werterlebnis inmitten eines entfremdeten Alltags nach, das die Rückbindung des Ich an die »Universalität des Gesamtgeschehens« öffnet. Deutlich ist die antimaterialistische, antikausale Wendung: historische Konkretheit wird als Verlust eines platonischen Werte-Himmels verstanden, der gleichsam vertikal als mystische Intuition noch ins Erotische hineinreicht.

Die *Schlafwandler*-Trilogie ist Brochs erstes großes Werk nach biographischen Schnitten in den zwanziger Jahren: Scheidung 1922, ökonomische Krisen um die Fabrik, Verkauf der Fabrik 1927 mit dem Ziel freier Schriftstellerei, Distanzierung von der Familie, Studium der Mathematik, Philosophie und Psychologie 1929–32. An drei historischen Figurationen – 1888, 1903, 1918 – exemplifiziert Broch jenen Prozeß der Entbindung des Menschen von einem einheitlichen Weltbild bis hin zum geschichtlichen »Nullpunkt«, der mit Kriegsende und Revolution einen Zustand der »Wertleere« und einer in Inhumanität umschlagenden »Sachlichkeit« herbeiführt. Der preußische Offizier (*Pasenow oder die Romantik*) ist eingeklammert in die Rituale seiner Klasse. Unbewußt ahnt er und erfährt in der Liebe zu Ruzena, daß seine Standesethik längst von jeder verallgemeinerbaren Sinnorientierung abgeklinkt und zu leerer Konventionalität verdinglicht ist. Seine Suche nach Rückbindung an verbindliche Werte ist »romantisch« im Sinne der regressiven Verblendung des Bewußtseins: Pasenow löst den Wertverlust im

Rahmen »der herrschenden Fiktionen, d. i. Religion, Erotik und einer ethisch-ästhetisierenden Lebenshaltung« (Broch). Bertrand, die Zentralfigur des Romans, antizipiert hingegen die künftige Entwicklung, indem er das adlig-feudale Milieu (das in aller Dekadenz den ordo universalis noch ›zitiert‹) verläßt und in die bourgeoise Großfinanz überwechselt. In *Esch oder die Anarchie* wird der kleinbürgerliche Buchhalter Esch durch ungerechte Kündigung aus seiner Wertordnung getrieben und entdeckt dabei immer neue »Buchungsfehler« im Gefüge der Welt. Esch ist Übergangsfigur, insofern er in den Strom der »Versachlichung« bereits gezogen ist, unbewußt aber an traditionellen Werthaltungen orientiert bleibt, die bei ihm freilich Formen des Sektierertums und Erotizismus annehmen. Eine Begegnung mit dem Großfinanzier Bertrand, den er zum Grund allen Übels personifiziert, führt dessen Selbstmord herbei; Bertrand zieht damit die Konsequenz aus der Erkenntnis notwendigen Untergangs. Huguenau in *Huguenau oder die Sachlichkeit* streift mit seiner Desertion aus der Armee jede Wertbindung ab, wird zum Symbol des »wertentblößten Menschen« der Moderne, der in keiner anderen Wertbindung als der zu sich selbst steht: das entwurzelte Individuum ist für Broch die »letzte Zerspaltungseinheit« des Wertzerfalls. Huguenau realisiert nur noch »sachlich« in einer zum bellum omnium contra omnes sich verallgemeinernden Revolution des »Bösen« seinen eigenen Vorteil: hier als Ermordung Eschs.

Jeder der Romane entwickelt entsprechend seiner historischen Figuration einen eigenen Binnenstil. Dies ist ein Element des »polyhistorischen« Romans, wie ihn Broch schaffen will. Er beabsichtigt damit die Umsetzung der durch Verwissenschaftlichung ortlos gewordenen Geschichtsphilosophie in die ästhetische Struktur des Romans selbst. So vergegenwärtigt die relative Autonomie der Romane ›symbolische‹ Schaltstellen des historischen Prozesses, während die Interrelationen zwischen den Romanen (Verweisungen, Variationen etc.) Sinn und Richtung der Entwicklung zur Erscheinung bringen. Broch entwickelt dazu eine »architektonische Vielstimmigkeit«, die insbesondere den 3. Band auszeichnet. Durch ähnliche Techniken wie John Dos Passos, James Joyce und Musil löst Broch die Einlinigkeit des Erzählens auf: im Nebeneinander von Episoden, im Wechsel von Gattungsstilen, im Einbau der Theorie des »Zerfalls der Werte«, in Benutzung neuer Techniken des inneren Monologs und des Polyperspektivismus entsteht ein »teppichartiges« Gewebe aufeinander bezogener Erzähleinheiten, das die Deutung des Gesamtprozesses enthält: die gesellschaftlichen Bindungen dissoziieren, die Wert-Subsysteme verselbständigen sich, die Personen stehen in tiefer Isolation zueinander, auch das Innere des Menschen ist desintegriert: Ratio und Traum, Eros und Realitätssinn, Handeln und Denken zerspalten sich und damit das Individuum selbst.

Broch weist zu Recht darauf hin, daß sein Roman dabei der »naturalistisch-psychologischen Darstellung« nicht entbehrt. Dies gilt besonders für die an den Fontaneschen Familienroman erinnernde Erzählstruktur in *Pasenow*, jedoch auch für die realistischen Figuren- und Situationsschilderungen in *Esch* und *Huguenau*. Der Realismus wird hier allerdings zum untergeordneten

Element einer zwischen den Gattungen und historischen Stillagen alternierenden, zunehmend reflektierteren Erzählform. Diese Stilentwicklung innerhalb der Trilogie stellt ihrerseits die Umsetzung der »ethischen Konstruktion«, also der Werttheorie dar. Dabei ist die Erzählstruktur einerseits Mimesis des historischen Wertzerfalls selbst (mit der Folge des Zerfalls traditionaler Romanformen). Andererseits versteht sich der Roman als philosophisch-historische »Architektonik«, die sich insbesondere im 3. Teil mit der Integration von »Reflexion, Handlung und Stil« (Broch) in einer von jedem Wert- oder Kunstdogma befreiten Ästhetik realisiert. Die vom »Lyrischen bis zum rein Kognitiven« reichende Romanform, die intellektuell strenge Komponierung von Haupt- und Nebenhandlungen, der alle Sprach- und Bewußtseinsebenen integrierende Erzählstil stellen insgesamt eine Art Gegen-Setzung zum Wertzerfall dar. So wird die Erzählstruktur für Broch zu einer »Ahnung des kommenden Ethos«, zum ästhetischen Vorweis einer eschatologisch bevorstehenden Werterneuerung.

Ohne Zweifel ist der Roman auf gesellschaftliche Prozesse bezogen, wie sie auch in der zeitgenössischen Wissenschaft thematisiert werden. So entwickelt Émile Durkheim die These, daß Arbeitsteilung und Rationalisierung zur Schwächung der conscience collective führen. Max Weber zeigt, daß die kapitalistische Entwicklung zu immer stärkerer Rationalisierung der (technischen, ökonomischen, institutionellen) »Mittel« bei gleichzeitigem Verlust prinzipieller Werte und Ziele führt; dadurch wird »Versachlichung« zum Zwang, der den Menschen in immer engere Funktionskreise sperrt, ihn aber der Sinnorientierung beraubt. Ferdinand Tönnies oder Georg Simmel beschreiben Zusammenhänge, die das soziale Handeln als strikt von zweckrationalen Normen des Profits und der Macht bestimmt erscheinen läßt; in der Konkurrenzgesellschaft werden traditionelle Wertbindungen des Bürgertums und Adels liquidiert. Schließlich hat Broch auch in zwei anderen Punkten historisch recht: die Verselbständigung von Subsystemen des Handelns (z. B. Politik, Militär, Wissenschaft, Ökonomie), die mit der Säkularisierung der neuzeitlichen Gesellschaften einhergeht, führt natürlich zur Auflösung der mittelalterlichen Wertgeschlossenheit, die im theozentrischen Weltbild begründet liegt. Und die Behauptung einer Dogmatisierung von Wertpositionen bei gleichzeitigem kulturellen Orientierungsverlust entspricht dem soziologischen Befund der Anomie. Die von Broch unterstellte Freisetzung irrationaler und regressiver Kräfte kann als ein sozialpsychologisches Faktum gelten, das der faschistischen Ideologie die schnelle Formierung insbesondere des Bürgertums ermöglichte.

Bei Broch ist nun aber die konservative Deutung dieser Phänomene unübersehbar. Das apokalyptische wie platonische Moment seines Denkens zwingt die sozialen Fakten in ein Geschichtsmodell, das das Erreichen des »absoluten Nullpunkts« und apokalyptischen Untergangs zur Voraussetzung einer neuen platonischen Wertgeschlossenheit macht. So ist das Irrationale und Chaotische im Roman nicht eigentlich als gesellschaftliche Krise, die in den Revolutionen 1917/18 ihre Antworten findet, sondern eher als religiöse Entfremdung zu verstehen, in welcher – ähnlich wie in der »negativen Theologie« der zwanziger Jahre – Gott zum deus absconditus und dieser zum Zeichen »einer in die totale Gottesferne geworfenen Menschheit« (K. R. Mandelkow) wird. Jenseits dieser Negativität, in der die Revolution, der Mord Huguenaus und der Nationalismus zu Momenten desselben »Bösen« werden, weckt Broch in der mystischen Schlußapotheose die »Sehnsucht nach dem Führer«, die nicht ohne Recht den Roman als »eines der großen konterrevolutionären Werke« (H. D. Osterle) erscheinen lassen.

Nach den *Schlafwandlern* reflektiert Broch mehrfach seine geschichts- und werttheoretische Position und ihre ästhetischen Konsequenzen (*Das Böse im Wertsystem der Kunst, Das Weltbild des Romans*, 1933; *James Joyce und die Gegenwart*, 1936). Im Roman *Die unbekannte Größe* (1933) variiert er das Thema des jede Rationalität fundierenden »Stroms mystischer Erkenntnis«. Im *Filsmann*-Fragment (1932/34) und dem Drama *Die Totenklage* (1932/34, 1961), die denselben stofflichen Vorwurf haben, entwickelt er kritisch einen »sozialen Querschnitt durch ein industrielles Deutschland von 1930«, den er aber entsprechend dem Wertzerfall-Ideologem wieder religiös und (im Anklingen von Mutter-Mythen) noch archaisierend überbaut. Einige Novellen dieser Jahre arbeitet er später ein in den Zyklus *Die Schuldlosen* (1949), der ebenso wie ein umfangreiches Romanfragment, der sogenannte *Bergroman* (1933/37, 1949–51, 1953) den religiös und mythisch bestimmten Antifaschismus Brochs bezeugt. Besonders im Berg-Roman entwickelt er in der Kontrapunktik von Demeter und Marius Ratti eine quasi-mythische Konstellation, in der der Faschismus den Stellenwert der Entfesselung archaischer Triebpotentiale erhält. – Der Einmarsch der Faschisten in Österreich brachte für Broch Verhaftung, Flucht und Exil in den USA.

ELIAS CANETTI (geb. 1905), aus einer jüdisch-spanischen Familie an der Randzone der k. u. k. Monarchie, nämlich Bulgarien stammend, in England, Österreich, der Schweiz und Deutschland polyglott aufgewachsen, seit 1939 im Londoner Exil lebend, ist bis heute nicht zuletzt aufgrund der nur Kafka vergleichbaren Dialektik von Schweigen (den Großteil des Werkes hat Canetti nicht veröffentlicht) und sparsamen, wenn auch unverwechselbaren und auf höchstem intellektuellen und literarischen Niveau stehenden öffentlichen Sprechen noch kaum angemessen rezipiert worden.

Die von früher Kindheit an mehrsprachige Sozialisation (ein Thema auch der Autobiographie *Die gerettete Zunge*, 1977), welche das Deutsche als Sprache des (elterlichen) Geheimnisses gerade zu seinem literarischen Medium werden ließ, hat Canetti zu jener aus Sprachskepsis, Sensibilität und Erkenntniswillen gemischten Stilpräzision reifen lassen, welche sich auch bei anderen österreichischen Autoren wie Broch, Kafka und insbesondere bei dem für Canetti wichtigen Karl Kraus beobachten läßt. Hochproblematische Sozialisation, interkulturelle Konflikte, sprachliche Identitätsdiffusion, der Untergang des österreichischen Vielvölker-Artefakts, die Nachkriegswirren, die Krise der wissenschaftlichen Rationalität und tradierten Aufklärungskultur in Westeuropa und besonders das Verhältnis von *Masse und Macht* (so das philosophische, kulturanthropologische Hauptwerk, 1960) zur entfremdeten, ja pathologischen Form des modernen Subjektivismus –: dies bildet den Hintergrund des Denkens von Canetti seit der Wiener Studienzeit 1924–29.

Neben den satirischen, von der Idee der sprachphysiognomischen »akustischen Maske« bestimmten Dramen *Hochzeit* (1932) und *Komödie der Eitelkeit* (1950), in denen Canetti eine außerordentliche Kunst der Darstellung von sozialer Entfremdung und Macht durch Sprachenthüllung entwickelt, bildet der erst in den sechziger Jahren rezipierte Roman *Die Blendung* (1930/36) das literarische Hauptwerk. Die *Blendung* war ursprünglich geplant als Eröffnung einer achtbändigen »Comédie Humaine an Irren«, deren weitere, z. T. ausgeschriebene Teile der Autor jedoch zurückhält. In der *Blendung* wird das Brochsche Thema eines verselbständigten und ins Irrationale umschlagenden Wertsystems aufgenommen. Am Beispiel des überrationalisierten Wissenschaftlers Kien, eingemauert in die weltlose Abstraktion seiner Bücher-Fetische, satirisiert Canetti ein verblendetes Wissenschaftsverständnis, das sich um jeden humanen Sinnbezug gebracht hat und zum nur noch sich selbst reproduzierenden Dogma des »Kopfes ohne Welt« geworden ist. In einem Samuel Beckett verwandten Reduktions- und Groteskstil gelingt Canetti eine radikale, ins Absurde gesteigerte Kritik entfremdeter Wissenschaft, deren formale Rationalität mit einer wahrhaft erschreckenden Reduzierung des leiblich-konkreten Daseins und einer völligen Anomie des Handelns erkauft ist. Nach seiner Vertreibung aus der Bücherwelt durch die Sexualität und Geld repräsentierende, darum Kien weit überlegene Haushälterin gerät der Sinologe in eine Welt aus Krüppeln, Verbrechern und Asozialen –: Existenzen, die im Sinne Canettis Grenzfälle eines verwüsteten Individualismus ohne Massenbindung und also darin Zerrbilder desozialisierter, entfremdeter Gesellschaft darstellen.

Canetti entwirft in diesem Roman eine psychoanalytisch wie soziologisch tiefgreifende Kritik der kapitalistischen Gesellschaft gerade von ihrer Peripherie her: an ihrem asozialen Auswurf, in den zerstörten Sozialbeziehungen, der in Partialtriebe auseinanderfallenden Sexualität, den schonungslos enthüllten Tabuzonen scheinbar befriedeter Rationalität und der objektlos gewordenen »absoluten« Wissenschaft tritt die im Alltag verborgene Verdinglichung als grausige Groteske der Enthumanisierung der kapitalistischen Kultur hervor. Der Sinologe endet konsequent in einem Autodafé.

Utopie überlebt nur dort, wo der Psychiater Georg Kien, den wahnsinnigen Bruder eines Großbankiers, der – wieder zum Tier, zum Gorilla remutiert – eine neue, leibliche Sprachintensität lebt, nicht therapiert: Vorspiel des antipsychiatrischen Arguments, daß im Wahnsinn der zurückgezogene Ort der Wahrheit sei, hier der Wahrheit, daß ohne soziale Integration der menschlichen Verkettung in tierisches Leben keine wirklich befriedete Existenz denkbar ist.

Weimarer Republik und die Wandlung
zum bürgerlichen Humanismus: Thomas Mann

Stärker als sein Bruder Heinrich war THOMAS MANN (1875–1955) der Lübekker patrizischen Herkunft verpflichtet, deren traditionale Struktur gleichwohl in den vehementen Kapitalisierungsprozessen der Gründerzeit zu einer Integration der Söhne in die bürgerlich-kaufmännische Lebenswelt nicht mehr hinreichte. Nach einigen Fingerübungen des 20jährigen und dem kurzen Attachement an den »neuen Konservatismus« der von Heinrich edierten Zeitschrift *Das zwanzigste Jahrhundert* (1895/96) gewinnt Thomas unter Einfluß von Paul Bourget früh das ihn zeitlebens bannende Reflexionsthema der »problematischen Künstlerexistenz«, in den neunziger Jahren unter dem Bourgetschen Stichwort des Dilettantismus bedacht. Charakteristisch ist, daß hier bereits Th. Mann den doppelten Widerspruch davon entwickelt, daß die hochentwickelte Reflektiertheit des feinnervigen, aber handlungsgehemmten Ästhetentums ebenso Symptom eines zerrissenen und unglücklichen Bewußtseins ist wie die nur dem Schein nach feste, vitale Unmittelbarkeit und zweckrationales Handeln ermöglichende Lebensform unterm Leitbild praktisch-ökonomischer Bürgerlichkeit. Dieser Widerspruch unterscheidet Th. Mann von dem zeittypischen Ästhetizismus des Fin de Siècle insoweit, als dieser die ästhetische Existenz polemisch der zur Prosa degradierten sozialen Realität entgegensetzt.

Die selbstkritische Reflexion des ästhetischen Lebens als Lebensschwäche ist in der Novelle *Der Bajazzo* (1897) bereits zu greifen. In *Tristan* (1903) – dem Novellenband ist bezeichnenderweise das Ibsen-Motto vorangesetzt: »Dichten, das ist Gerichtstag über sich selbst halten« – ist die Antinomie von bürgerlichem Leben versus Ästhetentum bereits zu der typischen Erzählweise Th. Manns entwickelt, in der beide Sphären sich sowohl wechselseitig bedingen wie kritisch relativieren.

Der lange gemeinsame Italienaufenthalt mit Heinrich (1896–98) – die Brüder führen ein durchaus parasitäres Rentierleben – bringt die für Thomas wichtige Begegnung mit den kultur- und moralkritischen Schriften Nietzsches, die die noch unsichere ästhetische und ideologische Position konsolidieren. In der Zeit der Abfassung des Romans *Buddenbrooks, Verfall einer Familie* (1901), womit Th. Mann schlagartig berühmt wird, tritt mit Leo Tolstoi der russische Realismus neben dem deutschen (Fontane, Storm) hinzu.

Mit Bourget, Nietzsche und seit München (1898) dann Arthur Schopenhauer sind die philosophischen, mit den Realisten die ästhetischen Voraussetzungen für die *Buddenbrooks* erstellt. In diesem Roman zeichnet Th. Mann über den Zeitraum von 1835–1877 den stark an die eigene Familie angelegten Niedergang einer Lübecker Patrizierfamilie als Geschichte der Auszehrung des ungleichzeitig gewordenen Typs der altbürgerlichen Herrenkaufmanns-Familie. Der Linie des zunehmenden Verlusts von soziokultureller Selbstverständlichkeit, Gesundheit, Vitalität, Bürgersinn und ökonomischer Sekurität korrespondiert die Linie des Zuwachses an psychischer und moralischer Komplexität, Nervosität und Lebensschwäche, Krankheit und Kunstempfindung. Deutlich ist, wie dabei das dégénérescence-Schema mit der Nietzscheanischen Stark/Schwach-Typik, die lebensphilosophische Kulturkritik mit dem Dilettantismus-Thema verschmolzen ist. Thomas Mann hat seine ästhetisch-ideologische Position zwischen kritisiertem Ästhetizismus und kritisierter Bourgeoisie gefunden; was noch lange Jahre brauchen wird, ist die praktische Entwicklung jener Künstlerbürger-Identität, welche Th. Mann in der Weimarer Zeit so überzeugend zu repräsentieren weiß.

Denn trotz Eheschließung (1905) und nahezu großbürgerlicher Situierung steht Th. Mann in einer depressiven Dauerkrise; während Heinrich in den Jahren bis 1914 in einer kaum unterbrochenen Produktionsflut steht, sind die Werke Th. Manns skrupulös erarbeitete, durch Leistungsethik gegen die ständige Drohung unproduktiver und melancholischer Zergrübelung nahezu erzwungene Objektivationen des ungelösten Problems der ästhetizistischen Lebensschwäche. Die Novelle *Tonio Kröger* (1903) ist dafür ebenso Zeugnis wie das einzige Drama, der Dreiakter *Fiorenza* (1906), worin Thomas Mann an dem antinomischen Paar des asketischen, lebensverneinenden Mönches Savanorola und dem lebensfeiernden, ästhetischen Renaissancefürsten Lorenzo di Medici das Problem so wendet, daß beide Haltungen – im Sinne der *Genealogie der Moral* Nietzsches – als Varianten desselben, aus Mangel und Leiden resultierenden Machtwillens dechiffriert, also beide verworfen werden.

Wie wenig Th. Mann mit der Lösung des Ästhetik-Problems vorankommt, erhellt ein Blick darauf, daß 1909 sowohl sein Roman *Königliche Hoheit* wie auch Heinrichs *Die kleine Stadt* erscheinen. Dort die Humoreske von der Versöhnung der bloß »formalen Existenz« eines Fürsten mit einer lebenspraktischen Millionärstochter (durchaus als Verkleidung der Antithese von Künstler und Bürger zu lesen, zumal Th. Mann als Künstler prätentiös »ein repräsentatives Dasein, ähnlich einem Fürsten« zu leben meint) –: hier aber der von epischem Humor getragene demokratische Modellroman Heinrichs, der nicht weniger utopisch, aber mit rechtfertigbarer historischer Perspektive die Versöhnung von Kunst und Volk ausphantasiert.

Eher als Höhepunkt denn als Lösung der Krise ist das nach den *Buddenbrooks* wichtigste Vorkriegswerk anzusehen: *Der Tod in Venedig* (1912). Der Schauplatz der libidinösen und mythischen Entgrenzungssehnsüchte des Haltungsethikers Aschenbach, der wie viele Mannsche Künstler von Ekel und Verzweiflung am eigenen, den Schwächen abgerungenen Heroismus geprägt ist, ist jenes Venedig, das seit Jahrhunderten ein Topos in der literarischen Tradition des »unheimlichen Italiens« ist. Insbesondere den Deutschen erwarten dort, wie es das Schema vorformuliert, Lebenssteigerung, Entgrenzung, Eros in eigentümlicher Mischung mit Laster, Verbrechen, Untergang und Tod. Diesem literarischen Schema fügt Th. Mann nun die Geschichte des asketisch disziplinierten deutschen Literaten ein, dessen innerliches Sterben und Scheitern am Leben seine äußere Entsprechung in dem vom Cholera-Tod gezeichneten Venedig findet. Die homoerotische Liebe zum schönen Lebensbild Tadzio wird Liebe zugleich zum Todesengel: die Sehnsucht nach lebenssteigernder Liebe wird zum Vehikel der verborgenen Todessehnsucht Aschenbachs. Untergang beherrscht die Novelle. Und Krieg bricht aus. Th. Mann begreift dies (noch) nicht als aufeinander verweisende Geschehen, sondern der Krieg erscheint ihm Lösung aus der persönlichen Krise, Befreiung aus dem Eingeschlossensein in den ästhetischen Bann, Befreiung zu einer »wirklichen Wirklichkeit«, dem nationalen Krieg, der die Klassen zu einem Volk verschmilzt. Wie hunderte Vertreter der literarischen und wissenschaftlichen Intelligenz akklamiert Th. Mann dem imperialistischen Angriffskrieg. In öffentlichen Stellungnahmen, deren wichtigste *Friedrich und die große Koalition* (1915) ist, gibt Th. Mann seiner von den reaktionären Kräften nicht mehr unterscheidbaren Meinung von der inneren Gerechtigkeit des Kriegs Ausdruck ebenso wie er hofft, daß der Krieg sowohl der Kunstkrise wie auch der dekadenten Verbürgerlichung abhelfen werde.

Das dabei unvermeidliche, längst vorbereitete persönliche Zerwürfnis mit dem Kriegsgegner Heinrich sowie die persönliche Legitimationskrise lösen als »Gedankendienst mit der Waffe« den intellektuell höchst inkonsistenten, weil vom Mannschen eklektizistischen Denkstil beherrschten Groß-Essay *Betrachtungen eines Unpolitischen* aus. Th. Mann arbeitet daran mehrere Jahre, bis er das Buch 1918 veröffentlicht.

Diese größte kultur- und kunsttheoretische wie politische Arbeit Th. Manns resümiert umfassend seine gesamte konservative Phase bis 1918. Es ist, wie Th. Mann formuliert, ein »Bekenntnisbuch«, darin aber auch Dokument einer entwicklungsgeschichtlichen Scheidegrenze, jenseits derer nur kritische Revision oder Versinken in die Vorgeschichte des Faschismus möglich ist. Noch versteht Th. Mann sich ganz als Erbe des lebensphilosophischen Kulturpessimismus, in den ein romantischer Antikapitalismus gemischt ist. Seine eigenen Zweifel an der Legitimität der kriegstreiberischen deutschnationalen Ideologie sucht er durch Berufung auf die »deutsche« Geistesgeschichte zu beschwichtigen. Heftig polemisiert er gegen den republikanischen Pazifismus des »Zivilisationsliteraten« und »Rhetor-Ästheten« Heinrich Mann und verteidigt sein dem Geist statt der Politik verpflichtetes Künstlertum. In immer neuen Antinomieketten konfrontiert er Freiheit und Stimmrecht, Deutschland und Westeuropa, Seele und Gesellschaft, Kunst und Literatur, Romantik und Aufklärung, Nationalismus und Kosmopolitismus, Individuum und Sozialität usw. Dabei entstehende logische und historische Widersprüche werden nicht gelöst, sondern durch Begriffsschwemmen verdeckt und im Rückzug auf Autoritäten und Traditionen abgesichert. Dennoch enthalten die *Betrachtungen* auch eine Fülle von sehr scharfen Analysen kapitalistischer Gesellschaft und demokratischer Staatlichkeit, wie sie seit der romantischen Kritik der Französischen Revolution für den Konservatismus charakteristisch sind. Doch ist dieses gegen die gesamte Aufklärungstradition gerichtete, kriegsapologetische und undemokratische Buch ein wiederum auch beruhigendes Zeugnis dafür, daß sich Barbarei, Krieg, Nationalismus und irrationalistisches Kulturverständnis theoretisch nicht legitimieren lassen – es sei denn um den Preis einer unverantwortlich fahrlässigen und inkonsistenten Argumentation.

Die *Betrachtungen* nennt Th. Mann später ein »Rückzugsgefecht großen Stils – das letzte und späteste deutsch-romantischer Bürgerlichkeit«. In den zwanziger Jahren dann entwickelt sich Th. Mann zum Republikaner und Antifaschisten. Die von seiner Seite aus verbitterte Feindschaft zum Bruder weicht der Annäherung an dessen langjährige demokratische Identität. Der Konservative, der zum »Anwalt der Demokratie« wird – und doch empfindlich zeitlebens auf der bruchlosen Kontinuität einer, eben seiner Identität besteht. 1950 schreibt er dazu: »Bloß vier Jahre nach dem Erscheinen der *Betrachtungen* fand ich mich als Verteidiger der demokratischen Republik [...] und als Anti-Nationalist, ohne daß ich irgendeines Bruches in meiner Existenz gewahr geworden wäre, ohne das leiseste Gefühl, daß ich irgend etwas abzuschwören gehabt hätte. Gerade der Antihumanismus der Zeit machte mir klar, daß ich nie etwas anderes getan hatte – oder doch hatte tun wollen –, als die Humanität verteidigen.« (*Meine Zeit*). Dies behauptet er auch schon 1922 in der Rede *Von deutscher Republik*, die nach der wichtigen Vorbereitung durch den Essay *Goethe und Tolstoi* (1921) das entscheidende Bekenntnis Th. Manns zum Weimarer Staat bringt – ein mutiger Schritt, der von der Reaktion sogleich pöbelhaft beantwortet wird, problematisch dennoch und für Th. Manns politisches Denken der zwanziger Jahre aufschlußreich.

Dieser Schritt erst hat Th. Mann jene schriftstellerische Identität finden lassen, die ihn in den zwanziger Jahren zum Repräsentanten des demokratischen Neubeginns Deutschlands werden läßt und als deren Krönung der gelassen-sichere Empfang des Nobelpreises 1929 gelten kann. Noch heute ist nicht Heinrich, sondern Thomas Mann der Repräsentant eines demokratisch kultivierten Humanismus: auch dies ist das späte Ergebnis einer von Th. Mann schon in den zwanziger Jahren zwischen Konstantinopel und Warschau, Wien und Berlin, Paris und Amsterdam, London und Madrid grundgelegten Wirkungsgeschichte, die er durch vielfältige persönliche Kontakte zur intellektuellen Elite Europas (später noch Amerikas) zusätzlich fördert und durch die Gruppierung der europäischen Geistesgeschichte um das eigene Denken vollendet. Thomas Mann ist schon zu Lebzeiten seine eigene, diskret inszenierte Wirkungsgeschichte: eine Folge seines einzigartig bearbeiteten Lebens, in dem er jede persönliche, geistige und politische Erschütterung produktiv zu nutzen und wirksam zu machen versteht.

Die Rede *Von deutscher Republik* ist das Ergebnis einer überzeugten Anpassung an die veränderten politischen Verhältnisse, denen mit »amor fati« zu begegnen Th. Mann empfiehlt. Sie enthält nicht nur die Transformation seines Selbstverständnisses als bürgerlicher Künstler, sondern zugleich die Legitimation dieses ideologischen Wandels und den Versuch der Verkittung der durch den historischen Bruch 1918 subjektiv zerrissenen Biographie. Diese vier Momente sind typische Merkmale einer beträchtlichen Identitätskrise. Zeit seines Lebens hat nun Th. Mann, der im Verhältnis zum älteren Bruder stets der identitätsschwächere war, derartige Krisen durch Anlehnung an Autoritäten bewältigt. Der Versöhnung mit Heinrich (1922) entspricht die Anpassung an die Demokratie und die repräsentative Rolle, die er in ihr spielen kann. Sie wird abgestützt aber durch die Berufung auf G. Hauptmann, Novalis, Goethe, Whitman, von denen Thomas sein künftiges Selbstbild ableitet: »human«, »liberal«, »kulturmilde«, »würdig-friedfertig«, »gerecht«, aber nicht: »intellektuell radikal«, »pazifistisch«, »antinational«, »revolutionär«, »rationalistisch« und nicht: »völkisch«, »obskurant«, »barbarisch«, »roh«, »brutal«. Zwischen Linksintellektuellentum und Volksideologie bestimmt Th. Mann seine Rolle als »deutsche Mitte«. Das Demokratie-Bekenntnis ist also nicht durch materiale, sondern persönliche und intellektuelle Erfahrungen motiviert. Es sind keineswegs Einsichten in das Wesen des imperialistischen Krieges und die Klassenkämpfe der Nachkriegszeit, allenfalls die politischen Morde durch Rechtsradikale – wie besonders an Walther Rathenau –, die bei Th. Mann die demokratische Wende verursachen. Vielmehr kommt es ihm darauf an, zwischen politischer Romantik, Deutschtum, Demokratie und Aufklärung eine geistesgeschichtliche Kontinuität aufzubauen, die ihm eine persönliche zu behaupten erlaubt. Dazu dient die eher willkürliche Kombination von Novalis, bei dem »Nationalismus und Universalismus glücklich beieinander wohnten«, und Walt Whitman, der die »Einerleiheit von Humanität und Demokratie proklamierte«, während im Hintergrund der alte Goethe mit dem Utopismus der *Wanderjahre* als Leitbild Th. Manns steht.

Demokratische Humanität als »deutsche Mitte«, als das »Schön-Menschliche« fungiert in den zwanziger Jahren als Synthesebogen, mit dem Th. Mann die Reinterpretation seiner Lebensgeschichte gelingt. Sie ist zugleich die Rolle, die ihn ins Bewußtsein des Erziehers zur Demokratie setzt. Die zwanziger Jahre nämlich zeigen Thomas Mann in der Rolle des väterlichen Erziehers der in Reaktion und Republikfeindschaft verirrten akademischen Jugend. 1922 liegt noch zutage, daß er auch die eigene Identitätskrise bewältigt: indem er die konservative Jugend zur Republik »überredet«, überzeugt er seinen eigenen Konservatismus vom historischen Zwang zur Einstellung auf den Weimarer Staat.

Intellektuelle Revision und Neugestaltung der Identität bestimmen auch Th. Manns wichtigstes Werk der zwanziger Jahre, *Der Zauberberg* (1924). Bereits 1912 als ironisch-kurioses Gegenstück zum *Tod in Venedig* geplant, begleitet der Roman seinen Autor über ein Jahrzehnt und ist Konsequenz der *Betrachtungen* ebenso wie der Rede *Von deutscher Republik*. Die jahrzehntelange Suche Th. Manns nach dem geistigen Ort des Künstler-Bürgers, der nicht bourgeois und nicht citoyen ist, sondern aus der spezifisch deutschen, politikfernen Tradition der »machtgeschützten Innerlichkeit« (Th. Mann) sich versteht, wird mit dem *Zauberberg* zu einem repräsentativen, wenn auch im Blick auf den *Doktor Faustus* vorläufigen Abschluß gebracht. Der Erfolg dieses Romans (100 000 Expl. 1924–28) und die außerordentliche Breite der zeitgenössischen Wirkungsgeschichte können dabei als Symptom gewertet werden, daß Th. Mann mit der ästhetisch höchst gebändigten Reflexionspassage dieses Romans wichtige Entwicklungen und Bedürfnisse des Bürgertums getroffen hat.

Einmal darin, daß dieser »Zeitroman in doppeltem Sinn« (Th. Mann) die erzählerische Bewältigung, Kritik und Überwindung ideologischer Identifikationen darstellt, die im Ersten Weltkrieg zusammengebrochen sind. Nicht nur Th. Mann, sondern breitere Schichten des Bürgertums standen vor der Notwendigkeit einer Revision eingelebter, aber ungleichzeitig gewordener Denk- und Existenzformen sowie der Neubestimmung eines kulturellen Selbstverständnisses, dessen Ort und Ziel die demokratische Verfassung darstellt.

Zum anderen meint der »doppelte Sinn« von »Zeitroman« die Gestaltung und Reflexion von Zeit selbst. Die politische Verunsicherung ergreift auch solche Fundamente des Lebensgefühls, die mit ›In-der-Zeit-sein‹ und ›Zeit-haben‹ umschrieben sind. Dieser existentiellen Irritation korrespondiert in gewisser Hinsicht zeitgenössisch die Relativierung des physikalischen Zeitbegriffs, die philosophische Auflösung der Idealität der Zeit (und des Raums) sowie ferner die Entwicklung eines subjektbezogenen Zeitverständnisses, in welchem Zeit als Erlebnismodalität des Subjekts und zugleich als Medium eines sich bildenden Selbstbewußtseins erscheint. Der *Zauberberg*, als Thematisierung und Gestaltung von Zeit, nimmt darin schließlich wichtige ästhetische Entwicklungen des modernen Romans auf, welcher ausdrücklich die Auflösung des Raum-Zeit-Kontinuums widerspiegelt, was sich, jeweils variiert, auch bei James Joyce, Marcel Proust, Musil oder Döblin beobachten läßt.

Auf der Ebene der Reflexion, auf der Ebene der Erlebnisformen von Figuren und vor allem auf der Ebene der Erzählstruktur entwickelt Th. Mann ein dichtes Netz von Formel-, Motiv- und Beziehungszusammenhängen sowie ein Ineinander von Früher, Jetzt und Später, in welchem sich eine neue Zeitgestalt, wie er es nennt: die »musikalisch ideelle« Gleichzeitigkeit von symbolischen Bedeutungen und Sinnzusammenhängen andeutet. Verweiskunst, Spiegelungen, Parodien und Ironie sind dabei die wichtigsten Kunstmittel. Vor allem ist es die Ironie, die erst jene Distanz schafft, welche Erzähler und Leser in das Verhältnis der Gleichzeitigkeit zu dem unvermeidlich zeitlich verlaufenden Erzähl- und Geschehnisprozeß versetzt. Ironie ist das Medium des Anteilnehmens unter der Bedingung der Nicht-Identität mit jeweils den Polen der Antinomien, in deren Spannungsfeld sich der Roman entwickelt: Gesundheit – Krankheit; Tag – Nacht; Bewußtsein – Traum; Emotionalität – Rationalität; Leib – Geist; Fortschritt – Reaktion und vor allem: Leben – Tod. Wie Th. Mann in *Goethe und Tolstoi* und *Von deutscher Republik* Deutschland als Land der »Mitte«, der Vermittlung der historischen und sozialen Gegensätze deutet; wie er sich selbst als repräsentativen Deutschen versteht, als Erzieher zur Vermittlung, in der für ihn Demokratie kulminiert –: so entwickelt er in der Ironie, die ihm das »Pathos der Mitte« ist, den ästhetischen Ort, der ideologisch seinem eigenen reflexiv-distanzierten Demokratieverständnis und politisch der Mittellage Deutschlands im polarisierten Kräftefeld Europas entspricht.

Ähnlich organisiert ist auch die Stellung Castorps im Roman. Er – der ungezeichnete, erfahrungslose Durchschnittsbürger – erhält im Roman die Funktion einer symbolischen Leerstelle (J. Lacan), in bezug auf die erst alles Geschehen, alle Figuren, alles Denken seinen Platz und Sinn erhält. Dabei entwickelt sich Castorp – nicht jedoch zu einer bestimmten Persönlichkeit, sondern zu einem »Menschen« mit einer distanzierten, unverführten Anteilnahme an allem authentisch Geistigen und Lebendigen –: bis auf den Tod und das Unmenschliche. Mit dieser Stellung Castorps im Strukturgefüge des Romans wird das »Pathos der Mitte« realisierbar: als Lösungsangebot für das kulturliberale Bürgertum in den eben diese »Mitte« aufzehrenden Polarisierungen der Weimarer Republik.

Das Sanatorium in Davos, wo der Roman spielt, wird dabei zum Spiegel, in dem sich die parasitäre Existenz, Dekadenz und Todesverfallenheit der adligbourgeoisen Vorkriegsgesellschaft abbildet. Mit der hermetischen, zeitlos scheinenden Welt des Berghofs, die der historischen, durch Arbeit gegliederten Zeit des »Flachlands« kontrapunktiert wird, schafft Th. Mann den Rahmen für den Bildungsprozeß seines Mediums Hans Castorp. Dieser wird nicht durch Auseinandersetzung mit Gesellschaft und Geschichte, sondern durch geistige Dialektik und innere Erlebnisse im siebenjährig dahinrinnenden Enklavendasein zur Einsicht geführt, daß »der Mensch um der Güte und Liebe willen dem Tode keine Herrschaft einräumen (soll) über seine Gedanken« – womit Th. Mann sein Humanitätsideal als »Lebensdienst« auf den Begriff bringt und zugleich dem ehemals eigenen Todes-Eros die Absage erteilt.

Dieser Bildungsprozeß entspricht Th. Manns eigener Erfahrung und Position wie auch seinen romantheoretischen Ansichten. Dem distanziert-beobachtenden Schriftsteller stellt sich die realhistorische Dialektik der Klassen als solche von möglichen Denk- und Werthaltungen und psychischen Grundkonflikten dar, die der Roman in Form von Figurenkonstellationen und dialektischen Gesprächen darstellt. Der Position des bürgerlichen Intellektuellen entspricht ein Erzähl-Modell, durch das die Gesellschaft zu einem musée imaginaire historisch abgelagerter Ideologien wird. Hans Castorp, als fiktiver Bildungsreisender, durchwandert die vielstimmige Welt des gleichzeitig Denkbaren mit der naiv-listigen Distanz des Noch-nicht-Entschiedenen. Er gönnt sich das geistig-psychische Moratorium auf dem Berghof und gelangt beim Ausbruch des Ersten Weltkriegs (wie auch Musils Ulrich) bis an die Schwelle einer freilich nicht absehbaren Praxis.

Th. Mann hat dieses Romanmodell theoretisch in den Essays *Einführung in den Zauberberg* (1939) und *Die Kunst des Romans* (1940) begründet. Er entwickelt hier aus der Geschichte des Romans eine Linie über die »Verbürgerlichung«, an deren Ende die »Verinnerlichung und Sublimierung des Abenteuer-Romans« feudalen Ursprungs steht: nämlich die Überführung der heroisch-handlungsbezogenen zur intellektuellen Romanform à la *Wilhelm Meister*. Wird so aus der Hauptfigur als Abenteurer der äußeren Welt ein Reisender im intellektuellen Überbau der Gesellschaft, so entspricht dem als »sublimierte« Erzählhaltung die Ironie, in der der mentale Vorbehalt gegen jede Faktizität und jeden ideologischen Geltungsanspruch objektiv wird. So kennzeichnet Th. Mann seinen Roman zu Recht als »Prozeß fortschreitender Desillusionierung« – als solche wirkt die Ironie – und als Buch »pädagogischer Selbstdisziplinierung«. In ihm vollzieht sich ein Bildungsprozeß im »Vorgefühl neuer Humanität«, die im Roman keinen Figurenträger findet, sondern deren Ausdruck der Roman als ganzer sein soll. Der Roman »diszipliniert« in der letztendlichen Unverführbarkeit von Hans Castorp und der Ironie des Erzählers all die Formen falschen Bewußtseins, die Th. Mann selbst gelebt hat und die nun im Roman ideologische Versuchungen Castorps sind: die liberal-fortschrittlichen, pflichtethischen, kulturkonservativen, prä-faschistischen, dekadent todesfaszinierten oder renaissancistisch lebensfeiernden Varianten bürgerlicher Ideologie. Auch darin ähneln sich *Zauberberg* und *Mann ohne Eigenschaften*: sie leisten ideologische Aufräumungsarbeit mit den Mitteln der ironischen Dramatisierung von Weltanschauungstypen, die durch Figuren und Handlungen ›in Szene‹ gesetzt werden.

Entscheidend für Th. Mann ist dabei die Überwindung der Idolisierung des Todes: dieses irrationalistische Erbe wird im Todeszauber der Kranken als parasitäre »Bummelei« ebenso kritisiert wie im klugen Naphta als inhumane Lebensfeindlichkeit. Durchschaubar wird die Mystifikation des Todes als Verführung des Bürgertums zur Identifikation mit dem eigenen Untergang. Dieser Gedanke wird in *Mario und der Zauberer* (1929) zum Modell der psychologischen Verführung der Masse durch faschistische Herrschaft.

Die z. T. schon auf Vorkriegszeit zurückgehenden »*Felix-Krull*«-Fragmente (1910/11; 1922; 1953) greifen Themen des Frühwerks und *Zauberbergs* auf und sind pikareske Seitenstücke des Bürger-Künstler-Themas wie auch des Bildungsromans, der für Th. Mann aus Schelmen-, Reise- und Abenteuerroman zusammengewachsen ist. Mit *Unordnung und frühes Leid* (1925) überzeugt sich der Autor, daß selbst in das Residuum behüteter Familie und Gelehrtentums die politischen Wirren der Republik und ihre Werte-»Unordnung« hineinragen und nicht-konventionelle Antworten fordern. Ähnlich setzt auch die im faschistischen Italien spielende Novelle *Mario und der Zauberer* (1930) beim familialen Binnenraum an, öffnet ihn diesmal jedoch bis zur Darstellung faschistischer Herrschaft, die sich dem Erzähler gleichnishaft im Umgang des Zauberers Cipolla mit seinem Publikum zeigt. Deutlich an Freud angelehnt, bildet Th. Mann ein massenpsychologisches Modell einer auf unbewußt sadomasochistischen Charakterstrukturen ruhenden Herrschaftsform, die über die rationalen Kräfte des Ich hinweg irrationale Unterwerfungslust mobilisiert. Zugleich ist die Novelle die literarische Selbstreflexion der Stellung des analytisch-beobachtenden Künstlers und liberalen Bürgers zum Faschismus. Damit wird sie zur wichtigen Durchgangsstufe zur politischen Praxis Th. Manns in der Spätphase der Weimarer Republik. Hierfür sind außer *Mario* besonders der Freud-Essay und die Lessing-Rede (1929) bedeutsam, in denen Th. Mann eine umfassende Abrechnung mit der Geistesgeschichte des Irrationalismus sowie eine Selbstversicherung kämpferischer Humanität unternimmt.

Lessing wird als Leitbild einer durch Güte und Passion vermenschlichten Aufklärung gegen das »chtonische Gelichter« der faschistischen Lebensphilosophie aufgebaut. Ihm tritt Freud als moderner Aufklärer zur Seite. Die Freudsche Analyse sei revolutionär und menschlich, insofern sie die »dunkle Welt« der unbewußten und vorkulturellen Antriebe des Menschen mit dem Ziel aufklärt, die »Ohnmacht des Geistes und der Vernunft« zu überwinden und »einer befreiten und wissenden Menschheit« vorzuarbeiten. Dabei sieht

Th. Mann Freud durchaus in der Linie einer Geschichte der Reaktion gegen den Vernunftidealismus, die heute als »konservative Revolution« das »Abgestorbenste« als revolutionär vermummt und damit dem Faschismus dient. Doch gilt ihm die Psychoanalyse als »diejenige Erscheinungsform des modernen Irrationalismus, die jedem Mißbrauch unzweideutig widersteht«. Th. Mann hat mit der geistesgeschichtlichen Rekonstruktion des Irrationalismus den Punkt erreicht, »wo der Geist aufhört und die Politik beginnt«. Lessing und Freud sind neben Goethe Ende der zwanziger Jahre die Autoritäten, die seinen Schritt in die Politik legitimieren. Seine Position ist jetzt offensiv gegen jede Rechtsideologie in Deutschland gerichtet. Begleitet ist dies von einer vorsichtigen Öffnung zum Sozialismus, die bis zur Annäherung an die SPD 1930 führt.

Diese Wende wird in *Kultur und Sozialismus* (1928) vorbereitet. Noch einmal greift er die ideologischen Formeln aus den *Betrachtungen* auf: deutsche Kultur – westliche Zivilisation; Gemeinschaft – Gesellschaft; Volk – Nation; Geist – Vernunft; Autorität – Demokratie. Noch immer, so zeigt er, bestimmen solche von ihm als historisch überwunden angesehenen Denkmuster den ideologischen Grabenkampf der Rechten gegen die Demokratie. Th. Mann versucht dagegen den Begriff eines demokratischen Sozialismus zu entwickeln, der westliche Zivilisation, deutschen Kulturkonservatismus und marxistische Gesellschaftslehre verbinden soll. Doch obwohl Th. Mann Demokratisierung mit Sozialismus gleichsetzt und erstmals die »materielle Wirklichkeit« des proletarischen Kampfs bedenkt, bleiben seine Sozialismusvorstellungen weitgehend idealistisch. Die zur Rettung der Demokratie konstruierte Bezugsgruppe aus vergeistigten Proletariern und sozialen Bürgern hat es in den zugespitzten Klassenkämpfen der Wirtschaftskrise nicht gegeben. Das zeigen auch seine Essays *Deutsche Ansprache* (1930), ein »Appell an die Vernunft« nach den Wahlerfolgen der NSDAP vom September 1930, und das *Bekenntnis zum Sozialismus* vom 12. 1. 1933, das bereits unter dem Vorzeichen der faschistischen Machtübernahme steht.

Den Hintergrund der *Deutschen Ansprache*, die im Berliner Beethovensaal von Faschisten gestört wird, bildet die Reichstagswahl vom September 1930, bei der die NSDAP von 2,6 % (1928) auf 18,3 % springt. Brüning regiert über Notverordnungen und leitet damit eine Präsidialdiktatur ein. Der Winter bringt 5 Mill. Arbeitslose; die Reichsfinanzen sind zerrüttet; die Kurse brechen ein, das Ausland zieht verstärkt Kapital ab; Brüning steuert eine Deflationspolitik, die den Arbeitern Lohnkürzungen bringt, die Konjunktur aber nicht belebt. – In dieser realistisch gesehenen Lage gibt es für Th. Mann nur noch ein Ziel: die »Erhaltung der Demokratie« durch eine Koalition von Arbeiterschaft, die er mit der SPD identifiziert, und Bürgertum, d. h. für ihn Zentrum und SPD als Auffangbecken versprengter Demokraten. Unabhängig davon, daß diese Koalition ja im Frühjahr zusammengebrochen und wegen des Rechtsdrifts der DVP nach dem Tod Stresemanns nicht wiederauflegbar war, übersieht Th. Mann, daß die deutlich unter Druck des Großkapitals stehende Notverordnungspolitik praktisch bereits das Ende des demokratischen Systems bedeutet. Als Bürger zu Bürgern sprechend, glaubt Th. Mann noch, diese vor Faschisierung dadurch zu warnen, daß er ihnen Goethe und Stresemann als demokratische Leitfiguren und die SPD als eine geistfreundliche, antimaterialistische, nichtmarxistische – und also: bürgerliche Partei empfiehlt. Der hierbei zugrunde liegende Sozialismusbegriff ist deutlich idealistisch und praktisch nur unter der Bedingung der Spaltung der Arbeiterklasse denkbar. Da Th. Mann den Faschismus wesentlich sozialpsychologisch und geistesgeschichtlich erklärt, damit aber seinen Zusammenhang mit dem Kapitalismus nicht sieht, muß er auch auf der Gegenseite die notwendig politökonomische Basis des Antifaschismus verneinen. So ist sein Antifaschismus letztlich Geistespolitik: eine in Agonie liegende Demokratie kann nicht durch eine gleichsam ethische Koalition von bürgerlicher Kultur und revisionistischer SPD gerettet werden.

Ähnlich ist auch das Selbstverständnis als Künstler einzuschätzen: Th. Mann führt aus, daß in gesellschaftlichen Krisensituationen der Künstler nicht im ästhetischen Ritual verharren darf, sondern seine Kunst um öffentlich-politischer Verantwortung willen auszusetzen hat. Damit aber hält Th. Mann indirekt an der Trennung von Politik und Kunst fest: nicht Kunst hat politisch zu werden, sondern der Künstler als Bürger. Wenn Th. Mann jedoch Politik macht, verteidigt er mit der Demokratie hintergründig auch den vermeintlich politikfreien Raum seiner Kunst und überredet die »Kulturbürger« zu Demokraten auch als ein Publikum, das ihm durch die Faschisierung verlorenzugehen droht. In den ersten Jahren des Exils ist es dann umgekehrt: jetzt enthält Th. Mann sich der antifaschistischen Aktivität gerade, um sich ein vermutetes Publikum in Deutschland zu erhalten und seine Kunstproduktion, den großen *Joseph*-Roman (1926–42), abzuschirmen. Kunst bleibt für Th. Mann die überpolitische Durchdringung von Geist und Materie und damit Gestalt gewordene Humanität (*Bekenntnis zum Sozialismus*). Sozialismus ist als politische Variante des Humanismus für Th. Mann zwar ideell am selben Ziel wie die Kunst orientiert, ihr Zusammenhang aber kann nicht praktisch werden, z. B. als sozialistische Kunst. Dies ist die Grenze des bürgerlichen Realismus, wie Th. Mann sie historisch markiert.

Mehr noch als Th. Mann ist JAKOB WASSERMANN (1873–1934) über 30 Jahre hin einer der erfolgreichsten Schriftsteller, der das Unterhaltungs- wie Weltanschauungsbedürfnis seines Publikums gleichermaßen befriedigt. Er schreibt spannende Handlungsromane, die von einem stark religiösen Humanismus geprägt sind. Historische und gesellschaftliche Konflikte übersetzt er in übergeschichtliche, ethische Grundmuster und führt sie häufig realitätsfernen Lösungen zu. Grundsätze wie »Jede Realität ist das Erzeugnis einer Idee« und »Das Menschenherz gegen die Welt« sind in ihrem hilflosen Idealismus wohl verstehbar aus einer Innerlichkeit, die angesichts einer deprimierenden Wirklichkeit bedürftig ist einer Heilung vom »Herzen« her. Objektiv aber führt eine solche Haltung von Gesellschaft fort und verstärkt damit die eskapistischen Tendenzen des Kulturbürgertums, aus dem Wassermann seine Leser rekrutiert.

Bereits der Roman *Caspar Hauser* (1908) erzählt, historisch getreu, die Geschichte des berühmten Findlings so, daß dessen zweite, soziokulturelle Geburt an der »Trägheit des Herzens« seiner Bezugspartner scheitert. So wird er zum Symbol des liebesverlassenen Menschen, ohne daß dieses Symbol eingefügt wäre in die Struktur der bürgerlichen Gesellschaft, der gerade solche Lieblosigkeit eignet. Der Roman *Christian Wahnschaffe* (1919) entsteht unter dem Vorzeichen des Zusammenbruchs des feudalbourgeoisen Herrschaftssystems in Deutschland und der Revolution, die sich im Roman für Rußland abzeichnet. Ähnlich wie der jedoch realistischere Leonhard Frank in *Der Bürger* (1924), der die Orientierungssuche eines entwurzelten Bürgersohns zwischen Bourgeoisie und Proletariat schildert, widmet sich Wassermann der Auseinandersetzung Christians mit seinem großbürgerlichen Elternhaus und der in diesen repräsentierten Klasse. Dabei entstehen treffende Skizzen der Lebensformen dünkelhafter Adliger, machtbewußter Industrieller, parasitärer Müßiggänger, dekadenter Intellektueller und Künstler der Vorkriegsgesellschaft, deren Amoralität durch allen glanzvollen Schein hindurch Christian zunehmend bewußt wird. Unter Einfluß des russischen Revolutionärs Becker und der Erfahrung sozialen Leids reift in Christian der Entschluß zum Bruch mit seiner Herkunftsklasse. In einem Berliner Arbeiterviertel entwickelt Christian ein religiöses Charisma der Sozialhilfe, mit dem er eine neue, der Arbeiterschaft zugewandte, doch aber wieder elitäre Identität gewinnt. Unverkennbar ist, daß Wassermann die politischen Konsequenzen des bei Christian gleichsam »innerlichen« Klassenkonflikts umgeht, indem er diesen zu einem Identitätskonflikt des Individuums und seines moralischen Bewußtseins verwandelt.

Diese Haltung bestätigt der während der Weimarer Jahre merkwürdig entwicklungslose Wassermann deutlich auch in seinem Essayband *Lebensdienst* (1928). Für Werk wie politische Haltung ist es kennzeichnend, die »großen Pflichten gegen Welt und Gesellschaft« in »unzählige kleine« zu zerlegen und damit politische Aufgaben in zwischenmenschlichen Humanismus aufzulösen. Nicht zufällig verbindet Wassermann höfische cortesia mit bürgerlicher Humanität: ihm schwebt als Leitbild des Bürgers »Verbindlichkeit«, »Höflichkeit des Herzens« und »Fürsorge« vor, Attribute also individueller »Erscheinung«, nicht aber sozialer oder politischer Moral. Im Gegenteil finden sich bei Wassermann deutlich die Standards konservativer Kulturkritik wieder, die sich Modernisierungsprozessen in Wissenschaft, Technik und politischer Organisation widersetzt (*Rede über Humanität*).

In der Epochendeutung nicht weniger unklar, vom Willen aber nach Gerechtigkeit noch entschiedener geprägt ist die Trilogie *Der Fall Maurizius, Etzel Andergast* und *Joseph Kerkhovens dritte Existenz* (1928–34). Sein mit erzählerischer Eleganz wie Hilflosigkeit getragenes idealistisches Menschenkonzept ist, wie besonders auch die späte *Rede an die Jugend über das Leben im Geiste* (1932) zeigt, zunehmend Selbstdarstellung vor einem nur noch imaginären Forum. Der Bezugsgruppenverlust signalisiert – trotz öffentlicher Ehrungen wie die der Wahl in die Akademie – die Isolation und Realitätsferne Wassermanns am Ende der Weimarer Republik. Es ist neben der ästhetischen Unterlegenheit vor allem die Tatsache, der veränderten politischen Lage der Republik nicht mehr gewachsen zu sein, was den Abstand Wassermanns zu dem im Geist so verwandten Th. Mann immer größer werden läßt.

GERHART HAUPTMANN (1862–1946) ist bei der Gründung der Weimarer Republik nahezu 60 Jahre alt. Ihm eigentlich ist die ästhetische Revolte des Naturalismus und der Anschluß der deutschen Literatur an europäische Zusammenhänge in den neunziger Jahren zu danken. Sein Ruhm, auch in den zwanziger Jahren, bezieht seine Wirkung aus dem Typ des »sozialen Dramas«, das er 30 Jahre zuvor schuf. Seine neu entstehenden Werke können die überragende öffentliche Reputation freilich kaum mehr rechtfertigen.

Die dichterische Produktion (seine essayistisch-theoretische war seit je eher négligéable) verlor sich zunehmend in exotische und mythisierte Fernen (*Indipohdi*, 1920; *Der weiße Heiland*, 1920; *Veland*, 1925). Die utopische Robinsonade *Die Insel der großen Mutter oder das Wunder von Île des Dames* (1924) ist als »Männerphantasie« (Kl. Theweleit), gespeist aus den Untersuchungen J. J. Bachofens *Das Mutterrecht* (1861), zu qualifizieren: der mythisch-matriarchalische Frauenstaat, auf dem religiösen Dogma der männerlosen Zeugung beruhend, bricht nach dem Einfall junger Männer in einer anarchischen Orgie zusammen, welche die »Natur« wieder ins Recht setzt, nämlich die patriarchalische Gewißheit des heterosexuellen Eros. In dem Maß wie Hauptmann sich der historischen Dynamik weder ästhetisch noch ideologisch stellen konnte, wird auch sein Werk entwicklungslos – wie auch das von Jakob Wassermann, von dem ihn freilich die Flucht in Überwirklichkeiten, in denen mythisch-antike und christlich-jüdische, gnostische und mystische Elemente willkürlich legiert werden, eher negativ unterscheidet. Dies gilt auch für jene Werke, in denen Hauptmann auf Zeitgeschichte Bezug nimmt. Das Versepos *Till Eulenspiegel* (1928) schildert aus Motiven der Till-, Faust- und Don-Quijote-Komplexe kaum realistisch, doch mit symbolischen Anspielungen auf Ereignisse wie den Kapp-Putsch oder die Feme-Morde die Geschichte eines von Krieg und Nachkriegsgesellschaft desillusionierten Offiziers, der sich »ins Lachen gerettet hat« (Hauptmann). Von der listig-plebejischen Schläue des Till-Musters, welches seit je größte analytische Schärfe mit volksnaher lakonischer Episodenform verbindet, bleibt bei Hauptmann kaum etwas. Ebenso ist die unterstellte Zugehörigkeit zur demokratischen Antikriegsliteratur (etwa Remarques, A. Zweigs, Renns u. a.) in Zweifel zu ziehen.

Stofflich zum letzteren Literaturtyp gehört dagegen das Heimkehrer-Drama *Herbert Engelmann* (1924/28), mit dem Hauptmann an seine Tradition des sozialen Dramas anzuschließen versucht. Doch kaum zufällig bleibt das Stück Fragment und wird erst 1952 von Carl Zuckmayer zu Ende geführt. Das Zeitstück *Dorothea Angermann* (1926) vermag – aufgrund seiner motivlichen Nähe zum Frühwerk (Familien-, Frauen-, Ehetragödie) – einen mäßigen Erfolg zu erzielen. Das auf den Erstling *Vor Sonnenaufgang* (1889) verweisende Drama *Vor Sonnenuntergang* (1932) überzeugt dagegen aufgrund der authentischer gestalteten Altersproblematik des Geheimrats Matthias Clausen eher. Dessen »moderne« Kinder treiben den Vater, der sich in der Liebe zu einer jungen Gärtnerin erneuern möchte, in den Selbstmord. Das Stück, im Jahr des 70. Geburtstags von Hauptmann und Goethes 100. Todestag ur-aufgeführt, nimmt auf des letzteren Altersliebe zu Ulrike v. Levetzow Bezug und ist durchaus nicht als letzte bürgerlich-demokratische Repräsentation vor dem »Sonnenuntergang« 1933 zu rezipieren. Viel eher schließt Haupt-mann an die Selbststilisierung als »alter Goethe« an, mit der er bereits zum 60. Geburtstag 1922 (*Goethe und die Volksseele*) beginnt. Die Zitierung der Goetheschen Altersliebe im Zusammenfall mit den in ganz Deutschland begangenen Feiern zu Hauptmann und Goethe sowie der Verleihung des Goethe-Preises paßt gut in die Repräsentationsregie der Weimarer Kultur-bürgerlichkeit.

Doch durchaus kein Widerspruch dazu ist, daß Hauptmann, der seit 1928 auch Mitglied der Preußischen Akademie der Künste ist (auf Bitten von Th. Mann und Max Liebermann), den faschistischen Ausschluß des Präsidenten Heinrich Mann 1933 unwidersprochen hinnimmt. Hauptmanns Verhältnis zur faschistischen Diktatur ist, wenn auch nicht ungebrochen, im ganzen gut. Er bleibt in Deutschland.

Es ist ein ungerechtes, aber in seiner Bitternis auch treffendes Wort J. R. Be-chers von 1932 überliefert: »Geblieben ist ein Mensch, 70 Jahre alt, der weiter nicht interessiert. Er ruhe in Frieden, den er mit den herrschenden Mächten geschlossen.« – Becher besucht 1946 den greisen Hauptmann. Wilhelm Pieck, zum Begräbnis angereist, und die sowjetische Militärverwal-tung ehren den Verstorbenen, der mit einem sozialistischen Deutschland wohl kaum seinen Frieden geschlossen hätte.

Ideologische Vereinfachung und Eskapismus: Hermann Hesse

Den nach Gerhart Hauptmann (1912) und Thomas Mann (1929) dritten No-belpreis für Literatur, der an einen Deutschen verliehen wurde, erhält 1946 HERMANN HESSE (1877–1962), dem dann erst 1972 Heinrich Böll folgt: drei der Preisträger sind repräsentative Vertreter des humanistisch verpflichteten, nicht aber eigentlich ästhetisch innovativen oder politisch progressiven Ro-mans. Von ihnen ist Hesse der weitaus »privateste«: wie bei kaum einem Autor dieses Jahrhunderts speist sich das riesige Werk Hesses aus lebens-geschichtlichen Erfahrungen und Konflikten, ja, es ist bis 1914 fast aus-schließlich die lyrische und erzählerische Objektivation eines nahezu völlig um sich selbst kreisenden Einzelgängers in den Randzonen südwestdeutscher und schweizerischer Landschaft und Kultur.

Das Verhältnis Hesses zur geschichtlichen Realität ist durch Berührungsangst gekennzeichnet: charakteristisch dafür ist sein intensives Umgehen mit Na-tur durch Gartenpflege, Wandern und ab 1916 durch Aquarellieren (mehrere tausend Blätter). Dem korrespondiert der Rückzug in eine idyllisch befriedete Privatsphäre, die hin und wieder behutsam Besuchen und Kleingruppengeselligkeit geöffnet wird. Besonders auffällig ist die tiefe Versenkung in fast zu Fetischobjekten verwandelte Bücher, wodurch Hesse zu einem der größten Leser dieses Jahrhunderts, freilich fast nur von belletristischem, kaum philosophischen und wissenschaftlichem Schrifttum und schließlich zu einem äußerst produktiven Literaturkritiker wird.

Seine Vorliebe für marginale Lebensformen, introvertierte Naturbeziehung, kultivierten Kunstgenuß und behütete Privatheit entspricht dabei einem emotionalen Pazifismus, der ihn 1914 zu einem der wenigen Kriegsgegner im Bürgertum macht. Die Sehnsucht nach konfliktfreiem Frieden erklärt aber auch die das Gesamtwerk bestimmende Abwesenheit von aggressiven und – damit durchaus zusammenhängend – von analytisch-intellektuellen Dimensionen. Ferner ist die Hessesche Lebensform von einer großen Scheu vor Öffentlichkeit, kollektiven Prozessen, großstädtischer Zivilisation, Wissenschaft, Technik und Institutionen gekennzeichnet. In der das Werk charakterisierenden Ausgrenzung aller industriellen und rationalisierten Vergesellschaftungsformen, worin auch einige antikapitalistische Motive eingehen, ist der strategische Versuch zu erkennen, Vergesellschaftung als Moment menschlichen Lebens überhaupt abzuwehren und statt dessen eine letztlich gesellschaftslose Individualkultur zu behaupten, welche dem Subjekt ein »Selbstsein« als Negation von soziohistorischer Bestimmtheit zu ermöglichen scheint. Nicht zufällig fehlt es dem Hesseschen Werk völlig an Geschichtsbewußtsein. In dieser Ausgrenzung und Negation des nicht Negierbaren, nämlich der gesellschaftlichen Formbestimmtheit des Menschen, setzt sich nun unvermerkt jene sonst nicht zugelassene Aggression durch: als radikale Degradierung von Gesellschaft zur »Uneigentlichkeit«, der – mit Heidegger, dem Hesse der Philosophie, zu sprechen – das »eigentliche Seinkönnen« des unvordenklichen Selbst kontradiktorisch entgegengesetzt wird. Eine solche Struktur bestimmt im übrigen weitgehend den Ästhetizismus um 1900 und geht auf Nietzsche und die Lebensphilosophie zurück.

Die Herkunft solcher Denkmuster ist – über ideologiegeschichtliche Einflüsse hinaus – bei Hesse kaum erforscht, doch mit Gewißheit auch in den niemals bewältigten Verwundungen der Sozialisation Hesses zu suchen. Hesse bleibt bis ins Alter der »ewige Adoleszent«, gefangen in den Bann einer dem analytischen Blick erkennbar katastrophalen, von Hesse aber verharmlosten Sozialisation in einem schwäbisch pietistischen Elternhaus, hinter dessen liebevollem Schein sich Verständnislosigkeit und emotionale Unfähigkeit verbarg; sowie in Schulanstalten, in welche der schwierige Hesse abgeschoben und verwahrt wurde und die sämtlich »totalen Institutionen« eher glichen als pädagogischen Einrichtungen. Hesse ist hieran lebensgeschichtlich gebrochen, in zwei strukturelle Krisen geraten (1892 und 1916–19) und zeitlebens mit der literarischen Abarbeitung seiner ungelösten Konflikte beschäftigt. Selten so wie bei Hesse ist künstlerische Produktion als therapeutische (Ersatz-) Funktion beobachtbar: Ästhetik als Suche nach Heilung und Heil.

Dies ist aber gerade auch die Bedingung für den überragenden Erfolg dieses Dichters: eben die biographische Engführung, die Suche nach existentiellem Heil und die höchst kultivierte Form der Abwehr gesellschaftlicher Objektivität sind bis heute geeignet, an sie kollektive, zumal spätbürgerliche Bedürfnisse nach »machtgeschützter Innerlichkeit« (Th. Mann), gesellschaftsferner Lebenspraxis und existentiellem Sinn anzuschließen.

Hesse veröffentlicht zwischen 1895 und 1902 vor allem spätromantische, häufig kitschige Lyrik (*Romantische Lieder*, 1899; *Gedichte*, 1902), bis ihm mit dem autobiographischen Roman *Peter Camenzind* (1904), ähnlich wie Th. Mann zuvor mit den *Buddenbrooks*, der Durchbruch gelingt. Mit der antizivilisatorischen Grundhaltung, dem Thema eines individuellen Reifungsprozesses, der Hingabe an Natur und einfaches Leben mit frommen Grundzügen hat Hesse seine Grundmotive gefunden und nach Überwindung der ästhetizistischen Stilpreziositäten (*Hinterlassene Schriften und Gedichte von Hermann Lauscher*, 1901) auch seinen zugleich innerlichen wie einfachen Personalstil entwickelt. Bis zum Weltkrieg ist das erzählerische Werk vorwiegend von der südwestdeutschen Lebenssphäre Hesses sowie seinen Reisen nach Italien beeinflußt; seine bevorzugte Gattung ist die Erzählung *Diesseits*, 1907; *Nachbarn*, 1908; *Umwege*, 1912).

Autobiographisch bemerkenswert und von selten wieder erreichter Gesellschaftskritik ist der Roman *Unterm Rad* (1906), mit dem Hesse, ähnlich wie viele Autoren mit dem um 1900 verbreiteten Typ des Schülerromans, seine schulischen und individuellen Krisen der Jahre um 1892 abarbeitet. 1914 veröffentlicht er den Eheroman *Roßhalde*, der ihn endgültig seine stilistische Perfektion erreichen läßt, autobiographisch jedoch auf das Scheitern seiner Ehe Bezug nimmt, die er auch nicht durch die Flucht zugleich vor dem gehaßten Europa wie vor der Ehe nach Indien (*Aus Indien*, 1913) retten konnte.

Der Erste Weltkrieg führt auch Hermann Hesse in eine Problemlage, »vor der das rein Ästhetische sich nicht halten konnte« und die von ihm als »verzweifelte Explosion eines europäischen Geistes- und Seelenzustandes« gedeutet wurde. Als aktiver Pazifist arbeitet er während des Krieges für die Schweizer Organisation »Pro Captivis« insbesondere im Bereich der kulturellen Versorgung der Kriegsgefangenen. Ferner publiziert er seit seiner frühen Warnung vor dem chauvinistischen Kriegstaumel der deutschen Intelligenz (*O Freunde, nicht diese Töne!*, 1914) fortlaufend Aufsätze und Aufrufe, die im Namen eines pazifistischen Humanismus, aber auch einer konservativen Kritik an kapitalistischen Modernisierungsprozessen gegen Krieg, Gewalt, Nationalismus und Vermassung protestieren (u. a. *Das Reich, Zarathustras Wiederkehr, Brief an einen jungen Deutschen*, 1918/19). Es sind dies weniger politische als ethische Zeugnisse einer individuell getragenen Haltung, die besonders der vom Krieg desillusionierten und moralisch desorientierten Jugend den Weg »zu sich selbst«, zum Selbst-Sein empfehlen. Diese Lösung hat Hesse, stets als einzig radikale Konsequenz des Individuums gegenüber einer auf Gewalt und Geld ruhenden, im übrigen aber wertleeren Gesellschaft angesehen.

Es ist dies eine typische in der kulturliberalen Jugend nach dem Krieg verbreitete Bewältigungsform des Leidens an gesellschaftlicher Entfremdung. Die Krise durch Krieg und Revolution schlägt sich hier nicht wie in anderen Gruppen als aggressiver oder politischer Protest nieder, sondern als weitgehend konfliktvermeidendes individuelles Rückzugsverhalten. Der Hessesche

Weg nach Innen und das Konzept eines von Sozialität freien, sich im Traditionsrahmen übernationaler Geistigkeit idealistisch definierenden Selbstbildes sind als subkulturelle Abwehrformen soziologisch gut erforscht. Dieser Mechanismus begründet schon zu seinen Lebzeiten die um vieles breitere Wirkung als sogar die Th. Manns und befriedigt besonders in Situationen des Verlustes gesellschaftlicher Leitbilder wie nach dem Ersten und Zweiten Weltkrieg das Orientierungsbedürfnis der kulturell obdachlosen Jugend. Die von Hesse hochkultivierte, im Grunde einfache retreatistische Abwehrform von Entfremdung gewinnt darum, insbesondere aufgrund des den intellektuellen Rückzugsraum exotisch erweiternden fernöstlichen Gedankenguts, in den spätkapitalistischen Gesellschaften der USA, Japans und Europas eine mit keinem anderen deutschsprachigen Autor vergleichbare Verbreitung (30 Mill. Gesamtauflage).

Deutlich sichtbar wird dies in dem 1919 unter dem Pseudonym Emil Sinclair veröffentlichten Roman *Demian*, mit dem Hesse nach Th. Mann »mit unheimlicher Genauigkeit den Nerv der Zeit traf und eine ganze Jugend, die wähnte, aus ihrer Mitte sei ihr ein Künder ihres tiefsten Lebens erstanden, [...] zu dankbarem Entzücken hinriß«. Zwar hat der Roman für Hesse wesentlich biographische Funktionen: mit ihm bewältigt er seine seelischen Erschütterungen durch den Krieg, der ihn 1916 in eine tiefe Lebenskrise und in praktische Begegnung mit der Jungschen Psychoanalyse gebracht hat. Doch zeigt Th. Manns nicht vorbehaltloses Wort, daß stärker noch die kollektiven Bedürfnisse einer in ihrer Identitätsbildung vom Krieg gebrochenen bürgerlichen Jugend durch das fast drogenartig wirkende Angebot emotionaler und ideologischer Flucht- und Traumwelten gesättigt werden. Zugeschnitten auf die Sozialisationsproblematik bürgerlicher Söhne, schildert der Roman, mit dem neuen Gespür Hesses für tiefenpsychologische Konflikte der Pubertät versehen, den Weg des jungen Sinclairs »zu sich selbst«. Geschickt verbindet Hesse dabei das kulturkritische Denkmuster der im Krieg untergehenden »alten Welt« mit dem lebensgeschichtlichen Motiv der notwendigen Ablösung von Kindheit und Elternhaus und der Suche nach neuen Sinndeutungen des Lebens. Dabei gewinnen die Jungsche Tiefenpsychologie sowie mystische und fernöstliche Philosopheme die Funktion, existentielle Selbsterfahrung und unbewußt-traumhaftes Erleben als die wahre Seinsform umzudeuten. Für die Wirkung in der bürgerlichen Jugend ist dabei wichtig, daß die sozialen und neurotischen Brüche der Identitätsentwicklung, die gerade noch als Krisensymptome bürgerlicher Familie und Gesellschaft erkennbar sind, im Roman zu Möglichkeiten einer tieferen, gesellschaftsjenseitigen Ich-Findung verwandelt werden. In dem Maße, wie Gesellschaft mit ihren zentralen Bereichen – Industrie, Politik, Großstadt – an den Rand rückt, können die verbleibenden Momente medidativer, ästhetischer und emotionaler Erfahrung auf eine existentielle Kultur der Innenwelt zentriert werden. Hesses Werk ist damit bis heute sowohl Ausdruck einer in ihren Lebensformen, Sinndeutungen und Legitimationen krisenhaften kapitalistischen Kultur, wie es zugleich auch die ästhetische Gestalt einer sozialpsychologisch verbreiteten Bewältigungsform dieser Krise hergibt: nämlich die erlittene Entfremdung durch subkulturelle Gruppenbildung (»Bund der Suchenden«) und den Schein existentieller Innerlichkeit zu kompensieren.

Zum Erfolg Hesses trägt ferner bei, daß er den Bestand seiner Deutungsmuster und Handlungsmotive wie auch seinen Sprachstil konstant hält, während er Zeiten und Schauplätze – gerade aufgrund des zunehmenden Bezugsverlustes zur Wirklichkeit – nahezu beliebig austauschen kann. Zwischen exotischer Ferne (*Siddharta*, 1922; *Die Morgenlandfahrt*, 1932) und deutschen, italienischen und Schweizer Schauplätzen der Gegenwart (*Demian*; *Klein und Wagner*, 1919; *Klingsor*, 1920; *Kurgast*, 1925; *Steppenwolf*, 1927) wechselt Hesse ebenso wie zwischen romantisch stilisiertem Mittelalter (*Narziß und Goldmund*, 1930), zeitloser Märchenwelt (*Märchen*, 1919) und den utopischen Fernen der »kastalischen Provinz« im *Glasperlenspiel* (1943). Gerade die Modalitäten der Realität, Zeit und Raum, sind in Hesses Werk äußerliche Staffage, ästhetisches Dekor. Handlungskonflikte werden kaum gesellschaftlich-geschichtlich vermittelt, sondern erscheinen als Ausdruck von überhistorischen Polaritäten: Natur und Geist, Eros und Logos, Leben und Kunst, Weibliches und Männliches, Masse und elitärer Einzelner. Derartige Paarbegriffe sind älteren lebensphilosophischen Ursprungs, sind zumeist schon vor dem Krieg in den breiten Strom konservativer Kulturkritik eingegangen, finden früh schon unter dem Aspekt der Künstler-Problematik eine wesentliche Durcharbeitung bei Th. und H. Mann (auch bei Hofmannsthal) und werden nun nach dem Krieg von Hesse einerseits popularisiert, andererseits exotisch und tiefenpsychologisch ausgefüttert.

Dem bipolaren Handlungsmodell der Romane wird dabei zumeist noch das Schema des Bildungs- und Entwicklungsromans eingelagert (*Demian, Steppenwolf, Siddharta, Narziß und Goldmund*). Dieser Romantyp, der in seiner klassischen Form auf individuelle Entwicklungsgänge zunehmender Integration in die gesellschaftliche Umwelt zugeschnitten ist, wird von Hesse jedoch umgekehrt. Beispielhaft in *Siddharta* bildet jene der Welt zugewandte Handlungsphase des Helden nur einen Lernprozeß, am Ende dessen Siddharta in die statische Weltferne eines weisheitlich-asketischen Ich-Ideals einkehrt. In *Narziß und Goldmund* gibt die Welterfahrung Goldmunds nur die romanhafte Folie ab für das immer reinere Hervortreten der Komplementarität der Titelfiguren: in ihnen symbolisiert sich das archetypisch begriffene Spannungspaar von Logos und Eros, von askeseforderndem Dienst am Geist und sinnlich-ästhetischer Verschmelzung mit den Objekten. Die für Hesse charakteristische Unterordnung des klassischen Entwicklungsschemas unter die abstrakte Typik seiner Paarbegriffe hat ihren tiefsten Grund in der Gleichsetzung des »Weges nach Innen« mit der Abkehr von jeder Geschichtlichkeit. Erst in der Identifikation der Figuren mit sich selbst erreichen sie ihr asketisches oder ästhetisches Ich-Ideal, das im Kern auf kein Du, kein Ding, kein soziales Moment mehr angewiesen ist. Dies ist Hesses Modell von Freiheit und Autonomie und begründet sowohl seine individual-pazifistische Haltung, seine Ablehnung jeden politischen oder religiösen Dogmas wie auch seine Kritik der notwendig gesellschaftlichen Bedingtheit individueller Bildungsprozesse. Damit fördert Hesse in bedenklicher Weise unbewußte

Wünsche seiner Leser, gesellschaftliche Realität hinter sich zu lassen und in egozentrischen Traumwelten oder subkulturellen Gruppen sich dem Schein wahrer Selbstfindung zu ergeben. Biographisch spiegeln sich darin die zunehmende Ferne Hesses gegenüber der Entwicklung der Weimarer Republik wie auch die Privilegien eines autonom scheinenden Lebens in der randständigen Kulturlandschaft seines Tessiner Exils (seit 1919).

Dagegen ist der Roman *Der Steppenwolf* (1927) deutlich darum bemüht, die existentielle und soziale Außenseiterrolle des 50jährigen Harry Haller als zeittypische Problematik zu entwickeln. Zwar ist die Ambivalenz von Entfremdung zur bürgerlichen Gesellschaft und heimlicher Liebe zu ihr aus dem Frühwerk Th. Manns ebenso bekannt wie der Identitätskonflikt Hallers, zwischen triebgebundener Wolfsnatur und asketischer Geistesorientierung zu schwanken, zum festen Arsenal des Hesseschen Werks gehört. Doch ist der Versuch beachtenswert, die Konflikte Hallers als »Krankheit der Zeit«, als »Neurose einer Generation« zu verallgemeinern. Der tiefgreifende Sinnverlust Hallers erscheint als Symptomatik von Intellektuellengruppen, die in der Umbruchsphase zwischen »zwei Zeiten, zwei Kulturen und Religionen« über keine Leitbilder mehr verfügen und sich als existentiell heimatlos erfahren. Diese »Zwischen«-Zeit stellt sich für Hesse als die Gleichzeitigkeit zweier gegenläufiger Prozesse dar: einmal verlieren die europäischen Kulturtraditionen, in denen Haller lebt, ihre sinnstiftende Legitimationskraft; zum anderen zwingt der Amerikanismus (begriffen als Herrschaft von Industrie, Technik und Masse) den Einzelnen unter Normen einer Leistungs- und Konsummoral, die ihn seiner persönlichen Authentizität beraubt. Mit dieser kulturkritischen Diagnose zeigt Hesse Parallelen mit der Mannheimschen Theorie der »freischwebenden Intelligenz«, dem Musilschen Konzept einer »Zeit ohne Eigenschaften« oder der Brochschen Auffassung des »Zerfalls der Werte«. Der *Steppenwolf* gehört damit zu den Büchern, die von den sich verschärfenden Widersprüchen bürgerlicher Gesellschaft im Übergang zum Monopolkapitalismus geprägt sind. Freilich sind die Lösungen Hesses hilflos und unrealistisch.

Dies wird insbesondere an der Episode des »Magischen Theaters« deutlich, die nach dem »Traktat vom Steppenwolf« den zweiten Höhepunkt des Romans darstellt. In drogenstimulierter Loslösung seiner Phantasie durchläuft Haller verschiedene Halluzinationen: anarchistische Maschinenstürmerei, Depersonalisation des (bürgerlichen) Ich, angst- und zensurfreie Sexualität, menschliche Bestialität, Mord usw. – Stationen also, die einen Einblick in die aggressiven und libidinösen Energien des gleichsam nur oberflächlich kultivierten Menschen vermitteln. Die ebenfalls halluzinierte Begegnung mit Mozart jedoch, der Haller einen glaubensgetragenen, überirdisch vergeistigten Humor lehrt, in dem die Widersprüche des »furchtbaren Lebens« sich versöhnen, hintergeht deutlich die schärfere Zeitdiagnose des »Traktats« und den analytischen Pessimismus Hallers. Ebensowenig können die psychedelischen Experimente, das Versenken in Traum- und Innenwelten oder auch das hermaphroditische Ideal eines ›ganzen‹ Menschseins mehr als nur den Schein einer »Heilung« (Hesse) des historischen Bruchs von

Geist und Natur, Mann und Frau, Vereinsamung und sozialer Integration erzeugen.

Seine Tätigkeit als Rezensent und Editor (1000 Rezensionen 1920–36, eine Fülle von Editionen der Weltliteratur) versteht Hesse vor allem aus seiner Rolle als Wahrer eines humanen Kulturerbes in einer Zeit, die er auf einen neuen Krieg und barbarische Unmenschlichkeit zutreiben sieht (*Krieg und Frieden*, 1918). Aus diesem Geist auch entsteht 1932–42 sein esoterisches Spätwerk, der Roman *Das Glasperlenspiel* (1943), mit dem Hesse auf seine Weise an die zugleich historisierende wie utopische Weltschau von Goethes Altersroman *Wilhelm Meisters Wanderjahre* Anschluß sucht und in der Gegenwart am ehesten im *Doktor Faustus* (wie Th. Mann sogleich erkennt), in Brochs *Tod des Vergil* oder Musils *Mann ohne Eigenschaften* Gegenstücke freilich doch größeren Gewichts findet.

Nach der Erzählung *Die Morgenlandfahrt* (1932), die den Altersroman präludiert, hat Hesse zunächst die kompositionelle Idee, den »überzeitlichen Lebenslauf« eines zu unterschiedlichen Epochen reinkarnierten Menschen zu schreiben, in dem Allgemein- und Individualgeschichte zum zeitlosen Gleichnis des Daseins zusammenfällt. Wenn auch im *Glasperlenspiel* tatsächlich vier Gestalten des Lebens Josef Knechts von der Urgeschichte über altindische und frühchristliche Zeiten bis zur utopischen Ferne der »kastalischen Provinz« erscheinen, so verschiebt sich der zentrale Gedanke der ›Gegenwart aller Zeiten‹ doch von der symbolischen Biographie zur Symbolik des Glasperlenspiels. In der kastalischen Enklave, die von sozialen, politischen und ökonomischen Nöten der Umwelt freigehalten wird, bedeutet das von wenigen Berufenen und Auserwählten beherrschte Glasperlenspiel den Vollzug der Utopie eines Lebens im Geist. Das Spiel besteht in einem zweckfreien Assoziieren der gesamten »Welt der humanistischen Geistigkeit« – auch dies bereits eine Idee der *Morgenlandfahrt* –, so daß alle historisch gestaffelten und widersprüchlichen Geistesepochen, Kunstwerke und Erkenntnisse aufgehoben werden zu einer symphonischen Gleichzeitigkeit, die die Spieler imaginieren. Die geistige Zucht und klösterliche Lebensgemeinschaft, die sich als Sphäre von Wissenschaft, Kunst und meditativer Wahrheitssuche bestimmt, stehen ganz im Zeichen dieses geistaristokratischen Ideals. Im Roman stellt es den Gegenentwurf zum »feuilletonistischen Zeitalter« dar, mit dem Hesse noch einmal seine Kritik der Gegenwart als einer zersplitterten, geistfernen, profit- und konsumorientierten Kulturbarbarei zusammenfaßt.

Freilich ist die Utopie des Glasperlenspiels selbst vom Sinnverlust des »feuilletonistischen Zeitalters« geprägt: der zweckfreie, gleichsam zeit- und raumlose musée imaginaire des Weltgeistes, der im freien Spiel zur Anschauung kommt, entspricht sehr genau dem spätbürgerlichen Bewußtsein, wie es der Historismus wissenschaftlich diszipliniert hat. Mit dem Zerfall nämlich der bürgerlichen Geschichtsphilosophie geht der von Lessing bis Hegel geltende Gedanke einer zwar idealistisch begriffenen, doch gesetzesartigen Evolution der Menschheit verloren, und Geschichte verkommt zum fast ästhetischen Spielmaterial eines zu allen Epochen gleich fernen und nahen Subjekts (so z. B. exemplarisch L. v. Ranke).

Der Fortschritt des Altersromans besteht nun darin, daß Hesse das Glasperlenspiel als zwar höchstentwickelten, doch unproduktiven Ausdruck eines solchen Spätbewußtseins gestaltet hat. Dies zu begreifen, stellt die qualitativ höhere Stufe Josef Knechts gegenüber fast allen früheren Figuren Hesses dar. Das Glasperlenspiel erscheint in einem doppelten Widerspruch: zum einen zeigt es sich in der Perspektive des außerhalb der Provinz wohnenden Plinio als Sphäre einer unproduktiven, ästhetizistischen, im Angesicht der umgebenden Not sogar parasitären Intellektuellenelite. Zum anderen erfährt Knecht durch den Jacob Burckhardt nachgezeichneten Pater Jacobus, daß die epigonale und museale Kulturpflege der Glasperlenspieler das geschichtliche Wesen von Kunst, Wissenschaft und Philosophie verkennt, insofern sie deren Zusammenhang mit den sozialen, politischen und ökonomischen Mächten der Geschichte unterschlägt. Der Hintergrund für diese auch als Selbstkritik Hesses zu verstehende Wendung Josef Knechts ist darin zu sehen, daß Hesse den Aufstieg des Faschismus und die Entfesselung des Zweiten Weltkriegs auch in der Selbstisolierung deutscher Intelligenz verursacht sieht.

Hesse kann diese fundamentale Kritik am Schein geistiger Autonomie sicher nicht zu dem Schluß Heinrich Manns wenden, seine Kunst in den Dienst der Volksfront und einer sozialistischen Perspektive zu stellen. Doch zeigt der Schluß des Romans, bei dem Knecht – nach Verlassen der kastalischen Provinz – sich im praktischen Dienst an der Erziehung eines Schülers aufopfert, daß Hesse am Ende seines Lebens wohl verstanden hat, daß der Geist nicht sich selbst gehört, sondern seine Legitimation erst aus dem praktischen Verwendungszusammenhang erhält, in den er sinnorientierend, selbstkritisch und dienend zugleich eingreift.

Republikanische Vernunft und
humanistischer Sozialismus: Heinrich Mann

Der ältere Bruder des berühmteren Thomas, HEINRICH MANN (1871–1950), ist diesem in seiner moralisch-politischen Haltung und ästhetischen Produktivität deutlich überlegen –: eine Tatsache, die aufgrund der unverkennbar ideologisch motivierten Überschätzung Th. Manns durch die bürgerliche Germanistik noch immer keine Selbstverständlichkeit ist. »Deutsche Germanisten als Gegner Heinrich Manns«, (Klaus Schröter) – dies ist bis in die sechziger Jahre die treffende Formel für die Wirkungsgeschichte Heinrichs.

Das Gemeinsame der Brüder beschränkt sich fast auf die großbürgerliche Herkunft, den konservativen Nationalismus um 1895 sowie ihre Zugehörigkeit zum Ästhetizismus des Fin de siècle im Zeichen von Nietzsche. Nach 1900 laufen die Entwicklungen von Heinrich und Thomas schnell auseinander, bis sie im Weltkriegsjahrzehnt zu literaturgeschichtlich repräsentativen Antipoden werden. – Auch persönlich unversöhnt: republikanischer Kriegsgegner und Autor gesellschaftskritischer Zeitromane – Heinrich; reaktionärer Nationalist und Verteidiger des aristokratischen Autonomieanspruchs der Kunst – Thomas.

Das zunehmende Unsichtbar- und Abstraktwerden gesellschaftlicher Produktions- und Herrschaftsbeziehungen im Übergang zum Monopolkapitalismus macht das Erzählen aus dem Horizont der Alltagserfahrung immer problematischer, was nach Fontanes Tod (1898) – als symbolischem Ende des bürgerlichen Realismus – zu einer ersten Krise des Romans führt. Die Reaktion darauf besteht einmal in einer zunehmenden Selbstthematisierung der Kunst und des Künstlers im Medium des Romans; zum anderen in einem weitgehend unpolitischen, darum zu Recht »neoromantisch« genannten Antikapitalismus, worin die Ablehnung des industriellen Modernisierungsprozesses nur insoweit eine Rolle spielt, als er die traditionelle Bezugsgruppe der Literatur, nämlich den bürgerlichen Mittelstand, wie auch die literarische Intelligenz selbst marginalisiert beziehungsweise in den Kapitalverwertungsprozeß einbezieht. Darauf antworten die Literaten, die erfahrene Marginalität umkehrend, mit der Hypostatisierung der Kunst und des Künstlers, was im Ästhetizismus als dem Konglomerat aus nietzscheanischem Lebenskult und l'art-pour-l'art-Haltungen ablesbar ist.

Dies sind auch die Ausgangsbedingungen von Heinrich Mann, dessen frühe Produktion den Einfluß von Nietzsche, Paul Bourget und Gustave Flaubert deutlich erkennen läßt. Die kritische Haltung Heinrichs zur kapitalistischen Entwicklung und deutschen Staatlichkeit geht auf Nietzsches Kulturkritik zurück und trägt eher reaktionäre (und antisemitische) Züge (Hg. der Zeitschrift *Das zwanzigste Jahrhundert*, 1895–96). Auf die Kunstauffassung H. Manns nimmt vor allem Nietzsches *Geburt der Tragödie* Einfluß, was besonders spürbar wird in der Trilogie *Die Göttinnen oder Die drei Romane der Herzogin von Assy* (1902), in denen Heinrich einen dionysischen Gegenmythos ästhetischer Autonomie »jenseits von Gut und Böse« (Nietzsche) in der symbolischen Überbietungskette von Diana, Minerva und Venus als Folge von Tatfreiheit, Kunstkult und erotischem Rausch zu entwickeln sucht. Von früh an ist H. Mann auch stark von den französischen Debatten um »l'art pour l'art versus l'art social« eingenommen, ferner von den Bourgetschen Theoremen des Dilettantismus und der décadence sowie vom Supremat der Kunst über die Gesellschaft bei Flaubert. Die ästhetizistische Reflexion des Kunst/Leben-Problems findet sich dann in einer Reihe von Novellen, worin H. Mann früh zur Meisterschaft reift (*Das Wunderbare und andere Novellen*, 1897; *Pippo Spano*, 1903; *Schauspielerin*, 1906; *Die Branzilla*, 1906).

Eine andere Dimension des Werks deutet sich an in dem Gesellschaftsroman *Im Schlaraffenland* (1900), in dem H. Mann mit bitterer Satire das Geld als das eigentliche Machtzentrum und Manipulationsmedium sozialer und künstlerischer Prozesse entlarvt. Freilich ist dieser Roman noch nicht eigentlich von politischer Analyse getragen, sondern speist sich weitgehend noch aus der nietzscheanischen Kulturkritik und der Desillusionierung der ästhetizistischen Geistaristokratie angesichts der »häßlichen« Plutokratie der wilhelminischen Bourgeoisie. Aus dieser Einsicht jedoch entwickelt sich in den Jahren bis 1906 dann die Wandlung H. Manns zum Republikaner aus dem Geist der

Revolutionen von 1789 und 1848. In dem kaum gelungenen Roman *Die Jagd nach Liebe* (1903), der nicht wie *Schlaraffenland* in Berlin, sondern im München der Künstlerboheme situiert ist, unterzieht Heinrich seinen eigenen wie den zeitgenössischen »Ästhetizismus der gänzlich Untauglichen« einer radikalen Kritik, deren ästhetische Konsequenz sogleich in dem 1905 erschienenen *Professor Unrat oder Das Ende eines Tyrannen* sichtbar werden: dem ersten »sozialen Zeitroman« (H. Mann). Dies Werk ist das zugespitzte Satire-Modell der Einsicht, daß die Machtbasis der wilhelminischen Gesellschaft weit brüchiger ist, als es die wirtschaftliche und staatliche Gewalt ahnen läßt. Erstmals spielt H. Mann das Thema der Macht sozialpsychologisch durch und begreift in einzigartiger Weise die Mechanik von autoritärem Größenwahn und unterdrückter Anarchie als komplementäre Seiten im repressiven Untertan, der zugleich Herrscher und Beherrschter, Sadist und individual-anarchistischer Rebell ist.

Der stark autobiographische »italienische« Roman *Zwischen den Rassen* (1907) enthält weitgehend bereits eine demokratische Struktur, wenn auch das Fortwirken ästhetizistischer Elemente oder auch des positivistischen Milieu- und Rasse-Theoretikers Hyppolite Taine die Absicht auf eine demokratische Kunstform noch stören. Hingegen ist der den deutschen Repressionsverhältnissen antinomisch entgegengesetzte Roman *Die kleine Stadt* (1909) nicht nur »das Hohe Lied der Demokratie« (H. Mann), sondern vermag dies auch ästhetisch einzulösen. Die Konstruktion der italienischen Kleinstadt als Modell einer vitalen, nicht konfliktfreien, im Grund aber solidarischen Vergesellschaftungsform, in welcher die Kunst nicht vom Alltag des Volkes getrennt, sondern in diesen integriert ist, enthält die ästhetischen wie demokratischen freilich immer idealistischen Konzepte des Autors, erstmals zu einer humoristischen Stileinheit vermittelt.

Von 1910 an, wo der wichtige Essay *Voltaire – Goethe* erscheint, gilt der Satz: »Denn Freiheit: das ist die Gesamtheit aller Ziele des Geistes« auch politisch-praktisch. Obwohl H. Mann noch bis 1914 (seit 1898) ohne festen Wohnsitz in Europa nomadisiert, beginnt er eine politische Identität aufzubauen, die ihn der einzigen bürgerlich-demokratischen Partei des Kaiserreichs, der »Demokratischen Vereinigung«, verbindet, in deren Zeitschrift »Das freie Volk« er publiziert, wie auch für die wenigen anderen demokratischen Organe wie »Pan«, »März«, »Forum« und die »Schaubühne«. Heinrich Mann ist 1914 zum einzigen bedeutenden Repräsentanten einer demokratischen Kultur geworden – als großer Einzelgänger, was ein charakteristisches Merkmal für die Lage der deutschen Intelligenz bei Ausbruch des imperialistischen Krieges ist.

Zweifellos den Höhepunkt der demokratischen Entwicklung H. Manns bildet *Der Untertan* (1906 – 14, 1918), der erste Band der Kaiserreich-Trilogie, die im *Roman des Proletariers* (*Die Armen*, 1917) und im *Roman der Führer* (*Der Kopf*, 1918 – 25) ihren Abschluß findet. Diese Romane Heinrich Manns realisieren sein Programm, »soziale Zeitromane« zu schreiben: »Die deutsche Gesellschaft kennt sich selbst nicht. Sie zerfällt in Schichten, die einander aber unbekannt sind, die führende Klasse verschwindet hinter den Wolken.«

Diese Äußerung bezieht sich auf die Kaiserreich-Trilogie, die dem Anspruch auf gesellschaftliche Aufklärung dadurch gerecht wird, daß sie sämtliche »Schichten« miteinander in Interaktion setzt und damit der Erkenntnis der Klassenverhältnisse im imperialistischen Deutschland dient. H. Mann versucht mit diesem Typ des Gesellschaftsromans, Ästhetik mit Kritik und praktischer Wirksamkeit zu verschmelzen. Die Einheit nämlich von »Geist« und »Tat« bestimmt bei H. Mann die Funktion der Intelligenz überhaupt: »Das Wissen, das nicht hilft, ist eitel und schlecht. Der Geist, der nicht handelt, ist strafbarer als die Tötung keimenden Lebens. Wer denkt, soll auf das Glück der Menschen denken.« (*Die Armen*). Damit widerstreitet H. Mann jeder idealistischen Autonomie des Geistes und bindet Erkenntnis und Ästhetik an Normen der Moral. Dieses ethische Primat entspricht der für H. Mann grundlegenden Tradition der deutschen Aufklärung und Französischen Revolution, die für ihn Fixpunkte sozialverantwortlichen Denkens und Handelns bilden. Die klassische Dialektik von Moral und Politik ist im Begriff praktischer Vernunft – einer »ratio militans« – aufgehoben.

Dies hat konkrete Folgen insofern, als H. Mann damit einen theoretischen Rahmen einerseits der Kritik seiner eigenen ästhetizistischen Frühphase und der affirmativen Kultur im wilhelminischen Deutschland (»Beschönigung des Ungeistes«) sowie andererseits der Konzeption einer demokratischen Kunst gefunden hat. In *Geist und Tat* (1910) beschreibt er, im Gegenzug zur Kritik des deutschen »Herrenstaates«, die Funktion einer volksverbundenen Literatur, die der materiellen Not des Volkes die geistigen Ziele, während umgekehrt das Volk »dem Geist Krieger« stellt. Diese Haltung trägt ihm die Feindschaft des Bruders Thomas ein, der seine kulturkritische Antibürgerlichkeit auf geistige Opposition bei gleichzeitiger Integration in die high society einschränkt. Durch den Krieg ins Unversöhnliche verschärft, tritt der brüderliche Gegensatz besonders deutlich in Heinrichs Essay *Zola* (1915) hervor, der die Antwort auf die kriegsaffirmativen Pamphlete *Friedrich und die große Koalition* und *Gedanken im Kriege* (1914/15) von Thomas darstellt und seinerseits dessen *Betrachtungen eines Unpolitischen* herausfordert. Der Zola-Essay entwirft am Beispiel Zolas ein historisches Leitbild, das der Einheit von Moral und Politik am nächsten kommt. Die häufig bemerkte Tatsache, daß Zola dabei zum Objekt der Selbstdarstellung H. Manns wird, dient der Identitätssicherung in einer durch den Krieg (und die Kriegshuldigung der übrigen bürgerlichen Intelligenz) zunehmend isolierten Außenseiterlage. Deutlich gegen Thomas gerichtet, formuliert Heinrich: »Der Intellektuelle erkennt Vergeistigung nur an, wo Versittlichung erreicht wird.« – »Literatur und Politik haben denselben Gegenstand, dasselbe Ziel und mußten einander durchdringen, um nicht beide zu entarten. Geist ist Tat, die für den Menschen geschieht.« Den Geistigen, der die Macht affirmiert, nennt er »Mitläufer«, der »schuldiger als selbst die Machthaber« sei, weil er deren »Unrecht« in »Recht« ideologisch umfälsche. In dieser Weise trennt Heinrich sich »mit Zorn und Schmerz« von Thomas und sichert im Rückgriff auf Zola, den »Lehrer der Demokratie«, inmitten der vernunftdunklen Gegenwart die Hoffnung auf ein demokratisch befreites Volk und eine freie Kunst.

Der Untertan, der erst nach der Novemberrevolution vollständig veröffentlicht werden konnte und sogleich zum größten Erfolg Heinrichs wird, realisiert bereits das, was H. Mann über Zola ausführt: »die soziale Geschichte des Reichs« gestaltet zu haben und dadurch zum Propheten seines Untergangs geworden zu sein. Gegenstand des Romans ist, wie H. Mann in *Reichstag* (1911) – einer Kritik der Parteien und des Bürgertums – formuliert, der »widerwärtig interessante Typ des imperialistischen Untertans«. Er gibt die Charakterfolie ab für Diederich Heßling, der durch ökonomische und politische Manöver zum einflußreichsten Kapitalisten und Stadtverordneten Netzigs aufsteigt. Hier beschreibt H. Mann frühzeitig die politökonomische und sozialpsychologische Basis der autoritären Bildungsgeschichte des Bürgers im fortgeschrittenen Kapitalismus. Sozialisationsagenturen wie Familie, Schule, Wehrdienst, Burschenschaft und Universität bilden ein Autoritätssystem, das die Triebdynamik des Untertans auf die Lust freiwilligen Sich-Unterwerfens unter bestehende Macht und die Lust des Unterdrückens sozial Schwächerer fixiert. Die Unterwerfung Heßlings unter die Macht ist dabei der Weg zur Teilhabe an ihr: so besteht ein Zusammenhang von Untertänigkeit und Tyrannei, von Gehorchenmüssen und Befehlenkönnen. Das Bedeutende des Romans liegt nun darin, die psychischen Verhältnisse als Funktion gesellschaftlicher Herrschaft darzustellen. Dabei müssen soziologische Bedingungen in Form von Romanhandlungen ästhetisch anschaubar gemacht werden. H. Mann gelingt dies vor allem dadurch, daß er die Verhältnisse des Kaiserreichs im satirischen Spiegel des Provinzstädtchens Netzig abbildet und dadurch das Allgemeine im Besonderen und vor allem das Hohe im Niedrigen, nämlich den Kaiser in seinem Untertan darstellt.

Das Zusammenspiel von Bourgeoisie und Junkertum, das den grundlegenden Klassenkompromiß des Wilhelminismus darstellt, wird in Form politischer und ökonomischer Intrigen in Szene gesetzt. Justiz, Militär, Staatsapparat, Kirche, Presse und Parteien werden Zug um Zug den wirtschaftlichen Interessen des Großgrundbesitzes (Wulckow) und der Bourgeoisie (Heßling) dienstbar gemacht. Dazu bedarf es der Entmachtung des Liberalismus, der durch den alten Buck und die Freisinnigen vertreten wird, und der Sozialdemokratie, deren revolutionäres Potential durch revisionistische Funktionäre (Napoleon Fischer) verraten wird. Der politische Nationalismus wird als die Ideologie entlarvt, die die ökonomischen Interessen Heßlings und der »Herrenkaste« verschleiern, die Bevölkerung integrieren, möglichen Widerstand auf Sündenbockgruppen (Juden, Liberale, Arbeiter) oder »Erbfeinde« (Frankreich, England) umlenken und damit den Formierungsprozeß absichern soll, der in den Nachgründerjahren innenpolitisch für den Übergang zur imperialistischen Großmacht notwendig wird. Die Mechanik dieser Formierung wird von H. Mann präzis als Imperialismus ›nach innen‹ gestaltet, freilich auch bis zu seiner selbstmörderischen Konsequenz geführt: die nationalistische Großveranstaltung zur Einweihung des Kaiser-Wilhelm-Denkmals geht in einem gewaltigen Gewitter unter, das von H. Mann zum grotesken Finale dieser Gesellschaft gesteigert wird. Zu Recht geht in der Verfilmung des Romans (W.

Staudte, 1951) die Gewitterszene unmittelbar in Bilder des Weltkriegs als der Apokalypse des Wilhelminismus über.

Das für H. Mann wichtige Dekadenz-Thema erhält im *Untertan* eine neue Qualität insofern, als Dekadenz in ihren Formen des Ästhetizismus wie Chauvinismus zum grundlegenden Merkmal der imperialistischen Epoche wird. Während der alte Buck, ein Kämpfer der 48er-Revolution, die Ideale des Besitz- und Bildungsbürgertums hochhält, aber durch die neuen Gewaltherren historisch erledigt wird, ist sein Sohn Wolfgang der Repräsentant der intellektuellen Opposition. Obwohl scharfsinnigster Kritiker der Zeit – und deshalb auch teilidentisch mit H. Mann – ist er doch Objekt von dessen Kritik, weil er über melancholischen Skeptizismus und ironische Rollendistanz nicht hinauskommt. Wertmäßig desorientiert, handlungsmäßig gehemmt, bloß kritisch beobachtend, sich selbst verachtend, ist Wolfgang die ästhetizistische Variante der Dekadenz. Dessen bourgeoises Gegenstück ist Heßling: der cholerische Chauvinist und brutale Unternehmer. Die intellektuelle wie imperialistische Variante der Dekadenz sind gleichermaßen Momente des gestörten Verhältnisses von Moral und Handeln. Zur Verdeutlichung benutzt H. Mann das Theater als Metapher für das gestörte Rollenspiel der Personen. W. Buck erhebt den gesinnungslosen Schauspieler zum Repräsentanten des Zeitalters. Vom Kaiser bis Heßling, Wulckow bis Fischer, Pastor Zillich bis Major Kunze sind alle Personen die Darsteller eines festen Rollenplans auf der Bühne des Imperialismus. Es gehört zur Epochendeutung H. Manns, daß im Deutschland Wilhelms II. keine gesellschaftliche Gruppe – auch nicht die antibürgerlichen Ästheten und oppositionellen Sozialdemokraten – der Korrumpierung durch »Herrentollheit und Untertanenstumpfsinn, Hoffart und Selbstentmannung, Menschenfeindschaft, Erwerbsgier und Widergeist« widerstanden hat.

In *Kaiserreich und Republik* (1919) verbindet H. Mann seine Kritik des Kaiserreichs mit der Hoffnung auf ein demokratisches Deutschland. Die Jahre 1871–1918 sind für ihn die »Geschichte einer deutschen Verirrung«, in der das Volk durch die Kaste der »junkerlichen Bürger« zu einem »Herrenvolk aus Untertanen« gemacht worden ist. Der »Fluch« des Sieges 1870/71 besteht darin, daß das jahrhundertelange Streben nach nationaler Einigung in die »Hände von Gewaltmenschen« gelegt worden sei. Die Koalition von Militär und Schwerindustrie, Adel und Bourgeoisie unter dem Schirm des alldeutschen Nationalismus, repräsentiert durch die »Bühnenlarve« des Kaisers, hat nach H. Mann ein Klima der Unmenschlichkeit, des Unrechts, des Hasses und der imperialen Gebärden erzeugt, dem der Weltkrieg logisch nachfolgen mußte. Immer wieder betont H. Mann, daß Deutsches Reich und Deutschland nicht identisch sind. Er entwickelt dazu einen Geschichtszyklus, nach dem das 18. Jahrhundert durch Aufklärung, Revolution und Fortschritt, das 19. Jahrhundert hingegen durch Verfall, schlechte Wiederholung und »Nachahmung« geprägt ist. Letztere bezeichnet das Scheinhafte und Schauspielerische des Deutschen Reiches im Verhältnis zu Frankreich und England sowie das ›innere‹ Verhältnis des Untertanen zum ›ersten‹ Akteur, dem Kaiser. Das 20. Jahrhundert bietet mit der notwendigen Niederlage im Weltkrieg nun die

Chance für einen demokratischen Aufbau im Rückgriff auf die Französische Revolution. H. Mann entwirft ein unter ethischem Primat stehendes »Rätesystem«, in dem das »System der Klassen« durch Beseitigung des Großkapitals, Abtrennung des Bürgertums von Militär- und Adelskaste einerseits sowie durch Ethisierung des Sozialismus und Hebung des proletarischen Lebensstandards andererseits aufgehoben ist. H. Mann denkt sich »ein weites Kleinbürgertum, aus Kopf- und Handarbeitern«, den »Arbeiterbürger« als Träger der Demokratie.

Dieser ethische Sozialismus entspricht den Ideen und Aktivitäten, die H. Mann in den Münchner »Rat geistiger Arbeiter« einbringt, bestimmt ferner seine positive Haltung zur Münchner Räterepublik sowie die *Gedenkrede*, die er nach der Ermordung des Präsidenten der Räterepublik, Kurt Eisner, hält (1919).

Der Roman *Die Armen* (1917), der stofflich, aber nicht konzeptionell dem Umkreis des »Untertan« entstammt, versucht proletarische Revolution mit Bildung und Humanität zu synthetisieren. Freilich ist dieser Versuch nicht gelungen. Die Fremdheit des Intellektuellen gegenüber der Lebenswirklichkeit des Proletariats schlägt überall dort durch, wo er zwar »für« die Arbeiter denkt, dies aber nicht in der Dialektik von Kapital und Arbeit, sondern der ethischen von Recht und Unrecht. Das zeigt sich an dem Handlungskonflikt, bei dem es nicht eigentlich um einen Klassenkonflikt geht, sondern dem privatrechtlichen Punkt, daß der »Reiche« Heßling zu Unrecht über Kapitalien verfügt, auf die die »Armen« Rechtstitel haben. Die revolutionäre Rolle der Arbeiterintelligenz reduziert sich dadurch auf das idealistische Ziel des jungen Balrichs, auf dem Weg des Lateinlernens und Rechtsstudiums den Genossen ihr »Recht« zu erstreiten. Das Proletariat selbst erscheint weitgehend als perspektivlose, in ihren Aktionen spontaneistische Masse, die zum Schluß widerstandslos in den chauvinistischen Kriegstaumel 1914 einfällt. Von der organisierten Arbeiterschaft erscheint neben dem Parteibudiker Rille nur Napoleon Fischer, der jetzt als karrieristischer SPD-Reichstagsabgeordneter vollends in ein opportunistisches Ränkespiel mit Generaldirektor Heßling verstrickt ist. Aufgrund der Mannschen Epochendeutung muß jedoch der linke Flügel der Arbeiterschaft ebenso wie der SPD aus dem Blick bleiben.

H. Mann erkennt, daß die Intelligenz im Imperialismus objektiv auf die Seite des Proletariats gestellt ist, zu diesem aber in einem subjektiv-sekundären Widerspruch steht, was zu einem charakteristischen Schwanken in der Praxis führt: zwischen Konservieren-Wollen von vermeintlichen Privilegien und opportunistischem Handeln. Wolfgang Buck, ökonomisch und familiär von Heßling abhängig, kann diese Schranke nicht durchbrechen, obwohl er sich intellektuell für die »Sache des Proletariers« einnimmt. Prof. Klinkorum, von Heßling depossidiert, vermittelt Wissen und Bildung an Balrich (»Wir Intellektuellen tragen in unserem Geist den Sprengstoff für sie alle«). Andererseits verteidigt er den bürgerlichen Anspruch auf Eigentum gegen die »rohen« Arbeiter. Balrich, der wissende Arbeiter, ist eine Art Hoffnungsfigur; mit ihm versucht H. Mann die Synthese von »Muskelstärke« und »Kraft des Geistes« zu realisieren, die an den Verhältnissen notwendig scheitert. Das

Ende, bei dem alle Widersprüche im Kriegsrausch versinken, signalisiert die resignative Haltung H. Manns während des Krieges, der den Widerspruch zwischen humanistischen Zielen und imperialistischer Klassenherrschaft unüberbrückbar erscheinen ließ.

Nach den Hoffnungen 1918/19 (*Macht und Mensch*, Essays) setzt mit den Niederlagen der Arbeiterklasse zu Beginn der zwanziger Jahre wieder eine pessimistische Einschätzung der sozialen Entwicklung ein, die ihn 1923 nach einer *Diktatur der Vernunft* (1923) gegen die Diktatur des Kapitals rufen läßt. Scharf richtet er sich gegen die »Maßlosigkeit des heutigen Kapitalismus« und prophezeit, auch »die Epoche der rein kapitalistischen Demokratie« überstehen zu müssen. Zu vieles des Vorkriegsimperialismus setzt sich ungebrochen in der bürgerlichen Republik fort. Um so wichtiger erscheint es H. Mann, noch einmal mit dem Roman *Der Kopf* (1919–25) zu einer umfassenden Epochendeutung anzusetzen.

Der Kopf ist ein forschungsgeschichtlich vernachlässigtes Zeugnis radikaler Kritik der deutschen Intelligenz im Imperialismus und zugleich ein moralischer Roman, der wie die Aufklärer des 18. Jahrhunderts die gesamte Wirklichkeit als Herausforderung der praktischen Vernunft annimmt. Die grundlegende Dichotomie des Romans ist deswegen auch hier die von inhumaner Wirklichkeit und humaner Vernunft, die über alle historischen Niederlagen hinweg zum universalen Maß der Wirklichkeitskritik aufrückt. Der Moral der Vernunft ist die sozialdarwinistische Moral des Erfolgs und der Macht entgegengesetzt: »Das bürgerliche Leben war ganz unverstellt ... Kampf bis aufs Messer, unnachsichtige Härte, schamlose Ausbeutung jeden Vorteils.« Erfolgsmoral zeigt sich auf der Ebene von Politik und Ökonomie darin, daß Rüstungsindustrie, Militär und Politik den Krieg als »ungeheuerstes Weltgeschäft« herbeiführen, das insbesondere aufgrund der Kapitalverflechtung mit dem gegnerischen Ausland unabhängig von Sieg oder Niederlage zum »maßlosen Nutzen« der Industrie funktioniert. Aufs schärfste zeigt H. Mann, wie Großkapital und Generäle mit Hilfe imperialistischer Ideologien, gestützt auf willfährigen Adel und Staatsapparat, besonders nach Zerschlagung der Machtgleichgewichts-Politik des Reichspräsidenten Lanna den Krieg mit dem doppelten Ziel anstreben, »Übergewinne« zu machen sowie Gewerkschaften und Arbeiter niederzuhalten. Der Krieg erscheint als internationale Verschwörung des Kapitals gegen das internationale Proletariat: »Siegen oder nicht, das läßt uns kalt. Der Feind ist das Arbeiterschwein.«

Erfolgsmoral zerstört für H. Mann ferner die existentielle Basis des Menschen: das »Leben« und die »Liebe«. Zum einen hat sie die Institutionalisierung des Mordes zur Folge: der Roman sollte ursprünglich *Die Blutspur* heißen – Spur nämlich der Morde, die um des Vorteils willen individuell oder kollektiv im Krieg begangen werden und durch den »Kampf ums Dasein« sanktioniert sind. Von daher bekommt der Kampf Terras gegen die Todesstrafe seinen Sinn: mit der Forderung nach prinzipieller Achtung des »Lebens« greift Terra die Gesellschaft als ganze an, die den zu Recht erklärten Mord in ihrer Grundstruktur enthält. Die Zerstörung der »Liebe« durch die Erfolgsmoral zeigt H. Mann vorwiegend im Bereich von Interaktionen, die durch

Macht- und Ehrgeizmotive korrumpiert sind und darin auf die Liebesfeindlichkeit der Gesellschaft zurückweisen. Das Unglück der Menschen, die auf Liebe bestehen und darin gesellschaftlich scheitern, wird zum Symptom der entfremdeten Gesellschaft.

Die Antinomie von Erfolgs- versus Vernunftmoral wird schließlich in einer Konstellation von Intellektuellen wiederholt, in der sich der Gegensatz von Thomas und Heinrich Mann reflektiert: Mangolf ist der nietzscheanische Typ des machtbezogenen Egozentrikers, der durch Anpassung an die Herrschaftscliquen seine Karriere realisiert. Terra ist zunächst der décadent in der Maske des Zynikers, geht dann als Armenanwalt in die »Schule des Lebens«, kämpft als Reichstagsabgeordneter und Syndikus des Rüstungsmagnaten Knack (= Krupp) im innersten Kreis der Kriegstreiber subversiv für Prinzipien der Moral, ermordet sinnlos die Marionette des Imperialismus, den Reichspräsidenten von Tolleben (= Bethmann-Hollweg), und sieht die historische Ohnmacht der Moral in einer Zeit ein, die von den imperialen Regeln der Rüstungsspekulanten, Generalität und alldeutschen Chauvinisten beherrscht wird.

Das Leben Terras, das ebenso wie das Mangolfs scheitert, wird von H. Mann zwar resignativ, aber nicht negativ bewertet. Terra erhält ein sinnverbürgendes Zeugnis durch die Französische Revolution, die die Unveräußerlichkeit seines Kampfes um menschliche Würde gleichsam vorab historisch legitimiert. Das Praxisdilemma, nämlich entweder in der Radikalität seines Denkens die Realität zu verfehlen oder umgekehrt bei richtiger Realitätswahrnehmung zwangsweise die Prinzipien der Vernunft zu verletzen, entwertet nicht den moralisch-utopischen Kern von Terras Existenz. Daß sein Utopismus gesellschaftlich nicht durchschlägt, fällt nicht auf den subjektiven Idealismus seines Ansatzes, sondern auf die Unmenschlichkeit der Epoche zurück. Im Zeitalter des Imperialismus sieht H. Mann nur eine Chance, der Korruption der Intelligenz zu entgehen: in der auf sich genommenen Vergeblichkeit des Kampfes Zeugnis zu leisten von einer letztlich historisch nicht widerlegbaren, weil prinzipiellen Vernunftmoral.

Die Zeit nach 1925 steht im Zeichen publizistischer und politischer Aktivität. Im Rahmen etwa seiner Präsidentschaft der Sektion für Dichtkunst an der Preußischen Akademie der Künste 1931 bildet er zusammen mit Döblin, Th. Mann, Wassermann den bürgerlich-fortschrittlichen Flügel und versucht, auf gesetzgeberische Maßnahmen sowie Schul- und Kulturpolitik Einfluß zu nehmen. Es sind diese Zeugnisse einer politischen Moral, die zunehmend die kapitalistischen Bedingungen und die präfaschistischen Züge des Großkapitals, der Rechtsparteien und völkischen Ideologien durchschaut. In der Ablehnung der »Finanzdiktatur« ebenso wie des russischen Bolschewismus sucht H. Mann nach einer westlich orientierten, undogmatisch sozialistischen, übernationalen freiheitlichen Alternative, die ihn freilich der Feindschaft von links (J. R. Becher) wie rechts aussetzt und politisch ortlos macht (*Sieben Jahre*, 1929; *Das öffentliche Leben*, 1932).

Daneben schreibt er eine Reihe von Romanen, deren Struktur von der Idee der »lehrbaren und lernbaren Moral« (K. Schröter) geprägt sind: *Mutter Ma-*

rie, (1927), *Eugénie oder Die Bürgerzeit* (1928), *Die große Sache* (1930) und *Ein erstes Leben* (1932). Doch kann H. Mann in der Spätphase nicht mehr die Fiktion aufrechterhalten, als bildeten Moral und Ökonomie die Pole der Zeit; zu universal herrschend ist das ökonomische Primat. Der Schluß, den H. Mann hieraus zieht, ist eine Notlösung: er zeigt Menschen, die im falschen Bewußtsein, Subjekte ihres Handelns zu sein, fixen Ideen und irrealen Zielen nachjagen und erfahren müssen: die Regeln, denen sie folgen, sind bestimmt von märchenhaft überlegenen Industrieherren und funktionieren für deren Profit. Moralisches Bewußtsein reicht bis zur Erkenntnis dieser Entfremdung, zur individuellen Umkehr, zur weisen Selbstbescheidung – zu einer Haltung also, die gegenüber der Herrschaft des Großkapitals nur individuell eine Möglichkeit darstellt, moralische Integrität zu bewahren.

Das zeigt selbst der 1873 spielende Familienroman *Eugénie*, der ein spätes Pendant zu Th. Manns *Buddenbrooks* darstellt. Auf kultureller und ökonomischer Ebene zeichnet H. Mann die Ruinierung der handelskapitalistischen, liberalen Herrenkaufmannsfamilie West durch unseriöse Börsenspekulationen. Das soziale Verhaltensprofil (Ehe- und Familienmoral) des altpatrizischen Bürgertums wie auch seine Wirtschaftsmoral brechen zusammen und enden in Deklassierung der Familie. H. Mann pointiert dies durch zwei symbolische Zusammenhänge: zum einen spielt der Roman zur Zeit der ökonomischen Strukturkrise 1873, die den Gründerjahren mit ihrer Konzern- und Großbankenbildung unmittelbar voraufgeht und insofern den Ruin des liberalen Kaufmanns an der hanseatischen Randzone des Deutschen Reichs verallgemeinert. Zum anderen weist die Aufführung des Theaterstücks »Eugénie« im Haus der Familie West symbolisch auf die Abdankung bürgerlichgesitteter Gesellschaftsform überhaupt: dessen Subsumtion unter den Imperialismus steht unmittelbar bevor.

Ans Ende der historischen Auflösung bürgerlich-moralischer Wertmaßstäbe ist der Roman *Die große Sache* (1930) gerückt, der die Zeit um die Wirtschaftskrise 1929 thematisiert. Dieser Roman ist dem Rhythmus der sogenannten roaring twenties am meisten angepaßt. In höchstem Erzähltempo, mit filmischen Techniken, reportagehaft flüchtig, ohne Erzählkommentare, mit grotesken und satirischen Überzeichnungen schildert H. Mann im Schema des Illustriertenromans den demoralisierten struggle of life in der Endphase der Republik. Zwischen Generaldirektoren und Gaunern, Boxkampf und Autojagden, Herrschaftsvillen und Elendsvierteln, Bars und Kneipen, Flugzeugen und Industrietechnik, Verbrechen und Sexualität entwickelt sich die Jagd nach der »großen Sache« –: einem sagenhaft profitablen Sprengstoff. Diesen aber hat Oberingenieur Birk, der Regisseur der ganzen Komödie und in dieser Funktion mit einer dem Erzähler ähnlichen Kompetenz ausgestattet, im wahrsten Sinne nur »erfunden«, um seinen Kindern ein Lehrstück vorzuführen. Am Ende sind alle betrogene Betrüger: im Kapitalismus ist die »große Sache« nur Bluff. So bleibt die Moral Birks und H. Manns: arbeite, sei anständig, lerne dich freuen. In der Tat ist das eine hilflose Handlungsorientierung im präfaschistischen Kapitalismus. Wichtiger als diese ist jedoch die Deutung, die H. Mann der Weimarer Gesellschaft gibt. Moral wird disfunktional, wenn das gesellschaftliche System jeden zu rücksichtslosestem Egoismus zwingt: »Betrug ist das Gesetz des Lebens«. In der »großen Sache«, um die es geht, kommt nicht der Klassenkampf zum Ausdruck, sondern ein Bürgerkrieg nach den Profitgesetzen des Kapitals. Wäre an der »Sache« wirklich etwas, wäre es »Sache« des Kapitals. So aber zeigt H. Mann, daß die »große Sache« dem Aufstiegswunsch der systemintegrierten Kleinbürger entspricht. »Sache« und »Sachlichkeit« (und nebenher die »Neue Sachlichkeit«) entzaubert H. Mann als die Bewältigungsform der Lebensangst von Kleinbürgern im Krisenkapitalismus, die im illusionären Bewußtsein, eine »Chance« zu haben, dem Bluff des Kapitals erliegen und darum weder moralisch noch politisch sich oppositionell organisieren können. Freilich ist die Gegenautorität, nämlich Birk, eine illusionäre Konstruktion H. Manns. Die Moralität Birks wirkt märchenhaft unwirklich gegenüber der realen Gegenwart der »Kontrollabteilung« des Großkonzerns. Diese baut vom Arbeiter, Angestellten bis zum Generaldirektor jeden in ein totales Überwachungssystem ein. H. Mann hat damit die Organisationsstruktur des Kapitals bereits als faschistisch-totalitäre Herrschaft gezeichnet. Die ästhetische Konstruktion des Romans, in der Birk als moralische Gegenautorität zum Regisseur der Handlung wird, erzeugt falschen Schein: in der sich abzeichnenden Koinzidenz von Herrschaft des Kapitals und Faschismus wird moralisches Bewußtsein marginal, wenn nicht exiliert.

Und dies auch real: nachdem H. Mann 1933 einen Aufruf zur Einigung der KPD und SPD gegen den Faschismus unterschrieben hat, wird er aus der Akademie der Künste ausgeschlossen; wenige Tage danach, am 21.2.1933 geht H. Mann, der politische Moralist, ins französische Exil.

Zwischen Antibürgerlichkeit und Sozialismus: Alfred Döblin

Der Psychiater ALFRED DÖBLIN (1878–1957) entstammt einer deklassierten jüdischen Kleinbürgerfamilie, die nach der Flucht des Vaters in die USA – ein im Werk Döblins wiederkehrendes Trauma – mühevoll in Berlin sich durchschlug. »Zu den Armen gehörig« fühlt Döblin sich seit je und entwickelt früh einen sensiblen Haß auf die »Fremdherrschaft zu Hause«, in Schule, Bürokratie, Staat, Haß auf das Unrecht der Klassenverhältnisse. Für Döblin kennzeichnend ist ein lebenslanges Schwanken zwischen antiautoritärer Protesthaltung und Sehnsucht nach Rückbindung an ein tragendes Wertefundament. Dem einen Pol entspricht das Suchen nach Harmonie, die er im naturphilosophischen Monismus oder im Alter in der katholischen Kirche zu finden glaubt. Dem anderen Pol entspricht Aktivismus und politische Kritik der Gesellschaft. Die Antinomie von »Handeln« und »Nicht-Handeln« bestimmt seit 1913 die Struktur nahezu aller Werke. Döblin ist der bürgerliche Intellektuelle, der aufgrund von Sozialisation und politischen Erfahrungen seine Position »neben der Arbeiterschaft« sieht, sieht sich einem Eingliedern in sie strikt verweigert, »Arbeitertheorie« ebenso verurteilt wie »Finanzdiktatur« – und seine damit entstehende Einsamkeit nicht anders als durch die mystifizierende Annahme eines vorgesellschaftlichen, naturhaft-mütterlichen Sinnzusammenhangs kompensieren kann.

Nach impressionistischen Erstlingen findet Döblin mit der Novelle *Die Ermordung einer Butterblume* (1910) Anschluß an die expressionistische Literaturrevolte (»Sturm«-Kreis). In dieser literarischen Schizophrenie-Studie gelingt es Döblin, das Fassaden-Ich eines durchschnittlichen Bürgers zu demontieren. In einem Prozeß zunehmender Realitätsdiffusion verselbständigen sich unbewußte Wünsche, Aggressionen, Schuld- und Strafphantasien zu Halluzinationen, die die gesellschaftliche Entfremdung gleichsam von ihrer ›Unterwelt‹, der verdrängten Pathologie des bürgerlichen Charakters zeigt. »Man lerne von der Psychiatrie«, heißt es im Berliner Programm *An Romanautoren und ihre Kritiker* (1913). Damit setzt sich Döblin vom Avantgardismus der Futuristen früh wieder ab, obwohl der futuristische Einfluß bis zum *Alexanderplatz* reicht. Mit seinem »Döblinismus« verteidigt er einen von der Psychiatrie abgeleiteten Reduktionsstil: »Notierung der Abläufe, Bewegungen.« Er wendet sich gegen die bürgerliche Pseudopsychologisierung des Romans ebenso wie gegen die elitäre Emphase der futuristischen Antibürger. Er fordert eine dem Forscher ähnliche »Entäußerung des Autors«, d. h. die Zurücknahme seiner Subjektivität zugunsten einer »Tatsachenphantasie«, die die »lebendige Totalität« der Welt ins Bild bringt. Dynamismus der Sprache als Mimesis der Bewegtheit des Realen, »Kinostil« als Nachahmung der Überblendungs-, Schnitt-, Zeitraffungs- und Simultantechnik des Kameraobjektivs, das die Totale und das Detail gleich sachlich erfaßt: damit hat Döblin bereits den Stil seines Romans *Die drei Sprünge des Wang-lun* (1915) beschrieben.

Jenseits seiner antibürgerlichen Ästhetik hat dieses Buch jedoch politisches Gewicht. Keineswegs im Geleitzug des fernöstlichen Exotismus von Philosophie und Literatur um 1910, wenn auch davon berührt, erzählt Döblin die Geschichte einer taoistischen Massenbewegung im feudalen China der Mandschu-Dynastie mit unverkennbarem Gegenwartsbezug zum kaiserlichen Deutschland. Das Wu-wei, die Religion des Nicht-Handelns und der Hoffnung auf das »Westliche Paradies«, funktioniert dabei als religiöse Widerspiegelung des Elends der Ausgebeuteten und Deklassierten, aus denen sich die Bewegung der »Wahrhaft Schwachen« rekrutiert. Die Wu-wei-Bewegung trägt deutlich antiorganisatorische und anarchistische Züge und ist ihrer Struktur nach allenfalls auf instabile Kleingruppen zugeschnitten. Doch die Wu-wei-Sekte wird als Massenbewegung für die Feudalherren, die korrupten Bonzen und Hofbürokraten, für das konservative Militär und den Kaiser zu einer systemsprengenden Bedrohung. Damit ist die Antinomie von Nicht-Handeln (elementares Eingehen in Natur, Gemeinschaft, Schicksal) und Handeln (politisch-revolutionärer Widerstand) entwickelt. Die »Sprünge« Wangluns sind jeweils Sprünge von einer auf die andere Seite der Alternative. Döblin zeigt, daß krimineller Anarchismus, ekstatisch-selbstmörderisches

Sektierertum (Ma-noh-Gruppe), individueller Eskapismus oder kollektiver, gewaltloser Anarchismus (Wang-lun-Gruppe) in einer Klassengesellschaft keine Lösung der Not sein können. Doch auch der bewaffnete Aufstand des Lumpenproletariats Wang-luns scheitert. Das Praxisproblem, wie es Döblin hiermit stellt, ist typisch für die Vereinzelung des bürgerlichen, zumal jüdischen Intellektuellen: die Einsicht in die Unrechtsverhältnisse der Gesellschaft weckt Rückzugsbedürfnisse, die zu der Erfahrung führen: auch Nicht-Handeln und Anpassung sind kein Schutz vor den Mächtigen (vor Pogromen). Umgekehrt provoziert Widerstandshandeln den eigenen Untergang nur um so schneller: ein Zirkel, der projektiv aufs Leben übertragen dieses zum unauflöslichen Schicksal verallgemeinert.

Mit seinem großen historischen Roman *Wallenstein* (1920) nimmt Döblin das Thema von Handeln und Weltflucht erneut auf. In dem historisch verfremdeten Gleichnis des 30jährigen Krieges verarbeitet Döblin seine Erfahrungen mit der grauenhaften, massenvernichtenden Maschinerie des Krieges und der Macht. Künstlerisch gesehen ist dieser Roman wohl das einzige futuristische Meisterwerk in Deutschland. In einer kühlen, fast zynisch wirkenden Objektivität realisiert Döblin das gegen bürgerliche Salonliteratur gerichtete ästhetische Programm der »Tatsachenphantasie«: wie nie zuvor in der Literatur werden ungeheure Menschenmassen, Ereignisse, Personen, Zeiten und Räume – nach übrigens sorgfältigstem Quellenstudium – in ein riesiges, chaotisches, ebenso kaltes wie visionäres Bildwerk geschlagen. Döblin, als Erzähler, steht dabei nicht über oder jenseits der von ihm entfesselten Kriegsvision: der »steinerne Stil« der Schilderungen objektiviert nicht intellektuelle Überlegenheit, sondern verhüllt vielmehr einen vom Ersten Weltkrieg in Entsetzen, Sinnverlust und Perspektivlosigkeit gestürzten Autor.

Darum ist es konsequent, wenn die ethische Antinomie von Handeln in Nicht-Handeln hier wiederaufgenommen wird, diesmal jedoch in zwei Figuren auseinandergelegt: in Ferdinand, den Kaiser, und Wallenstein, den Hasardeur der Macht. Wallenstein zwingt Politik, Krieg und räuberischen Kapitalismus mit dem Ziel zusammen, das territorial zersplitterte Reich zu einem diktatorischen Absolutismus zu führen, weil nur unter dem Dach politischer Zentralisierung eine ungehinderte Kapitalzirkulation möglich wird. Auf dem Weg dahin betreibt er den Krieg als Kapitalimperialismus größten Stils, wächst zu einem mythischen »Tausendfuß« der Gewalt und scheitert so an der historischen Aufgabe der nationalen Einigung (einer Revolution von oben gegen die feudalen Mittelmächte). Der »latente Kaiser« Ferdinand, seinerseits zögernd und gebrochen im Umgang mit der Macht, scheitert an seiner Rolle ebenfalls, weil er auf geschichtliches Handeln im Kontext von Macht überhaupt verzichtet und als »wahrhaft Schwacher« eine kontemplative Identität auf der untersten Stufe des Volkes sucht, schließlich aber im Zustand bewußtloser Unschuld und mystischer Einheit mit der Natur von einem »Waldmenschen« ermordet wird.

Während des Ersten Weltkriegs neigt Döblin dem Pol des taoistischen Sich-Ergebens eher zu als anfangs der Republik, die die Gegenseite, nämlich politische Praxis, verstärkt. Wie im Wallenstein die Frage ist, ob die historische

Chance des Krieges genutzt wird oder, wie dann wirklich, hier die Rückständigkeit Deutschlands auf Jahrhunderte zementiert wird, so kommt es für Döblin auch um 1920 darauf an, ob die Revolution als Konsequenz des Krieges durchgeführt und die politisch-sozialen Fesseln des Kaiserreichs abgestreift werden.

Als Sympathisant der USPD (bis 1921) deutet er den Parlamentarismus als »Nessushemd der Freiheit«, kritisiert die ausbleibende Sozialisierung der Wirtschaft und geißelt die Fortsetzung des Kaiserreichs im Mantel bürgerlicher Demokratie: Döblin strebt einen Räte-Sozialismus an als einzige unbürokratische, basisorientierte Regierungsform. »Herüber nach links. An die Seite der Arbeiterschaft«, ruft er aus (*Republik*, 1920). Damit nimmt Döblin ein strukturelles Moment des Nicht-Handelns auf die Seite politischer Praxis hinüber: nämlich der anarchische Grundzug herrscht hier wie dort und entspricht seinem Haß auf die allen gesellschaftlichen Prozessen innewohnende Tendenz zur Institutionalisierung. Seine unter dem Pseudonym »Linke Poot« veröffentlichten politischen Satiren (*Der deutsche Maskenball*, 1921) sind von der Enttäuschung eines um seine revolutionären Hoffnungen betrogenen Mannes geprägt.

Nicht zufällig folgt nun die Utopie *Berge, Meere und Giganten* (1924), die die gesellschaftliche Misere der sozialen und technischen Entwicklung über Jahrhunderte phantastisch antizipiert und schließlich in einen Naturmythos enden läßt. Diese Utopie ist selbst bereits Folge der seit 1921 einsetzenden Ausarbeitung der Döblinschen Naturphilosophie (*Buddho und die Natur*; *Die Natur und ihre Seelen*, 1921/22; *Das Ich über der Natur*, 1927; *Unser Dasein*, 1933). Diese höchst eklektizistische Philosophie – zusammengewachsen aus ionischen, pantheistischen, spiritualistischen, fernöstlichen Elementen – hat innerhalb der politischen Orientierungssuche Döblins eine doppelte Funktion. Zum einen soll sie begründen, warum seine Position »neben der Arbeiterschaft« nicht den Schritt zum proletarischen Klassenkampf einschließt. Zum anderen benötigt der antimarxistische Sozialist Döblin eine Sphäre, in der die geschichtlichen Widersprüche einschließlich des Klassenkampfes versöhnt sind: es ist dies die beseelte, selbst schon geistige Natur in Einheit mit dem geistigen, selbst schon naturhaften Ich. Der Monismus Döblins ist also mehrfach defensiv: er wehrt proletarische Politik ab, indem er materialistische Dialektik hintergeht; er wehrt aber auch rationalistische Erkenntnistheorie und objektiven Idealismus (Hegel) ab, indem er diese als Entfremdung der Erlebniseinheit von Mensch und Natur begreift; und er wehrt die Einsamkeit des bürgerlichen Intellektuellen ›jenseits der Klassen‹ ab, indem er den einzelnen Ich mit dem anorganisch-organisch-seelischen Kontinuum einen unveräußerlichen Schutzraum anbietet. Auf der Linie der weltflüchtigen Selbstversicherung liegt auch das an jedem Publikum vorbeigeschriebene, ›indische‹ Versepos *Manas* (1927).

So erklärt erst die naturphilosophische Position, woher Döblin in den Jahren bis 1933 die emotionalen Reserven nimmt, im Rahmen des zunehmend polarisierten Berliner SDS und der Sektion für Dichtkunst sich fortlaufend in allseitig kritische Polemiken zu verstricken: gegen den Faschismus, gegen die

Presse- und Zensurgesetzgebung der SPD, gegen die völkischen und unpolitischen ›Dichter‹-Kollegen, gegen die kommunistischen Autoren des BPRS, gegen die KPD. In den zwanziger Jahren veröffentlicht Döblin ferner eine Reihe literaturtheoretischer Arbeiten (*Der Geist des naturalistischen Zeitalters*, 1924; *Der Bau des epischen Kunstwerks*, 1929; *Vom alten und neuen Naturalismus*, 1930), die nach dem naturphilosophischen Credo als seine literaturtheoretische Positionsbestimmung gelten können. Ihr folgt 1931 dann mit *Wissen und Verändern* die politische Legitimation.

Döblin sieht Literatur vor dem sozialgeschichtlichen Hintergrund, den er mit den Stichworten ›Technik‹ und ›Großstadt‹ bestimmt. Industrialisierung und Technisierung hängen für ihn strukturell mit der Ballung des Lebens in Metropolen zusammen, in denen Vermassung und »Dauerkrieg« ums Überleben herrschen. Der Mensch als »technisch-industrielles Kollektivwesen«, als »Arbeitstier« aber ist in der bürgerlichen Literatur ein »Ausländer«. Die eingeklagte Hinwendung der Literatur »zur breiten Volksmasse« macht deshalb die »Senkung des Gesamtniveaus der Literatur« und die »Beseitigung des Bildungsmonopols« durch das Bürgertum notwendig. Literatur steht vor der Alternative, Sklave des Marktes bzw. der Herrschenden, oder »Funktion des Volkskörpers« zu sein.

Eine solche Literatur richtet sich jedoch nicht nur gegen die kapitalistische Ausbeutung und deren Verlängerung im Staatsapparat, sondern auch gegen proletarische Parteiorganisation und Klassenkampf. Die ideelle Kongruenz von Literatur und Volk (nicht: Proletariat) entspricht nämlich Döblins vager Vorstellung der spontanen Selbsthilfe von unten (vgl. *Staat und Schriftsteller*, 1921) – also dem anarchistischen Element. Ausdrücklich bestimmt er das antiinstitutionelle, negative Moment von Kunst in *Kunst, Dämon und Gesellschaft* (1924) als »anarchistisch«. »Ars militans« richtet Döblin damit sowohl gegen idealistische Kunstautonomie wie gegen proletarische Politkunst. Die literaturpraktischen Folgerungen daraus sind: der Roman hat »ganz nahe an die Realität« heranzugehen, diese nicht bloß abzubilden, sondern in »Elementarsituationen des menschlichen Daseins« zu verwandeln, in denen »Wahrheit« aufscheint. Medium dieses Wahrheitsprozesses ist – neu bei Döblin – der das Werk kommentierende, durch die Produktivkraft Phantasie die Realität transzendierende Erzähler. Damit aber ist die Konstruktion von *Berlin Alexanderplatz* (1929) bereits beschrieben.

Er nämlich ist der Roman, der die »Tagesrealität« Berlins von 1927/28 durch Collage, Montage, Filmtechnik, Report, Dokumentation, Slang und inneren Monolog milieuspezifisch hereinholt; der den Kampf des ehemaligen Arbeiters und Zuchthäuslers Biberkopf um moralische Selbstbehauptung inmitten einer »von Kriminalität unterwühlten« Gesellschaft zu einem Modell des elementaren Antagonismus von Individuum und Gesellschaft stilisiert; der mit Biberkopf einen Lernprozeß inszeniert, welcher im »wahren« Wissen über das Gewaltprinzip der Gesellschaft mündet; und der durch einen didaktischen Erzähler vermittelt ist, welcher nicht nur den Lernprozeß Biberkopfs religiös ausdeutet (Selbstverblendung, Opferung und Purgation), sondern die Realität Berlins insgesamt zu einem apokalyptischen Drama des drohenden Untergangs überhöht. Ähnlich wie H. Broch deutet Döblin damit Wirtschaftskrise und drohenden Faschismus im falschen Bewußtsein der apokalyptischen Weltkatastrophe.

Franz Biberkopf ist zunächst der Prototyp des enteigneten Bewußtseins. Ausgeliefert ist er der Gewalt der visuellen und assoziativen Flut der Großstadtimpulse. Selbst sprachlos, wird er der kollektiven Rede von Zeitungen, Anzeigen, dem subjektlosen Jargon und Gerede einverleibt. Ohnmächtig unterliegt er der manipulativen Gewalt seiner Umwelt, auf die er sich nicht »verlassen« will, und auf die sich zu verlassen er dennoch genötigt ist. Ein Mann, der in naivem Hochmut sich gleichsam solipsistisch noch einmal ›zur Welt‹ bringen will (»Selbstversorger«, sagt er von sich) und dessen Wille zur »Anständigkeit« ausgebeutet, überwältigt, ins Gegenteil verkehrt wird: Mittäterschaft, Betrug, Zuhälterei. »Schlag« für »Schlag« bis zur physischen Verstümmelung, bis zur Ermordung seiner Geliebten und zum psychotischen Zusammenbruch muß ihm in Leib und Seele gegraben werden, was er erkennen soll: »Viel Unglück kommt davon, wenn man allein geht. Wenn mehrere sind, ist es schon anders. Man muß sich gewöhnen, auf andere zu hören, denn was andere sagen, geht mich auch an. Da merke ich, wer ich bin und was ich mir vornehmen kann. Es wird überall herum um mich meine Schlacht geschlagen ... ein Mensch kann nicht sein ohne viele andere Menschen.«

Es sind dies Grundzüge einer sozialen Moral, die den solipsistischen Ansatz zurücknimmt, Handlungsorientierung an einen kommunikativen Prozeß bindet und das gesellschaftliche »Schicksal« in die Verantwortung der solidarisch Handelnden stellt. Doch steht diese Moral am Ende – wie so oft bei Döblin – in offenem Widerspruch dazu, daß Biberkopf dennoch abseits von Organisation und Partei (»Zunft«) in einer beobachtenden Reflexionshaltung verharrt und über das tautologische »Wir wissen, was wir wissen« nicht hinauskommen kann. Es ist dies der Ausdruck des Theorie-Praxis-Widerspruchs bei Döblin selbst, der die politische Herausforderung des Marxismus und die Verweigerung jeglicher Organisation nicht anders ausgleichen kann als durch die Identifizierung von »Wissen« mit »Verändern«: »Erkennen bewegt und verändert wirklich!« Die Unvernünftigkeit der dargestellten Gesellschaft, der »ganz normale Kapitalismus«, der sich im Verbrechermilieu nackt reproduziert, die Durchsetzung aller menschlichen Bezüge mit Gewalt und Unterdrückung: sie sind nicht hinreichend, den letzten Schritt zur organisierten Arbeiterschaft hinüber zu tun. Der *Alexanderplatz* führt zu scharfen Angriffen von Autoren des BPRS (O. Biha, K. Neukrantz, J. R. Becher, K. Hirschfeld, F. C. Weiskopf), die von Döblin hart gekontert werden.

Hierbei geht es im Kern um die wichtige Frage, inwieweit die Kapitalismuskritik Döblins bei gleichzeitiger Ablehnung des Klassenkampfes nicht objektiv eine »politische Gefahr für das Proletariat« darstellt. Über diesem Streitpunkt vollzieht sich der literaturpolitisch bedeutsame Bruch der Zusammenarbeit von Linksbürgern und Kommunisten, wie sie in der »Gruppe 1925« (Becher, Brecht, L. Frank, Kisch, Piscator, Döblin u. a.) und auch z. T. im Berliner SDS funktioniert hatte. Nachdem die KPD 1928 einen scharfen

Linkskurs zu steuern begann und der BPRS organisatorischen Rückhalt in der Partei bekam, war eine der Hauptstoßrichtungen des BPRS die Kritik der Linksbürger (Hiller, Toller, Tucholsky u. a.). So geht bis 1933 die Möglichkeit einer intellektuellen Einheitsfront gegen den Faschismus aufgrund der doktrinären Auseinandersetzungen zwischen den Linken um 1928/30 verloren. Döblin, der 1928 mit der Wahl in die Akademie der Künste einerseits bürgerlich honorabel wurde, andererseits 1929 aus Protest gegen die Zensurgesetzgebung der SPD aus dieser austrat, wird durch die politischen Fehden zur Ausarbeitung seines ethischen Sozialismus gezwungen, die er 1931 mit *Wissen und Verändern* vorlegt. In dieser Schrift, die angesichts von Weltwirtschaftskrise und Arbeitslosigkeit den Intellektuellen zwischen den Fronten der Parteien vor die Frage ›Was tun?‹ stellt, geht es Döblin um die normative Bestimmung des »politischen Orts der deutschen Geistigen«. Er definiert ihn – vereinfacht – ›links über den Klassen‹ wesentlich durch zwei Funktionen: Kritik aller autoritären, d. h. parteiorganisierten oder etatistischen Lösungen der gesellschaftlichen Krise sowie Wiederaufrichtung des »Sozialismus als Utopie«. Dieser Sozialismus geht erklärtermaßen hinter die leninistische Theorie des Klassenkampfes und des Primats der politischen Ökonomie zurück. Eine solche Position muß sich kritisch gegen den Kapitalismus wie Marxismus absetzen.

Auf der einen Seite analysiert Döblin klar den »Grundfehler« des heutigen Kapitalismus: das »durch Privatkraft und Privatmittel betriebene Wirtschaftssystem«. Dieses folgt nur einem Imperativ: »Machtzuwachs, Geldgewinn« und hat für die Bevölkerung »psychische und biologische Schädigung, Armut und Unterdrückung« zur Folge. Er läßt dem eine historische Ableitung folgen, derzufolge seit Luther die Befreiung von spirituellen Mächten (Säkularisierung) stets eine noch größere Abhängigkeit nun von säkularen Mächten einleitete: dies waren zunächst die Landesfürsten, infolge der Industrialisierung dann das Kapital beziehungsweise die Bourgeoisie.

Auf der anderen Seite kommen Döblin bei der Ablehnung des Marxismus-Leninismus Argumente zu Hilfe, die er um 1930 im Studienzirkel des 1926 aus der KPD ausgeschlossenen Theoretikers der Rätedemokratie und syndikalistischen Selbstverwaltung, Karl Korsch, aufgenommen hat. Es sind dies folgende Punkte: Es ist vulgärmarxistisch, die Vergesellschaftung der Produktionsmittel mit der Aufhebung gesellschaftlicher Entfremdung zu identifizieren (Ökonomismus-Vorwurf); das leninistische Parteiprinzip führt zur Bürokratisierung der Revolution und zum autoritären Machtstaat statt zu »direkter Kontrolle« von unten; Ökonomismus und Parteidiktatur führen zum Zerfall der differenzierten Dialektik von Marx und zur Expatriierung des ›subjektiven Faktors‹. – Diese im Blick auf die Sowjetunion z. T. berechtigte Kritik von Korsch wird von Döblin weitgehend ihres marxistischen Kontextes entkleidet und strategisch zur Abwehr der Inanspruchnahme des »Geistigen« durch den Klassenkampf eingesetzt. Korschs Kritik wird damit der organisationsfeindlichen Grundströmung Döblins dienstbar gemacht.

Nach dieser »Trennung von Sozialismus und Klassenkampf« kann Döblins

Bekenntnis zum Sozialismus und seine Anweisung, die Intellektuellen hätten an der »Seite der Arbeiterschaft« zu kämpfen, entschieden ausfallen. Der »Geistige« ist gerade aufgrund seiner politischen Bindungslosigkeit zum historischen Träger der »urmenschlichen Grundsätze« des Sozialismus bestimmt: er soll den Kampf der Klassen auf den Punkt der »menschlichen individuellen Freiheit«, der »spontanen Solidarität« und des »organischen Kollektivismus« zurückführen. Hat der »Geistige« nur diese Funktion, so ist sein Denken auch schon seine Praxis: »Wissen« = »Verändern«. In der zeitgenössischen Diskussion hat S. Kracauer Döblins Position damit kritisiert, daß »die ungebrochene Ablehnung des Zwangs die Herstellung eines Zustands verhindert, in dem weniger Zwang herrscht als heute«. Damit weist Kracauer auf das Kernproblem aller kritischen Theorie, an dem Döblin nicht zufällig scheitert: das Problem der Legitimation revolutionärer Gegengewalt.

Das Interesse für psychische Extremsituationen und den seelenanalytischen Zugriff teilt der deutschsprachige Tschechoslowake ERNST WEISS (1884–1940) mit Döblin; beide sind zudem praktizierende Ärzte wie ihre Kollegen Benn, Carossa, Huelsenbeck, Wolf. Weiß arbeitete als Chirurg in Wien, reiste als Schiffsarzt nach Ostasien, war Frontarzt, lebte als freier Schriftsteller in Berlin, Prag, München, bevor er 1933 nach Paris emigrierte und sich 1940 tötete. Der fast vergessene Weiß war eng mit Kafka befreundet, in dessen Briefen er häufig genannt wird. In seinen Romanen und Erzählungen dokumentiert er extreme Gefühlserschütterungen und sucht als Freud-Schüler mit psychopathologischem Instrumentarium individuelle und zwischenmenschliche Auswirkungen von Schmerz und Leiderfahrungen verbal zu fassen neben den in psychologischen Romanen üblichen Beschreibungen von Lusterfahrungen. Die jüdischgläubige Herkunft macht anscheinend Döblin wie Weiß anfällig für mystisch-spiritualistische Erlösungsvorstellungen. In der ›Neuen Rundschau‹ 1921 brachte Döblin seinen Aufsatz ›Buddho und die Natur‹ neben Weiß' bekenntnishaftem ›Mozart. Ein Meister des Ostens‹. Weiß versuchte sich in mystischen Romanen (*Tiere in Ketten*, 1918; *Nahar*, 1921) einschließlich der Seelenwanderung einer Prostituierten zur Tigerin, die ins Dschungelreich der heiligen Mütter eingeht. Weiß' erstes wichtiges Werk ist die Novelle *Franta Zlin* (1919), in der ein Kriegsheimkehrer mit zerschossenem Geschlecht zum Mörder an Frauen wird. »Vielleicht ist trotz Barbusse und Frank in keiner der vielen Kriegsgeschichten die Bestialität der vaterländischen Mörderei eindringlicher in menschliches Bewußtsein gehämmert worden«, wie Joseph Roth urteilt. Ernst Toller brachte ein vergleichbares Motiv 1923 in *Hinkemann* auf die Bühne, und es findet sich in Hemingways *The Sun Also Rises* (1926) sowie in D. A. Lawrence' *Lady Chatterley's Lover* (1928) und Sean O'Caseys *The Silver Tassie* (1928).

Zu den Versuchen, gesellschaftliche Gegenwartsprobleme zu diagnostizieren durch eine erzählerische Darstellung ihrer Quellbereiche vor 1914 (Broch, Dos Passos, Brüder Mann, Martin du Gard, Musil, Proust, Roth, Weiskopf, Werfel) ist Ernst Weiß' Roman *Boëtius von Orlamünde* (1928) zu rechnen, der ihm den Literaturpreis der Olympiade Amsterdam und den Prager Stifter-Preis eintrug. Ein junger deklassierter Aristokrat beschreibt in autobiographischer Form sein Scheitern als elitär individuelle Sonderexistenz. Mit bewährter Symbolik läßt Weiß das Adeligen-Internat in Flammen aufgehen. Der Protagonist sucht nicht einen bürgerlich praktischen Beruf; das Individuum dankt bewußt ab und gliedert sich in die Masse der Arbeiter ein. Die subtile Sprachverwendung erscheint hier beeinflußt durch den jungen Proust, dessen *Les plaisirs et les jours* von Weiß 1926 übersetzt worden war. Der Schluß des folgenden psychologischen Romans, *Georg Letham. Arzt und Mörder* (1931) bejaht ebenfalls die dienende Eingliederung ins Kollektiv: »Meine Person scheidet dabei aus. Ich verschwand in der Menge, und das ist gut so.« In einem Zeitroman, *Der Gefängnisarzt oder Die Vaterlosen* (Mährisch-Ostrau 1934), beschreibt Weiß die labile Nachkriegsjugend in der republikfeindlichen Umgebung einer Provinzstadt mit Zügen Breslaus. Kurz vor seinem Tod schrieb Weiß den politischen Roman *Ich – der Augenzeuge*, der zufällig als Manuskript in New York erhalten blieb und 1963 veröffentlicht wurde, nachdem er Anfang 1940 in der Züricher Zeitschrift ›Maß und Wert‹ gedruckt worden war. Ein Münchner Arzt entwickelt sich während der Faschistenherrschaft vom distanziert analysierenden Beobachter zum politischen Kämpfer.

Der wichtigste Beitrag zur Literaturgeschichte, den der heute über Gebühr vergessene OTTO FLAKE (1880–1963) liefert, ist sein Versuch zur Neubegründung des Romans: *Die Stadt des Hirns* (1919). Mit ihm variiert Flake (wie auch mit seinem übrigen Werk) einerseits den Entwicklungsroman, wie er durch *Wilhelm Meister* vorgezeichnet ist. Ferner knüpft Flake an den Expressionismus an – dem die *Stadt des Hirns* auch stilistisch nahe ist –, indem er die psychologisch-realistische Literatur radikal verwirft. Mimesis der Wirklichkeit ist für Flake strukturell mit der Anerkennung des Dualismus von ›Ich‹ und ›Welt‹ verbunden und schließt damit indirekt die Affirmation der ›Welt‹, d. h. der bürgerlichen Gesellschaft ein. Die Metapher von der »Stadt des Hirns« nimmt dagegen Bezug auf die expressionistische Absolutsetzung des Subjekts, das sich jedoch – was Flake übersieht – der selbst bürgerlichen Tradition des Idealismus verdankt. Sein »Monismus«, die Welt als »Vorstellung« des Hirns zu entwerfen, unterliegt damit der zutiefst bürgerlichen Überschätzung der Subjektivität und reicht über die bloße Verwerfung bürgerlicher Lebenswelt um so weniger hinaus, als die Überbewertung des Zerebralen genau das Denkmuster ist, das der bürgerlichen Intelligenz den Status einer geistaristokratischen Opposition einräumt, doch von politischem Widerstand entbindet. Diese Paradoxien teilt Flake freilich auch mit Autoren wie Th. Mann, Musil, Broch, die mit dem philosophischen Roman eine antibürgerliche Kunstform genau an der Grenze entwickeln, jenseits derer der Intellektuelle in den Dienst sozialistischer Alternativen genommen würde. So enthüllt der Roman Flakes schon früh eine heimliche Funktion der sogenannten »Zerebralisierung« der bürgerlichen Literatur im 20. Jahrhundert: sie ist noch einmal die Selbstbehauptung des Intellektuellen an der Randzone der bürgerlichen Gesellschaft, die den Künstler nur noch als Warenproduzenten verwertet und, wenn er sich dem entzieht, ihn zum (pathologischen) Außenseiter erklärt. In Flakes Roman sind denn auch die Intellektuellen entweder

Angepaßte des imperialistischen Kaiserreichs oder isolierte Verzweifelte, deren Suche nach Sinn einer Flucht aus der Wirklichkeit immer ähnlicher wird. Das Resümee der Hauptfigur, des Schriftstellers Lauda, kann geradezu als Motto der antibürgerlichen Bürger dienen: »Vorläufig weiß ich nur, daß unsere Kunst in mir gestorben ist, wie unsere bürgerliche Welt mitsamt ihren Werten in mir gestorben ist.« – Döblin hat in *Reform des Romans* (1919) unerbittlich die ästhetischen und intellektuellen Schwächen Flakes aufgezeigt. Flake selbst hat die ideelle Ortlosigkeit auch nicht halten können und mit der fünfbändigen *Ruland*-Serie (1913–28) versucht, seine Grenzposition als Möglichkeit zu pazifistischer, übernationaler und klassenjenseitiger Toleranz darzustellen. Diese freilich behält aristokratische Züge einer individuellen Herrenmoral (*Bekenntnis eines Romanschriftstellers*, 1928).

Der spannungsreiche Widerspruch zwischen literarisch-politischem Engagement an der zeitgenössischen Gesellschaft und ihrer naturmythischen Negation hat Döblin schon zu Lebzeiten breitere Anerkennung gesichert. Ganz anders dagegen verhält es sich mit einem Schriftsteller, der vom Beginn an ein radikaler Verneiner der Zivilisation war: dem Dramatiker, Romancier, Orgelbauer, Landwirt und Hormonforscher HANS HENNY JAHNN (1894–1959), der heute selbst Literaturkennern meist nur dem Namen nach bekannt ist und doch zu den großen produktiven Außenseitern dieses Jahrhunderts gehört.

Schon während des Ersten Weltkriegs im Exil (*Norwegisches Tagebuch*, 1915/16) radikalisiert Jahnn seinen naturwüchsigen Pazifismus, der ihn auch während des Faschismus ins Exil treibt und nach dem Zweiten Weltkrieg zum Gegner der Atomrüstung macht (*Der Dichter im Atomzeitalter, Thesen gegen Atomrüstung*, 1956/57; *Die Trümmer des Gewissens*, ed. 1961), zu einer strikt antizivilisatorischen Position: Die christliche Tradition negiert er von einem anarchischen, naturreligiösen Mythos aus (z. B. in *Pastor Ephraim Magnus*, 1919); die abendländische, besonders die deutsche Tradition des Hellenismus hintergeht er durch altägyptische Totenmythologeme; das humanistische Menschenbild desillusioniert er durch die elementare Fesselung des Menschen an seine Fleischlichkeit, in der Trieb, Sakralität und Barbarei verschmolzen werden (z. B. in *Medea*, 1926). Die auf bürgerlicher Aufklärung beruhende, fortschrittsorientierte Zivilisation negiert Jahnn im Rückgang auf archaisch-zeitlose Landschaften, in denen Mensch, Tier und Natur in ungeschiedener Einheit leben (vor allem in *Perrudja*, 1929).

Mit dem großen Roman-Fragment *Perrudja* gelingt Jahnn erstmals die epische Integration seiner widersprüchlichen ideologischen Orientierungen, wie er auch Anschluß gewinnt an wichtige Neuerungen des modernen Romans. Letzteres zeigt sich vor allem an der sicheren Handhabe des inneren Monologs, der Symbol- und Motivtechnik sowie der sprachlichen Integration der neu entdeckten unbewußten und archaischen Bewußtseinsschichten des Menschen. Dieser Sprachgestalt des Romans entspricht der für das ganze Jahnnsche Werk zentrale Gedanke einer antichristlichen Schöpfungsmythologie, die phylogenetisch als voralttestamentarisch (wichtiger Einfluß durch das altbabylonische *Gilgamesch*-Epos) und ontogenetisch als präödipal anzusehen ist. Von daher erklärt sich auch der viele Kulturbürger erschreckende, für Jahnn jedoch »natürliche« Zusammenhang von Mensch und Tier (bis hin zur Sodomie) ebenso wie das in nahezu allen Werken gebrochene Inzesttabu. Jahnn setzt hier zwei grundlegende Kulturgebote programmatisch außer Kraft: einmal die Regel, nach der der Mensch sich prinzipiell von aller Natur und allen Lebewesen unterscheidet und sich also mit ihnen nicht »vermischen« darf, und zum anderen das Inzestverbot, das von heutigen Ethnologen (z. B. Levi-Strauss) als eine fundamentale, für jede Gesellschaft konstitutive Regel angesehen wird. Hier wird deutlich, wie grundsätzlich die antizivilisatorische Position Jahnns ist. Seine Vernunftfeindlichkeit ebenso wie die vielfältig homosexuellen Beziehungen und Motive; die eigenartigen Ideen der Zeitüberwindung durch Totenbalsamierung; die grellen, von keiner Moral gesteuerten Sadismen; die geschichtslosen Handlungsräume; die Regression auf primitive und archaische Denkformen und schließlich die abstrakten, zeitlosen und pathetischen Stil- und Sprachformen vertiefen die Entfremdung zwischen Jahnn und dem zeitgenössischen Publikum.

Die im *Perrudja*-Roman angelegte Utopie, die nach der Zerstörung der industriellen Massengesellschaft ein Paradies der elementaren Triebhaftigkeit entwirft, zeigt deutlich inhumane, dem Faschismus zwar fernstehende, dennoch verwandte Züge. Jahnn ist es hier so wenig wie in der monumentalen Romantrilogie *Fluß ohne Ufer* (1949–61) gelungen, seine Vereinzelung zu überwinden und sein Leiden an der Welt zu vermitteln mit lebensgeschichtlichen und gesellschaftlichen Erfahrungen. So entspricht die Isolation und Wirkungslosigkeit Jahnns durchaus den Strukturen seines Lebens und eines Werkes, das fast nie sich im Vermittlungszusammenhang von Gesellschaft reflektiert, der es entstammt und auf die es wirken will. Es ist darum wohl nur noch eine interne literaturgeschichtliche »Rettung« Jahnns denkbar, die von der Unhaltbarkeit wie aber auch ideologiegeschichtlichen Erklärbarkeit seines Werkes ausgeht und dabei den überragenden Kunstsinn Jahnns ins gebührende Licht rückt.

Der historische Roman zwischen Geschichtsaneignung und Geschichtsverklärung

Grundlagen

Der *historische Roman*, der gattungsmäßig zunächst nur durch seine vergangenheitsgeschichtlichen Stoffe vom Typ des Gegenwartsromans (wie H. Manns *Die große Sache*) oder der Epochenbilanz (wie H. Brochs *Schlafwandler*) zu trennen ist, ist in der Weimarer Republik beim bürgerlichen Publikum außerordentlich erfolgreich. So war der heute nahezu vergessene EMIL LUDWIG (1881–1948) mit seinen zahlreichen, an politischen und geistesgeschichtlichen Heroen orientierten Romanbiographien ein ausgesprochener Bestseller-Autor (z. B. mit *Goethe*, 1920; *Napoleon*, 1925; *Bismarck*, 1926; *Der Menschensohn*, 1928; *Lincoln*, 1930). Die psychologisierende, halbgebildete Schreibweise Ludwigs, der mit dem schwierigen romanästhetischen Problem der Dialektik von Fiktion und historischer Wirklichkeit sorglos bis ignorant umgeht – darauf verweist vom positivistischen Standpunkt schon 1928 die *Historische Zeitschrift* –, bringt freilich den historischen Roman ebensowenig weiter wie seine konservativen Varianten bei E. G. Kolbenheyer, W. Schäfer, P. Ernst, H. F. Blunck oder W. v. Molo. Diese stehen in der Tradition der apologetischen romantischen Geschichtsverklärung und der nationalistischen Kontinuitätsideologien des 19. Jahrhunderts, die ihre Funktion in der Herstellung eines völkischen Bewußtseins hatten. So gehören diese Autoren – z. T. gegen ihre Intention wie W. v. Molo – in das weitere Einzugsfeld präfaschistischer Formierung, insofern sie Sehnsüchte des Kleinbürgertums nach heiler und großer Vergangenheit sowie dessen unbegriffene Gegnerschaft zum zeitgenössischen Kapitalismus abbinden.

Erst bei Döblin, Feuchtwanger oder A. Zweig kommt der historische Roman der geschichtlichen Dialektik näher, die ihn aus den Bahnen konservativer Historienporträts befreit und in der Exilzeit zu einer der wichtigsten antifaschistischen Literaturformen werden läßt. Die erzählerische Aneignung von Geschichte steht hier von vornherein unter der demokratischen Funktion, die drohende faschistische Okkupation der Vergangenheit abzuwehren: in der Tat diente diese ja der ideologischen Vorbereitung der Machtübernahme in der gegenwärtigen Gesellschaft. Demgegenüber versuchen Feuchtwanger oder Döblin, unter gegenwärtigem Aspekt an einem historisch entfernten Modellfall abgelaufener Geschichte die Frage zu lösen, ob und inwieweit der historisch handelnde Mensch in der Auseinandersetzung mit der mächtigen Objektivität seiner Umwelt geschichtsbildend sein kann. Damit ist die ästhetische Spannung des historischen Romans benannt: die Verwandlung historischer Realität in romanhafte Fiktion legitimiert sich aus dem Interesse des Autors, geschichtliche Situationen als Modell eines fiktiven Probehandelns so zu erzählen, daß daraus Normen und Erkenntnisse für das gegenwärtige gesellschaftliche Handeln abgeleitet werden können.

Dieses Romanmuster hat demokratische Funktion insofern, als der Geschichtsverlust der Vorkriegsliteratur mit der Verarmung politischer Handlungsfähigkeit zusammenfiel. Die Kluft, die zwischen kulturschaffender Intelligenz und historischer Realität herrschte, kann gerade auch im historischen Roman überbrückt werden, soweit er in der ideologischen Krise des Bürgertums nach 1918 dazu beiträgt, der Geschichte Modelle möglichen Handelns abzugewinnen. Dem erweiterten Bewußtsein der demokratischen Autoren entspricht es daher, ihren auf Mitverantwortung des sozialen Lebens angelegten Gegenwartsbezug durch ein vertieftes Geschichtsverständnis abzusichern.

Ein solches Verhältnis zur Geschichte unterscheidet sich deutlich von den Formen der Subjektivierung, wie sie ebenfalls im bürgerlichen Geschichtsroman der Weimarer Republik sich finden: so wenn die Historie zum Projektionsschirm der individuellen Problematik des Autors wird (z. T. bei Stefan

Zweig), oder wenn gegenwärtige Weltanschauungskonflikte geschichtlichen Situationen abstrakt überstülpt werden (z. B. in Döblins *Wallenstein*, z. T. in Feuchtwangers *Jud Süß*, vor allem bei Werfel), oder wenn historische Konflikte als bloße Kostümierung einer immer gleichen menschlichen Daseinsverfassung und Erlebnisweise unterstellt werden (etwa in F. Werfels *Verdi*-Roman und Stefan Zweigs *Sternstunden der Menschheit*). So zeigen nahezu alle historischen Romane der Weimarer Republik typische Defizite des bürgerlichen Geschichtsbewußtseins. Der *Wallenstein*-Roman Döblins (1920) z. B. entfaltet mit deutlichem Bezug auf den Ersten Weltkrieg mit großer sinnlicher Materialität die Situation des 30jährigen Krieges, überlagert diese jedoch mit der geschichtsjenseitigen Ethik des Nicht-Handelns.

Das vorherrschende Geschichtsbewußtsein der zwanziger Jahre läßt sich relativ einfach rekonstruieren. Auch läßt sich in diesem Bereich nachweisen, daß die Großindustrie sich des neuen Massenmediums Film bediente, um das irritierte Geschichtsbewußtsein der neuen Angestelltenschicht und bestimmter Teile der Arbeiterschicht ohne Klassenbewußtsein zu beeinflussen im Sinne einer monarchistisch-reaktionären, reformfeindlichen Interpretation.

Reaktionärer Preußenmythos und historischer Film

Schon die Germanistik und die Geschichtswissenschaft der Kaiserzeit hatten einen bedeutenden Anteil an der Schaffung eines Preußenmythos, der die Gestalt Friedrichs II. zum Zentrum hatte, dem Wilhelm II. 1895 seinen Großvater als »Wilhelm der Große« zur Seite stellen wollte. FRANZ MEHRING (1846–1919), einer der ersten materialistischen Geschichts- und Literaturwissenschaftler, war der preußischen Mythenbildung in seiner *Lessing-Legende* (1893) und in der Biographie *Friedrich II.*, die 1930 neu aufgelegt wurde, am entschiedensten, aber erfolglos entgegengetreten.

Die Demokratiegegner knüpften nach 1918 die Verbindungen zum Preußenmythos neu mit der Tendenz, die Führungsbedürftigkeit der deklassierten Schichten einzuüben und eine Militärdiktatur zu ermöglichen. Einer der bekanntesten Germanisten der Zeit, Julius Petersen, schrieb 1924 in der ›Zeitschrift für Deutschkunde‹: »Wo können führerlos wir besser leitende Kräfte hernehmen als aus der vaterländischen Geschichte und aus dem Nacherleben großer Persönlichkeiten unserer Vergangenheit?« Das drückte Alfred Hugenbergs ›Filmwoche‹ (Nr. 7, 1924) im selben Jahr anläßlich Fritz Langs publikumswirksamer Idealisierung germanischer Helden in seinem *Nibelungen*-Film ebenso deutlich aus: »Ein geschlagenes Volk dichtet seinen kriegerischen Helden ein Epos in Bildern ... Wir brauchen wieder Helden!«

Die UFA hatte ihr Geschichtskonzept schon 1919 präsentiert, als Geschichtswissenschaft und Schule sich noch gar nicht auf ein Umdenken eingestellt hatten. ERNST LUBITSCH (1892–1947) inszenierte eindrucksvoll *Madame Dubarry* (1919) und *Anna Boleyn* (1921), die einerseits historische Wendepunkte durch den begrenzten Erlebnishorizont der bei Hofe gehaltenen Frau privatisierten und andererseits die Volksmassen verächtlich darstellten, also das Subjekt der Geschichte diskreditierten. Diese Schule von Kostümfilmen setzte sich bis in die Hitlerzeit fort und konnte mit der amerikanischen konkurrieren.

Die vom Exponenten der reaktionären Kräfte, Ludendorff, vorgesehene »planmäßige Beeinflussung der Massen« (Brief 4. 7. 1917) durch Filme konnte unter Führung der UFA, deren Aktienmehrheit bei der Deutschen Bank und später beim Konzern Hugenbergs, Hitlers erstem Wirtschaftsminister, lag, hauptsächlich durch die 1922 beginnende Produktion der *Fridericus-Rex*-Filme von Arsèn von Czerèpy in Szene gesetzt werden. In dieser bis in die dreißiger Jahre hineinreichenden Serie wurden der Republik die Zustände zur Zeit Friedrichs II. als Vorbild suggeriert, dessen Preußenstaat Lessing immerhin als »das sklavischste Land von Europa« bezeichnet hatte (Brief an Nicolai 25. 8. 1769).

Militärische Führer gesellten sich in der Endzeit der Republik hinzu, so daß eine Reihe von hoher Suggestivkraft zustande kam: *Der alte Fritz* (1927) von Gerhard Lamprecht, *Waterloo* (1929) von Karl Grune, *Das Flötenkonzert von Sanssouci* (1930) und *Yorck* (1931) von Gustav Ucicky, *Der Choral von Leuthen* (1933) von Arsèn von Czerèpy. Beliebte Schauspieler wie Otto Gebühr und Werner Krauss hätten die Helden zu verkörpern. Das neue Massenmedium prägte damit wahrscheinlich am nachhaltigsten das Geschichtsbewußtsein der deklassierten Mittelschichten. Die Filme dienten zur Einübung von Unterwerfungseinstellungen gegenüber politischen Führern, tolerierten punktuelle jugendliche Rebellion als Durchgangsphase zu asketisch soldatischem Pflichtbewußtsein bei Herrschern und Beherrschten. Die trüben Erfahrungen mit dem Siebenjährigen Krieg wurden mit Paradeglanz und Schlachtsiegen suggestiv gemischt, so daß militaristische Gesinnung nach dem verlorenen Krieg wieder Mut fassen konnte und die Resignationsstimmung illusionär verdrängt wurde.

Der Rundfunk hielt sich mit der Preußenverherrlichung lange zurück und stimmte hier erst ab 1931 mit ein, so mit einer Adaption des völkischen Autors Hermann Burte, *Katte* (1914, 1931) oder des völkischen Hörspielautors Hermann Kyser *Schicksal um Yorck* (21. 2. 1933 Deutschlandsender). Film und Rundfunk stellten sich hier in die Tradition eines sogenannten »preußischen Sozialismus«, der aus der Vorkriegszeit stammte und zu den Täuschungstermini der Zeit gehörte wie »konservative Revolution« oder »Nationalsozialismus«.

Der Literaturmarkt weist einige Bestseller unter der Friedrich-Literatur auf. ADOLF NEEF (1871–1942) verkaufte 150000mal seine Anekdotensammlung *Vom alten Fritz* (1916). Bis 1936 wurden 600000 Exemplare des ersten Bandes von WALTER VON MOLOS (1880–1958) Fridericus-Trilogie verkauft, in dem in national-konservativer Grundeinstellung, doch erzähltechnisch versiert, ein Tag aus dem Leben des Königs geschildert wird. In einem schmalen Band *Fridericus und sein Volk. Dokumente aus dem alten Preußen* suchte KURT KERSTEN (1891–1962), der schon 1922 *Fridericus Rex und die Krise des Absolutismus* veröffentlicht hatte, im Malik-Verlag 1925 den Glorifizierungen entgegenzutreten. Dem militärischen Friedrich-Kult setzte sich gleichfalls der humanistisch konservative BRUNO FRANK (1887–1945) mit *Trenck, Roman ei-*

nes Günstlings (1926) entgegen, in dem er die despotische Verfolgung des Geliebten der Amalie von Preußen durch deren königlichen Bruder darstellt, oder mit seinem Drama *Zwölftausend* (1927), das den Verkauf leibeigener Soldaten im 18. Jahrhundert schildert. Andererseits hatte Frank in seinem Buch *Friedrich als Mensch* (1926) und in den Episoden *Tage des Königs* selbst in sentimental psychologisierender Weise zur Friedrich-Verherrlichung beigetragen. Franks letztes Werk vor der Emigration zeigt seinen Weg vom historischen zum zeitgenössischen Sujet in *Politische Novelle* (1928), die antifaschistisch für deutsch-französische Verständigung plädiert und die Politiker Briand und Stresemann indirekt porträtiert.

Mit dem zu Unrecht vernachlässigten historischen Roman *Grenadier Wordelmann* meldete sich 1930 der Erfolgsautor GEORG HERMANN (1871–1943) zu Wort. Er greift sozialkritisch Lebensverhältnisse der »Tiefengeschichte« (Döblin) auf als bewußte Wendung gegen die filmische und belletristische Legendenbildung zur »Spitzengeschichte« des 18. Jahrhunderts. In die Preußentradition paßte sich die Verherrlichung der Königin Luise ein, die sich in der nationalistischen politischen Frauenarbeit im »Königin-Luise-Bund« niederschlug, wie sie z. B. Erik Reger im Ruhrprovinzroman *Das wachsame Hähnchen* (1932) schildert. Unterstützt wurde diese Mythisierung durch den Bestseller *Königin Luise* (1926) von SOPHIE HOECHSTETTER (1878–1943) und Walter von Molos *Luise* (1919). In dieselbe Richtung wirkten Carl Froelichs Luise-Film, besonders aber der chauvinistische Film *Königin Luise* (1927) Karl Grunes, der 1929 weiterhin antifranzösische Ressentiments pflegte mit dem emotional und technisch (Simultanszenen auf dreigeteilter Leinwand) sehr beeindruckenden Film *Waterloo*.

Mit Döblin, Feuchtwanger, Hermann, Zweig u. a. sind bereits Namen von Geschichtsromanciers gefallen, die jüdischen Familien entstammen. Hier handelt es sich nicht um einen Zufall, sondern um ein wenig beachtetes autorensoziologisches Phänomen: Die vorwärtsweisenden Dichtungen historischen Inhalts stammen von Schriftstellern, die – unabhängig von ihren späteren ideologischen Entwicklungen – eine historisch-religiöse jüdische Erziehung gehabt hatten. 70 bis 90 % dieser historischen Dichtungen verdanken die deutschsprachigen Leser ihren Landsleuten jüdischen Bekenntnisses, deren Anteil an der Gesamtbevölkerung 1932 etwa 0,9 % betrug. Das Bewußtsein von einem Erbe, das älter ist als alle westlichen Zivilisationen – 3000 Jahre jüdischer Geschichtsüberlieferung stehen 1000 Jahre deutscher gegenüber – und die jahrhundertelange Unterdrückung machten den jüdisch gläubigen Westeuropäer eher resistent gegen die opportunistische Geschichtsschreibung der Sieger; er wurde, wie Leo Baeck schreibt, »der große Nonconformist in der Geschichte, ihr großer Dissenter«. Als früher Beleg vor den Neuansätzen der zwanziger Jahre mit Döblin und Feuchtwanger ist hier der genannte Georg Hermann aufzuführen, der mit seinen Romanen über das Berlin des 19. Jahrhunderts *Jettchen Gebert* (1906) und *Henriette Jacoby* (1908) noch während der gesamten Weimarer Republik populär geblieben ist als fast einziger Autor demokratischer historischer Romane des Jahrhundertanfangs. Er emigrierte 1933 in die Niederlande und wurde 1943 in Auschwitz ermordet.

Die Form des Berliner jüdischen Familienromans, der politisch-historische Entwicklungen reflektiert, wurde zuletzt von GABRIELE TERGIT (geb. um 1900) in dem Generationenroman *Effingers* (1951) wieder aufgenommen und entstand im Londoner Exil. Gabriele Tergit war 1931 durch ihren Berliner Gegenwartsroman *Käsebier erobert den Kurfürstendamm* bekannt geworden, in dem das Ende der Kreditkonjunktur aus der Perspektive von Journalisten geschildert wird mit einer Fabel um den Aufstieg des Komikers Erich Carow.

Lion Feuchtwanger als Erneuerer des historischen Romans

Es läßt sich zufällig genau nachweisen, daß der Literaturmarkt noch 1922 für einen historischen Roman mit klarem Gegenwartsbezug wie *Jud Süß* keinen Bedarf zeigte. Wohl aber ergab sich 1923 ein großer Erfolg für LION FEUCHTWANGERS (1884–1958) Roman über das 14. Jahrhundert, *Die häßliche Herzogin*, der als Auftragsarbeit für einen der ersten Buchabonnement-Ringe, den ›Volksverband der Bücherfreunde‹, entstand und mit einer Auflage von 150000 sowohl das rasche Anwachsen des Leserings als auch die Ausbreitung des literarisch anspruchsvollen historischen Romans in Deutschland und dann durch die Übersetzung des *Jud Süß* z. B. auch in Großbritannien bewirkte.

Zwei im Titel signalisierte Reizschemata haben vermutlich die Lesemotivation mit bewirkt: In Aussicht gestellte Kompensationsverhaltensweisen bei »Häßlichkeit« und Perspektive auf die Geschichte mit den Augen der Frau, d. h. nach gängigen Rollenvorstellungen eine vermutliche Dominanz »privater«, »allzumenschlicher« Episoden. Letzteres war durch die Erfolgsfilme *Madame Dubarry* (1919) und *Anna Boleyn* (1921) vorbereitet, wurde durch die Luise-Filme und -Bücher fortgesetzt und zeigt sich etwa bei Lytton Stracheys *Elisabeth und Essex* (dt. 1929), Bruckners *Elisabeth von England* (1930), Stefan Zweigs *Marie Antoinette* (1932) und *Maria Stuart* (1935) bis zum 2-Millionen-Auflage-Erfolg des historischen Romans *Désirée* (1953) der Österreicherin Annemarie Selinko. Des Anreizes des »Häßlichen« für Populärpsychologie bediente sich Feuchtwanger außer in der *Häßlichen Herzogin* nochmals in der »Äffin«, der Königin der *Petroleuminsel* (1927), und nutzte so die seit Herodot bewährte Faszinationskraft monsterhafter Handlungsträger, wie sie Shakespeare in Richard III., Caliban, Othello verwendete oder die europäische Romantik in Mary W. Shelleys *Frankenstein* (1818) (vgl. James Whales Film 1931) oder in *Notre-Dame de Paris* (1831) (vgl. Albert Capellanis Film 1911) von Victor Hugo, einem der Väter des Geschichtsromans neben Walter Scott. Der Film hat sich dieses Motivs mit Vorliebe angenommen, von Friedrich Wilhelm Murnaus *Der Bucklige und die Tänzerin* (1920) bis Tod Brownings *Freaks* (1932) und hier eine eigene Horror-Spezies abgeleitet von Murnaus *Nosferatu* (1922) und seinen *Dracula*-Nachfolgern bis Ernest Schoedsacks *King Kong* (1933).

Lion Feuchtwanger bedient sich in seinen historischen Romanen in hohem Maße der psychologisch-detaillierten Figurendarstellung und verwendet hierzu oftmals »innere Monologe«; er trägt stilistisch dem Identifikationsbedürfnis der Leser Rechnung, macht gleichgültige historische Figuren sinnlich erfahrbar. Hierin hebt sich der Autor von der »neusachlichen« Stilmode ab und läßt den Leser die Ereignisse – wie Arnold Zweig in der ›Literarischen Welt‹ am 26. 7. 1927 hervorhebt – »in der Form des Erlebnisses, des Gefühls, der Überwältigung an sich selbst erfahren«. Weit über die historischen Darstellungen Klabunds, Emil Ludwigs, Alfred Neumanns, Stefan Zweigs hinausgehend schreibt Feuchtwanger »transparent historische Romane«, wie Arnold Zweig sie nennt: seine breiten Darstellungen gesellschaftlicher und ökonomischer Umstände dienen zugleich gegenwärtigen geistigen, politischen, sozialen Problemen. Die Darstellung der materiellen Triebkräfte der gesellschaftlichen Entwicklung im Tirol des 14. und im Württemberg des 18. Jahrhunderts scheint dem Autor wider seine Absichten – im Sinne Lukács' – zu gelingen.

Doch akzentuiert der Autor dann den Gegenwartsbezug dahingehend, daß in der geschichtlichen Distanz die »unveränderten und unveränderlichen« Kräfte hervortreten. Zwar sieht er in diesen Kräften wesentlich materielle Antriebe, jedoch zeigt letztlich *Die häßliche Herzogin*, wie diese psychologisch höchst differenziert gezeichnete Frau des 14. Jahrhunderts notwendig an der Naturhaftigkeit ihres Stigmas und der sozialen Verhältnisse scheitern muß.

Dem als Auftragsarbeit für eine neuartige Vertriebsinstitution geschriebenen Roman *Die häßliche Herzogin* ging die Arbeit an *Jud Süß* voraus. Anläßlich der Ermordung Walther Rathenaus 1922 nahm Feuchtwanger die Problematik »Geist und Macht« wieder auf und transponierte sein Stück *Jud Süß* (1917) in das eher diskursive, beschreibende Medium der Romanform. Es stellte sich jedoch heraus, daß es 1922 für kritisch differenzierende historische Romane keinen Markt gab. Der Autor erhielt das Manuskript von allen Verlagen zurück und konnte nur durch ein zufälliges Tauschgeschäft erreichen, daß *Jud Süß* 1925 in einem Bühnenverlag ediert wurde. Feuchtwanger hatte seine Vorstellungen einer Polarität von »Geist und Macht« gleichfalls in dem Revolutionsstück *Thomas Wendt* (entstanden 1918/19) erörtert. Thematisiert wurden der Bruch mit dem Ästhetizismus und die Politisierung der Literatur. Ein Dichter wird zum politischen Kämpfer und fordert statt revolutionärer Gewalt »Fairness«; seine permanent vorgetragene Forderung ist, »sachlich« zu sein. Dabei gelangt unversehens ein skrupelloser Rüstungsindustrieller an die Macht. In den Romanen *Erfolg* (1930) und *Die Geschwister Oppenheim* (Amsterdam 1933) wird die Thematik Schriftsteller/Politik nochmals aufgegriffen. Im Roman *Jud Süß*, der im Württemberg des 18. Jahrhunderts spielt, werden die Amoralität der Herrschenden, die psychologischen Grundlagen des Antisemitismus, die sozialgeschichtlichen Probleme der Juden historisch getreu und mit aktuellem Bezug geschildert. Am Ende jedoch propagiert Feuchtwanger ein idealistisch-mystisches Modell, das der korrumpierenden politischen Macht in einer falschen Alternative begegnen will durch Gewaltlosigkeit, freiwilligen Handlungsverzicht, Eigentätigkeit der Vernunft, verbildlicht durch Josef Süß, Oppenheimers Rückkehr zur »Erkenntnis«, Bekehrung zu Kabbala und Selbstopfer.

Lothar Mendes 1934 in Großbritannien gedrehter Film *Jew Süss* akzentuiert Parallelen zum deutschen Faschismus und entwickelt differenziert die politisch gelenkte Projektion der dem Kleinbürger versagten Sinnenlust auf die vorgeblich verwerfliche Sinnlichkeit des Juden, die jedoch durch den aus *Caligari* (1920) bekannten Schauspieler Conrad Veidt als gewinnende, verschwenderische Zärtlichkeit dargestellt wird.

In einem weiteren historischen Roman, *Der jüdische Krieg*, wandte sich Feuchtwanger 1932 der römisch-jüdischen Kultur zu Beginn unserer Zeitrechnung zu, die schon mehrfach als Hintergrund bedeutender psychologisch differenzierender Dichtungen diente (so in Racines *Bérénice*, 1670, oder Hebbels *Herodes und Mariamne*, 1849). Da sich dem Autor der deutsche Faschismus vor allem als Variante des Nationalismus darstellte, wollte er durch den Geschichtsschreiber Josephus Flavius einen angeblichen Nationalismus des von Römern unterdrückten jüdischen Volkes bloßstellen lassen. Der Untergang des jüdischen Staates prognostiziert den Untergang des Deutschen Reiches. Als Gegenkraft werden die übernationale Haltung des Josephus und dessen Vernunftglaube gepriesen. Diese opitimistische Version korrigierte Feuchtwanger in den Fortsetzungsbänden.

Seinen Zeitroman *Erfolg. Drei Jahre Geschichte einer Provinz* (1930) legt er formal als historischen Roman an, indem das Erzählmedium aus einem »Jahr 2000« auf die Bürgerkriegszeit 1921–1924 zurückblickt.

Daß an Gegenwartsanalyse kaum Bedarf war, zeigt die relativ geringe Auflage von 25 000; dagegen lagen die historischen Romane dreimal so hoch. Daß in Westdeutschland kein Bedarf an Analysen präfaschistischer Zeiten war, zeigt die Tatsache, daß *Erfolg* erst 1975 als Taschenbuch erschien. Wie Joseph Roth im *Spinnennetz*, das in Deutschland nicht erschien, das verunsicherte Kleinbürgertum als Massenbasis der faschistischen Bewegung darstellt, so variiert es Feuchtwanger 1930, ebenfalls in der rückständigen Agrarprovinz Bayern lokalisiert, und fügt den Einfluß des Großkapitals auf diese Bewegung hinzu. Er arbeitet mit statistischen Dokumentationen und wissenschaftlichen Statements. Durch diese verfremdenden Kunstgriffe erfüllt der Autor genau Brechts Theorem vom ›Historisieren‹. Der Erzähler setzt sich in Gestalt eines Schweizer Schriftstellers mit Brechts materialistischen Funktionsbestimmungen von Kunst auseinander und wünscht offenbar nicht, daß die mit Brecht-Ähnlichkeit gezeichnete Romangestalt vor der Geschichte recht erhalten wird. Der Autor steht zu dieser Zeit der Auffassung Tüverlins nahe, der behauptet, daß er »zwischen den Klassen stehe. Ich bin nämlich Schriftsteller.« Während der erzählten Romanzeit liegt der »Erfolg« einzig bei den korrupten Kräften der bayerischen Exekutive und Judikative: der zu Unrecht verurteilte Kunstwissenschaftler stirbt im Gefängnis, das Volk ist erregt, aber hält sich zurück. Der Autor hatte hier Max Hölz und die zahllosen politischen Gefangenen im Blick. Die Hoffnung auf Veränderung der Wirklichkeit durch rationale Aufklärung und »auf stille Art, durch fortwirkende Vernunft« ist als Feuchtwangers Optimismus bis 1933 auch hier dominant. Konkret erprobt wird diese Illusion, die einen liberalen Staat und unabhängige Kommunikationsinstitutionen voraussetzt, in einer kritischen bayerischen Bühnenrevue unter dem Motto »Bauen, brauen, sauen«, die mißlingen muß. Es bleiben die Medien Buch und Film. Da der Schriftsteller Tüverlin »an gutbeschriebenes Papier mehr als an Maschinengewehre« glaubt, erhofft er sich politische Veränderung durch sein geplantes Buch *Bayern oder Jahrmarkt der Gerechtigkeit.* Zum anderen soll ein Film das Unrecht publik machen, dessen Vorbild offenbar Eisensteins *Panzerkreuzer Potemkin* sein sollte, der sogar auf den erzreaktionären bayerischen Minister Klenk innerhalb des Buchs eine positive Wirkung hat. Das Verbot des Eisenstein-Films in Bayern hätte Feuchtwanger von seinem Aufklärungsoptimismus abbringen können.

Der Titel *Erfolg* wirkte nach 1933 wie Selbstironie, und der Autor ergänzte, nachdem ihm seine frühere Position der »freischwebenden Intelligenz« als Hochmut erschien, das Buch zur Trilogie *Der Wartesaal.* In dem postum erschienenen Buch *Das Haus der Desdemona* (1961) setzt sich Feuchtwanger mit »Größe und Grenzen« historischer Dichtung auseinander.

Aufgrund des Versuchs, Zeitgeschichte im Roman kritisch aufzuarbeiten, ist mit Feuchtwangers *Erfolg* am ehesten vergleichbar der Roman *Union der festen Hand* (1931) von ERIK REGER (d. i. Hermann Dannenberger, 1893–1954). Reger war bis 1927 Referent in der Presseabteilung des Kruppkonzerns und arbeitete als Publizist an verschiedenen westdeutschen Blättern. Die genaue Kenntnis des Ruhrreviers und der Schwerindusrie verarbeitet Reger nach seiner politisch-ästhetischen Neuorientierung an linksliberalen und neusachlichen Positionen in seinem zwischen dokumentierender Reportage und Fiktion wechselnden Schlüsselroman. Es ist der einzige, darum schwer einzuordnende bürgerliche Roman, der die inneren Macht- und Organisationsstrukturen der Produktionssphäre und des Kapitals aus genauer Kenntnis thematisiert. Leicht durchschaubare Bezüge auf Personen und Konzerne (Krupp, Thyssen, Stinnes, Hugenberg, Hitler u. a.) führten zu heftigen Reaktionen. In der Tat gelingt es Reger, die Geschichte des Konzerns von 1918–28 in seiner Verflechtung mit dem reaktionären Flügel der Schwerindustrie, den rechtsradikalen und faschistischen Organisationen ebenso zu entlarven wie die arbeiterfeindliche Betriebspolitik, die technisch-ökonomischen Rationalisierungen und die manipulative Öffentlichkeitsarbeit durchschaubar werden. Die »abgedunkelte Politik« (Reger) des Kapitals, die arkane Sphäre des Managements und der Organisation des Produktionssektors, die Lebenswirklichkeit der Magnaten, Kapitalpolitiker, Angestellten und Arbeiter –: dies alles ist für die Geschichte der Weimarer Republik von hohem Informationswert. Dabei grenzt Reger sich freilich auch äußerst kritisch von der Arbeiterbewegung ab. Die ›objektiv-kritische‹ Grundstruktur des Romans steht deswegen den linksbürgerlichen Formen des »weißen Sozialismus« nah.

Varianten des Scheiterns bürgerlichen Geschichtsbewußtseins

Die Ideologisierung von Geschichte läßt sich besonders deutlich bei dem deutschsprachigen Prager FRANZ WERFEL (1890–1945), einem Autor vor allem christlicher Prägung, beobachten. Nach lyrischen und dramatischen Erstlingen, die mit ihrem menschheitlichen Pathos und ihrer teilweise neuen Stillage dem Expressionismus wichtige Anregungen zuführte, versucht sich Werfel zunächst im Drama an historischen Stoffen. Die Tragödie *Bocksgesang* (1921), während der Französischen Revolution spielend, reflektiert das in den Jahren 1918–20 durch Kisch, Landauer u. a. angeregte Interesse Werfels an revolutionären Prozessen freilich in einer mythologisierenden Transformation, durch welche die historische Revolution zum anarchischen Schauplatz biologischer, mythischer, antichristlicher, heidnisch-exzessiver Kräfte entstellt wird. Ähnliche Abstraktionen zeigen sich auch in der dramatischen Historie *Juarez und Maximilian* (1924) und der Legende *Paulus unter den Juden* (1926): besonders in letzterem Stück ist die Historie nur noch Vorwand für den Werfelschen Weltanschauungskonflikt zwischen immanenter Geschichtlichkeit und transzendenter Göttlichkeit, der durch eine alle Geschichte überwindende Eschatologie aufgehoben wird. Auch der große, sehr erfolgreiche *Verdi*-Roman (1924) ist – trotz großer historischer Detailtreue – weniger eine Variante der verbreiteten Gattung der Historienporträts als vielmehr ein subjektivistischer Künstlerroman. Der von Werfel bewunderte Verdi wird zum Spiegel eines Selbstporträts, das erneut zu einer überhistorischen, »mythischen Wahrheit« symbolisch hochstilisiert wird.

Die weiteren Romane, *Der Abituriententag* (1928), *Barbara oder Die Frömmigkeit* (1929), *Die Geschwister von Neapel* (1931), sämtlich als Zeitromane mit dichterischen Ambitionen gedacht, weichen der Gegenwartsanalyse jedoch aus und bereiten mit kulturpessimistischen Tendenzen sowie Fehleinschätzungen menschlicher Opferhaltungen oder der Funktionen von Geld die weitere Flucht Werfels in die christlich-jüdische Ideologie vor. Die Schilderungen der Revolutionswirren ab 1918 in *Barbara oder Die Frömmigkeit*, die auf Werfels Erfahrungen zurückgehen, wiegen literaturgeschichtlich schwerer als die von Werfel seinerseits höher bewertete Rahmengeschichte von der einfachen, gottseligen Magd Barbara. Die Antinomie von geschichtlicher Erfahrung und geschichtstranszendierender, religiöser Weltdeutung hat Werfel weder ästhetisch noch ideologisch je bewältigt. In dem programmatischen Essay *Realismus und Innerlichkeit* (1931) bestätigt Werfel am Ausgang der Weimarer Republik, daß er seine historische Obdachlosigkeit zwischen den »realistischen«, für ihn gleich »materialistischen« Machtblöcken des Kapitalismus (USA) und Kommunismus (UdSSR) nicht anders als durch Weltflucht und religiöse Kultivierung der Innerlichkeit kompensieren kann – eine Lösung, die ähnlich wie bei Broch, jetzt antirevolutionär gewendet wird und bei Werfel zudem von einem konservativ-katholischen Mystizismus geprägt wird.

Wesentlich bedeutender sind Erzählungen Werfels wie *Der Tod des Kleinbürgers* (1927). Wahrscheinlich angeregt durch EDGAR ALLAN POES (1809–1849) Novelle *The Facts in the Case of M. Valdemar* schildert der Autor den Niedergang des Wiener Kleinbürgertums der Nachkriegszeit, wie es ähnlich treffend dem Grazer Drehbuchautor CARL MAYER (1894–1944) in dem Film *Der letzte Mann*, den FRIEDRICH WILHELM MURNAU (1888–1931) 1924 drehte, gelang.

Den Höhepunkt von Werfels historisierendem Romanschaffen stellt der Widerstandskampf in *Die vierzig Tage des Musa Dagh* (Wien 1933) dar. Der Autor bearbeitete ein 20 Jahre zurückliegendes Ereignis und weist implizit auf Parallelen zum militanten Antisemitismus Deutschlands hin, erfüllt also die Bedingungen des von Döblin so genannten ›transparent historischen‹ Romans. Das leidgewohnte armenische Volk stellt innerhalb des türkischen Staats eine nationale und religiöse Minderheit dar, zeigt auch – wie der aus einem reichen Handelshaus stammende Bagradian versinnbildlicht – wirtschaftliche Überlegenheit. Die türkische Regierung nutzt die Ablenkung der Weltöffentlichkeit durch den Kriegsausbruch zur Vertreibung und Vernichtung der Armenier. Werfel hatte auf einer Palästina-Reise das Elend der Bevölkerung erlebt und betrieb ein ausgedehntes Dokumentarstudium über die historische Vergangenheit der Region um Antiochia. Um das Leserinteresse für die Handlungsweisen der Armenier zu wecken, erfindet der Autor mit dem seit 23 Jahren in Europa lebenden Armenier Gabriel Bagradian eine Identifikationsfigur, die nach der Rettung der Kämpfer von Musa Dagh sterben muß, um nicht mit der historischen Faktizität zu kollidieren. Der mit dem Verteidigungskampf zugleich dargestellte metaphysische Läuterungsweg des bloßen Denkers und »abstrakten Menschen« Bagradian verliert sich oft in psychologisierenden Abschweifungen einschließlich der eingewobenen Ehekrisen und schadet der realistischen Gestaltung des Massengeschehens.

Als beabsichtigte Warnung der die faschistischen Gefahren unterschätzenden jüdischen Minderheiten in Europa kam der Roman zu spät, begründete aber durch die englische Übersetzung Werfels Weltruhm. Ein deutschsprachiger Dichter jüdischen Glaubens aus Prag wurde während seiner von Christen verschuldeten Emigration als Schöpfer eines Nationalepos der armenischen Christen gefeiert.

Die Werke der Exilzeit bestätigen Werfels konservativ-katholischen Mystizismus: *Der veruntreute Himmel* (1939), *Das Lied von Bernadette* (1941) sowie die große gegenaufklärerische Utopie *Stern der Ungeborenen* (1946).

Die Sensibilität für Leiderfahrungen anderer, die den nach seiner Herkunft jüdisch gläubigen Werfel auszeichnete, hatte sich am Armenier-Völkermord bei ARMIN T. WEGNER (geb. 1886), der gleichfalls jüdischer Herkunft ist, schon Anfang der zwanziger Jahre gezeigt: Er beschrieb den Mord an 1½ bis 2 Millionen Armeniern durch die Türken für das deutschsprachige Publikum in den Büchern *Im Hause der Glückseligkeit. Aufzeichnungen aus der Türkei* (1920) und *Der Knabe Hüssein. Türkische Novellen* (1921). An Wegner wie z. B. auch an Brecht läßt sich die auch erziehungspolitisch wichtige These belegen, daß ein reflektiert ausgebildetes Sensorium für sinnliche Glückserfahrungen und ihre Verbalisierung zugleich die Sensibilität für die Leiderfahrungen fremder Menschen wahrscheinlich und wirksam macht. Das Werk Walt Whitmans mit den Beschreibungen von Sinnenlust einerseits und Kriegsgemetzel andererseits kann als Beispiel hinzugenommen werden; zugleich ist sein Einfluß auf Brecht bekannt und sein Einfluß auf Wegners 1917 verbotene Gedichtsammlung *Das Antlitz der Städte* augenscheinlich.

Die Erfolge der Geschichtsfilme und Feuchtwangers zogen eine Lesemode historischer Darstellungen nach sich. Die historischen Romane KLABUNDS (d. i. Alfred Henschke, 1890–1928) sind stark von einer Stilhaltung geprägt, die vom immoralistischen Darstellungstyp André Gides, des jungen Heinrich Mann, Kasimir Edschmids, Charlotte Westermanns herkommt. Wegen des großen Verkaufserfolgs (je über 100000) seiner Bücher *Pjotr. Roman eines Zaren* (1923) und *Borgia* (1928) und wegen des experimentellen Charakters seines »Roman-Film« genannten Treatments *Rasputin* (1929) für Metro-Goldwyn-Mayer kommt dem Autor eine gewisse literarhistorische Bedeutung zu.

Klabunds Geschichtsauffassung ist heroisierend und mythologisierend, wenngleich *Pjotr* nach sorgfältigen historischen Studien entstand. Stil und Szenenmontage erzeugen im Roman einen höchstgesteigerten Bewegungsausdruck, durch die Bild-Abfolge wird eine gewisse Symbolwertigkeit suggeriert. Vom Stummfilm beeinflußt ist auch der Verzicht auf verbalisierende Psychologisierung: Aktionen, Gesten, Reaktionen der Figuren, optische Montage stehen statt Erzählerkommentar; vergleichbar wäre das Transponieren psychischer in physisch motorische Abläufe in Meyerholds »Biomechanik« oder Brechts »epischem« Darstellungsstil. Die vorgeführte Härte und Rücksichtslosigkeit der Helden werden bei Klabund als Mittel suggeriert, die von der intendierten Idee geheiligt seien. Eine sadistische Emotionalisierung des Lesers wie etwa in Edschmids *Timur* (1916) ist nicht Klabunds Ziel. Von Edschmids asiatischem Gewaltherrscher indessen führt eine Einflußlinie zu den Filmtyrannen in *Caligari* (1920), *Nosferatu* (1922), *Dr. Mabuse* (1922) und *Kriemhilds Rache* (1924) sowie anderseits zu Otto Gmelins präfaschistischem *Temudschin/Dschinghis Khan* (1925).

Der Deutsch-Franzose RENÉ SCHICKELE (1883–1940) und der Österreicher STEFAN ZWEIG (1881–1942) versuchten geschichtliche Darstellungen mit humanistisch pazifistischer Grundprägung eines Romain Rolland. Schickeles Trilogie *Das Erbe am Rhein* (1925–1931) stellt im Spiegel eines Familienschicksals eine Art »Entwicklungsroman eines Landes« dar, nämlich des Elsaß, das aufgrund seiner historischen Bedingungen zur gewaltlosen Vermittlung Frankreichs mit Deutschland berufen sei, um eine übernationale Kulturgemeinschaft zu initiieren. Die eindrucksvolle historische Novellistik Stefan Zweigs (*Sternstunden der Menschheit*, 1927; Auflagenhöhe 1931: 300000; erweitert 1936 und postum 1943) verfährt ebenfalls stark psychologisierend und legt das Erzählgewicht auf das einfühlsame Nacherleben jener Sternstunden, bei denen der außergewöhnliche Einzelne im intuitiven Ergreifen einer Situation die vorgeblich »zeitlose Wahrheit« der Geschichte zur Erscheinung bringt.

Dokumentarisch und überwiegend psychologisierend verfährt Zweig in seinen von der französischen Form der vie romancée beeinflußten Darstellungen großer europäischer Persönlichkeiten von Erasmus bis Rolland. Vielleicht erweist sich als wichtigstes Werk die Autobiographie *Die Welt von gestern* (engl. 1943, dt. 1944). ALFRED NEUMANNS (1895–1952) mit dem Kleist-Preis ausgezeichneter Roman *Der Teufel* (1926) ist eine psychologische Geschichtsstudie über Ludwig XI. und seinen »teuflischen« Ratgeber Necker im 15.

Jahrhundert: hier wird das Nietzscheanische Modell des »Willen zur Macht« mit modernen psychoanalytischen Einsichten zu einem historischen Psychodrama kombiniert, das die geschichtliche Dynamik ins Triebdunkel der Menschen verlegt. Ähnliches gilt für die ihrem Sujet nach politischen, doch stark psychologisierten Romane *Rebellen* (1928) und *Guerra* (1929), die vom Erfolg des *Teufels* (132000 bis 1932) mitgetragen wurden.

Die unmittelbare Vergangenheit beschreibt KARL JAKOB HIRSCH (1892–1952) in *Kaiserwetter* (1931). Der S. Fischer Verlag prägte hier einen nostalgischen Verkaufstitel, der von Kiepenheuer dann 1932 mit *Radetzkymarsch* imitiert wurde. Der Maler, Filmausstatter und Journalist Hirsch schildert mit sinnbildlicher Verdichtung das norddeutsche Provinzleben im Hannöverschen bis 1914 und evoziert Beziehungen zu den zwanziger Jahren. Herkünfte der Gewalttätigkeit der Gegenwart erkennt Hirsch in submarinen Symptomen der Vorkriegszeit. Wie der gleichzeitig arbeitende Diagnostiker des Vorkriegseuropas Robert Musil den sinnbildlichen Mörder Moosbrugger einführt, wie Fritz Lang in einem der ersten wichtigen Tonfilme, *M* (1931), sich von einem durch Theodor Lessing beschriebenen Fall (*Haarmann, die Geschichte eines Werwolfs*, 1925) anregen ließ, so präsentierte Hirsch den Triebmörder Büter. An dieser Figur zeigen sich zugleich die Grenzen von Hirschs analytischen Fähigkeiten: er teilt mit Glaeser, Kästner, Kesten die Tendenz, eifernd Sexual- und Geldgier anzuprangern, obwohl sie nur Symptome sind. Die neue Romanform mit dem Verzicht auf einen Haupthelden, der Zerteilung des Erzählkontinuums in szenische Miniaturen schafft dennoch ein sinnvolles Geflecht zur Aufnahme historischer Wirklichkeit mit gleichzeitigem Verweisungscharakter.

In einer Zeit, als die Opportunisten bereits die rassistische Frühgeschichte und Germanenmode propagierten (Hans Friedrich Blunck: *Urvätersaga*, 1925/28 u. a.; Otto Gmelin: *Das Angesicht des Kaisers*, 1926; *Das neue Reich, Roman der Völkerwanderung*, 1930; Rudolf Herzog: *Wieland der Schmied*, 1924) schilderte der oldenburgische Mundart-Schriftsteller AUGUST HINRICHS (1879–1956) in seinem mehrfach neu aufgelegten Roman *Das Volk am Meer* (1929) Freiheitskämpfe der republikanischen Friesen gegen die feudalistischen Oldenburger um 1500, wenngleich Hinrichs sich in den folgenden Jahren des Faschismus nicht erwehren konnte.

Die sozialdemokratischen und kommunistischen Schriftsteller beschränkten sich mit wenigen Ausnahmen auf Darstellungen der unmittelbaren Zeitgeschichte. Den Kampf gegen die Bismarckschen Sozialistengesetze suchte BRUNO SCHÖNLANK (1891–1965) in seinem Roman *Agnes* (1929) in einer Fabel um die sozialdemokratische Frauenrechtlerin Agnes Wanditz darzustellen und nahm deutliche Aktualisierungen besonders hinsichtlich der präfaschistischen Justiz der zwanziger Jahre vor. Im Gegensatz zu den psychologisierenden Geschichtsromanen verzichtet Schönlank auf markante Individualisierung und arbeitet stark mit eingeblendetem dokumentarischen Material.

RUDOLF HEINRICH DAUMANN (1896–1957) suchte – beeinflußt von Zolas *Germinal* (1885) – die Erfahrungen des Bergarbeiterstreiks im schlesischen Waldenburg 1869 für die revolutionäre Situation der Gegenwart fruchtbar zu machen durch seinen Roman *Der Streik* (1932; später unter dem Titel *Das schwarze Jahr*). Daumann gelang es in der inneren Emigration, technisch-utopische Romane zu schreiben und die Nutzung vulkanischer und solarer Energien zu diskutieren sowie zugleich eine gewisse Kapitalismuskritik beizubehalten, indem er etwa wie B. Traven für die lateinamerikanischen Indios eintritt (*Dünn wie eine Eierschale*, 1937; *Macht aus der Sonne*, 1937; *Das Ende des Goldes*, 1938 etc.; *Die vier Pfeile der Cheyenne*, 1957). Daumann konnte in der Sprach- und Figurenhandhabung an den von Kellermann beeinflußten HANS DOMINIK (1872–1942) anknüpfen, den meistgelesenen deutschsprachigen Autor utopischer Populärliteratur (3 Millionen Gesamtauflage von 15 Romanen), dessen großenteils anachronistische und naive Phantasien er jedoch vermeidet, ebenso wie Dominiks oft rassistisch bestimmte Machtkämpfe (*Die Spur des Dschingis Khan*, 1923; *Atlantis*, 1925; *Kautschuk*, 1930; *Atomgewicht 500*, 1935 etc.).

Im historischen Roman der Weimarer Republik spiegelt sich vielfach die ideologische und ästhetische Unsicherheit der bürgerlichen Autoren im Umgang mit Geschichte: während diese einerseits als Fundament des Handelns, als Objekt gegenwärtiger Lernerfahrung und damit auch als Ermöglichung von Zukunft erscheint, wird sie anderseits abstrakten geschichtsjenseitigen Ontologien beziehungsweise naturmythischer und religiöser Weltlosigkeit geopfert. Dennoch ist der historische Roman ein wichtiges Wegmal zur Historisierung des Bewußtseins und damit zu größerem Realismus der Schreibweisen, auch wenn die Einsicht in die geschichtliche Dialektik in jedem Einzelfall unausgereift ist.

Utopische Romane

Bedient man sich Alfred Döblins Utopie-Begriff, so ist im Anschluß an die historischen Romane nach utopischen Romanen zu fragen. (»Was ist Utopie? Es ist ein menschlicher Plan, die Geschichte zu unterbrechen, aus der Geschichte herauszuspringen und zu einer stabilen Vollkommenheit zu gelangen.«) Es ist auffällig, daß die Zahl der deutschsprachigen utopischen Romane mit etwa 30 zwischen 1890 und 1960 im Verhältnis zum angelsächsischen Bereich recht klein ist, jedoch vergleichbar mit den französisch-, italienisch- und russischsprachigen. An Auflagenhöhe dominieren in den zwanziger Jahren der genannte Dominik und BERNHARD KELLERMANNS (1879–1951) *Tunnel* (1913), von dem 1931 300000 Exemplare kursierten. Kellermann fingiert einen von etwa 1920 bis 1945 dauernden Tunnelbau zwischen den USA und Europa, der 9000 Menschenopfer kostet. Der Autor fragt nach dem Einfluß der Technik auf Gesellschaft und Wirtschaft. Die Arbeitswelt wird als besonders negativ geschildert, während die Möglichkeiten der Technik durchaus begrüßt werden. Kellermann gelingt kaum eine Erörterung politisch-sozialer Probleme, doch antizipiert er einen von kapitalistischer Technik geprägten Menschentyp.

Die erste deutschsprachige Negativ-Utopie nach dem Zusammenbruch veröffentlichte der Prager MAX BROD (1884–1968) als *Das große Wagnis* (1918), in dem er den Ich-Erzähler an einer Pseudo-Utopie zugrunde gehen läßt, die ihrerseits nach der Manchester-School-Utopie Theodor Hertzkas, *Freiland. Ein sociales Zukunftsbild* (1890), konstruiert war. Brod verweist auf die Tröstungen des jüdischen Glaubens. Die Negativ-Utopie auf kleinstem Raum von Brods Freund Franz Kafka schloß sich 1919 an: *In der Strafkolonie*. Auf Kafka, den gesamten Surrealismus wie später auch auf HERMANN KASACKS (1896–1966) Dystopie *Die Stadt hinter dem Strom* (1947) blieb nicht ohne Einfluß die phantastische Vision eines totalitaristischen Traumreichs *Die andere Seite* (1909) des mehr als Zeichner berühmten ALFRED KUBIN (1877–1959). Ein unmittelbarer Reflex auf die Revolution 1917 ist ARNOLD ULITZ' (1888–1971) Zukunftsroman *Ararat* (1920); in einem zerstörten Rußland beginnt ein Liebespaar eine nachtechnische Weltgeschichte von vorn und gewinnt in der Natur die »Reinheit« wieder; ein faschistoider Irrationalismus herrscht vor.

Weniger ressentiment-ideologisch, jedoch als Modelle kaum überzeugend sind die folgenden utopieähnlichen Romane: Egmont Colerus spart in seiner Fiktion eines reichen Südkontinents *Antarktis* (1920) die gesellschaftliche Organisationsstruktur aus; im sibirischen Nordkontinent unter Anarchisten spielen Alfons Paquets *Die Prophezeiungen* (1923) und sind eher phantasie- und theorielos an Nostradamus' Prophezeiungen orientiert. Der österreichische Arbeiterschriftsteller Alfons Petzold präsentiert einen utopischen Inselstaat in *Sevarinde. Ein alter Abenteurer-Roman* (1923) und erörtert einige politische Strukturen, wobei er die Technikentwicklung ausspart und auf die »magischen Kräfte« der Eingeborenen setzt.

Am Anfang der Kreditkonjunktur stehen 1924 zwei utopische Romane bekannter Dichter der Weimarer Republik, Döblins *Berge, Meere und Giganten* und Hauptmanns *Die Insel der Großen Mutter oder Das Wunder von Île des Dames. Eine Geschichte aus dem utopischen Archipelagus*. Döblin sucht Alternativentwicklungen zu Naturwissenschaften und Technik. Eine Fabel um die verhängnisvolle Enteisung Grönlands und die Errichtung eines Naturkults bildet den Kern der ersten Fassung, während die spätere, *Giganten. Ein Abenteuerbuch* (1932), die regressiven Traumwucherungen mehr konturiert und die Technik etwas positiver einschätzt.

Der 62jährige Gerhart Hauptmann sieht keinen Anlaß, das Technikproblem in seiner Utopie zu behandeln. Ein nur von Frauen bewohntes Inselland wird als idyllisch und als erotisch faszinierend gezeichnet, und Hauptmanns Programm ist zweifellos experimentell bemerkenswert: Die »›Frauenbewegung‹ ... ist leider nichts als eine Lappalie. Dieser Ozean von Leben, Liebe, Selbstlosigkeit und Schöpferkraft, der im heut unterdrückten Weltreich der Frauen herrscht, müßte einmal von Grund aus bewegt werden.« Jedoch werden keine phantasiemäßig ernsthaften Möglichkeiten durchprobt. Nach neuen Formen menschlichen Zusammenlebens fragt der überwiegend ironisch distanzierte Erzähler nicht.

Ebensowenig wie die Literatur entwickelten Rundfunk und Film überzeugende utopische Modelle. Das bekannteste Beispiel sind die für 5 Mill. Mark produzierten 620 Filmkilometer *Metropolis* (1927) von Fritz Lang. In diesen Zukunftsvisionen wird das potentielle Subjekt der Geschichte, die Arbeitenden, degradiert zum bloßen Objekt in choreographisch bildwirksamen »Massenszenen«, um schließlich eine idyllische Eintracht zwischen Kapital und Arbeit zu demonstrieren. Der neben Jules Verne und Kurd Lasswitz (*Auf zwei Planeten*, 1897) bekannteste Begründer des modernen Science-fiction-Romans, HERBERT GEORGE WELLS (1866–1946), sprach am 3.5.1927 in der ›Frankfurter Zeitung‹ von einem »phantasielosen, verworrenen, sentimentalen und dumm täuschenden Film«. Tatsächlich ersetzten Wells' eigene technische und gesellschaftliche Zukunftsromane überwiegend pessimistischer Art die fehlende deutschsprachige Produktion. Sein Werk wurde in einer 9bändigen neuen Ausgabe (1926 bis 1933) in Deutschland verbreitet.

Die große Aufnahmebereitschaft des deutschen Marktes und Ratlosigkeit des Lesers zeigt auch die Tatsache, daß die neben Samjatins *Wir* wichtigste Anti-Utopie jener Zeit, ALDOUS HUXLEYS (1894–1963) *Brave New World*, schon im Erscheinungsjahr 1932 auch in Deutschland (*Welt – wohin?*) verlegt wurde. Anderseits wurde Jewgenij Samjatins *Wir* 1924 anscheinend nur ins Englische, Französische und Tschechische übersetzt. In *Brave New World* gibt Huxley das Horror-Ergebnis einer Denkhaltung der ›Neuen Sachlichkeit‹, das im Jahr »632 nach Ford« in einem technokratischen Weltstaat spielt. Damit spielt Huxley direkt auf die meistgelesene ›neusachliche« Wirtschafts-Utopie der zwanziger Jahre an, auf Henry Fords *Mein Leben und Werk* (dt. 1923, Aufl. 200000). Demnach sollten das Dienstleistungsethos der »leitenden Angestellten« und das Prinzip hoher Löhne und des Massenkonsums das »wüste Feld der Industrie in einen blühenden Garten« verwandeln, zumal der Krieg ohnehin »nur ein künstlich fabriziertes Übel« sei.

Fords latenter, in Deutschland und Österreich zustimmend registrierter Antisemitismus bestärkte Strömungen, denen z. B. der Wiener Schriftsteller HUGO BETTAUER (1872–1925) zum Opfer fiel. Bettauer schrieb als Warnung vor dem Antisemitismus eine thematisch eingegrenzte satirische Utopie, *Die Stadt ohne Juden. Ein Roman von übermorgen* (1922). Er diagnostizierte sehr früh die Funktionen der Negativideologien wie Antisemitismus, Antikommunismus, Farbigenhaß, Fremdenhaß: »Sehr bald zeigte es sich, daß alle diese Parteien, die Christlichsozialen wie die Nationalsozialisten, nur darauf aufgebaut waren, daß man den Massen die Juden als bösen Geist, als Wauwau und Prügelknaben darbot.« Das Buch war in 250000 Exemplaren verbreitet, erschien im selben Jahr als Theaterbearbeitung und 1924 als Film. In einer Imitation, Arthur Landsbergers *Berlin ohne Juden* (1925), wird der völkische Antisemitismus als Erfindung der Kommunisten dargestellt.

Ein weiteres seiner Bücher, die Beschreibung der Verarmung des Wiener Mittelstands nach dem Weltkrieg, *Die freudlose Gasse* (1925), blieb bekannt durch G. W. PABSTS (1885–1967) Verfilmung 1925, der sich dadurch zum bedeutendsten realistischen Regisseur im deutschen Sprachbereich profilierte. Nach Bettauers 20 Romanen entstanden 6 Filme, darunter der thematisch bemerkenswerte über homoerotische Partner, *Andere Frauen* (1928). In seinen auflagenstarken Zeitschriften trat er für Sexualaufklärung und eine Veränderung des Paragraphen 144 St.G.Ö. über Schwangerschaftsunterbrechung ein. Aufgrund konkreter Zeitungshetze gegen ihn wurde der Schriftsteller 1925 ermordet und der Mörder freigesprochen.

Die Alldeutsche Bewegung unternahm eigene Utopie-Anstrengungen z. B. in Form von Friedrich Fürst Wredes *Politeia* (1925); jedoch blieben latent faschistoide Formen nicht auf Deutschland beschränkt: *Die gefiederte Schlange* (1926, dt. 1932) von David Herbert Lawrence ist Zeichen für mythische Versöhnung des Geschlechtergegensatzes; »Blutopfer« – wie auch in *The Woman Who Rode Away* (1925) – werden als wichtig für die »Bluteinheit« zwischen Individuum und Kollektiv suggeriert.

Als wichtigster utopischer Denker der zwanziger Jahre hat sich im nachhinein ERNST BLOCH (1885–1977) herausgestellt. *Geist der Utopie* in der Fassung von 1923 zeigt sich als wichtiger Entwurf des Hauptwerks *Das Prinzip Hoffnung* (1954–1959). Stärkste poetische Suggestionskraft utopischer Fühl- und Denkweisen entfaltet das Fragment des zweiten Teils von Robert Musils *Der Mann ohne Eigenschaften* (1930, 1933, 1943). Wie Bloch und Musil wandten sich auch andere Emigranten der Utopie zu, wenn auch mit weit geringeren Ansprüchen: Oskar Maria Graf in dem »Roman einer Zukunft« *Die Eroberung der Welt* (1942, 1947 – »›Provinziell‹ muß die Welt werden, dann wird sie menschlich.«), Hermann Hesse im *Glasperlenspiel* (1943).

Literaturhinweise

Manfred Brauneck (Hg.): Der deutsche Roman im 20. Jahrhundert. Analysen und Materialien zur Theorie und Soziologie des Romans. 2 Bde. Bamberg 1976.

Lucien Goldmann: Soziologie des modernen Romans. Neuwied und Berlin 1970.

M. Hahn/D. Schlenstedt/F. Wagner: Thesen zum deutschen Roman im 20. Jahrhundert. In: Weimarer Beiträge 14 (1968), S. 30–103.

Jenö Kurucz: Struktur und Funktion der Intelligenz während der Weimarer Republik. Saarbrücken 1967.

Eberhard Lämmert u. a. (Hg.): Romantheorie. Dokumentation ihrer Geschichte in Deutschland seit 1880. Köln 1975.

Eberhard Lämmert: Bauformen des Erzählens. Stuttgart 1955.

Georg Lukács: Die Theorie des Romans. Ein geschichtsphilosophischer Versuch über die Formen der großen Epik. Neuwied und Berlin 1963 (zuerst: 1920).

Claudio Magris: Der habsburgische Mythos in der österreichischen Literatur. Salzburg 1966.

Arno Ros: Zur Theorie literarischen Erzählens. Frankfurt/M. 1972.

W. Rothe (Hg.): Die deutsche Literatur in der Weimarer Republik. Stuttgart 1974.

Dietrich Scheunemann: Romankrise. Die Entstehungsgeschichte der modernen Romanpoetik in Deutschland. Heidelberg 1978.

Dietrich Schlenstedt: Zur deutschen Romanentwicklung im 20. Jahrhundert. In: Weimarer Beiträge 14 (1968), S. 15–29.

Theodor Ziolkowski: Strukturen des modernen Romans. Deutsche Beispiele und europäische Zusammenhänge. München 1972.

Literatur im Dritten Reich

Von der nationalen Opposition
zur Machtergreifung der NSDAP

Mit der Niederlage Deutschlands im Ersten Weltkrieg hatte der Traum vom ›Platz an der Sonne‹, von der Neuaufteilung der Erde zugunsten des zu kurz gekommenen Deutschen Reiches, ein jähes Ende gefunden. Die Alliierten nutzten die Gelegenheit, den gefährlichen deutschen Konkurrenten, der sich innerhalb weniger Jahrzehnte zur führenden europäischen Industrienation entwickelt hatte, durch die rigorosen Friedensbedingungen des Versailler Vertrages auszuschalten. Wirtschaftsverbände und deutsch-nationale Vereine wie der Centralverband Deutscher Industrieller (CDI), der Bund der Landwirte (BdL) und der Alldeutsche Verband (ADV), die – während des Krieges im ›Kartell der schaffenden Stände‹ vereinigt – eben noch die Annexion der belgischen und nordfranzösischen Industriereviere, der baltischen und weißrussischen Agrargebiete sowie die Vergrößerung des überseeischen Kolonialbesitzes gefordert hatten, sahen sich nun mit dem Verlust der Kolonien, Landabtretungen und riesigen Reparationsforderungen konfrontiert.

Hinzu kam die innenpolitische Niederlage der ›nationalen Kräfte‹. Die Lähmung, von der diese angesichts sozialistischer Räteregierungen und der Proklamation der Republik ergriffen worden waren, wich erst, als die SPD im Bunde mit der Reichswehr gegen die revolutionären Arbeiter und Soldaten vorging, die Errichtung einer sozialistischen Republik verhinderte und die traditionellen Besitzverhältnisse garantierte. Den Schock der Novemberrevolution beantworteten sie mit einer verschärften Hetze gegen die kommunistischen und sozialdemokratischen ›Novemberverbrecher‹, denen sie nicht nur den ›Schandfrieden von Versailles‹, sondern mit der ›Dolchstoßlegende‹ auch die Schuld an der deutschen Niederlage anlasteten.

Im Kampf gegen die Arbeiterbewegung begannen sich die Rechtsgruppen als nationale Opposition neu zu formieren. Die ehemaligen konservativen Parteien schlossen sich zur Deutschnationalen Volkspartei (DNVP) zusammen, der Bund der Landwirte (BdL) fusionierte mit dem Deutschen Landbund zum Reichslandbund (RLB), das ›Kartell der schaffenden Stände‹ setzte im »Herrenclub«, einem Treffpunkt von Junkern, Schwerindustrie und Hochfinanz, seine Politik fort, und daneben konstituierte sich eine ganze Reihe konservativer völkischer und faschistischer Bünde, Wehrverbände und Parteien, zu denen auch die NSDAP gehörte.

Was die Rechtsgruppen ideologisch und in ihrer politischen Praxis einte, war neben ihrem Kampf gegen das ›Diktat von Versailles‹ sowie gegen Kommunismus und Sozialdemokratie ein ausgeprägter Antiliberalismus, wie er sich bei den Agrariern bereits im Kaiserreich auf Grund ihres bedrohten ökonomischen und politischen Status herausgebildet hatte. Das gemeinsame Ziel war die Beseitigung der Republik, wobei die jungkonservativen, völkischen, national-revolutionären und nationalsozialistischen Gruppen allerdings anders als die traditionellen Konservativen nicht die Rückkehr zur Monarchie anstrebten, sondern die Machtergreifung der eigenen Parteigruppe und die Errichtung einer bürgerlichen Diktatur auf dem Wege der ›nationalen Revolution‹. Der starke Staat sollte mit Hilfe dirigistischer Maßnahmen Kapital und Arbeit miteinander ›versöhnen‹ und die Klassengesellschaft in eine ›organisch gegliederte Volksgemeinschaft‹ überführen, die jeder Interessengruppe gerecht zu werden versprach.

Diese Gesellschaftskonzeption, die sich am Modell der staatlich gelenkten Kriegswirtschaft und der damit verbundenen Zwangsschlichtung von Arbeitskämpfen orientierte, wurde von faschistischer Seite als ›preußischer‹ oder ›nationaler Sozialismus‹ ausgegeben – ein ›Sozialismus‹, der die Eigentumsverhältnisse unangetastet ließ und den jeweiligen Besitzstand offiziell absicherte. Ergänzt durch soziale und gelegentlich sogar antimonopolistische Forderungen wie Verstaatlichung der Banken oder Auflösung der Warenhäuser (Programmpunkte der NSDAP) vermochte ein solches Programm vor allem jene Wählerschichten zu mobilisieren, die sich von Kommunismus und Großkapital gleichermaßen bedroht fühlten und sich vom starken Staat die Sicherung ihrer Privilegien erhofften. Das aber waren keineswegs nur agrarische Gruppen, sondern weiteste Teile des bürgerlichen Mittelstandes. Auf der einen Seite drohte die Deklassierung durch den Kommunismus, dessen Machtübernahme es zu verhindern galt, auf der anderen Seite schienen sich auch Monopolkapitalismus und parlamentarische Demokratie zunehmend als unfähig zu erweisen, den sozialen Status des Mittelstandes zu garantieren. Die Inflation hatte die Masse der Angestellten, Handwerker und Kleinbesitzer um ihre Ersparnisse gebracht, und die Weltwirtschaftskrise setzte sie erneut der Gefahr aus, ihre Existenzgrundlage zu verlieren und ins Proletariat oder ins Heer der Arbeitslosen hinabgestoßen zu werden. Zudem drohte eine breite Schicht kleiner Gewerbetreibender durch die Monopolisierungs- und Konzentrationstendenzen der kapitalistischen Wirtschaft ruiniert zu werden. Beeinflußt durch die soziale Demagogie des nationalsozialistischen Programms verhalfen diese wirtschaftlich verunsicherten Schichten der NSDAP – in der Stabilisierungsphase von 1924 bis 1928 eine relativ unbedeutende Partei – im Verlauf der Weltwirtschaftskrise zu ihren gewaltigen Wahlerfolgen. Die Wahlerfolge – gefördert durch finanzielle Unterstützung der NS-Propaganda von seiten rechtsradikaler Industrieller und Bankiers (Keppler-Kreis u. a.) – reichten jedoch nicht hin, der NSDAP zur Macht zu verhelfen. Das Recht, den Kanzler zu ernennen, lag beim Reichspräsidenten und Generalfeldmarschall Hindenburg. Dieser aber, der kraft seiner Notverordnungskompetenz seit Beginn der dreißiger Jahre mit Hilfe von Präsidialkabinetten regierte, die über keine Mehrheit im Reichstag verfügten, fand sich erst bereit, Hitler zu berufen, als ihm dies von seinen Parteigängern – führenden Politikern, Wirtschaftsvertretern und Generalen aus dem Umkreis des Herrenclubs und der DNVP – mit Nachdruck nahegelegt wurde.

Für diese Kreise wurde Hitler, der zunächst als allzu radikaler und unberechenbarer Außenseiter galt, in dem Maße als Bündnispartner interessant, wie es ihm gelang, die mittelständischen Massen hinter sich zu bringen. 1931 schloß sich die rechte Fraktion der traditionellen Machtelite – DNVP, Stahlhelm, Reichslandbund, Reichsverband der deutschen Industrie (Hugenberg,

Thyssen u. a.) und Alldeutscher Verband sowie Bankiers und Generale wie Schacht und v. Seeckt – mit der NSDAP zur Harzburger Front zusammen, deren Hauptangriff neben dem ›Versailler Diktat‹ und der republikanischen Staatsform vor allem der Arbeiterbewegung galt:

»Die nationale Opposition hat seit Jahren vergeblich gewarnt vor dem Versagen der Regierungen und des Staatsapparats gegenüber dem Blutterror des Marxismus, dem fortschreitenden Kulturbolschewismus und der Zerreißung der Nation durch den Klassenkampf [...]. Entschlossen, unser Land vor dem Chaos des Bolschewismus zu bewahren, unsere Politik durch wirksame Hilfe aus dem Strudel des Wirtschaftsbankrotts zu retten und damit der Welt zu wirklichem Frieden zu verhelfen, erklären wir: Wir sind bereit, im Reich und in Preußen in national geführten Regierungen die Verantwortung zu übernehmen.«[1]

Unter dem Eindruck der Weltwirtschaftskrise, der Massenarbeitslosigkeit, der Erfolge der KPD und der befürchteten kommunistischen Revolution setzten sich führende Vertreter der Nationalen Opposition für die Ernennung Hitlers zum Reichskanzler ein, bildeten 1933 unter seiner Leitung eine Koalitionsregierung und übertrugen ihm schließlich unterstützt vom Reichspräsidenten und den liberalen Parteien mit dem Ermächtigungsgesetz diktatorische Vollmachten.

Was sich Industrie und Banken von der NSDAP erhofften, erläuterte der Kölner Bankier Baron Kurt von Schröder, in dessen Haus am 4. Januar 1933 die geheimen Koalitionsverhandlungen zwischen dem ehemaligen Reichskanzler von Papen und Hitler geführt worden waren, vor dem Militärgerichtshof in Nürnberg in einer eidesstattlichen Erklärung wie folgt:

»Die allgemeinen Bestrebungen der Männer der Wirtschaft gingen dahin, einen Führer in Deutschland an die Macht kommen zu sehen, der eine Regierung bilden würde, die lange an der Macht bleiben würde. Als die NSDAP am 6. November 1932 ihren ersten Rückschlag erlitt und somit also ihren Höhepunkt überschritten hatte, wurde eine Unterstützung durch die deutsche Wirtschaft besonders dringend. Ein gemeinsames Interesse der Wirtschaft bestand in der Angst vor dem Bolschewismus und der Hoffnung, daß die Nationalsozialisten – einmal an der Macht – eine beständige politische und wirtschaftliche Grundlage in Deutschland herstellen würden. [...] Weiterhin erwartete man, daß eine wirtschaftliche Konjunktur durch das Vergeben von größeren Staatsaufträgen werden würde. In diesem Zusammenhang sind zu erwähnen: eine von Hitler projektierte Erhöhung der deutschen Wehrmacht von 100000 auf 300000 Mann, der Bau von Reichsautobahnen [...], Aufträge zur Verbesserung des Verkehrswesens, insbesondere der Reichsbahn, und Förderung solcher Industrien wie Automobil- und Flugzeugbau und der damit verbundenen Industrien.«[2]

Durch den extensiven Gebrauch von Notverordnungen in ihrem demokratischen Gehalt längst ausgehöhlt, wurden Verfassung und parlamentarische Demokratie in dem Moment auf ›streng legalem‹ Wege außer Kraft gesetzt, als sie die Funktionstüchtigkeit des Wirtschaftssystems und damit auch den ökonomischen und politischen Status der großagrarischen und industriellen Machteliten ähnlich wie den der bürgerlichen Mittelschichten nicht mehr hinreichend zu sichern vermochten.

Von der Literatur der Konservativen Revolution zur Gleichschaltung des kulturellen Sektors

Die konservative und faschistische Literatur war der Entwicklung der nationalen Opposition eng verbunden. Wie diese hatte sie ihren Ursprung im Kaiserreich. Dort war es um die Jahrhundertwende im Zeichen der Heimatkunstbewegung zu einer breiten Sammlungsbewegung konservativer Schriftsteller und Literaturkritiker gekommen, die von den Repräsentanten einer agrarisch-konservativen Bauernliteratur wie Wilhelm von Polenz, Heinrich Sohnrey und Peter Rosegger über Vertreter eines konservativen Bildungsbürgertums wie Friedrich Lienhard bis hin zu national-imperialen und völkischen Autoren wie Gustav Frenssen, Hermann Löns und Adolf Bartels reichte. Dabei orientierte sich die literaturtheoretische Kategorienbildung zunächst an den grundlegenden politischen Positionen der agrarisch-konservativen Fraktion, die sich sowohl gegen den Sozialismus als auch gegen den Industriekapitalismus, das ›mobile Kapital‹, abgrenzte. So spiegelten sich Antiliberalismus und Antisozialismus der Agrarier in der doppelten Wendung gegen die Literatur der Dekadenz und des Naturalismus, ein ideologisches Syndrom, das in der Weimarer Republik im Kampf der nationalen Opposition gegen ›Asphaltliteratur‹ und ›Kulturbolschewismus‹ seine Entsprechung fand. Nur hatte sich der ›antikapitalistische‹ Affekt, der stets nur ein antiindustrieller gewesen war, über die Differenzierung in ›raffendes‹ und ›schaffendes‹ Kapital, die Gegenüberstellung von nationaler Industrie und einem angeblich in jüdischen Händen befindlichen Bank- und Handelskapital also, mittlerweile in einen antisemitischen verkehrt. Hier knüpften die Nazis mit ihrer antikapitalistisch klingenden sozialen Demagogie an. In Hermann Löns und Adolf Bartels, der die Heimatkunstbewegung bruchlos in den Faschismus überführte, verehrten sie ihre bedeutendsten literarischen Vorkämpfer. Orientiert an konservativen und rassistischen Ideologen wie Paul de Lagarde (*Deutsche Schriften*, 1878/81), Julius Langbehn (*Rembrandt als Erzieher*, 1890) und Houston Stewart Chamberlain (*Grundlagen des 19. Jahrhunderts*, 1899) war Bartels der erste, der die konservativen und deutschnationalen Werke in seinen diversen Literaturgeschichten unter der Rubrik ›Heimatkunst‹ zusammenstellte und als politischen Block begriff, an den die Faschisten mit ihrem Literaturverständnis anknüpfen konnten.

Hatte die konservative und völkische Literatur in der Weimarer Republik zur Zeit wirtschaftlicher Stabilität nur eine untergeordnete Rolle gespielt, so gewann sie gegen Ende der zwanziger Jahre mit dem Aufstieg der NSDAP an Breitenwirkung und wurde zu einem wichtigen Faktor des sich im Verlauf der Weltwirtschaftskrise beschleunigenden Faschisierungsprozesses. Ihren prägnantesten Ausdruck fand die Ideologie der nationalen Opposition auf literarischem Sektor in den Werken der Konservativen Revolution – ein Sammelbegriff für jene parteipolitisch vielfach nicht gebundenen jungkonservativen, völkisch-rassistischen oder ›national-revolutionären‹ Schriftsteller, die im Gegensatz zu den monarchistischen Konservativen die Idee der nationalen Revolution befürworteten und wie etwa Edgar Jung für sich nicht zu Unrecht in Anspruch nahmen, faschistische Anschauungen lange vor den Nationalsozialisten ausgeprägt und in den gebildeten Schichten populär gemacht zu haben:

»Es steht fest, daß die nach dem Kriege von einer Reihe verantwortungsbewußter Männer ausgebildete Volksdeutsche Ideologie für den deutschen Nationalismus, den großdeutschen Gedanken und die Vorstellung einer europäischen Neuordnung, insbesondere die Reichsidee, grundlegende und weittragende Bedeutung gehabt hat. Es steht weiter fest, daß die Gedanken der konservativen Revolution in den Jahren 1919 bis 1927 fast unter Ausschluß der Öffentlichkeit von einzelnen Kreisen und schöpferischen Menschen geformt und gegen den Widerstand einer hohnlachenden Umwelt durchgefochten wurden. [...] Die geistigen Voraussetzungen für die deutsche Revolution wurden außerhalb des Nationalsozialismus geschaffen.«[3]

Hugo von Hofmannsthal (*Das Schrifttum als geistiger Raum der Nation* 1927) stand diesen Tendenzen ebenso nahe wie Stefan George und sein elitärer Kreis. Der Literaturwissenschaftler Paul Kluckhohn rechnete in seinem programmatischen Aufsatz *Die konservative Revolution in der Dichtung der Gegenwart* (Zeitschrift für Deutsche Bildung IX 1933) unter Berufung auf Hofmannsthal alle jene Schriftsteller zur Konservativen Revolution, die national, konservativ oder faschistisch gesonnen waren. Das Spektrum reichte daher von George, Hofmannsthal und Ernst über Carossa, Schröder und Wiechert bis Blunck, Kolbenheyer, Vesper und Griese. Es ist bezeichnend für das Dilemma der deutschen Konservativen, daß sie, wie distanziert sie sich im einzelnen der NSDAP gegenüber auch verhalten mochten, durch ihre vielfältigen Aktivitäten in Zeitungen, Zeitschriften oder politischen Zirkeln wie dem 1924 in Herrenclub umbenannten Juni-Club dem Nationalsozialismus überhaupt erst den Weg ebneten.

Während die Nationalsozialisten eine Flut politischer Schriften wie Adolf Hitlers *Mein Kampf* (1926/27), Alfred Rosenbergs *Der Mythus des 20. Jahrhunderts* (1930) oder R. Walther Darrés *Neuadel aus Blut und Boden* (1930) veröffentlichten, bereiteten Schriftsteller der Konservativen Revolution wie Oswald Spengler (*Neubau des Deutschen Reiches*, 1924), Arthur Moeller van den Bruck (*Das Dritte Reich*, 1923), Edgar Jung (*Die Herrschaft der Minderwertigen*, 1927), Othmar Spann (*Der wahre Staat*, 1921), Hans Freyer (*Revolution von rechts*, 1931), Hans Grimm (*Volk ohne Raum*, 1926) oder Ernst Jünger (Kriegsromane) ähnliche Vorstellungen in sublimierter Form für das Bildungsbürgertum auf. Gleichzeitig sorgten nationale Pressekonzerne, Verlage, Zeitungen und Zeitschriften für die nötige Publizität. Von den Verlagen des Deutschnationalen Handlungsgehilfenverbandes (Hanseatische Verlagsanstalt, Verlag Albert Langen/Georg Müller), der größten Angestelltengewerkschaft, reichte die ›nationale Front‹ deutscher Verleger über den Hugenberg-Konzern bis hin zum nationalsozialistischen Eher-Verlag. Literarische Zeitschriften wie Will Vespers *Die schöne Literatur*, die 1931 als Ausdruck ihrer entschiedenen Parteinahme für die ›neue‹ konservative und völkisch-faschistische Literatur in *Die neue Literatur* umbenannt wurde, Hans Zehrers *Die Tat*, Wilhelm Stapels *Deutsches Volkstum* sowie die bereits für die Heimatkunst wichtig gewordenen Zeitschriften *Der Türmer* und *Der Kunstwart* setzten sich im Verlauf der zwanziger und dreißiger Jahre mit steigendem Nachdruck für die deutsch-nationale und faschistische Literatur ein.

Die Schriftsteller, die in diesen Zeitschriften mitarbeiteten, hatten vielfach bereits in der Heimatkunstbewegung eine wichtige Rolle gespielt. Schon 1918 war in Berlin ein Reichsbund für Heimatkunst gegründet worden, der vor allem in den Kunstwissenschaften wirksam geworden ist. Adolf Bartels, der den Nationalsozialismus bereits 1924 als ›Deutschlands Rettung‹ begrüßte und als freier Mitarbeiter am Kulturteil des *Völkischen Beobachters* tätig war, schloß sich schließlich dem von Alfred Rosenberg 1929 gegründeten Kampfbund für Deutsche Kultur (KfDK) an – einer nationalsozialistischen Tarnorganisation, die sich im Kampf gegen ›Asphaltliteratur‹ und ›Kulturbolschewismus‹ als ›Vortrupp einer völkischen Kulturoffensive‹ verstand. Die Nationalsozialisten fanden somit 1933 ein breites Spektrum kulturpolitischer Aktivitäten vor, auf das sie zurückgreifen konnten. Konservative und faschistische Schriftsteller und eine entsprechende Literatur, rechtsradikale literarische Zirkel und Kampfbünde, ja selbst eine staatliche Zensur, die vornehmlich die Verbreitung demokratischer und sozialistischer Werke untersagte – all dies brauchte nur noch gefördert, aufeinander abgestimmt, organisatorisch zusammengeschlossen und staatlich institutionalisiert zu werden.

Die mit Hitlers Regierungsantritt einsetzende Gleichschaltung des kulturellen Sektors begann mit der rücksichtslosen Verfolgung aller fortschrittlichen Schriftsteller. Bereits im Mai 1933 wurden in allen größeren Universitätsstädten Bücherverbrennungen durchgeführt. Die Feuersprüche der Deutschen Studentenschaft – »Gegen Klassenkampf und Materialismus, für Volksgemeinschaft und idealistische Lebenshaltung! Gegen Dekadenz und moralischen Verfall, für Zucht und Sitte in Familie und Staat!« – markierten die politische Stoßrichtung. Beschlagnahmt oder verbrannt konnte alles werden, was sich als ›kulturbolschewistisch‹, ›dekadent‹, ›verjudet‹ oder ›entartet‹ einstufen ließ: Werke von Marx, Freud, Thomas und Heinrich Mann, Arnold und Stefan Zweig, Döblin, Feuchtwanger, Remarque, Tucholsky, Ossietzky, Brecht, Bredel, Seghers u. v. a.

Legitimiert wurden diese Maßnahmen durch Notverordnungen des Reichspräsidenten Hindenburg. »Druckschriften, deren Inhalt geeignet sind, die öffentliche Sicherheit und Ordnung zu gefährden, können polizeilich beschlagnahmt werden und eingezogen werden.« So lautete Paragraph 7 (1) der Verordnung des Reichspräsidenten zum Schutz des deutschen Volkes vom 4. Februar 1933. Und in der Verordnung des Reichspräsidenten zum Schutz von Volk und Staat vom 28. Februar 1933 wurden wesentliche Grundrechte außer Kraft gesetzt:

»Es sind daher Beschränkungen der persönlichen Freiheit, des Rechtes der freien Meinungsäußerung, einschließlich der Pressefreiheit [...], Anordungen von Haussuchungen und von Beschlagnahme sowie Beschränkungen des Eigentums auch außerhalb der sonst hierfür bestimmten gesetzlichen Grenzen zulässig.«[4]

Damit war auch die rechtliche Grundlage für die ›Säuberung‹ oder Auflösung bestehender Schriftstellerorganisationen geschaffen. Aufsehen erregte die Umbesetzung der der Preußischen Akdademie der Künste angegliederten DEUTSCHEN DICHTERAKADEMIE.

Heinrich Mann wurde gezwungen, den Vorsitz niederzulegen, und mit ihm verließen sein Bruder Thomas Mann, Alfred Döblin, Ricarda Huch, Georg Kaiser, Franz Werfel u. v. a. die Akademie. Gottfried Benn, der den Vorsitz für kurze Zeit übernahm, wurde bald von Hanns Johst abgelöst. Die neue Zusammensetzung spiegelte in beispielhafter Weise das geistige Milieu, das den Faschismus kulturell trug und repräsentierte. Hier fanden sich Schriftsteller, die bereits der Heimatkunstbewegung nahegestanden hatten (Paul Ernst, Max Halbe, Gustav Frenssen, Agnes Miegel, Börries von Münchhausen, Hermann Stehr), neben ›völkischen Klassikern‹ wie Hans Grimm, jüngere Autoren, die von ihrer konservativen Lesergemeinde als die ›Stillen im Lande‹ verehrt wurden (Hans Carossa, Oskar Loerke, Ina Seidel) neben lautstarken Faschisten (Hanns Johst, Erwin Guido Kolbenheyer, Werner Beumelburg, Hans Friedrich Blunck, Friedrich Griese, Emil Strauß, Will Vesper, Josef Magnus Wehner).

Ebenso wie in der Dichterakademie übernahmen die Nationalsozialisten auch in der reichsdeutschen Sektion des internationalen PEN-Clubs die Führung. Der von Arnold Zweig geleitete S c h u t z v e r b a n d d e u t s c h e r S c h r i f t - s t e l l e r (SDS) wurde ebenso wie der kommunistische B u n d p r o l e t a r i s c h - r e v o l u t i o n ä r e r S c h r i f t s t e l l e r (BPRS) verboten. Die deutschen Schriftsteller wurden aufgrund des am 22. September 1933 erlassenen R e i c h s k u l - t u r k a m m e r g e s e t z e s in einer R e i c h s s c h r i f t t u m k a m m e r zwangs- organisiert. Das literarische Leben war damit endgültig der staatlichen Kontrolle unterworfen.

Während die linientreuen deutschen Dichter ›Treuegelöbnisse‹ an den Führer richteten, wurden die politisch unerwünschten Schriftsteller mit Hilfe ›Schwarzer Listen‹ öffentlich geächtet und ›ausgeschaltet‹. Die schärfsten Verfolgungen richteten sich gegen die kommunistischen Schriftsteller. Willi Bredel, Karl Grünberg, Egon Erwin Kisch, Ludwig Renn und Anna Seghers wurden verhaftet, Erich Mühsam und Klaus Neukrantz ebenso wie Carl von Ossietzky, der Herausgeber der *Weltbühne*, in Gefängnissen und Konzentrationslagern ermordet. Angesichts dieses Terrors begann die Flucht aus Deutschland. Johannes R. Becher, Bert Brecht, Alfred Döblin, Lion Feuchtwanger, Leonhard Frank, Hans Marchwitza, Heinrich Mann, Thomas Mann, Adam Scharrer, Ernst Toller, Kurt Tucholsky, Erich Weinert, Franz Werfel, Arnold Zweig, Stefan Zweig u. v. a. gingen ins Exil. Ihnen, die während der Weimarer Republik die bürgerlich-humanistische und sozialistische deutsche Literatur repräsentierten, wurde die deutsche Staatsbürgerschaft aberkannt (zur Massenflucht der Schriftsteller vgl. das Kapitel *Literatur im Exil*).

Den Nationalsozialisten galt das als ›Säuberung des deutschen Schrifttums‹

Auf kulturellem Sektor wurde die ›geistige Erneuerung Deutschlands‹ proklamiert. Solche Propaganda sollte den Eindruck erwecken, als habe sich mit dem kulturellen auch ein grundlegender gesellschaftlicher Wandel vollzogen, und davon ablenken, daß die antimonopolistischen und sozialen Forderungen des Parteiprogramms nicht eingelöst wurden und die wirtschaftlichen Besitzverhältnisse unverändert erhalten blieben. Damit lieferten die Nationalsozialisten ein demagogisches Vorspiel jener ›Nullpunkt-Diskussion‹, die nach 1945 unter umgekehrtem Vorzeichen zu ähnlichen Zwecken inszeniert wurde.

Triumphierend verkündete der Literaturkritiker Paul Fechter *Die Auswechslung der Literaturen* (*Deutsche Rundschau*, Mai 1933). Der ›artfremden‹ jüdischen, liberalen und sozialistischen Literatur wurde hier wie in den Literaturgeschichten Hellmuth Langenbuchers (*Volkhafte Dichtung der Zeit*) und Arno Mulots (*Die deutsche Dichtung unserer Zeit*) die konservative und faschistische als ›arteigene‹ Literatur entgegengesetzt. Doch auch bekanntere Literaturwissenschaftler wie Ernst Bertram, Herbert Cysarz, Gustav Ehrismann, Gerhard Fricke, Wolfgang Kaiser, H. A. Korf, Heinz Kindermann, Josef Nadler, Hans Neumann, Julius Petersen, Hermann Pongs, Hans Pyritz und Karl Viëtor beeilten sich, die Machtergreifung als ›Sonnwendjahr‹, ›Wandlung und Erfüllung‹, ›völkische Selbstvollendung‹ u. a. zu verklären. Die national-konservative Tradition dieser Disziplin, deren Vertreter es stets verstanden hatten, marxistische Wissenschaftler wie Walter Benjamin, Georg Lukács, Leo Löwenthal u. a. von den Lehrstühlen fernzuhalten, äußerte sich in der gespenstischen Anpassungsbereitschaft einer Professorenschaft, die untätig zusah, wie ihre jüdischen oder politisch unliebsamen Kollegen durch Berufsverbote zum Schweigen gebracht, verhaftet oder in die Emigration getrieben wurden.

Die mächtigste Institution, die im Dritten Reich Lenkung und Kontrolle des ›Schrifttums‹ zu besorgen hatte, war die von SS-Brigadeführer Hanns Johst geleitete Reichsschrifttumskammer. Sie gehörte zur Reichskulturkammer des Goebbels unterstellten Reichsministeriums für Volksaufklärung und Propaganda. Schriftsteller durften ihren Beruf nur noch dann ausüben, wenn sie von der Reichsschrifttumskammer erfaßt und zugelassen worden waren: Voraussetzung für die Publikationserlaubnis waren der Nachweis ›arischer‹ Abstammung und ein Treuebekenntnis zum nationalsozialistischen Staat. Ergänzt wurde die Kontrolle der Reichsschrifttumskammer durch drei miteinander konkurrierende Zensurbehörden: durch die Abteilung Schrifttum, die ebenfalls zum Propagandaministerium gehörte, durch die von Philipp Bouhler geleitete Parteiamtliche Prüfungskommission zum Schutze des NS-Schrifttums und durch die Reichsstelle zur Förderung des deutschen Schrifttums (später Amt Schrifttumspflege), die sich unter der Leitung des mit Goebbels rivalisierenden Reichsleiters Alfred Rosenberg zur größten dieser Kontrollinstanzen entwickelte.

Tausende von Lektoren waren in diesen Behörden und Ämtern damit beschäftigt, die jährliche Buchproduktion zu sichten und zu begutachten. Buchverbote, Unbedenklichkeitsvermerke, Literaturpreise, Werbekampagnen,

Buchausstellungen und Dichterlesungen gewährleisteten die Lenkung des Büchermarktes in nationalsozialistischem Sinne. Hans Hagemeyer, der Leiter des Amtes Schrifttumspflege, erläuterte 1935 anläßlich der ›Woche des deutschen Buches‹ das ideologische Ziel dieser Lenkung wie folgt:

»60 Millionen Menschen werden Ende Oktober von der Trommel der Buchwerbung aufgerüttelt. Nicht mehr literarische Kreise allein treiben mit Vorlesungen und Autorenabenden einige wenige Begeisterte zuhauf. Nein! Ein ganzes Volk soll mobil gemacht werden, wo es schon für andere große Aufgaben mobil gemacht worden ist. Ich denke hier an die große Wehrpflicht unserer Nation. Diese Wehrpflicht dient der äußeren Wehrhaftigkeit. Genauso müssen wir von der geistigen Front her die innere Wehrhaftigkeit im Interesse des Aufbaues unseres Volkes durchführen. Und diese Mobilmachungstage bilden die Woche des deutschen Buches. Mobilmachungstage, wo die Waffen geprüft und Formationen gebildet werden.«[5]

Ähnlich wie die von Hans Grimm inszenierten Lippoldsberger Dichtertreffen und die seit 1938 unter Leitthemen wie ›Die Dichtung im Kampf des Reiches‹ oder ›Dichter und Krieger‹ veranstalteten Weimarer Dichtertagungen dienten diese kulturpolitischen Maßnahmen der einheitlichen weltanschaulichen Ausrichtung und der ›inneren Mobilisierung‹ des deutschen Volkes.

Nationalistische Kriegsliteratur

Die von den Nationalsozialisten vorangetriebene ideologische und militärische Mobilisierung, die das deutsche Volk auf den geplanten Eroberungskrieg vorbereiten sollte, konnte auf eine lange Tradition zurückgreifen. Mit Recht wies Kurt Ziesel – in der Bundesrepublik Deutschland als neofaschistischer Publizist weiterhin aktiv – 1940 in seinem Buch *Krieg und Dichtung* auf die Bedeutung der bereits zur Zeit der Weimarer Republik entstandenen nationalistischen Weltkriegsdichtung für die Literatur des Dritten Reichs hin:

»Sie formte die junge Dichtung der Gegenwart, sie wahrte die Erinnerung an die Toten, sie schuf den Glauben an die Kraft deutschen Mannestums, sie hielt die Herzen und Seelen bereit und glühend zum Sturm für eine neue Bewährung, der wir heute teilhaftig werden.«

In der Tat finden sich die Stereotype konservativer und faschistischer Geschichtsfälschung in der nationalistischen Kriegsdichtung bereits voll ausgeprägt. Da schürt, während der deutsche Angriff auf Frankreich rollt, Rudolf Alexander Schröder (*Heilig Vaterland*, 1914) im *Deutschen Schwur*, einem der bekanntesten Kriegsgedichte, die Illusion vom Verteidigungskrieg (»Heilig Vaterland/in Gefahren/deine Söhne stehn,/dich zu wahren ...«). Da stilisiert Rudolf G. Binding (*Stolz und Trauer*, 1922) den Krieg zum heroischritterlichen Waffengang, in dem der deutsche Recke einer Welt tückischer Feinde trotzt – Werner Sombarts Formel von den *Händlern und Helden* (1915), derzufolge sich das deutsche Heldenvolk gegen den Zugriff raffgieriger Händlervölker zu verteidigen hat, wird hier wie in vielen anderen Kriegsgedichten virulent. Da gewinnen Hans Carossa (»Raube das Licht aus dem Rachen der Schlange«/ *Rumänisches Tagebuch*, 1924) und Ina Seidel (*Opfer*, 1918: »Das Opfer ist des Opfers letzter Sinn«) dem Massensterben auf die ihnen eigene besinnliche Art Tröstliches ab. Da macht sich Josef Weinheber in einem *Siegfried Hagen* titulierten Gedicht daran, die Dolchstoßlegende ins Mythische zu transportieren, indem er das Militär mit dem ›blonden Siegfried‹, die Arbeiterbewegung mit Hagen und die Novemberrevolution mit dem Speerwurf gleichsetzt (»Gegen den Speer im Rücken/ist keiner gefeit.«).

Die Schuld am Kriegsausbruch wurde dem außenpolitischen, die Schuld an der Niederlage dem innenpolitischen Gegner zugeschoben. Während Schriftsteller wie Erich Maria Remarque (*Im Westen nichts Neues*, 1928), Arnold Zweig (*Der Streit um den Sergeanten Grischa*, 1927) oder Adam Scharrer (*Vaterlandslose Gesellen*, 1930) den Krieg aus kritischer Sicht beschrieben und die Kriegsschuld führender wirtschaftlicher, politischer und militärischer Kreise zumindest andeuteten, stellten Literaturwissenschaftler und Schriftsteller der Konservativen Revolution gestützt auf dieses Erklärungsmodell die Frage nach den Ursachen hintan und gingen statt dessen dazu über, dem Krieg, der auf materiellem Gebiet nur Verluste eingebracht hatte, einen höheren Sinn zu verleihen.

»Wir mußten den Krieg verlieren, um die Nation zu gewinnen« – so lautet denn auch das Fazit von Franz Schauweckers Roman *Aufbruch der Nation* (1929). Ebenso wie in den Weltkriegsromanen von Werner Beumelburg (*Sperrfeuer um Deutschland*, 1929; *Die Gruppe Bosemüller*, 1930), Walter Flex (*Der Wanderer zwischen beiden Welten*, 1915), Ulrich Sander (*Pioniere*, 1923), Josef Magnus Wehner (*Sieben vor Verdun*, 1930) und Hans Zöberlein (*Der Glaube an Deutschland*, 1931) wurde der Krieg auch von Schauwecker als großes Gemeinschaftserlebnis verherrlicht, angesichts dessen egoistischer Eigennutz und materialistisches Zweckdenken überwunden wurden zugunsten von Frontkameradschaft, Hilfs- und Opferbereitschaft. Die ›Volksgemeinschaft‹ der kämpfenden Truppe, in der Klassengegensätze angeblich keine Rolle mehr spielten, die staatlich gelenkte Kriegswirtschaft und der nach dem Führer-Gefolgschafts-Prinzip organisierte Militärapparat lieferten das Modell eines zukünftigen nationalen ›Volksstaates‹ und damit ein politisches Ideal, auf das die Massen im Kampf gegen die Weimarer Republik eingeschworen werden sollten. Daß die Besitzverhältnisse in einem solchen Staat unangetastet bleiben, daß Kriege nicht im Interesse der arbeitenden Bevölkerung liegen, wurde dabei wohlweislich verschwiegen.

Edwin Erich Dwingers Romane (*Die Armee hinter Stacheldraht*, 1929; *Zwischen Rot und Weiß*, 1930; *Wir rufen Deutschland*, 1932), die die russische Kriegsgefangenschaft schilderten, und jene Romane, die die Kämpfe der Freikorps im Baltikum, in Oberschlesien oder gegen kommunistische Räteregierungen heroisierten (Edwin Erich Dwinger *Die letzten Reiter*, 1935; Ernst von Salomon *Die Geächteten*, 1930; Hans Zöberlein *Befehl des Gewissens*, 1937) ergänzten solche Gesellschaftsvorstellungen durch eine scharfe antikommunistische Polemik. Ähnlich wie die nationalistische Weltkriegsliteratur trugen sie dazu bei, die Hoffnung der von Inflation und Weltwirtschaftskrise am schwersten betroffenen Bevölkerungsschichten nach gegenseitiger Hilfe, sozialer Gerechtigkeit und wirtschaftlicher Sicherheit in Bahnen zu lenken, die gerade der Verfestigung der bestehenden Machtverhältnisse und damit der Verweigerung dieser Ansprüche und der Unterdrückung und Ausbeutung des Volkes für wirtschaftliche und militärische Interessen dienten.

Am konsequentesten hat ERNST JÜNGER (geb. 1895), der zunächst eine Reihe von Kriegstagebüchern (*In Stahlgewittern*, 1920; *Das Wäldchen 125*, 1924; *Feuer und Blut*, 1925) und Essays veröffentlichte, die imperialistische Ideologie verinnerlicht. Von Lebensphilosophie und Sozialdarwinismus ebenso beeinflußt wie von der preußisch-militärischen Tradition hielt er sich nicht lange mit nationalistischen Rechtfertigungs- oder politischen Erklärungsversuchen des Krieges auf, sondern erklärte ihn in seinem Essay *Der Kampf als inneres Erlebnis* (1922) kurzerhand zum Naturgesetz, zum ›Vater aller Dinge‹:

»Der Krieg ist die mächtigste Begegnung der Völker. Während sich in Handel und Verkehr, bei Wettkämpfen und Kongressen nur die vorgeschobenen Spitzen berühren, kennt im Kriege ihre gesamte Mannschaft nur ein Ziel, den Feind. [...] Durch Krieg erst wurden große Religionen Gut der ganzen Erde, schossen die tüchtigsten Rassen aus dunklen Wurzeln zum Licht, wurden unzählige Sklaven freie Männer. Der Krieg ist ebensowenig eine menschliche Einrichtung wie der Geschlechtstrieb; er ist ein Naturgesetz [...]« (*Der Kampf als inneres Erlebnis*, Kap.: Pazifismus)

Der Erste Weltkrieg wurde von Jünger zur Epochenwende stilisiert, zur Geburtsstunde eines heldischen Menschentyps, der in den Materialschlachten des Stellungskrieges ›gehämmert, gemeißelt und gehärtet‹ worden war und sich nun anschickte, die Macht im Staate zu übernehmen. Die Niederlage war für ihn daher auch nicht »das Ende, sondern der Auftakt der Gewalt« und damit der Ausgangspunkt eines militanten Nationalismus, der bereits deutlich faschistische Züge trug.

Als Exponent des neuen soldatischen Typs nahm Jünger den Kampf gegen die Republik auf. Er unterhielt Kontakte zum Herrenclub, zum Frontsoldatenbund ›Stahlhelm‹ sowie zu prominenten Vertretern der Konservativen Revolution wie dem deutschtümelnden Friedrich Hielscher und dem ›Nationalbolschewisten‹ Ernst Niekisch und arbeitete als Mitherausgeber an verschiedenen Zeitschriften des ›neuen Nationalismus‹ wie *Standarte* und *Vormarsch* mit. Hier rief er die rechtsradikalen Einzelbewegungen dazu auf, in die ›nationalistische Endfront‹ einzuschwenken. Sein Ziel war – ähnlich wie das seines Bruders FRIEDRICH GEORG JÜNGER (geb. 1898) (*Aufmarsch des Nationalismus*, 1926; *Der Krieg*, 1936) – der Sturz der Republik und *Die to-*

tale Mobilmachung (1931) des deutschen Volkes in einem diktatorischen Machtstaat, zu dessen Werkzeug und Träger er die auf soldatische und technische Tugenden reduzierte ›Gestalt des Arbeiters‹ erklärte (*Der Arbeiter*, 1932), die nichts anderes war als die vom Schlachtfeld in die ›Werkstättenlandschaft‹ versetzte Gestalt des Frontsoldaten.

»In der letzten, schon gegen Ende dieses Krieges angedeuteten Phase, geschieht keine Bewegung, und sei es die einer Heimarbeiterin an ihrer Nähmaschine, mehr, der nicht eine zum mindesten indirekte kriegerische Leistung innewohnt. In dieser absoluten Erfassung der potentiellen Energie, die die kriegführenden Industriestaaten in vulkanische Schmiedewerkstätten verwandelt, deutet sich der Anbruch des Zeitalters des vierten Stands vielleicht am sinnfälligsten an, – sie macht den Weltkrieg zu einer historischen Erscheinung, die an Bedeutung der Französischen Revolution zum mindesten ebenbürtig ist. Um Energien von solchen Ausmaßen zu entfalten, genügt es nicht mehr, den Schwertarm zu rüsten, – es ist eine Rüstung bis ins innerste Mark, bis in den feinsten Lebensnerv erforderlich. Sie zu verwirklichen, ist die Aufgabe der totalen Mobilmachung, eines Aktes, durch den das weit verzweigte und vielfach geäderte Stromnetz des modernen Lebens durch einen einzigen Griff am Schaltbrett dem großen Strome der kriegerischen Energie zugeleitet wird.« (*Die totale Mobilmachung* 1931, 3. Kap.)

Diese staatliche Formierung des öffentlichen Lebens, die ganz auf der Linie dessen lag, was sich in der Wirklichkeit längst vollzog – der Ablösung der liberalen Marktordnung durch einen staatlich gelenkten Monopolkapitalismus –, wurde von Jünger und anderen Schriftstellern der Konservativen Revolution als ›nationale Revolution‹ und ›wahrer Sozialismus‹ ausgegeben. Die von der NSDAP wenig später erzwungene ›Gleichschaltung‹ des wirtschaftlichen, politischen und kulturellen Lebens mußte in solcher Sicht als notwendige Konsequenz und Erfüllung des Programms des ›nationalen Sozialismus‹ erscheinen. Ebenso wie mit der chauvinistischen haben Schriftsteller wie Ernst Jünger mit solch sozialer Demagogie – auch wenn sie sich während des Dritten Reichs von der NSDAP distanzierten (vgl. *Innere Emigration*) – zur Zerstörung der Weimarer Republik und der Etablierung der faschistischen Herrschaft das ihre beigetragen.

Arbeiterdichtung

Die faschistische Diktatur, die den Staatsdirigismus im Interesse der Großbourgeoisie durchsetzen sollte, konnte nur gegen den Widerstand der kommunistischen und sozialdemokratischen Arbeiterbewegung errichtet werden. Deren Parteien und gewerkschaftliche Organisationen wurden daher auch als erstes zerschlagen. Die Liquidierung der sozialistischen Opposition reflektierten die literarischen Exponenten der von Goebbels beschworenen ›stählernen Romantik‹, als ästhetisches Ereignis ersten Ranges. Ernst Jünger genoß sie

1934 in seinem Essay *Über den Schmerz* als Triumph der gepanzerten Staatsmacht über eine proletarische Massenbewegung, die nicht begriffen hat, daß die Macht letzten Endes aus den Gewehrläufen kommt, und in ihrer Position hilflosen Moralisierens nichts Besseres verdient als vom paramilitärisch organisierten Staatsapparat durch die ›Magie‹ der nackten Gewalt eskamotiert zu werden:

»Auch mir selbst wurde die ungeheure Überlegenheit, die noch die kleinste Ordnungszelle der größten Masse gegenüber auszeichnet, erst nach dem Kriege klar [...] Im März 1921 wohnte ich dem Zusammenstoß einer dreiköpfigen Maschinengewehrbedienung und einem Demonstrationszug von vielleicht fünftausend Teilnehmern bei, der eine Minute nach dem Feuerbefehl spurlos von der Bildfläche verschwunden war. Dieser Anblick hatte etwas Zauberhaftes; er rief jenes tiefe Gefühl der Heiterkeit hervor, von dem man bei der Entlarvung eines niederen Dämons unwiderstehlich ergriffen wird. Auf jeden Fall ist die Teilnahme an der Zurückweisung eines solchen unfundierten Machtanspruchs lehrreicher als das Studium einer ganzen soziologischen Bibliothek. Einen ganz ähnlichen Eindruck hatte ich, als ich mich, um Straßenstudien zu machen, im Winter 1932 auf den Berliner Bülowplatz begeben hatte, der im Zusammenhange mit den politischen Ereignissen der Schauplatz größerer Zusammenstöße war. Hier wurde die Begegnung zwischen der Masse und der organischen Konstruktion besonders sichtbar in der Erscheinung eines Panzerwagens der Polizei, der auf dem Alexanderplatz ein vor Wut kochendes Menschenmeer durchschnitt. Diesem konkreten Mittel gegenüber befand sich die Masse in einer rein moralischen Position; sie brach in Pfuirufe aus.«

Ebenso wie die NSDAP machte der ›preußische Flaneur‹ kein Hehl daraus, worum es in erster Linie ging: die revolutionäre Arbeiterbewegung dem faschistischen Staat zu unterwerfen. Statt ihre sozialistisch klingenden Programmforderungen in die Tat umzusetzen, ging die NSDAP daran, die Arbeiter und Angestellten durch Zwangsorganisationen (Deutsche Arbeitsfront), Streikverbot und Aufhebung demokratischer Rechte der absoluten Verfügungsgewalt von Staat und Wirtschaft zu unterstellen. So heißt es in Paragraph zwei des Gesetzes zur Ordnung der nationalen Arbeit vom 20. Januar 1934:

»Der Führer des Betriebes entscheidet der Gefolgschaft gegenüber in allen betrieblichen Angelegenheiten [...] Er hat für das Wohl der Gefolgschaft zu sorgen. Diese hat ihm die in der Betriebsgemeinschaft begründete Treue zu halten [...] Führer des Betriebes ist der Unternehmer [...] Die früher übliche Mitwirkung etwa des Betriebsrats ist beseitigt.«[5]

Schenkt man der nationalsozialistischen Propaganda Glauben, so dienten alle diese Maßnahmen dem Wohle der Masse der Arbeiter und Angestellten. »Diese«, so hatte Hitler schon in *Mein Kampf* (1. Bd., 12. Kap.) ausgeführt, »gilt es dem internationalen Wahne zu entreißen, aus ihrer sozialen Not zu befreien, dem kulturellen Elend zu entheben und als geschlossen, wertvollen, national fühlenden und national sein wollenden Faktor in die Volksgemeinschaft zu überführen.« Den Anschein der Glaubwürdigkeit gewann diese Propaganda dadurch, daß es der NSDAP gelang, die Massenarbeitslosigkeit durch riesige Staatsaufträge (bis Ende 1939 60 Milliarden RM für militärische, 8 Milliarden RM für zivile Zwecke) binnen weniger Jahre zu beseitigen. Daß diese Aufträge den industriellen Monopolisierungsprozeß und damit den Ruin des Kleingewerbes beschleunigten, durch enorme Gewinnspannen eine Umverteilung des Volksvermögens zugunsten der Industrie bewirkten, bis hin zum Bau von Autobahnen der Aufrüstung dienten und lediglich durch eine abenteuerliche Staatsverschuldung finanziert werden konnten, die schließlich kaum noch einen anderen Weg offenließ als in den Bankrott oder in den Krieg – von alldem erfuhr die Bevölkerung nichts.

Ihr wurde ein anderes Bild der gesellschaftlichen Verhältnisse vermittelt. Besonders kraß zeigt sich das in der faschistischen ›Arbeiterdichtung‹, die angesichts des Tabus, das über jede realistische Beschreibung der Produktionssphäre verhängt war, spärlich ausfiel, als ›Feierlyrik‹ für Partei-, Verbands- oder Kulturtage jedoch eine nicht unbedeutende Rolle spielte:

> »Unsere Spaten sind Waffen im Frieden,
> Unsere Lager sind Burgen im Land.
> Gestern in Stände und Klassen geschieden,
> gestern der eine vom andern gemieden,
> graben wir heute gemeinsam im Sand.«

So singt ›die Mannschaft‹ in dem chorischen Spiel *Wir sind bereit*, das 1936 auf der Nürnbergfeier des Reichsarbeitsdienstes vorgetragen und von Heinz Kindermann in seiner Anthologie *Ruf der Arbeit* (1942) als vorbildlich herausgestellt worden ist. Diese Art von Literatur stand in der Tradition jener Arbeiterdichter, die wie Heinrich Lersch, Max Barthel oder Karl Bröger vielfach durch nationalistische Kriegslyrik bekannt geworden waren, der Sozialdemokratischen Partei nahegestanden und sich seit den dreißiger Jahren zunehmend faschistischen Positionen angenähert hatten. (Lersch: *Mit brüderlicher Stimme*, 1934; Bröger: *Volk, ich leb aus dir*, 1936.) Von der kommunistischen Literaturkritik als ›Klassiker des Sozialfaschismus‹ abqualifiziert, galten sie im Dritten Reich als ›Künder eines neuen Gemeinschaftsgefühls‹. Denn in ihren Kriegsgedichten wurde, so Heinz Kindermann im Vorwort seiner Anthologie *Ruf der Arbeit*, »erstmalig aus Arbeitermund jener neue, den Proletenhaß und die marxistische Mauer, aber auch die Schranken jeglichen Klassen- und Standesvorurteils überwindende Ton der neu wachsenden Volksgemeinschaft vernehmbar, den wir heute tatsächlich aufnehmen und leben dürfen«.

Der Wandlungsprozeß ehemaliger Sozialdemokraten und Kommunisten zu überzeugten Faschisten gehörte daher auch zu den beliebtesten Themen der Arbeiterdichtung des Dritten Reichs. Die autobiographische Trilogie AUGUST WINNIGS (1878–1956) (*Frührot*, 1924; *Der weite Weg*, 1932; *Heimkehr*, 1935), der sich unter dem Eindruck seiner Kriegserlebnisse immer weiter von der Sozialdemokratie entfernt und Hitler 1933 im Vorwort der Neuauflage seines Werkes *Vom Proletariat zum Arbeitertum* als Deutschlands Retter begrüßt hatte, galt nationalsozialistischen Literaturhistorikern als Musterbeispiel einer solchen ›inneren Läuterung‹, die im Stile religiöser Konversionserlebnisse verklärt wurde. Ähnlich führte auch Max Barthel den Helden seines Romans *Das unsterbliche Volk* (1933) aus marxistischen Verirrungen zu der tieferen Einsicht, daß es neben den »Sternennebeln der Menschheit« auch noch das »Sonnensystem der Völker« gibt – ›Schicksalsgemeinschaften‹, die für den Arbeiter angeblich von größerer Bedeutung sind als der proletarische Internationalismus. Selbst Joseph Goebbels leistete seinen Beitrag zu diesen ›Konversionsromanen‹. In seinem Roman *Michael* (1929) schilderte er den Weg eines Intellektuellen vom Frontsoldaten zum ›Soldaten der Arbeit‹, der als Streikbrecher zu völkischer Pflichterfüllung fand.

Die Kritik an der Weimarer Republik, die sich in Felix Riemkastens Roman *Der Bonze* (1930) vor allem gegen den sozialdemokratischen Funktionärsapparat richtete, verband Alfred Karrasch in seinem Roman *Parteigenosse Schmiedecke* (1934) mit der Schilderung der Machtergreifung im Betrieb. Während die Sozialdemokraten nach Hitlers Regierungsantritt aus dem Betriebsrat weichen müssen, verbündet sich Schmiedecke als neu berufener Vertreter der Arbeiterschaft mit der Betriebsleitung , die ihn einst seiner nationalsozialistischen Parteizugehörigkeit wegen entlassen hatte, zum gemeinsamen Dienst an der nationalen Sache. Mit dem Aufrücken faschistischer Arbeiter in führende Positionen schien der sozialen Gerechtigkeit Genüge geleistet zu sein. Die Frage nach den Eigentumsverhältnissen wurde nicht gestellt oder wie in Kurt Heynickes ›Spiel von deutscher Arbeit‹ *Neurode* (1935) demagogisch in der Schwebe gehalten. Als das Konsortium der Grubenbesitzer ein unrentables Bergwerk trotz freiwilligen Lohnverzichts der Arbeiter zur Versteigerung bringt, erscheint ›der Fremde‹ – eine Allegorie des Reichs –, kauft alles auf und verkündet eine neue Arbeitsmoral:

»Wer nur gewinnen will verliert. Wenn wenige nehmen, wird die Lust zum vollen Einsatz des ganzen Menschen erdrosselt, wenn aber alle geben, sich ganz hineinwerfen in das Getriebe des Ganzen nach Kraft und Vermögen, dann werden alle gewinnen. Es kommt auf den inneren Einsatz an.«

Angesichts der Realität des Dritten Reichs erwiesen sich solche Prophezeiungen als hintergründige Orakel, die denjenigen zum Verhängnis wurden, auf die sie zugeschnitten waren – den Arbeitern. Ihnen wurde nicht die Verfügungsgewalt über die Produktionsmittel übertragen, sondern der ›innere Einsatz‹ empfohlen. Durch selbstlose Arbeit im Dienste des großen Ganzen sollte die Wirtschaftskrise, die auch in Richard Euringers *Die Arbeitslosen* (1930), Georg Rendls *Vor den Fenstern* (1932) und A. C. Schröders *Prolet am Ende* (1935) als ›völkische Notzeit‹ geschildert wurde, überwunden und die ›Erlösung‹ durch den Nationalsozialismus vorbereitet werden. Als Entschädigung stimmte die faschistische Arbeiterdichtung ein Loblied zur ›Ehre der Arbeit‹ an (Hans Mühle [Hrsg.] *Das Lied der Arbeit*, 1935; Josef Lenhard *Dem Werke singe ich mein Lied*, 1936). Während der Eindruck erweckt wurde, mit dem wirtschaftlichen Einfluß jüdischer Unternehmer und Bankiers sei auch die Herrschaft des internationalen Finanzkapitals und damit die ›Zinsknechtschaft‹ gebrochen, fanden sich deutsche Arbeiter, Manager und Fabrikanten – ›Arbeiter der Stirn und der Faust‹ – zur großen ›Werkgemeinschaft‹ zusammen, in der ›Stand und Rang‹ keine Rolle mehr spielen sollten. »Ob wir beglückt sind oder schwer beladen«, so Hans Jürgen Nierentz in seinem dem ›Tag der nationalen Arbeit‹ gewidmeten Weihespiel *Symphonie der Arbeit* (1934), »wir sind der Arbeit harte Kameraden, wir sind das Volk das aufbricht und besteht: So wächst der Arbeit Glaube und Gebet.« Brechts *Hitler-Choräle* lesen sich wie eine Parodie auf das falsche religiöse Pathos und die ideologischen Unstimmigkeiten dieser ›Arbeiterdichtung ohne Klassenbewußtsein‹, wenn es von Hitler heißt:

> »Mög er der Löhne der Arbeiter gnädig gedenken!
>
> Sorg er für sie!
> Doch auch für die Industrie!
> Mög er den Arbeitslohn senken!«

Mit solchen Versen schärfte er den Blick gerade für jenen gesellschaftlichen Widerspruch, den die faschistische Propaganda mit allen Kräften aus dem Bewußtsein der Bevölkerung zu tilgen versuchte.

Blut-und-Boden-Literatur

Überzeugender als in der Arbeiterdichtung, aus der die gesellschaftlichen Widersprüche nur mühsam eskamotiert werden konnten, ließ sich das Trugbild der konfliktfreien Volksgemeinschaft in einem anderen Genre demonstrieren: in der Bauerndichtung, die nicht zuletzt aus diesem Grunde von staatlichen Stellen des Dritten Reichs gefördert und zu einem der wichtigsten Bestandteile der deutschen Literatur hochstilisiert worden ist. Zu diesem Zweck allerdings mußte die gesellschaftskritische Potenz dieses Genres, das aus dem Kapitalisierungsprozeß resultierende Spannungen wenn auch zu falschen Antinomien umgebogen (verabsolutierter Gegensatz von Stadt und Land, Industrie und Landwirtschaft) scharf kritisiert hatte, durch Handlungsmuster ersetzt werden, die sich der faschistischen Integrationsideologie vom friedvollen Zusammenwirken aller ›Stände‹ und Interessengruppen fügten. Der mecklenburgische Dorfschullehrer FRIEDRICH GRIESE (geb. 1890) modifizierte daher die in heimatkünstlerischen Bauernromanen bevorzugte Krisendarstellung, die wie von Polenz' *Der Büttnerbauer* (1895) mit der Vernichtung des freien Bauerntums endete, in seinen Romanen *Der ewige Acker* (1930) und *Das letzte Gesicht* (1934) auf charakteristische Weise: Dem in den Wirren der Kriegs- und Nachkriegszeit drohenden Niedergang eines ganzen Dorfes läßt er einen Wiederaufstieg folgen – eine Wende, die in faschistischen

Bauernromanen häufig mit dem Faschisierungsprozeß oder der Machtergreifung ursächlich verknüpft ist (Felix Nabor *Shylock unter Bauern*, 1934; Hans Hermann Wilhelm *Die Frickes*, 1933/35/41). So erschien die NSDAP und insbesondere Hitler in der Bauernliteratur vielfach als ›Retter des Landvolks‹, eine Vorstellung, die durch das 1933 verkündete Reichserbhofgesetz, demzufolge bis 1936 700000 Bauernwirtschaften zum unverschuldbaren und unteilbaren Familienbesitz erklärt wurden, scheinbar bestätigt wurde.

Als Spitzenleistungen einer neuartigen faschistischen Literatur galten der nationalsozialistischen Kritik jedoch vor allem jene Romane, die wie Friedrich Grieses *Winter* (1927) und JOSEPH GEORG OBERKOFLERS (geb. 1889) *Der Bannwald* (1939) die Darstellung konkreter sozialer Konflikte durch mythische Konstruktionen ersetzten. Ob nun Griese die sozialdarwinistische Vorstellung von der Selektion der Stärksten dadurch demonstriert, daß er im Stil von Weltuntergangsmythen ein ›entartetes‹ Dorf durch einen schrecklichen Winter vernichten und nur das stärkste und gesündeste Paar überleben läßt oder ob Oberkofler den ›ewigen Lebenskampf‹ am Beispiel eines Bauerngeschlechts veranschaulicht, das seit Generationen um den Besitz des Bannwaldes kämpft, der allein das Gehöft vor der drohenden Lawinengefahr zu schützen vermag – stets sind die Fabeln so konstruiert, daß sich am Beispiel einer ins Mythische oder Überzeitliche transponierten Krisensituation Grundzüge der faschistischen Weltanschauung zu ewig gültigen Lebensgesetzen verklären lassen. Gleichzeitig wahrten jedoch beide Romane einen konkreten zeitgeschichtlichen Bezug: Griese setze in seinem Roman *Winter* seine Auseinandersetzung mit dem Ersten Weltkrieg in sublimierter Form fort, wobei der Untergangsmythos nicht nur ein Gleichnis für die deutsche Niederlage, sondern darüber hinaus ganz im Sinne faschistischer Geschichtsschreibung deren Deutung als rassisch-völkischer Läuterungsprozeß liefert. Oberkoflers *Der Bannwald*, der kurz nach dem ›Anschluß‹ Österreichs erschien, ließ sich angesichts der faschistischen Annexionspolitik auch als politische Parabel lesen, wobei die Bauernfamilie mit Deutschland, der schützende Bannwald mit Österreich – dem ›Alpenwall‹ – und die Bedrohung durch Lawinen mit der angeblich vom Ausland drohenden Kriegsgefahr verglichen werden konnten. Alles andere als weltfremd oder anachronistisch trug gerade auch die der Wirklichkeit scheinbar weit entrückte mythisierte Bauernliteratur, die Volksschicksal in bäuerlichen Analogien zu spiegeln versuchte, zur politischen Indoktrination der Bevölkerung bei.

Während die Bedrohung des Bauerntums als mit der Machtergreifung erledigt betrachtet oder in mythisierter Literatur gleichnishaft auf die nationale Ebene bezogen und nach außen verlagert wurde, erschien die Landwirtschaft vor allem in der zur Zeit des Dritten Reichs publizierten Bauernliteratur als eine Sphäre, in der soziale und politische Interessengegensätze keine Rolle mehr spielten. Programmatisch führte die nationalsozialistische *Bücherkunde*, das offizielle Organ der von Rosenberg geleiteten ›Reichsstelle‹, dazu aus:

»[...] es besteht zwischen dem Bauern und seinen Knechten immer ein vertrauensvolles, sozusagen patriarchalisches Verhältnis, und der Kampf Arbeiter gegen Unternehmer hat im Bauerntum keinen Raum! Die wenigen Ausnahmen, die auch hier aufgetreten sind durch die ungehemmte marxistische Propaganda, spielen keine Rolle, so daß sie als Einzelerscheinungen in der dichterischen Gestaltung bäuerlichen Lebens keinen Raum finden können.«[7]

Mit welcher Konsequenz solche und ähnliche Richtlinien in literarische Praxis umgesetzt worden sind, zeigen repräsentative Anthologien wie Will Vespers *Die Ernte der Gegenwart* (1940) oder Heinz Kindermanns *Ruf der Arbeit* (1942) sowie Gedichtbände wie Josefa Berens-Totenohls *Das schlafende Brot* (1936), Helmut Bartuscheks *Erde* (1938), Franz Schlögels *Wir Bauern*, Hans Niekrawietz' *Bauern- und Bergmannsgesänge* (1936), Ferdinand Oppenbergs *Sirenenton und Sichelklang* (1935) und Hans Baumanns Kantate *Das Jahr überm Pflug* (1936). Zur mittelständischen Idylle verklärt, diente der bäuerliche Lebensbereich hier vorwiegend als Substrat, an dem das friedliche Zusammenwirken aller Stände im ›ewigen Kreislauf des ländlichen Lebens‹ mit hartnäckiger Monotonie veranschaulicht wurde. Die Hofgemeinschaft erschien als Volksgemeinschaft en miniature, Deutschland wiederum nicht selten als ›stolzer Hof‹, den es ›wohl zu versehen galt‹. »Höfe«, so heißt es denn auch in Joseph Georg Oberkoflers Gedichtband *Nie stirbt das Land* (1937), »sind wie Völkernamen/Und wie Schicksal dem Geschlecht.«
Im Zeichen der nationalsozialistischen Autarkie- und Bevölkerungspolitik wurde die Landwirtschaft zudem in doppelter Hinsicht als Grundlage des Staates verherrlicht, denn der Bauer, so Johannes Linke in Kindermanns Anthologie *Ruf der Arbeit*, »baut dem Volke das Brot/und gibt ihm die Enkel«. Das entsprach ganz dem ideologischen Konzept des ›Reichsbauernführers‹ R. Walther Darré, der nicht müde wurde, das Bauerntum in Aufsätzen und Reden nicht nur als ›Ernährungsgrundlage‹, sondern auch als ›Lebensmotor‹ und ›Bluterneuerungsquell‹ des deutschen Volkes herauszustellen, wobei er auf den überdurchschnittlich hohen Kinderreichtum bäuerlicher Familien verwies (R. Walther Darré *Um Blut und Boden. Reden und Aufsätze*, 1939).
Daraus erklärt sich auch die Affinität der Bauernliteratur zu dem im Dritten Reich forcierten Rassismus und Mütterkult. »Mütter sind immer die Gleichen und immer liegen die Äcker/Breithin und dulden den Pflug [...]« Was Mütter und Äcker in Friedrich Ludwig Barthels Gedicht *Von Männern und Müttern* (1938) verbindet, ist neben ihrer unerschöpflichen (sexuellen) Hingabebereitschaft vor allem ihre Fruchtbarkeit. »Den Müttern«, so betonte auch der Österreicher KARL HEINRICH WAGGERL (geb. 1897) in seinem Roman *Mütter* (1935), »gehört das Dorf, aus ihren Leibern quillt ja von Jahr zu Jahr alles Leben, das in Häusern und Gassen wimmelt.« Kraft ihrer Fruchtbarkeit galt – wie Josefa Berens-Totenohl 1938 in einem gleichnamigen Vortrag ausführte – *Die Frau als Schöpferin und Erhalterin des Volkstums*. Das erlegte ihr allerdings auch eine besondere Verantwortung auf, denn die Rasse mußte ›rein‹ erhalten werden. Als *Sünde wider das Blut*, so der Titel des bereits 1917 erschienenen berüchtigten Rasseromans des späteren Gauleiters der NSDAP

Arthur Dinter, galt insbesondere die Ehe mit Juden. Sie wurde 1935 durch das Gesetz zum Schutze des deutschen Blutes und der deutschen Ehre staatlich verboten. Wer gegen die ›Gesetze des Blutes‹ verstieß, das demonstrierte Eberhard Wolfgang Möller in seinem historischen Drama aus der Zeit der Ostkolonisation *Das Opfer* (1941), der gefährdete die Lebenskraft des deutschen Volkes, als deren Garant ein starkes Bauerntum galt.

Hier setzte nun die nationalsozialistische Blut-und-Boden-Ideologie, die – maßgeblich ausformuliert von Hitler und Darré – weit weniger irrational war, als vielfach behauptet wird, da sie auf einem klar erkennbaren politischen Konzept beruhte, mit einer entscheidenden Überlegung ein:

»Wenn aus dem Landstand der ewig junge Blutstrom in den Volkskörper eindringt, so kann man auch sagen, daß der Staat durch seinen Landstand im Heimatlande wurzelt [...] Dies bedeutet, daß der zur Verfügung stehende geopolitische Raum von grundsätzlicher Bedeutung für einen nach organischen Gesichtspunkten aufgebauten Staat ist. Raum und Volk müssen in Einklang zueinander stehen, wenn das Volk gesund bleiben soll. Wir sind heute das ›Volk ohne Raum‹. Also besteht bei uns in dieser Angelegenheit kein Einklang, sondern ein Mißklang: Wir haben zu wenig Raum!«[8]

Die von Darré angestrebte Stärkung des Bauernstandes setzte in seinem Verständnis also eine Vergrößerung des nationalen Territoriums und damit der landwirtschaftlichen Nutzfläche notwendig voraus.

Eindrucksvoll veranschaulichen ließ sich die Notwendigkeit, den eigenen ›Lebensraum‹ zu vergrößern, vor allem durch die bäuerliche Siedlerliteratur. Obwohl die zur Zeit der Weltwirtschaftskrise als Notlösung praktizierten Maßnahmen der Rücksiedlung aufs Land und der Inneren Kolonisation mit Erreichen der Vollbeschäftigung im Dritten Reich mehr und mehr in den Hintergrund traten, wurde ihr daher aufmerksame staatliche Förderung zuteil. Von einigen Ausnahmen wie den Dramen *Klaus Michel* (1925) von Hans Franck und *Heilige Erde* (1934) von Wilhelm Matthiessen abgesehen, spielte nunmehr allerdings anders als in der entsprechenden heimatkünstlerischen Literatur (z. B. Roseggers *Erdsegen*) der Wandlungsprozeß von Städtern, die auf dem Lande zu naturverbundenen ›Vollmenschen‹ gesunden, nur noch eine untergeordnete Rolle. Als neues Vorbild galt vielmehr Knut Hamsuns damals in Deutschland überaus populärer Roman *Segen der Erde* (1917), der – ähnlich wie Heinrich Waggerls Roman *Brot* (1930) – den Siedler, der allein auf sich gestellt in der Einöde Neuland kultiviert, zur mythischen Urgestalt stilisiert.

Wenn Rosenberg in Hamsuns Roman einen ›nordischen Mythos‹ gestaltet sah, so galt das auch für die übrige Siedlerliteratur:

»Der ›Segen der Erde‹ ist das heutige große Epos des nordischen Willens, in seiner ewigen Urform, heldisch auch hinterm Holzpflug, fruchtbringend in jeder Muskelregung, gradlinig bis ans unbekannte Ende.«[9]

Neben der Verbindung von bäuerlichen und soldatischen Charakterzügen – der germanische ›Wehrbauer‹ galt faschistischen Historikern als Urbild des deutschen Menschen – waren es die kolonisatorischen Aktivitäten dieses Siedlertyps, die Rosenberg besonders schätzte. Die Siedler, die in den Romanen Josef Martin Bauers (*Achtsiedel*, 1930), Martin Sanders (*Kompost*, 1934) oder Emil Strauß' (*Das Riesenspielzeug*, 1934; *Lebenstanz*, 1940) u. v. a. aufs Land hinauszogen, um Wälder zu roden, Moore trockenzulegen oder Ödland zu kultivieren, galten nationalsozialistischen Literaturwissenschaftlern als politische Soldaten, das Siedlerleben erschien ihnen als ›soldatischste Form des Zivillebens‹. Denn nachdem der Zugriff auf exterritoriale Gebiete im Ersten Weltkrieg gescheitert war, waren sie es, die den Versuch unternahmen, den Lebensraum des deutschen Volkes auf dem Wege der ›Inneren Kolonisation‹ zu erweitern.

Unverkennbar deutet sich hier bereits der imperialistische Aspekt dieser Literatur an, denn wie der Siedler so war nationalsozialistischer Auffassung zufolge das ganze deutsche Volk gezwungen, neuen Lebensraum zu erschließen. Das aber war ein Problem, das, wie Hitler bereits in *Mein Kampf* (1. Bd. 4. Kap.) ausgeführt hatte, durch die Maßnahmen der ›Inneren Kolonisation‹ nicht gelöst werden konnte:

»Es kann nicht scharf genug betont werden, daß jede deutsche innere Kolonisation in erster Linie nur dazu zu dienen hat, soziale Mißstände zu beseitigen, [...] niemals aber genügen kann, etwa die Zukunft der Nation ohne neuen Grund und Boden sicherzustellen.«

Es galt also, die Expansionswünsche auf ein außenpolitisches Ziel hin zu orientieren. Diese Aufgabe jedoch übernahmen andere Genres: die traditionelle Kolonialliteratur und deren faschistische Variante, die ›volksdeutsche Dichtung‹, die das Leben deutscher Volksgruppen in den östlichen Nachbarländern schilderte.

Kolonialliteratur und ›Volksdeutsche Dichtung‹

Volk ohne Raum – mit diesem schlagwortartigen Romantitel brachte HANS GRIMM (1875–1959), der Autor des neben Gustav Frenssens *Peter Moors Fahrt nach Südwest* (1906) erfolgreichsten deutschen Kolonialromans, die imperialistischen Züge der Blut-und-Boden-Ideologie bereits 1926 auf den Begriff. Die Botschaft, die Cornelius Friebott, der Held dieses Romans, verkündet, verspricht eine Lösung der politischen Probleme der zwanziger Jahre: Dem bürgerlich-parlamentarischen wie dem kommunistischen Gesellschaftsmodell setzt er die völkische Vision des ›wahren‹, des ›nationalen Sozialismus‹ entgegen. Dabei geht er von einer ontologisierenden Geschichtskonzeption aus, die das deutsche Volk zum ›ewigen Bauernvolk‹ erklärt, das die Industrialisierung nur als Notlösung vorangetrieben hat: Bei wachsender Bevölkerungszahl war nicht mehr genug Boden für alle da. Daraus folgert

Friebott, »daß Landmangel die Ursache ist, daß heute in Deutschland die besitzlosen Leute überwiegen« (Volk ohne Raum, S. 1321). Den kommunistischen Einwand, das Problem lasse sich durch Vergesellschaftung des Großgrundbesitzes lösen, widerlegt er durch ein einfaches Rechenexempel: Selbst wenn man alle Güter aufteilte, kämen in Deutschland immer noch 132 Menschen auf einen Quadratkilometer. Klassengegensätze, so lautet das Resümee des Romans, sind nicht eine Folge der Eigentums- und Produktionsverhältnisse, sondern des Landmangels. Sie können daher auch nicht durch eine sozialistische Revolution, durch Umverteilung und Vergesellschaftung der Produktionsmittel beseitigt werden – denn das würde lediglich zu kollektiver Verelendung führen –, sondern nur durch imperialistische Expansion. Der ›nationale Sozialismus‹, der Grimm vorschwebt, besteht darin, den ›besitzlosen Leuten‹ in den Kolonien Siedlungsland zur Verfügung zu stellen, um auf diese Weise jedem die Möglichkeit zu verschaffen, eigenen Grund und Boden zu erwerben.

Die Lebensgeschichte Friebotts, die laut Grimm »unser gemeinsames deutsches Schicksal« versinnbildlicht, dient in erster Linie der Illustration dieses politischen Programms. Als proletarisierter Bauernsohn verläßt Friebott Deutschland, schlägt sich als Handwerker durch das britische Südafrika und siedelt sich schließlich in Deutsch-Südwestafrika als Farmer an. Am ›Einzelschicksal‹ sinnbildlich das ›Schicksal des Volkes‹ veranschaulichen – diese Forderung der nationalsozialistischen Ästhetik wird von Grimms Entwicklungsroman mustergültig erfüllt: Denn Friebotts sozialer Regenerationsprozeß weist dem ganzen deutschen Volk eine politische Perspektive. So endet denn auch der Roman mit der Forderung nach Kolonien für das ›Volk ohne Raum‹.

Die deutsche Kolonialliteratur hat vor allem zur Zeit der Weimarer Republik infolge der Entrüstung über den Verlust der Kolonien große Erfolge erzielt (Johannes Gillhoff *Jürnjakob Swehn, der Amerikafahrer*, 1917; Paul von Lettow-Vorbeck *Heia Safari*, 1920; Bernhard Voigt *Du meine Heimat Deutschsüdwest*, 1925 u. v. a.). Im Dritten Reich fand sie jedoch – abgesehen von den Werken Hans Grimms und Adolf Kaempffers (*Das harte Brot*, 1939; *Farm Trutzberge*, 1937) – trotz ihres imperialistischen Charakters kaum offizielle Förderung und wurde in den nationalsozialistischen Literaturgeschichten fast völlig ignoriert. Die nationalsozialistische Politik orientierte sich nämlich längst an einer strategischen Konzeption, die, wie Hitler bereits in *Mein Kampf* (2. Bd. 14. Kap.) dargelegt hatte, vor allem auf eine »Vergrößerung des Lebensraumes unseres Volkes in Europa« spekulierte. Auf diese Weise hoffte Hitler, sich mit Großbritannien, dem bisherigen Hauptgegner, arrangieren zu können. Englands Vorherrschaft in Übersee wurde anerkannt, dafür sollte Deutschland freie Hand im Osten erhalten.

Die traditionelle Kolonialpropaganda erschien aus diesem Grund als politisch nicht mehr opportun. Daher wurde das von Grimm geprägte Schlagwort vom ›Volk ohne Raum‹ von der nationalsozialistischen Propaganda inhaltlich neu bestimmt: Nicht in Übersee, sondern im Osten war der nötige Raum zu erobern. Gleichzeitig wurde die ›volksdeutsche Dichtung‹ der östlichen Nachbarländer mit großem propagandistischem Aufwand herausgestellt. Denn das ›Volk ohne Raum‹ war seit Jahrhunderten dem Titel von Josef Pontens ›wolgadeutscher Romantrilogie‹ zufolge auch ein *Volk auf dem Wege* (1933–37), auf dem Wege in die Baltenländer, nach Polen, Rußland und Siebenbürgen, ins Sudetenland und in die ›Ostmark‹ des ›Heiligen römischen Reiches deutscher Nation‹. Und von dorther ertönten die ›Rufe über Grenzen‹, die faschistische Verleger und Litaraturwissenschaftler mit der Verschärfung der Hitlerschen Annexionspolitik immer deutlicher vernahmen. Besonders hervor tat sich hier Heinz Kindermann, dessen Anthologien und Schriften – *Rufe über Grenzen* (1938), *Heimkehr ins Reich* (1939), *Der großdeutsche Gedanke in der Dichtung* (1941) – einen Überblick über Inhalt und Funktion dieser ›Anschlußliteratur‹ vermitteln.

Vielfach von politisch aktiven Schriftstellern wie WILHELM PLEYER (geb. 1901) verfaßt, der noch Anfang der sechziger Jahre Hans Grimm auf den Lippoldsberger Dichtertagen als einen der größten deutschen Dichter feierte, konzentrierte sich diese ›volksdeutsche‹ Literatur vornehmlich darauf, die angebliche Unterdrückung der jeweiligen deutschen Volksgruppe durch den fremden Staat breit auszumalen (Adolf Meschendörfer *Die Stadt im Osten*, 1931; Hans Harder *Dorf an der Wolga*, 1935; Erwin Wittstock *Bruder nimm die Brüder mit*, 1937 u. a.). Gleichzeitig Anklage- und Kampfliteratur diente sie dazu, Hitlers Annexionsplänen die nötigen Vorwände zu liefern, wobei der deutsche Rechtsanspruch auf das jeweilige Land vielfach wie in Pleyers sudetendeutschem Roman *Die Brüder Tommahans* (1937) durch die ausführliche Schilderung der kolonisatorischen Arbeit deutscher Bauernfamilien untermauert wurde. »Als Bauern haben wir vor vielen Jahrhunderten die deutsche Heimat in den böhmischen Ländern geschaffen, als Bauern müssen wir sie erhalten« – so lautet die zentrale politische Forderung des Romans. In seinem Roman *Der Puchner* (1934), der als ›Katechismus der Auslandsdeutschen‹ galt, schilderte er die Geschichte eines faschistischen Agitators, der seinen Zuhörern vor allem einhämmert, »daß überall dort, wo Menschen leben, die deutsch reden und deutsch fühlen, deutsch Land ist, also Deutschland«.

Agrarromantik und Blut-und-Boden-Ideologie bis in jene literarischen Genres hinein, die wie die Kolonialliteratur und die ›volksdeutsche Dichtung‹ dazu dienten, die militärische Expansion zu fördern und zu rechtfertigen! Fast könnte man über den siedlungspolitischen Schwärmereien dieser Literatur vergessen, daß imperialistische Politik auch in Deutschland nie in erster Linie ernährungs- oder bevölkerungspolitisch motiviert war – in den deutschen Kolonien lebten im Jahre 1904 lediglich 5495 Deutsche –, sondern aus Gründen vorangetrieben wurde, die die Deutsche Kolonialgesellschaft (DKG) im Ersten Weltkrieg folgendermaßen bestimmte:

»Der große Bedarf Deutschlands an kolonialen Rohstoffen, die Notwendigkeit der Sicherung von Absatzgebieten für seine Industrie und insbesondere eines Ersatzes für die [...] Verdrängung von bisherigen Absatzmärkten lassen die Erwerbung eines großen Kolonialbesitzes [...] geboten erscheinen.«[10]

Auch Hitlers Vorstellung von einem europäischen Großwirtschaftsraum, der von den nordfranzösischen und belgischen Industrierevieren bis zu den baltischen Agrargebieten und den südrussischen Erdölfeldern reichen sollte, entsprang nicht einer vagen Blut-und-Boden-Kalkulation, sondern deckte sich ziemlich genau mit Forderungen, die von Vertretern verschiedener Industriellenverbände und vom Alldeutschen Verband bereits in den Kriegszieldebatten des Ersten Weltkriegs verfochten worden waren. Wenn die nationalsozialistische Propaganda die Annexionspläne dennoch hauptsächlich als ›lebensnotwendige Erschließung neuer Siedlungsgebiete‹ hinstellte, so allem Anschein nach deshalb, weil sie sich auf diese Weise massenwirksamer begründen ließen. Hier leistete die im hochindustrialisierten Staat auf den ersten Blick anachronistisch wirkende bäuerliche Blut-und-Boden-Literatur gute Dienste, denn an ihr ließ sich nicht nur das Trugbild der konfliktfreien Volksgemeinschaft glaubhaft exemplifizieren, sondern sie trug auch – wie Siedler-, Kolonial- und ›volksdeutsche‹ Literatur zeigen – dazu bei, die imperialistische Lebensraum-Konzeption ideologisch zu untermauern. Sie täuscht darüber hinweg, daß Imperialismus und Faschismus in erster Linie industriellen Sonderinteressen dienen, und läßt die faschistische Expansion als ›lebensgesetzliche Notwendigkeit‹ des ganzen deutschen Volkes erscheinen, die nicht nur aus ernährungs- und bevölkerungspolitischen Gründen unumgänglich und aufgrund der Ostkolonisation und der Unterdrückung deutscher Volksgruppen historisch und moralisch legitimiert ist, sondern die auch die endgültige Aufhebung relevanter Besitzunterschiede in einem stark agrarisch orientierten faschistischen ›Großwirtschaftsraum‹ in Aussicht stellt.

Historische Literatur

Ihre historische Legitimation verschaffte sich die nationalsozialistische Ideologie und Politik durch eine entsprechende Stilisierung der Geschichte. Dem diente u. a. die historisierende Literatur, die im Dritten Reich massenhaft produziert wurde. Bei den Schriftstellern war sie schon deshalb besonders beliebt, weil sich auf diese Weise die Darstellung direkt gegenwartsbezogener Themen aus dem Dritten Reich und damit auch der stets drohende Konflikt mit den ständig wechselnden politischen Richtlinien der staatlichen und parteiamtlichen Kontrollorganisationen vermeiden ließ. Hier hat der bereits im Kaiserreich von konservativen und völkischen Schriftstellern (Chamberlain, Langbehn, Bartels u. v. a.) mit chauvinistischer Tendenz betriebene Germanenkult unter dem Einfluß der von den Nationalsozialisten durch Rassengesetze und Abstammungsnachweise erzwungenen Sippen- und Ahnenforschung zu einer ›nordischen Renaissance‹ geführt, der es – so der nationalsozialistische Literaturwissenschaftler Arno Mulot – vor allem darum zu tun war, »aus der Erkenntnis der germanischen Ursprünge [...] Klarheit über die

Ziele deutscher Art zu gewinnen«.[11] Das ›ursprüngliche Wesen der germanischen Menschen‹ fanden Schriftsteller wie Hans Friedrich Blunck (*Urvätersaga*, 1926/28), Ernst Bertram (*Nornenbuch*, 1925), Börries von Münchhausen (*Das Balladenbuch*, 1924), Friedrich Griese (*Die Weißköpfe*, 1939), Moritz Jahn (*Geschichte von den Leuten an der Außenfohrde*, 1929), Ludwig Tügel (*Frau Geske auf Trubernes*, 1936), Martin Luserke (*Der erzwungene Bruder*, 1936) und Will Vesper (*Das harte Geschlecht*, 1931) vor allem in der Welt der germanischen Mythologie, der Heldenlieder und der isländischen Sagas verkörpert, an denen sie sich nicht nur inhaltlich, sondern auch formal und stilistisch orientierten.

Ob die Helden dieser Literatur nun wie in den Erzählungen Jahns und Tügels ihre Rasse rein erhalten, indem sie alles Schwächliche und ›Entartete‹ in den eigenen Reihen vernichten und Verstöße gegen das Sippengesetz mit dem Tode sühnen, oder ob sie wie in den Romanen Vespers und Grieses als Seefahrer und Krieger bzw. Bauer und Krieger Neuland erschließen – stets bleiben sie einem heroischen Lebensgesetz unterworfen, das von ihnen verlangt, im ewigen Kampf um die Erhaltung und Expansion der Sippe äußerstenfalls auch das eigene Leben zum Opfer zu bringen.

»Jede rechte Saga handelt davon, daß es manchmal auch ein Sterben von Belang gibt – die Probe der unerschütterlichen Bewährung des Menschen in der Art, die ihm verhängt ist. [...] Das ist der Tod, bei dem man spürt, daß man lebt, und seit alten Zeiten suchen kühne Menschen diesen Untergang im Mittelpunkt der Welt, der Tage und Jahre kümmerlicher Mühsal, ja der alles schmierige Glücklichsein aufwiegt.«

So heißt es in Martin Luserkes Erzählung *Das schnellere Schiff* (1936), das als Schullektüre weite Verbreitung gefunden hat. Von ›heroischem Sein und völkischem Tod‹, einer Lebensform also, die anders als das ›schmierige Glücklichsein‹ nicht zur ›Entartung‹, sondern zur Stärkung des Volkstums führt, handelt auch ein großer Teil der übrigen historischen Literatur, insbesondere die historische Dramatik. Dabei galt es der völkischen Dramatik schon gleich, ob sie nun Ritterorden und deutsche Kolonisatoren gegen die Litauer (Friedrich Bethge *Rebellion um Preußen*, 1939; *Anke von Skoepen*, 1941) oder die alten Preußen gegen die Ritterorden verherrlichte (Rolf Lauckner *Der letzte Preuße*, 1937). Hauptsache war die Aura tragischen Verhängnisses, die über dem Ganzen lag. Sie ließ auf das Walten schicksalhafter Mächte schließen, auf deren Darstellung es eigentlich ankam. Denn der geschichtliche Entwicklungsprozeß der Völker galt nationalsozialistischen Ideologen als vom Schicksal vorherbestimmt. Aufgabe der Dichter wie der Historiker war es folglich, den schicksalhaften Werdegang des eigenen Volkes, dessen tieferen Sinn und mutmaßliches Ziel zu ergründen. Dabei erschien der faschistischen Geschichtswissenschaft der ›Kampf um das Reich‹ als eine zentrale Kategorie, der sich die wichtigsten historischen Gestalten, Ereignisse und Prozesse der deutschen Geschichte subsumieren ließen.

In dieser Sicht erschienen nun bereits die Wikinger, Normannen, Vandalen und Goten als ›Völker ohne Raum‹, die den Traum vom germanischen Großreich, wenn auch vergeblich, zu verwirklichen suchten (Herbert Böhme *Volk bricht auf*, 1934 [Drama]; Hans Friedrich Blunck *König Geiserich*, 1936 [Roman] u. v. a.). Die Sehnsucht nach dem Reich als geheime Triebkraft der Geschichte, die Erfüllung der Reichsidee als höchste völkische Aufgabe – das war das ewige Gesetz, das die faschistische Historienmalerei hinter den verschiedenen geschichtlichen Auseinandersetzungen als deutsches Schicksal zu erkennen meinte: sei es im Kampf der Germanen gegen die Römer, der Sachsen gegen die Franken oder der mittelalterlichen deutschen Kaisermacht gegen das römisch-katholische Papsttum (Paul Ernst *Das Kaiserbuch*, 1923/28; Hans Friedrich Blunck *Sage vom Reich*, 1941/42; Friedrich Ludwig Barthel *Dom aller Deutschen*, 1938; Erwin Guido Kolbenheyer *Gregor und Heinrich*, 1934 u. v. a.). Entsprechend wurde die ›Geschichte der deutschen Seele‹ als Suche nach einer ›arteigenen‹ Religiosität gedeutet, in der sich heidnisch-germanische und mittelalterlich-mystische Züge miteinander verbanden und die sich im ständigen Kampf gegen die dogmatischen Ansprüche der katholischen Kirche zu bewähren hatte (Wilhelm Schäfer: *Die dreizehn Bücher der deutschen Seele*, 1922; Erwin Guido Kolbenheyer *Paracelsus-Trilogie*, 1917/25).

Mit ähnlicher Tendenz wurde der preußisch-österreichische Dualismus späterer Jahrhunderte zum ›Zweikampf ums Reich‹ stilisiert, wobei die Sympathien der Schriftsteller in der Regel nicht auf seiten des ›rassisch zersplitterten Vielvölkerstaates‹, sondern des streng disziplinierten und militärisch schlagkräftigen preußischen Staates lagen (vgl. Preußendramen von Paul Ernst, Hermann Burte, Hans Rehberg, Friedrich Bethge und entsprechende Romane Robert Hohlbaums, Werner Beumelburgs u. a.). Dieser bildete denn auch, da die Befreiungskriege und die bürgerliche Revolution von 1848 die ›deutsche Zwietracht‹ nicht zu überwinden vermochten, die Grundlage des Zweiten Reichs (Werner Beumelburg *Bismarck gründet das Reich*, 1932). Doch die kleindeutsche Lösung – so der Tenor faschistischer Geschichtsinterpretation –, die Österreich sowie verschiedene ›volksdeutsche Gruppen‹ außerhalb der Reichsgrenzen beließ, vermochte der geschichtlichen Aufgabe nicht voll gerecht zu werden. Die Erfüllung des ›großdeutschen Gedankens‹ und damit der uralten Sehnsucht nach dem Reich – das blieb als historische Mission dem Dritten Reich vorbehalten.

Dieses Ringen des dem völkischen Gesetz unterworfenen deutschen Menschen um das Reich galt – da im Laufe der Geschichte an ›feindlichen Schicksalsmächten‹ immer wieder gescheitert und doch immer wieder neu begonnen – faschistischen Dramatikern wie Kurt Langenbeck, Erich v. Hartz und Eberhard Wolfgang Möller als ›tragisch‹; ein Begriff, der nicht nur als ästhetische Kategorie, sondern zur Kennzeichnung einer angeblich spezifisch deutschen Welterfahrung Verwendung fand. Die daraus resultierenden an Paul Ernsts Dramentheorie orientierten Bemühungen um eine völkische Erneuerung der Tragödienform fanden ihren Höhepunkt in Langenbecks Konstruktion einer ›mythisch-völkischen Tragödie‹ *Das Schwert* (1940): Während des Krieges um den Lebensraum des Volkes kommt es über der Frage, ob der Krieg fortzusetzen oder der schlechten Lage wegen abzubrechen sei, zum

Konflikt zwischen den adligen Brüdern Gaiso und Erruin. Da Gaiso seinen Bruder von der schicksalhaften Notwendigkeit, den Krieg bis zum Sieg fortzusetzen, nicht überzeugen kann, erschlägt er ihn, verstößt also zugunsten seiner völkischen Sendung gegen das Sippengesetz. Nachdem er in Gerri einen starken Nachfolger gefunden hat, sühnt er die Tat durch Selbstmord – ein Opfertod, der Maro, den Führer des feindlichen Völkerbundes, von der Lebenskraft und Reinheit dieses Volkes überzeugt und so stark beeindruckt, daß er den Forderungen des Feindes freiwillig entgegenkommt.

»Auch lassen sich die Kräfte und Gesetze unserer Gegenwart – Urgesetze, die gültig sind, nicht von uns erfunden –, in Ereignissen und Gestalten der Geschichte entdecken und lebendig machen« – nach diesem Prinzip des faschistischen Dramatikers Friedrich Wilhelm Hymmen, demzufolge aktuelle gesellschaftliche Konstellationen und Probleme in die Vergangenheit zurückprojiziert und auf diese Weise zu geschichtlichen Konstanten erklärt werden, ist die historische Literatur des Dritten Reichs allemal verfahren.[12] Langenbeck geht jedoch in seinem Drama einen entscheidenden Schritt weiter. Programmatisch verzichtet er auf jede Bezugnahme auf vergangene Ereignisse, da die nie ganz auszuschaltende relative Eigengesetzlichkeit des jeweils gewählten historischen Beispiels die wichtigste Intention des historischen Dramas, nämlich Analogien zur Gegenwart zu konstruieren, störend beeinflußt. Statt dessen stilisiert er die Handlung ins Archaische und Überzeitliche, was für ihn in doppelter Hinsicht von Vorteil ist: Zum einen läßt sich, da Handlung und Problemstellung nun unabhängig von realgeschichtlichen Ereignissen der Vergangenheit konzipiert werden können, die angestrebte Analogie zum Zweiten Weltkrieg um so deutlicher herausarbeiten. Zum anderen erscheinen Probleme und Verlauf der Kriegführung sowie die Durchhalte- und Endsieg-Parolen im ›zeitlosen Raum des Urbildlichen‹ in Gestalt ewig gültiger Wertkonflikte, Lebensgesetze und Schicksalskräfte und werden damit ontologisiert – eine Methode, die in der faschistischen Ideologie immer dann Verwendung fand, wenn es galt, die wahren Ursachen geschichtlicher Ereignisse zu verdecken und historisch bedingte Erscheinungen wie z. B. den Krieg in ontologischen Kategorien als Ausdruck unveränderlicher Seinsgesetze und damit auch als unabwendbar zu interpretieren. Mittels dieser ontologisierenden Technik entstand im Dritten Reich ein ›mythisches Drama‹, das in der Art einer szenischen Parabel konstruiert war. Der Gegenwart scheinbar weit entrückt, eignete es sich ähnlich wie die mythisierten Romane Grieses und Oberkoflers besonders gut dazu, den aktuellen Erfordernissen der nationalsozialistischen Politik und Propaganda die Aura schicksalhafter Notwendigkeit zu verleihen. Mit dieser spezifischen Ausformung der mythischen Literatur haben faschistische Schriftsteller – in der Regel epigonal an vorgefertigten Mustern orientiert – einen eigenständigen literarischen Typus entwickelt, dessen Ähnlichkeiten und Differenzen zur mythisierenden Literatur liberaler Schriftsteller und zu den Parabelstücken der reformistischen Arbeiterdichtung von der Literaturwissenschaft bislang kaum untersucht worden sind.

Parteidichtung

In seiner Rede *Die deutsche Kultur vor neuen Aufgaben* verpflichtete Joseph Goebbels anläßlich der Eröffnung der Reichskulturkammer im November 1933 die Anwesenden darauf, die Kunst in den Dienst des nationalsozialistischen Staates zu stellen:

»Der Aufmarsch, den wir begonnen haben, ist ein Aufmarsch der Gesinnung. [...] An die Stelle einer zermürbenden Schlappheit, die vor dem Ernst des Lebens kapitulierte, [...] trat jene heroische Lebensauffassung, die heute durch den Marschtritt brauner Kolonnen klingt, die den Bauern begleitet, wenn er die Pflugschar durch die Ackerschollen zieht, die dem Arbeiter Sinn und höheren Zweck seines schweren Daseinskampfes zurückgegeben hat, die den Arbeitslosen nicht verzweifeln läßt und die das grandiose Werk des deutschen Wiederaufbaues mit einem fast soldatisch anmutenden Rhythmus erfüllt. Es ist eine Art von stählerner Romantik, die das deutsche Leben wieder lebenswert gemacht hat: eine Romantik, die sich nicht vor der Härte des Daseins versteckt oder ihr in blauen Fernen zu entrinnen trachtet – eine Romantik vielmehr, die den Mut hat, den Problemen gegenüberzutreten und ihnen fest und ohne Zucken in die mitleidlosen Augen hineinzuschauen.«[13]

Diese ›stählerne Romantik‹ fand sich vornehmlich in jener Parteiliteratur, die Themen der ›Kampfzeit‹ und des Dritten Reichs in Liedern, Gedichten, ›Kampfzeitromanen‹ Dramen oder chorischen Feierspielen aus nationalsozialistischer Sicht gestaltete. Ihre Vorbilder suchte sie sich nicht nur in der Burschenschafts-, Soldaten- und Kriegslyrik der Vergangenheit (vgl. *Wohlauf Kameraden. Ein Liederbuch der jungen Mannschaft*, Hrsg. Gerhard Pallmann, 1934; *Rufe in das Reich. Die heldische Dichtung von Langemarck bis zur Gegenwart*, Hrsg. Herbert Böhme, 1934), sondern auch bei solchen Dichtern der Romantik oder Neuromantik, aus deren Werk sich ›völkisches Sendungsbewußtsein‹ herauslesen ließ. Wenn Gottfried Benn im Jahre 1934 in seiner *Rede auf Stefan George* »in der Kunst Georges wie im Kolonnenschritt der braunen Bataillone« denselben Geist zu spüren meinte, so konnte er sich dabei nicht nur auf dessen ›strengen Formwillen‹, sondern ebenso auf dessen Gedichtband *Das neue Reich* (1928) berufen. Denn auch der dort prophezeite politische Erlöser »sprengt die ketten«, »heftet das wahre sinnbild auf das völkische banner«, »führt seiner treuen schar zum werk« und »pflanzt das Neue Reich« (*Dichter in Zeiten der Wirren*).

Als völkischer Vollender Georges galt im Dritten Reich der Österreicher JOSEF WEINHEBER (1892–1945), der anders als der 1933 in die Schweiz emigrierte George offen mit dem Nationalsozialismus sympathisierte. Ähnlich wie George und Benn praktizierte er einen strengen Formkult, den er den von ihm als ›Zerfall aller Werte‹ erlebten politischen Wandlungen und sozialen Spannungen der zwanziger Jahre als geistige Ordnungsmacht entgegensetzte. Gerade das prädestinierte ihn dazu, die politische Diktatur als Ausdruck eines legitimen staatlichen Gestaltungswillens zu akzeptieren. Minuziös wies die nationalsozialistische Kritik an seinem lyrischen Werk nach (*Der einsame Mensch*,

1920; *Adel und Untergang*, 1934; *Späte Krone*, 1936; *O Mensch gib acht*, 1937; *Zwischen Göttern und Dämonen*, 1938); wie Solipsismus und Kulturpessimismus seines Frühwerks allmählich durch heroische Lebensauffassung und Bejahung des faschistischen Staates ersetzt wurden.

> »Weite Meere aus Blut, im Ohr
> brausend dumpfen Gesang, Sturm um die Stirn. Die Bucht
> grau der Tränen, das Inselreich
> fern geschaut, nur im Traum näher und spät erkannt. [...]«

In diesem *Gesang vom Manne* (in *Adel und Untergang*) wird deutlich, wie der auch von Gottfried Benn mit großem Erfolg betriebene Kult vom ›einsamen Ich‹ auf beträchtlichem ästhetischen Niveau mit heroischen Zügen durchsetzt wird; wie aus dem seine Einsamkeit larmoyant beklagenden Träumer der ›Sucher‹ nach dem fernen Inselreich wird, dessen Umrisse sich dem tränenverschleierten Blick hinter einem ›Meer aus Blut‹ offenbaren.

Solche Verbindung von Innerlichkeit und Heroismus, die auch in Goebbels' Formel von der ›stählernen Romantik‹ anklingt, erklärte der nationalsozialistische Literaturhistoriker Hellmuth Langenbucher unter Berufung auf den Lyriker Gerhard Schumann zum wichtigsten Merkmal einer neuen heroischen Kunst (Langenbucher *Die deutsche Gegenwartsdichtung*, 1939, Einleitung). Um sie zu verwirklichen, mußte sich der Schriftsteller jedoch selber in die immer wieder beschworenen ›braunen Kolonnen‹ einreihen. Dazu waren aber weder Benn noch Weinheber bereit. Die ›Mobilisierung der deutschen Seele‹ in spezifisch nationalsozialistischem Sinne blieb damit der Parteidichtung der ›jungen Mannschaft‹ vorbehalten, die sich zumeist aus jüngeren SA- und SS-Männern rekrutierte. Zu ihr gehörten die Lyriker Heinrich Anacker (*Die Trommel. SA-Gedichte*, 1932), Hans Baumann (*Trommel der Rebellen*, 1935), Herbert Böhme (*Des Blutes Gesänge*, 1934), Herybert Menzel (*Im Marschtritt der SA*, 1933), Hans Jürgen Nierentz (*Gedichte großer Gegenwart*, 1936), Baldur von Schirach (*Die Fahne der Verfolgten*, 1933), Gerhard Schumann (*Die Lieder vom Reich*, 1935) u. a.

Als ›Nestor‹ dieser nationalsozialistischen Kampflyrik galt der völkische Journalist Dietrich Eckart, dessen Gedicht *Deutschland erwache* – von Göring 1933 anläßlich der Eröffnung der Reichstagsdebatte zum Ermächtigungsgesetz rezitiert – die NSDAP eine ihrer wichtigsten Losungen entnahm. Zentrale Themen dieser Lieder und Gedichte – zu den bekanntesten gehörten Horst Wessels SA-Lied *Die Fahne hoch* und Hans Baumanns berüchtigtes *Es zittern die morschen Knochen/der Welt vor dem großen Krieg* – waren der Aufruf zum Kampf und die Verherrlichung des faschistischen Schlägertrupps sowie der ›Blutzeugen der Bewegung‹: Als Ziel des Kampfes wurde in der frühen Lyrik vielfach die Befreiung des Volkes aus einer nicht näher spezifizierten ›Knechtschaft‹ beschworen – ein Topos, der später in einer Unzahl von Hitlergedichten durch einen extensiven Führerkult und die bedingungslose Verpflichtung auf Führer, Volk und Reich ersetzt wurde. Ausgestattet mit weihevoll verklärten militärischen Requisiten wie Fahne, Trommel und

Schwert stilisierte diese Lyrik die Machtergreifung mit Hilfe eines Verschnitts aus Naturmetaphern (Sturm, Donner, Blitz, Flut, Feuer), Blut-und-Boden-Vokabular (Blutsgemeinschaft, Blutorden) und religiösen Vergleichen ebenso zum Naturereignis wie zur völkisch-rassischen Auferstehung und heilsgeschichtlichen Erlösungstat. Gesungen oder vorgetragen in SA und SS, auf Partei- und Kulturtagen wie auf Schul- und Betriebsfeiern, bestand ihre wichtigste politische Funktion darin, den nationalsozialistischen Massenveranstaltungen einen die Anwesenden ergreifenden Charakter zu verleihen.

Die soziale Demagogie der Nazis kommt auch darin zum Ausdruck, daß eine Reihe von Arbeiterliedern adaptiert und in faschistischem Sinne umgeschrieben wurde, so etwa *Brüder zur Sonne zur Freiheit*, das *Liebknecht-Lied* und das *Leuna-Lied*: Statt Karl Liebknecht hatte es die SA allerdings Adolf Hitler geschworen, und gefallen war sie nicht bei Leuna, sondern in München.

Ein auf die SA zugeschnittenes Genre waren auch die ›Kampfzeitromane‹, in denen der Weg des deklassierten Kleinbürgertums in den Faschismus aus nationalsozialistischer Sicht vor allem als Akt sozialer Notwehr geschildert wird, die in der SA ihren organisatorischen Ausdruck findet. In ihrer paramilitärischen Organisation befriedigt sie die Sehnsucht der verelendeten Massen nach Stabilität, Ordnung und Sicherheit und stellt ihnen als Lohn des Kampfes die wirtschaftliche Prosperität in Aussicht. Diesen Anspruch einzulösen lag allerdings nicht in der Absicht der NSDAP. Nach dem ›Röhm-Putsch‹ wurde nicht nur die SA entmachtet, sondern auch die SA-Romane wurden als niveaulos kritisiert und nicht mehr aufgelegt. Trotz ihrer faschistischen Ideologie bargen sie ein Potential kleinbürgerlicher Erwartungen, das um so gefährlicher war, als es nicht befriedigt werden konnte (vgl. z. B.: Hanns Heinz Ewers: *Horst Wessel*, 1932; Waldemar Glaser: *Ein Trupp SA*, 1933; Peter Hagen: *Die Straße zu Hitler*, 1933; Bruno Nelissen-Haken: *Die Ehe des Arbeitslosen Martin Krug*, 1932; Peter Hagen: *SA-Kamerad Tonne*, 1933; Georg Lahme: *Aufbruch zu Hitler*, 1933; Wilfried Bade: *SA erobert Berlin*, 1934).

Anders als die ›Flut der Kampfzeitromane‹ wurde die zeitgeschichtliche Dramatik offiziell gefördert. Die dramatische Form galt als dem kämpferischen Wesen und der Größe der Zeit besonders angemessen. Gegenstand der Darstellung waren meist Gestalten, politische Ereignisse und Probleme der zwanziger und frühen dreißiger Jahre. So ging es Gerhard Schumann in seinen Dramen *Das Reich* (1935) und *Entscheidung* (1938) um den zwischen Kommunismus und Nationalsozialismus schwankenden bürgerlichen Intellektuellen. Der Held beider Stücke, der Student Bäumler, der zunächst mit den Kommunisten sympathisiert, übernimmt schließlich das Kommando einer SA-Truppe. Kurt Eggers (*Schüsse bei Krupp*, 1937) thematisierte ähnlich wie Hanns Johst, der Präsident der Reichsschrifttumskammer, in seinem Schauspiel *Schlageter* (1933) den Widerstand deutscher Arbeiter und Freikorps gegen die französische Rheinlandbesetzung. Dabei eignete sich die Ruhrkampf- und Schlageter-Thematik für die um Integration aller Parteirichtungen in den faschistischen Staat bemühte nationalsozialistische Kulturpolitik besonders gut, weil hier auf eine historische Konstellation zurückgegriffen wurde, in der

Sozialisten, Liberale und Faschisten einst in gemeinsamer Empörung über die französische ›Willkürpolitik‹ zusammengefunden hatten.

Dieser Tendenz, innenpolitische Divergenzen durch die Suggestion einer allen gemeinsam drohenden Gefahr zu überspielen, entspricht die auf emotionale Überwältigung und symbolische Überhöhung angelegte Schlußkonstruktion von Johsts *Schlageter*: Im Bühnenhintergrund ist das französische Exekutionskommando so postiert, daß es nicht nur Schlageter, sondern auch die Zuschauer im Visier hat, während der auf die Knie gezwungene Schlageter dem Publikum sein Vermächtnis zuruft:

> »Schlageter:
> Deutschland!
> Ein letztes Wort! Ein Wunsch! Befehl!!
> Deutschland!!!
> Erwache! Entflamme!!
> Entbrenne! Brenn Ungeheuer!!
> (Nach dem Hintergrund, befehlend)
> Und ihr ... Gebt Feuer!!
> Stimme des französischen Kommandanten:
> A mon commandement – feu!«

Von der abgedunkelten Bühne fetzt laut Regieanweisung »die Feuergarbe der Salve wie greller Blitz durch Schlageters Herz in das Dunkel des Zuschauerraums«. Solchermaßen attackiert, wird der Zuschauer zur Identifikation mit dem Helden und dessen vaterländischem Appell gedrängt. Der im Drama bewußt ausgesparte fünfte Akt spielt sich Johsts Absicht zufolge im Gemüt des Zuschauers ab (*Ich glaube!* 1928). »Das ist die Katharsis dieses Dramas«, so urteilte ein Theaterkritiker, »daß am Schlusse im Hörer der nationale Gedanke geboren ist«.[14]

Wurde in diesen Schauspielen die traditionelle Dramenstruktur immer noch beibehalten, so hatte die im Dritten Reich unter dem Protektorat des Propagandaministeriums und des ›Reichsdramaturgen‹ Rainer Schlösser entwickelte chorische Dichtung der Kantaten, Oratorien, Kult-, Weihe- und Thingspiele die Aufgabe, das nationale Gemeinschaftserlebnis auf neue Art zum Ausdruck zu bringen. Hans Baumann (*Wir zünden das Feuer*, 1936), Kurt Eggers (*Das Spiel von Job dem Deutschen*, 1933), Richard Euringer (*Deutsche Passion 1933*, 1933), Kurt Heynicke (*Der Weg ins Reich*, 1935), Erwin Guido Kolbenheyer (*Deutsches Bekenntnis*, 1932), Hans Jürgen Nierentz (*Symphonie der Arbeit*, 1933), Johannes G. Schlosser (*Ich rief das Volk*, 1935) u. a. traten als Verfasser solcher chorischen Spiele hervor. Sie wurden vielfach nicht mehr im Theater, sondern in Messehallen, Sportstadien, auf Freilichtbühnen oder den im Stil antiker Amphitheater konstruierten Thingplätzen aufgeführt, wobei Zehntausende von Menschen an den jeweiligen Veranstaltungen teilnehmen konnten.

Diese Theaterform, die an die lyrisch-dramatischen Chorwerke und Arbeitersprechchöre von Bröger, Barthel, Schönlank u. a. erinnert, ist aus der reformistischen Arbeiterdichtung übernommen und mit faschistischer Ideologie aufgeladen worden. Pate gestanden haben zudem die mittelalterlichen Mysterienspiele, deren Tradition in den Oberammergauer Passionsfestspielen gepflegt wurde. Von ersteren übernahm man die Tendenz, politische Propaganda zu verbreiten und die Zuschauer über Sprechchöre und Lieder in den Verlauf des Geschehens zu integrieren, von letzteren die Idee, kollektives Heilsgeschehen zur Darstellung zu bringen. Die Handlung dieser chorischen Spiele entfaltete sich in Anlehnung an Elemente der christlichen Liturgie (Responsorien) wie der antiken Tragödie (Chöre) als Wechselrede zwischen Rufern und Chören, die Ideen oder gesellschaftliche Gruppen repräsentierten. Programmatisch wurde die chorische Dichtung gegen die traditionelle Dramentechnik abgesetzt: Nicht um Individuen ging es hier, sondern um Typen, nicht um psychische Konflikte, sondern um Kämpfe zwischen Gruppen, nicht um die Einzelseele, sondern um die Rassenseele, nicht um Privatprobleme, sondern um Volksschicksal. An die Stelle des dialogischen Prinzips trat die chorische Deklamation, die dazu diente, die Glaubensinhalte der faschistischen Ideologie in kultischer Form zu zelebrieren.

In Euringers *Deutsche Passion 1933* (1933) siegt der von den Toten auferstandene unbekannte Soldat des Ersten Weltkriegs mit der Stacheldrahtkrone über den verruchten jüdischen Zivilisationsgeist. In Eggers *Spiel von Job dem Deutschen* (1933) ernennt Gott der Herr den deutschen Hiob zum Lohn für dessen Standhaftigkeit gar zu seinem Statthalter auf Erden, während der Chor der himmlischen Heerscharen frohlockend die bevorstehende deutsche Weltherrschaft verkündet. Mit Vorliebe enden die auf solche Weise zu pseudo-sakralen imperialistischen Parabeln zurechtgedrechselten chorischen Spiele wie Kurt Heynickes Thingspiel *Der Weg ins Reich* (1935) mit der visionären Beschwörung der zur konfliktfreien Gemeinschaft geläuterten Nation:

»Chor der Kämpfenden II:
Einer trug sieghaft das Wort durch die Nacht,
Einer hat herrlich die Flamme entfacht.

Eine helle Stimme:
Wie heißt die Fahne, zu der wir schwören?
Und das Wort auf das wir hören?

Hauptchor und Kämpfende:
Deutschland! (. . .)

Der Kämpfer:
Hebet alle nun die Hände,
Schwört an dieser Zeitenwende:
Wie des Schicksals Los auch fällt;

Alle:
Deutschland! Deutschland über alles!
Über alles in der Welt«

Im gemeinsamen Gesang der Nationalhymne werden die Zuschauer in das Spiel eingegliedert und damit selbst zum Träger der sich konstituierenden Volksgemeinschaft, wobei die erste Strophe des Deutschlandliedes durch ihren doppeldeutigen Charakter zwischen deutscher Innerlichkeit und imperialistischer Mobilisierung demagogisch die Schwebe hält: Sie läßt sich ebenso als Ausdruck der Vaterlandsliebe wie als Aufruf zur deutschen Weltherrschaft deuten.

Jugend- und Unterhaltungsliteratur

Massenwirksamkeit erlangte die faschistische Literatur nicht zuletzt aufgrund der rigorosen ›Neuordnung‹ des pädagogischen Sektors durch den ›Reichserziehungsminister‹ Bernhard Rust. Assistiert vom Nationalsozialistischen Lehrerbund (NSLB) und dessen Reichsstelle für das Jugendschrifttum sowie vom ›Reichsjugendführer‹ Baldur von Schirach sah es das Reichsministerium für Wissenschaft, Erziehung und Volksbildung als eine der vordringlichsten Aufgaben an, Volksbüchereien und Schulen auf einen neuen Lektürekanon zu verpflichten, der den nationalsozialistischen Vorstellungen vom ›artgemäßen Kunstwerk‹ entsprach. In den Empfehlungslisten des Ministeriums wie des NSLB tauchten die Namen emigrierter Schriftsteller nicht mehr auf. Sie wurden durch Autoren wie Anakker, Bartels, Binding, Blunck, Bröger, Carossa, Dwinger, Ernst, Griese, Grimm, Johst, Jünger, Kolbenheyer, Lersch, Löns, Miegel, Möller, Pleyer, Schumann, Seidel, Stehr, Vesper, Waggerl und Weinheber ersetzt.[15]
In diesem Sinne wurden auch die Lesebücher überarbeitet, denn, so heißt es in den 1934 erlassenen ministeriellen *Richtlinien zur Schaffung neuer Lesebücher*: »Das Lesebuch bildet die Grundlage für die Erziehung durch die Dichtung.«[16] Selbst um die jüngsten Leser sorgten sich die nationalsozialistischen Kulturpolitiker:

> »›Ins Judenkaufhaus gehn wir nicht!‹
> Die Mutter zu dem Kinde spricht.
> ›Nur deutsche Waren kaufen wir!
> Mein liebes Kind das merke dir (...)‹«
> (Elvira Bauer *Ein Bilderbuch für Groß und Klein*, 1936)

Die Vorstellungen des NSLB lesen sich wie ein Kommentar zu Bilderbüchern dieser Art: »So leitet das zukünftige Bilderbuch das deutsche Kind in der Richtung wie später Schule und Hitlerjugend an ihm arbeiten [...].«[17] Aufgrund der eminenten erzieherischen Bedeutung der Kinder- und Jugendliteratur forderte der NSLB in seiner *Reichszeitung der deutschen Erzieher*: »Wenn überhaupt in den Gang der literarischen Produktion von seiten des Staates oder der Partei eingegriffen werden soll, dann in erster Linie auf dem

Gebiete des Jugendschrifttums.«[18] Durch Märchen, Heldensagen, Heimaterzählungen, Erlebnisschilderungen aus dem Kriege, Lebensbilder großer Männer und das ›politische Jugendschrifttum‹, das aktuelle zeitgeschichtliche Themen aufgriff, sollte die Jugend »zu all den Tugenden erzogen werden, die sie als einstige Trägerin der Volksgewalt dringend benötigt. Das sind: Ehre, Kampfeswille für alles Gute und Edle, Bekenntnismut zu ihrem Volke, Treue zur Führung und selbstloses, opferbereites volksgemeinschaftliches Denken, Fühlen und Wollen.«[19]

Das Musterexemplar politischer Jugendliteratur lieferte Karl Aloys Schenzinger, der sich als Panegyriker bedeutender Erfinder und Konzerne einen Namen gemacht hat (*Metall*, 1939; *Atom*, 1950; *Bei IG Farben*, 1953), mit seinem 1933 verfilmten Roman *Hitlerjunge Quex* (1932). Orientiert am Schicksal des bei einer Straßenschlacht zwischen Nationalsozialisten und Kommunisten ums Leben gekommenen Hitlerjungen Herbert Norkus schildert Schenzinger in diesem überaus erfolgreichen Roman (½ Mill. Aufl.) die Entwicklung eines Arbeiterjungen, der sich dem Einfluß seines sozialistischen Elternhauses entzieht, in die Hitlerjugend eintritt und sein Leben für den Sieg der faschistischen Bewegung opfert. Solche und ähnliche Jugenderzählungen spekulierten auf Abenteuerlust und Kameradschaftsgefühl der Jugendlichen, um sie dann desto leichter auf Werte wie bedingungslosen Einsatz und Opferbereitschaft verpflichten zu können (Peter Hagen *Wie ein Proletarierjunge SA-Mann wurde*, o. J.; Margarete Dargel *Mädel im Kampf*, 1937; Trude Sand *Zickezacke Landjahr heil*, 1938; Reinhold Sauter *Pimpf, jetzt gilt's*, 1937 u. v. a.).

Unter diesem Aspekt wurde auch die Abenteuerliteratur in Vortragsreihen und Bücherlisten auf brauchbare Handlungsmuster hin durchforstet:

»Es ist ein Schrifttum, das Vorstufe des Heldischen ist [...], wenn das gefahrvolle Leben im Dienste einer Idee, einer Aufgabe, einer Gemeinschaft, eines sinnvollen Zieles gelebt wird und nicht aus unmotivierten Augenblickseinfällen.«[20]

Dabei erschien vielen nationalsozialistischen Literaturkritikern ein im Sinne der Blut-und-Boden-Ideologie überarbeiteter *Robinson Crusoe*, der als nordischer Eroberer fremdrassige Eingeborene dadurch kultiviert, daß er sie in seinen Dienst nimmt, als Leitbild eines anspruchsvollen völkischen Abenteuerbuches.

Vielfach war jedoch eine solche Neubearbeitung gar nicht notwendig, da die traditionelle Literatur – wie etwa das Werk Karl Mays zeigt – ohnehin eine konformistische oder sogar mit imperialistischen Zügen durchsetzte Weltanschauung verbreitete. Das traf nicht nur für die Jugendliteratur, sondern insbesondere auch für das Gros der Unterhaltungsliteratur zu. Bestseller-Autoren der zwanziger Jahre (Reinhold Conrad Muschler, Horst Wolfram Geißler u. v. a.) konnten im Dritten Reich ihre Erfolge fortsetzen. Andere Autoren wichen unter dem Druck der politischen Verhältnisse auf diese Sparte aus: Erich Kästner veröffentlichte 1935 den heiteren Roman *Drei Männer im Schnee* und schrieb unter Pseudonym das Drehbuch für das Filmlustspiel *Münchhausen* (1943). Wieder andere verbanden die Erfolgsrezepte erotischer

Unterhaltungsliteratur mit einer politisch unverbindlichen kulturgeschichtlichen Historienmalerei, die den traditionellen Geniekult um das Leben historischer Persönlichkeiten fortsetzte (Otto Flake, Frank Thieß, Walther von Molo).

Die Entwicklung der Unterhaltungsliteratur im Dritten Reich kontrapunktiert auf gespenstische Weise den Weg Deutschlands in die Katastrophe des Zweiten Weltkrieges. Je ernster die Lage sich gestaltete, desto breiter wurde das Angebot heiterer Filme, Schauspiele, Erzählungen, Romane oder auch Schlager.

Zu Beginn des Krieges tönte aus den Volksempfängern *Das kann doch einen Seemann nicht erschüttern*, ein Marschfoxtrott aus dem heiteren Musikfilm *Paradies der Junggesellen*. Eine Reihe bis in die fünfziger Jahre überaus populärer ›Durchhalte-Schlager‹ stammt aus der während des Krieges besonders intensiv geförderten Produktion von Filmlustspielen wie *Wunschkonzert* (1940), *Kora Terry* (1940), *Die große Liebe* (1942 mit Zarah Leander) oder *Die Frau meiner Träume* (1944 mit Marika Rökk) – so etwa die Schlager *Davon geht die Welt nicht unter*, *Ich weiß, es wird einmal ein Wunder geschehn* und *Im Leben geht alles vorüber*.

Eine Woche des deutschen Buches widmete Goebbels während des Krieges der Förderung der Unterhaltungsliteratur, für die dasselbe galt wie für die Filmindustrie, der er in einer Rede am 28. Februar 1942 empfahl:

»Denn Sie wissen meine Damen und Herren, daß unser deutsches Volk [...] heute vom Ernst des Krieges so überrannt wird, daß man ihm den Ernst des Krieges nicht jeden Tag noch eigens vor Augen zu führen braucht. [...] Ich brauche also im Film nicht so sehr belehrend aufzutreten, sondern in Zeiten, die von so starken Spannungen erfüllt sind, muß ich in der Kunst für Entspannung sorgen. [...] Wir müssen heute ein Kontingent von 80 Prozent guter, brauchbarer, anständiger Unterhaltungsfilme schaffen [...]«[21]

Als Indiz dafür, daß Goebbels das steigende Bedürfnis des deutschen Publikums nach Ablenkung von den Problemen der Wirklichkeit und Kompensation für die angesichts des Krieges wachsende Existenzangst richtig erkannt hat, kann auch die überaus große Beliebtheit der humoristischen Literatur gelten, wie sie von Kurt Kluge (*Der Herr Kortüm*, 1938), Georg Britting (*Lebenslauf eines dicken Mannes der Hamlet hieß*, 1932), Heinrich Spoerl (*Die Feuerzangenbowle*, 1935; *Der Maulkorb*, 1936) Ehm Welk (*Die Heiden von Kummerow*, 1937) und Ernst Penzoldt (*Die Powenzbande*, 1930) verfaßt worden ist. Was die nationalsozialistische Kritik an dieser Art humoristischer Literatur besonders schätzte, zeigt Hellmuth Langenbuchers eingehende Würdigung von Kluges Roman *Der Herr Kortüm*:

»Humor ist metamorphisierte Tragik«, heißt es einmal in diesem Buche [...]. In diesem Wort wird der tiefe Sinn von Kurt Kluges Kortüm-Dichtung deutlich: Was im Leben des Menschen tragisch ist, das soll nicht verneint und umgangen, sondern durch den Humor verwandelt werden. Der Sinn der Verwandlung ruht darin, das Leben gerade von seiner nicht alltäglichen Seite her nicht nur erträglich, sondern begehrenswert zu machen.[22]

Die Miserabilität der gesellschaftlichen und politischen Verhältnisse des Dritten Reichs in diesem Sinne zu ›metamorphisieren‹, war seit der Machtergreifung auch eine der zentralen Aufgaben der nationalsozialistischen Propaganda. Ähnlich wie in den Restaurationsperioden des 19. Jahrhunderts wurde der Humor damit einmal mehr zum Vehikel, das geeignet schien, politische Resignation und gesellschaftliche Unterdrückung erträglich zu machen. Ohne es zu wollen, ließ sich diese Literatur ähnlich wie die Unterhaltungsliteratur auf solche Weise für nationalsozialistische Zwecke dienstbar machen.

Literatur der ›Inneren Emigration‹

»Es mag ein Aberglaube sein, aber in meinen Augen sind Bücher, die von 1933 bis 1945 in Deutschland überhaupt gedruckt werden konnten, weniger als wertlos und nicht gut in die Hand zu nehmen. Ein Geruch von Blut und Schande haftet ihnen an. Sie sollten alle eingestampft werden.«[23]

Dieses Verdikt Thomas Manns richtete sich auch gegen jene in Deutschland verbliebenen Schriftsteller, die sich nach 1945 als Vertreter einer Inneren Emigration zu profilieren suchten. Solchen Attacken begegneten die Apologeten der Inneren Emigration hauptsächlich mit dem Argument, es sei nicht zuletzt das Verdienst von Schriftstellern wie Werner Bergengruen, Rudolf Alexander Schröder, Hans Carossa, Ernst Wiechert, Reinhold Schneider, Stefan Andres u. a. gewesen, daß humanistische Gesinnung im Dritten Reich zumindest partiell wachgehalten werden konnte. Daher sei es, so polemisierte Frank Thieß in einem Offenen Brief (*Die Innere Emigration*, 1945), wichtiger gewesen, ›auf seinem Posten auszuharren‹ als von den »Logen und Parterreplätzen des Auslands der deutschen Tragödie zuzuschauen«.[24]

Die Kontroverse verweist auf den ambivalenten Charakter der Literatur des Kulturkonservatismus. Einerseits nahmen die Schriftsteller dieser Richtung der NSDAP gegenüber während des Dritten Reichs in der Regel eine kritische Haltung ein. Andererseits läßt schon die Tatsache, daß ihre Bücher auf legalem Wege veröffentlicht werden konnten, vermuten, daß ihre Kritik kaum grundsätzlicher Art gewesen sein konnte. Von den nationalsozialistischen Machthabern wurden sie um so eher geduldet, als sie eine wichtige Alibi-Funktion erfüllten. Denn die Tatsache, daß eine nicht unbedeutende Gruppe bürgerlich-konservativer Autoren weiterhin publizieren durfte, war geeignet, im Inland wie im Ausland die Illusion zu erwecken, so streng werde die staatliche Zensur denn doch nicht gehandhabt.

Kann im Hinblick auf diese Schriftsteller tatsächlich von einer Literatur der Inneren Emigration im Sinne einer geistigen Opposition gegen den Faschismus gesprochen werden, oder handelt es sich dabei um die nachträgliche Konstruktion einer literarischen Widerstandsbewegung, die anderen Zwecken diente – etwa dem, die konservativen Schriftsteller vom Verdacht des Opportunismus zu befreien und die Literatur des Kulturkonservatismus als moralisch integre und daher vorbildliche Traditionslinie in die Literatur der Bundesrepublik zu integrieren? Die Beantwortung dieser Frage hat sich weniger an der politischen Gesinnung und dem persönlichen Schicksal der betroffenen Autoren zu orientieren als vielmehr an dem Niederschlag, den diese Haltung in deren Werken gefunden hat.

Daß zwischen Leben und Werk eines Schriftstellers erhebliche Diskrepanzen auftreten können, zeigt sich bei Schriftstellerinnen wie Gertrud Kolmar, Elisabeth Langgässer und Luise Rinser. Der apolitische Charakter ihrer im Dritten Reich veröffentlichten Werke verrät wenig von den Verfolgungen, denen sie persönlich ausgesetzt waren. Ein besonders krasses Beispiel liefert in dieser Hinsicht ERNST WIECHERT (1887–1950): In dem Konzentrationslager, wo er u. a. wegen seines Protests gegen die Verhaftung Martin Niemöllers für einige Zeit inhaftiert war, erhielt er seinem KZ-Bericht *Der Totenwald* (1945) zufolge die Erlaubnis, seine eigenen Bücher in die Lagerbücherei einzustellen. Schließlich gehörten sie zum anerkannten Bestand der nationalsozialistischen Literatur und hatten im Dritten Reich dank offizieller Förderung Millionenauflagen zu verzeichnen.

Wiecherts Bild vom Dichter, der »in einer lauten Welt der letzte und stille Bewahrer der ewigen Dinge ist« (*Der Dichter und die Jugend*, 1933), und der Mythos vom einfachen Leben, den er in seinen Romanen (*Der Totenwolf*, 1924, *Die Magd des Jürgen Doskocil*, 1932, *Das einfache Leben*, 1939) gegen Fortschritt und Zivilisation ausspielte, ähnelten den Stereotypen faschistischer Literaturproduktion, von denen sie sich lediglich durch die Wiechertsche Verwendungsweise unterschieden: Sein Dichterbild war kritisch gemeint, und das ›einfache Leben‹ in den ostpreußischen Wäldern diente in dem gleichnamigen Roman als Refugium, in das sich ein Heimkehrer zurückzieht, um mit dem ihn belastenden Kriegserlebnis fertig zu werden.

Aufschlußreich ist in diesem Zusammenhang insbesondere die Entwicklung der naturmagischen Dichtung, weil sich hier Differenzen und Gemeinsamkeiten zwischen konservativen und faschistischen Positionen an einem Genre beobachten lassen, das aufgrund der subtilen Verschlüsselung seiner Bildersprache auf den ersten Blick ganz unpolitisch scheint. Bezeichnend ist allein schon die Tatsache, daß sich gerade in den Krisenjahren der Weimarer Republik unter dem Einfluß der in einen ›magischen Realismus‹ umschlagenden ›Neuen Sachlichkeit‹ und vielfach orientiert am Vorbild Oskar Loerkes im Umkreis der Zeitschrift *Kolonne* eine Dichtung herausbildete, die ihr Hauptinteresse nicht mehr gesellschaftlichen Auseinandersetzungen, sondern der Natur zuwandte (Günter Eich, *Gedichte*, 1930, Peter Huchel, Horst Lange *Nachtgesang*, 1928, Elisabeth Langgässer *Tierkreisgedichte*, 1935, Hermann Kasack *Das ewige Dasein*, 1943, Georg von der Vring *Das Blumenbuch*, 1933).

Nun gehört die für die frühe naturmagische Lyrik charakteristische Vorstellung von der Natur als eines nach ewigen Gesetzen geordneten, alles umgreifenden Raumes ›kosmischer Harmonie‹ neben dem sozialdarwinistischen Klischee zu den beliebtesten Denkmustern nicht nur der bürgerlichen Naturdichtung, sondern auch der konservativen und faschistischen Ideologie und hat insbesondere die Heimatliteratur maßgeblich geprägt. Während die faschistische Blut-und-Boden-Ideologie diese Denkvorstellung jedoch vor allem dazu nutzte, die gesellschaftliche Wirklichkeit etwa am Beispiel des ›ewigen Kreislaufs des ländlichen Lebens‹ als von Widersprüchen freie ›Heile Welt‹ zu beschreiben, diente diese Naturvorstellung der konservativen Literatur (der Heimatkunst in ihrem Affront gegen Großstadt und Industrialismus ebenso wie der naturmagischen Dichtung) als Refugium, in das sie sich von den gesellschaftlichen Spannungen zurückziehen konnte. Sie diente damit weniger der bewußten Verfälschung als vielmehr der Flucht aus der Wirklichkeit.

So notierte OSKAR LOERKE (1884–1941), dessen antifaschistische Haltung aus den nach seinem Tode veröffentlichten *Tagebüchern* *1903–1939* (1955) deutlich hervorgeht, am 6. Juli 1934: »Angesichts der großen schönen freien Natur steigende Verbitterung über die Sklaverei und Barbarei.« Ganz in diesem Sinne konfrontierte er in seinen späten Gedichtbänden (*Atem der Erde*, 1930; *Der Silberdistelwald*, 1934; *Der Wald der Welt*, 1936) eine ›Unterwelt‹ tagespolitischer Vergänglichkeit mit einer ›Oberwelt‹, in der die ewigen Gesetze von Natur, abendländischer Kulturtradition und Kunst herrschten. Die ›Magie‹ solcher und ähnlicher Lyrik sollte darin bestehen, hinter der Oberflächenerscheinung der Wirklichkeit eine unzerstörbare Welt ewig gültiger Gesetze und Werte sichtbar zu machen, was in der Regel durch Projektion der Weltanschauung und Bildungsreminiszenzen sowie von Märchen, Mythen und Sagen auf die Natur geleistet wurde. Bis zu welcher Manieriertheit sich diese Methodik treiben ließ, zeigen die Gedichtbände GEORG BRITTINGS (geb. 1891) (*Der irdische Tag*, 1935; *Rabe, Roß und Hahn*, 1939) und Wilhelm Lehmanns (1882) (*Antwort des Schweigens*, 1935; *Der grüne Gott*, 1942; *Meine Gedichtbücher*, 1957). In Lehmanns Gedicht *Atemholen* heißt es von einer nicht näher spezifizierten offensichtlich jedoch agronomisch genutzten Landschaft:

> »Der Krieg der Welt ist hier verklungene Geschichte,
> Ein Spiel der Schmetterlinge, weilt die Zeit.
> Mozart hat komponiert, und Shakespeare schrieb Gedichte,
> So sei zu hören sie bereit.
>
> Ein Apfel fällt. Die Kühe rupfen.
> Im Heckenausschnitt blaut das Meer.
> Die Zither hör ich Don Giovanni zupfen,
> Bassanio rudert Portia von Belmont her!«

Aus gaukelnden Schmetterlingen, Shakespeares Gedichten, rupfenden Kühen und Don Giovannis Zitherspiel wird hier eine Vision naturhaften Friedens und zeitloser Werte beschworen, angesichts derer sich die als feindlich empfundene gesellschaftliche Realität – der ›Krieg der Welt‹ – zur ›verklungenen Geschichte‹ verflüchtigt. Die Konstruktion eines solchen harmonisierten Gesellschaftsbildes ist für Lehmanns Lyrik charakteristisch. Sie setzt den

Verzicht auf jede konkrete historische Analyse zugunsten einer ontologisierenden Geschichtsinterpretation notwendig voraus; ein Vorgehen, das den Praktiken nationalsozialistischer Geschichtsfälschung in Methodik und Ergebnis auf fatale Weise ähnelt und den Versuch, solchermaßen ein Reservat humanistischer Kulturwerte gegen den Faschismus zu behaupten, zur Wirkungslosigkeit verurteilt.

Wirkungslos war diese Literatur allerdings lediglich in antifaschistischem Sinne. Literarisch formierte sich hier ein Trend, der erst in der Literatur der Bundesrepublik Deutschland zu voller Wirksamkeit gelangt ist. Allerdings war es nicht der an Lehmann demonstrierte altväterlich wirkende Hang zu naturhaftem Genrebild und klassizistischer Idyllik, der sich langfristig durchsetzte, sondern die Verbindung der ›naturmagischen Dichtung‹ mit existentialistischen Deutungsmustern, die in der Tradition neuromantischer (z. B. George) und expressionistischer Tendenzen (z. B. Benn, Trakl) etwa im Werk Günter Eichs, Peter Huchels, Paul Celans, Karl Krolows, Ingeborg Bachmanns u. a. zu einer Radikalisierung dieser Art von Dichtung führte. Sie äußerte sich vor allem darin, daß die Lyrik ›hermetisch‹ wurde und auf die Konstruktion allegorisierender Sinnbezüge zunehmend verzichtete. Durch die Erfahrung von Drittem Reich und Weltkrieg nicht nur desillusioniert, sondern auch in einer agnostizistischen Attitüde bestärkt, für die Benns Pose nihilistischer Verweigerung nur ein extremes Beispiel lieferte, begriff diese jüngere Schriftstellergeneration Natur nicht mehr als sprechendes Symbol einer übergreifenden Ordnung, sondern als verrätselte Chiffre für den verborgenen ›Sinn der Welt‹ (Eich). Ähnlich neigten in der Nachkriegszeit überaus populäre Autoren eines ›magischen Realismus‹ wie Ernst Kreuder, Hermann Kasack und Hans Erich Nossack dazu, weniger die gesellschaftlichen Verhältnisse als vielmehr die existentielle Situation des Menschen in literarischen Konstruktionen einer absurden Sinnbildlichkeit zu veranschaulichen.

Zu dieser jüngeren Schriftstellergeneration, die größtenteils bereits im Dritten Reich schriftstellerisch tätig war, gehören auch Autoren wie Wolfgang Koeppen, Ernst Schnabel, Marie Luise Kaschnitz, Elisabeth Langgässer, Eugen Gottlob Winkler und Felix Hartlaub. Im Dritten Reich hatte diese Autorengruppe günstige Publikationsbedingungen, denn große Verlage wie Rowohlt, Fischer und Suhrkamp und Zeitschriften wie die ›Neue Rundschau‹, die ›Europäische Revue‹ und die ›Deutsche Rundschau‹ spezialisierten sich geradezu auf die Veröffentlichung von nichtfaschistischer Literatur. Krolow begann seine literarische Karriere in den letzten Kriegsjahren. Eichs Nachkriegsgedichtband *Abgelegene Gehöfte* (1948) wurde während des Dritten Reichs geschrieben und teils in Zeitungen und Zeitschriften gedruckt. Ähnlich wie Peter Huchel war Eich im Dritten Reich ein erfolgreicher Hörspielautor. Kreuder (*Die Nacht der Gefangenen*, 1939), Schnabel (*Nachtwind*, 1943), Kaschnitz (*Elissa*, 1937) u. a. erzielten mit ihren Erzählungen, Romanen und Gedichtbänden relativ hohe Auflagen.

Viel zu wenig Beachtung gefunden hat bislang die Tatsache, daß alle diese Autoren, die die Literatur der Bundesrepublik Deutschland Ende der vierziger und in den fünfziger Jahren maßgeblich geprägt haben, die für sie spezifische

Stil- und Problemlage bereits in den dreißiger und vierziger Jahren zur Zeit des Dritten Reichs herausgebildet haben. Dort hat sich eine jüngere nicht-faschistische, aber keineswegs antifaschistische Schriftstellergeneration formiert, die skeptisch gegenüber jeder Art politischen Engagements den Nazis ebenso distanziert gegenüberstand wie der politischen Opposition und sich auf einen extremen Individualismus zurückzog, der seine Lage nicht in polit-ökonomischen, sondern in existenzphilosophischen Kategorien zu begreifen suchte. Damit war eine Haltung vorgeformt, die sich in der Nachkriegszeit als ›existentialistische Mode‹ popularisieren ließ und in ihrer Fixierung auf Grundfragen menschlicher Existenz geeignet war, die Aufmerksamkeit von dem gesellschaftlichen Restaurationsprozeß abzulenken.

Die Ambivalenz der Literatur im Umkreis naturmagischer Dichtung, die darin bestand, daß sie bürgerlich-humanistische Kulturwerte auf eine Weise zu wahren suchte, die diese für restaurative und faschistische Zwecke disponibel machte, ist auch für die christlich-konservative Literatur konstitutiv. Sie ist noch in jenen Werken spürbar, die als Standardbeispiele einer literarischen Opposition immer wieder bemüht worden sind. Dabei hat die oppositionelle Haltung christlich-konservativer Schriftsteller außer in Reden, kirchlich protegierten Vortragsreihen und den allerdings erst nach 1945 veröffentlichten Tagebüchern Loerkes, Bergengruens und Kleppers am ehesten noch in historischen Erzählungen und Romanen ihren Ausdruck gefunden. Denn die Stilisierung der Geschichte diente im Dritten Reich nicht nur nationalsozialistischen Zwecken, sondern ermöglichte auch oppositionellen Kräften die Tarnung ihrer auf die gegenwärtigen Verhältnisse bezogenen politischen Kritik.

Am weitesten hat sich in dieser Hinsicht REINHOLD SCHNEIDER (1903–1958) vorgewagt, der in einer Fülle von Essays und Erzählungen vornehmlich den Widerstreit von politischer und geistiger Macht thematisierte. Unter dem Eindruck der nationalsozialistischen Judenverfolgung schrieb er mit *Las Casas vor Karl V.* (1938) eine Erzählung, in der der Mönch Las Casas dem spanischen Kaiser gegenüber als Verteidiger der Menschenrechte der von den Konquistadoren unterdrückten Indios auftritt. Die Lösung des Konflikts allerdings war geeignet, illusionäre Hoffnungen zu erwecken, und zeigt die Schwäche der historischen Parallele. Ein erfolgreicher Appell an das Gewissen der Mächtigen – Karl V. stellt betroffen von der Rede des Mönchs die Verfolgungen ein – war im Machtbereich des Nationalsozialismus ebenso undenkbar wie das offene Eintreten für die Rechte der Unterdrückten. Schneiders eigene Technik der literarischen Camouflage ist der beste Beweis dafür.

Damit rückt ein generelles Problem in den Blick. Wer sich angesichts der staatlichen Überwachung des Buchmarktes wie der Presse oppositionell äußern wollte, bedurfte der Tarnung und mußte sich einer ›Sklavensprache‹ oder Kalligraphie bedienen, die den Anschein des Konformismus wahrte. Kritik mußte ›zwischen den Zeilen‹ indirekt vorgetragen werden – etwa indem man Züge der Realität des Dritten Reichs mittels historischer Parallelisierung in einem negativen Schreckbild spiegelte (Reinhold Schneider *Las Casas*, Frank Thieß *Das Reich der Dämonen*, 1941) oder mit einem als positiv empfundenen Gegenentwurf konfrontierte (Stefan Andres *Wir sind Utopia*, 1942, Jochen Klepper *Der Vater*, 1937).

Wer sich jedoch zu gut tarnt, läuft Gefahr, verwechselt zu werden. Er kann dann leicht in einer Weise wirksam werden, die den eigenen Intentionen direkt engegengesetzt ist. So verdankte JOCHEN KLEPPERS (1903–1942) Roman *Der Vater* (1937), der den preußischen Soldatenkönig zum christlichen Landesvater stilisiert, seine Popularität im Dritten Reich vor allem nationalsozialistischer Förderung. Als Gegenbild zum faschistischen Führerkult konzipiert, ließ er sich ebensogut als ethische Rechtfertigung und religiöse Glorifizierung der militaristischen preußischen Staatsidee lesen. Ähnliches widerfuhr WERNER BERGENGRUENS (geb. 1892) Roman *Der Großtyrann und das Gericht* (1935). Diese Parabel »von den Versuchungen der Mächtigen und von der Leichtverführbarkeit der Unmächtigen und Bedrohten« (Präambel), die die Läuterung eines italienischen Renaissancedespoten beschreibt, wurde vom *Völkischen Beobachter* als ›Führerroman der Renaissancezeit‹ gefeiert.

Bergengruen, zu dessen bekannteren Werken die Romane *Der Starost* (1938) und *Am Himmel wie auf Erden* (1940), die Novellensammlung *Der letzte Rittmeister* (1952) und die autobiographischen *Schreibtischerinnerungen* (1961) gehören, neigte dazu, den historischen Prozeß in heilsgeschichtlichen Kategorien zu begreifen. In *Am Himmel wie auf Erden* beschreibt er eine mittelalterliche Massenhysterie und deutet Faschismus und Weltkrieg orientiert am biblischen Weltuntergangsmythos von der Sintflut als Herrschaft des Bösen und drohende Katastrophe. Folgerichtig begriff er die deutsche Niederlage als *Dies irae*, wie der Titel einer 1945 publizierten Gedichtsammlung lautet. Erst in der Bundesrepublik Deutschland fand er zu seinem Glauben an die ›Heile Welt‹ zurück:

> »Was aus Schmerzen kam,
> war Vorübergang.
> Und mein Ohr vernahm
> nichts als Lobgesang.«

Diese Schlußstrophen seines 1950 erschienenen Gedichtbandes *Die heile Welt* dokumentieren beispielhaft die Art konservativer ›Vergangenheitsbewältigung‹. Ohne je den ernsthaften Versuch unternommen zu haben, die gesellschaftlichen Ursachen des Faschismus mit Hilfe sozialanalytischer Kategorien zu untersuchen, bekundete Bergengruen seine Bereitschaft, sich mit der politischen Reaktion auszusöhnen.

Lassen sich einzelne Werke Schneiders und Bergengruens immerhin als Dokumente eines geistigen Widerstandes verstehen, so kann sich der Versuch, Schriftsteller wie Gertrud von Le Fort (*Die Letzte am Schafott*, 1931; *Hymnen an Deutschland*, 1932; *Die Magdeburgische Hochzeit*, 1938), Eugen Gottlob Winkler (*Gesammelte Schriften*, 1937), Manfred Hausmann, Rudolf Alexander Schröder oder Hans Carossa für eine Innere Emigration in Anspruch zu nehmen, kaum noch auf literarische Zeugnisse stützen.

Schröder, der mit vaterländischen Gesängen begonnen hatte (*Heilig Vaterland*, 1914), verarbeitete die Enttäuschung seiner nationalistischen Hoffnungen auf dem Wege einer religiösen Wendung. Wenn ein Teil seiner geistlichen Lieder im Dritten Reich verboten wurde, so beruhte das weniger auf deren Inhalt als auf Schröders Eintreten für die Bekennende Kirche. Die Popularität seiner Gedichte (*Mitte des Lebens*, 1930; *Ein Lobgesang*, 1937; *Die weltlichen Gedichte*, 1940; *Die geistlichen Gedichte*, 1949) und Schriften (*Allen Gewalten zum Trotz*, 1933, *Brief an einen Heimkehrer*, 1945) beruhte vor allem darauf, daß sie sich ähnlich wie die Werke Bergengruens und Carossas als geistliche Erbauung und ›Trost in Zeiten von Not und Bedrängnis‹ lesen ließen. Der ›Weg nach innen‹ (Hesse), den diese Schriftsteller unter dem Eindruck der Weltwirtschaftskrise und des Terrors der Diktatur antraten, eröffneten dem gebildeten Bürgertum vornehmlich Fluchtpositionen in eine Innerlichkeit, die Trost vor allem in der Gewißheit suchte, daß der Mensch jenseits der politischen Sphäre in einer übergreifenden religiösen Ordnung oder ›kosmischen Harmonie‹ geborgen ist.

HANS CAROSSA (1878 – 1956) bemühte für diese Zwecke vor allem das Werk Goethes. Orientiert am klassischen Vorbild stilisierte er sein Leben in seinen autobiographischen Schriften (*Verwandlungen einer Jugend*, 1928; *Führung und Geleit*, 1933; *Geheimnisse des reifen Lebens*, 1936; *Das Jahr der schönen Täuschungen*, 1941) entsprechend dem Ablaufschema des traditionellen Entwicklungsromans als Weg in die ›Erfüllungen eines reifen Lebens‹ oder setzte sich mit der ›Mission‹ seines ärztlichen Berufes auseinander (*Doktor Bürgers Ende*, 1913; *Der Arzt Gion*, 1931). Sein Lebensbericht *Ungleiche Welten* (1951), in dem er sein Verhalten während des Dritten Reichs schildert, gehört neben Ernst Jüngers und Gottfried Benns einschlägigen Äußerungen zu den peinlichsten Beispielen der nach 1945 massenhaft publizierten Rechtfertigungsliteratur. Wenn er dort an Goethe besonders hervorhob, dieser habe gewußt, daß »die Höllenkreise der Bosheit [...] oft ohne es zu wollen, dem göttlich Gültigen den Weg bereiten müssen«, er habe »dem Bösen aber nicht die Ehre erwiesen, es im Reich der Gestaltung als eine dem Guten ebenbürtige Großmacht zuzulassen«, so verteidigte er damit in erster Linie die euphemistischen Tendenzen seiner eigenen Werke.[25] Gleichzeitig lieferte ihm dieses Goethe-Verständnis das Argumentationsmodell für seine Apologetik des Faschismus. So heißt es in *Ungleiche Welten* von Hitler:

»Dennoch erfüllen Menschen dieser Art einen höheren Auftrag; sie sind Werkzeuge einer unbekannten Macht, die sich ihrer bedient, um zögernde Kräfte zur Entscheidung zu treiben, freilich meistens zu einer andern, als sie meinen. [...] Er hat die Konfessionen, mit denen er aufräumen wollte, zu Läuterung und Selbstbesinnung, ja zur Anbahnung eines gegenseitigen Verständnisses ermutigt. [...] Er hat Millionen Juden, Erwachsene und Kinder töten lassen und dadurch erreicht, daß alle guten Menschen der ganzen Erde sich in grenzenlosem Mitgefühl dem Judentum zuwandten. Ohne sein Wüten gäbe es vielleicht noch gar keinen Staat Israel.«[26]

In dieser Sicht wird der Nationalsozialismus zur segensreichen Prüfung, die einen Läuterungsprozeß nicht nur des deutschen Volkes, sondern der ganzen

Menschheit ausgelöst hat. Verständlich wird dieses Bemühen um eine religiöse Sinndeutung des Dritten Reichs angesichts der Tatsache, daß Carossa seinen Ruf als moralisch integre Persönlichkeit der nationalsozialistischen Kulturpolitik zur Verfügung gestellt hat: 1941 nahm er die Wahl zum Präsidenten des von der NSDAP eingerichteten Europäischen Schriftstellerverbandes an, der dazu diente, die Literatur der okkupierten Nachbarländer unter nationalsozialistische Kontrolle zu bringen.

Ähnliches gilt für die Haltung AGNES MIEGELS (*Ostland*, 1940) und INA SEIDELS (geb. 1885), die ihr Einverständnis mit der NSDAP u. a. in Hitlergedichten zum Ausdruck brachten. Angesichts des Dritten Reichs traten zudem die faschistischen Implikationen der Seidelschen Romane deutlich hervor. In dem Pastorenroman *Lennacker* (1938) propagierte sie mit der lutherischen Maxime vom gottgewollten Gehorsam gegenüber der Obrigkeit auch die Anpassung an die NSDAP, während die Thematik ihres Mutterromans *Das Wunschkind* (1930) – ihrem eigenen Bericht zufolge die Darstellung des Schicksals einer Frau, »die vor dem Auszug des im Kriege gefallenen Mannes einen Sohn empfangen hat, den sie zwanzig Jahre lang dem Schicksal seines Vaters entgegenschreiten sieht« (Seidel *Dichter, Volkstum und Sprache*, 1934) – mit Ausbruch des Zweiten Weltkriegs eine unerwartete von ihr jedoch sogleich opferfreudig bedichtete Entsprechung in der Realität fand: »Wieder wie vor fünfundzwanzig Jahren, / [...] folgt dein Herz, O Mutter Deutschland, diesen/ unerschütterlich entschlossnen Söhnen/dorthin, wo Gesang in Feldschlacht mündet [...]« (*An den Straßen*, 1939).

Der Eskapismus, der vielen christlich-konservativen Schriftstellern die Möglichkeit eröffnete, humanistische Traditionen zu wahren, fand sich bei ERNST JÜNGER und GOTTFRIED BENN (1886–1956) zunächst nicht. Beide ergriffen angesichts der sozialen Kämpfe und Krisen der Weimarer Republik und der Machtergreifung der NSDAP nicht die Flucht ins Erbauliche, sondern zeichneten sich gerade dadurch aus, daß sie die bestehenden sozialen Unterschiede, den Faschisierungsprozeß, die nationalsozialistische Diktatur und deren imperialistische Politik offen befürworteten.

Jünger hatte den Krieg schon in seinen frühen Kriegstagebüchern und Essays (*Der Kampf als inneres Erlebnis*, 1922 u. a.) sozialdarwinistischen Vorstellungen folgend als Mittel rassischer Selektion begriffen, und Benn belehrte in seinem Rundfunkvortrag *Antwort an die literarischen Emigranten* (1933) die aus Deutschland geflohenen Schriftsteller:

»Verstehen Sie doch endlich [...], daß es sich bei den Vorgängen in Deutschland gar nicht um politische Kniffe handelt, die man in der bekannten dialektischen Manier verdrehen und zerreden könnte, sondern es handelt sich um das Hervortreten eines neuen biologischen Typs, die Geschichte mutiert und ein Volk will sich züchten.«

Aus Darwins ›Kampf ums Dasein‹, Nietzsches ›Willen zur Macht‹ und Spenglers ›Untergang des Abendlandes‹ destillierte Benn eine Geschichtsphilosophie, die den Pessimismus der Spenglerschen Kulturkreislehre ins Positive wendete: Durch Züchtung eines militanten ›biologischen Typs‹ sollte der Sieg im ›Endkampf der Völker und Rassen‹ für Deutschland gesichert und damit ein neuer kultureller Zyklus eröffnet werden – offensichtlich der des ›Tausendjährigen Reiches‹ (*Züchtung I*, 1933; *Der neue Staat und die Intellektuellen*, 1933; *Dorische Welt*, 1934).

Benn, der nach dem Ausschluß Heinrichs Manns für kurze Zeit den Vorsitz der Dichterakademie übernommen und Treuegelöbnisse an Hitler unterzeichnet hatte, sah sich jedoch bald heftigen Angriffen ausgesetzt. Von Börries von Münchhausen, Wolfgang Willricht (*Die Säuberung des Kunsttempels* 1937) dem NS-Ärztebund und der SS-Zeitschrift *Das schwarze Korps* wegen seines Namens und seiner Lyrik (*Ausgewählte Gedichte*, 1936) als Jude verdächtigt und als ›Kulturbolschewist‹ verschrien, wollte er seinen 1935 vollzogenen Eintritt in die Wehrmacht als ›aristokratische Form der Emigrierung‹ (Brief an Ina Seidel vom 12. Dezember 1934) verstanden wissen und wurde 1938 aus der Reichsschrifttumskammer ausgeschlossen.

Enttäuscht von seinem fehlgeschlagenen nationalsozialistischen Engagement griff er auf Spenglers Kulturpessimismus zurück und erklärte geschichtliche Prozesse zur ›Krankengeschichte von Irren‹ (*Zum Thema Geschichte*, 1959, entstanden vermutlich 1943, *Kunst und Drittes Reich*, 1949, entstanden 1941). Da er übergreifende Sinnzusammenhänge nicht mehr zu erkennen vermochte, sondern nur noch *Fragmente* (1951), überließ er sich der Melancholie eines Endzeitbewußtseins (*Aprèslude*, 1955), von dem aus er auch die Rolle der Kunst neu bestimmte. Diese sollte nicht länger politische Verhältnisse reflektieren, sondern der in Metaphern wie ›Chaos‹ oder ›Nichts‹ verleugneten gesellschaftlichen Realität den artistischen Formkult einer *Ausdruckswelt* (1949) entgegensetzen, der in der Forderung nach dem ›absoluten Gedicht‹, dem ›Gedicht ohne Glauben, dem Gedicht ohne Hoffnung, dem Gedicht an niemanden gerichtet‹ gipfelte (*Probleme der Lyrik*, 1951).

In den *Statischen Gedichten* (1948) präsentierte Benn seinen geschichtsphilosophischen Agnostizismus in der Attitüde eines von Ideologien jedweder Couleur desillusionierten Skeptikers als ›tiefere Weisheit‹. Die Breitenwirkung, die Benns Kunstauffassung und Lyrik in der Bundesrepublik gefunden hat, beruhte vor allem darauf, daß sie sich gegen jede Art politisch engagierter Literatur ausspielen und sowohl antifaschistisch als auch antisozialistisch wenden ließ. Der durch die historischen Ereignisse desorientierten bürgerlichen Intelligenz – soweit sie sich nicht mit Bergengruens christlich-biederem Versöhnungsangebot von der ›Heilen Welt‹ zufriedengeben mochte – eröffnete Benn den Weg in einen geschichtsfeindlichen Skeptizismus, der sie gleichfalls der Notwendigkeit enthob, sich mit den Ursachen des Faschismus auseinanderzusetzen und daraus Konsequenzen für ihr politisches Verhalten im Nachkriegsdeutschland zu ziehen.

Ähnlich wie Benn ging Ernst Jünger, der Hitlers Machtergreifung noch als ›nationalen Festtag‹ gefeiert hatte, bald auf Distanz zu den nationalsozialistischen Machthabern und deren Herrschaftspraktiken. Seine Berufung in die ›gesäuberte‹ Dichterakademie lehnte er ebenso ab wie verschiedene Angebote zur Mitarbeit in Funk und Parteipresse. 1939 wurde er zur Wehrmacht einberufen und 1941 protegiert von Generalen wie Speidel und von Stülpnagel zum Stab des Militärbefehlshabers in Paris versetzt. Damit kam er in Kontakt zu den Männern des zwanzigsten Juli, von deren politischen Aktivitäten er sich jedoch ebenso fernhielt wie von den Machenschaften der ihm verhaßten nationalsozialistischen ›Lemuren‹.

Wenn dieser ›Flaneur in der Welt des Angenehmen und Schönen‹ (Peter de Mendelssohn) den Nationalsozialismus ablehnte, so beruhte das nicht etwa auf einem demokratischen oder pazifistischen Gesinnungswandel, sondern war in erster Linie Ausdruck des Dégoûts, den ein elitärer Schöngeist angesichts der ›Herrschaft des Pöbels‹ und der ideologischen Plattitüden einer auf Massenwirksamkeit zugeschnittenen Propaganda nun einmal empfindet.

Jüngers Roman *Auf den Marmorklippen* (1939), der trotz des Einspruchs der Parteiamtlichen Prüfungskommission zum Schutze des NS-Schrifttums veröffentlicht werden konnte, ist gelegentlich als ›Hauptwerk der innerdeutschen Widerstandsdichtung‹ (Wilhelm Kahle) bezeichnet worden. Doch die botanisierenden Helden dieses Romans , die sich in den Herbarien der Rautenklause dem Studium der Pflanzenwelt widmen, sind alles andere als typische Vertreter des deutschen Widerstandes. Und der Vormarsch des Oberförsters, der mit seinem Waldgesindel aus den düsteren Forsten der Mauretania plündernd und mordend ins friedfertige Bauernland der Campagna und Marina einfällt, ist nicht ohne weiteres mit der nationalsozialistischen Machtergreifung gleichzusetzen. Versteht man den Roman als politische Parabel, so zeigt sich, wie Jünger in einem späteren Nachwort selber betonte, »daß dieser Schuh auf verschiedene Füße paßt« (*Adnoten zu: Auf den Marmorklippen*, 1972). In Frankreich ist er nicht zuletzt deshalb so populär geworden, weil er sich ebensogut auf den deutschen Einmarsch und die Zeit der Besatzung beziehen ließ. Einen zwiespältigen Charakter gewinnt dieser Roman vor allem dadurch, daß er seine stärksten Wirkungen gerade der ästhetischen Brillanz verdankt, mit der die Greueltaten des Oberförsters lustvoll ausgemalt werden. Jünger erliegt der Faszination von Macht und Gewalt noch dort, wo er sich gegen sie ausspricht.

Zugleich gewinnt er durch die Entgegensetzung von ›pöbelhafter Macht‹ und vergeistigtem Individualismus, von ›Waldgelichter‹ und Rautenklausen-Bewohnern ein Denkschema, das es ihm möglich macht, jede Form politischer Massenbewegungen – sei sie nun faschistisch, kommunistisch oder bürgerlich-demokratisch – als Herrschaft uniformer geistloser Kollektive zu denunzieren. So läßt er auch in seinem utopisch-allegorischen Roman *Heliopolis* (1949) eine Schar aristokratischer ›Georgsritter‹ gegen die verhetzten Horden des ›Landvogts‹ antreten und träumt von einem ›Orden weißmagischer Wissenschaft‹, der die dämonischen Kräfte bannen soll. In seiner Schrift *Der Waldgang* (1951) entwarf er schließlich ganz im Sinne kulturkonservativer Klischeebildung mit dem Typus des ›Waldgängers‹ ein Gegenbild zum ›Massenmenschen‹. Der Waldgänger allerdings hofft nicht mehr auf Unterstützung durch eine faschistische Massenbewegung, sondern entschließt sich ›vereinzelt und heimatlos‹ im Namen individueller Freiheit zum passiven Widerstand gegen die ›plebiszitäre Demokratie‹.

Jünger, in der Adenauer-Ära mit dem Großkreuz des Bundesverdienstordens ausgezeichnet und vom Bundesverband der deutschen Industrie zum Kulturpreisträger ernannt, hatte sich andererseits auch gegen heftige Angriffe zur Wehr zu setzen:

»Nach dem Erdbeben schlägt man auf die Seismographen ein. Man kann jedoch die Barometer nicht für die Taifune büßen lassen, wenn man nicht zu den Primitiven zählen will.«

So klagte er im Vorwort seiner 1949 erschienen Tagebuchsammlung *Strahlungen*. Windige Vergleiche dieser Art stellte Jünger in den Dienst konservativer Geschichtsfälschung, deren apologetischer Charakter gerade angesichts der Dürftigkeit dieser Rechtfertigung offen zu Tage tritt. Denn der Schriftsteller Ernst Jünger war ebensowenig ein neutrales Beobachtungsinstrument wie der Nationalsozialismus eine Naturkatastrophe. Vielmehr gehörte Jünger selber zu den Wegbereitern der faschistischen Diktatur. Damit ist eine Problematik angesprochen, die auch für die übrigen Schriftsteller des Kulturkonservatismus gilt. Obwohl während des Dritten Reichs meist erklärte Gegner des Nationalsozialismus, haben sie im Zeichen der Bündnispolitik zwischen Konservativen und Nationalsozialisten (Harzburger Front 1931) den Faschisierungsprozeß in der Weimarer Republik doch selbst begünstigt, indem sie dazu beitrugen, weite Teile des gebildeten Bürgertums auf konservative Positionen festzulegen.

Die immer wieder zu beobachtende Ambivalenz der konservativen literarischen Kritik am Dritten Reich ist nicht allein aus der staatlichen Überwachung des Buchmarktes zu erklären, die die Schriftsteller zur Tarnung und Anpassung gezwungen hat, sondern hat tiefgreifendere Ursachen. Im wesentlichen erklärt sie sich aus der Tatsache, daß die meisten konservativen Schriftsteller ähnlich wie die konservativen Parteien dem Nationalsozialismus gar keine echten Alternativen entgegenzusetzen vermochten, weil sie mit grundlegenden Positionen der nationalsozialistischen Ideologie – Ablehnung von Parlamentarismus, Demokratie, Sozialismus, Kommunismus, Klassenkampf, ›Kulturbolschewismus‹, ›Asphaltliteratur‹ usw. – übereinstimmten. In Jochen Kleppers Tagebuch *Unter dem Schatten deiner Flügel* (1956) findet sich dazu folgende Notiz vom 22. März 1934:

»Wieviele Berührungspunkte müßte es mit dem Nationalsozialismus geben, und immer wieder wird man entweder durch Zwang oder Ausschließung zurückgestoßen. Die Berührungspunkte sind: daß der NS weiß, daß die Deutschen ohne eine mitreißende Ideologie auch in wirtschaftlichen Kämpfen nichts beginnen. Dann die Abkehr vom ›Asphalt‹. Die Ablehnung des Intellektualismus. Der unkriegerische Militarismus als soldatische Lebensform (unsere Rettung vor dem Kommunismus; das, was uns vor dem Aufstand der Straße bewahrte, als man es den enttäuschten jungen Arbeitslosen gab). [...] Es gibt heute nichts, was man an die Stelle des NS setzen könnte. An dieser Erkenntnis kommt keiner vorbei.«

Zurückgestoßen wurde Klepper von der NSDAP, weil er mit einer Jüdin verheiratet war. Erst unter dem Druck der Judenverfolgungen entwickelte er sich zum Gegner des Regimes und nahm sich 1942 angesichts der drohenden Deportation gemeinsam mit seiner Familie das Leben. Der Fall Jochen Klepper macht eins deutlich: Wenn viele konservative Schrifsteller aufgrund persönlicher Erfahrungen oder religiöser und pazifistischer Überzeugungen die NSDAP ablehnten, so hieß das noch lange nicht, daß sie überzeugte Demokraten waren. Viele wünschten sich ähnlich wie Klepper statt einer schlechten lediglich eine bessere, menschlichere oder ›aristokratischere‹ Form der Diktatur. Das Motiv von der Bekehrung des Tyrannen spielt nicht zufällig in den Werken Kleppers, Bergengruens, Schneiders u. v. a. eine zentrale Rolle. Manch einer hätte sich mit einer faschistischen Diktatur, die ähnlich wie in Spanien auf Antisemitismus, Antiklerikalismus und militanten Chauvinismus verzichtet und ihre ganze Kraft auf die Unterdrückung von Sozialdemokraten und Kommunisten konzentriert hätte, durchaus arrangieren können.

Damit weist die literarische Opposition ähnliche Züge auf wie die bürgerliche Widerstandsbewegung. Der kritische Widerstand erschöpfte sich in der Regel im Protest gegen staatliche Maßnahmen, die die Freiheit der Religionsausübung beeinträchtigten oder wie Judenverfolgung und Euthanasie eklatante Verletzungen grundlegender Menschenrechte darstellten und verband seine Kritik vielfach mit Ergebenheitsadressen an die nationalsozialistischen Machthaber. Auch die militärischen und großbürgerlichen Verschwörerkreise um Beck und Goerdeler, die die Umsturzpläne vom 20. Juli 1944 maßgeblich prägten, strebten alles andere als die Wiederherstellung demokratischer Verhältnisse an: Ein möglicherweise monarchistisch gelenktes Militärregime, das den Bürgern lediglich drastisch reduzierte Mitbestimmungsrechte einräumte, sollte die Macht im Staate übernehmen und die Herrschaft der traditionellen großagrarischen und industriellen Machteliten sowie die Privilegien des Mittelstandes und des Bildungsbürgertums sichern.

In dieser Hinsicht verfolgte die konservative Opposition ähnliche Ziele wie die NSDAP auch. Ihre Kritik beschränkte sich weitgehend auf jene Auswüchse nationalsozialistischer Machtausübung, die sich wie Antisemitismus, Antiklerikalismus oder die abenteuerliche Kriegspolitik zunehmend als politisch und ökonomisch dysfunktional erwiesen. Von dieser Interessenlage her erklärt sich sowohl die Unfähigkeit der konservativen Opposition zu einer grundlegenden Faschismuskritik als auch ihre nach 1945 im Zuge des Restaurationsprozesses in der Bundesrepublik Deutschland sogleich bekundete Bereitschaft, mit den Großindustriellen und konservativ-agrarischen Kräften, die Hitler an die Macht gebracht hatten, ihren Frieden zu schließen.

Literatur des antifaschistischen Widerstands

Aufklärung über die gesellschaftspolitische Funktion des Nationalsozialismus war von kirchlicher und bürgerlicher Seite kaum zu erwarten. Sie wurde von den Organisationen der Arbeiterbewegung geleistet. Diese hatten das Rechtskartell aus Bankiers, Großindustriellen, Junkern, DNVP und NSDAP bereits in der Weimarer Republik als diejenige Kraft bekämpft, die entschlossen war, die bedrohten kapitalistischen Produktions- und Herrschaftsverhältnisse notfalls mittels einer faschistischen Diktatur aus der Krise zu retten.

Drei Phasen des sozialistischen Widerstandes gegen den Nationalsozialismus lassen sich deutlich voneinander abheben:

– Vor 1933 ging es vor allem darum, eine bürgerliche Diktatur zu verhindern. Doch die Spaltung der Arbeiterbewegung in Sozialdemokraten und Kommunisten, die sich gegenseitig als ›Agenten Moskaus‹ und ›Sozialfaschisten‹ diffamierten, machte ein gemeinsames und damit eventuell erfolgreiches Vorgehen gegen die faschistische Gefahr nahezu unmöglich.

In den ersten Jahren des Dritten Reichs richtete sich der Widerstand dann direkt gegen das nationalsozialistische Herrschaftssystem. Unter dem Druck der Verfolgungen bemühten sich beide Parteien verstärkt um die Herstellung einer **proletarischen Einheitsfront** sowie einer **antifaschistischen Volksfront**, in die auch der bürgerliche Mittelstand, die kleinen Gewerbetreibenden und die Intellektuellen einbezogen werden sollten, und die als Bündnis aller Werktätigen gegen den Hitlerfaschismus begriffen wurde (Manifest des sozialdemokratischen Emigrationsvorstandes in Prag vom 28. Januar 1934: *Kampf und Ziel des revolutionären Sozialismus* und Resolution des ZK der KPD vom 30. Januar 1935: *Proletarische Einheitsfront und antifaschistische Volksfront zum Sturze der faschistischen Diktatur*).[27]

– Mit Beginn der Annexions- und Kriegspolitik schließlich wurden alle Energien auf die Verhinderung bzw. schnelle Beendigung des Zweiten Weltkrieges konzentriert.

Getragen wurde der Widerstand hauptsächlich von den in die Illegalität abgedrängten Organisationen der Sozialdemokratischen und Kommunistischen Partei. Der entschiedenere Widerstand allerdings wurde von der KPD geleistet, die von den Verfolgungen auch am härtesten betroffen war. Diese hatte die Nominierung Hitlers zum Reichskanzler noch am gleichen Tag mit dem Aufruf zum Generalstreik beantwortet. Doch SPD und Gewerkschaften zögerten. Sie vertrauten darauf, daß die rechtsradikale Koalitionsregierung das parlamentarische Regierungssystem nicht antasten und der Reichspräsident die durch die Verfassung garantierten demokratischen Rechte schützen würde. Die letzte Chance, die Diktatur ähnlich wie zur Zeit des Kapp-Putsches durch einen Generalstreik zu verhindern, wurde damit vertan.

Wenige Monate nach dem Verbot der KPD wurden auch die Gewerkschaften und die SPD zerschlagen und die Massenmedien der Kontrolle der NSDAP unterstellt. Die sozialistische Opposition sah sich damit gezwungen, nicht nur ihre Organisationen, sondern auch ihre Öffentlichkeitsarbeit auf die Bedingungen der Illegalität umzustellen und zweckdienliche Publikationsformen zu entwickeln. Flugblätter, Plakate, Klebe- und Streuzettel oder Straßenparolen erwiesen sich als geeignete Mittel, den Schleier faschistischer Meinungsmanipulation und die staatliche Informationssperre, die jede regimekritische Äußerung tabuisierte, zumindest punktuell zu durchbrechen. Auch illegale Zeitungen und Zeitschriften sowie Tarnschriften, die unter unverdächtigen Deckblättern wie *Mondamin-Kochbuch* oder *Wie unsere Kakteen richtig gepflegt werden müssen* politische Aufrufe und Broschüren enthielten, dienten dazu, die Bevölkerung über die terroristischen Herrschaftspraktiken der NSDAP und deren politische Ursachen und Ziele zu informieren und zu passivem oder aktivem Widerstand aufzufordern. »1934 erschienen 300–400 illegale kommunistische Zeitungen in einer Auflage von jeweils 2000 bis 3000 Exemplaren (insgesamt ca. 1,2 Millionen) und in Berlin gab es neben der illegalen *Roten Fahne* 78 Unterbezirks-, Stadtteil- und Betriebszeitungen. [...] Neben Zeitungen und Tarnschriften verteilte die KPD eine große Zahl von Flugblättern und Schriften sowie Streuzettel und versuchte durch Mauerparolen, Transparente sowie Losungen und rote Fahnen auf Fördertürmen und Fabrikschornsteinen öffentlich sichtbar zu sein.«[28]

Über den Umfang der illegalen publizistischen Aktivitäten gibt ein Lagebericht der Gestapo Auskunft:

»Aufgetauchte kommunistische und marxistische Hetzschriften: Es sind im Jahre 1937: 927 430 (1936: 1 643 200) Hetzschriften zur Verbreitung gelangt, wovon ca. 70% kommunistische Erzeugnisse gewesen sind.
Die Gesamtzahl setzt sich zusammen aus:
84 000 (1936: 220 000) getarnten Broschüren,
788 000 (1936: 1 234 000) anderen Schriften,
die im Buchdruck, sowie aus
55 430 (1936: 187 200) Schriften,
die im Abzugsverfahren hergestellt waren.
Verstöße gegen das Heimtückegesetz:
Es wurden im Jahre 1937 17 168 Verfahren wegen Vergehens gegen das Heimtückegesetz eingeleitet.«[29]

Literatur im traditionellen Sinne allerdings – Romane, Erzählungen, Theaterstücke usw. – konnten unter diesen Bedingungen kaum noch verbreitet werden. Eine Ausnahme bildete allenfalls die politische Lyrik, die sich als literarische Kurzform auch über Flugzettel leicht verbreiten ließ (Vgl. die Gedichtsammlungen Manfred Schlösser [Hrsg.]: *An den Wind geschrieben*; Gunter Groll [Hrsg.]: *De Profundis*; Albrecht Haushofer: *Moabiter Sonette*; Georg Kaiser: *Die Gasgesellschaft*). Unter dem Druck der illegalen Arbeit entwikkelte sich, wie in einem Kollektivbericht des BPRS heißt (*Hirne hinter Stacheldraht*, 1934), ein »ganz neuer Typ des Schriftstellers«: »Er ist hart und diszipliniert geworden, heute redigiert er in einem Keller eine illegale Zeitung – ein Toter auf Urlaub – morgen dichtet er Knüttel-Verse, übermorgen zieht er sie selbst ab oder klebt sie an die Mauer der Straßen und zwischendurch sichtet er Material, das die Grundlage eines größeren Romans oder einer größeren Reportage bilden soll.«
Der Bund proletarisch-revolutionärer Schriftsteller (BPRS) setzte seine Tätigkeit nach dem offiziellen Verbot zwar im Untergrund in literarischen Zirkeln fort, verlegte das Schwergewicht seiner Arbeit aber auf politische Gegenpropaganda, deren wichtigstes Medium die illegale Presse war. Von

1933–1935 gab er die literarische Zeitschrift *Stich und Hieb* heraus. Zudem versorgte er eine Reihe von Exilzeitschriften wie die *Arbeiter-Illustrierte-Zeitung, Das Wort,* die *Internationale Literatur* sowie *Neue Deutsche Blätter* unter Rubriken wie *Stimme der Illegalen* und *Stimme aus Deutschland* mit Informationen aus dem Dritten Reich und dem Widerstand. Vorsitzender des Bundes wurde nach der Emigration Johannes R. Bechers der Journalist Jan Petersen. Dessen Roman *Unsere Straße,* eine »Chronik geschrieben im Herzen des faschistischen Deutschlands 1933/34«, schildert am Beispiel einer Arbeiterstraße in Berlin-Charlottenburg den Kampf kommunistischer Arbeiter gegen die Errichtung der nationalsozialistischen Diktatur. In Deutschland allerdings konnte der Roman nicht mehr erscheinen. 1935 gelang es der Gestapo, die konspirativen Zirkel des BPRS aufzuspüren. Der Verhaftung entging Petersen, weil er sich zu dieser Zeit auf dem »I. Internationalen Schriftstellerkongreß für die Verteidigung der Kultur« in Paris aufhielt, wo er als ›Mann mit der Maske‹ von der illegalen Arbeit in Deutschland berichtete. Sein Roman erschien 1936 in Bern und Moskau. Als Dokument des innerdeutschen Widerstandes und »Denkmal aller vom Faschismus Ermordeten« erlangte er mit einer Auflage von 800 000 Exemplaren weltweite Popularität. In der Bundesrepublik ist er bislang nicht erschienen.

Wurde die Arbeit des BPRS fast ausschließlich von kommunistischen Schriftstellern und Journalisten getragen, so schlossen sich einzelne kommunistische Zellen im Zuge der Volksfrontpolitik mit anderen antifaschistischen Gruppen zu umfassenden Widerstandsorganisationen zusammen. Zu den bekanntesten Organisationen dieser Art gehörte die 1938/39 entstandene Gruppe Schulze-Boysen/Harnack, die von der Gestapo mit dem Kennamen ›Rote Kapelle‹ belegt worden ist. Ihr gehörten nicht nur Mitglieder der KPD und ehemalige Redakteure der *Roten Fahne,* sondern auch bürgerliche Schriftsteller, Wissenschaftler und Offiziere an. Die Gruppe, die in der Rüstungsindustrie ein Netz antifaschistischer Zirkel aufbaute, gab seit 1940 die *Agis-Schriften* und seit 1941 die Kampfschrift *Die innere Front* heraus und verschickte diese Schriften als Briefe und Feldpostsendungen.

Zu ihren wichtigsten Mitarbeitern gehörte der Schriftsteller Adam Kuckhoff (*Der Deutsche von Bayencourt,* 1937). Der Romanist Werner Krauss (*PLN. Die Passion der halykonischen Seele,* 1943/44) und der Schriftsteller Günther Weisenborn (*Die Illegalen,* 1946), die in ihren Romanen und Dramen die Erfahrungen dieser Zeit verarbeiteten, standen ihr nahe. 1942/43 wurde die weitverzweigte Organisation von der Gestapo aufgerollt. Mehr als 100 Widerstandskämpfer wurden verhaftet, 49 – unter ihnen auch Adam Kuckhoff – wegen Vorbereitung zum Hochverrat, Zersetzung der Wehrkraft und Spionage hingerichtet.

Ähnlich wie in Organisationen dieser Art kam es während des Dritten Reichs im In- und Ausland immer wieder zu Aktionen und Zusammenschlüssen, die der von fast allen Gruppen und Parteien geforderten antifaschistischen Bündnispolitik entsprachen. So rief ein Aktionsausschuß deutscher Kommunisten und Sozialdemokraten im September 1939 zum »sofortigen und schnellsten Schluß mit dem verbrecherischen Hitlerkrieg« auf:

»Deutsches Volk! Der Krieg ist da – von Hitler herbeigeführt! In der Absicht, der ganzen Welt das nazistische Joch aufzuzwingen, und im Interesse des Monopolkapitals, der Krupp, Thyssen, Blohm, Hapag-Helfferich und Konsorten hat die Hitlerregierung von 1933 bis heute durch ihre wahnsinnigen, die ganze deutsche Volkswirtschaft zerrüttenden Rüstungen [...] planmäßig auf diesen Krieg hingearbeitet. [...] Jetzt kann Deutschland nur noch durch das Volk selbst gerettet werden! [...] Kein ›Durchhalten‹, kein ›Aufopfern des Letzten‹ für dieses Verbrechen, sondern: Nieder mit Hitler, nieder mit der nazistischen Blutherrschaft, nieder mit der Herrschaft der oberen Zehntausend, die immer Deutschlands Unglück sind!‹«[30]

Sozialdemokraten und Kommunisten hatten einen gemeinsamen Gegner, und auch in der Bestimmung der Ursachen und der gesellschaftspolitischen Funktion der bürgerlichen Diktatur waren sie sich weitgehend einig. Doch die politischen Zielvorstellungen beider Parteien wichen kraß voneinander ab, und verschiedene Kompromißvorschläge wie zum Beispiel die Errichtung demokratischer Volksrepubliken auf der Grundlage von Volksfrontregierungen vermochten sich in der deutschen Arbeiterbewegung nicht durchzusetzen, da sie von der Mehrheit der SPD abgelehnt wurden. So blieben Zusammenschlüsse im Sinne der angestrebten Bündnispolitik regional oder zeitlich begrenzt. Zu einer umfassenden und dauerhaften Volksfrontpolitik ist es ebensowenig gekommen wie zu einer breiten antifaschistischen Massenbewegung innerhalb Deutschlands.

Gesellschaftliche Funktion der konservativen und faschistischen Literatur im Dritten Reich

»Wer vom Faschismus spricht, darf vom Kapitalismus nicht schweigen« – dieses Diktum des Sozialwissenschaftlers Max Horkheimer bezeichnet jenen Zusammenhang zwischen Kapitalinteressen und nationalsozialistischer Politik, der nach der deutschen Niederlage ins Bewußtsein selbst der bürgerlichen Öffentlichkeit gedrungen war. In den Nürnberger Kriegsverbrecherprozessen wurden nicht nur Spitzenfunktionäre der NSDAP, sondern auch führende Industrielle wie Friedrich Flick, Alfried Krupp und leitende Direktoren des IG-Farben-Konzerns vor Gericht gestellt und wegen Plünderung, Verschleppung, Zwangsarbeit und Ausbeutung zu langjährigen Haftstrafen verurteilt. Die kriminelle Wirtschaftspolitik deutscher Großindustrieller war damit in solcher Deutlichkeit dokumentiert, daß selbst die CDU 1947 in ihrem Ahlener Programm forderte:

»Das kapitalistische Wirtschaftssystem ist den staatlichen und sozialen Lebensinteressen des deutschen Volkes nicht gerecht geworden. Nach dem furchtbaren politischen, wirtschaftlichen und sozialen Zusammenbruch als Folge einer verbrecherischen Machtpolitik kann nur eine Neuordnung von Grund auf erfolgen. Inhalt und Ziel dieser sozialen und wirtschaftlichen Neuordnung kann nicht mehr das kapitalistische Gewinn- und Machtstreben, sondern nur das Wohlergehen unseres Volkes sein [...].«

Solche Einsichten wurden allerdings im Zuge des Restaurationsprozesses in der Bundesrepublik bald durch eine Faschismuskritik verstellt, deren Erklärungsversuche bei allen Widersprüchlichkeiten eines gemeinsam hatten: Sie verloren den ursächlichen Zusammenhang politischer und ökonomischer Prozesse mehr und mehr aus dem Blick. So sprach man von ›Rückfall in die Barbarei‹ oder ›Herrschaft einer verbrecherischen Clique von Volksverführern‹ ebenso wie von ›Machtergreifung des wild gewordenen Mittelstandes‹ oder gar einer deutschen ›Kollektivschuld‹. Bis heute aktuell ist jener im Verlauf des ›Kalten Krieges‹ entwickelte Typ bürgerlicher Faschismuskritik, der sich – orientiert an der Totalitarismus-Theorie – gleichzeitig antikommunistisch wenden läßt: Erst werden Faschismus und Kommunismus über Kategorien wie ›totalitäre Diktatur‹ und ›Einparteiensystem‹ gleichgesetzt. Dann wird aus der beiden Gesellschaftssystemen angeblich gemeinsamen antidemokratischen Tendenz eine Art moderner ›Dolchstoßlegende‹ abgeleitet – die These von der Zerstörung der Weimarer Republik durch die ›radikalen Parteien von rechts und links‹.

Mit solchen Legenden wird vor allem jenes Rechtskartell aus Junkern, Hochfinanz und Großindustrie gedeckt, das der NSDAP tatsächlich zur Macht verholfen hat und in dessen Interesse nationalsozialistische Politik im Dritten Reich hauptsächlich betrieben worden ist. Denn während die Forderung der kleinbürgerlichen Wählermassen und der SA nach Verwirklichung der sozialen Programmpunkte der Partei in einer ›zweiten Revolution‹ 1934 mit der Liquidierung der SA-Führung (›Röhm-Putsch‹) schroff zurückgewiesen wurde, sorgte die NSDAP für die erneute Stabilisierung kapitalistischer Produktionsverhältnisse, indem sie dem Kapital auf Kosten der Bevölkerung ideale Verwertungsbedingungen schuf.

Die Organisationen der Arbeiterbewegung wurden aufgelöst, Streiks verboten und die verschiedenen Wirtschaftsbranchen und Verbände unter der Leitung der Partei sowie führender Vertreter der Konzerne, Trusts und Monopole in der Deutschen Arbeitsfront, dem Reichsnährstand und den Reichsgruppen für Industrie, Banken, Handel, Versicherungen, Handwerk und Energiewirtschaft zusammengeschlossen und damit ›gleichgeschaltet‹, während die Produktion durch staatliche Rüstungsaufträge angekurbelt wurde. Damit wurde die neue Phase des staatlich koordinierten Monopolkapitalismus eingeleitet, die sich dadurch auszeichnete, daß die Krise mittels einer abenteuerlichen Staatsverschuldung bewältigt und die Wirtschaft durch Gleichschaltung und zentrale Lenkung auf den geplanten Eroberungskrieg vorbereitet wurde.

Den mittelständischen Massen, die von der antikapitalistischen Demagogie zur Aktion gegen das ›raffende Kapital‹ schreiten wollten, wurde diese rigorose staatsmonopolistische Formierung des gesellschaftlichen Lebens als ›soziale Revolution‹ und ›nationaler Sozialismus‹ präsentiert. Dem diente die Gleichschaltung des kulturellen Sektors, die die Kontrolle der Massenmedien und damit die Manipulation der öffentlichen Meinung im Sinne der nationalsozialistischen Propaganda und Kulturpolitik gewährleistete.

Der Kunst und Literatur kam dabei eine wichtige Funktion zu: Die Verfolgung der ›artfremden‹ und die Förderung der ›arteigenen‹ Kunst sollte ebenso wie die ›Auswechslung der Literaturen‹ (Fechter) den Eindruck erwecken, als habe sich mit der ›geistigen Erneuerung Deutschlands‹ auch ein grundlegender gesellschaftlicher Wandel vollzogen. Da dies nicht der Fall war, hatte insbesondere die Literatur dazu beizutragen, das Weiterbestehen der Klassengegensätze und den Widerspruch zwischen antikapitalistischen Programmpunkten und prokapitalistischer Praxis der NSDAP zu verdecken.

Eine realistische Beschreibung der gegenwärtigen gesellschaftlichen Verhältnisse war unter solchen Bedingungen nicht möglich, denn diese hätte selbst bei den unverfänglichsten Themen Spuren der tatsächlich vorhandenen Antagonismen benennen müssen. Daraus erkärt sich jene für die Literatur im Dritten Reich charakteristische Vorliebe für historisierende und mythisierende Konstruktionen. Denn diese begünstigten die Tendenz der faschistisch geprägten ›volkhaften Dichtung‹, innenpolitische Antagonismen zu leugnen oder zu harmonisieren und die Aufmerksamkeit auf ein nach außen verlagertes Feindbild zu lenken. Im Interesse der nationalen Großbourgeoisie sollten die gesellschaftlichen Kämpfe nicht zwischen den sozialen Schichten und Klassen, sondern zwischen den Völkern und Rassen ausgetragen werden, um auf diese Weise den Weltherrschaftsanspruch des deutschen Imperialismus mit militärischer Gewalt zu sichern.

Diese Ideologie hatte bereits in der nationalistischen Weltkriegsliteratur, die das deutsche Volk als verschworene Kampfgemeinschaft gegen eine Welt von Feinden antreten ließ, einen adäquaten Ausdruck gefunden. Ganz in diesem Sinne wurde das Volk von konservativen und faschistischen Schriftstellern in der Regel nicht als in Klassen und Schichten differenziertes soziales Gefüge begriffen, sondern als einheitliche ›Bluts-, Sprach- und Schicksalsgemeinschaft‹. Diese Vorstellung von der Volksgemeinschaft, in der ›Stand und Rang‹ keine Rolle mehr spielten, wurde vor allem über die Partei-, Arbeiterund Bauerndichtung propagiert. Seine imperialistische Wendung erhielt dieser in der Rassenlehre verankerte Volksbegriff vor allem dadurch, daß er über die für den Nationalsozialismus charakteristische Blut-und-Boden-Ideologie mit geopolitischen Großraumtheorien, wie sie von Kolonial- und Industriellenverbänden bereits im Kaiserreich entworfen und von Daitz, Höhn, Schmitt, Darré und Hitler weiterentwickelt worden waren, gekoppelt wurde. Demzufolge war das deutsche Volk, wollte es nicht degenerieren und wirtschaftlich zugrunde gehen, bereits aus ernährungs- und bevölkerungspolitischen Gründen gezwungen, seinen eigenen Lebensraum zu vergrößern – eine Vorstellung, der Hans Grimm mit der Parole vom ›Volk ohne Raum‹ das zündende Schlagwort lieferte, während die ›volksdeutsche Dichtung‹ dem Expansionsdrang die Richtung wies. Die historische Literatur sorgte dafür, daß noch der Germanenkult und die mittelalterliche Reichsidee für solche Ziele in Dienst genommen werden konnten.

Daher ist auch die liberale Kritik, die diese Literatur ihrer agrarromantischen, völkischen und atavistischen Schwärmereien wegen als anachronistisch und der Problematik der ›modernen Industriegesellschaft‹ unangemessen kritisiert, verfehlt. Denn diese Literatur stellt gerade den Bauern- und Germanenkult ebenso wie andere regressiv klingende Vorstellungen in den Dienst des modernen Imperialismus, dem sie mit den Ideen von Blut und Boden, Volk ohne Raum, Volksgemeinschaft, nordischer Herrenrasse und der ewigen Sehnsucht nach dem Tausendjährigen Reich eine massenwirksame Ideologie lieferte.

Bei alledem war die Literatur im Dritten Reich jedoch kein widerspruchsfreier monolithischer Block. Ebenso wie die konkurrierenden Kapitalfraktionen und staatlichen Organisationen im Rahmen des imperialistischen Gesamtkonzepts hinter den Kulissen einen erbitterten Kleinkrieg um Teilziele und Einflußsphären führten, so spiegelten sich auch in der Duldung der Literatur des Kulturkonservatismus und deren versteckter Kritik an einzelnen Maßnahmen der nationalsozialistischen Politik Widersprüche im faschistisch formierten bürgerlich-kapitalistischen Lager. Diese literarische Strömung repräsentierte vor allem jene bürgerlichen Kräfte, die insbesondere Antisemitismus, Antiklerikalismus und Krieg aus moralischen, politischen oder ökonomischen Gründen für verwerflich, gefährlich oder dysfunktional hielten und sich daher ein humaneres und vernünftigeres diktatorisches Regime wünschten. Bei allen Differenzen in Einzelfragen wies diese Literatur vielfach ähnliche ideologische Dispositionen auf wie die von den Nationalsozialisten geförderte ›volkhafte Dichtung‹.

Bezeichnenderweise bot nicht die Literatur des antifaschistischen Widerstandes, auch nicht so sehr die des Exils, sondern die des in erbitterten Kontroversen zur ›Inneren Emigration‹ geläuterten Kulturkonservatismus der Literatur der Bundesrepublik einen moralisch integren Traditionsstrang, der weiterhin kultiviert werden konnte. Trotz der literarischen ›Kahlschlag-‹ und ›Nullpunkt-Diskussion‹, die einen neuerlichen grundlegenden Gesellschaftswandel Deutschlands suggerieren sollte, avancierten Benn, Jünger, Wiechert, Bergengruen, Carossa, Schröder und eine ganze Reihe jüngerer Naturlyriker zu repräsentativen Vertretern der deutschen Literatur der späten vierziger und fünfziger Jahre. Diese Fortsetzung bewährter konservativer Traditionen ist fast noch bezeichnender für die restaurativen Tendenzen in der Bundesrepublik als die Neuauflage faschistischer ›Klassiker‹ wie Grimm, Griese, Kolbenheyer, Vesper, Pleyer und Dwinger oder die Flut neofaschistischer Kriegs- und Rechtfertigungsliteratur.

Von allzu decouvrierenden nationalsozialistischen Komponenten befreit, wurden jene Vorstellungen des faschistischen Gesellschaftsbildes, die sich für die Restauration und Legitimation kapitalistischer Produktionsverhältnisse als brauchbar erwiesen, in neuem meist soziologisch verbrämtem Gewande in die öffentliche Meinung der Bundesrepublik integriert. Aus der ›Volksgemeinschaft‹ wurde eine ›formierte‹ oder ›nivellierte Mittelstandsgesellschaft‹. Aus ›Arbeitern der Stirn und der Faust‹ wurden ›Sozialpartner‹. Der industrielle Expansionsdrang schlug seine Schlachten nicht mehr auf militärischem, sondern auf ökonomischem Felde. Die abendländische Reichsidee fand in der Europa-Konzeption, die die westeuropäischen Staaten zu einem einheitlichen Wirtschafts- und Militärblock zusammenschloß, ihre Nachfolge, und der militante Antikommunismus erlebte im ›Kalten Krieg‹ einen neuen

Höhepunkt. Die von der Vorherrschaft des wirtschaftlichen und politischen Rechtskartells geprägte Adenauer-Ära schickte sich an, das Erbe des Nationalsozialismus unter Verzicht auf dessen politischen und militärischen Hegemonieanspruch im Interesse der traditionellen Führungsschichten optimal zu verwerten.

Anmerkungen

1 Entschließung der Harzburger Front (Okt. 1931). In: Reinhard Kühnl (Hrsg.): Der deutsche Faschismus in Quellen und Dokumenten. Köln 1975. S. 146.
2 A. a. O. S. 174.
3 Edgar Jung: Neubelebung von Weimar? In: Deutsche Rundschau 6 (1932) S. 158. Zur Ideologie der konservativen und faschistischen Gruppierungen vgl. auch: Kurt Sontheimer: Antidemokratisches Denken in der Weimarer Republik. Die politischen Ideen des deutschen Nationalismus zwischen 1918 und 1933. München 1962.
4 In: Walther Hofer (Hrsg.): Der Nationalsozialismus. Dokumente 1933–1945. Frankfurt/Main 1957. S. 53.
5 Hans Hagemeyer: Vortrag vor der Reichsarbeitsgemeinschaft für deutsche Buchwerbung am 28. 8. 1935. In: Joseph Wulf (Hrsg.): Literatur und Dichtung im Dritten Reich. Eine Dokumentation. Reinbek 1966. S. 281.
6 In: Reinhard Kühnl (Hrsg.): a. a. O. S. 249.
7 Der politische Bauernroman. In: Bücherkunde der Reichsstelle zur Förderung des deutschen Schrifttums. Jg. 1935. S. 290.
8 R. Walther Darré: Um Blut und Boden. Reden und Aufsätze. München 1940. S. 213.
9 Alfred Rosenberg: Der Mythus des 20. Jahrhunderts. München 1934. S. 438.
10 Leitsätze der DKG für die künftige deutsche Kolonialpolitik vom Juni 1916. In: Dieter Fricke u. a.: Die bürgerlichen Parteien in Deutschland. Bd. I. Berlin (DDR) 1968. S. 397.
11 Arno Mulot: Die deutsche Dichtung unserer Zeit. 2. Aufl. Stuttgart 1944. S. 11.
12 Friedrich Wilhelm Hymmen: Um ein neues Drama. In: Das innere Reich VI (1939/40) S. 469.
13 In: Helmut Heiber (Hrsg.): Goebbels-Reden 1932–1945. 2 Bde. Düsseldorf 1971/72.
14 Josef Magnus Wehner: Vom Glanz und Leben deutscher Bühne. Eine Münchner Dramaturgie. Hamburg 1944. S. 340.
15 Vgl. die ministerielle Grundliste für Schülerbüchereien der Volksschulen von 1937 und die Liste zum Ausbau der Oberstufenbücherei, die 1939 vom NSLB herausgegeben wurde. Beide abgedruckt in: Peter Aley: Jugendliteratur im Dritten Reich. Dokumente und Kommentare. Hamburg 1967. S. 41 ff./55 ff.
16 In: a. a. O., S. 88.
17 Hugo Wippler: Die volkserzieherische Bedeutung des deutschen Bilderbuchs. In: Jugendschriften-Warte 8 (1939) S. 116.
18 Reichszeitung der deutschen Erzieher 11 (1937) S. 424.
19 G. Roder, Leiter der Abteilung Erziehung und Unterricht des NSLB. In: Jugendschriften-Warte 4 (1935), S. 25 f.
20 Eduard Rothemund. In: Bernhard Payr (Hrsg.): Das deutsche Jugendbuch. 1942. S. 64.
21 In: Gerd Albrecht: Nationalsozialistische Filmpolitik. Eine soziologische Untersuchung über die Spielfilme des Dritten Reichs. Stuttgart 1969. S. 495 f.
22 Hellmuth Langenbucher: Volkhafte Dichtung der Zeit. 5. Aufl. Berlin 1940. S. 273.
23 Thomas Mann: Warum ich nicht zurückkehre. Offener Brief an Walther von Molo vom 12. Oktober 1945. In: J. F. G. Grosser (Hrsg.): Die große Kontroverse. Ein Briefwechsel um Deutschland. Hamburg 1963; Thomas Mann, Frank Thieß, Walther von Molo: Ein Streitgespräch über die äußere und die innere Emigration. 1946.
24 A. a. O.

25 Hans Carossa: Sämtliche Werke. 2. Bd. 1962. S. 707.
26 A. a. O., S. 659.
27 In: Reinhard Kühnl (Hrsg.): a. a. O. S. 406 ff.
28 Florian Vaßen: ›Das illegale Wort‹. Literatur und Literaturverhältnisse des Bundes proletarisch-revolutionärer Schriftsteller nach 1933. In: Ralf Schnell (Hrsg.): Kunst und Kultur im deutschen Faschismus. Stuttgart 1978. S. 288.
29 Reinhard Kühnl (Hrsg.): a. a. O. S. 419.
30 A. a. O. S. 422 ff.

Literaturhinweise

Peter Aley: Jugendliteratur im Dritten Reich. Dokumente und Kommentare. Hamburg
1967.
Gerd Albrecht: Nationalsozialistische Filmpolitik. Eine soziologische Untersuchung über die
Spielfilme des Dritten Reiches. Stuttgart 1969.
Hildegard Brenner: Die Kunstpolitik des Nationalsozialismus. Reinbek 1963.
F. Courtade/P. Cadars: Geschichte des Films im Dritten Reich. 1975.
Wendula Dahle: Der Einsatz einer Wissenschaft. Eine sprachinhaltliche Analyse militäri-
scher Terminologie in der Germanistik 1933–1945. Bonn 1969.
Horst Denkler/Karl Prümm (Hrsg.): Die deutsche Literatur im Dritten Reich. Themen. Tra-
ditionen. Wirkungen. Stuttgart 1976.
Bruno Fischli: Die Deutschen-Dämmerung. Zur Genealogie des völkisch-faschistischen Dra-
mas und Theaters (1897–1933). Bonn 1976.
Rolf Geißler: Dekadenz und Heroismus. Zeitroman und völkisch-nationalsozialistische Lite-
raturkritik. Stuttgart 1964.
Germanistik – eine deutsche Wissenschaft. Beiträge von E. Lämmert, W. Killy, K. O. Con-
rady, P. v. Polenz. Frankfurt/Main 1967.
Sander L. Gilman (Hrsg.): NS-Literaturtheorie. Eine Dokumentation. Frankfurt/Main
1971.
Günter Hartung: Über die deutsche faschistische Literatur. In: Weimarer Beiträge XIV (1968)
S. 474–542, S. 677–707; Sonderheft 2 (1968) S. 121–159.
Peter Hasubek: Das deutsche Lesebuch in der Zeit des Nationalsozialismus. Ein Beitrag zur
Literaturpädagogik zwischen 1933 und 1945. Hannover 1972.
Wolfgang Fritz Haug: Der hilflose Antifaschismus. Zur Kritik der Vorlesungsreihen über
Wissenschaft und NS an deutschen Universitäten. Frankfurt/Main 1967.
Berthold Hinz: Die Malerei im deutschen Faschismus. Kunst und Konterrevolution. Mün-
chen 1974.
Ernst Keller: Nationalismus und Literatur. Langemarck–Weimar–Stalingrad. Bern u. Mün-
chen 1970.
Uwe-Karsten Ketelsen: Heroisches Theater. Untersuchungen zur Dramentheorie des Dritten
Reichs. Bonn 1968.
Uwe-Karsten Ketelsen: Von heroischem Sein und völkischem Tod. Zur Dramatik des Dritten
Reiches. Bonn 1970.
Uwe-Karsten Ketelsen: Völkisch-nationale und nationalsozialistische Literatur in Deutsch-
land 1890–1945. Stuttgart 1976.
Ernst Loewy (Hrsg.): Literatur unterm Hakenkreuz. Das Dritte Reich und seine Dichtung.
Eine Dokumentation. Frankfurt/Main 1966.
Karl Prümm: Die Literatur des soldatischen Nationalismus der 20er Jahre (1918–1933).
Gruppenideologie und Epochenproblematik. 2 Bde. Kronberg/Taunus 1974.
Christoph Rülcker: Ideologie der Arbeiterdichtung 1914–1933. Stuttgart 1970.
Franz Schonauer: Deutsche Literatur im Dritten Reich. Versuch einer Darstellung in pole-
misch-didaktischer Absicht. Olten u. Freiburg 1961.
Ralf Schnell: Literarische Innere Emigration 1933–1945. Stuttgart 1976.
Ralf Schnell (Hrsg.): Kunst und Kultur im deutschen Faschismus. Stuttgart 1978.

Gerhard Schweizer: Bauernroman und Faschismus. Zur Ideologiekritik einer literarischen Gattung. Tübingen 1976.

Dietrich Strothmann: Nationalsozialistische Literaturpolitik. Ein Beitrag zur Publizistik im Dritten Reich. Bonn 1960.

Klaus Vondung: Völkisch-nationale und nationalsozialistische Literaturtheorie. München 1973.

Joseph Wulf (Hrsg.): Literatur und Dichtung im Dritten Reich. Eine Dokumentation. Gütersloh 1963.

Joseph Wulf (Hrsg.): Theater und Film im Dritten Reich. Eine Dokumentation. Gütersloh 1964.

Peter Zimmermann: Der Bauernroman. Antifeudalismus – Konservativismus – Faschismus. Stuttgart 1975.

Literatur im Exil

Das Exil ist keine Erfindung des 20. Jahrhunderts. Berichte über die Verfolgung und Vertreibung von Minderheiten gibt es in der Geschichte aller Länder und Zeiten. Unter allen bekannt gewordenen Fällen steht jedoch die Massenemigration aus dem offen faschistisch gewordenen Deutschen Reich einzigartig da. Nie zuvor war in der Geschichte eines Landes der Fall eingetreten, daß die Repräsentanten von Kultur und Wissenschaft dieses Land in vergleichbarer Totalität verlassen haben. Schätzungen zufolge – präzise Zahlen liegen noch immer nicht vor – beläuft sich die Gesamtemigration aus Deutschland auf rund 400000 Menschen. Gut 2000 von ihnen sind in irgendeiner Form literarisch tätig geworden.

Verfolgung, Flucht, Ausbürgerung

Als am 10. Mai 1933 auf dem Berliner Opernplatz und in Parallelveranstaltungen in allen anderen Universitätsstädten im Reich unter der Anleitung namhafter Germanisten in sogenannten »Bücherverbrennungen« diejenige Literatur den Scheiterhaufen überantwortet wurde, von der die Nationalsozialisten – zu Recht – annehmen mußten, daß von ihr ein dem Aufstieg des Regimes hinderlicher Aufklärungseffekt ausgehen könnte, befand sich die Mehrzahl der Autoren, die hier symbolisch verbrannt wurden, bereits jenseits der Grenzen.

Kurt Tucholsky lebte bereits seit 1924 in Paris, seit 1929 in Schweden. Bernhard Reich und Herwarth Walden arbeiteten seit 1926 bzw. 1932 in der Sowjetunion. René Schickele hatte sich bereits im Herbst 1932 in Sanary-sur-Mer (später ein Exilzentrum prominenter Autoren) niedergelassen, weil es ihm »schon unter Papen und Schleicher ... in die Nase zu stinken« begann.

Die Zahl der Autoren, die Deutschland unter dem unmittelbaren Eindruck der Machtübergabe an den Faschismus – präzise: zwischen der Ernennung Hitlers zum Reichskanzler und dem Reichstagsbrand – verlassen haben, ist außerordentlich klein. Aus eindeutig politischen Gründen und im Bewußtsein der persönlichen Gefährdung gingen in diesem Zeitraum lediglich Robert Neumann (am 31. 1.), Wilhelm Herzog (am 13. 2.), Alfred Kerr (am 15. 2.), Heinrich Mann (am 21. 2.) und Walter Mehring (am 27. 2.) ins Exil. Oskar Maria Graf, Thomas Mann, Ernst Toller und Erich Weinert traten im gleichen Zeitraum Vortragsreisen außerhalb Deutschlands an, Lion Feuchtwanger, Hanns Eisler und George Grosz befanden sich bereits auf solchen Vortragsreisen. Walter Hasenclever und Joseph Roth begaben sich auf seit längerem geplante Auslandsreisen, von denen sie nicht wieder nach Deutsch-

419

land zurückkehren sollten. In mindestens zwei Fällen – bei Thomas Mann und Oskar Maria Graf – gilt es als sicher, daß die damals angetretene Auslandsreise sich erst im nachhinein als Emigration erwies.

Angesichts dieses Tatbestandes bleibt zu konstatieren, daß zwischen der insbesondere von Schriftstellern und Publizisten in zahllosen Zeitungs- und Zeitschriftenaufsätzen, in Rundfunkreden und öffentlichen Versammlungen dokumentierten Einsicht in die faschistische Gefahr einerseits und dem Gefühl der persönlichen Bedrohung durch die Nationalsozialisten andererseits eine Diskrepanz bestanden haben muß, die rational nicht mehr zu erklären ist. Offenkundig bedurfte es stärkerer Reize als der Ernennung Hitlers zum Reichskanzler, um den Schriftstellern und Publizisten klarzumachen, daß Auftreten und Absichtserklärungen der Nationalsozialisten keinesfalls nur als Drohgebärde zu verstehen waren.

Diese stärkeren Reize lieferten die noch in der Nacht des Reichstagsbrandes (27./28. 2. 1933) einsetzenden Terror- und Verfolgungsakte. Dieser ersten Verhaftungswelle fielen – entweder noch in der Nacht des Reichstagsbrandes oder in den darauffolgenden Tagen – etliche Schriftsteller zum Opfer. Während Berta Lask, Anna Seghers, Eduard Claudius, Egon Erwin Kisch, Kurt Kläber, Manès Sperber und Karl August Wittfogel nur vergleichsweise kurze Zeit *In den Kasematten von Spandau* (so der Titel der Reportage von Kisch, die als eine der ersten aus dem Exil über die Praktiken der Gestapo aufklärte) oder anderen Gestapokellern festgehalten wurden, verbüßten Willi Bredel, Kurt Hiller, Wolfgang Langhoff und Ludwig Renn Haftstrafen zwischen einem und zwei Jahren in nationalsozialistischen Gefängnissen und Konzentrationslagern. Erich Baron, Erich Mühsam, Klaus Neukrantz und Carl von Ossietzky sind in diesen Lagern ermordet worden oder an den Folgen der Haft gestorben. Nicht die Machtübergabe, sondern der Reichstagsbrand war das Signal zur Massenflucht für die politisch-literarische Intelligenz. Noch am 28. Februar 1933 flohen Johannes R. Becher, Bert Brecht, Alfred Döblin, Bruno Frank, Leo Lania, Ludwig Marcuse, Willi Münzenberg und Karl Wolfskehl. Am 1. März folgten Rudolf Olden, Franz Pfemfert, Alfred Polgar, Adrienne Thomas und Berthold Viertel; am 2. März Max Herrmann-Neiße und Kurt Wolf; am 3. März Friedrich Wolf; am 4. März Alfred Wolfenstein und Gabriele Tergit; am 5. März Theodor Lessing, Ernst Erich Noth und Gustav Regler; am 8. März Harry Graf Kessler; am 10. März Joseph Bornstein, Leonhard Frank und Leopold Schwarzschild; am 12. März Hellmut von Gerlach, Alfred Kantorowicz und Erika Mann; am 13. März Klaus Mann; am 14. März Arnold Zweig; am 15. März Hermann Kesten. Etwa um die gleiche Zeit flohen Heinrich Fischer und Ödön von Horváth, Theodor Wolff und Alexander Moritz Frey. Bis Ende März hatten außerdem Theodor Balk, Bernard von Brentano, Ferdinand Bruckner, Fritz Erpenbeck, Bruno Frei, Julius Hay, Thomas Theodor Heine, Georg Hermann, John Heartfield, Wieland Herzfelde, Heinz Liepman, Hans Marchwitza, Alfred Neumann, Balder Olden, Karl Otten, Theodor Plievier, Hans Sahl, Adam Scharrer, Maximilian Scheer, Franz Schoenberner, Wilhelm Speyer, Wilhelm Sternfeld, Bodo Uhse, Margarete und Franz Carl Weiskopf, Paul Westheim und Hedda Zinner Deutschland verlassen.

Nach 1934 flohen Stephan Hermlin, Franz Jung, Kurt Kersten, Karl O. Paetel, Kurt Pinthus, Udo Rukser und Hermann Ullstein; Georg Kaiser verließ Deutschland 1938, Nelly Sachs 1940. Am 23. August 1933 erschien die erste Ausbürgerungsliste, auf der u. a. Lion Feuchtwanger, Hellmut von Gerlach, Alfred Kerr, Heinrich Mann, Willi Münzenberg, Leopold Schwarzschild, Ernst Toller und Kurt Tucholsky die deutsche Staatsbürgerschaft aberkannt wurde. Auf der zweiten Ausbürgerungsliste vom 24. März 1934 erschienen Johannes R. Becher, Oskar Maria Graf, Rudolf Leonhard und Theodor Plievier; auf der dritten vom 1. November 1934 Willi Bredel, Leonhard Frank, John Heartfield, Wieland Herzfelde, Alfred Kantorowicz, Klaus Mann, Balder Olden und Erich Weinert. Bert Brecht wurde mit der vierten Liste vom 8. Juni 1935 ausgebürgert. Diese Ausbürgerungslisten erlauben – so irrational sie im einzelnen auch immer zusammengestellt gewesen sein mögen; Walter Ulbricht etwa erscheint erst auf der Liste 11 vom 12. April 1937 – Rückschlüsse auf das Feindbild der Nationalsozialisten. Die Tatsache, daß die Zahl der namentlich ausgebürgerten Schriftsteller gemessen an ihrem Bevölkerungsanteil ungewöhnlich hoch ist, kann als Beleg dafür gelten, welch emanzipatorisches Potential die Nationalsozialisten der Literatur zugemessen haben. Ende 1938 war man bei Liste 84 und weit über 5000 Ausgebürgerten angelangt. In den ersten vier Monaten des Jahres 1939 erfolgten weitere 3000 namentliche Ausbürgerungen.

Die Fluchtbewegung der Literaten und Publizisten war freilich bereits im Herbst 1933 weitgehend abgeschlossen. Als das faschistische Regime am 22. September 1933 mit dem Gesetz zur Errichtung einer »Reichskulturkammer« seine Gleichschaltungsmaßnahmen im kulturellen Bereich zu einem vorläufigen Abschluß brachte, befand sich – von den genannten Ausnahmen abgesehen – kaum ein Schriftsteller von internationalem Rang mehr in Deutschland – es sei denn, er wurde durch die Wachmannschaften der Gefängnisse und Konzentrationslager an der Flucht gehindert. Daß auch die Nationalsozialisten die Fluchtbewegung der Regimegegner spätestens Ende 1933 als abgeschlossen betrachteten, verrät eine beiläufige politische Maßnahme: die Aufhebung des erst im April 1933 eingeführten Visumzwanges für Auslandsreisen zum 1. Januar 1934. Eine Auslandsreisebeschränkung war überflüssig geworden, da genau das gelungen war, was eine solche Verordnung u. a. hatte verhindern sollen: den raschen Neuaufbau eines oppositionellen politisch-publizistischen Apparats im Exil.

Diese Rücknahme des Visumzwanges erlaubt freilich auch bezeichnende Rückschlüsse auf die Beurteilung der innenpolitischen Lage durch die Nationalsozialisten. Offenkundig glaubte man den politischen Gegner durch Verhaftung und Exilation, Terror und Überwachung soweit geschwächt und in die Defensive gedrängt, daß er die Konsolidierung des Regimes nicht mehr ernsthaft gefährden konnte.

Diese Einsicht konnte man sich im Exil – verständlicherweise – zu diesem

Zeitpunkt noch nicht zu eigen machen, zumal man eine beachtliche Reihe außergewöhnlicher organisatorischer Leistungen vollbracht hatte.

1933–1935: Neuaufbau eines Literaturbetriebs

Verlags- und Zeitschriftengründungen

Etwa zur gleichen Zeit, als in Deutschland die Einrichtung einer »Reichskulturkammer« beschlossen wurde – im Herbst 1933 –, konnte die von dem ehemaligen Kiepenheuer-Direktor Fritz Landshoff gegründete und geleitete deutsche Abteilung des Amsterdamer Querido-Verlags ihr erstes Exilprogramm vorlegen: Essaybände von Heinrich Mann (*Der Haß*) und Alfred Döblin (*Jüdische Erneuerung*), die Autobiographie einer *Jugend in Deutschland* von Ernst Toller, eine Sammlung von Erzählungen Arnold Zweigs (*Spielzeug der Zeit*) sowie fünf Romane – neben den (scheinbar eine voremigratorische Traditionslinie lediglich fortführenden) historischen Romanen von Lion Feuchtwanger (*Der jüdische Krieg*), Gustav Regler (*Der verlorene Sohn*) und Joseph Roth (*Tarabas*) die ersten der für die belletristische Produktion des antifaschistischen Exils charakteristischen Deutschlandromane von Anna Seghers (*Der Kopflohn*) und Lion Feuchtwanger (*Die Geschwister Oppenheim*).

Querido sollte sich in der Folgezeit neben dem ebenfalls in Amsterdam ansässigen Allert de Lange-Verlag, den verschiedenen Häusern des Schweizer Sozialdemokraten Emil Oprecht (Oprecht-Verlag, Europa Verlag), dem 1936 zunächst nach Wien, zwei Jahre später nach Stockholm verlagerten Bermann-Fischer Verlag und den (nach planwirtschaftlichen Prinzipien geleiteten) sowjetischen Verlagen Vegaar, Meshdunarodnaja Kniga und Verlag für fremdsprachige Literatur zum bedeutendsten Exilverlag entwickeln.

Zuvor war es bereits – scheinbar mühelos – gelungen, die kommunistische *Arbeiter-Illustrierte-Zeitung* (AIZ) und die beiden bedeutendsten linksliberalen Wochenschriften der Weimarer Republik, die 1905 von Siegfried Jacobsohn gegründete und nach dessen Tod von Kurt Tucholsky und Carl von Ossietzky weitergeführte *Weltbühne* und das von Stefan Grossmann 1920 gegründete und ab 1927 von Leopold Schwarzschild geleitete *Tagebuch*, ins Exil zu transferieren: Am 1. Juli 1933 war in Paris die erste Nummer des auch weiterhin von Schwarzschild geleiteten *Das Neue Tagebuch* erschienen; am 14. April 1933 war (nach einem Wiener Zwischenspiel) in Prag die zunächst noch von Willy Schlamm, ab März 1934 von Hermann Budzislawski redigierte *Die Neue Weltbühne* herausgekommen. Bereits drei Wochen nach dem Reichstagsbrand war die erste Exilnummer der *AIZ* in Prag mit einer Auflage von 12000 Exemplaren erschienen.

Im September 1933 begannen dann die ersten im Exil begründeten literarischen Monatsschriften zu erscheinen: Anfang September in Amsterdam die von Klaus Mann geleitete, vom Querido-Verlag vertriebene *Die Sammlung*; am 20. September 1933 folgten die *Neuen Deutschen Blätter*, die in Prag kollektiv von Anna Seghers, Oskar Maria Graf, Wieland Herzfelde und dem damals noch illegal in Berlin lebenden Jan Petersen herausgegeben wurden. Der *Schutzverband Deutscher Schriftsteller* konnte als Exil-SDS im Sommer 1933 in Paris neubegründet werden und trat im September mit ersten öffentlichen Veranstaltungen hervor. Ebenfalls im Herbst 1933 waren wesentliche Vorarbeiten zur Gründung einer *Deutschen Freiheitsbibliothek* abgeschlossen, die offiziell am 1. Jahrestag der Bücherverbrennung mit einem Bestand von 13000 Bänden eröffnet wurde.

Organisatorische Erfolge wie diese mögen die Exilierten in dem von heute aus nur schwer nachvollziehbaren Optimismus bestärkt haben, der ihre Beurteilung der politischen Verhältnisse und die Einschätzung der eigenen politischen wie literarischen Möglichkeiten in dieser ersten, bis etwa 1935 reichenden Phase des Exils kennzeichnet.

Das Selbstverständnis der Exilierten

Die Dauer ihres Exils wurde von den Vertriebenen, die häufig nicht mehr als das Manuskript hatten retten können, an dem sie gerade arbeiteten, gemeinhin gering veranschlagt. »Es ist ein Urlaub ... und vielleicht ist der Spuk zu Ende, eh wir's uns versehen«, hatte Gustav Regler noch im Herbst 1933 an seinen Sohn geschrieben. »Es ist ja nur ein Ausflug ...«, glaubte zu jener Zeit auch Alfred Döblin. »Ein paar Wochen, ein paar Monate vielleicht, dann mußten die Deutschen zur Besinnung kommen ...«, rekapituliert Klaus Mann in seiner Autobiographie jene Selbsttäuschungen, denen damals keineswegs nur bürgerliche Autoren anhingen. Noch im Juni 1934 stellte Hermann Budzislawski die Prognose, das Nazi-Regime habe nur noch eine »begrenzte Zeit und jedenfalls nicht Jahre«.

Die These von der Kurzlebigkeit des faschistischen Regimes wurde von Autoren mit unterschiedlichem politischen Profil aus unterschiedlichen politischen Motiven mit einer Reihe wiederkehrender Argumente vertreten: Sollte das Regime nicht binnen kurzem an seiner eigenen Unfähigkeit oder der Uneinigkeit seiner Führer zugrunde gehen, so würde es durch Interventionen des demokratischen Auslandes oder die Revolution der deutschen Arbeiter gestürzt werden, die – so die insbesondere von Kommunisten vertretene These – durch die Machtübergabe ohnehin nur vorübergehend abgewendet worden war.

Einen sichtbaren Niederschlag fanden derartige Einschätzungen zunächst in der Wahl des Asyllandes: Man ließ sich nieder »möglichst nahe den Grenzen / Wartend des Tags der Rückkehr, jede kleinste / Veränderung / Jenseits der Grenze beobachtend« (Bert Brecht, Über die Bezeichnung Emigranten). Die Hoffnung, so ließe sich ergänzen, möglichst direkt in das Land, das man vorübergehend hatte verlassen müssen, hineinwirken zu können, um so zum baldigen Zusammenbruch des Regimes beizutragen, war ein weiterer Grund dafür, daß die Tschechoslowakei, Frankreich und die Niederlande in dieser Phase zu den zentralen Asylländern wurden. Daß Österreich und die Schweiz – aufgrund geographischer und sprachlicher Gegebenheiten für aus Deutschland Vertriebene attraktive Asylländer – bestenfalls Aus- und Durchreisestationen sein konnten, stellte sich schon in dieser Phase heraus. Italien, Ungarn und Polen wurden in der Regel wegen ihrer faschistischen bzw. national-konservativen Regierungen gemieden. Direkt nach Übersee ging in dieser Zeit nur Paul Zech.

Die auf der Grundlage der skizzierten politischen Prognosen unter dem ersten – keineswegs uneingeschränkt als bedrohlich empfundenen – Eindruck des Exils konzipierten literarischen Programme weisen im Hinblick auf Funktion, Inhalte und Zielgruppen der unter den neuen Umständen zu schreibenden Literatur ein relativ großes Maß an Übereinstimmung auf. Das – nachträglich – von Klaus Mann formulierte Programm konnten Vertreter der divergierendsten politischen Gruppen unterschreiben – wenngleich mit unterschiedlicher Akzentsetzung:

»Einerseits ging es darum, die Welt vor dem Dritten Reich zu warnen und über den wahren Charakter des Regimes aufzuklären, gleichzeitig aber mit dem ›anderen‹, ›besseren‹ Deutschland, dem illegalen, heimlich opponierenden also, in Kontakt zu bleiben und die Widerstandsbewegung in der Heimat mit literarischem Material zu versehen; andererseits galt es, die große Tradition des deutschen Geistes und der deutschen Sprache, eine Tradition, für die es im Lande ihrer Herkunft keinen Platz mehr gab, in der Fremde lebendig zu erhalten und durch den eigenen schöpferischen Beitrag weiterzuentwickeln.«

Wie unterschiedlich freilich in dieser Zeit der Bereitschaft zur Gemeinsamkeit die Akzente gesetzt wurden, verdeutlicht ein Vergleich der Programmerklärungen der ersten im Exil gegründeten Zeitschriften. In der *Sammlung* hieß es:

»Diese Zeitschrift wird der Literatur dienen; das heißt: jener hohen Angelegenheit, die nicht nur ein Volk betrifft, sondern alle Völker der Erde. Einige Völker aber sind soweit in der Verirrung gekommen, daß sie ihr Bestes schmähen, sich seiner schämen und es im eignen Lande nicht mehr dulden wollen. In solchen Ländern wird die Literatur vergewaltigt; um sich der Vergewaltigung zu entziehen, flieht sie ein solches Land. In dieser Lage ist nun die wahre, die gültige deutsche Literatur: jene nämlich, die nicht schweigen kann zur Entwürdigung ihres Volkes und zu der Schmach, die ihr selber geschieht. Der Widergeist selber zwingt sie zum Kampf. Schon ihr Auftreten, ja, schon die Namen derer, die sie repräsentieren, werden zur Kriegserklärung an den Feind. (...)
Die wir sammeln wollen, sind unter unseren Kameraden jene, deren Herzen noch nicht vergiftet sind von den Zwangsvorstellungen einer Ideologie, die sich selber ›die neue‹ nennt, während sie in Wahrheit alle bedenklichen Zeichen der ›Überständigen‹ trägt (...) Sammeln wollen wir, was den Willen zur menschenwürdigen Zukunft hat, statt dem Willen zur Katastrophe; den Willen zum Geist, statt dem Willen zur Barbarei (...); den Willen zur Vernunft, statt dem zur hysterischen Brutalität und zu einem schamlos programmatischen ›Anti-Humanismus‹ (...)«

In den *Neuen Deutschen Blättern* hieß es:

»Wer schreibt, handelt. Die *Neuen Deutschen Blätter* wollen ihre Mitarbeiter zu gemeinsamen Handlungen zusammenfassen und die Leser im gleichen Sinn aktivieren.
Sie wollen mit den Mitteln des dichterischen und kritischen Wortes den Faschismus
bekämpfen. In Deutschland wüten die Nationalsozialisten. Wir befinden uns im
Kriegszustand. Es gibt keine Neutralität. Für niemand. Am wenigsten für den Schriftsteller. Auch wer schweigt, nimmt Teil am Kampf. (...) Schrifttum von Rang
kann heute nur antifaschistisch sein. (...) Viele sehen im Faschismus einen
Anachronismus, ein Intermezzo, eine Rückkehr zu mittelalterlicher Barbarei; andere
sprechen von einer Geisteskrankheit der Deutschen, oder von einer Anomalie, die dem
›richtigen‹ Ablauf des historischen Geschehens widerspreche; sie verwünschen die Nationalsozialisten als eine Horde verkrachter ›Existenzen‹, die urplötzlich das Land über-
listet haben. Wir dagegen sehen im Faschismus keine zufällige Form, sondern das organische Produkt des todkranken Kapitalismus (...) nichts liegt uns ferner, als unsere
Mitarbeiter ›gleichschalten‹ zu wollen. Wir wollen den Prozeß der Klärung, der Loslösung von alten Vorstellungen, des Suchens nach dem Ausweg durch gemeinsame Arbeit und kameradschaftliche Auseinandersetzung fördern und vertiefen. Wir werden
alle – auch wenn ihre sonstigen Überzeugungen nicht die unseren sind – zu Wort kommen lassen, wenn sie nur gewillt sind, mit uns zu kämpfen.«

Daß das, was sich unter den Etiketten »Anti-Faschismus« und »Emigranten-
literatur« – Begriffe, die nicht aus der nachträglichen literaturhistorischen
Diskussion erwachsen sind, sondern den unmittelbar Beteiligten bereits im
historischen Prozeß bekannt waren und zur Verfügung standen – zunächst
scheinbar bruchlos zusammenfügen ließ, de facto höchst heterogen war,
machte eine Ende 1934/Anfang 1935 im *Neuen Tagebuch* (NTB) geführte
Debatte deutlich. Es handelt sich dabei um die erste von drei literaturtheoretischen, im Exil geführten Diskussionen, die im Kern um das Problem der
gesellschaftlichen Funktion von Literatur gingen und selten vorher und nie
nachher mit vergleichbarer Ausdrücklichkeit geführt wurden.
Ende 1934 hatte der holländische Essayist und Romancier Menno ter Braak
im NTB die Vermutung geäußert, daß die literarische Produktion der Exilierten »sich gar nicht wesentlich von der vorhitlerischen« unterscheide:
»Manchmal hat man den Eindruck, daß der ›Betrieb‹ einfach fortgesetzt wird;
was früher Kiepenheuer und Fischer war, sind heute Querido und de Lange.«
ter Braak konstatierte: »Gut geschriebene, mit gutem Geschmack komponierte Bücher, die auch von einem anderen talentierten Schriftsteller geschrieben
sein könnten und dem Leser nicht mehr geben als andere ›gute‹ Bücher, sind
relativ (...) ›bedeutungslos‹.« ter Braak forderte: »Die Emigrationsliteratur
soll mehr sein als eine Fortsetzung.«
Ihm antworteten u. a. Hans Sahl und Ludwig Marcuse. Während Sahl – ter
Braak zustimmend – seiner Replik die programmatische Überschrift »Emigration – eine Bewährungsfrist« gab und zu dem Schluß kam: »Emigration ist
nicht nur ein von Hitler aufgezwungener Verlagswechsel, Emigration ist eine
geistige Haltung«, stellte Marcuse bereits den Begriff ›Emigranten-Literatur‹
prinzipiell in Frage. Und hinsichtlich des »Mehr«, das ter Braak der Exilliteratur abgefordert hatte, konterte er: »Nur weil der Hindenburg den Hitler an

die Macht gelassen hat, soll Heinrich Mann das Wunder vollbringen, ab Januar 1933 mehr zu geben als die Fortsetzung seines bisherigen Werkes? Liegt nicht gerade darin seine Größe und der Beweis für seine geistige Solidität, daß sein ›Haß‹ (gemeint ist ein so betitelter Essayband von Heinrich Mann) gegen Hitler die organische ›Fortsetzung‹ seines Hasses gegen Wilhelm II. ist«?

Marcuse hat offenkundig nicht gesehen, daß das von ter Braak formelhaft, und daher mißverständlich, als »Mehr« Bezeichnete ein prinzipielles Überdenken einer bisher geübten literarischen Praxis meinte, deren gesellschaftliche Effektivität durch den historischen Prozeß widerlegt war.

Die in der NTB-Debatte, die ausschließlich unter »bürgerlichen« Autoren ausgetragen wurde, aufscheinenden Differenzen stehen – ebenso wie die etwa zeitgleiche Kritik kommunistischer Autoren an Lion Feuchtwanger und Heinrich Mann – am Ende der ersten Phase des Exils. Sie markieren den Beginn eines Ausdifferenzierungs- und Klärungsprozesses, in dessen Verlauf ein amorphes, ungeprüftes Einheitsgefühl der Emigration durch das Bemühen um ein realistisches Bündnis ersetzt wird. Der Wert der NTB-Debatte besteht u. a. darin, den bis auf den heutigen Tag fortlebenden Mythos von der Einheitlichkeit der Emigration in Frage gestellt zu haben.

Die Heterogenität des Exils

Betrachtet man die Gesamtemigration, so gilt es zunächst, zwischen Emigranten und Exilierten zu unterscheiden, zwischen aus primär rassischen Gründen Verfolgten und aus primär politischen Gründen Vertriebenen (wobei die Übergänge gelegentlich fließend sind). Die Sinnfälligkeit einer solchen Trennung wird durch das Flucht- und Sozialverhalten der so unterschiedenen Gruppen belegt. Die aus politisch-literarischen Gründen Exilierten – ihr Anteil an der Gesamtemigration wird auf 5 bis 10 % geschätzt – flohen unmittelbar nach der Etablierung des faschistischen Regimes. Das Exil hatte für sie den Charakter des Transitorischen. Deutschland blieb über die Gesamtdauer des Exils im Zentrum ihres Interesses und ihrer Aktivitäten.

Der Anteil der jüdischen Massenemigration an der Fluchtbewegung des Jahres 1933 war demgegenüber relativ gering. Das Ansteigen der Fluchtraten in dieser Gruppe erfolgte parallel zu Maßnahmen des Regimes, die diese Gruppe in ihrer wirtschaftlichen Existenz bedrohten oder ihr diese entzogen. Emigration hatte hier den Charakter des Endgültigen. Die Niederlassung erfolgte in Ländern, die die günstigsten Voraussetzungen für den Aufbau einer neuen wirtschaftlichen Existenz boten. Literatursoziologisch relevant ist, daß »fast alle« der diesem Zweig der Gesamtemigration Zugerechneten »den am Buch interessierten Schichten« angehörten. »Ohne dieses Publikum hätten die Emigrationsverlage nicht so schnell mit ihrer Produktion beginnen können, ohne dieses Publikum wären die Werke der exilierten Schriftsteller um einen wichtigen Resonanzboden ärmer gewesen.« (Weiskopf, Himmel, S. 11.)

Daß freilich auch die Gruppe der exilierten Literaten keinesfalls homogen zusammengesetzt war, wurde bereits angedeutet. Selbst in dieser relativ kleinen Gruppe war die Spannweite politischer Grundüberzeugungen so groß wie nur irgend denkbar. Sie reichte von Anarchisten und parteilosen Sozialisten (etwa Theodor Plievier, Adam Scharrer) über Kommunisten (repräsentativ wären Johannes R. Becher und Anna Seghers) zu sozialdemokratischen Autoren (Hermann Wendel); sie umfaßte bürgerliche Liberale wie Thomas und Klaus Mann; Linksliberale und Radikaldemokraten wie Lion Feuchtwanger, Heinrich Mann und Arnold Zweig, die sich unter dem Eindruck des Exils sozialistischen Positionen annäherten bzw. zu Marxisten wurden; sie umfaßte konservative Autoren ebenso wie bürgerliche Individualisten, die sich frei jeder politischen Bindung glaubten (etwa Joseph Roth, Franz Werfel, Hermann Kesten, René Schickele); und sie umfaßte schließlich auch solche Autoren, die wie Bernard von Brentano im Exil eine Sympathie für den Nationalsozialismus entwickelten oder gar wie Ernst Glaeser den Weg »zurück ins Großdeutsche Reich« fanden.

Trotz dieser – scheinstatistischen – »Vielspältigkeit des Exils« ist die Annahme falsch, das politische Spektrum der Weimarer Republik habe im großen und ganzen im Exil ein realitätsgetreues Abbild gefunden. Konservative, monarchistische und reaktionäre Positionen waren im Exil nur vereinzelt besetzt. Die überwältigende Mehrheit der exilierten Schriftsteller stammte aus einem Lager, das – ungeachtet aller weiterer Ausdifferenzierungen – schon zu Weimarer Zeiten als »links« galt. Versuche, das Exil zum Kronzeugen für spätere konservative bis restaurative Tendenzen der deutschen Geschichte zu reklamieren, sind nicht nur unangemessen, sie sind geschichtsfälschend.

Die aus politisch-literarischen Gründen Exilierten haben zu keinem Zeitpunkt des Exils zu einer bruchlosen Einheit gefunden. Ungeachtet aller Differenzen in prinzipiellen Fragen der politischen Theorie (und daraus resultierenden Fragen der literarischen Praxis) gab es jedoch ein gewisses Maß an Gemeinsamkeiten. Ein einigendes Element war ein zunächst nicht näher definierter Begriff von Anti-Faschismus. Gemeinsam war weiterhin die Überzeugung, die Emigration repräsentiere das »andere, bessere Deutschland«. Raum griff in den ersten Jahren des Exils bald auch die Einsicht, bisher gehegte Attitüden der Organisationsfeindlichkeit zu überwinden zugunsten von Formen der Zusammenarbeit auch mit denjenigen, gegen die man bis 1933 erhebliche Vorbehalte gehegt, z. T. gar erbittert bekämpft hatte. Zeugnisse dieser Einigungsbereitschaft und tastender Annäherungsversuche, die in diesen ersten Jahren des Exils vornehmlich zwischen linksliberalen und radikaldemokratischen Literaten einerseits, sozialistischen und kommunistischen Autoren andererseits zu beobachten waren, sind die Reiseberichte, die Klaus Mann (über den I. Allunionskongreß der Sowjetschriftsteller 1934 in Moskau) und Johannes R. Becher (über seine Aktivitäten in verschiedenen außer-sowjetischen Asylzentren) vorgelegt haben.

Generell gilt, daß der Prozeß der Politisierung der Literatur, der bereits im Ausgang der Weimarer Republik auch solche Autoren zu erfassen begonnen hatte, die sich bis dahin als unpolitisch verstanden, durch die Exilation eine rapide Beschleunigung erfuhr. Es gibt nur wenige Autoren, die ihre Vertreibung nicht zu irgendeinem Zeitpunkt des Exils als – wie Thomas Mann es

1939 nannte – »Zwang zur Politik« erfahren haben. Unterschiedlich waren der Zeitpunkt, zu dem und die Intensität, mit der diese Erfahrung gemacht wurde; unterschiedlich waren auch die politischen Schlußfolgerungen, die die einzelnen Autoren aus dieser Erfahrung zogen. Davon unberührt blieb jedoch die Grunderfahrung dieser Schriftsteller, daß ihr Exil das Ergebnis eines eminent politischen Ereignisses war und somit politisches Handeln erforderte.

Die Entwicklung Thomas Manns, der bereits im Verlauf der Weimarer Republik konservativ-reaktionäre Positionen – wie er sie mit den *Betrachtungen eines Unpolitischen* (1918) dokumentiert hatte – zugunsten einer republikanischen Haltung überwand, der sich bis 1936 aller öffentlichen Stellungnahmen zum Nationalsozialismus enthielt und in den Folgejahren dann zu einem entschiedenen Antifaschismus fand (*Deutsche Hörer! Fünfundfünfzig Radiosendungen nach Deutschland*, 1945), ist das augenfälligste Beispiel für diesen Prozeß.

Das Bedürfnis, nach der Immobilität gegen Ende der Weimarer Republik nun um so aktiver mit den noch verbliebenen Möglichkeiten den Sturz des Regimes zu betreiben, war bestimmend für die Jahre bis zum Beginn des Zweiten Weltkriegs. Es äußerte sich zunächst in der Beteiligung einer ungewöhnlich großen Zahl bürgerlicher Autoren an politischen Aktionen, führte aber auch sehr bald zu einer Überprüfung und Neubewertung der bisher geübten literarischen Praxis.

Besonderheiten der literarischen Gattungen unter Exilbedingungen

Die mit der Exilation vollzogene Aufspaltung eines bei aller Widersprüchlichkeit überschaubaren Literaturprozesses in zwei ideologisch wie organisatorisch voneinander getrennte Rumpfliteraturen mußte zwangsläufig zu spezifischen Veränderungen des Literaturbetriebs in den jeweiligen Rumpfliteraturen führen. Derartige Veränderungen lassen sich an der jeweiligen Dominanz bestimmter Kommunikationsformen und Themen festmachen, finden jedoch auch ihren Niederschlag in der gewollten oder aufgezwungenen Präferenz für bestimmte Gattungen.

Bei der Aufschlüsselung des ersten Querido-Programms nach Literaturgattungen wurde bereits deutlich, daß es die Prosaformen – und unter ihnen wiederum die verschiedenen Romanformen – sind, die die Literatur des Exils dominieren. Es scheint, als seien es zum einen Marktgesetzlichkeiten (Publikumsgeschmack, Übersetzbarkeit und damit verbundene Möglichkeiten einer internationalen Verbreitung und Vermarktung etc.), zum anderen aber auch gattungsspezifische Möglichkeiten großflächiger Prosaformen (Möglichkeit des Nachweises von Entwicklungs- und Veränderungsmomenten, panoramatische Darstellungsweise etc.) gewesen, die für jene einseitige bis ausschließliche Bevorzugung der Romanform durch exilierte Autoren und Exilverlage verantwortlich zu machen sind. Festzuhalten bleibt, daß die Gattungen Lyrik und Drama im Exil nicht einmal annäherungsweise die Rolle spielten, die ihnen im Kulturbetrieb der Weimarer Republik noch zugekommen war.

Eine Erklärung dafür ist in den apparativen Bedingungen zu sehen, die eine Literatur im Exil aufbauen und bereitstellen kann.

Zu Recht hat F. C. Weiskopf die Lyriker und Bühnenautoren (neben solchen Autoren, die vor der Vertreibung wenig oder nichts veröffentlicht hatten) als »Sorgenkinder der literarischen Emigration« bezeichnet: »Ein Emigrationsverlag konnte auch in einem Hotelzimmer mit winziger Belegschaft funktionieren ... Die zwei- oder dreitausend ›Konsumenten‹ für das Buch eines verbrannten Autors fanden sich zur Not noch; sie fanden sich im Lauf mehrerer Monate, vielleicht mehrerer Jahre in verschiedenen Ländern, über die alte und neue Welt verstreut. Für eine Aufführung aber brauchte man das Publikum auf einem Fleck und zur gleichen Zeit« (Weiskopf, Himmel, S. 27). Zu ergänzen wäre: und eine Bühne, einen Bühnenapparat, ein Ensemble sowie die für eine Bühnenproduktion nötigen Geldmittel. Das war unter den Bedingungen des Exils nur in Ausnahmefällen möglich. Zu solchen Ausnahmefällen zählen die Erfolge, die Ferdinand Bruckner (mit *Die Rassen*, 1933) und Friedrich Wolf (mit *Professor Mamlock*, 1933) in den ersten Jahren des Exils hatten, die unter völlig anderen Bedingungen Franz Werfel (mit *Der Weg der Verheißung*, 1935, und *Jacobowsky und der Oberst*, 1944) am Broadway hatte. Zu den Ausnahmefällen zählt auch das sogenannte *Engels-Projekt* (benannt nach der Hauptstadt der damaligen Wolga-deutschen Republik), das während der Jahre 1932 bis 1937 exilierten Bühnenkünstlern (u. a. Friedrich Wolf, Gustav von Wangenheim, Erwin Piscator, Maxim Vallentin, Bernhard Reich, Alexander Granach, Carola Neher, Curt Trepte) die Gelegenheit gab, ihre antifaschistische Theaterpraxis in der Sowjetunion fortzusetzen. Zu den Glücksfällen der Exildramatik zählt schließlich auch und vor allem die Praxis des Zürcher Schauspielhauses, das in diesen Jahren – zum großen Teil in Uraufführungen – Stücke von Ferdinand Bruckner (*Die Rassen*, 1933; *Napoleon I*, 1937), Franz Theodor Csokor, Bruno Frank, Curt Goetz, Ödön von Horvath (*Hin und her*, 1933), Georg Kaiser (*Der Soldat Tanaka*, 1940; *Zweimal Amphitryon*, 1943), Else Lasker-Schüler (*Arthur Aronymus und seine Väter*, 1936), Franz Werfel (*In einer Nacht*, 1937; *Jacobowsky und der Oberst*, 1944), Friedrich Wolf (*Professor Mamlock*, 1933) und Carl Zuckmayer (*Bellmann*, 1938) auf die Bühne brachte. Das Zürcher Schauspielhaus besorgte zwischen 1941 und 1943 auch die Uraufführungen der Stücke des damals nach Kalifornien verschlagenen Bertolt Brecht, die dessen Weltruhm begründeten: *Der gute Mensch von Sezuan* (1938), *Mutter Courage und ihre Kinder* (1939), *Das Leben des Galilei* (1938).

Ungeachtet aller widrigen Umstände gibt es eine umfangreiche im Exil entstandene Bühnenliteratur. Die Tatsache, daß für einige dieser Stücke zwischen 1933 und 1945 auch Uraufführungsdaten nachweisbar sind, darf nicht darüber hinwegtäuschen, daß im Prinzip kein exilierter Autor von den Einkünften aus seiner Dramenproduktion seinen Lebensunterhalt bestreiten konnte.

Die Schwierigkeiten der exilierten Dramenautoren waren jedoch nicht nur objektiver Natur, sondern sind vielfach auch auf subjektives Unvermögen zurückzuführen: Stellvertretend zu nennen sind die mangelnde Bereitschaft, sich auf die höchst unterschiedlichen Theatertraditionen und -praktiken der jeweiligen Gastländer einzustellen, und die Ignoranz gegenüber den technischen Möglichkeiten einer Exilbühne. Ein Stück wie Werfels *Jacobowsky und der Oberst* war für Emigrantenensembles aufgrund des erforderlichen Apparats und der Vielzahl vorgeschriebener Rollenfächer praktisch unspielbar. Daß demgegenüber Brecht-Stücke wie *Die Gewehre der Frau Carrar* (1937) und *Furcht und Elend des Dritten Reiches* (1938) auch von Exilbühnen gespielt wurden, verdanken sie mit Sicherheit nicht dem Ansehen ihres Autors oder ihrer unbestrittenen antifaschistischen Qualität, sondern zu einem Gutteil der Einsicht Brechts in das unter Exilbedingungen Machbare. Für *Furcht und Elend* notierte er, es sei so abgefaßt, daß es »unter den ungünstigen Umständen des Exils (...) von winzigen Spieltruppen (den bestehenden Arbeitertruppen) und teilweise (in beliebiger Auswahl der Einzelszenen) gespielt werden kann«. Mit *Was kostet das Eisen* und *Dansen* (beide 1939) hat Brecht diese Linie seiner im Exil entstandenen Bühnenproduktion fortgesetzt. Daneben und danach sind jedoch auch diejenigen Stücke entstanden, von denen er – ungeachtet aller immer wieder aufscheinenden Realisierungsmöglichkeiten – kaum annehmen konnte, sie zu Exilzeiten produzieren zu können. So notierte er, als die Arbeit am *Guten Menschen von Sezuan* ins Stocken geriet, daß es unmöglich sei, »ohne die bühne ein stück fertigzumachen«. ... Selbst für Brecht gilt also letztendlich, daß das Exil für Bühnenautoren eine »inzwischenzeit« war, eine Zeit, in der diejenigen Stücke entstanden, die nach 1945 unversehens »Gegenwartsliteratur« wurden.

»In mir streiten sich / Die Begeisterung über den blühenden Apfelbaum / Und das Entsetzen über die Reden des Anstreichers / Aber nur das zweite / Drängt mich zum Schreibtisch« – so die Schlußverse in einem Brecht-Gedicht, das den Titel trägt *Schlechte Zeit für Lyrik*. In der Tat – das Exil war eine schlechte Zeit für Lyrik, und das nicht nur in dem von Brecht gemeinten Sinne.

Waren die Marktchancen für Lyrik bereits vor 1933 begrenzt, im Exil sanken sie praktisch auf Null. Kontinuierlich verlegt wurden eigentlich nur Johannes R. Becher und Erich Weinert durch die verschiedenen sowjetischen Verlage. In den Programmen der marktwirtschaftlich organisierten Exilverlage blieb die Sparte Lyrik so gut wie unbesetzt. Gelegentliche Publikationsmöglichkeiten boten nur die Exilzeitschriften. So kann es nicht verwundern, daß annähernd 60 % der im Exil entstandenen Lyrikbände erst nach 1945 verlegt wurden. Was vor 1945 publiziert wurde, konnte häufig nur im Selbstverlag oder bei Druckkostenbeteiligung erscheinen. Auf welche Weise materielle Exilbedingungen zum Abreißen von Traditionslinien führen, zeigt sich am Beispiel der Agitations- und Gebrauchslyrik. Das öffentlich-politische Gedicht, bezeichnend für die Weimarer Lyrikentwicklung, war, um die intendierte unmittelbare agitatorische Wirkung zu erzielen, auf Publikationsformen angewiesen, die die traditionelle Buchkultur nur annäherungsweise bieten konnte. Öffentlichkeitsformen wie das Kabarett oder die Revue ließen sich jedoch unter Exilbedingungen ungleich schwerer neu konstituieren als ein Verlagswesen. So erklärt sich, daß dieses Genre sich in den ersten Jahren noch behaupten konnte – von Karl Schnog erschienen 1933/34 »Kampfgedichte« unter dem Titel *Kinnhaken*, von Walter Mehring 1934 »Chansons, Balladen und Legenden« unter dem Titel ... *und euch zum Trotz* –, jedoch immer mehr an Boden verlor. Bei Becher trat dieses Genre stark zurück; gepflegt wurde es schließlich nur noch von Brecht und Weinert.

Formen der literarischen Auseinandersetzung mit dem Faschismus

War das Bild, das sich die literarische Emigration von der außerdeutschen Öffentlichkeit machte, die man über ›den wahren Charakter des Regimes‹ und die daraus resultierende Bedrohung meinte aufklären zu müssen, außerordentlich diffus, so hatte man vergleichsweise klare Vorstellungen hinsichtlich der innerdeutschen Zielgruppen: angesprochen werden sollten neben den bereits illegal tätigen Oppositionellen die Bevölkerungsgruppen, von denen man aufgrund voremigratorischer Erfahrungen glaubte, sie als potentielle Regimegegner oder als solche Parteigänger einstufen zu können, die aufgrund einer sozialschwärmerischen Disposition zu willfährigen Opfern der nationalsozialistischen Demagogie werden konnten. Gerade bei den zuletzt genannten Gruppen glaubte man, daß die Erfahrung der nationalsozialistischen Herrschaftspraxis, gestützt durch eine gezielte Aufklärungsarbeit, zu einer Ernüchterung und Wiedergewinnung der zuvor getrübten Urteilskraft führen würde, die hinreichen müßte, um diese Zielgruppen wenn schon nicht zu Hilfstruppen des Widerstandes, so doch zumindest zu neutralisierten Beobachtern des Zeitgeschehens zu machen.

Aufklärungsliteratur

Es war naheliegend, sich für die selbstgesetzten Aufklärungsaufgaben der traditionellen Informationsformen Dokumentation, Reportage und Erlebnisbericht zu bedienen. Konzentrationslager und Judenverfolgung waren zu Beginn des Exils die dominierenden Themen, von denen man zu Recht annehmen konnte, daß sie bei einer auf Abscheu und moralische Entrüstung abzielenden Darstellungsweise zur Überwindung der gerade im westeuropäischen Ausland verbreiteten unkritischen bis freundlichen Haltung gegenüber dem Regime beitragen würden. Das bekannteste Buch dieses Genres ist der Bericht des Schauspielers und Regisseurs Wolfgang Langhoff (*Die Moorsoldaten*, 1935). Für die zeitgenössische Rezeption bedeutender waren die früher erschienenen Berichte der ehemaligen Reichstagsabgeordneten Hans Beimler (*Im Mörderlager Dachau*, 1933) und Gerhart Seger (*Oranienburg*, 1934). In all diesen Titeln ist ein literarisches Verfahren praktiziert worden, das den Zeitroman des Exils nachhaltig beeinflussen sollte: die Verbindung von nüchterner Information und aggressiver Anklage, die ihre Überzeugungskraft aus der (tatsächlichen oder vorgeblichen) Augenzeugenschaft des Autors bezieht, bei dem die Einheit von Handelndem und Berichtendem zur Autorenhaltung wird.

Thematisch über diesen Rahmen hinaus gehen die an denselben Leserkreis gerichteten, aber mit anderen Mitteln arbeitenden Dokumentationen, die in dem von Willi Münzenberg aufgebauten Kampfverlag Editions du Carrefour erschienen: neben dem legendären *Braunbuch über Reichstagsbrand und Hitlerterror* (2 Bde 1933/34), das in 33 Sprachen übersetzt wurde und eine Gesamtauflage von 600000 Exemplaren erreichte, die von Walter Mehring bearbeitete Biographiensammlung mit dem Titel *Naziführer sehen dich an* (1934), das *Weißbuch über die Erschießungen des 30. Juni 1934* (1934) sowie die Berichte über nationalsozialistische Agententätigkeit im Ausland (*Das braune Netz*, 1935) und die Ausrottung der Juden (*Der gelbe Fleck*, 1936).

Von publizistischer Seite wurden im gleichen Zeitraum erste Versuche unternommen, das Scheitern der Weimarer Republik (Georg Bernhard; *Die deutsche Tragödie*, 1933; Hubertus Friedrich Löwenstein, *Die Tragödie eines Volkes*, 1934; Arthur Rosenberg, *Geschichte der deutschen Republik*, 1935) und den Aufstieg des Nationalsozialismus zu erklären (Konrad Heiden, *Geburt des Dritten Reiches*, 1934; *Adolf Hitler, eine Biographie*, 2 Bde 1936–37; Rudolf Olden, *Hitler der Eroberer*, 1933; *Hindenburg oder der Geist der preußischen Armee*, 1935).

Der Anspruch an die Literatur, handlungsorientierende Aufklärungs- und Informationsfunktionen wahrzunehmen, blieb nicht auf die Dokumentarformen beschränkt; er erstreckte sich gleichermaßen auf die Belletristik. Unter den verschiedenen Prosaformen, deren sich die Exilierten bedient haben, kommt dem Zeitroman eine besondere Bedeutung zu. Im nationalsozialistisch tolerierten bzw. geförderten Roman konnte die Kombination von zeitgeschichtlicher und sozialer Problematik keine Rolle mehr spielen, da sich nach faschistischer Ideologie alle sozialen Fragen mit der Machtübergabe erledigt hatten. Diese Traditionslinie der deutschen Literatur wurde nur im Exil fortgeführt und weiterentwickelt.

Drei große Gruppen von Zeitromanen hat das Exil hervorgebracht. Eine zentrale Stellung nimmt der sich über die Gesamtdauer der Emigration erstreckende Deutschlandroman mit den in den verschiedenen Phasen des Exils entwickelten Varianten ein. Mit fortdauerndem Exil entwickelt sich auch ein spezifischer Exilroman, eine Entwicklung, die Ende der dreißiger, Anfang der vierziger Jahre kulminiert. Eine dritte Form des Zeitromans belegt das internationalistische Moment des antifaschistischen Exils, das am sichtbarsten in der Beteiligung einer großen Zahl von Exilierten am Spanischen Bürgerkrieg zum Ausdruck kommt: die Auseinandersetzung mit dem internationalen Faschismus am Beispiel der zeitgeschichtlichen Brennpunkte außerhalb Deutschlands.

Lion Feuchtwangers *Die Geschwister Oppenheim* ist nicht nur einer der ersten und erfolgreichsten Deutschlandromane überhaupt – er entstand in der Zeit von April bis Oktober 1933 und konnte bereits fünf Monate nach seinem Erscheinen eine internationale Gesamtauflage von 257000, eine deutschsprachige von immerhin 20000 Exemplaren verzeichnen –, er lieferte auch das Grundmuster dieses Genres, an dem sich alle später geschriebenen Deutschlandromane orientieren.

Der Roman behandelt das Schicksal der weitverzweigten großbürgerlich-jüdischen Familie Oppenheim in der Zeit vom November 1932 bis zum Spätsommer 1933. Noch Ende 1932 sind die einzelnen Familienmitglieder nicht geneigt, »einer so blödsinnigen Sache wie der völkischen Bewegung im Ernst Chancen zuzugestehen (...) Man stand auf festem Grund, ausgerüstet mit dem Wissen der Zeit, gesättigt mit dem Geschmack von Jahrhunderten, ein stattliches Bankkonto hinter sich. Man lächelte darüber, daß jetzt das gezähmte Haustier, der Kleinbürger, androhte, zu seiner wölfischen Natur zurückzukehren.« Im Zentrum des Geschehens steht der literarisch interessierte Privatier Gustav Oppenheim, der nach der Machtübergabe ein ›Manifest gegen die zunehmende Barbarisierung des öffentlichen Lebens‹ unterzeichnet hat, seitdem als Gegner des Regimes gilt und Deutschland auf Anraten von Freunden einen Tag nach dem Reichstagsbrand verläßt. Er kehrt noch einmal ins Reich zurück, um Material über die Terrormaßnahmen der Nazis zu sammeln, wird verhaftet, kommt in ein KZ. Kurz nach der durch einflußreiche Freunde erwirkten Freilassung stirbt er an Herzschwäche. Die überlebenden Geschwister lassen sich in den verschiedenen europäischen Zentren nieder und versuchen dort, eine neue Existenz aufzubauen: »Ihre Heimat, ihr Deutschland, hat sich als Betrügerin erwiesen. (...) Man erwog nüchtern, daß man wohl nie mehr werde zurückkehren können; denn wodurch kann diese Herrschaft der Völkischen abgelöst werden als durch Krieg und Jahre des Blutes und der schauerlichsten Revolution? Aber ganz heimlich, gegen ihre Vernunft, hofften sie trotzdem, es werde anders kommen.«

Die Kritik, die der Roman in der Exilpresse gefunden hat, steht in auffallendem Gegensatz zu seinem verlegerischen Erfolg. Speziell von marxistischen Kritikern ist darauf hingewiesen worden, daß das von Feuchtwanger in den *Geschwister Oppenheim* gegebene Bild des faschistischen Deutschland durch die Beschränkung auf das Schicksal einer deutsch-jüdischen Familie eine empfindliche Verkürzung erfährt, daß die »Überbewertung« dieses »winzigen Teilausschnitts aus der deutschen Wirklichkeit« und seine »Losgelöstheit von den entscheidenden ökonomischen Faktoren ein falsches Bild gibt«.

Die Unnachsichtigkeit, mit der hier Feuchtwanger und nach ihm andere Autoren die Beschränkung auf jüdische (und nicht, was im Falle Feuchtwangers näher gelegen hätte, großbürgerliche) Probleme und Lebensbereiche zum Vorwurf gemacht wird, erklärt sich zum Teil aus den Lebenserfahrungen der Zeit. Immer wieder ist in den Erinnerungen der aus politischen Motiven Geflohenen das Mißtrauen und Unverständnis beschrieben worden, mit dem die Behörden der Gastländer dem nichtjüdischen Asylsuchenden begegneten. War man zu Beginn der dreißiger Jahre in den meisten westeuropäischen Asylländern noch bereit, jüdischen Flüchtlingen zumindest die Notwendigkeit der Emigration zu bescheinigen, so begegnete man den politischen Exilierten von vornherein mit jenem »tiefverwurzelten Mißtrauen gegen Individuen, die mit ihren eigenen Behörden nicht auf gutem Fuß stehen«. In (absichtsvoller?) Verkennung von Stellenwert und politischer Funktion des Antisemitismus im Rahmen der nationalsozialistischen Ideologie und Herrschaftspraxis wurden Bedrohung, Verfolgung und Flucht von Regimegegnern in den meisten westeuropäischen Asylländern als Vorgänge betrachtet, von denen ausschließlich Juden betroffen waren. Im Bereich der politischen Theorie führte diese Verkennung der Verhältnisse zu einer die tatsächliche gesellschaftliche Funktion des Faschismus verschleiernden Gleichsetzung von Nationalsozialismus und Antisemitismus – einer Interpretation, die im Exilalltag zumeist zu Lasten der aus politischen Gründen Geflohenen ging. Unausweichlich griff diese Auseinandersetzung auch auf die Versuche der Exilierten über, sich ideologisch zu definieren und organisatorisch zu konstituieren. Bereits im Herbst 1933 erschienen die von Lion Feuchtwanger und Arnold Zweig gemeinsam redigierte Programmschrift *Die Aufgabe des Judentums*, Alfred Döblins Essay *Jüdische Erneuerung* sowie das von Rudolf Olden zusammengestellte und vom Pariser Comité des Délégations Juives herausgegebene »Schwarzbuch« zur Lage der *Juden in Deutschland*. Angesichts dieser publizistischen Situation und der »Riesenversammlungen mehrerer Kontinente« warnte Heinrich Mann, dem man kaum den Vorwurf des Antisemitismus machen kann, 1934 in der *Schule der Emigration* vor einer ausschließlich gegen die Judenverfolgung gerichteten Aufklärungsarbeit der Exilierten, die »diesen Teil der deutschen Emigration wichtiger erscheinen läßt als das Ganze«. Gerade das sollte nicht geschehen, da der »Haß gegen die Juden« weniger kennzeichnend sei für das Dritte Reich als der »viel umfassendere Haß gegen die menschliche Freiheit«! Als Hermann Kesten (vermutlich im Sommer 1933) Anna Seghers aufforderte, für die von ihm besorgte Anthologie *Novellen deutscher Dichter der Gegenwart* (1933) einen Beitrag zu liefern, sagte diese ihm ab mit der Begründung: »Ein Buch aus ausschließlich jüdischen Autoren halte ich gerade jetzt für unrichtig.« Eines der aufschlußreichsten Dokumente, das die Komplexe Deutschtum – Judentum – Emigration im Kontext behandelt, ist der Briefwechsel zwischen Kurt Tucholsky und Arnold Zweig, der Anfang 1936 unter dem Titel *Juden und Deutsche* in der *Neuen Weltbühne* publiziert und im Reich wie in der Emigration gleichermaßen heftig diskutiert wurde. So verständlich und berechtigt die gegen die Themenwahl der *Geschwister Oppenheim* vorgebrachten Argumente vor dem Hintergrund aktueller Erfahrungen sind, sie verstellen den Blick auf die Leistung Feuchtwangers, die strukturellen Möglichkeiten des Genres modellhaft erprobt und Teillösungen aufgewiesen zu haben. Wie spätere Deutschlandromane zeigen, sind es vor allem zwei der von Feuchtwanger durchgespielten Aspekte, die sich als tragfähig erwiesen haben: der gewählte Zeitausschnitt und die gesellschaftliche Repräsentanz anstrebende Figurenkonstellation. Beruflich plaziert Feuchtwanger die einzelnen Mitglieder der Familie Oppenheim so, daß die (von Feuchtwanger offenbar als gesellschaftlich besonders relevant erachteten) Bereiche Kunst, Wissenschaft und Wirtschaft exemplarisch abgedeckt sind. Innerhalb dieser Bereiche ordnet Feuchtwanger jedem Oppenheim – privat oder beruflich – mindestens je einen Vertreter des potentiell antifaschistischen, aber anpassungsbereiten Bürgertums und einen Anhänger der »Völkischen« bei. Auf diese Weise entstehen Gesellschaftsfelder, in denen individuelle und kollektive, standes- und gruppenspezifische Reaktionen auf Zeitereignisse deutlich gemacht werden können.

Der zeitliche Rahmen für die als symptomatisch ausgegebenen Reaktions- und Verhaltensmuster ist mit weniger als einem Jahr relativ eng gezogen, aber auf charakteristische Weise strukturiert. Feuchtwanger unterteilt den Roman in drei Sequenzen, die die Zeit vom November 1932 bis zum 30. Januar 1933, die Wochen zwischen der Ernennung Hitlers zum Reichskanzler und dem Reichstagsbrand sowie die ersten Monate der nationalsozialistischen Terrorherrschaft umfassen und bezeichnenderweise mit »Gestern« – »Heute« – »Morgen« überschrieben sind.

Der Roman gibt weder eine Erklärung für die Massenbasis des Faschismus noch zeigt er eine Perspektive zu dessen Überwindung auf. Statt dessen zeigt er den »Angriff des Kleinbürgers auf die großbürgerlichen Positionen im jüdischen Bereich«. Durch die Gleichsetzung von assimiliertem Judentum und deutschem Großbürgertum gerät die Summation der unangemessenen Verhaltensweisen und Erklärungsversuche aber dennoch zu einer repräsentativen Negativbilanz. In dieser Negativbilanz geht auch die Kritik an dem politischen Aktionismus ein, den viele Autoren nach der Überwindung des Emigrationsschocks an den Tag legten. Am Schicksal des aus dem Exil noch einmal nach Deutschland zurückkehrenden Gustav Oppenheim demonstriert er die Fruchtlosigkeit jener Selbstkritik, die »umzuschlagen droht in eine Negation des Künstlertums überhaupt zugunsten einer tapferen, aber wirkungslosen Protesthaltung«.

In wie starkem Maße das Feuchtwangersche Modell spätere Autoren beeinflußt hat, verdeutlicht ein Vergleich mit Franz Carl Weiskopfs Anfang 1937 erschienenem Einheitsfrontappell *Die Versuchung*. Die drei Teile des die Zeit vom Dezember 1931 bis zum März 1933 umfassenden Romans sind mit plakativen Zwischentiteln versehen, die zugleich der Kennzeichnung der individuellen Entwicklung der Handlungsträger und der Deutung realhistorischer Abläufe dienen sollen: »Aus den Fugen« – »Auf der Suche« – »Der Weg aus der Einsamkeit«. Das soziale Feld, in dem die gesellschaftlichen Widersprüche der Zeit aufgedeckt werden, wird von einer Gruppe von Personen gebildet, die sämtlich soziologisch dem Proletariat angehören, ideologisch jedoch kleinbürgerlich orientiert sind. Die Stellung dieser Personen zum Nationalsozialismus definiert sich durch das jeweilige Maß, in dem es gelingt, verschüttetes Klassenbewußtsein zu reaktivieren. Es sind diese inhaltlichen Umakzentuierungen und daraus abgeleitete politische Perspektiven, die Weiskopfs Roman gegenüber Feuchtwangers *Oppenheim* als das Produkt einer späteren Phase des Exils ausweisen. Festzuhalten bleibt, daß hier wie in anderen Fällen – stellvertretend zu nennen wären Oskar Maria Grafs bedeutender Einheitsfrontroman *Der Abgrund* (russ. 1935, dt. 1936), Ernst Glaesers *Der letzte Zivilist* (1935) und Klaus Manns *Mephisto* (1936); daneben aber auch die ersten publikumswirksamen Exildramen von Ferdinand Bruckner (*Die Rassen*) und Friedrich Wolf (*Professor Mamlock*) – das von Feuchtwanger entworfene Modell für den jeweiligen Aussagezweck adaptiert wurde: das herausragende Zeitereignis (Ernennung Hitlers zum Reichskanzler, Reichstagsbrand) wird zum die Werkanlage strukturierenden Element (Wendepunkt); die Kette der real-historischen Ereignisse wird zum ›roten Faden‹ des Geschehens, an dem die individuellen Reaktionen eines fiktiven Ensembles idealtypischer Figuren festgemacht sind.

Zwei der frühesten Deutschlandromane – Anna Seghers' *Der Kopflohn* (1933) und Adam Scharrers (vor 1933 begonnener und im Prager Exil abgeschlossener Roman) *Maulwürfe* (1933) – behandeln die Auseinandersetzung mit dem Nationalsozialismus im dörflichen Bereich. Während Anna Seghers mit ihrem *Roman aus einem deutschen Dorf im Spätsommer 1932* – so der Untertitel – »eine Querschnittsanalyse der politischen und sozialen Strukturen des Dorfes« liefert, gibt Scharrer »in der fiktiven Autobiographie eines Dorfarmen ... den Längsaufriß der ökonomischen und politischen Klassenkämpfe in einem fränkischen Dorf seit dem Ersten Weltkrieg« (Kaufmann, Bd 10, S. 550 bzw. 494). Auch in seinen späteren Arbeiten (u. a. *Der Hirt von Rauhweiler*, russ. 1933, dt. 1942; *Abenteuer eines Hirtenjungen und andere Dorfgeschichten*, 1935; *Der Landpostbote Zwinkerer*, 1941) behandelt Scharrer dörfliche Sujets – ein Themenbereich, den die Exilliteratur – sieht man einmal ab von den Arbeiten Oskar Maria Grafs (*Der harte Handel*, 1935; *Das Leben meiner Mutter*, engl. 1940, dt. 1947; *Unruhe um einen Friedfertigen*, 1947) sträflich vernachlässigt hat – sträflich deshalb, weil gerade in diesem Bereich die nationalsozialistische Kulturpolitik ihre größten, auf Verdummung und Mystifizierung abzielenden Erfolge verbuchen konnte.

Widerstandsroman und antifaschistischer SA-Roman

Parallel zu dem auch auf spätere Phasen des Exils ausstrahlenden Grundmuster des Deutschland-Romans entwickeln sich zwei ideologisch aufschlußreiche Varianten, die in dieser Ausgeprägtheit nur in der Anfangsphase des Exils vorkommen: der Illegalen- oder Widerstandsroman und der antifaschistische SA-Roman. Das eindrucksvollste literarische Dokument für den Widerstand gegen das sich etablierende faschistische Regime ist Jan Petersens *Unsere Straße* (russ. 1936, engl. 1938, dt. 1947; später in zahlreiche Sprachen übersetzt), eine ›Chronik der Ereignisse‹ (so der Untertitel), die unter vielfachen (im Roman gestalteten) Schwierigkeiten 1933/34 in der Illegalität entstand und in einen Kuchen eingebacken ins Ausland gelangte. Das Buch hat inzwischen eine Weltauflage von 6 Millionen Exemplaren und ist in der Bundesrepublik bislang nicht verlegt worden.

Möglichkeiten und Entwicklungstendenzen dieser Variante des Deutschlandromans lassen sich auf exemplarische Weise an den Büchern des Kommunisten Willi Bredel und des parteilosen Linksliberalen Heinz Liepman aufzeigen. Noch 1933 (das Vorwort ist auf den 10. September datiert) erschien Liepmans *Das Vaterland*, im Herbst 1934 Bredels unmittelbar nach seiner Flucht niedergeschriebener Roman *Die Prüfung*. Beide Texte wurden unmittelbar nach ihrem Erscheinen in zahlreiche Sprachen übersetzt. Während in diesen Texten noch die Beschreibung des erbarmungslosen Terrors überwog, mit dem Gestapo und SA unmittelbar nach der Machtübergabe gegen die Ansätze einer proletarischen Widerstandsbewegung vorgingen, verlagerten sich die Akzente in den nachfolgenden Texten – Liepmans ... *wird mit dem Tode bestraft* (1935) und Bredels *Dein unbekannter Bruder* (1937) – auf Bedingungen und Praxis des Widerstandes sowie das Leben in der Illegalität.

Die Gründe für derartige Akzentverlagerungen liegen in einer sich wandelnden Aufklärungsstrategie: ging es – ähnlich wie bei den KZ-Berichten – zunächst darum, über den inhumanen Charakter des Regimes aufzuklären, so geht es bereits wenig später um die politische Differenz zwischen dem Regime und einer ungeachtet aller anderslautenden Bekundungen intakten Opposition, als deren Sprachrohr man sich verstand. Die Grundhaltung ist bei beiden Autoren kämpferisch-optimistisch. Schauplatz in den erwähnten Texten ist jeweils Hamburg; die verarbeiteten Inhalte sind nahezu identisch. Doch die Übereinstimmung der Autoren endet im Stofflichen. Die Unterschiede, die bei der Bewertung einzelner Widerstandsgruppen und Widerstandsaktionen oder der ihnen zugrunde liegenden politischen Prognostik zutage treten, markieren präzise die politische Differenz, die in dieser Anfangsphase den parteilosen Linksliberalen vom jeweiligen Kurs der KPD trennt. Während Liepman verschiedene Oppositionsgruppen und -formen sowie die potentiellen Möglichkeiten ihrer Zusammenarbeit gestaltet, bleibt Bredel in seiner Perspektivgestaltung weitgehend auf die unmittelbare Umsetzung aktueller KP-Politik beschränkt. Das wird besonders deutlich in dem Roman *Dein unbekannter Bruder*, der in einigen psychologisch kaum motivierten und erzählerisch schwach integrierten Passagen (der Einführung einer an Widerstandsaktionen maßgeblich beteiligten mittelständischen Frauenfigur; dem Bericht von einem konspirativen Treffen zwischen illegal arbeitenden Kommunisten und Sozialdemokraten) wie eine Versifizierung der auf dem »VII. Weltkongreß der kommunistischen Internationale« ausgegebenen Einheitsfrontpolitik wirkt.

Den Dokumentarcharakter, der den Wert dieser Texte ausmacht, haben beide Autoren nicht nur durch ihre Arbeitsweise (Einstreuen präziser geographischer Daten und Verweise auf regional bekannte Personen der Zeitgeschichte), sondern auch in fast identischen Vorworten betont. »Ich habe geschildert«, heißt es bei Bredel, »was ich selbst erlebt und gesehen habe. Einiges erfuhr ich von mir gut bekannten und absolut vertrauenswürdigen Mitgefangenen. Es gibt in diesem Roman keine erfundene Person.« Die entsprechende Passage bei Liepman lautet: »Es gibt in diesem Roman (...) nicht ein Wort, das nicht in meiner Gegenwart gesprochen wurde, nicht einen Menschen, den ich nicht persönlich kannte – nicht eine Tat, die ich nicht mit meinen eigenen Augen gesehen habe (oder die nicht von langjährigen Kameraden, für deren Zuverlässigkeit ich bürge, gesehen und mir berichtet wurde).«

Diese Erklärungen deuten bereits darauf hin, daß sich die Texte vorrangig an ein außerdeutsches Publikum richteten. Liepman hat diese Intention darüber hinaus durch einen erzählerischen Kunstgriff unterstrichen, dessen sich im weiteren Verlauf des Exils verschiedene Autoren bedient haben. Er konstruiert eine Ausgangssituation, die der des mit den innerdeutschen Verhältnissen nur oberflächlich vertrauten Beobachters ähnlich ist: Ende März 1933 kommt ein Fischdampfer, der Hamburg Weihnachten 1932 verlassen hat, in seinen Heimathafen zurück. Diese Rückkehr wird als unvermittelte Begegnung mit einer inzwischen grundlegend veränderten Realität gestaltet, in der die während des Aufenthalts auf See harmonisierten unterschiedlichen politischen Einstellungen der Besatzungsmitglieder schlagartig aufbrechen und unversöhnlich aufeinanderprallen.

Bredel führt demgegenüber ein anderes Erzählmoment ein, das von nun an zum festen Inventar der Faschismuserklärungen KPD-verbundener bzw. -orientierter Autoren werden sollte: das des »Spitzels«. (So auch der Titel einer anderen Prosaarbeit von Bredel aus dieser Phase: *Der Spitzel und andere Erzählungen*, 1936.) Die Effektivität der Arbeit eingeschleuster bzw. nationalsozialistisch korrumpierter Agenten sollte gleichermaßen das Scheitern von Widerstandsaktionen erklären wie die »Säuberungsaktionen« in der Sowjetunion legitimieren.

Nur bedingt an ein außerdeutsches Publikum gerichtet ist der antifaschistische SA-Roman. In seinem Zentrum steht der proletarische SA-Mann, der aufgrund einer Reihe sozialer Merkmale und historischer Mißverständnisse zur NSDAP gestoßen ist und nach der Machtübergabe einen Desillusionierungs- und Erkenntnisprozeß durchläuft, der ihn in zunehmendem Maße in Opposition zum Regime bringt.

Kreiert wurde die Figur des »guten SA-Mannes«, an der die operativen Aspekte der Exilliteratur besonders deutlich werden, von Walter Schönstedt in dessen 1934 – nach einem Vorabdruck in der A-I-Z – gleichzeitig in Basel, Paris, London und Moskau erschienenem Roman *Auf der Flucht erschossen*. Fortgeführt wurde sie u. a. von Georg Born (*Tagebuch des SA-Mannes Willi Schröder*, 1936) und Hans Marchwitza (*Die Uniform*, 1939). Den Anstoß zur Gestaltung einer solchen Figur gaben zum einen voremigratorische Erfahrungen, zum anderen das Eingeständnis, daß »ein bedeutender Teil der werktätigen Massen in Deutschland (...) im Faschismus nicht (...) seinen schlimmsten Feind erkannte«. Zur Erklärung hierfür wurde im Zuge der Einheitsfront-Diskussion nicht mehr allein auf die sozial-faschistische Politik der Sozialdemokratie verwiesen, sondern auch auf die Tatsache, daß der Faschismus »in demagogischer Weise an die brennendsten Nöte und Bedürfnisse der Massen appelliert«. »Warum«, so konnte Dimitroff auf dem VII. Weltkongreß der Kommunistischen Internationale fragen, »spielen sich die deutschen Faschisten (...) vor den Massen als ›Sozialisten‹ auf und stellen ihren Machtantritt als ›Revolution‹ hin? Weil sie bestrebt sind, den Glauben an die Revolution, den Drang zum Sozialismus auszunutzen, der in den Herzen der breiten werktätigen Massen Deutschlands lebt.«

Derartige Einschätzungen hatten – soweit die SA betroffen ist – nach allen bisher bekannt gewordenen Zeugnissen eine reale Grundlage: Die SA hatte nach innerer Struktur und sozialer Zusammensetzung offenbar eine andere Funktion als die NSDAP insgesamt. NS-Programmversprechungen wie »Brechung der Zinsknechtschaft«, »Enteigung der Warenhäuser« ebenso wie die inhaltslosen Schlagworte von der »Schönheit« oder gar dem »Adel der Arbeit« scheinen insbesondere in solchen, dem Nationalsozialismus buchstäblich zugelaufenen Schichten verfangen zu haben, die aufgrund ihrer objektiven Bedürfnisse sich ebensogut antifaschistischen Kampfbündnissen hätten anschließen können. So vermerkte der – aus der KPD ausgeschlossene – Psychoanalytiker Wilhelm Reich Ende 1933, daß gerade in der SA sich »zu einem großen Teil dumpf revolutionär gesinnte, aber gleichzeitig autoritär eingestellte Arbeiter, zum größten Teil Arbeitslose und Jugendliche ohne politische Erfahrung« vereinigt hätten. U. a. berichtet Reich von Gesprächen mit SA-Männern, die auf das entschiedenste geleugnet hätten, »daß Hitler den Kapitalismus vertrete. Man hörte SA-Leute Hitler auf das schwerste drohen, wenn er die Sache der ›Revolution‹ verraten sollte. Man hörte von SA-Leuten, Hitler sei der deutsche Lenin ...«

Hierin sah die antifaschistische SA-Literatur (im Gegensatz zu einer faschistischen Literatur zum gleichen Thema) ihren Ansatzpunkt – zumal derartige Erklärungen für die Massenbasis des Faschismus sich mit jener (allzu) lange gehätschelten Maxime verbinden ließen, die nationalsozialistische Herrschaftspraxis werde zwangsläufig zu einem Linksruck des Proletariats führen. Im Rahmen einer solchen Argumentationsweise, die auch von nicht-kommunistischen Autoren übernommen wurde, bot sich eine Figur wie die des »guten Nazi« geradezu an: der Proletarier, der »an Rassengegensätze glaubt, weil er von Klassengegensätzen nicht genug weiß«, der durch Arbeitslosigkeit und finanzielle Entbehrungen zermürbt aus sozialrevolutionärer Schwärmerei und mangels politischer Aufgeklärtheit zum willfährigen Opfer nationalsozialistischer Demagogie werden kann. Eine solche Figur bot nicht nur die Möglichkeit, sich unmittelbar in dieser Figur mit der Ideologie und der Propaganda des politischen Gegners auseinanderzusetzen; sie bot die Möglichkeit, dem Objekt der Aufklärung modellhaft die Stationen des Desillusionierungs- und Aufklärungsprozesses vorzuführen, das es durchlaufen sollte; und sie bot schließlich die Möglichkeit, dem illegal in Deutschland arbeitenden Genossen eine Art Argumentationsfibel an die Hand zu geben. So gesehen wird die Anziehungskraft deutlich, die diese Kunstfigur gerade auf solche Autoren ausüben mußte, die auf möglichst direkte gesellschaftliche Auswirkungen ihrer Literatur hofften. Die Mehrheit der politisch bewußten Autoren hoffte das.

Daß dieser Kunstfigur dennoch nur eine kurze Lebensdauer beschieden war, lag an der historischen Entwicklung. Im – fälschlicherweise so genannten – Röhm-Putsch vom 30. Juni 1934 entledigte sich das Regime derjenigen Gegner, die ihm nach der Ausschaltung der legalen Opposition und der Zerschlagung der Organisationen der beiden Arbeiterparteien aus dem Konflikt mit seiner eigenen kleinbürgerlichen Massenbasis erwachsen waren. Je mehr sich in der Folgezeit erwies, daß der 30. Juni nicht – wie die Exilierten gehofft hatten – das Signal für die Erhebung der von der Demagogie des Regimes Getäuschten und Betrogenen war, desto unglaubwürdiger wurde die Figur des »guten SA-Mannes« in seiner ursprünglichen Konzeption. Es spricht jedoch für die Zählebigkeit der an diese Figur geknüpften Hoffnungen, daß die Figur keineswegs aufgegeben, sondern lediglich umfunktioniert wurde. In einer großen Zahl von Deutschland-Romanen taucht sie nun als eine ein Seitenmotiv einbringende Nebenfigur auf: so als Klaus Karger (in F. C. Weiskopfs *Die Versuchung*), Hans Miklas (in Klaus Manns *Mephisto*), Gustav Deisen (in Willi Bredels *Dein unbekannter Bruder*), Adolf Demel (in Adam Scharrers *Familie Schuhmann*), Stefan Böhmer (im Vorwort von Friedrich Alexans *Im Schützengraben der Heimat*) oder Dr. Käte Neumeier (in Arnold Zweigs *Das Beil von Wandsbek*). Am deutlichsten stellt Alexan den Zusammenhang heraus, der zwischen dem Röhm-Putsch und der veränderten Konzeption der Figur besteht: sein SA-Mann Stefan Böhmer wird am 30. Juni 1934 erschossen. Am weitestgehenden haben Klaus Mann und F. C. Weiskopf das Motiv umgestaltet: ihre »guten SA-Männer« werden bereits am 30. Januar 1933 (Weiskopf) bzw. im Verlauf des Jahres 1933 liquidiert – die Figur, die einmal die Hoffnungen der Exilierten auf eine baldige innerparteiliche Revolution verkörperte, wurde nun zum Beweis dafür, daß derartige Hoffnungen nicht prinzipiell falsch waren: die erhoffte Revolution blieb aus, weil ihre präsumtiven Träger bereits liquidiert waren.

In Klaus Manns *Mephisto* wurde nicht nur der »gute Nazi« zur Nebenfigur; zur Nebenfigur wurde auch der »Illegale«: die eigenständigen Varianten des Deutschlandromans der ersten Phase wurden zu den Randfiguren des Deutschlandromans der zweiten Phase. Die kompositorische Verschiebung ist formaler Ausdruck für eine realistischere Einschätzung des tatsächlichen Kräfteverhältnisses.

Auseinandersetzung mit dem internationalen Faschismus

»... die über die Barbarei jammern, die von der Barbarei kommt, gleichen Leuten, die ihren Anteil vom Kalb essen wollen, aber das Kalb soll nicht geschlachtet werden. Sie wollen das Kalb essen, aber das Blut nicht sehen. Sie sind zufriedenzustellen, wenn der Metzger die Hände wäscht, bevor er das Fleisch aufträgt.« Diese Ermahnung Brechts (in: *Fünf Schwierigkeiten beim Schreiben der Wahrheit*, 1935) an seine Schriftstellerkollegen, den Faschismus nicht als spezifisch deutsches, sondern als internationales Problem klassengespaltener, kapitalistisch organisierter Gesellschaften zu begreifen, ermangelte sicher nicht des Anlasses. Dessenungeachtet gab es bedeutende Teile des literarischen Exils, die sich in ihrem literarischen Schaffen – und sei es auch nur zwischenzeitlich – auf diesen Aspekt konzentriert haben.

Erste historische Anlässe dafür boten der Februaraufstand österreichischer Arbeiter gegen das klerikal-faschistische Dollfuß-Regime zu Beginn des Jahres 1934 und die Saarabstimmung am 13. Januar 1935. Das österreichische Debakel – eine mit Verzögerungen inszenierte Parallele zum Versagen der Arbeiterparteien in Deutschland – haben Anna Seghers (*Der Weg durch den Februar*, 1935; *Der letzte Weg des Koloman Wallisch*, 1936), Oskar Maria Graf (im zweiten Torso seines Einheitsfrontromans *Der Abgrund*, 1936) und Friedrich Wolf in seinem Drama *Floridsdorf* (1934) literarisch verarbeitet. Der Saarkampf war für die Exilierten von besonderer Bedeutung. In einer Abstimmung sollte die durch den Versailler Vertrag auf 15 Jahre vom Deutschen Reich gelöste und dem Völkerbund unterstellte Saarbevölkerung über ihre weitere Zukunft entscheiden: zurück an das inzwischen offen faschistisch gewordene Deutschland – Angliederung an Frankreich – Beibehaltung des Status quo. Der Bedeutung dieser Abstimmung entsprechend war das literarisch-publizistische Engagement der Exilierten. Für den Saarkampf, in den er noch selbst eingreifen konnte, schrieb Erich Weinert die *Bänkelballade vom Kaiser Nero*, schrieben Gustav Regler (*Im Kreuzfeuer*, 1934) und Theodor Balk (*Hier spricht die Saar*, 1934) Reportageromane. 90,8 % der Saarbevölkerung entschieden sich am 13.1.1935 für die Angliederung des Saarlandes an das Deutsche Reich. Die Exilierten und ihre Presseorgane hatten ein völlig anderes Wahlergebnis prognostiziert. Sie hatten damit nicht nur zum erstenmal ein ideologisches Gefecht und einen literarischen Markt verloren. Verloren hatten sie auch einen wesentlichen Umschlagplatz antifaschistischer Aufklärungsliteratur: über die Saar war ein Großteil der bis dahin entstandenen antifaschistischen Literatur legal ins Reich gelangt, u. a. das erwähnte *Bänkellied* von Erich Weinert, das als illegales Flugblatt in Deutschland vertrieben wurde und Weinert von nazistischer Seite eine Klage beim Völkerbund einbrachte.

Das Ergebnis der Saarabstimmung machte manche aus psychohygienischen Gründen gehätschelten oder aus Gründen der Theoriegläubigkeit gehegten Hoffnungen zunichte. Insgesamt leitete es über zu einer illusionsärmeren Phase der Exilliteratur.

1935–1939:
Bemühungen um eine literarische Volksfront

Lebens- und Arbeitsbedingungen exilierter Schriftsteller

Die zweite Phase des Exils ist zunächst und vor allem eine Zeit der Ernüchterung. Ausbürgerungen, zunächst als Adelsprädikate verstanden, wurden nun in ihren Konsequenzen für die Betroffenen erkannt; materielle und juristische Schwierigkeiten, anfänglich gering geschätzt, begannen sich auszuwirken.

Zu den bitteren Erfahrungen, die nahezu jeder Emigrant in dieser Zeit machen mußte, gehörte die Welle von Unverständnis, die ihm in der vermeintlich freien Welt entgegenschlug. »Die meisten Leute schauten uns schief an«, erinnert sich Klaus Mann, »nicht weil wir Deutsche waren, sondern weil wir Deutschland verlassen hatten. So etwas tut man nicht, nach Ansicht der meisten Leute. Ein anständiger Mensch hält zu seinem Vaterland, gleichgültig wer dort regiert. Wer sich gegen die legitime Macht stellt, wird suspekt, ein Querulant (...)« Mit Befremden mußten die Flüchtlinge feststellen, daß breite Teile der öffentlichen Meinung in den westlichen Asylländern die Verhältnisse in Deutschland bei weitem nicht so negativ beurteilten wie sie selbst. Schlimmer noch: bestimmte Kreise und Schichten in Westeuropa verfolgten die Entwicklung in Deutschland mit unverhohlener Sympathie: Hitler-Deutschland schien ihnen ein wirksames Bollwerk gegen den Bolschewismus; Hitler hatte getan, was nicht wenige von ihren eigenen Regierungen erwarteten.

Der volle Umfang dessen, was Exil bedeutet, erschloß sich der Mehrzahl der Exilierten freilich erst, als sie zur Regelung ihres rechtlichen Status bei den Behörden ihrer Gastländer einkommen mußten. Die Fremdengesetze fast aller Staaten orientierten sich am Normalfall des reisenden oder Niederlassung und Arbeit begehrenden Ausländers. Auf den Extremfall des politischen Flüchtlings oder des Vertriebenen waren sie in der Regel nicht zugeschnitten. In den Fremdengesetzen einiger Staaten war die Kategorie des politischen Flüchtlings nicht einmal vorgesehen.

Zu juristischen gesellten sich allgemeinpolitische und ökonomische Beeinträchtigungen. Die Weltwirtschaftskrise hatte in allen potentiellen Aufnahmeländern zu stark belasteten, oft defizitären Staatshaushalten, hohen Arbeitslosenziffern und einer rapide geschwundenen Massenkaufkraft geführt. Die unmittelbare Folge dieser wirtschaftlichen Situation war, daß diejenigen Regierungen, die nicht ohnehin ein generelles Arbeitsverbot für Ausländer verfügt hatten, sich nunmehr – zumeist auf den innenpolitischen Druck interessierter Gruppen – zu einem solchen Verbot entschlossen. So unterlagen die Exilierten in Schweden einem Fremdengesetz, von dem es ausdrücklich hieß, es solle »den Arbeitsmarkt vor allzu großer ausländischer Konkurrenz schützen und eine Überfremdung Schwedens und der schwedischen Rasse [!] verhüten«. Für die Schweiz hieß es entsprechend, daß bei der Erteilung von Aufenthaltsbewilligungen »die geistigen und wirtschaftlichen Interessen sowie der Grad der Überfremdung des Landes zu berücksichtigen«, des weiteren, daß Ausländer, »die durch ihr Verhalten Anlaß zur Beunruhigung im Inneren oder zur Störung der Beziehungen zu einem anderen Land gäben, sofort wegzuweisen« seien. Bedenkt man, daß letztendlich jeder deutsche Regimegegner allein durch seine Anwesenheit in der Schweiz ein Anlaß zur Störung der Beziehungen zu einem gewissen anderen Land war, so fällt es nicht schwer, sich die Asylpraxis auszumalen.

Zu derartigen innenpolitischen Erwägungen gesellten sich außenwirtschaftliche. Nur wenige Staaten waren bereit, ihre – zum Teil beträchtlichen – wirtschaftlichen Beziehungen zum Deutschen Reich einer Handvoll recht- und mittelloser Emigranten zuliebe zu belasten. Hinzu kam, daß das Deutsche Reich nichts unterließ, um sich vor allem seine kleineren Nachbarländer politisch und wirtschaftlich gefügig zu machen.

Vor diesem Hintergrund sind die konkreten Schwierigkeiten der Exilierten zu sehen: Paßprobleme und finanzielle Sorgen, von den daraus resultierenden oder allgemein durch den Exilstatus bedingten psychischen Nöten ganz zu schweigen.

Paßprobleme hatte früher oder später jeder Exilierte: selbst wer noch im Januar 1933 – so der Idealfall – seine Dokumente um die zulässigen fünf Jahre hatte verlängern lassen, war spätestens 1938 ohne gültige Papiere. Die aus diesem Zustand erwachsenden Erfahrungen thematisierte Bertolt Brecht in seinen 1940/41 entstandenen *Flüchtlingsgesprächen*:

»Der Paß ist der edelste Teil von einem Menschen. Er kommt auch nicht auf so einfache Weise zustande wie ein Mensch. Ein Mensch kann überall zustandekommen, auf die leichtsinnigste Art und ohne gescheiten Grund, aber ein Paß niemals. Dafür wird er auch anerkannt, wenn er gut ist, während ein Mensch noch so gut sein kann und doch nicht anerkannt wird.«

Ein Bild von den Einkünften, die ein exilierter Schriftsteller aus seiner literarischen Tätigkeit haben konnte, kann man sich unschwer machen, vergegenwärtigt man sich, daß ein im Exil verlegtes Werk in der Regel in einer Auflage von nur 3000 Exemplaren erschien; daß die *Sammlung* pro Manuskriptseite 12 ffrs zahlte (nach dem damaligen Wechselkurs etwa 2 Mark). Die Einkünfte aus Veröffentlichungen in Deutschland (ein Teil der exilierten Autoren hat diese anfänglich noch gehabt), aus Lesungen, Vorträgen oder Vortragsreisen, aus Veröffentlichungen in Exilverlagen und in der Exilpresse gingen in dem Maße zurück, in dem im Zuge der »friedlichen« Expansion des Deutschen Reiches die Märkte für deutschsprachige antifaschistische Literatur schrumpften.

Im August 1935 erschienen die letzten Hefte der *Sammlung* und der *Neuen Deutschen Blätter* und hinterließen eine Lücke, die die *Internationale Literatur*, die *Neue Weltbühne* und das *Neue Tagebuch* mit ihren kulturellen Teilen nicht schließen konnten – auf den ersten Blick ein historisch lokalisierbares ökonomisches und psychologisches Problem des antifaschistischen Exils. Die Bedeutung dieser Zeitschrifteneinstellungen wird jedoch erst abschätzbar, bedenkt man, welche Rolle Zeitschriften für eine exilierte Literatur spielen.

Generell gilt, daß sich Kommunikationsprobleme von politisch, sozial oder rechtlich diskriminierten Minderheiten einer Gesellschaft durch die Exilation solcher Minderheiten potenzieren. Die räumliche Versprengtheit der Hitlergegner, die geographische Dezentralisation des antifaschistischen Exils – es gibt keinen Erdteil und kaum ein größeres Land, in dem zwischen 1933 und 1945 nicht einige der aus Deutschland Vertriebenen Asyl gefunden haben – war kaum geeignet, derartige Kommunikationsprobleme abzubauen. Zwar haben sich zwischen 1933 und 1945 immer wieder – und immer wieder wechselnde – geographische Schwerpunkte der Emigration herausgebildet, bei denen es sich jedoch mehr um transitorische Provisorien als um echte Zentren gehandelt hat. Eingedenk dieser Tatsache wird die Bedeutung klar, die die antifaschistische Exilpresse gehabt hat: »Sie war das seinerzeit beinahe einzig geeignete Mittel, dem Auseinanderbrechen politischer Gruppen wie der Isolation von einzelnen entgegenzuwirken. Zeitschriften konnten die von den politischen und materiellen Verhältnissen erzwungene räumliche Trennung überwinden. Ihnen gelang es – wenn auch kaum nach außen, so doch mit beachtlichem Erfolg innerhalb der Emigration –, Öffentlichkeit zu bewahren oder wiederherzustellen. Sie waren (...) in weit stärkerem Maße als in ›normalen‹ Zeiten Instrumente der Selbstverständigung und der Willensbildung (...) Sie wirkten als stabilisierendes Element, als geistige Klammer (...)« (Walter, Exilpresse, S. 1 f.) Prag, Paris, Moskau oder Sanary-sur-Mer mögen zwischenzeitlich Sammelpunkte exilierter Autoren gewesen sein – die eigentlichen, wenngleich ›imaginären‹, Zentren der antifaschistischen Literatur waren ihre Zeitschriften.

Daß insbesondere dieser Bereich in den Jahren 1935–1939 vielfache Ent- und Ermutigungen erfuhr, mußte zu Desillusionierungen führen. Je nach psychischer Disposition und dem Grad politischer Bewußtheit konnte der Desillusionierungsprozeß, den die Exilierten in dieser Zeit durchliefen, zu politischer Aktivität oder zur Resignation, zu Konversionen oder zum Selbstmord führen. Für die Mehrzahl der Exilierten führte er jedoch zunächst zu einer angemesseneren Beurteilung der politischen und individuellen Situation und – darauf aufbauend – zur Entwicklung höchst unterschiedlicher Strategien. Waren die ersten Jahre des Exils eine Zeit der Politisierung, so ist die zweite Phase eine Zeit der Polarisierung.

Bevor sich die Zentrifugalkraft dieses Prozesses auszuwirken begann, kam es zu einer – freilich nur kurzen – Phase weitreichender Toleranz und Gemeinsamkeit unter den Exilierten. Ungeachtet aller Rückschläge, die dazu verführen mögen, die Geschichte dieses Exils – wie die Geschichte aller anderen antifaschistischen Bewegungen des 20. Jahrhunderts – als eine nicht enden wollende Kette von Niederlagen zu lesen, sind die Jahre 1935–39 ein Glanzpunkt antikapitalistisch-demokratischer Tradition deutschsprachigen Ursprungs. Keineswegs zufällig entstanden in dieser Zeit einige der bemerkenswertesten Arbeiten der Exilliteratur. Ebenso sichtbare Resultate dieser Zeit sind die drei Internationalen Schriftstellerkongresse zur Verteidigung der Kultur, die 1935 in Paris, 1937 in Valencia, Madrid, Barcelona und Paris, und 1938 wiederum in Paris stattfanden; die seit dem Herbst 1935 laufenden Bemühungen des (nach dem Tagungsort, einem Pariser Hotel, so genannten) »Lutetia-Kreises«, die im Juni 1936 zur Konstituierung eines Ausschusses zur Vorbereitung einer deutschen Volksfront führten; sowie die Gründung der von Bertolt Brecht, Willi Bredel und Lion Feuchtwanger herausgegebenen, von Moskau aus verlegten Zeitschrift *Das Wort.* Im Juli 1936 erschien das erste Heft der Monatsschrift, mit der die Exilliteratur nun wieder ein spezifisch literarischen Interessen und Belangen gewidmetes Diskussionsforum für die Einigungsbemühungen der literarischen Emigration hatte. Nahezu alle namhaften Emigranten haben im *Wort* publiziert, das zutreffend als ein »Kind der Volksfront« charakterisiert worden ist.

Die Notwendigkeit zur Einigung ist von kaum einem Exilierten je ernsthaft bestritten und früh von verschiedenen Seiten publizistisch eingeklagt worden. So hatte etwa Alfred Kantorowicz bereits 1933 aufgefordert: *Organisiert die Emigration,* hatte 1934 Heinrich Mann zur *Sammlung der Kräfte* aufgerufen. 1935 schrieb Klaus Mann *An unserer Einigkeit könnte der Faschismus sterben,* forderte Kurt Hiller *Emigranten, vereinigt Euch!* Wesentliche Impulse für die Einigungsbemühungen waren vom I. Allunionskongreß der Sowjetschriftsteller ausgegangen, der im August 1934 Fragen der Bündnispolitik, des Humanismus und des Erbes behandelt hatte. Zeichen setzte Johannes R. Becher mit seiner programmatischen Rede *Das große Bündnis.* Die Tatsache, daß auch nicht-kommunistische Autoren wie Oskar Maria Graf, Klaus Mann und Ernst Toller an diesem Kongreß teilnahmen, sowie die Einschätzung, die Heinrich Mann in der Rede Bechers zuteil wurde, demonstrieren schlaglichtartig, in welcher Weise sich das Klima zwischen proletarisch-revolutionären und bürgerlichen Autoren seit der Endphase der Weimarer Republik verändert hatte. Noch im Frühjahr 1932 hatte Becher Heinrich Mann, der zur Wiederwahl Hindenburgs aufgerufen hatte, in der *Linkskurve* als einen »verstockten Festhalter« beschimpft, einen »Anpasser und Anklammerer, der sich zwar freiheitlich schminkt, wenn es die Gelegenheit erfordert, dem aber die Freiheit nur noch als Phrase an der Oberfläche anklebt«. Zweieinhalb Jahre später verkündete Becher:

›»Heinrich Mann hat angesichts des Grauenhaften, das der Nationalsozialismus über Deutschland gebracht hat, die Feder des Romanciers mit der des politischen Streiters vertauscht. Er hat mit manchem klaren und kühnen Wort festgestellt, daß die Hitlerdiktatur aus den Eingeweiden der bürgerlichen Republik selbst hervorgewachsen ist. Er hat erklärt, daß der Kommunismus das Wirkliche sei, das sich Bahn breche durch den Schwindel der Hitlerei. Das sind Worte, die in die Waagschale fallen, Worte der echten Vernunft, Worte eines tiefen Ernstes.«

Heinrich Mann wurde in der Folgezeit zur Zentralfigur der Volksfrontbewegung, die Propagierung der Volksfrontpolitik zum zentralen Inhalt seines publizistischen Schaffens dieser Jahre.

Im politischen Bereich hatten von kommunistischer Seite die Beschlüsse des VII. Weltkongresses der Komintern (25. 7. – 20. 8. 1935) und der sogenannten Brüsseler Konferenz der KPD vom Oktober desselben Jahres den Weg zu Einigungsbemühungen frei gemacht. Die Sozialdemokratie verhielt sich zögernd. Dennoch konnte der »Lutetia-Kreis« seine Arbeit aufnehmen, kam es im Dezember 1935 zu einem ersten gemeinsamen Aufruf an das deutsche Volk, der von 16 Sozialdemokraten, 16 Kommunisten, 10 SAP-Mitgliedern und 30 unabhängigen Persönlichkeiten unterschrieben wurde, darunter die Schriftsteller Johannes R. Becher, Ernst Bloch, Lion Feuchtwanger, Egon Erwin Kisch, Heinrich Mann, Ernst Toller, Bodo Uhse und Arnold Zweig. Auf einer ersten großen Volksfronttagung deutscher Antifaschisten am 2. Februar 1936 verfaßten 118 Vertreter der verschiedenen Oppositionsgruppen das Manifest *An Alle*. Am 9. Juni 1936 konstituierte sich unter dem Vorsitz Heinrich Manns der vorbereitende Ausschuß zur Schaffung einer deutschen Volksfront.

Wenn die Arbeit im Volksfrontausschuß dennoch bereits im Sommer 1937 als praktisch gescheitert gelten muß, so lag das an der fehlenden Aktionseinheit der beiden großen Arbeiterparteien, die die Ausschußtätigkeit zunehmend gelähmt hatte. Schon Ende 1936 hatte Leopold Schwarzschild, der Herausgeber des *Neuen Tagebuchs*, seine *Lehren aus einer Erfahrung* gezogen: »... die Idee, alte, vorhandene Gruppen zu addieren und dadurch zu mehr zu gelangen als jede für sich allein darstellt, [hat] sich als illusorisch erwiesen. Die Addition gab nicht mehr, sondern noch weniger als die einzelnen Teile.« Führende Sozialdemokraten verkündeten gar, Ziel des Kampfes könne »nicht die Einheitsfront mit Kommunisten sein, sondern die Liquidierung der kommunistischen Parteien in West- und Zentraleuropa«.

Ein Wiederaufleben zwischenzeitlich zurückgestellter Vorbehalte gegen eine Zusammenarbeit mit Kommunisten gab es auch bei bürgerlichen Autoren, ausgelöst in diesem Fall durch die 1936 beginnenden Moskauer Prozesse und die daraus resultierenden »Säuberungen«.

Die Moskauer Prozesse wirkten sich fatal, der deutsch-sowjetische Nichtangriffspakt vom August 1939 letal auf die Einheitsfrontbemühungen aus. Daß die Zahl der offenen Brüche mit den von der kommunistischen Partei beherrschten Organisationen dennoch zunächst begrenzt blieb, ist auf den solidarisierenden Effekt zurückzuführen, den der Spanische Bürgerkrieg, die deutschen Annexionen und der Kriegsbeginn unter den Antifaschisten auslösten.

Zeitgeschichte oder historischer Stoff?

Das Nebeneinander von zeitgeschichtlichen und historischen Stoffen ist das Kennzeichen der Literatur in der zweiten Phase des Exils. Zwar hatte es von Beginn des Exils an historische Romane gegeben, doch erreichte die Frage nach dem Wert und den Möglichkeiten des Genres im Rahmen einer antifaschistischen Literaturkonzeption erst jetzt die Bedeutung, die zu der bekannten, neben der Realismusdebatte bedeutendsten, literaturtheoretischen Diskussion führte.

Die zeitgenössische Einschätzung des Verhältnisses von historischem und Zeitroman macht eine polemische Anmerkung Kurt Kerstens aus dem Jahre 1937 deutlich:

»Zahlreiche emigrierte Schriftsteller zweifeln an ihrem Können, Menschen und Dinge zu schildern, die sie nicht mit eigenen Augen sehen, erleben, verfolgen konnten; sie vertrauen ihrer Phantasie nicht genug, um Gehörtes, Gelesenes gestalten zu können, und gehen wohl auch aus anderen Gründen der Aufgabe aus dem Wege, Vorgänge im Dritten Reich zu schildern. Der historische Stoff hat manchen die rettende Insel gewiesen, auf der sie vor ihrer Aufgabe, aber auch vor sich selbst eine Zuflucht suchten (...) Es bleibt ein Verdienst proletarisch-revolutionärer Schriftsteller, nicht auf Umwegen sich der Zeit zu nähern, sondern den Gegner auf seinem Kampfplatz aufzusuchen.«

Die von Kersten erwähnten Schwierigkeiten, einen Deutschlandroman zu schreiben, sind zweifellos ebenso zutreffend benannt wie das poetologische Verfahren zur Überwindung solcher Schwierigkeiten. Die beiden bedeutendsten Deutschland-Romane dieser Phase – Anna Seghers' *Das siebte Kreuz* (1942; entst. 1937–39) und Arnold Zweigs *Das Beil von Wandsbek* (1947; entst. 1938–43) – sind auf diese Weise entstanden: in ihnen wurde Gehörtes und Angelesenes beispielhaft mit politischer Theorie verbunden. Richtig ist auch, daß das historische Genre ab Mitte der dreißiger Jahre von einer immer größer werdenden Zahl von Autoren benutzt wurde und daß die Entscheidung, einen historischen Stoff zu verarbeiten, häufig – wenn auch nicht notwendigerweise – etwas mit den von Kersten angesprochenen Selbstzweifeln zu tun hatte. Richtig ist schließlich auch, daß die Möglichkeiten des Deutschlandromans primär von marxistischen (oder dem Marxismus nahestehenden) Autoren genutzt wurden, während der historische Roman, von wenigen Ausnahmen abgesehen, die Domäne nichtmarxistischer Autoren war. Fragwürdig ist demgegenüber jedoch, historische Dichtung und Deutschlandroman als einander ausschließende Möglichkeiten antifaschistischer Literatur gegeneinander auszuspielen, wobei die direkte Auseinandersetzung mit dem Faschismus im Zeitstoff prinzipiell höher bewertet wird als der Versuch, antifaschistisches Bewußtsein über den Geschichtsstoff zu vermitteln.

Einer der Gründe für die Leichtfertigkeit, mit der die das historische Genre pflegenden Autoren des Ausweichens vor der Realität bezichtigt oder gar der Flucht angeklagt wurden und werden, ist darin zu sehen, daß die sich mit fortdauerndem Exil potenzierenden Schwierigkeiten, eine glaubwürdige, gangbare Perspektiven des Handelns aufzeigende Darstellung des nationalsozialistischen Alltags zu schreiben, häufig allzu gering angesetzt wurden. Zahlreiche Autoren haben diese Schwierigkeiten erkannt und bewußt auf den Deutschlandroman verzichtet. So notierte etwa die erst im Frühjahr 1936 geflohene Irmgard Keun über ihre ersten Monate im Exil, in denen der die kleinbürgerlichen Aspekte in Ideologie und Anhängerschaft der Nationalsozialisten entlarvende Roman *Nach Mitternacht* (1937) entstand:

»Deutschland und seine Menschen wurden mir immer ferner und blasser. Noch verband mich mein Buch (...) mit dem Leben in Deutschland. Bald würde es fertig sein. Und dann? Was würde ich dann schreiben? (...) Noch einen Roman konnte ich nicht mehr darüber schreiben. Von nun an kannte ich es ja auch nicht mehr aus eigenem Erleben.«

Daß es sich dabei keineswegs ausschließlich um Reaktionen »bürgerlicher« Autoren handelte, sondern um sehr konkrete Probleme, belegt eine Bemerkung Fritz Erpenbecks:

»In der ersten Zeit der Emigration schrieb ich für den Verlag für fremdsprachige Literatur [in Moskau – J. H.] Kurzgeschichten. Das habe ich aber allmählich gelassen, weil ich mit Schrecken merkte, daß man, wenn man weit weg vom Ort des Geschehens ist, bei der Darstellung der spezifischen Verhältnisse an Kleinigkeiten scheitert, Fehler macht, die das Ganze unglaubwürdig machen.«

Betrachtet man unter diesen Aspekten die bereits erwähnten Deutschlandromane von Bredel, Liepman, Klaus Mann, Scharrer und Weiskopf, so stellt man fest, daß alle diese Texte hinsichtlich des in ihnen behandelten Zeitraums gar nicht oder nur unwesentlich über den Zeitpunkt hinausgehen, zu dem ihre Autoren Deutschland verlassen mußten. Ähnlich ist es mit einer ganzen Reihe inhaltlicher wie formaler Elemente, deren Verwendung sich weniger aus strukturellen Erwägungen als durch die Biographie des Autors erklärt. Am deutlichsten wird das in Klaus Manns *Mephisto* (1936), mit dem in der Gestalt des Hendrik Höfgen der ›Typus des Mitläufers‹ gegeißelt werden soll, und den man aufgrund der Tatsache, daß Höfgen über weite Strecken nur wenig verhüllt die Züge des Schauspielers Gustaf Gründgens trägt, als einen Schlüsselroman bezeichnet hat. Mann hat das mit der einleuchtenden Begründung zurückgewiesen: »Als Exempel hätte mir genausogut ein anderer dienen können. Meine Wahl fiel auf Gründgens ... weil ich ihn zufällig besonders genau kannte.« Es kann geradezu als Gesetzmäßigkeit gelten, daß sich die Autoren mit fortdauerndem Exil in zunehmendem Maße an das klammerten, was sie ›besonders genau kennen‹. Hier liegt einer der Gründe für die stark autofiktiven Züge der Exilliteratur.

Der historische Roman

Es gibt Autoren (etwa Alfred Neumann und Stefan Zweig; mit Einschränkungen wäre auch Lion Feuchtwanger zu nennen), für die nicht auszuschließen ist, daß sie mit ihren im Exil geschriebenen historischen Romanen vor allem an Bucherfolge anschließen wollten, die ihnen bereits vor 1933 zu einem ebenso zahlenstarken wie zahlungskräftigen internationalen Lesepublikum verholfen hatten.

Es gibt eine Reihe bedeutender, im Exil fertiggestellter historischer Romane, die auf voremigratorischen Vorarbeiten und Konzeptionen beruhen; zu nennen wären Heinrich Manns *Henri Quatre* (1932/38), Thomas Manns Tetralogie *Joseph und seine Brüder* (1933/34/36/43) sowie Lion Feuchtwangers *Josephus-Trilogie* (1932/35/45).

Daraus freilich zu folgern, die historischen Romane des Exils seien letztendlich nur die Fortsetzung einer bereits vor 1933 gutverkäuflichen Schreibtradition und somit den zeitgleich in der sogenannten ›Inneren Emigration‹ entstandenen Historienwerken vergleichbar, führt zu Verzeichnungen des literaturhistorischen Prozesses.

Gerade die mehrbändigen historischen Werke von Lion Feuchtwanger und Heinrich und Thomas Mann, deren Eröffnungsbände noch vor 1933 – im Falle Thomas Manns: auch noch danach – in Deutschland erschienen sind, erfuhren im Exil Veränderungen, die ohne das Zeit- und Exilerlebnis ihrer Autoren nicht erklärbar sind. Alfred Döblin hat 1936 in *Der historische Roman und wir* (das »wir« meint die Emigration – J. H.) versucht, das literaturhistorische Phänomen aus seinen sozialhistorischen Besonderheiten zu erklären:

»(...) wo bei Schriftstellern die Emigration ist, ist auch gern der historische Roman. Begreiflicherweise, denn abgesehen vom Mangel an Gegenwart, ist da der Wunsch, seine historischen Parallelen zu finden, sich historisch zu lokalisieren, zu rechtfertigen, die Notwendigkeit, sich zu besinnen, die Neigung, sich zu trösten und wenigstens imaginär zu rächen.«

Döblin hat in dieser Passage die meisten der Motive benannt, die einen Schriftsteller im Exil bewegen können, sich dem historischen Genre zuzuwenden. Eine Erklärung dafür jedoch, warum gerade in dieser Phase des Exils die Mehrzahl der historischen Romane und Biographien mit negativen Hauptfiguren geschrieben wurden, warum die positiven Geschichtsprojektionen so auffallend in der Minderzahl geblieben sind und welche Momente für derartige Akzentsetzungen ausschlaggebend waren, vermag Döblins Frageansatz nicht zu geben.

Erklärungsansätze für derartige Fragestellungen lieferte die an verschiedenen Orten (1935 auf dem Ersten Schriftstellerkongreß zur Verteidigung der Kultur; 1938 auf der 5. Jahrestagung des SDS; 1938 und 1939 in der Deutschen Sektion des Sowjetischen Schriftstellerverbandes; sowie in den verschiedenen Exilzeitschriften) geführte Debatte um den antifaschistischen Wert des historischen Romans.

Am vehementesten hat sich Kurt Hiller (im Nachwort seiner *Profile*, 1938) zum Thema Wirklichkeitsflucht der historischen Literatur geäußert:

»Die Bücherproduktion der emigrierten Deutschen als Totalität – ein zum Himmel brüllender Skandal! (...)
Über Machiavelli, über Ignatius von Loyola, über Moses Mendelssohn, heute Bücher, über Cervantes, Offenbach, Marées (...) wenn es denn durchaus sein muß und ihr die innere Ruhe dazu habt, bitte schön; (...)
Aber wenn das Belletristengezücht mit Büchern über Katharina von Rußland, Christine von Schweden, Josephine von Frankreich, über Ferdinand den Ersten, Philipp den Zweiten, Napoleon den Dritten, den falschen Nero und den echten Peter, mit dieser ganzen (du mein Hatvany!) Wissenschaft des Nichtwissenswerten dem Publikum Kleister ins Hirn schmiert und uns Verantwortungsschriftstellern, uns Denkmännern, uns Vorbereitern des Morgen die Luft nimmt, so treffe dies Pack von Gestrigen der saftigste Fluch! Fruchtet er nichts, dann macht nur weiter! Es gibt immer noch einige Isabellas, über die kein Roman vorliegt, und auch Ramses der Vierte, Pippin der Mittlere, Winrich von Kniprode, Sultan Suleiman, Melanie die Ausgefallene von Paphlagonien fanden bisher, soweit ich sehe, ihren Monographen nicht. Hitler wird übermorgen Kaiser von Europa sein, weil ihr heute geldgierig und feige vor der Forderung des Tages flieht.«

Die Möglichkeiten des historischen Romans hatte demgegenüber 1935 bereits Lion Feuchtwanger beschrieben:

»Ich habe zeitgenössische Romane geschrieben und historische. Ich darf, nach schärfster Gewissensprüfung, erklären, daß ich in meinen historischen Romanen die gleichen aktuellen Inhalte zu geben beabsichtigte wie in den zeitgenössischen. Ich habe nie daran gedacht, Geschichte um ihrer selbst willen zu gestalten, ich habe im Kostüm, in der historischen Einkleidung immer nur ein Stilisierungsmittel gesehen, ein Mittel, auf die einfachste Art die Illusion der Realität zu erzielen (...)
Dazu kommt, daß unsere sehr bewegte Zeit jede Gegenwart sehr rasch zur Historie macht, und wenn das Milieu von heute doch schon in fünf Jahren historisch sein wird, warum dann soll ich, um einen Inhalt auszudrücken, von dem ich hoffe, daß er in fünf Jahren noch lebendig sein wird, nicht ebensogut ein Milieu wählen dürfen, das eine beliebige Zeit zurückliegt?«

Auf derselben Ebene verteidigte sich Ludwig Marcuse gegen *Die Anklage auf Flucht* (1936):

»Es gibt zwei verschiedene Gruppen von Historien-Büchern. Der einen ist es allein um die historische Fabel zu tun. Die Fabulierer (...) benutzen die Weltgeschichte, um erzählen zu können (...) Die Gruppe der aktuellen Historien-Bücher ist dadurch charakterisiert, daß sie Aussagen über die Gegenwart im historischen Material machen.«

Klärend wirkten hier die Einschaltungen von Georg Lukács, der 1938 analysierte:

»Die Schwäche des historischen Romans unserer Tage ist im allgemeinen die Zufälligkeit ihrer Thematik. Dies hat sehr verschiedenartige Gründe. Der hervorragendste ist die Armut der deutschen Geschichte selbst an großen revolutionären Ereignissen,

an bedeutenden historischen Figuren, die den menschlichen Fortschritt in einer so prägnanten Weise vertreten hätten, daß ihre Gestalt auch heute noch volkstümlich geblieben wäre (...)
Der mitunter stark abstrakte Humanismus vieler ihrer bedeutenden Vertreter führt sie von einer konkreten Neubearbeitung der deutschen Geschichte aus dem Geiste der Demokratie weg. Sie schreiben in ihren historischen Romanen zumeist weniger eine *konkrete Vorgeschichte der Gegenwart* selbst, wie es der klassische historische Roman getan hat, sondern eher eine *Vorgeschichte jener Ideen*, die sie als die die Gegenwart beherrschenden Ideen ansehen.«

Dennoch warnte Lukács davor, in den historischen Romanen des antifaschistischen Exils »eine Abkehr von der Gegenwart und ihren Kämpfen zu erblicken. Im Gegenteil. Diese historischen Romane sind fast ausnahmslos kriegerische Pamphlete gegen den deutschen Faschismus.«
Grundsätzlich war damit der Geschichtsroman als Medium der Aufklärung und Neuorientierung rehabilitiert. Er erlaubte es, die Geschichtsverfälschungen und die Geschichtsmystik des Faschismus als solche zu entlarven; er erlaubte es, Geschichte als veränderbar zu zeigen; er erlaubte es, den Gegensatz zwischen Denken und Handeln, Geist und Tat, das Verhältnis von Einzelnem und Volk, die Verantwortung des Intellektuellen, den Anteil der historischen Persönlichkeit am geschichtlichen Prozeß zu überdenken und neu zu definieren.
Von diesen Möglichkeiten des Genres hat freilich nur eine kleine Zahl von Autoren Gebrauch gemacht. Zu nennen wären Bruno Frank (*Cervantes*, 1934), Lion Feuchtwanger (*Die Söhne*, 1935; *Der Tag wird kommen*, 1945; *Goya*, 1951), Heinrich Mann (*Jugend und Vollendung des Königs Henri Quatre*, 1935/38), Gustav Regler (*Die Saat*, 1936) und Bertolt Brecht, der in seinem Fragment gebliebenen Roman *Die Geschäfte des Herrn Julius Caesar* (1957, entst. 1938/39) zum einen die satirische Demontage der welthistorischen Persönlichkeit betrieben, zum anderen den Prozeß der Geschichtsschreibung selbst problematisiert hat.
Dennoch ist der Vorwurf des Eskapismus, den man den Autoren, die es bei der immer neuen Beschwörung der Tyrannen- und Diktatorengestalten aus dem Fundus abendländischer Geschichte beließen, zumeist ungerechtfertigt. Subjektiv verstanden die meisten von ihnen ihre historischen Romane als Warnung vor und Aufklärung über den Faschismus. Ob sie nun über Philipp den Zweiten, Loyola oder Machiavelli, über die Juden- und Mauriskenverfolgung oder die Hexenprozesse berichteten – gegeben werden sollte immer das zeitgenössisch Vertraute in historischer Verfremdung, gemeint waren immer Hitler oder Verfolgungsvorgänge aus dem Dritten Reich. Daß sie freilich über solche historischen Analogien nicht hinauskamen, ist vor allem darauf zurückzuführen, daß diese Autoren keine über ihren ebenso prinzipiellen wie vagen Antifaschismus hinausweisenden gesellschaftlichen Alternativvorstellungen zu entwickeln wußten. An die Stelle der Zukunftsperspektive tritt in diesen Texten die Antizipation des Ausgangs gegenwärtig noch nicht abgeschlossener Vorgänge anhand des tröstlichen Lehrbeispiels aus der Geschichte.

Daß es andererseits mit dem Entwurf einer positiven Geschichtsprojektion allein noch nicht getan ist, belegen die historischen Romane Stefan Zweigs (*Triumph und Tragik des Erasmus von Rotterdam*, 1934; *Castellio gegen Calvin*, 1936). Sein Versuch, eine aus den Fugen geratene Zeit an die Ideale von Toleranz und Vernunft zu gemahnen, ist ehrenwert, aber historisch unangemessen. Vor diesem Hintergrund muß das Konzept des ›militanten Humanismus‹ bewertet werden, das Heinrich Mann in seinem »wahren Gleichnis« vom guten König Henri Quatre entwirft:

Es ist geboten, daß Humanisten streitbar sind und zuschlagen, sooft feindliche Gewalten die Bestimmung des Menschen aufhalten wollen.

Die Bevorzugung historischer Stoffe blieb nicht auf den Roman beschränkt, sie findet gleichermaßen im Drama statt. So wird der Napoleon-Stoff von Arnold Zweig (*Napoleon in Jaffa*, entst. 1934–38) und Ferdinand Bruckner (*Napoleon I.*, 1936; *Heroische Komödie*, 1938) bearbeitet, der Loyola-Stoff von Franz Theodor Csokor (*Gottes General*, 1939). Im selben Zeitraum schreibt Friedrich Wolf ein *Beaumarchais*-Drama (1941), schreibt Brecht den *Galilei* und die *Courage*.

Betrachtet man das Exilwerk von Autoren wie Brecht, Wolf oder Feuchtwanger, so zeigt sich, daß die Verarbeitung von Zeit- oder Geschichtsstoffen in Roman und Drama keinesfalls einander ausschließende Möglichkeiten antifaschistischer Literaturpraxis sind: das Werk dieser – wie auch anderer – Autoren ist gerade durch das Nebeneinander historischer und aktueller Sujets gekennzeichnet.

Übersehen hat man in dieser Diskussion auch, daß sich zu dem Zeitpunkt, als sie geführt wurde, bereits zwei aussagekräftige Varianten des Deutschlandromans herausgebildet hatten, die die Forderung, »deutlich zu machen, was in Deutschland geschehen war, was geschieht und was also geschehen wird«, erfüllten, ohne die mit einer Schilderung der Verhältnisse im faschistischen Deutschland vermachten Risiken einzugehen: die Darstellung der Vorgeschichte des Dritten Reiches sowie seine modellhafte Abbildung.

Vorgeschichte des Dritten Reiches

Für die Deutschlandromane dieser Phase läßt sich konstatieren, daß sie zwar – wie die Romane der ersten Exil-Phase – auf die Entscheidungssituation der Machtübergabe hin konzipiert sind, diese jedoch nicht mehr als das in jeder Beziehung singuläre Ereignis, sondern als das vorläufige Endprodukt eines historischen Prozesses darstellen. Die entscheidende Frage lautete nicht mehr: »Was ist, und was können wir unmittelbar tun?«, sondern: »Wie konnte es dazu kommen, und was ist langfristig dagegen zu tun?« Formal äußerte sich diese veränderte Fragestellung in der Hereinnahme von Teilen der Weimarer Republik in die Darstellung; inhaltlich ist sie Ausdruck eines größeren Verständnisses für die Geschichtlichkeit der eigenen Zeit. Gegenwart wurde in zunehmendem Maße als historisch gewachsen betrachtet, als Produkt benennbarer, nur scheinbar isolierter historischer Ereignisse und Prozesse. Von dieser Position her bot sich nicht nur die Bearbeitung historischer Stoffe, sondern auch die Darstellung der Vorgeschichte des Dritten Reiches an.

Die Möglichkeit des Genres hat auf markante Weise Arnold Zweig benannt, der sich 1937 in einem fiktiven Dialog über »Emigranten-Literatur« auf die einen Vorwurf intendierende Frage, warum er keinen Zeitroman schreibe, mit dem Hinweis verteidigte, er sei eben »ein langsamer Mensch ... der noch immer nicht mit dem Weltkrieg fertig ist, weil er in ihm die Wurzel des Übels sieht, womit ich nicht notwendig Herrn Ludendorff meine, sondern die Gesellschaftsstruktur, die Herrn Ludendorff braucht und hervorbringt«.

So verstandene Vorgeschichte des Dritten Reiches haben u. a. Alfred Döblin (Pardon wird nicht gegeben, 1935; November 1918, 1939–50), Fritz Erpenbeck (Gründer, 1940), Johannes R. Becher (Abschied, 1940), Oskar Maria Graf (Anton Sittinger, 1937), Walter Mehring (Müller. Chronik einer deutschen Sippe, 1935), Ernst Glaeser (Der letzte Zivilist, 1935) und Bernard von Brentano (Theodor Chindler, 1936; Franziska Scheler, 1945) geschrieben – neben Arnold Zweig, der seinen bereits vor der Vertreibung begonnenen und im Zuge der eigenen politischen Entwicklung mehrfach in der Konzeption veränderten Zyklus über den »Großen Krieg der weißen Männer« im Exil um die Bände Erziehung vor Verdun (1935) und Einsetzung eines Königs (1937) fortführte.

Gemeinsames Kennzeichen dieser Texte, die sich häufig der Form des Anti-Kriegs- oder Familienromans bedienen, ist ein Bild der Weimarer Republik, das sehr viel kritischer ausfällt als das, das die bundesdeutsche Geschichtsschreibung bis weit in die sechziger Jahre hinein vermittelt hat. In diesen Texten geht es nicht um die »Goldenen Zwanziger Jahre«, die intakte Demokratie, die durch Radikale von rechts und von links gleichermaßen bedroht und letztendlich zugrunde gerichtet worden ist. Gezeichnet wird vielmehr das Bild einer Gesellschaft, die sich entweder widerwillig oder halbherzig auf die Republik eingelassen, überkommene obrigkeitsstaatliche Strukturen weitestgehend beibehalten und Vertreter der etablierten Mächte auf ihren Positionen in Justiz und Verwaltung belassen hat. Deutlich wird in diesen Texten auch, daß die sogenannte »Machtergreifung« tatsächlich eine Machtübergabe war, letzter Akt einer langfristig vorbereiteten Machterschleichung.

Modellhafte Darstellungen des Dritten Reiches

Erlaubte es der Vorgeschichts-Roman, großräumig historische Entwicklungslinien aufzuzeigen und in diesem Rahmen Niederlagen, Rückschläge und Irrtümer in ihrem Stellenwert zu bestimmen und als vorübergehend zu kennzeichnen, so lagen die aktuellen Vorzüge einer modellhaften Darstellung des faschistischen Aufstiegs in den Möglichkeiten, Grundmuster historischer Prozesse und der sie bewegenden Faktoren abzubilden. Diese Möglichkeiten sind es, die Brecht bereits 1934 mit dem *Dreigroschenroman* und dem Parabelstück *Die Rundköpfe und die Spitzköpfe* nutzte und die ihn offenkundig bewogen haben, auch weiterhin mit diesem Genre zu experimentieren. Ging es Brecht im *Dreigroschenroman* noch darum, allgemeine Wesenszüge klassengespaltener Gesellschaften, in den *Rundköpfen* den Zusammenhang zwischen Rassismus und Kapitalismus in modellartigen Aufrissen zu zeigen, so wandte er sich später dem konkreten Fall Hitler zu. »*Der aufhaltsame Aufstieg des Arturo Ui*«, so Brecht, »ist ein Versuch, der kapitalistischen Welt den Aufstieg Hitlers dadurch zu erklären, daß er in ein ihr vertrautes Milieu versetzt wurde.«

Gemeinhin ist freilich nicht die Versetzung von Vorgängen in ein der anvisierten Zielgruppe vertrautes Milieu das Charakteristikum dieses Genres, sondern vielmehr die Verlegung gegenwartsgeschichtlicher Ereignisse in einen anderen als den vertrauten historischen, sozialen oder geographischen Bezugsrahmen. So verlegt Walter Mehring (in *Die Nacht des Tyrannen*, 1937) die deutschen Vorgänge in ein fiktives, südamerikanisches Land, bearbeitet Lion Feuchtwanger (in *Der falsche Nero*, 1936) einen historisch folgenlosen Seitenzweig der römischen Geschichte derart, daß er sich wie eine Parallelisierung der Machtübergabe liest, entlarvt Ödön von Horváth (in *Ein Kind unserer Zeit*, 1938) die Phrasenhaftigkeit faschistischer Ideologie am Beispiel eines in einer historisch wie geographisch nicht näher lokalisierten Zwischenkriegsgesellschaft lebenden Jugendlichen.

Derartige Verlagerungen entlasteten von dem Zwang zur Chronologie und zur Faktentreue und machten es möglich, Ereignisse und Personen, die realhistorisch nicht oder nicht so zusammengetroffen sind, derart aufeinander zu beziehen, daß in der Kette scheinbar isolierter Ereignisse ein sozialer Mechanismus erkennbar wird.

Das Exil als Thema

Auf die kontinuierliche Zunahme des autobiographischen Elements, den Rückgriff auf die eigene Lebensgeschichte als eines der Kennzeichen von unter Exilbedingungen produzierter Literatur war bereits hingewiesen.worden. Die Gründe dafür sind im Sozialstatus der Exilierten in ihren Aufnahmeländern einerseits, in der Einstellung der Exilierten zu ihren Aufnahmeländern andererseits zu sehen. Beide Elemente führten – solange die Assimilation zugunsten des Anspruchs verweigert wurde, »mit dem Gesicht nach Deutschland« zu schreiben – zu einer thematischen Verengung: aktuelle Deutschlandromane konnte man aus den bereits dargelegten Gründen nicht mehr schreiben, auf Geschichte und Realität des Gastlandes wollte man sich – sieht man einmal von den Exilierten in der Sowjetunion ab – nicht einlassen. Wenn Alfred Döblin 1936 schrieb: »... wo bei Schriftstellern die Emigration ist, ist auch gern der historische Roman«, so ließe sich – unter Beibehaltung der von Döblin für diese These angeführten Argumente – ergänzen: und der Exilroman. So gesehen sind Exil- und historischer Roman Kehrseiten derselben Medaille. Letztendlich sind es dieselben Erfahrungshintergründe, die einen exilierten Schriftsteller ab einer gewissen Dauer des Exils zum historischen oder zum Exilthema bringen.

Exilromane gibt es freilich bereits auch schon in der ersten Phase des Exils – zu nennen wären Klaus Manns *Flucht in den Norden* (1934) und Konrad Merz' *Ein Mensch fällt aus Deutschland* (1936); vor allem aber Oskar Maria Grafs Einheitsfrontroman *Der Abgrund* (1936), der in seinem zweiten Teil Erfahrungen und Lebensalltag von Sozialdemokraten im Wiener Exil behandelt (Erfahrungen übrigens, die die Zentralfigur zum Übertritt in die KPD veranlassen), und Fritz Erpenbecks *Emigranten* (1937; entst. 1934/35), ein Roman, der unter Verarbeitung einer Reihe authentischer Begebenheiten Haltung und Lebensgefühl kommunistischer Emigranten im Prager Exil gestaltet. In diesen Romanen der ersten Phase des Exils geht es vor allem – wie (schon) in Feuchtwangers *Oppenheim* – um Rechtfertigung und Sinngebung der Tatsache, daß es zwischenzeitlich notwendig schien, den Faschismus nicht auf seinem unmittelbaren Kampfplatz, sondern aus dem Exil zu bekämpfen.

In erkennbarem Umfang wurden Exilerfahrungen jedoch erst ab der zweiten Hälfte der dreißiger Jahre thematisiert, zu einem Zeitpunkt also, als das Exil zur konstanten – in vielen Fällen: zur alleinigen und überwältigenden – Alltagserfahrung der Exilierten geworden war. Lion Feuchtwanger (in *Exil*, 1939), Klaus Mann (in *Der Vulkan*, 1939) und Bertolt Brecht (in *Flüchtlingsgespräche*, 1961, entst. 1940/41) haben den Versuch unternommen, objektivierende Historiographien der repräsentativen exilspezifischen Entwicklungs-, Desillusionierungs- und Diskussionsprozesse nachzuzeichnen. Im selben Zeitraum entstanden die Exilromane von Bruno Frank (*Der Reisepaß*, 1937), Maria Gleit (*Du hast kein Bett, mein Kind*, 1938) und Irmgard Keun (*Kind aller Länder*, 1938).

Als sich die in den skandinavischen und westeuropäischen Asylländern lebenden Exilierten bei Kriegsbeginn von der öffentlichen Meinung als Angehörige der ›Fünften Kolonne‹ verdächtigt oder als Kriegstreiber beschuldigt sahen, von den Behörden ihrer jeweiligen westeuropäischen Gastländer interniert wurden und in Frankreich nach der Unterzeichnung des deutsch-französischen Waffenstillstandsabkommens mit der Auslieferung an die Gestapo rechnen mußten – spätestens zu diesem Zeitpunkt nahm die eigene Biographie den Charakter eines Abenteuer- und Kolportageromans an. Unter diesen Bedingungen entstand eine ganze Reihe künstlerisch höchst unterschiedlicher Exilschilderungen, deren gemeinsames Kennzeichen ihr stark autobiographischer Charakter ist. Die Verhältnisse in Frankreich nach dem Waffenstillstandsabkommen behandelten in erzählender Prosa oder Reportageromanen Alfred Döblin (*Schicksalsreise*, 1949), Lion Feuchtwanger (*Unholdes Frankreich*, 1942), Bruno Frei (*Die Männer von Vernet*, 1951), Walter Hasenclever (*Die Rechtlosen*, 1963, entst. 1939/40), Gertrud Isolani (*Stadt ohne Männer*, 1945) und Adrienne Thomas (*Reisen Sie ab, Mademoiselle*, 1944, entst. 1940/42). Das literarisch bedeutendste Buch dieses Genres ist Anna Seghers' *Transit* (engl., span. 1944, dt. 1948), das den verzweifelten Kampf von in das unbesetzte Marseille entkommenen Flüchtlingen um Schiffspassagen, Visa und Transitpapiere gestaltet.

Denselben Themenkomplex behandelte Franz Werfel in der 1944 mit großem Erfolg am Broadway gespielten Tragikomödie *Jacobowsky und der Oberst*. Kein Erfolg war demgegenüber den Versuchen Fritz Kortners beschieden, das Exilthema auf die Bühne zu bringen (*Another Sun*, zus. m. Dorothy Thompson, 1937/40; *Somewhere in France*, zus. m. Carl Zuckmayer, 1940/41).

Es bleibt anzumerken, daß das Thema Exil seine – nimmt man Auflagehöhen, Übersetzungen und Verfilmungen zum Maßstab – größte Massenwirksamkeit in Trivialromanen hatte: in Erich Maria Remarques *Liebe deinen Nächsten* (engl. 1939, dt. 1941; als Film unter dem Titel So ends Our Night, 1941), *Arc de Triomphe* (engl. 1945, dt. 1946; als Film unter dem Titel Arch of Triumph, 1948), *Die Nacht von Lissabon* (1962) und in Hans Habes *Ob Tausend fallen* (engl. 1941, dt. 1943; als Film unter dem Titel Cross of Lorraine, 1943) und *Zu spät* (engl. 1939, dt. 1940). In diesen und anderen Titeln von Habe und Remarque wird das Exil immer nur und immer wieder »als Lieferant von ausgefallenen Situationen mißbraucht, werden seine Schicksale, seine Handlungsorte und sein Personal ohne Rücksicht auf die spezifische Problematik der aus Deutschland Vertriebenen auf Effekte hin ausgeschlachtet« (Stephan, Exilliteratur, S. 174).

Spanienliteratur

Die durch das Exilerlebnis verstärkte Bereitschaft primär politisch motivierter Schriftsteller, zu einer Einheit von künstlerischem Schaffen und gesellschaftlicher Aktion zu kommen, fand ihren sichtbarsten Ausdruck in der Haltung der Exilierten zum Spanischen Bürgerkrieg.

Im Juni 1936 putschte der spanische General Franco gegen die rechtmäßig gewählte spanische Volksfrontregierung. Deutsche Flugzeuge brachten innerhalb weniger Tage 15 000 Soldaten zur Unterstützung der Rebellion von Marokko nach Spanien. Spätestens im November desselben Jahres, als Verbände der faschistischen ›Legion Condor‹ in den Spanischen Bürgerkrieg eingriffen, war klar, daß das faschistische Regime in Deutschland Spanien zum Manöverplatz der Nazi-Wehrmacht erkoren hatte.

Für den demokratisch eingestellten Teil der Weltöffentlichkeit hatte der Spanische Bürgerkrieg »eine Symbolkraft ähnlich der des Vietnam-Krieges gegen Ende der sechziger Jahre« (Loewy, Exil, S. 640). »Bei vielen Intellektuellen beruhte ihre starke Anteilnahme am spanischen Konflikt nicht auf einer Überschätzung dieses Krieges für die Zukunft der Menschheit, sondern auf dem Gewahrwerden, daß es mit der eigenen Kultur nicht zum besten stehe« (Benson, Schriftsteller in Waffen, S. 9). Für die exilierten Antifaschisten war der Spanische Bürgerkrieg noch mehr: er bot ihnen ein

Aktionsfeld, sich direkt und unvermittelt, mit der Waffe in der Hand, mit dem Faschismus auseinanderzusetzen.

Ab August 1936 waren Demokraten und Sozialisten aus allen Ländern nach Spanien gegangen, um sich zum Schutz der spanischen Republik in den Internationalen Brigaden zu sammeln – unter ihnen dreiundzwanzig deutschsprachige Schriftsteller, die bereit waren, vorübergehend die Feder mit der Waffe zu vertauschen.

»Wer von euch hier im Saal«, fragte Ludwig Renn auf dem II. Internationalen Kongreß zur Verteidigung der Kultur gegen Krieg und Faschismus, »wünscht meine Feder zu nehmen? der Bruder meiner Gedanken zu sein für die Zeit, wo ich das Gewehr genommen habe?« Nach seiner Rückkehr aus dem Spanischen Bürgerkrieg schickte Bodo Uhse seine Pistole an seinen Brigadekommandanten mit den Worten zurück: »Meine Waffe bleibt mir ja, mein Füllfederhalter.« (zit. n. Stephan, Exilliteratur, S. 178.) Uhse und Ludwig Renn haben – wie viele andere – nicht nur mit der Waffe, sondern auch mit dem Wort gekämpft.

In militärischer Funktion – als Soldaten, Offiziere, Kriegskommissare und Ärzte – kämpften und schrieben in den *Internationalen Brigaden* Theodor Balk (*Der Tod in Aragon*, in: Das verlorene Manuskript, 1943), Willi Bredel (*Begegnung am Ebro*, 1939), Hans Kahle, Alfred Kantorowicz (*Tschapaiew, das Bataillon der 21 Nationen*, 1938; *Spanisches Tagebuch*, 1948), Alexander Maaß, Hans Marchwitza (*Araganda*, in: Zwei Erzählungen, 1939), Gustav Regler (*Das große Bündnis*, engl. 1940, dt. 1976), Ludwig Renn (*Der spanische Krieg*, 1956) und Bodo Uhse (*Die erste Schlacht*, 1938; *Leutnant Bertram*, 1943).

Andere kamen als Propagandisten und Berichterstatter. So etwa Egon Erwin Kisch (*Soldaten am Meeresstrand*, 1936; *Die drei Kühe*, 1938), Arthur Koestler (*Menschenopfer unerhört*, 1937; *Ein spanisches Testament*, engl. 1937, dt. 1938), Rudolf Leonhard (*Der Tod des Don Quichote*, 1938; *Spanische Gedichte und Tagebuchblätter*, 1938) und Erich Weinert (*Camaradas*, 1951; *Die Fahne der Solidarität*, 1953), dessen von Hanns Eisler und Paul Dessau vertonte und von Ernst Busch gesungene Kampflieder (*Lied der Internationalen Brigaden, Thälmannlied*) eine bis in die Gegenwart hineinreichende Nachwirkung haben.

Mit ersten literarischen Arbeiten traten während das Spanienkrieges der Lyriker Erich Arendt (*Bergwindballade*, 1952) und Eduard Claudius hervor (*Das Opfer*, 1936; *Grüne Oliven und nackte Berge*, 1945).

Der Spanische Bürgerkrieg wurde auch von einer Reihe von Autoren literarisch thematisiert, die selbst nicht an diesem Freiheitskampf teilgenommen hatten. So von Karl Otten (*Torquemadas Schatten*, 1938) und Hermann Kesten (*Die Kinder von Gernika*, 1939). Am bekanntesten ist Brechts Einakter *Die Gewehre der Frau Carrar* geworden, das am Beispiel der Witwe eines im Bürgerkrieg gefallenen andalusischen Fischers – unter weitgehender Zurücknahme der Verfremdungstheorie – zeigt, daß der Kampf gegen den Faschismus unvermeidlich ist und solidarisch geführt werden muß.

Die Expressionismusdebatte

Die Geschichte dieser Phase des Exils ist ohne ihre Versuche einer theoretischen Standortbestimmung nicht zu denken. Der bedeutendste dieser Versuche, der die wechselseitige Bedingtheit von antifaschistischer Literaturkonzeption und Bündnispolitik augenfällig macht, ist die *Expressionismusdebatte* (gelegentlich auch – zutreffender – *Realismusdebatte* oder – fälschlicherweise – *Brecht-Lukács-Kontroverse* genannt), die 1937/38 in der Zeitschrift *Das Wort* ausgetragen wurde. Teilgenommen haben an dieser Diskussion ehemalige Expressionisten wie Herwarth Walden, Rudolf Leonhard und Ernst Bloch; ferner u. a. Franz Leschnitzer, Kurt Kersten, Gustav von Wangenheim, Béla Balázs, Heinrich Vogeler, Werner Ilberg und Georg Lukács. In den Zusammenhang dieser Debatte gehören das in der *Neuen Weltbühne* erschienene Gespräch *Die Kunst zu erben* zwischen Ernst Bloch und Hanns Eisler, der später in der *Internationalen Literatur* abgedruckte *Briefwechsel zwischen Anna Seghers und Georg Lukács* sowie die seinerzeit unveröffentlicht gebliebenen Aufsätze von Bertolt Brecht zu diesem Themenkomplex. Die Auseinandersetzungen zwischen Bloch und Lukács einerseits, zwischen Brecht und Lukács andererseits markieren die Höhepunkte dieser Debatte.

Ausgelöst wurde die Debatte durch zwei Aufsätze von Klaus Mann (*Gottfried Benn. Die Geschichte einer Verirrung*) und Alfred Kurella (*Nun ist dieses Erbe zu Ende ...*, publiziert unter dem Pseudonym Bernhard Ziegler), die – provoziert durch die Parteinahme Gottfried Benns für den Nationalsozialismus – im Septemberheft 1937 des *Wort* erschienen. Während Klaus Mann einen gesetzmäßigen Zusammenhang zwischen dem Verhalten Benns, dem Expressionismus als ganzem und dem Faschismus bestritt, stellte Kurella diesen Zusammenhang ausdrücklich her:

»Erstens läßt sich heute klar erkennen, wes Geistes Kind der Expressionismus war, und wohin dieser Geist, ganz befolgt, führt: in den Faschismus. Zweitens müssen wir (...) ehrlicherweise zugeben, daß jedes von uns aus jener Zeit etwas in den Knochen steckengeblieben ist.«

Mit diesen Auslassungen Kurellas (deren ersten Teil er später zurückgenommen hat: »So geht es natürlich nicht! Der berüchtigte Satz ist falsch!«) bekam die Diskussion ihre Akzente: es ging nicht um den Einzelfall Benn, sondern bestenfalls – so Franz Leschnitzer im Dezemberheft des *Wort* – um die Beantwortung der Frage, wieso »Benn, Bronnen, Heynicke, Johst nicht trotz, sondern dank dem Expressionismus zu Mystizisten und Faschisten geworden sind, umgekehrt, Becher, Brecht, Wolf, Zech nicht dank, sondern trotz dem Expressionismus zu Realisten und Antifaschisten«. Vor allem aber ging es darum, die Voraussetzungen und literarischen Methoden abzustecken, von denen man meinte, daß sie einer »fruchtbaren Weiterentwicklung unserer antifaschistischen Literatur« (Kurella) förderlich seien. Angesichts der gerade in dieser Phase des Exils praktizierten ›Weite und Vielfalt der realistischen Schreibweisen‹ nennt

Kurella am Ende seines Aufsatzes die für eine Entscheidung dieser Frage wesentlichen Kriterien: das Verhältnis zum klassischen Erbe sowie die Einstellung zu literaturtheoretischen Konzeptionen, die in dieser Phase der Theoriebildung zu den Formeln ›Formalismus‹ (Kurella: »Hauptfeind einer Literatur, die wirklich zu großen Höhen strebt«) und ›Volksnähe‹, ›Volkstümlichkeit‹ (Kurella: »die Grundkriterien jeder wahrhaft großen Kunst«) gerinnen.

Damit wird der Zusammenhang deutlich, in dem die Expressionismusdebatte steht: sie ist nicht zu denken ohne jene übergreifende Realismusdebatte, die in den dreißiger Jahren in der Sowjetunion geführt wurde, und in deren Verlauf experimentelle, avantgardistische Schreibtechniken als ›formalistisch‹ gegeißelt, formale Gestaltungsprinzipien der realistischen Literatur des 19. Jahrhunderts demgegenüber als unter sozialistischen Vorzeichen weiterentwickelbar kanonisiert wurden.

Maßgeblichen Anteil an dieser Diskussion hatte Georg Lukács, der in einem 1934 in der *Internationalen Literatur* erschienenen Aufsatz (›*Größe und Verfall‹ des Expressionismus*) bereits die allzu abstrakte Opposition gegen Bürgerlichkeit, das überspannte subjektive Pathos, die gedankliche Flucht vor der Wirklichkeit und die Ablehnung des klassischen Erbes durch die Expressionisten angegriffen hatte. Die künstlerischen Methoden des Expressionismus hatte Lukács als sterile innerliterarische Formen eines dekadenten Subjektivismus verworfen und den exilierten Autoren anempfohlen, sich an der deutschen Klassik und den bürgerlichen Realisten des 19. Jahrhunderts zu orientieren. Mit einem Aufsatz, der den ebenso programmatischen wie enthüllenden Titel *Es geht um den Realismus* trägt, griff Lukács im Juni 1938 in die Expressionismusdebatte ein. Seine Absichten benannte er in den Schlußzeilen dieser Arbeit:

»Den innigen, vielseitigen, vielseitig vermittelten Zusammenhang zwischen Volksfront, Volkstümlichkeit der Literatur und wirklichem Realismus nachzuweisen, war die Aufgabe dieser Betrachtungen.«

Daß der Expressionismus nur ein Aufhänger war; daß unter dieser Camouflage weiterreichende Fragen einer am Vorbild des ›sozialistischen Realismus‹ orientierten Literaturkonzeption propagiert und gewisse, mit Namen wie Proust, Dos Passos und Joyce nur annäherungsweise beschreibbare Methoden der literarischen Moderne gebrandmarkt werden sollten, hatte Ernst Bloch ebenso früh wie deutlich erkannt. Polemisch-versöhnlich fragte er im Juni 1938:

»(...) gibt es zwischen Aufgang und Niedergang keine dialektischen Beziehungen? Gehört selbst das Verworrene, Unreife und Unverständliche ohne weiteres, in allen Fällen, zur bürgerlichen Dekadenz? Kann es nicht auch (...) zum Übergang aus der alten in die neue Welt gehören? Mindestens zum Ringen um diesen Übergang (...)«

Sein Erbeverständnis hatte Bloch bereits 1935 (in *Erbschaft dieser Zeit*) beschrieben:

»Trägt das untergehende Bürgertum, eben als untergehendes, Elemente zum Aufbau der neuen Welt bei, und welche sind, gegebenenfalls, diese Elemente? Es ist eine rein mittelbare Frage, eine des diabolischen Gebrauchs; als solche ist sie bisher, wie es scheint, vernachlässigt worden, obwohl sie durchaus dialektisch ist. Denn nicht nur im revolutionären Aufstieg oder in der tüchtigen Blüte einer Klasse, auch in ihrem Niedergang und den mannigfachen Inhalten, die gerade die Zersetzung freimacht, kann ein dialektisch brauchbares ›Erbe‹ enthalten sein.«

Einen »diabolischen Gebrauch« des literarischen Erbes; sachlicher: die Flexibilität gegenüber vorgefundenen literarischen Formen, die Aufnahme literarischer Formen nach den Erfordernissen der jeweiligen historischen Situation – so strukturierte Erbetheorien haben in dieser Phase neben Bloch Walter Benjamin, Hanns Eisler und Anna Seghers, vor allem aber Bertolt Brecht vertreten.

Brecht verdanken wir die Einsicht, daß man über literarische Formen die Realität und nicht die Ästhetik zu befragen habe:

»Die Wahrheit kann auf viele Arten verschwiegen und auf viele Arten gesagt werden. Wir leiten unsere Ästhetik, wie unsere Sittlichkeit, von den Bedürfnissen unseres Kampfes ab . . .«

heißt es in *Weite und Vielfalt der realistischen Schreibweise*, einem derjenigen Aufsätze Brechts, die er als seinen Beitrag zur Expressionismusdebatte verfaßt, aber – ob freiwillig oder gezwungenermaßen sei dahingestellt – in den dreißiger Jahren nicht veröffentlicht hat.

In *Volkstümlichkeit und Realismus*, einem anderen derjenigen Aufsätze Brechts zur Expressionismusdebatte, die erst 1966/67 aus dem Nachlaß der Öffentlichkeit zugänglich gemacht wurden, wendete Brecht sich direkt gegen das von Lukács vertretene Realismuskonzept:

»Das kämpfende, die Wirklichkeit ändernde Volk vor Augen, dürfen wir uns nicht an ›erprobte‹ Regeln des Erzählens, ehrwürdige Vorbilder der Literatur, ewige ästhetische Gesetze klammern. Wir dürfen nicht bestimmten vorhandenen Werken den Realismus abziehen, sondern wir werden alle Mittel verwenden, alte und neue, erprobte und unerprobte, aus der Kunst stammende und anderswoher stammende, um die Realität den Menschen meisterbar in die Hand zu geben.«

Mit seinen Definitionen von ›Realismus‹ und ›Volkstümlichkeit‹, mit seiner Feststellung »Es gibt nicht nur das Volkstümlichsein, sondern auch das Volkstümlichwerden« hat Brecht den formalistischen Charakter der Expressionismusdebatte gesprengt. Zugleich hat er nachgewiesen, was die Lukácssche Realismuskonzeption in ihrem Kern ist: formalistisch.

1939–1945: Das Ende einer Epoche

Neuerliche Vertreibung, neue Zentren

Die dritte Phase des Exils ist eine Zeit extremster materieller und psychischer Belastungen.

Mit der Annexion Österreichs – am 14. 3. 1938 proklamierte Hitler den Anschluß Österreichs als ›Ostmark des Deutschen Reiches‹ – setzte eine zweite Welle der Vertreibung ein, die mit jedem weiteren Land, das von deutschen Truppen überfallen wurde, anschwoll, sich in die noch nicht besetzten Länder ergoß und die ohnehin bereits beeinträchtigten Lebens- und Arbeitsbedingungen der zuvor dorthin Geflohenen weiter verschlechterte. Von dieser Entwicklung war die literarische Emigration in besonderem Maße betroffen: während 1938 bereits 80 % der Gesamtemigration in außereuropäischen Ländern Zuflucht gefunden hatte, befand sich die überwiegende Mehrzahl der künstlerisch-literarischen Emigration zu jenem Zeitpunkt noch auf dem Kontinent.

Gravierender als der Fall Österreichs, dessen Faschisierung für alle Welt sichtbar parallel zu der in Deutschland verlief, war die Aufgabe der Tschechoslowakei. Am 1. 10. 1938 – zwei Tage nach der Unterzeichnung des Münchner Abkommens – begann der Einmarsch deutscher Truppen in die tschechoslowakischen Grenzgebiete; am 15. 3. 1939 kam es zur Bildung des ›Reichsprotektorats Böhmen und Mähren‹ – eines der wichtigsten Asylländer antifaschistischer Emigration war damit gefallen.

Mit dem Überfall auf Polen begann am 1. 9. 1939 der Zweite Weltkrieg – den zu verhindern die Exilierten u. a. angetreten waren. Noch Ende Mai 1939 hatte Heinrich Mann an seinen Bruder Thomas geschrieben: »Zum Jahreswechsel muß Hitler am Boden liegen; oder, was folgt, wäre unabsehbar, wenigstens für mich.«

Am 10. 5. 1940 begann der deutsche Einmarsch in Luxemburg, den Niederlanden, Belgien und Frankreich. Am 14. 6. 1940 erfolgte die kampflose Übergabe der französischen Hauptstadt. Am 22. 6. 1940 wurde im Wald von Compiègne ein deutsch-französisches Waffenstillstandsabkommen unterzeichnet, das die Vichy-Regierung in dem berüchtigten § 19 verpflichtete, alle von den Nazis namentlich benannten Personen »auf Verlangen auszuliefern«. Nachdem Dänemark und Norwegen bereits im April 1940 Opfer der faschistischen Expansionspolitik geworden waren, wurde damit das unbesetzte Frankreich, in das sich die Mehrzahl der noch auf dem Kontinent verbliebenen Autoren geflüchtet hatte, zu einer gigantischen Menschenfalle.

Zu solchen Daten, die historische Anfangserfolge faschistischer Aggression dokumentieren, deren Folgelasten früher oder später alle noch auf dem Kontinent Verbliebenen erfuhren, kamen Ereignisse, von denen direkt nur Teile der Emigration betroffen waren, die aber nachhaltige Auswirkungen auf das Bewußtsein der Gesamtemigration hatten. Zu erwähnen sind der Beginn der Judendeportationen im Reich (ab Oktober 1938) und die ›Reichskristallnacht‹

(9./10. 11. 1938), das Ende des spanischen Freiheitskampfes (28. 3. 1939) und der deutsch-sowjetische Nichtangriffspakt (23. 8. 1939).

Keineswegs zufällig haben sich zwischen Mai 1939 und September 1940 die Schriftsteller Ernst Toller (22. 5. 39), Walter Hasenclever (21. 6. 1940), Ernst Weiss (Juni 1940), Carl Einstein (5. 7. 1940) und Walter Benjamin (26. 9. 1940) das Leben genommen. Bereits im Dezember 1935 war Kurt Tucholsky aus dem Leben geschieden; am 16. 3. 38, unmittelbar nach dem Einmarsch der Nazis in Österreich, hatte Egon Friedell seinem Leben ein Ende gesetzt; am 22. 2. 1942 starb Stefan Zweig durch eigene Hand.

Die Chronik des organisatorischen Zusammenbruchs der Exilpresse liest sich nicht minder deprimierend: *Das Wort* stellte im März 1939 sein Erscheinen ein; am 31. August 1939 erschien die *Neue Weltbühne* zum letztenmal; die letzte Nummer des *Neuen Tagebuchs* datiert auf den 11. Mai 1940; die zeitlich letzte der bedeutsamen Kulturzeitschriften, die erst im September 1937 unter der Herausgeberschaft von Thomas Mann und Konrad Falke eröffnete ›Zweimonatsschrift für freie deutsche Kultur‹ (so der Untertitel) *Maß und Wert* legte im Herbst 1940 ihre letzte Nummer auf; die *Internationale Literatur* brach nach der Unterzeichnung des deutsch-sowjetischen Nichtangriffspakts die Vorabdrucke von *Das siebte Kreuz* (Anna Seghers) und *Exil* (Lion Feuchtwanger) ab und ließ eine Reihe von im Augustheft 1939 angekündigter Aufsätze zur antifaschistischen Literatur nicht mehr erscheinen.

Der schrittweise Zusammenbruch bewährter Zentren und Organisationen, Verlage und Zeitschriften des antifaschistischen Exils war damit abgeschlossen. Die Landkarte der exilierten Literatur mußte neu gezeichnet werden.

Großbritannien, das bis dahin mit rigiden Einwanderungsbestimmungen und ca. 8000 registrierten Hitlerflüchtlingen keineswegs zu den bevorzugten Asylländern gezählt hatte, wurde nun – insbesondere für Flüchtlinge aus der Tschechoslowakei – zum begehrten europäischen Fluchtland. Nach der Okkupation Österreichs und der ›Reichskristallnacht‹ hatte Großbritannien seine Einwanderungsgesetze gelockert und nahm innerhalb weniger Monate 70000 Flüchtlinge auf, darunter ca. 400 Schriftsteller und Bühnenkünstler.

Neben der Sowjetunion, die als Asylland nur einer begrenzten Zahl nobilierter Emigranten offenstand, wurde Großbritannien zum zentralen europäischen Exilland – neben Schweden und der Schweiz, Länder, die diese ihnen historisch zugewachsene Rolle auch in dieser Zeit nur im begrenzten Umfang realisierten.

Geographisch verlagerte sich das Exil in dieser Phase weitgehend nach Übersee.

Nach Zahl und Ansehen der Asylsuchenden wurden die Vereinigten Staaten zum bedeutendsten Asylland dieser Phase. In den USA fanden u. a. Asyl: die Schriftsteller Bertolt Brecht, Alfred Döblin, Lion Feuchtwanger, Bruno und Leonhard Frank, Oskar Maria Graf, Hermann Kesten, Emil Ludwig, Heinrich, Klaus und Thomas Mann, Erich Maria Remarque, Franz Werfel und Carl Zuckmayer; die Politiker Heinrich Brüning, Albert Grzesinsky und Friedrich Stampfer; die Komponisten Hanns Eisler, Ernst Křenek und Arnold Schönberg; die Verleger Gottfried Bermann-Fischer, Wieland Herzfelde und

Friedrich Ungar; außerdem ca. 7600 Wissenschaftler, unter ihnen Albert Einstein und die wichtigsten Vertreter des »Frankfurter Instituts für Sozialforschung«: Theodor W. Adorno, Max Horkheimer und Herbert Marcuse.

Wenn die USA – im Gegensatz zu der Sowjetunion – dennoch kein zentrales Asylland exilierter deutscher Literatur wurden, so lag das daran, daß »mit der Rettung der bedrohten Exilanten aus Europa ... das Interesse der amerikanischen Öffentlichkeit an den Neuankömmlingen zumeist erschöpft« war. Das klassische Einwanderungsland USA erwartete »eine möglichst rasche und vollständige Amerikanisierung« (Stephan, Exilliteratur, S. 75 f.).

Ähnlich waren die Verhältnisse in Palästina, das eher ein Immigrations- als ein Asylland war: nach zionistischem Selbstverständnis war die Verfolgung der Juden in Europa vor allem eine Station des sich auf dem Wege zum Staat befindenden Judentums.

Neue Zentren, Zeitschriften und Verlage bildeten sich – allen widrigen Umständen zum Trotz – auch in dieser Phase des Exils. So in Mexiko, das unter der Regierung Cardenas auch solche Schriftsteller aufnahm, denen aufgrund ihrer Zugehörigkeit zur Kommunistischen Partei die Einreise in die USA verweigert worden war. Mit Alexander Abusch, Theodor Balk, Bruno Frei, Egon Erwin Kisch, Paul Merker, Lenka Reiner, Ludwig Renn, Bodo Uhse und Anna Seghers fand sich in Mexiko eine ungewöhnlich große Zahl prominenter Intellektueller und Parteifunktionäre zusammen. Sie zeichneten für zwei der bemerkenswerten Zeitschriften- und Verlagsgründungen dieser Phase verantwortlich: für das *Freie Deutschland*, das vom November 1941 bis zum Januar 1946 erschien (dann in *Neues Deutschland* umbenannt und ein halbes Jahr später wegen Rückwanderung der meisten Redakteure eingestellt wurde) und für den Verlag *El Libro libre*, der zwischen 1942 und 1946 26 Titel verlegte: neben dem *Schwarzbuch über den Naziterror in Europa* (El Libro Negro del Terror Nazi en Europa, 1943), an dem 55 Autoren aus 16 Ländern mitgearbeitet haben und das ein Gegenstück zum *Braunbuch über Reichstagsbrand und Hitler-Terror*, (1933/34) bildet), so bedeutende Exilpublikationen wie *Das siebte Kreuz* (1942, Anna Seghers), *Unholdes Frankreich* (1942, Lion Feuchtwanger), *Lidice* (1943, Heinrich Mann), *Stalingrad* (1946, Theodor Plievier), *Leutnant Bertram* (1943, Bodo Uhse).

Weitere Zeitschriftengründungen dieser Phase sind die *Deutschen Blätter* (Untertitel: Für ein europäisches Deutschland / Gegen ein deutsches Europa), die, von Udo Rukser und Albert Theile herausgegeben, vom Januar 1943 bis Ende 1946 in Santiago de Chile erschienen; und der *Orient* (Verlagsort Haifa, Hrsg. Wolfgang Yourgrau), der nur ein Jahr erscheinen konnte – nach einem Bombenattentat auf die Druckerei des *Orient* mußte die Zeitschrift im April 1943 ihr Erscheinen einstellen.

Das wichtigste Periodikum dieser Jahre war jedoch der New Yorker *Aufbau*, eine noch heute erscheinende Zeitung, die im Dezember 1934 als ›Nachrichtenblatt des Deutsch-jüdischen Klubs‹ gegründet worden war und nach 1939 »vom lokalen Vereinsblatt zur weltweit gelesenen Wochenzeitung« (H.-A. Walter, Exilpresse, S. 543) avancierte. Der *Aufbau* bildete das Forum für die wesentlichen Selbstverständigungsdebatten dieser Phase, in denen es um Assimilierungsprobleme und die Kollektivschuldfrage ging.

New York war auch Verlagsort der zweiten bemerkenswerten Verlagsgründung dieser Phase: des 1944 von Wieland Herzfelde als Gemeinschaftsverlag von elf Autoren (Ernst Bloch, Bertolt Brecht, Ferdinand Bruckner, Alfred Döblin, Lion Feuchtwanger, Oskar Maria Graf, Wieland Herzfelde, Heinrich Mann, Bertold Viertel, Ernst Walchinger und F. C. Weiskopf) gegründeten Aurora-Verlags, der in der kurzen Zeit seines Bestehens zwölf Titel herausbringen konnte, darunter Brechts *Furcht und Elend des Dritten Reiches* (1945).

Das Selbstverständnis der Exilierten: Drei Schwierigkeiten beim Schreiben der Wahrheit

Derartige Erfolge dürfen nicht darüber hinwegtäuschen, daß die sich Anfang der vierziger Jahre bildenden neuen Exilzentren nie die Bedeutung erreicht haben, die die Vorkriegszentren hatten. Die wenigen Zeitschriften und Verlage, die selbst in dieser Zeit unter schwierigsten Bedingungen gegründet wurden oder weiter bestehen konnten, blieben weitgehend lokale Einrichtungen und hatten nur sehr bedingt organisierende Funktion. Kriegsbedingte Transport- und Zensurschwierigkeiten behinderten zudem die Kommunikation der neuen Zentren untereinander und zu den in Europa erhalten gebliebenen in Moskau, London oder Stockholm. Ein überregionaler Selbstverständigungs- und Willensbildungsprozeß fand nicht mehr statt.

Dem Schriftsteller, dem die Flucht aus dem Einflußbereich der Gestapo ein weiteres Mal gelungen war, stellte sich nunmehr – jetzt allerdings unter erkennbar verschärften Bedingungen – die Frage, deren Beantwortung ihm zu Beginn seines Exils relativ leichtgefallen war: ob er sein Fluchtland als Asyl- oder Einwanderungsland betrachten, ob er sich assimilieren oder weiterhin seine Rückkehr in ein vom Faschismus befreites Deutschland anstreben sollte.

Hatte er diese Frage positiv entschieden, blieb das Problem, wie diese »inzwischenzeit« (Brecht) materiell überbrückt werden konnte; die Frage, ob er seine literarische Tätigkeit fortsetzen (und wenn ja, in welcher Sprache, der deutschen oder der des Gastlandes) oder ob er einen nicht-literarischen Ersatzberuf ausüben sollte. Vielen blieb angesichts der Publikationsverhältnisse nicht einmal die Wahl.

Die Zahl potentieller Buchkäufer war bereits im Vorkriegseuropa in dem Maße geschrumpft, in dem deutschsprachige Gebiete von deutschen Truppen annektiert und überfallen worden waren. Hinzu kam jetzt, daß die jüdische Massenemigration im Zuge ihrer Akkulturation ihr zuvor noch gepflegtes Interesse an deutschsprachiger Literatur verlor. In zunehmendem Maße wurde die Exilliteratur in dieser Phase zu einem Unternehmen von ›sonderbaren Druckvermerken‹, ›Notbüchereien‹, ›Ein-Mann-‹ und ›Selbstverlagen‹ (Weiskopf, Himmel, S. 62 f.).

Für den Schriftsteller, der sich angesichts dieser materiellen Bedingungen entschlossen hatte, auch weiterhin vorwiegend literarisch tätig zu sein, ergaben sich weitere Legitimations- und Perspektivprobleme. Eine erklärtermaßen auf Verhinderung eines Krieges abzielende literarische Tätigkeit – das war das Ziel der meisten exilierten Schriftsteller; dies mit literarischen Mitteln nicht verhindert haben zu können, ist eines der Erklärungsmuster für die in diesen Jahren kulminierenden Selbstmorde – hatte zunächst ihre Legitimation verloren. Auf die Notwendigkeit, sich jenseits dieses Undenkbaren – einen zweiten Weltkrieg – auf neue politische Nah- und Fernziele und damit verbundene Lesergruppen zu definieren, waren in der Regel bestenfalls die sozialistischen Autoren vorbereitet (und auch sie nicht immer).

Für den Schriftsteller, der auch diese Frage positiv für sich entscheiden konnte, standen Fragen des anvisierten Lesepublikums im Vordergrund: sollte ein nichtdeutsches Lesepublikum angesprochen werden, so mußte der Verweis auf ein ›anderes‹ Deutschland, die Revision der in diesen Jahren grassierenden ›Kollektivschuldfrage‹ akzentuiert werden; sollten die – allzu lange nur aus psychohygienischen Gründen gepflegten – Lesergruppen in einem postfaschistischen Deutschland angesprochen werden, so mußten Fragen der ›Umerziehung‹ im Vordergrund stehen. Unter diesen Voraussetzungen ist die in dieser Phase des Exils entstandene Literatur zu sehen.

Zeitroman versus Epochenbilanz

Der Deutschlandroman, der für die literarische Produktion der Exilierten in der ersten und zweiten Phase des Exils von zentraler Bedeutung war, spielte in diesen Jahren keine Rolle mehr. Das Problem, Menschen und Vorgänge zu schildern, die man aus eigener Anschauung nicht kannte, erwies sich nun, nachdem die Möglichkeit, fehlende Anschauung durch Informationen aus zweiter Hand zu ersetzen, weggefallen war, als unüberwindlich. Die wenigen Versuche, die selbst in dieser Phase noch unternommen wurden – etwa Alfred Neumanns *Es waren ihrer sechs*, das die Geschichte der Geschwister Scholl verarbeitet, oder Vicki Baums (auch ihre Bücher waren im Dritten Reich verboten) *Hier stand ein Hotel* (engl. 1945) –, müssen als verfehlt gelten. Zu grotesk sind die Verzeichnungen der Realität, in zu starkem Maße werden Menschen durch Schablonen, wird Wirklichkeit durch Klischees ersetzt.

Weitergeführt wurde der Versuch, den Faschismus an den internationalen Brennpunkten – in dieser Phase: an den Zentren seiner supranationalen Okkupationspolitik – literarisch zu geißeln. Zu nennen sind Stefan Heyms *Der Fall Glasenapp* (engl. 1943, dt. 1958), F. C. Weiskopfs *Vor einem neuen Tag* (engl. 1942, dt. 1944), Ludwig Winders *Die Pflicht* (1949) und Heinrich Manns *Lidice* (1943), die den Widerstand des tschechoslowakischen Volkes behandeln. Die französische Widerstandsbewegung haben Rudolf Leonhard (in *Geiseln*, 1945) und Bertolt Brecht (in *Die Geschichte der Simone Machard*, entst. 1941/43) in Theaterstücken gestaltet. Das Brecht-Stück entstand in Zusammenarbeit mit Lion Feuchtwanger, der denselben Stoff in seinem Roman *Simone* (1945) verarbeitet hat.

Die für diese letzte Phase des Exils charakteristische Romanform ist die *Epochenbilanz*. Formal tritt sie entweder als Autobiographie auf (Heinrich Mann, *Ein Zeitalter wird besichtigt*, 1946; Stefan Zweig, *Die Welt von gestern*, 1944; Ludwig Renn, *Adel im Untergang*, 1944) oder in der Form des Familien- und Generationsromans (Willi Bredel, *Verwandte und Bekannte*, 1943–53; Oskar Maria Graf, *Unruhe um einen Friedfertigen*, 1947; Anna Seghers, *Die Toten bleiben jung*, 1949 – das markanteste Beispiel dieses Genres). Sie kann aber auch in der Form der Deutschland-Allegorie (Hermann Kesten, *Die Zwillinge von Nürnberg*, 1947; Thomas Mann, *Doktor Faustus*, 1947) oder als Monolog eines Sterbenden auftreten (Hermann Broch, *Der Tod des Vergil*, 1945; Bruno Frank, *Chamfort erzählt seinen Tod*, Fragm.; Heinrich Mann, *Der Atem*, 1949).

Gemeinsam ist allen diesen Texten das Bewußtsein, in einer Zeitenwende zu stehen, die je nach politischer Überzeugung ihres Autors als End- oder Ausgangspunkt einer Entwicklung gesehen wird. Das Bewußtsein, mit dem die relativ große, für eine nicht unbedeutende Zahl exilspezifischer Reaktionsmuster repräsentative Gruppe der parteilosen linksbürgerlichen Schriftsteller nach dem Zusammenbruch der Welt von gestern in diese Zeitenwende tritt, hat Bruno Frank mit der Figur des Chamfort exakt beschrieben:

»Geboren unter dem 15. Ludwig und seltsam endend in der Revolution, war er (Chamfort) ein Mann zweier Sphären, zweier Zeitalter. Mit seinen Nerven und seinen Neigungen, seiner Bildung, seinem Geschmack gehörte er der versinkenden Welt an, mit seinen Einsichten, Absichten, Fernsichten der neuen Epoche (...)«

Ähnlich hatte sich zuvor bereits Lion Feuchtwanger im Nachwort zu *Exil* geäußert:

»Wie wir hilflos bemüht waren, das Alte festzuhalten, während wir uns nach dem Neuen sehnten, wie wir das Neue fürchteten, während wir doch erkannten, daß es das Bessere sei, wie wir schwankten und hofften und bangten: das seltsame Lebensgefühl, das die Berührung und die Trennung dieser beiden Pole entstehen ließ, dieses einmalige Lebensgefühl unserer Übergangszeit festzuhalten, darauf kam es mir an.«

Literatur der DDR

Von den antifaschistisch-demokratischen Anfängen bis zum ›Bitterfelder Weg‹

Gesellschaftliche Veränderungen in der Sowjetischen Besatzungszone

Allgemeine Bedingungen

Mit der Kapitulation vom 8. Mai 1945 ging das »Tausendjährige« Reich, wie es vorhersehbar gewesen war, zu Ende. Zwölf Jahre Hitlerfaschismus hinterließen sowohl in materieller wie in ideeller Hinsicht ein Trümmerfeld, das zu überwinden alle demokratischen Kräfte in Deutschland aufgerufen waren. Doch ihre Vorstellungen und Initiativen waren eingeschränkt durch die Vorbehalte der Siegermächte, die sich untereinander das ehemalige deutsche Reich in Besatzungszonen aufgeteilt hatten. Eine einheitliche Konzeption, wie die Zukunft Deutschlands aussehen sollte, bestand trotz verschiedener Konferenzen nicht. Während die Westmächte noch schwankten, ob sie den Morgenthau-Plan, Deutschland in ein Agrarland zu verwandeln, realisieren, eine zonale Aufteilung des ehemaligen Reichsgebietes vorantreiben oder sich am industriellen Aufbau finanziell beteiligen sollten, begannen die Sowjets in ihrer Besatzungszone konsequent mit einer eigenen Politik, die später trotz widersprüchlicher Äußerungen Stalins als zielgerichtet und von vornherein als geplant interpretiert wurde. Anders als die Westalliierten gingen sie davon aus, daß die Empfehlungen der Konferenzen von Jalta im Februar 1945 und anschließend von Potsdam als verbindliche Beschlüsse aufzufassen waren, die für eine Neuregelung in Deutschland maßgeblich sein sollten. Sofort nach der Eroberung von Berlin konstituierten sie eine sowjetische Militäradministration für Deutschland (SMAD) und begannen mit der Organisation eines Verwaltungsapparates in ihrem Einflußbereich. Im Gegensatz zu den Westzonen konnten sich die russischen Besatzungsoffiziere dabei auf Gruppen von kommunistischen Emigranten stützen, die – wie die Gruppe Ulbricht – noch vor der Kapitulation nach Deutschland eingeflogen worden waren. In Moskau auf ihre Aufgabe ideologisch vorbereitet, übernahmen sie die Führungsrolle bei der politischen Reorganisierung und unterstützten dabei zugleich die Ziele der sowjetischen Besatzungsmacht, die entgegen dem Fraternisierungsverbot im Westen den unmittelbaren Kontakt mit der Bevölkerung suchte. Voraussetzung für ihre politischen Aktivitäten war der Befehl Nr. 2 der SMAD vom 10. 6. 45, der die Einrichtung von Gewerkschaften und Verbänden nicht nur erlaubte, sondern zwingend vorsah, während in den Westzonen zunächst nur auf regionaler Ebene Lizenzen für gewerkschaftliche Vereinigungen erteilt wurden. Politische Parteien konnten demnach ihre Arbeit aufnehmen, Wahlen durchgeführt werden, die den Kommunisten anfangs wichtige Erfolge brachten. Doch für eine radikale demokratische Erneuerung reichte die politische Macht nicht aus. Deshalb strebte die KPD nach einer Vereinigung mit den Sozialdemokraten. Durch den Druck der Besatzungsmacht, aber auch mit dem Argument, keine Übertragung des sowjetischen Modells auf Deutschland anzustreben, sondern wie es speziell Anton Akkermann proklamierte, einen eigenen deutschen Weg zum Sozialismus finden zu wollen, erreichte sie ihr Ziel. Während sich die SPD im Westen unter Führung von Kurt Schumacher dem Bestreben der KPD verweigerte, kam es im Ostsektor Berlins am 21.4.1946 zum sogenannten Vereinigungsparteitag, aus dem die Sozialistische Einheitspartei Deutschlands (SED) als nunmehr beherrschende politische Kraft in der SBZ hervorging. Der besiegelnde Händedruck zwischen dem Kommunisten Wilhelm Pieck und dem Sozialdemokraten Otto Grotewohl, der bis heute das Parteiemblem geblieben ist, leitete eine Entwicklung ein, die Zug um Zug die Teilung Deutschlands festschrieb, auch wenn es bis in die Mitte der fünfziger Jahre hinein an Gedanken und Konzeptionen zu einer Wiedervereinigung nicht fehlte.

Politische und ökonomische Maßnahmen

Tiefgreifende gesellschaftliche und ökonomische Veränderungen verursachten Maßnahmen, die die SMAD von Beginn an in der SBZ einleitete. Von entscheidender Bedeutung im Ideologischen war die radikale Entnazifizierung, die alle Bereiche des öffentlichen Lebens umfaßte. Säuberungsaktionen betrafen nicht nur die Justiz, sondern auch den gesamten Bildungs- und Kultursektor, der für eine neue demokratische Zukunft personell und inhaltlich reorganisiert werden sollte.

Zu einem einschneidenden Ereignis wurde die Bodenreform, die die neu entstandenen Länder- und Provinzialverwaltungen auf der Grundlage von Verordnungen im Herbst 1945 in Angriff nahmen. Alle landwirtschaftlichen Betriebe über 100 ha wurden entschädigungslos enteignet, das Land unter Vertriebenen, landlosen oder landarmen Bauern sowie Landarbeitern neu aufgeteilt. Zudem entstand eine Reihe von Volkseigenen Gütern, die für eine spezielle Saat- oder Tierzucht vorgesehen waren, erster Ansatz einer Kollektivierung, die gegen Ende der fünfziger Jahre dann planmäßig durchgeführt wurde.

Entsprechend der Neuverteilung des Bodens bedeutete die Enteignung der Betriebe von »Kriegsverbrechern und Naziaktivisten« einen weiteren radikalen Eingriff in die wirtschaftliche Struktur der SBZ. Ebenso wie Banken und Sparkassen wurden sie als Volkseigene Betriebe (VEB) neu konstituiert, wobei sich die Sowjetunion gemäß den ursprünglichen Absprachen mit den Alliierten ihren Anteil als Reparationsleistungen sicherte. In Form von Sowjetischen Aktiengesellschaften (SAG) entzog sie der Wirtschaft ihrer

Besatzungszone wichtige Substanz, was bis in die sechziger Jahre hinein spürbare Konsequenzen hatte. Während in den Westzonen die materielle Hilfe aus dem Marshall-Plan anlief und die Voraussetzung für die Restauration der industriellen Kapazität schuf, bestanden die Sowjets beharrlich auf Reparationen aus Gesamtdeutschland.

Die Kontroversen zwischen den ehemaligen Alliierten spitzten sich besonders in Berlin zu, dessen Viermächtestatus die unmittelbare Konfrontation herausforderte, während die Grenzen zwischen den Besatzungszonen selbst vereinbarungsgemäß bereits 1946 relativ abgeriegelt waren. Als sich die westlichen Verbündeten nicht bereit erklärten, die ökonomische Konzeption für ihren Einflußbereich definitiv offenzulegen, verließen die sowjetischen Offiziere endgültig den alliierten Kontrollrat in Berlin. Als Folge der wachsenden Interessenkollisionen, aber auch der anti-kommunistischen Feldzüge des amerikanischen Senators McCarthy verschärfte sich die politische Lage Zug um Zug und erreichte ihren Höhepunkt mit der sowjetischen Blockade Berlins 1948, die nur durch den Einsatz amerikanischer Versorgungsbomber gemildert werden konnte. Kurz darauf wurde in den Westzonen eine Währungsreform durchgeführt, die keinen Währungsvergleich mit der Ostzone mehr zuließ.

Die endgültige Teilung Deutschlands aufgrund der fundamentalen ideologischen und politischen Gegensätze zwischen den Siegermächten wurde unausweichlich und mündete in der Gründung zweier Staaten auf dem Gebiet des ehemaligen deutschen Reiches: am 21. 9. 1949 entstand die Bundesrepublik, knapp einen Monat später am 11. 10. 1949 die Deutsche Demokratische Republik.

Kulturelle und kulturpolitische Aktivitäten

Im kulturellen Bereich fand der skizzierte politische und ökonomische Prozeß seinen adäquaten Ausdruck. Der radikale historische Einschnitt, den der Zusammenbruch des Faschismus gebracht hatte, forderte alle Demokraten zu gemeinsamen Anstrengungen heraus, auf der Basis der Tradition des klassischen deutschen Humanismus die geistige Zukunft Deutschlands neu zu gestalten. Um den fruchtbaren Ansätzen und vielfältigen Initiativen, die gerade für die Trümmerzeit charakteristisch waren, einen organisatorischen Rahmen zu geben, gründeten 1500 Künstler, Schriftsteller und Intellektuelle mit wohlwollender Unterstützung der sowjetischen Kulturoffiziere in Karlshorst schon sehr früh, am 4. 7. 1945, im großen Sendesaal des Berliner Rundfunks den »Kulturbund zur demokratischen Erneuerung Deutschlands«. Welche Ziele sich der Kulturbund setzte, geht aus dem Manifest hervor, das zur Eröffnung herausgegeben wurde:

»Vernichtung der Nazi-Ideologie auf allen Lebens- und Wissensgebieten, Kampf gegen die geistigen Urheber der Naziverbrechen und den Kriegsverbrechen, Kampf gegen alle reaktionären, militaristischen Auffassungen, Säuberung und Reinhaltung des öffentlichen Lebens von deren Einfluß ... Wiederentdeckung und Förderung der freiheitlichen, humanistischen, wahrhaft nationalen Tradition unseres Volkes.«

Die Mitglieder des Präsidiums kamen aus verschiedenen politischen Lagern und gesellschaftlichen Organisationen, so daß das bei der Gründung proklamierte Prinzip der Überparteilichkeit gewahrt blieb. Den Vorsitz übernahm Johannes R. Becher, zur Ehrenpräsidentin wurde Ricarda Huch berufen.

Welche Bedeutung der Kulturbund, der sich auch um die unmittelbaren materiellen Bedürfnisse seiner Mitglieder zu kümmern versuchte, in den ersten Nachkriegsjahren hatte, verdeutlichen die ständig steigenden Mitgliederzahlen. Waren es Ende 1945 noch 22000, so wuchs die Zahl bis Ende November 1947 auf 120000. Als Diskussionsforum diente dem Kulturbund die Wochenzeitung »Der Sonntag«, die am 1. Juli 1946 zum erstenmal erschien. Doch die Euphorie des gemeinsamen Neubeginns wich zunehmender Ernüchterung. Ideologische Kontroversen brachen auf, politische Flügelkämpfe bestimmten die Inhalte der kulturellen Praxis, der Einfluß der SED nahm zu. Schließlich wurde der Bund in den Westsektoren Berlins als »kommunistisch« verboten, was seine Eigenentwicklung in der SBZ und später in der DDR programmierte. Ähnlich erging es anderen kulturellen Organisationen, in denen bereits in den zwanziger Jahren geführte Auseinandersetzungen neu zum Tragen kamen. So erwies sich auf der Volksbühnentagung 1947, daß die Vorstellung von einer Volksbühne als neutraler Besucherorganisation, »als Kartenkonsumverein«, nicht vereinbar war mit der Konzeption einer Volksbühne als weltanschaulicher Kampfbühne, wie sie von Friedrich Wolf, Herbert Ihering und Fritz Erpenbeck aus der SBZ gefordert wurde.

Wie weit die kulturpolitischen Standorte bereits auseinandergingen, zeigte auch der erste und einzige gesamtdeutsche Schriftstellerkongreß (4.–8. 10. 1947), auf dem sich 300 Teilnehmer und Gäste mit der zeitgemäßen Schreibweise befaßten. Während vor allem die Vertreter aus dem Westen der Literatur einen ästhetischen Freiraum zubilligten und von der Bedeutung einer neuen Innerlichkeit sprachen, betonte die andere Seite ihre gesellschaftliche und politische Funktion. Johannes R. Becher tat das noch in einer eher erklärenden, überparteilichen Haltung, Stefan Hermlin dagegen spitzte die Argumentation zu. Er trat für eine unmittelbar parteiliche Literatur ein, die die Interessen der Werktätigen in den Mittelpunkt stellen und aktiv in den politischen Kampf eingreifen sollte.

Diese Forderung entsprach dem von der SED in zunehmendem Maße vertretenen Ziel, die Schriftsteller vom bürgerlichen Literaturverständnis zu lösen und sie zu einer neuen Schreibweise zu animieren.

In Alternative zu den im Westen favorisierten Autoren wie Sartre, Camus oder Wilder, die in der SBZ sehr bald ins Kreuzfeuer der Ideologiekritik gerieten, wurde hier die sowjetische Literatur als vorbildhaft besonders gefördert.

Eine wesentliche Aufgabe bei der kulturellen Entwicklung der Nachkriegszeit fiel den Emigranten zu, die nach und nach aus den verschiedensten Zentren des Exils zurückkehrten. Unter ihnen wählten vor allem ehemalige Kommunisten und Linksbürgerliche die SBZ als zukünftige Heimat, weil sie hier am ehesten die Voraussetzungen für eine radikale Erneuerung Deutschlands erfüllt sahen. Johannes R. Becher, Anna Seghers, Friedrich Wolf, Ludwig Renn, Willi Bredel u. a., später Bertolt Brecht und Arnold Zweig versuchten, unmittelbar an ihre Arbeit im Exil anzuknüpfen. Ihre bis dahin unbekannten Spätwerke mit größtenteils antifaschistischer Thematik erneuerten und begründeten zugleich eine Tradition, die im Westen zumeist verdrängt wurde, für die Literaturproduktion und die Literaturtheorie der späteren DDR jedoch eine wesentliche Grundlage darstellte.

Ebenso wie die gesellschaftliche und ökonomische Umwälzung in der SBZ als radikaldemokratische Alternative zur bürgerlich-kapitalistischen Restauration in den Westzonen konzipiert war, verstärkte sich im Bereich der Literatur als Grundtendenz der Nachkriegsjahre zunehmend der Anspruch, dem Pluralismus bürgerlicher Literaturproduktion eine eigene feste Konzeption entgegenzusetzen. Dazu gehörte neben der Forderung nach Aufarbeitung der plebejischen und proletarisch-revolutionären Tradition auch die Forderung nach einer adäquaten materialistischen Aufbereitung des bürgerlich-klassischen Erbes.

Mit der Konstituierung der DDR als eigenem Staat 1949 bekam dieser Anspruch, der bis dahin Gegenstand relativ offener Diskussionen gewesen war, Ausschließlichkeitscharakter. Die ultimative Forderung nach einer selbständigen Literatur der DDR rückte in den Mittelpunkt. Daß eine solche Literatur nicht über Nacht entstehen konnte, liegt auf der Hand. Deshalb ist eine Literaturgeschichte der DDR des ersten Jahrzehnts nicht primär eine Geschichte ihrer Problemschwerpunkte und Gestaltungsformen selbst, sondern ebenso eine Geschichte der theoretischen Diskussionen und kulturpolitischen Direktiven, die die immanenten Widersprüche ihrer Entstehung und Entwicklung bestimmten.

Kulturpolitische Restriktion und staatliche Reglementierung im Umkreis der ›Formalismuskampagne‹

Programmatik der SED

Die eigentliche erste Phase der Kulturpolitik der DDR, die aufgrund dieser Vorüberlegungen zwischen 1949 und 1953 anzusetzen ist, hat angesichts des herrschenden Bewußtseins den Charakter einer Revolution von oben. Davon zeugen nicht nur die Fülle an Entschließungen und Kommentaren von Parteigremien und Kulturorganisationen, sondern nicht zuletzt die konkreten politischen und bürokratischen Maßnahmen, die ihnen folgten.

Vorbei war die Zeit, in der wie auf dem 2. Parteitag 1947 »die freie Entwicklung der Persönlichkeit« gefordert oder wie in der Entschließung des Parteivorstandes vom 11. 2. 1948 zum Verhältnis von Intellektuellen und Partei um Vertrauen bei den Geistesschaffenden in strenger Überparteilichkeit geworben wurde. – Mit der Selbstbestimmung der SED auf· der ersten Parteikonferenz 1949 als Partei neuen Typus, d. h. einer Kampfpartei des Marxismus-Leninismus beruhend auf dem »Grundsatz des demokratischen Zentralismus« als Voraussetzung für die Durchführung des Zweijahres-Planes 1949/50, war auch die Aufgabe der Schriftsteller und Künstler gesetzt. Materiell unterstützt durch eine Kulturverordnung der DWK, die 1950 durch eine weitere der provisorischen Regierung der DDR ergänzt wurde, was angesichts der desolaten wirtschaftlichen Situation ein außerordentliches Privileg bedeutete, sollten sie mit den ihnen zur Verfügung stehenden Mitteln für die Ziele des Planes eintreten, »Arbeitsfreude und Optimismus« unter der Bevölkerung verbreiten helfen und zur kulturellen Massenarbeit beitragen. Daß diese Aufgabe nur durch »unversöhnlichen Kampf« gegen »formalistische und naturalistische Verzerrungen der Kunst«, positiv gesagt, durch die »Entwicklung einer realistischen Kunst« als Medium für einen allgemeinen Bewußtseinsprozeß zu erfüllen war, bestätigte der 2. Kongreß des inzwischen in Westdeutschland verbotenen Kulturbundes (25.– 26. 11. 1949), auf dem Volksbildungsminister Paul Wandel die gesellschaftlichen Forderungen der »neuen Auftraggeber« an die Schriftsteller und Künstler artikulierte. –

Der 3. Parteitag der SED (20.– 24. 7. 1950), auf dem ein Fünfjahresplan zur Entwicklung der Volkswirtschaft der DDR beraten und verabschiedet wurde, setzte neue Akzente in der Entwicklung der Kulturpolitik dieser ersten Phase. Der Ton war ungleich aggressiver und spiegelte die Verschärfung der politischen und ideologischen Gegensätze zwischen Ost und West im Zeichen des Kalten Krieges. Es war von »reaktionären und volksfeindlichen Richtungen« die Rede, die von der »Kulturbarbarei des aggressiven amerikanischen Imperialismus gefördert« würden. Gegen sie galt es »ernste Maßnahmen« zu ergreifen. Schon der Versuch, bürgerliche Ideologie objektivistisch darzustellen, wurde mit ihrer Verbreitung und Unterstützung gleichgesetzt. Unzufrieden mit den bisherigen Ergebnissen im Bereich der künstlerischen Produktion, unzufrieden auch mit dem mangelnden Engagement der Intellektuellen insgesamt, gipfelte der 3. Parteitag in der Forderung, »einen radikalen Umschwung auf allen Gebieten des kulturellen Lebens zu erzielen und mit der Lauheit und dem Versöhnlertum unerbittlich Schluß zu machen«. – Hier bereitete sich jene Eskalation in der kulturpolitischen Auseinandersetzung vor, die 1951 in der Formalismus-Kampagne ihren Höhepunkt erreichte.

Ein wesentlicher Teil der Schriftsteller indes begrüßte zunächst die Aufgaben, die ihnen Staat und Partei bei der Entwicklung einer neuen Gesellschaftsordnung zugedacht hatten. Das ist den Referaten u. a. von Johannes R. Becher, Bodo Uhse und KURT BARTHEL (Kuba, geb. 1914) auf dem 2. Schriftstellerkongreß zu entnehmen, der kurze Zeit nach dem 3. Parteitag im Juli 1950 stattfand. Auch Brecht und Arnold Zweig teilten zu dieser Zeit die Euphorie, am Anfang einer neuen Kulturentwicklung teilzuhaben.

Was freilich an literarischen Produkten bereits vorlag und den Anspruch erhob, der neuen Kunstkonzeption gerecht zu werden, hat weniger literarische Bedeutung als entwicklungsgeschichtlichen Stellenwert.

Aufbauthematik

Im Bereich der Prosa leistete OTTO GOTSCHE (geb. 1904) Pionierarbeit mit dem Roman *Tiefe Furchen* (1949), der die Konflikte bei der Durchführung der Bodenreform 1945 in einem Dorf thematisiert. Selbst Leiter einer Bodenkommission, schildert er aus Erfahrung die obligatorischen Schwierigkeiten, nicht nur die Enteignung der Großgrundbesitzer durchzusetzen, sondern auch das Bewußtsein der Kleinbauern und Landarbeiter für die gesellschaftliche Umwälzung zu gewinnen. Der reportagehafte Stil des Romans verbindet ihn mit der zu dieser Zeit charakteristischen Erzählweise anderer Autoren, die Gegenwartsprobleme aufgriffen: HELMUT HAUPTMANN (geb. 1928) berichtete in *Das Geheimnis von Sosa* (1950) vom Bau einer Talsperre; Stephan Hermlin wandte sich in *Es geht um Kupfer* dem Bergbau in Mansfeld zu. Willi Bredel schrieb die Reportage *50 Tage*, die den beispielhaften Einsatz beim Wiederaufbau des Thüringer Dorfes Bruchstedt dokumentieren sollte, das 1950 durch Unwetter fast völlig zerstört worden war. EDUARD CLAUDIUS (geb. 1911) griff in seiner Reportage-Erzählung *Vom schweren Anfang* (1950) die in der Presse hervorgehobene Leistung des Maurers Hans Garbe auf, der unter schwierigen Umständen einen lebenswichtigen Ringofen repariert hatte, und zeichnete in der Charakterisierung seines ›positiven Helden‹ ein erstes Aktivistenporträt. Das Thema, das später auch Brecht (*Büsching-Fragment*) und Heiner Müller (*Der Lohndrücker*) beschäftigte, weitete er 1951 aus zu seinem Roman *Menschen an unserer Seite*, in dem die Zentralfigur, die Claudius Hans Aehre nennt, nicht nur die technologischen Probleme meistert, die Widerstände von Betriebsleitung und rückständigen Arbeitskollegen erfolgreich überwindet, den Klassenfeind in Gestalt des Meisters Matschat als Agenten entlarven hilft, sondern vor allem sich selbst vom bloßen »Wühler« zum bewußten Vorkämpfer der gesellschaftlichen Veränderungen entfaltet.

All diese ersten der Aufbauthematik gewidmeten Prosaarbeiten, die in den nächsten Jahren zahlreiche Nachahmer fanden, konnten mit ihren schablonenhaft-typisierten Figuren, ihren schematisch angelegten Konflikten, die die gravierenden ideologischen und psychologischen Probleme der Übergangszeit radikal vereinfachten, allenfalls tagespolitische Bedeutung haben.

Als literarisch relevante Ausnahme ist Erwin Strittmatters Erzählung *Ochsenkutscher* zu erwähnen, die jedoch nicht die Gegenwart schildert, sondern autobiographisch gefärbte Erlebnisse eines Landarbeiterkindes auf einem Gut in der Niederlausitz zur Zeit der Weimarer Republik und des Dritten Reiches aufgreift.

Im Bereich der Dramatik bot sich das gleiche Bild wie in der Prosa. Hier tat HERMANN WERNER KUBSCH (geb. 1911) nach *Ende und Anfang* (1947) *Die ersten Schritte* (1949). Sein Held ist der Werkmeister Paul Hartmann, der sich in einem volkseigenen Betrieb klassenbewußt und gewerkschaftsorientiert gegen die Widerstände der den neuen Verhältnissen mit Mißtrauen begegnenden Arbeitskollegen durchsetzt und mit ihrer Hilfe die faschistischen Saboteure unschädlich macht, die das Kraftwerk zerstören wollen. Aktivitäten des Klassenfeindes in Gestalt des leitenden Ingenieurs Rothkegel, der als westlicher Agent Sabotage in einem VEB betreibt, sind auch bestimmend für den dramatischen Konflikt von KARL GRÜNBERGS (geb. 1891) *Golden fließt der Stahl* (1950). Die Entlarvung spornt nicht nur die Stahlwerker zu Leistungen für die Erfüllung des Planes an, sondern ermöglicht auch die Erfüllung der Liebe zwischen Schmelzer und Laborantin, die bislang verheimlicht war. –

Vergleichbare Motive tauchen in der FDJ-Geschichte *Du bist der Richtige* (1950) GUSTAV VON WANGENHEIMS (geb. 1895) auf, die zugleich das Verhältnis von Individuum und Kollektiv anspricht. Friedrich Wolf schließlich versuchte mit *Bürgermeister Anna* (1949) seinen Beitrag als Dramatiker zu Problemen des Neubeginns zu leisten. Doch der Konflikt zwischen der 23jährigen Anna Drews und dem reaktionären Großbauern und Brandstifter Lehmkuhl um den Neubau einer Schule geriet ebenso gezwungen wie die zuvor skizzierten Zeitstücke.

Anpassung der Lyrik

Für die Lyrik, der zunächst ein relatives Eigenleben zugebilligt schien, bedeutete die programmatische Fixierung der Literatur eine besondere Einschränkung ihrer Ausdrucksmöglichkeiten. Denn der gewünschte Verzicht auf die als dekadent geltenden lyrischen Formen bedingte eine epigonale Rezeption klassischer Modelle (Sonett, Hymne, Elegie – auch Kantate, Oratorium), die apologetisch mit neuen gesellschaftlichen Inhalten gefüllt wurden. Bei der pathetischen Reproduktion humanistisch-heroischer Dichtung erwiesen sich Vertreter der älteren Generation als besonders aktiv. Ganz im Zeichen des opportunen Personenkults entstanden STEPHAN HERMLINS (geb. 1915) *Stalinhymne* und KURT BARTHELS *Kantate auf Stalin* (1949), beispielhaft für unzählige Preislieder, die die Taten des großen Sowjetführers rühmten. *Das Mansfelder Oratorium* (1950) von Hermlin anläßlich der 750-Jahr-Feier des Kupferschieferbergbaues besang euphorisch die Errungenschaften des neuen Arbeiter- und Bauernstaates.

Auch JOHANNES R. BECHER (1891–1958) stellte sein lyrisches Spätwerk in den Dienst des sozialistischen Aufbaus. Seine Dichtungen wie *Der Staat* oder *Seid euch bewußt*, aber auch das Preislied auf die sowjetische Entwicklung in den *Neuen deutschen Volksliedern* (1950) bekamen deshalb ein besonderes Gewicht, weil sie unter vielen anderen zum festen Repertoire von Festveranstaltungen, Feierstunden und Einweihungen gehörten und dabei öffentlich vorgetragen wurden. Von Becher stammt auch die Nationalhymne der DDR *Auferstanden aus Ruinen ...* (1949), vertont von Hanns Eisler, die die Zukunft der neuen Gesellschaft in verklärendem Licht zeigt. Daß der Dichter seine eigenen, dem Anspruch der Partei gerecht werdenden Lobgesänge, die

die Widersprüche der geleisteten Realität enthusiastisch verschleierten, kritischer sah, als der pathetische Ton vermuten läßt, lassen die idyllischen Bilder seiner gleichzeitig entstandenen Naturgedichte erkennen, die sich als Alternative aus jeglicher politischen Stellungnahme zurückzogen. Die selbst eingestandene Schaffenskrise wurde trotz Formbeherrschung und großer öffentlicher Anerkennung unvermeidlich. Sie äußert sich in einer Reihe von poetologischen Reflexionen (u. a. *Verteidigung der Poesie*, 1952; *Poetische Konfession*, 1954; *Macht der Poesie*, 1956), die über die Bestimmung des eigenen Standortes hinaus grundsätzliche Erwägungen über die Möglichkeiten der Aneignung des klassisch-humanistischen Erbes enthalten, und eine umfassende Epochenanalyse anstreben. Neben Becher sind LOUIS FÜRNBERG und GEORG MAURER (geb. 1907) als Wegbereiter der neuen DDR-Lyrik zu nennen, die den Fundus tradierter bürgerlicher Formen einsetzten und dabei zugleich ihre spezifische Entwicklung als Lyriker reflektierten. – So versuchte Maurer auf der Grundlage klassischer Vorbilder wie Hölderlin seine ursprünglich metaphysische Orientierung in eine materialistische zu verwandeln und sein Bewußtsein auf die aktuellen gesellschaftlichen Prozesse zu konzentrieren (vgl. *Bewußtsein*, 1950/56; *Zweiundvierzig Sonette*, 1953), indem er subjektives Erleben der Natur und gesellschaftliche Erfahrungen allmählich in Zusammenhang brachte.

Bei allen formalen Differenzierungen, die angesichts der politischen Funktion der Literatur ohnehin eine sekundäre Rolle spielten, bildete sich in der Lyrik dieser ersten Phase zu Beginn der fünfziger Jahre ein Motivkanon heraus, der in immer neuen Variationen Gestaltung fand. Zentrale Inhalte sind Abkehr und Abgrenzung von der alten Gesellschaft, Warnung vor der kapitalistischen und imperialistischen Entwicklung im Westen und Parteinahme für die menschliche Perspektive beim Aufbau des Sozialismus in der DDR, wobei die Sowjetunion als großes historisches Vorbild herangezogen wird.

Dieser gemeinsame Tenor gilt besonders für die meisten der jüngeren Lyriker, die keine früheren Gestaltungsprinzipien revidieren mußten, sondern sich unmittelbar an den genannten Vorbildern orientieren konnten. Davon zeugen Anthologien wie *Neue deutsche Lyrik, Dichtung der jungen Generation* und *Neue Klänge – Friedenssänge*, die alle 1951 herauskamen. Plakative Ovationen und vordergründige Bekenntnisse zur neuen Gesellschaftsordnung herrschen vor, verbunden mit abgegriffenen Verallgemeinerungen und konventionellen Wendungen. *Begeistert von Berlin* (1951) heißt der programmatische Titel eines Gedichtbandes, den UWE BERGER (geb. 1921) und PAUL WIENS (geb. 1922) gemeinsam mit Kieseler veröffentlichten. Aktivistenhymnen wie Bergers *Hans Garbe* sollten einen spontanen Enthusiasmus verkünden.

Im Bereich der Naturlyrik traten bei ARMIN MÜLLER (geb. 1928) und GÜNTHER DEICKE (geb. 1922) (vgl. *Seit jenem Mai*, 1953 bzw. *Liebe in unseren Tagen*, 1954) idyllisierende Tendenzen in den Vordergrund, die einen Eindruck von dem optimistischen Lebensgefühl im neuen Deutschland vermitteln sollten.

Erst nach 1956 wurden Ansätze erkennbar, die die Harmonisierung differenzierter gestalteten.

Methode des sozialistischen Realismus

Obwohl Walter Ulbricht und das ZK der SED die Arbeiten von Bredel, Claudius, Grünberg, Hauptmann und Wangenheim wiederholt als Erfolge registrierten und als fortschrittliche Leistungen lobten, blieb die Entwicklung der Literatur und ihr Niveau insgesamt nach ihrer Meinung weit hinter der gesellschaftlichen und ökonomischen Entwicklung in der DDR zurück. Daß literarische Produktion sich nicht einfach programmieren ließ und die Schriftsteller und Künstler objektiven Schwierigkeiten gegenüberstanden, blieb dabei außer Betracht. Denn als Kommunisten, Sozialisten und ehemalige Antifaschisten waren sie durchaus prinzipiell dazu bereit, die in sie gesetzten Erwartungen beim Aufbau einer neuen Gesellschaft zu erfüllen; doch sie konnten einfach dazu ad hoc nicht imstande sein, da Gestaltungsprinzipien, Themenstellungen und Konfliktkonstellationen ihrer früheren Arbeiten auf die antagonistischen Widersprüche der Klassengesellschaft bezogen waren. Die Umstellung auf die veränderten Verhältnisse in der DDR mit all ihren Implikationen erforderte daher Zeit, neue künstlerische Methoden zu erarbeiten. Hinweise der Partei auf das humanistische und klassische Erbe, wie sie sich speziell im Goethe-Jahr 1949 anboten, und die wiederholte Heranziehung sowjetischer Vorbilder, die sich nicht einfach auf deutsche Gegebenheiten übertragen ließen, brachten ebensowenig eine Lösung der Gestaltungsprobleme wie das abstrakte Insistieren auf der Methode des sozialistischen Realismus.

Angesichts dieser Situation, die bei den kunstfremden Bürokraten auf wenig Verständnis stieß, initiierte die Partei als ideologische Offensive die Formalismus-Kampagne, die die verbal gebliebenen Anregungen und Beschlüsse des 3. Parteitages verwirklichen sollte. Den Auftakt bildeten zwei Artikel von N. Orlow in der »Täglichen Rundschau« (21.–23. 1. 1951) über »Wege und Irrwege der modernen Kunst«, die polemisch »empörende Mängel« registrierten und »Tendenzen des Verfalls und der Zersetzung« in allen Bereichen der Kunst attackierten. Kurze Zeit später (13. 3.) forderte das Politbüro von der Presse der SED »einen systematischen Kampf gegen den Formalismus und seine Wurzel, den Kosmopolitismus«. Das ZK der SED nahm in seiner 5. Tagung die Vorwürfe auf und wählte für seine Entschließung das Motto: »Kampf gegen den Formalismus in Kunst und Literatur, für eine fortschrittliche deutsche Kultur.« In Ermangelung eines eigenen theoretischen Konzepts, das den Verhältnissen in der DDR entsprach, und die unterschiedliche künstlerische Sozialisation der aus den verschiedensten Ländern heimgekehrten Emigranten berücksichtigte, griff das ZK auf die dogmatischen, 1934 auf dem Allunions-Kongreß der Schriftsteller in Moskau artikulierten Thesen Schdanows zurück, die anschließend von Stalin als allein gültige Methode des sozialistischen Realismus kanonisiert worden waren. Darin heißt es als Verpflichtung der »Ingenieure der menschlichen Seele« ... »das Leben kennen ... , es nicht scholastisch, nicht tot, nicht als ›objektive Wirklichkeit‹, sondern als die Wirklichkeit in ihrer revolutionären Entwicklung darstellen zu können. Dabei muß die wahrheitsgetreue und historisch konkrete künstlerische Darstellung mit der Aufgabe verbunden werden, die werktätigen Menschen im Geiste des Sozialismus ideologisch umzuformen und zu erziehen. Das ist die Methode, die wir in der schönen Literatur und in der Literaturkritik als die Methode des sozialistischen Realismus bezeichnen«. Übertragen auf die DDR, kommentierte der Hauptreferent Hans Lauter, bedeutet das, »das Leben richtig, d. h. in seiner Vorwärtsentwicklung darstellen«, indem »typische Umstände unserer Zeit, unter denen die getreue Wiedergabe typischer Charaktere erfolgen soll«, geschildert werden.

Was diese scheinbar weit gefaßten Definitionen und Zielsetzungen, die in dieser Zeit in zahllosen Kommentaren und Stellungnahmen formelhaft wiederholt wurden, konkret implizierten, deutete sich bereits während der Tagung an in gezielten Angriffen gegen als formalistisch geltende Werke, u. a. gegen die Oper von Paul Dessau *Das Verhör des Lukullus*, deren Musik in ihrer »verzerrten Harmonik« und »verkümmerten Melodik« »Zerstörung wahrer Gefühlswerte« vorgeworfen wurde.

Welche Konsequenzen die kulturpolitische Offensive der SED jedoch in Wirklichkeit hatte, wurde in ihrem Ausmaß erst erkennbar, als die auf der ZK-Tagung geforderte Errichtung einer »Staatlichen Kommission für Kunstangelegenheiten« mit allen nur erdenklichen Vollmachten durch entsprechende Verordnung am 12. Juli 1951 Wirklichkeit geworden war. In seiner Rede am 31. August in der Staatsoper Berlin anläßlich der Berufung der Kommission, der u. a. Helmut Holtzhauer als Vorsitzender, Fritz Erpenbeck, Wilhelm Girnus und Hans Rodenberg angehörten, formulierte der damalige Ministerpräsident Otto Grotewohl die Ziele der »neuen kulturellen Orientierung«. Er forderte vom Künstler unbedingte Parteilichkeit für die Sache der Arbeit im Rahmen des Fünfjahres-Planes; die Absichten eines Autors in seinen Büchern können nicht mehr gelten gelassen werden. Als unwiderrufliche Grundsätze hielt er fest: »Literatur und bildende Künste sind der Politik untergeordnet«, »Die Idee der Kunst muß der politischen Marschrichtung folgen«. Bedenkt man, daß diese Grundsätze als Basis für die Arbeit eines zentralen bürokratischen Apparates gedacht waren, der durch Verwaltungen für Kunstangelegenheiten in den Ländern ergänzt werden und für alle Belange im künstlerischen Bereich der Gesellschaft (Veröffentlichungs- und Aufführungsgenehmigung, Druck, Papierlieferungen, Verlagslizenzen) zuständig sein sollte, wird deutlich, wie weit der dirigistische Eingriff der SED in dieser ersten kulturpolitischen Phase der DDR reichte. Es handelte sich nicht mehr nur um eine Wiederaufnahme der Realismus-Debatte aus den dreißiger Jahren, die nun zugunsten orthodoxer Positionen von Moskau-Emigranten wie Lukács, Erpenbeck, Rodenberg und Pollatschek nachträglich entschieden wurde, sondern um eine Verengung der kritischen Perspektive, die in den folgenden Jahren nur noch tagespolitischer Beurteilung Raum ließ, d. h. jeweils nicht ohne Folgen blieb. »Formalismus« als Etikett für ein literarisches Werk bedeutete demnach nicht mehr bloß ästhetische Abwertung im Hinblick auf epigonale Übernahme traditioneller Ausdrucksformen oder moderner sogenannter avantgardistischer Gestaltungsprinzipien, die einen l'art pour l'art-Standpunkt vermuten lassen konnten (Girnus), sondern kam bei den gesetzten Prioritäten einer politischen Verurteilung des Autors gleich. Das galt auch für die übrigen Kriterien, an denen ästhetische Produkte offiziell gemessen wurden.

Einer der ersten von den bürokratischen Maßnahmen des Parteiapparates Betroffenen war der Literaturwissenschaftler und Publizist Alfred Kantorowicz, der die Entwicklung der kulturpolitischen Verhältnisse bis zu seiner Flucht 1957 aus persönlicher Sicht in seinem *Deutschen Tagebuch* festgehalten hat. Zunächst geriet seine seit 1947 erschienene Monatszeitschrift »Ost und West«, die eine Zeitlang sogar von den sowjetischen Kulturoffizieren gegen das ZK-Verbot verteidigt worden war, ins Kreuzfeuer der Kritik. Dann wurde sein Antifa-Schauspiel *Die Verbündeten* vom Spielplan des Deutschen Theaters abgesetzt (1951), weil es angeblich die Widerstandskämpfer aus verschiedenen Nationen in der antifaschistischen Gemeinschaft des Maquis in Frankreich zu positiv zeichnete und die nationale Front dabei vernachlässigte. Neben anderen stieß auch Brecht nicht nur mit seinen theatertheoretischen Ansätzen, die er bereits 1948 im *Kleinen Organon* formuliert hatte, bei den Verfechtern der Identifikationsdramaturgie auf heftige Kritik, sondern entsprach auch weder mit *Antigone*, der Gorki-Bearbeitung *Die Mutter*, noch mit seiner Klassiker-Deutung den kunstdoktrinären Vorstellungen der Partei.

Ein besonders eklatantes Beispiel für die Verengung der kulturpolitischen Perspektive wurde die Debatte um Hanns Eislers Opernlibretto *Johann Faustus* (1952). Eislers Versuch, die Faust-Figur von ihren volkstümlichen Ursprüngen her zu deuten und sie im historischen Kontext der Bauernkriege als Erfahrung der deutschen Misere realistisch zu sehen, wurde als »antinational«, »antipatriotisch« und »zersetzend« attackiert. Goethes Erbe vor Augen erschien Kulturfunktionären wie Wilhelm Girnus die Deutung als Verhöhnung der »ganzen deutschen Geistesgeschichte«. Trotz positiver Stimmen (u. a. von Brecht) versetzte solch dogmatische Engstirnigkeit Eisler in einen Zustand tiefster Depression.

Produktionsromane

Trotz solcher Schwierigkeiten bemühten sich die Schriftsteller weiterhin, den in sie gesetzten Erwartungen entsprechend zu schreiben. In dem Versuch, über die bloße Reportage der Anfangszeit hinauszukommen, entstanden eine Anzahl sogenannter »Betriebs- oder Produktionsromane«, die anhand konkreter Beispiele aus der DDR-Industrie die Veränderungen der Produktionsverhältnisse künstlerisch zu gestalten versuchen. Zu den bekanntesten aus der Vielzahl dieses neu entstehenden Genres, das zwischen 1952 und 1955 hervortrat, gehörten Maria Langners *Stahl* (1951), in dem der Aufbau des Stahlwerkes Brandenburg thematisiert wird, Karl Mundstocks *Helle Nächte* über Eisenhüttenstadt, der Bergwerksroman *Wetterleuchten um Wadrina* von

WOLFGANG NEUHAUS (1929–1966) und Hans Marchwitzas Roman *Roheisen*, der die Errichtung des Eisenwerkes Ost chronologisch nachvollzieht. Allen Beispielen dieses Genres gemeinsam ist die einseitige Betonung der äußeren Veränderungen im ökonomischen und gesellschaftlichen Bereich. Denken und Handeln der tragenden Figuren werden mechanistisch daraus abgeleitet, Konflikte erweisen sich als nur scheinbare oder als äußerliche, wenn Sabotageakte des Klassenfeindes den Fortgang der Arbeit gefährden. Statt psychologischer Komplexität entwickeln die Betriebsromane wie schon zuvor die Reportagen eine simple Schwarz-Weiß-Zeichnung, die individuelle Probleme des Einzelnen beim Aufbau der neuen Gesellschaft nicht berücksichtigt, Bewußtseinsprozesse vernachlässigt und die Figuren schematisch auf Funktionsträger reduziert.

Diese Grundtendenz gilt auch für die Versuche, die sich den Veränderungen auf dem Lande widmeten. In ihnen dominiert zumeist als Hauptwiderspruch das statische Gegeneinander von reaktionären Großbauern, die die Umgestaltung mit allen Mitteln zu boykottieren suchen, und jungen Aktivisten oder Parteisekretären als Vorbildfiguren, die sich der neuen Gesellschaftsordnung verschrieben haben und sie gegen alle äußeren und inneren Widerstände durchsetzen wollen.

Charakteristisches Beispiel dafür sind die Romane von WERNER REINOWSKI (geb. 1908). Sowohl die beiden ersten Bände der Trilogie über die Entwicklung des Dorfes Hagendorf *Der kleine Kopf* und *Vom Weizen fällt die Spreu* (1952) als auch den Genossenschaftsroman *Diese Welt muß unser sein* (1953) kennzeichnen solche simplifizierenden, in diesem Typus dominierenden Schemata.

Anders dagegen ERWIN STRITTMATTER (geb. 1912) mit seinem Roman *Tinko* (1954), der 1948/49 in einem Dorf in der Niederlausitz spielt. Aus der Perspektive des Jungen, der zugleich als Ich-Erzähler auftritt, vermittelt der Autor mit scheinbarer Naivität einen tieferen Einblick in die individuellen psychischen Konflikte, die die Änderungen der Besitzverhältnisse nach der Bodenreform auf dem Lande mit sich brachten als Reinowski oder Gotsche. Am Beispiel von Tinkos Großvater Alfred Kraske wird deutlich, wie die durch den Neubauernstatus entstandene Eigentumsideologie den Blick auf die Notwendigkeit gesellschaftlicher Weiterentwicklung verstellt und die zwischenmenschlichen Beziehungen bis in die Familie hinein gefährdet. Die verzweifelte Verweigerung Kraskes gegenüber allem »Neuen« bekommt fast eine tragische Dimension, die Strittmatters Roman ernstzunehmend von den gängigen Beispielen dieses Genres unterscheidet, ganz abgesehen von der sprachlichen und formalen Variationsbreite, die der Autor einsetzt.

Auch im Bereich der zeitgenössischen dramatischen Produktion bildete Strittmatter mit seinem Stück *Katzgraben* (1953), das vor allem durch die Brechtsche Inszenierung und die ›Notate‹ Brechts bekannt geworden ist, eine Ausnahme.

Literatur und Literaturdiskussion
unter dem Eindruck des ›Neuen Kurses‹ der SED

Resümiert man die erste Phase in der DDR, so ist leicht erkennbar, daß die Verengung des kulturpolitischen Standortes konsequenterweise eine ästhetische Verengung der literarischen Produktion mit ganz wenigen Ausnahmen bedingte, die Literatur zur Flucht trieb oder sie zum Opportunismus verführte. Das kam besonders zum Ausdruck, als sich Partei- und Staatsführung 1953 durch die Ereignisse des 17. Juni nicht nur zur Revision von Vorstellungen und Maßnahmen im ökonomischen und gesellschaftlichen Bereich gezwungen sahen, sondern auch mit oppositionellen Tendenzen im kulturellen Sektor konfrontiert wurden. Die Erklärung der Akademie der Künste (10. Juni 1953) ebenso wie die Vorschläge des Kulturbundes (4. Juli 1953) enthielten Forderungen nach »Freiheit der Meinungen in allen wissenschaftlichen und künstlerischen Diskussionen« und wehrten sich gegen »administrative Einmischung staatlicher Stellen in die schöpferischen Fragen der Kunst und Literatur«.

Die SED, bürokratische, dogmatische und administrative Tendenzen ihrer bisherigen politischen Praxis selbstkritisch reflektierend, lenkte ein. Sie proklamierte – nicht zuletzt unter dem Eindruck von Stalins Tod – einen ›Neuen Kurs‹ der Partei, der im wirtschaftlichen Bereich die Änderung des Fünfjahres-Planes bedeutete und zugunsten der Grundbedürfnisse der Bevölkerung eine Steigerung der Nahrungs- und Genußmittelindustrie auf Kosten der bis dahin favorisierten Schwerindustrie vorsah, sowie u. a. die willkürliche Erhöhung von Arbeitsnormen zurücknahm. Im kulturpolitischen Bereich begann ebenfalls eine neue, d. h. die zweite Phase, die – später als »Einbruch bürgerlicher Positionen« kritisiert – Front machte gegen eine bürokratische Reglementierung künstlerischer Arbeit. Äußeres Zeichen für die Neuorientierung war die Auflösung der »Staatlichen Kommission für Kunstangelegenheiten«, an deren Stelle am 7. Januar 1954 ein Kulturministerium mit Johannes R. Becher an der Spitze eingerichtet wurde.

Entsprechend der Selbstkritik der Partei, ihr bisheriges Verhältnis zu Intellektuellen und Künstlern betreffend, reagierte die literarische Szene in der DDR selbst.

Literarische Reaktionen

Heinar Kipphardts Satire *Shakespeare dringend gesucht*, das meistgespielte Stück der Jahre 1953/54, kritisierte am Beispiel des verzweifelten Dramaturgen Färbel ironisch Dilettantismus und Schönfärberei, die nach Meinung des Autors bei Beurteilung und Auswahl des überall geforderten Zeitstücks eine primäre Rolle im Theater spielten.

Brecht schrieb die Gedichte *Amt für Literatur* und *Nicht feststellbare Fehler der Kunstkommission* (1953), die sich kritisch mit der Praxis des Kulturbetriebes und der Rolle der Partei auseinandersetzten. Auch wenn seine Kritik nicht als Material für westliche Propaganda verstanden war, wie das Gedicht *Nicht so gemeint* bezeugt, gaben sie dennoch einen signifikanten Einblick in die Widersprüche der kulturellen Entwicklung in der DDR. Auch die *Buckower Elegien* (1953) thematisierten innere Widersprüche. Besonders das im Westen vielzitierte Gedicht *Die Lösung* über die Konsequenzen des 17. Juni 1953 enthielt in seinen Schlußzeilen ironische Anspielungen auf die Rolle der Partei. Überhaupt bildet Brechts späte Lyrik wie seine Theaterarbeit eine Alternative zur herrschenden Konzeption. Auch wenn der Ton seiner *Neuen Kinderlieder*, in denen der Gegenentwurf speziell zur ersten Strophe des Deutschlandliedes hervorsticht, ungleich heiterer ist als der seiner Gedichte in der Emigration, bleibt er dennoch seiner didaktischen und dialektischen Vorgehensweise treu. Das zeigen Lehrgedichte wie *Die Erziehung der Hirse* (1950), die sich primär an den Intellekt des Lesers wenden und sein Erkenntnisinteresse herausfordern. Das lyrische Ich, sofern es überhaupt in Erscheinung tritt, lädt nicht zu teilnehmender Empfindung ein, sondern geht auf Distanz und rückt das zumeist parabolisch verstandene Sujet des Gedichts in eine kritische Perspektive. Ein gestischer Rhythmus, der die Elemente der erlebten Wirklichkeit verknüpft und sie zur Beurteilung freigibt, ersetzt den klassisch-bürgerlichen Formenkanon.

Brechts Lyrik-Konzeption fand entsprechend der Theatertheorie eine Reihe von Nachfolgern in der DDR. Unter ihnen sind GÜNTER KUNERT (geb. 1929), der sich als »Weiser des Weges« verstand, und HEINZ KAHLAU (geb. 1931) zu nennen, die in ihren Gedichten mit einer vergleichbaren Methodik die inneren Widersprüche im Sozialismus der DDR reflektierten und sentenzenhaft verallgemeinernd den Leser zu kritischer Stellungnahme animierten (vgl. Heinz Kahlaus *Probe 1956*).

Daß diese belehrende Tendenz und die Rezeption plebejisch-volkstümlicher lyrischer Formen anstelle bürgerlich-humanistischer als Möglichkeit akzeptiert wurde, war nicht zuletzt Resultat des neuen Kurses, der sich besonders in der Lyrik auswirkte. Denn für eine kurze Zeit um das Jahr 1956 wurde auch Lyrik toleriert, die sich im Bedürfnis nach individuellem Ausdruck einer verschlüsselten Metaphorik bediente. Armin Müller und Paul Wiens machten von dieser Möglichkeit Gebrauch. Auch Peter Huchel, der sich zeitweise bemüht hatte, dem Anspruch der Partei nach politischer Stellungnahme gerecht zu werden, kehrte zu seinem ursprünglichen Stil zurück.

Gegen solche Ansätze, Formen spätbürgerlicher Lyrik des 20. Jahrhunderts produktiv zu verarbeiten, polemisierte LOUIS FÜRNBERG (1909–1957) mit seinen *Kalendergedichten* (1957), in denen er die aktuellen Versuche als »gedankenarm«, »ohne eigenen Ton«, als »langweilig« und provinziell disqualifizierte. Er selbst dichtete als Alternative das fragmentarisch gebliebene Poem *Weltliche Hymne* (1957), das die historische Bedeutung der sozialistischen Veränderungen, vor allem in der Sowjetunion, verherrlichte. Auch FRANZ FÜHMANN (geb. 1922) reagierte polemisch, wobei er mit Hilfe von Allegorien in *Die Geier* und *Die Demagogen* vor allem auf die politischen Implikationen der Ereignisse in Ungarn 1956 einging.

Die Behandlung von Gegenwartsproblemen in der Literatur ging allgemein zurück und erreichte 1955/56 ihren Tiefpunkt. Statt der Aufbauthematik, die der Partei vor allem am Herzen lag, widmeten sich die Schriftsteller verstärkt der Auseinandersetzung mit der unmittelbaren Vergangenheit, die im ersten Jahrzehnt der DDR-Literatur überhaupt eine zentrale Rolle spielte.

Kriegserzählungen

Speziell Mitte der fünfziger Jahre erschien eine Reihe von Romanen und Erzählungen, die Kriegsereignisse zum Gegenstand hatten. Bei ihrer Schilderung verarbeiteten die Autoren häufig persönliche Erlebnisse, die als Selbstbesinnung und als Warnung an die jüngere Generation gedacht waren. Anhand individueller Konfliktsituationen zwischen Durchhalten und Desertion denunzieren sie die Verlogenheit faschistischer Ideale, indem sie diese mit der brutalen Wirklichkeit des Krieges konfrontieren. Franz Fühmanns Novelle *Kameraden* (1955) ist ein Prototyp für diese Prosa. Am Beispiel von drei Soldaten, die in einen Mord verstrickt sind, führt er gegensätzliche Verhaltensweisen vor, die die Unmenschlichkeit des Systems entlarven und deutlich machen, daß sich Begriffe wie Treue, Ehre, Kameradschaft unter diesen Bedingungen zwangsläufig in Schuld verkehren und zum Verbrechen führen. (Vgl. auch den Novellenband *Stürzende Schatten* [1959].)

Einer Grenzsituation ausgesetzt beschreibt HANS PFEIFFER (geb. 1925) in seiner Erzählung *Die Höhle von Babie Doly* (1957) eine Gruppe von eingeschlossenen Soldaten und ihr Verhalten angesichts eines sicheren Todes. Weitere Kriegsschilderungen, die »mißbrauchte« Helden in den Mittelpunkt stellten und die persönliche Verstrickung der Irregeleiteten thematisierten, legten u. a. KARL MUNDSTOCK (*Bis zum letzten Mann*, 1956), RUDOLF BARTSCH (geb. 1929) (*Geliebt bis ans bittere Ende*, 1958) und HARRY THÜRK (geb. 1927) (*Die Stunde der toten Augen*, 1957) vor. Diese Gruppe von Autoren wurde von Literaturkritik und Partei alsbald (im Zusammenhang mit der neuen kulturpolitischen Offensive 1956/57) wegen ihrer sogenannten »harten Schreibweise« gerügt, weil sie bei ihren Darstellungen der Kriegsschauplätze naturalistisch in der Sicht der verlorenen Generation verharrte, ohne eine weitergehende historische Perspektive zu entwerfen. Man akzeptierte zwar die Antikriegstendenz, die jegliche Heroisierung und Glorifizierung ausschloß, vermißte aber Ansätze zu einer Wandlungs- und Entscheidungsthematik, wie sie der Stoff bot und wie sie HERBERT OTTO (geb. 1925) in seinem Roman *Die Lüge* (1956) am Bewußtseinsprozeß des Gefreiten Alfred Haferkorn auszuführen versucht hatte.

Antifa-Literatur

Größere Möglichkeiten, die erwünschte Entscheidungs- und Wandlungsthematik zu realisieren, eröffnete die literarische Rückbesinnung auf den antifaschistischen Widerstand, waren doch ein bedeutender Teil der DDR-Autoren ebenso wie viele offizielle Träger des neuen Staates unmittelbar von den Auswirkungen des NS-Regimes betroffen gewesen. So konnten mit diesem Themenkomplex Tradition und Kontinuität des politischen Kampfes beschworen werden, der in bewußter Abgrenzung (vgl. Hedda Zinners *General Landt*, 1957) gegenüber westlichen Darstellungen, etwa der Ereignisse des 20. Juli 1944, ein eigenes historisches Bewußtsein stimulieren sollte. Doch obwohl die Autoren damit direkt an den Problemstellungen eines Teils der Exilliteratur anknüpften, wurden ihre Versuche zunächst als Rückzug von der Gestaltung der Gegenwart gewertet. Erst später legitimierte man sie als Teil der ideologischen Offensive von 1957 an. Ihnen wurde die Funktion zugebilligt, vom Moralisch-Weltanschaulichen aus Vergangenheit und Zukunft dialektisch zusammenzubringen, was sie im Grunde von Anfang an beabsichtigt hatten, denn die Antifa-Thematik bildete einen kontinuierlichen Schwerpunkt der DDR-Literatur der fünfziger Jahre.

Bereits 1951, nach der Erzählung *Die Zeit der Gemeinsamkeit* (1950), die einen chronikalischen Bericht der Aufstände im Warschauer Ghetto und ihrer Helden gibt, stellte Stephan Hermlin in *Die erste Reihe* eine Sammlung von Antifa-Porträts zusammen. Wie er im Vorwort ausdrückt, will er «von deutscher Jugend, die gegen Hitler und den Krieg kämpfte», sprechen: »Daß es diese Jugend gab, ist nicht nur bedeutsam für die deutsche Jugend, sondern auch für die Jugend aller anderen Länder.«

BODO UHSE (1904–1963) schildert in seinem Roman *Die Patrioten* (1954) die Aktivitäten einer Gruppe von Antifaschisten, die sich 1943 aus der Sowjetunion nach Deutschland wagt, um sich am Widerstand gegen das NS-Regime zu beteiligen. Entsprechend ihren individuellen Möglichkeiten als Arbeiter, Soldaten und Studenten versuchen sie, neue zweckmäßige Organisationen aufzubauen und erweisen sich in ihrem Kampf als wahre ›Patrioten‹ für ein neues Deutschland. Auch STEFAN HEYM (geb. 1913) setzt mit seinem Roman *Der Fall Glasenapp* (dt. 1958) der Widerstandsbewegung, speziell in der Tschechoslowakei ein Denkmal.

Die bekannteste Prosaarbeit zu diesem Thema und eines der meist gelesenen Bücher der DDR überhaupt (400000 Auflage) war der novellistische Roman *Nackt unter Wölfen* (1958) von BRUNO APITZ (geb. 1900), der den Widerstand im KZ Buchenwald kurz vor der Befreiung thematisiert. Im Mittelpunkt steht die auf ein authentisches Ereignis zurückgehende Rettung eines kleinen Jungen, der von einem Polen in einem Koffer ins Lager geschmuggelt worden war. Die aufopfernden Bemühungen der kommunistischen Arbeiter, das Kind trotz aller Folterungen und Qualen vor dem Zugriff der SS-Schergen zu schützen, bilden Spannungshöhepunkte des Romans. Apitz verdeutlicht aber zugleich, welche Konflikte dadurch für die Repräsentanten des Widerstandes Höfel, Bochow und Kramer entstehen. Denn einerseits gebietet ihnen die unmittelbare Menschlichkeit, dem Jungen zu helfen, andererseits bringt dieser emotional bestimmte Entschluß Gefahr nicht nur für das Leben des einzelnen oder der konspirative Gruppe, sondern darüber hinaus für das internationale Lagerkomitee und damit für die 50000 Häftlinge insgesamt. Der geplante (und schließlich auch durchgeführte) bewaffnete Aufstand könnte durch diese Unvorsichtigkeit entdeckt werden und in die Katastrophe führen. Angesichts dieser Verantwortung bekommt die persönliche Entscheidung eine historische Dimension, die Apitz auch formal herausarbeitet, indem er novellistische Episoden mit dokumentarisch-reportagehaften Passagen (wie die Räumung des Lagers) verbindet. In beiden spiegeln sich die Erfahrungen und Erlebnisse wider, die Apitz selbst acht Jahre lang bis 1945 als Häftling in Buchenwald machen mußte.

Wie bei Apitz der Buchenwaldjunge, steht in Otto Gotsches Roman *Die Fahne von Kriwoj Rog* (1959) eine rote Fahne im Zentrum des äußeren Geschehens. Um sie kämpft die Familie Brosowski mit allen persönlichen Opfern, weil sie für sie das Symbol der internationalen Solidarität gegen den Faschismus ist.

Beide Romane wurden zusätzlich durch Verfilmungen in der DDR bekannt, wie überhaupt die anderen Medien, vor allem das Hörspiel, die Widerstandsthematik verstärkt aufgriffen.

Kontinuität des antifaschistischen Zeitstücks

Auch im Drama lebte die Widerstandsthematik wieder auf. Vorbild für die Stücke dieses Typs wurde GÜNTHER WEISENBORNS (1902–1969) bereits 1946 entstandenes (1961 in der DDR anläßlich einer Aufführung der Berliner Kammerspiele wiederentdecktes) Drama *Die Illegalen*. »In Erschütterung niedergeschrieben«, vermittelt es aus eigener Erfahrung einen direkten Einblick in die gefahrvollen Aktivitäten der illegalen Volksfront mit dem Ziel, daß darüber »überall in der Öffentlichkeit berichtet und diskutiert werden« sollte. Nicht prominente Angehörige bürgerlicher Gruppen oder des Offizierskorps, die für das Attentat auf Hitler am 20. Juli 1944 verantwortlich waren, sind die Handlungsträger, sondern namenlose Widerstandskämpfer. Unter Decknamen wie »Flöte«, »Nachbar« und »Spatz« agierend, die ihre Anonymität wahren, gehorchen sie dem Gesetz der Gruppe und der Verantwortung für die Sache, hinter die sie ihre persönlichen Gefühle zurückzustellen versuchen, weil sie ihnen zwangsläufig zum Verhängnis werden müssen. Es sind unheroische Helden, Stenotypistinnen und Arbeiter, deren Opfer ungerühmt bleibt. Ihre Welt ist die Straße, sind die Hinterstuben im Wirtshaus, das Mietszimmer. Inmitten der brutalen Wirklichkeit des NS-Regimes verkörpern sie einen Rest humanitären Daseins, das sich in ihren zwischenmenschlichen Beziehungen ausdrückt.

Neben Weisenborn (und vor ihm Friedrich Wolf) leistete auch HEDDA ZINNER (geb. 1907) einen wichtigen Beitrag zur Kontinuität des antifaschistischen Zeitstücks in der DDR.

Caféhaus Payer (1940/41) hieß ihr erstes Stück, das bereits 1945 in Rostock und Gera uraufgeführt wurde. Als gebürtige Wienerin wählte sie als Schauplatz ein bürgerliches Milieu in ihrer Heimatstadt kurz vor der Besetzung durch die Nazis. Die Figurenkonstellation ist signifikant für dieses Genre. Auf der einen Seite die brutalen und korrupten Nazi-Typen, die ihre Mission in Wien darin sehen, »den Saustall auszumisten«, auf der anderen Seite junge Menschen, die den Terror durchschaut und sich dem Widerstand angeschlossen haben; sie wirken gleichsam als Katalysatoren auf die dritte Figurengruppe des Stückes, die Unentschlossenen und Verblendeten, auf die es der Autorin besonders ankommt. Am Beispiel des Oberrechnungsrevidenten Payer und seinem – wenn auch zu späten – Bewußtseinsprozeß demonstriert sie, wohin Obrigkeitsgläubigkeit und Untertanengeist zwangsläufig führen müssen und betont damit zugleich für den Zuschauer die Entscheidungsnotwendigkeit in einem totalitären System. In *Der Teufelskreis* (1953) behandelt Hedda Zinner den Reichstagsbrand-Prozeß und seine Hintergründe, wobei sie für die Aussagen Georgi Dimitroffs authentisches Material benutzt. Wie der antifaschistische Widerstand unter schwierigsten Bedingungen möglich ist, zeigt schließlich vergleichbar mit Bruno Apitz ihr Stück *Die Ravensbrücker Ballade* (1961), das ins Zentrum der Barbarei führt, denn Schauplatz ist das Frauen-KZ Ravensbrück im März 1945 kurz vor dem Einmarsch der Roten Armee.

Ebenfalls in der Tradition des antifaschistischen Zeitstücks steht ALFRED MATUSCHE (1909–1973) unter anderen mit seinem autobiographisch bestimmten Stück *Das Lied meines Weges* (1962), das am Tag der Machtergreifung 1933 in Berlin spielt. In der Hinterhofwelt einer Mietskaserne mit ihrer charakteristischen Mischung der verschiedensten Typen und Meinungen spiegeln sich die aktuellen politischen Ereignisse, deren Zuspitzung im persönlichen Bereich den Lyriker Fred aus seiner Welt der Poesie in die Realität der Entscheidung zwingen. Liebe zu einem Widerstandskämpfer ist das Motiv, das in *Nacktes Gras* (1958) eine mit einem Nazioffizier verheiratete Frau dazu bringt, sich den Antifaschisten anzuschließen. In HELLMUT MÜLLERS *Der Fall Klabautermann* (1962/63) nach einer Episode aus Falladas Roman *Jeder stirbt für sich allein* ist es die Verhaftung der Verlobten seines Sohnes, die den Rentner Quangel bewegt, seinen persönlichen Kampf gegen das allwissende brutale Regime zu führen, indem er zwei Jahre lang Postkarten mit selbstverfaßten antifaschistischen Parolen in Hausfluren auslegt, ehe ihn der Terror einholt.

Ein Ereignis aus dem Widerstandskampf außerhalb Deutschlands griff MANFRED RICHTER in seinem viel gespielten Stück *Die Insel Gottes* (1959) auf. In die Idylle einer kleinen Kapelle in der Nähe Athens, die Nikos und Maria als Liebesversteck dient, dringt ein Fremder ein, der sich als griechischer Antifaschist zu erkennen gibt und die Kapelle als Schlupfwinkel des Widerstandes enttarnt. Nikos Erkenntnis »Alle – alle Inseln sind auf Dynamit gebaut« zerreißt die Utopie eines unpolitischen Lebens, fordert zur Parteinahme und angesichts der drohenden Gefahr zur Tat heraus. Maria, die das zunächst verhindern will und ihren Geliebten erschießt, sühnt diese Schuld, indem sie sich selbst opfert, um die Partisanen vor der Entdeckung zu retten.

Auch in Richters Drama sind die für das antifaschistische Zeitstück zumeist typische Motivkette der Figurenzeichnung (Ahnungslosigkeit – Erlebnisanstoß – Erkenntnis – Entscheidungen – Opfer) erkennbar, die sich bis in die Gegenwart hinein in zahllosen Filmen und Fernsehserien reproduziert.

Im Hinblick auf das Geschichtsbewußtsein der jungen Generation und angesichts registrierter neofaschistischer Tendenzen in der Bundesrepublik konnte die (Partei)Kritik die Bedeutung der antifaschistischen Dramatik nicht leugnen. Andererseits jedoch bemängelte sie, daß die Entscheidungen gegen den faschistischen Terror primär durch Privaterlebnisse motiviert waren und die Handlungsträger eine bloß abstrakt humanistische Antihaltung einnahmen, ohne ideologisch eine Perspektive vorzuzeichnen. Das heißt: sie vermißte konkrete Hinweise auf den »sozialistischen Weg« der historischen Alternative DDR.

Entscheidungs- und Wandlungsthematik

Die Entscheidungs- und Wandlungsthematik erwies sich als differenzierter, sobald in der DDR-Literatur die faschistische Vergangenheit mit der neuen gesellschaftlichen Wirklichkeit konfrontiert wurde. Denn jetzt griffen drei Problemkomplexe ineinander: einmal die individuelle Bewältigung der schuldhaften Verstrickung in das NS-Regime und die Überwindung faschistoiden Denkens, zum anderen die Abwehr ideologischer Infiltration durch den Westen und schließlich das Bekenntnis zum Sozialismus in der DDR. ANNA SEGHERS (geb. 1900), die seit ihrer Rückkehr aus dem mexikanischen Exil wiederholt in Skizzen und Erzählungen *Über die Entstehung des neuen Menschen* reflektiert und geschrieben hatte, machte mit ihrer Erzählung *Der Mann und sein Name* (1952) einen bezeichnenden Anfang. Sie schildert, wie ein ehemaliger SS-Mann unter dem Namen eines bekannten Widerstandskämpfers am demokratischen Aufbau in der sowjetisch besetzten Zone teilnimmt. Erpressungen wegen seiner wahren Vergangenheit ausgesetzt, paßt er sich zunächst an, wächst dann in seine Arbeit hinein, macht eine innere Wandlung durch und trifft schließlich gegen seine reaktionären westlichen Auftraggeber die Entscheidung für die neue Gesellschaftsordnung.

Die Entscheidung heißt auch der gleichsam programmatische Titel eines Romans, in dem Anna Seghers 1959 versucht, die schwierigen Probleme der Zeit zwischen 1947 und 1951 in den Griff zu bekommen. Im Zusammenhang mit dem Aufbau des Stahlwerkes Kossin entwirft sie in einem komplizierten Handlungsgeflecht menschliche Konfliktsituationen angesichts der gegensätzlichen gesellschaftlichen und ökonomischen Entwicklung in Ost und West, die auch den Leser zur Entscheidung herausfordern.

Im Drama nahm HARALD HAUSERS (geb. 1912) Stück *Am Ende der Nacht* (1955), das bis 1963 etwa 1000 Aufführungen erlebte, in bezug auf die Entscheidungsthematik eine »Schlüsselstellung« ein. Der Held, Chefingenieur eines SAG-Betriebes, ringt sich trotz faschistischer Vergangenheit, die seine Zukunft zu zerstören droht, trotz Warnungen und Fluchtangeboten aus Westdeutschland mit Hilfe eines sowjetischen Kollegen zum Bekenntnis für die Arbeit im Sozialismus durch. Er hat damit – wie der Titel symbolisch ausdrückt – das ›Ende der Nacht‹ erreicht als Vorbild für viele, die mit vergleichbaren Konflikten konfrontiert sind.

Die Bewältigung der eigenen Vergangenheit als Voraussetzung für ein neues ungebrochenes Verhältnis zu den gesellschaftlichen Veränderungen in der DDR taucht wiederholt als Nebenmotiv in einer Reihe von Stücken auf. Zentral wird es wiederum in Rainer Kerndls *Schatten eines Mädchens* (1961).

Am Beispiel der Familie Heilmann, die sich am Tod ihres polnischen Dienstmädchens schuldig weiß, demonstriert der Autor den schwierigen Weg, mit »der Vergangenheit anständig ins reine zu kommen«. Daß bei diesem Prozeß die Partei hilfreich zur Seite steht, verdeutlicht der Schluß des Stückes, wenn Frau Heilmann im Vertrauen auf die Staatsorgane beschließt, »dort anzurufen«, um die Schuld der Mitwisserschaft öffentlich zu bereinigen.

Daß auch in der Lyrik der DDR die Wandlungsthematik eine Rolle spielte, zeigen die Gedichte von FRANZ FÜHMANN (geb. 1922), die »die Zeit der Totentänze« mit dem »Tag der Lebenden« konfrontieren. Besonders in seinem Poem *Die Fahrt nach Stalingrad* (1953), das eine dreifache Begegnung mit der Sowjetunion – als faschistischer Eindringling, als Kriegsgefangener und als Freund – thematisiert, wird die Absicht deutlich, in der Wandlung des lyrischen Ich seine eigene Wandlung, die in der russischen Kriegsgefangenschaft 1945–1949 begonnen hatte, nachzuzeichnen. Die unrealistische, von klischeehaften Wendungen durchsetzte Verklärung vor allem der Gegenwartsperspektive, die erst später von der Kritik registriert wurde, reihte Fühmanns Lyrik ein in den funktionellen Zusammenhang, den die Partei derzeit für die Literatur speziell zu dem benannten Problemkomplex vorgesehen hatte.

Proletarisch-revolutionäre Tradition

In dem Bemühen, eine eigene Identität zu finden, spielte auch die Rückbesinnung auf die proletarisch-revolutionäre Tradition in der DDR-Literatur eine wichtige Rolle. Sie hatte die Aufgabe, die Bedeutung des historischen Kampfes der Arbeiterklasse als wesentliche Triebkraft gesellschaftlicher Veränderungen – auch der gegenwärtigen – herauszustellen. Besonders die ältere Generation mit ihren persönlichen Erfahrungen aus den revolutionären Ereignissen war angesprochen. EHM WELK (1884–1966) leistete mit dem Roman *Im Morgennebel* (1953), der die Novemberrevolution regional aus begrenzter Perspektive in Braunschweig schildert, ebenso seinen Beitrag wie FRANZ CARL WEISKOPF (1900–1955) mit dem Roman *Inmitten des Stroms* (1955), der auf revolutionäre Ereignisse in Österreich-Ungarn Bezug nimmt.

Besonders populär (mehr als seine 1953 beendete stark autobiographisch orientierte Romantrilogie *Verwandte und Bekannte*) wurden WILLI BREDELS (1901–1964) zusammen mit Michael Tschesno-Hell erarbeitete Filmszenarien *Ernst Thälmann – Sohn seiner Klasse* und *Ernst Thälmann – Führer seiner Klasse* (1953/1955).

Sie entwerfen in der Charakterfestigkeit, Bedingungslosigkeit und Menschlichkeit der Hauptfigur ein Vorbild, das Ansporn in den gesellschaftlichen Auseinandersetzungen der Gegenwart bedeuten sollte.

Ähnlich populär durch die Verfilmung wurde Otto Gotsches Jugendbuch *Unser kleiner Trompeter* (1961), das Kindheit und Jugend von Fritz Weineck, einem Mitglied des Roten Frontkämpferbundes, gewidmet ist.

Auch das Theater nahm revolutionäre Ereignisse zum Gegenstand und setzte damit die Tradition der zwanziger Jahre fort. Unmittelbare Vorbilder waren

Friedrich Wolfs *Die Matrosen von Cattaro* (1930) und die viel gespielte und besonders geförderte sowjetische Revolutionsdramatik, auch wenn die DDR-Autoren z. T. andere Gestaltungsprinzipien entwickelten.

Ein frühes Stück dieses Typs ist HANS LUCKES (geb. 1927) *Fanal* (1953), das den Hamburger Arbeiteraufstand von 1923 im Zusammenhang mit Ernst Thälmann thematisiert. Interessanter erscheint *10 Tage, die die Welt erschütterten* (1957) von Heiner Müller und Hagen Müller-Stahl. Dem tagebuchartigen Roman des amerikanischen Journalisten John Reed nachgestaltet, vermitteln die Autoren in episodenhaften Ausschnitten die Höhepunkte der Russischen Revolution und geben skizzenhaft Einblick in die zentralen historischen Ereignisse. MANFRED RICHTER (geb. 1929) wählt für sein Schauspiel *Kommando von links* (1958) die Retrospektive der zum Tode verurteilten Matrosen Reichpietsch und Köbis eine Stunde vor ihrer Hinrichtung, um die gescheiterte Revolution zu resümieren. Ihm geht es nicht darum, historische Details darzustellen, sondern um den Versuch, aus dem Matrosenaufstand in der deutschen Flotte 1917 »Schlüsse und Lehren für unseren modernen Klassenkampf zu ziehen«.

Richters Ausspruch, der auch für Claus und Wera Küchenmeisters *Damals 18/19* (1958) gilt, faßt noch einmal pauschal die Funktion zusammen, die der Rückbesinnung auf die proletarisch-revolutionäre Tradition innerhalb der DDR-Literatur auf der Suche nach einer eigenen Identität zugedacht ist.

Geschichtsrezeption

Über die Wiederbelebung proletarisch revolutionärer Traditionen hinaus trat gegen Mitte der fünfziger Jahre die Wahl weiter zurückweisender historischer Sujets in der DDR-Literatur stärker in den Vordergrund und drängte die Darstellung von Gegenwartsthemen zurück. Das läßt sich einerseits als Reaktion auf den »Neuen Kurs« der Partei deuten, der ein solches Ausweichen ermöglichte, andererseits bedeutet die Aufbereitung der Geschichte im Sinne der proklamierten »Erbe«-Rezeption ein wesentliches Anliegen, das die Literatur prinzipiell erfüllen sollte. Angesichts der komplizierten Probleme in der Gegenwart war die Rückbesinnung auf progressive Tendenzen und revolutionäre Traditionen in der Vergangenheit also willkommen, weil sie zu einem neuen Geschichtsbewußtsein beitragen konnte. Außerdem konnten spezifische Auswahl und Interpretation historischer Epochen helfen, das tradierte falsche Geschichtsbild aus materialistischer Sicht zu korrigieren und zu verändern. – Orientierungshilfe leisteten dabei Marx und Engels, die in ihren Schriften das Dramatische historischer Umbruchsphasen betont hatten, weil in ihnen das dialektische Wesen der Geschichte am deutlichsten hervortrat.

Dementsprechend waren der Bauernkrieg und »der Beginn der preußischen Revolution zwischen 1808 und 1813« in ihrer historischen Bedeutung besonders hervorgehoben.

Unter diesen Vorzeichen erschien eine beträchtliche Anzahl von Romanen und Erzählungen. Zu ihnen gehören unter vielen anderen *Rheinische Ouver-*

türe (1954) und *Hoffnung hinterm Horizont* (1956), ein Büchner-Roman von HANS JÜRGEN GEERDTS (geb. 1922), *Wie lange noch Bonaparte?* (1956) von KARL ZUCHARDT (1887–1967), *Der Ketzer von Naumburg* (1955) von ROSEMARIE SCHUDER (geb. 1928) und der 1. Band der Luther-Trilogie von HANS LORBEER (1901–1973) *Fegefeuer* (1956). Doch obwohl sie viel gelesen wurden, hatten die meisten dieser Versuche mit historischen Sujets primär unterhaltenden Charakter und wurden damit dem Anspruch, aus der Historie Einsichten für die Gegenwart zu gewinnen, nur bedingt gerecht. Als bedeutender erwies sich die Geschichtsrezeption für die Dramatik in der DDR, weil sie einerseits Alternativen zum bürgerlichen Geschichtsdrama setzte, andererseits Aufschluß über die weiterhin bestehenden ideologischen Kontroversen inner-. halb der DDR selbst brachte. 1953 erschien FRIEDRICH WOLFS letztes Stück *Thomas Müntzer, der Mann mit der Regenbogenfahne*. Auf die Argumente von Marx und Engels gegenüber Lassalle in der »Sickingendebatte« zurückgreifend, konzentriert sich Wolf auf die entscheidende Phase des Bauernkrieges zwischen 1523 und 1525. Im Mittelpunkt des Dramas steht Müntzer, der rebellische Prediger, der den Bauern und Knappen im Mansfeldischen aus der Bibel beweist, daß sie für ihre Rechte gegen die Ausbeutung kämpfen müssen; der bereit ist, als seine Vermittlungsversuche beim Herzog von Sachsen scheitern, seinen verbalen Anspruch in revolutionäre Praxis umzusetzen und sich auf die Seite der aufständischen Bauern zu stellen, sie unter dem Zeichen des Bundes, der Regenbogenfahne, in ganz Deutschland zum Kampf zu führen. So ist er nicht bloße heroische Einzelfigur, sondern Exponent einer revolutionären Epoche, die von den plebejisch-bäurischen Kräften der unteren Volksschichten, dem kämpferischen Willen der Unterdrückten geprägt wird. Wolf geht es primär darum, Müntzers letztliches Scheitern aus den objektiven gesellschaftlichen Bedingungen der Zeit heraus zu erklären und die geschichtliche Tragik des zu früh gekommenen Revolutionärs hervorzuheben. Zugleich aber versucht er, den überschaubaren revolutionären Prozeß mit den revolutionären Veränderungen der Gegenwart in Beziehung zu setzen. Denn die Ideen von Müntzers Kampfschriften, die dieser selbst nicht hatte realisieren können, haben Signalwirkung für die Zukunft und eröffnen eine weitreichende Perspektive.

Im selben Jahr wie Wolf schrieb Horst Ulrich Wendler das Stück *Thomas Müntzer in Mühlhausen* (1953), das jedoch laut Kritik den Anspruch, die revolutionäre Tradition des Bauernkrieges zu vergegenwärtigen, nicht erfüllte.

Ereignisse aus der »bürgerlichen Revolution in Preußen« (1813) wählte Hedda Zinner in *Lützower* (1955). Das Stück behandelt Kampf und Untergang des Freikorps Lützow, das sich für das Mitbestimmungsrecht des Volkes, die freie Wahl der Offiziere nach Verdiensten einsetzt und gegen die napoleonische Fremdherrschaft für ein einiges Deutschland kämpft. Daß diese Ziele nicht zu erreichen sind, solange man sich den Gesetzen der Herrschenden unterwirft, ist das bittere Fazit des körperlich und seelisch gebrochenen Lützow. Es bleibt die Hoffnung, die der französische Überläufer Fleuron unter den Klängen der Marseillaise visionär ausspricht, daß das Opfer nicht umsonst gewesen sei und das Volk sich eines Tages befreien wird. Weniger als das Drama selbst ist die Diskussion, die der Uraufführung im Deutschen Theater in Berlin am 23.12.55 folgte, von Interesse, aufgrund derer die Autorin 10 Monate später eine 2. Fassung vorlegte. Denn diese Debatte zeigte, wie kontrovers über Hedda Zinner hinaus prinzipiell die Geschichtsrezeption im Drama beurteilt wurde. In seinem Artikel *Waren die Lützower Jakobiner?* (*Sonntag* Nr. 11. 11. 3. 1956) bezweifelte Gerhard Stübe die historische Wahrheit des Stückes, weil die Autorin seiner Ansicht nach unzulässig Ideen der Französischen Revolution interpoliert hatte. Auch Heinz Kamnitzer (*Neue Deutsche Literatur*, 5. Jg. 1957, Heft 6) sah beim damaligen Stand der Befreiungsbewegung in Deutschland den ideologischen Reifegrad als nicht zeitgerecht begründet und zu hoch veranschlagt an. Gegen diese Stellungnahme wandte sich eine ganze Phalanx von Kritikern, die darin übereinstimmten, daß Hedda Zinners Verfahrensweise angesichts der inneren Wahrheit nicht nur gerechtfertigt, sondern sogar geboten sei, wenn Geschichte, anstatt Selbstzweck zu sein, Lehren für das Heute und das Morgen enthalten sollte. Sie folgten in ihrer Argumentation damit dem erklärten Ziel der Partei, historische Wurzeln des demokratisch-sozialistischen Patriotismus aufzuspüren und revolutionäre Vorbilder herauszustellen, die wie Kubas (Kurt Barthel) *Klaus Störtebeker* (1959) Gefühle mit mobilisierendem, aktivierendem optimistischem Charakter wecken konnten.

Historische Parabeln

Eine gänzlich andere Geschichtsrezeption, sowohl die Gestaltungsprinzipien als auch die Inhalte betreffend, brachten Stücke, die offensichtlich in der Nachfolge Brechts entstanden waren. Denn Brecht hatte eine alternative Konzeption entworfen, als er in seiner *Hofmeister*-Bearbeitung 1950 am Schluß des Prologs als Motto verkünden ließ: »Wills euch verraten, was ich lehre: Das ABC der Deutschen Misere.« Diese »Misere«-Konzeption, die sich auf Engels' Urteil über die deutsche Geschichte berufen konnte (vgl. Brief an Franz Mehring vom 14. 7. 1893), bildet den ideologischen Hintergrund einer ganzen Reihe von dramatischen Versuchen in der Mitte der fünfziger Jahre. Sie als *historische Parabeln* zu definieren, bietet sich deshalb an, weil sie nicht auf revolutionäre Traditionen zurückgreifen, sondern aus historischen Fragmenten konstruierte fiktive Fabeln benutzen, um die Bedingungen der geschichtlichen Klassengegensätze prinzipiell zu demonstrieren. Mit Hilfe von Verfremdungseffekten und anderen Mitteln des epischen Theaters destruieren sie das traditionelle Geschichtsbild zugunsten einer plebejischen Perspektive, die Partei nimmt für die »Kleinen Leut«, und versuchen dadurch, dem Zuschauer grundlegende Einsichten in die gesellschaftliche Dialektik zu vermitteln.

Exponent dieses neuen Genres wurde der 1955 aus der Bundesrepublik in die DDR übergesiedelte PETER HACKS (geb. 1928), der sich in dem Aufsatz *Das realistische Theaterstück* (1957) (NDL 5 [1957] Heft 10) auch theoretisch damit auseinandersetzte. Darin reflektiert er die Tradition des Volksstücks als

»dramaturgisches Leitbild« der »plebejischen Position«, worunter Hacks »das Verhalten konsequent ihrer Lage gemäß handelnder Unterer« versteht. Der »plebejische Held«, definiert er, ist »Realist, ist Materialist ... Aber sein Materialismus beschränkt sich aufs Saufen und aufs Fressen, sein Realismus darauf, die Welt zu nehmen, wie sie ist.« Das heißt, daß die Protagonisten seiner Stücke aufgrund der historischen Bedingungen, die demonstriert werden sollen, gar nicht in der Lage sind, rational eine eigene ideologische Position gegenüber den Herrschenden zu entwickeln, sondern in einer bloß unproduktiv-negativen Haltung verbleiben, die bestehende Ordnung mit allen nur erdenklichen individuellen Mitteln unterlaufend.

Für die Komödie *Die Schlacht bei Lobositz* (1956), die den Siebenjährigen Krieg als Krieg feudalistischer Interessen entlarven will, dienten Hacks als Vorlage die autobiographischen Aufzeichnungen Ulrich Bräkers, des *Armen Mannes im Tockenburg* (Zürich 1789), eines zum Kriegsdienst für Preußen überlisteten Schweizers. In 20 Bildern, die die episodische Struktur des Stückes verdeutlichen, wird der Krieg aus der Perspektive des einfachen Musketiers geschildert, der in seinem »Hang zur Subordination« nicht begreift, daß die Interessen der Offiziere, die den Soldaten zynisch als einen, »der bald stirbt«, definieren, nicht die seinen sind. Immer wieder geht er den betrügerischen Werbungen »seines« Leutnants Markoni, die Anspielungen auf Konzepte der inneren Führung in der Bundeswehr erkennen lassen, auf den Leim, ehe er sich endgültig verweigert: »Ich häng mein Flint/An den Weidenbaum im hellen Wind. Häng, Bruder, deine auch dazu. Dann haben wir alle Ruh.« – Dieser Aufruf zur Desertion als Refrain des Abschlußliedes faßt die Tendenz des Gezeigten noch einmal zusammen. Die plebejische Position der Komödie, wie sie Bräker und die ihm zugeordneten Figuren verkörpern, wird einerseits deutlich an dem volkstümlichen Idiom der Sprache, in der sich unterschiedliche Dialektfärbungen vereinen, andererseits an der karikaturistischen Überzeichnung der Offiziere, die sich in ihrem stutzerhaften Äußeren aus dieser Perspektive wie aufgeblasene Puppen ausnehmen. –

Ebenso wie in der *Schlacht bei Lobositz* ist der Stoff des »bürgerlichen Lustspiels« *Der Müller von Sanssouci* (1958) dem Friderizianischen Zeitalter entnommen, das sich nach Ansicht von Hacks aufgrund seiner gesellschaftlichen Struktur für die Demonstration antagonistischer Widersprüche besonders eignete. Diesmal greift er auf eine ihm von Brecht übermittelte Anekdote um Friedrich den Großen zurück, die über ein Jahrhundert als Beispiel für die Rechtsstaatlichkeit Preußens und das Rechtsempfinden des Königs häufig zitiert wurde. Nach der Legende hatte Friedrich, den das Klappern einer Mühle in der Nähe seines Schlosses störte, sich dem Rechtsanspruch des Müllers gebeugt, als dieser sich weigerte, das alte Familienerbe zu veräußern. Hacks rückt die auf verschiedenen historischen Quellen beruhende anekdotische Legende in die »plebejische Perspektive«, aus der sie sich ganz anders ausnimmt. Danach muß der Müller erst mit Stockschlägen dazu gezwungen werden, seinen Anspruch öffentlich zu bekunden, weil der König darin eine willkommene Gelegenheit sieht, seine Popularität beim Volk zu steigern.

Gleichzeitig jedoch hat dieser heimlich unter Berufung auf dasselbe Recht, das dem Müller zusteht, dessen Knecht in die Armee einziehen lassen, so daß die ihn störende Mühle betriebsunfähig wird.

Hacks' These, »daß die Herrschenden nicht dem Recht dienen, sondern es gegen die Beherrschten benutzen«, ist damit unter Beweis gestellt. Die bildreiche, auf Pointen hin zugespitzte Sprache, an der sich die plebejische Mentalität offenbart, verbindet die didaktische Tendenz mit kulinarischem Genuß. – Eine ähnliche Konzeption wie Hacks mit vergleichbaren szenischen und sprachlichen Gestaltungsmitteln entwickelt JOACHIM KNAUTH (geb. 1931) in seinem Schauspiel *Der Tambour und sein Herr König* (1956), das die »Geschichte eines westfälischen Soldaten aus dem Jahre 1813« zum Gegenstand hat. Bezeichnend ist, daß in literaturgeschichtlichen Handbüchern der DDR andere Stücke Knauths mit historischen Sujets (*Heinrich VIII. oder der Ketzerkönig*, 1954 / *Wer die Wahl hat*, 1958) inhaltlich präzisiert erscheinen, *Der Tambour und sein Herr König* jedoch nur als bloßer Titel registriert wird. Das erklärt sich aus der Perspektive, aus der heraus der Autor den Krieg gegen Napoleon und seine Satellitenkönige wie Jerôme in Kassel beurteilt und darstellt: Knauth distanziert sich von dem »Jambischen Befreiungsrausch« und meidet »das zwiespältige Pathos der damaligen Zeit«, weil ihm die »sehr bald folgende Restauration« aus heutiger Sicht nur allzu gegenwärtig ist. Deshalb läßt er seine »plebejischen Helden« auch nur aus »bloßer Notwendigkeit« in den Krieg ziehen.

Daß diese kritische Einschätzung der Befreiungskriege aus der Sicht der »kleinen Leut« wie die Geschichtsrezeption der historischen Parabeln überhaupt das Wohlwollen der Partei arg strapazierte, wird verständlich, wenn man sich ihr offiziell proklamiertes Erbe-Konzept vergegenwärtigt, das gerade jene Phase zu Beginn des 19. Jahrhunderts vorbildhaft für die Kämpfe um die nationale Einheit in der Gegenwart herausgestellt hatte.

IV. Schriftstellerkongreß

Die Grundforderungen an die Schriftsteller, die Darstellung der DDR-Entwicklung betreffend, blieben unverändert erhalten, nur bemühte sich die Partei, sie in dieser kulturpolitischen Phase weniger militant durchzusetzen. Das Ergebnis blieb unbefriedigend, denn kein nennenswertes Werk mit Gegenwartsthematik entstand in jenen Jahren. Die Betroffenen kannten die Ursachen. Ausgelöst durch einen Artikel von Walter Victor im »Neuen Deutschland«, der das Talent über die (selbstverständliche) ideologische Klarheit gestellt hatte, entstand eine weitreichende Diskussion über die Mängel der Gegenwartsliteratur und die Erlernbarkeit künstlerischer Meisterschaft. Teilweise in Selbstkritik eingekleidet beanstandeten u. a. Fürnberg und Claudius in ihren Beiträgen das öde, kleinbürgerlich-spießerhafte Niveau, das keine echte Auseinandersetzung mit der Wirklichkeit zuließ. Claudius rügte darüber hinaus auch die allgemeinen bürokratischen Praktiken des Literaturbetriebes. Anna Seghers bezeichnete wie die anderen Langeweile, Schematismus und Scholastik als Grundübel der Gegenwartsliteratur, denen der

Romancier Kurt Stern noch »Schönfärberei« hinzufügte. Zentraler Gedanke war die Betonung des künstlerischen Talents, das man durch Anpassung an ideologische Formeln nicht ersetzen könnte. Demgegenüber betonte Wilhelm Girnus als Parteifunktionär den Vorrang der rational erfaßbaren ideologischen Klarheit im Hinblick auf die Schaffung eines sozialistischen Bewußtseins.

In diesem Sinne sollte auch das am 30. 9. 1955 unter der Direktion von Alfred Kurella eröffnete Literaturinstitut in Leipzig wirken, das dazu ausersehen war, den künstlerischen Nachwuchs auf die Gestaltung der sozialistischen Gegenwart vorzubereiten.

Diese in der Mitte der fünfziger Jahre initiierte Diskussion, die massive Kritik am kulturpolitischen Kurs der Partei enthielt, erreichte ihren Höhepunkt auf dem 4. Schriftstellerkongreß im Januar 1956.

Das Thema des Becherschen Eröffnungsreferates »Von der Größe unserer Literatur« erwies sich als zweideutiger Auftakt. Alle namhaften DDR-Autoren (u. a. Bredel, Heym, Hermlin, Kahlau, Seghers und Zweig) meldeten sich zu Wort und überboten einander in der Kritik am Niveau der bisherigen Gegenwartsliteratur und den bestehenden Literaturverhältnissen. Nicht nur immanente Probleme wie das (Miß-)Verhältnis von Konfliktgestaltung und Parteilichkeit kamen zur Sprache, sondern auch die direkte oder indirekte Zensurpraxis und die Beckmesserei wurden in verschiedenen Beiträgen (u. a. von Heym, Joho, Zweig) gerügt. Ralph Giordano plädierte sogar entgegen der herrschenden Methode des sozialistischen Realismus für eine experimentelle Literatur, speziell die Lyrik betreffend, und Stephan Hermlin setzte sich für die Veröffentlichung westlicher Autoren in der DDR ein. Eine solch offene Diskussion hatte es bislang in der DDR nicht gegeben. Was sich von westlicher Seite aus – wie zahlreiche Publikationen zeigen – wie eine Revolte gegen die SED und ihr Literaturkonzept ausnahm, war in Wirklichkeit jedoch nichts anderes als der Versuch der Schriftsteller – zum großen Teil selbst Parteigenossen –, ihre Gestaltungsweise und ihre Rolle beim Aufbau der sozialistischen Gesellschaft selbst zu bestimmen. Ein äußeres politisches Ereignis kam diesem Anspruch entgegen: der XX. Parteitag der KPdSU im Februar 1956, auf dem Chruschtschow mit den einstigen politischen Praktiken Stalins ins Gericht ging und den Personenkult aufs schärfste attackierte. Das hatte zwangsläufig Konsequenzen für den ideologischen Kurs der SED, die umgehend reagierte, selbstkritisch Erscheinungen von Dogmatismus und Personenkult aufzuheben versprach, im Juni das als Zensurbehörde angesehene »Amt für Literatur und Verlagswesen« auflöste und nun ihrerseits für eine freimütige Aussprache mit den Schriftstellern über die möglichen Wege zu einer sozialistischen Literatur plädierte.

Ideologische Offensive und
Propagierung des ›Bitterfelder Weges‹

Diesen fruchtbaren Ansatz, der im Sinne des Mao-Wortes von den ›tausend Blumen, die blühen sollten‹, eine wirkliche Realisierung des 1953 verkündeten ›Neuen Kurses‹ bedeutet hätte, auch wenn er später als revisionistisch in den eigenen Reihen diffamiert wurde, stoppten jäh äußere politische Ereignisse. Durch die Konflikte in Polen und den Aufstand in Ungarn im Oktober 1956 entstanden der DDR gegenüber dem Westen aber auch intern Probleme, die die Parteiführung schon aus Gründen der Selbsterhaltung nur restriktiv lösen konnte. Das betraf in starkem Maße Künstler und Intellektuelle, deren uneingeschränkter Loyalität sie sich versichern mußte, um ihre gesellschaftspolitischen Ziele durchsetzen zu können.

Aus diesem Grund leitete die SED Ende 1956, Anfang 1957 eine neue ›ideologische Offensive‹ ein und eröffnete die 3. kulturpolitische Phase, die an den Prinzipien von 1951 anknüpfte, diese jedoch später in eine umfassende Programmatik stellte. Erster Schritt dazu war die Eliminierung kritischer Stimmen, die die neue Parteilinie hätten gefährden können. Im gesellschaftspolitischen Bereich war es die von der SPD herkommende Gruppe (Schirdewan, Wollweber, Oelßner), die Ansätze zu einer Konvergenztheorie vertrat, im kulturpolitischen Sektor waren es größtenteils diejenigen, die die literarischen Produkte der DDR seit 1949 besonders skeptisch beurteilt hatten. Zielscheibe der heftigsten Attacken wurde Georg Lukács, der einstige Präzeptor aller DDR-Literaturwissenschaftler, dem führende Funktionäre wie Abusch einen falschen Realismusbegriff und Klassizismus vorwarfen, zumal er sich bei den Ereignissen in Ungarn als »Konterrevolutionär« entlarvt hatte. Auch der Leipziger Germanist Hans Mayer geriet ins Kreuzfeuer der Parteikritik und wurde als Revisionist gebrandmarkt, weil er in der Zeitschrift »Sonntag« in einem Artikel »Zur Gegenwartslage unserer Literatur« eine kritische Bilanz versucht und einen Vergleich mit der Literatur der Weimarer Republik gezogen hatte, der wenig schmeichelhaft für die DDR-Literatur ausgefallen war. Ebenfalls unter das Verdikt der Partei fielen prominente Intellektuelle wie der Philosoph Ernst Bloch und der erwähnte Alfred Kantorowicz. Den verbalen Attacken auf den verschiedenen Veranstaltungen der SED und ihrer Führung folgten konkrete Maßnahmen. Da die Partei nicht ganz zu Unrecht befürchtete, daß durch die kritischen Beiträge bürgerliche (d. h. dekadente) Positionen in Literaturtheorie und -kritik an Einfluß hatten gewinnen können, richtete das Politbüro auf Beschluß des 32. Plenums des ZK vom 12.7.1957 eine ständige Kommission ein, die den »gesamten Apparat der literaturverbreitenden Institutionen hinsichtlich ihrer Arbeitsweise und der Resultate« kontrollieren sollte. Redaktionen verschiedener Kulturzeitschriften und Verlage (»Sonntag«, »NDL«, »Aufbau«, »Sinn und Form«) wurden ausgewechselt und führende Leute verhaftet. Seinen Höhepunkt erreichte das rigide Vorgehen gegen (vermeintliche) politische Gegner mit dem Prozeß gegen den Philosophie-Dozenten Wolfgang Harich, der wegen der Bildung einer staatsfeindlichen Gruppe zu zehn Jahren Zuchthaus verurteilt wurde.

Angesichts dieser Situation war es nicht verwunderlich, daß ein Teil der Betroffenen die DDR verließ, ein wesentlicher Teil der Schriftsteller, unter ihnen Becher, Hermlin und Renn, die ein Jahr zuvor noch die Mängel der DDR-Literatur scharf kritisiert hatten, jetzt, wo ihre partiellen Einwände als prinzipielle Opposition gewertet wurden, Selbstkritik übten und ihre Loyalität der Partei gegenüber bezeugten. Das galt auch für die Organisationen Kulturbund und Schriftstellerverband. Auf diese Linientreue bauend bestätigte die SED ihr eigenes Konzept. Vorbereitet durch zahlreiche Beschlüsse des ZK und Entschließungen verschiedener Gremien veranstaltete sie im Oktober 1957 in Berlin eine Kulturkonferenz, auf der »die nächsten Aufgaben zur Verwirklichung einer sozialistischen Kulturpolitik« im Rahmen des 2. Fünfjahresplanes abgesteckt werden sollten. »Im ideologischen Kampf für eine sozialistische Kultur« war das Thema des Hauptreferates von Alexander Abusch, in dem er gegen die Verfechter bürgerlich-dekadenter Literaturtheorien zu Felde zog, falsche Kunstauffassungen in der Folge des XX. Parteitages namentlich attackierte und – wie Alfred Kurella – für den sozialistischen Realismus als einzig möglicher schöpferischer Methode in der DDR eintrat.

Alle Argumente liefen auf den Grundsatz hinaus, wie ihn Walter Ulbricht selbst etwas später auf der 4. Tagung des ZK (15. 1. 1959) lapidar formulierte: »Entscheidend ist, daß auf allen Gebieten der Literatur und Kunst die Linie der Partei für die Entwicklung einer großen und weiten sozialistischen Nationalkultur zur führenden Linie gemacht wird.« Was dieses Prinzip für die Schriftsteller konkret bedeutete, blieb zunächst offen. Zwar waren in den verschiedensten Diskussionen 1957 von seiten der Kulturfunktionäre Forderungen aufgetaucht, daß die Schriftsteller ihre elitäre Rolle aufgeben, sich mit den Produktionsverhältnissen vertraut machen und in Betriebe gehen sollten, um die bestehende Kluft zu den Werktätigen zu überwinden, doch blieben solche Postulate vage im Bereich des Wünschenswerten. Auch der für die gesellschaftliche Entwicklung der DDR so wichtige V. Parteitag im Juli 1958, der eine »sozialistische Umwälzung auf dem Gebiet der Ideologie und Kultur« propagierte, »für eine sozialistische deutsche Kultur« eintrat und die Werktätigen ermunterte, »die Höhen der Kultur (zu) erstürmen und von ihr Besitz (zu) ergreifen«, erschöpfte sich in abstrakter Programmatik.

Erst ein Jahr später, 1959, bekam diese Programmatik, die eine fundamentale Alternative zur kulturellen Entwicklung in der Bundesrepublik darstellte, konkretes Profil. Aus einer routinemäßigen Jahreskonferenz der Autoren des Mitteldeutschen Verlages entwickelte sich im April 1959 im Kulturpalast des Elektrochemischen Kombinats Bitterfeld auf Wunsch der Partei eine Grundsatzmanifestation: »Der Bitterfelder Weg« wurde ins Leben gerufen. Wie der Aufruf des Hauptreferenten Alfred Kurella »Kumpel, greif zur Feder, die sozialistische Nationalkultur braucht dich!« verkündete, sollten die Arbeiter verstärkt dazu bewegt werden, die künstlerische Darstellung ihrer Probleme und ihrer Erfolge beim Aufbau sozialistischer Produktionsverhältnisse selbst in die Hand zu nehmen. Berufsschriftsteller waren aufgefordert, ihnen bei

Gestaltungsfragen Hilfestellung zu leisten und dazu beizutragen, aus einer »Bewegung lesender Arbeiter« eine »Bewegung schreibender Arbeiter« zu machen. Darüber hinaus wurde den Autoren dringend angeraten, sich in Industrie- bzw. Landwirtschaftsbetrieben nicht nur durch gelegentliche Besuche Einblick zu verschaffen, sondern sich mit ihnen durch längere Arbeitspraxis vertraut zu machen, um die sozialistische Neugestaltung des Lebens unmittelbar zu erfahren. Das dritte Ausbildungsjahr im Leipziger Literaturinstitut für den künstlerischen Nachwuchs galt fortan als Praxisjahr, ebenso wie umgekehrt schreibende Arbeiter durch Hochschulbesuche fortgebildet werden sollten. Mit diesem von Bredel, Marchwitza und Strittmatter sofort bejahten Konzept, für dessen Realisierung Ulbricht in seinem Referat jede mögliche Unterstützung zusagte, wollte die Partei endlich die schon 1951 angedeuteten Ziele in die Praxis umsetzen, die Kluft zwischen gesellschaftlicher Entwicklung und literarischer Gestaltung in der DDR aufheben und die Arbeiterklasse zum Träger einer neuen Massenkultur machen.

Zahllose Aktivitäten schlossen sich an die Konferenz an. »Zirkel schreibender Arbeiter« entstanden, Brigade-Tagebücher diskutierte man öffentlich, Arbeiterfestspiele wurden ins Leben gerufen, Literaturwettbewerbe ausgeschrieben und Auftragsarbeiten vergeben, um die Integration der Literatur in den gesamtgesellschaftlichen Prozeß zu erreichen, eine »Literaturgesellschaft« zu schaffen. Der »Bitterfelder Weg« wurde zur Basis der sozialistischen Kulturrevolution in der DDR. Alle literaturtheoretischen und kulturpolitischen Diskussionen der Folgezeit von der Kulturkonferenz 1960 bis hin zur zweiten Bitterfelder Konferenz 1964, auf der das Erreichte resümiert wurde, bezogen sich stets auf ihn, wenn es um die Fixierung des eigenen Standortes ging.

Didaktisches Theater

Mitten in der kulturpolitischen Auseinandersetzung um die Zukunft der DDR-Literatur und die »richtige« Methode des sozialistischen Realismus bildete sich 1957/58 ein dramatisches Genre heraus, das wie zuvor die historische Parabel an den Gestaltungsprinzipien der Brechtschen Lehrstücke und Formen des Agitprop-Theaters anknüpfte: das *didaktische Theater*. Seine epische Gestaltungsweise und die kritische Distanz, aus der Widersprüche innerhalb des sozialistischen Aufbaus dialektisch seziert werden, entsprach keineswegs den aktuellen Vorstellungen von der Parteinahme für den gesellschaftlichen Fortschritt, so daß das didaktische Theater sofort heftiger Kritik ausgesetzt war und die dramentheoretische Diskussion erfüllte.

Zu den Exponenten dieses Genres gehörten neben HASSO GRABNER (geb. 1911 – *Die Sieger* [1958]) vor allem HEINER MÜLLER (geb. 1929) und HELMUT BAIERL (geb. 1926). In seinem Stück *Der Lohndrücker* (1958) greift Müller als Thema das Aktivistenporträt von Eduard Claudius (*Menschen an unserer Seite*) auf, ändert jedoch die Akzente. Für die Schwierigkeiten bei der komplizierten Reparatur eines Ringofens, die der Neuerer Bahlke wagt, sind nicht mehr, wie bei Claudius, Sabotageversuche des Klassenfeindes primär verantwortlich, sondern Konflikte zwischen den beteiligten Arbeitern selbst. Auch wenn sich schließlich der Widerspruch zwischen Unwilligen und Opferbereiten zugunsten des Kämpfers für den Fortschritt dialektisch löst, enthält das Stück wesentliche Hinweise auf die realen Schwierigkeiten beim Aufbau und problematisiert so die euphorischen Darstellungen, wie sie in den programmatischen Äußerungen der Partei gängig waren.

Das gleiche gilt für Müllers *Die Korrektur* (1958). Auch hier bildet die kritische Einschätzung der weiterhin bestehenden Konflikte ein wesentliches Moment. Wenn der Brigadier Bremer, »rot bis auf die Knochen«, mit Recht rigoros gegen Normenschaukelei und Pfuscharbeit kämpft, dabei aber die notwendige Überzeugungsarbeit in seiner Baubrigade und gegenüber dem Ingenieur als Vertreter der alten Intelligenz vernachlässigt, werden Probleme angesprochen, mit denen die DDR in dieser Phase besonders oft zu kämpfen hatte.

Daß Müllers kritische Hinweise einen empfindlichen Nerv trafen, zeigten die spontanen publizistischen Reaktionen, die *Die Korrektur* als »korrekturbedürftig« disqualifizierten. Dabei spielte die Darstellungsweise eine entscheidende Rolle. Denn anders als bei den gängigen Produktionsstücken bot Müller keinen »positiven Helden« als Identifikationsfigur an, sondern versuchte, dem Zuschauer mit Hilfe von Kommentaren aus der Distanz heraus gesellschaftliche Einsichten über das Stück hinaus zu vermitteln. Dieselbe Lehrstücktechnik verwendete Helmut Baierl in *Die Feststellung* (1957). Es geht in dem Stück um die Republikflucht des Bauern Finze, die durch das falsche Verhalten eines LPG-Vorsitzenden verursacht wird. Durch die Rückkehr Finzes aufgehoben, bildet sie anschließend den Gegenstand der theatralischen Auseinandersetzung. Mit Hilfe eines Rollentausches, der es dem Bauern Finze ermöglicht, die Verhaltensweise des LPG-Vorsitzenden zu kopieren und damit seine eigene Empfindungsweise vorzuführen, bekommt der Zuschauer Einblick in die zu bewältigenden Widersprüche bei den gesellschaftlichen Veränderungen auf dem Lande. Die Einzelfall wird so zum Modellfall, an dem sich grundsätzliche Probleme demonstrativ veranschaulichen lassen.

Auch wenn später das »didaktische Theater« als interessantes Experiment rehabilitiert wurde, überwog zunächst die Kritik, weil es in den Augen der Partei wesentliche Forderungen an das Theater vernachlässigte. Die Betonung rationaler Distanz anstelle der emotionalen Parteilichkeit verwies auf die Widerspruchsebene, die latent die Literatur und die Literaturtheorie der DDR im ersten Jahrzehnt bestimmte.

Die Aristoteles-Debatte

Das »didaktische Theater« kollidierte in erster Linie mit den Verfechtern der von der Partei sanktionierten Identifikationsdramaturgie, deren Prinzipien sich historisch über die bürgerliche Tradition hinaus letztlich bis Aristoteles zurückverfolgen lassen. Diese Erkenntnis diente Peter Hacks (im gleichen Jahr 1958) als Anlaß, ihre Anwendbarkeit auf das sozialistische Gegenwartstheater in Frage zu stellen. Mit seinem Artikel *Warnung* (in: »Theater der

Zeit«) löste er eine Debatte aus, die wieder einmal die bereits 1949 aufgetretenen literatur- und theatertheoretischen Widersprüche in der DDR aktualisierte. Seine Methode war bezwingend. Er übersetzte in literarisch-polemischer Manier wesentliche Passagen der aristotelischen Poetik und stellte sie in den Kontext der *Politik,* in deren 7. Buch Aristoteles den Katharsisbegriff im Zusammenhang mit der beruhigenden Wirkung religiöser Gesänge erläutert. Sein – vereinfachtes – Fazit, das nur mittelbar zu erschließen, aber deshalb nicht weniger überraschend ist:

Da bereits Aristoteles in der antiken Sklavenhaltergesellschaft die Katharsis als Form der Einfühlung dazu bestimmt hat, die Unterdrückten gleichsam in einer psychotherapeutischen Massenbehandlung einzulullen, um sie von den gesellschaftlichen Widersprüchen abzulenken, kann eine Dramaturgie, die aristotelische Konzeptionen aufgreift, keinesfalls Grundlage einer sozialistischen Gegenwartsdramatik werden. Die als Kritik an Aristoteles verbrämte Attacke auf die »Aristoteliker« in der DDR war so provozierend, daß die Betroffenen und ihre theoretischen Anhänger zwangsläufig reagieren mußten. Doch obwohl sie z. T. mit Recht die undialektische Argumentationsweise von Hacks verurteilten und unter Berufung auf Marx' und Lenins Kritik am Proletkult ihre eigene Erbekonzeption in bezug auf die Aneignung bedeutender historischer Leistungen verteidigten, standen die Thesen als Kritik an den Produkten der Gegenwartsdramatik im Raum.

Der Streit um »Die Sorgen und die Macht«

Die Diskussion bekam einen neuen Akzent, als Hacks sich selbst mit einem Stück an der Darstellung der sozialistischen Arbeitswelt in der DDR versuchte. Animiert durch einen Wettbewerb des Henschel-Verlages und angeregt durch den Brief dreier Arbeiter im ND (vom 20. 2. 1958), der sich über die planbedingte mangelnde Güte von Briketts entrüstete, weil damit der Stahlindustrie wesentliche Nachteile entstünden, schrieb er *Die Sorgen und die Macht,* in der 1. Fassung schlicht *Briketts* (1958) betitelt. Ganz im Sinne der Partei hatte er dabei zunächst in der Brikettfabrik »Hermann Fahlke« im Bitterfelder Revier Material gesammelt, um das Problem Qualität – Quantität in der Produktion stofflich in den Griff zu bekommen. Das Ergebnis war eine »sozialistische Historie«, die in Verse gesetzt demonstrieren sollte, wie »Eigennutz«, das historische Ungeheuer, beseitigt wird und Relikte kapitalistischer Gesinnung proletarischer Solidarität weichen. Doch die Wandlung seines »Helden« Max Fidorra, der sich trotz persönlicher materieller Nachteile gegen den Widerstand seiner Kollegen für die Verbesserung der Brikettqualität einsetzt, um den Produktionsplan der davon abhängigen Glashütte zu verbessern, erschien Kritik und Partei allzu individualistisch, weil sie primär durch die Liebe des Protagonisten zu Hede Stoll, einer Glashüttenarbeiterin, motiviert war. Überhaupt mißfiel die (angebliche) »Grau-inGrau«-Zeichnung der sozialistischen Arbeitswelt. Besonders der Satz im Monolog der übereifrigen Kommunistin Holdefleiß »Kollegen, Kommunismus, wenn ihr euch/Den vorstellen wollt, dann richtet eure Augen/Auf, was jetzt ist, und nehmt das Gegenteil« erregte Anstoß. Das Stück, zwischen 1958 und 1962 in immer neuen Fassungen vorgelegt, gespielt und wieder abgesetzt, provozierte durch seine realistische Einschätzung der erreichten gesellschaftlichen Ziele in der DDR und wurde dadurch zum Gegenstand einer erneuten prinzipiellen Auseinandersetzung um die richtige Methode des sozialistischen Realismus. Während Ulbricht generös formulierte: »Hacks soll nicht denken, daß irgend jemand böse auf ihn war oder ist« traf die Kritik des Chefideologen Prof. Kurt Hager in seinem Grundsatzreferat über »Parteilichkeit und Volksverbundenheit unserer Literatur und Kunst« (25. 3. 63 nach dem VI. Parteitag) den Kern: »Der Zuschauer sucht bei Hacks vergeblich Personen, die Eigenschaften von neuen Menschen tragen, deren Handlungen schön und nachahmenswert sind. Er wird vielmehr zum Beobachter des sozialistischen Entwicklungsprozesses in der DDR gemacht.« Sein Fazit, »Die kritische Distanz ersetzt die sozialistische Parteilichkeit«, bedeutete wieder ein Verdikt gegenüber allen Versuchen, mögliche formale und inhaltliche Alternativen zu den erwünschten Identifikationsschemata zu entwickeln und stempelte Hacks zum »Linksabweichler« (wie 1951 Brecht). Die Beurteilungskriterien blieben weiterhin an Lukács orientiert, obwohl dieser selbst als Revisionist gebrandmarkt war.

Politische Satire

Entsprechend der ideologischen Offensive der Partei in der DDR selbst verschärfte sich nach 1957 auch die Auseinandersetzung mit dem gesellschaftlichen System in der Bundesrepublik. In zahllosen Reden und Manifesten wurde eine klare Abgrenzung, eine radikale Absage an den »Klassenfeind« gefordert und zum Kampf gegen seine imperialistischen Zielsetzungen aufgerufen.

In diesem propagandistischen Kontext entstand im Theater der DDR ein eigenes Genre, das sich als politische Satire verstand. Mit reißerischen Effekten wurden Fabeln und Ereignisse konstruiert, die die Korruptheit des kapitalistischen Systems in der Bundesrepublik Deutschland verdeutlichen und ihren neofaschistischen Charakter entlarven sollten. Dabei ging es den Autoren nicht um eine glaubwürdige authentische Dokumentation, sondern um eine plakative Agitation, die sich aller Mittel der karikaturistischen Überzeichnung bedienen konnte. Drei besonders eklatante Beispiele für die agitatorische Simplifizierung dieser Form der »politischen Satire« waren Fritz Kuhns *Kredit bei Nibelungen* (1960), Slatan Dudows und Tscherno Hells *Der Hauptmann von Köln* (1959) und Harald Hausers *Night-step* (1960), das in der 1. Fassung den Titel *Der Spuk von Frankenhöh* trug.

Kuhns *Kredit bei Nibelungen* lebt von der Hypothese, was in der Bundesrepublik Deutschland passieren würde, wenn jemand geschickt (und glaubwürdig) verbreitete, Hitler lebe und bereite seine Rückkehr nach Deutschland vor. Im Stück spielt Kuhn diese Idee dem ehemaligen Fotografen Bloch zu, der mit seinem Spendenaufruf zur angeblichen Vorbereitung der »Rückkehr des Führers« bei Vertretern von Kapitel, Justiz und Militär augenblicklich Erfolg hat. Doch angesichts der Ausweitung seiner Aktion verliert er bald die Kontrolle über ihre Entwicklung. Ein Konzernchef übernimmt die organisatorische Leitung, konstituiert den Nibelungenkreis und läßt den kleinen Betrüger über die Klinge springen. Auch in Dudows *Der Hauptmann von Köln* ist es am Schluß der kleine Hochstapler, der den korrupten Machenschaften der Großen aus Kapital und Politik zum Opfer fällt. Zunächst für einen »berühmten Kämpfer« gehalten, erlebt er eine beispiellose Karriere in der Wirtschaft der Bundesrepublik, wird sogar von der Tochter des Rüstungsbarons Pferdeapfel von Kohlen und Stahlbach geheiratet, ehe ihn der echte, inzwischen zum Staatssekretär im Bonner Verteidigungsministerium avancierte ehemalige Kriegsverbrecher entlarvt.

Ein noch krasseres Bild der gesellschaftlichen Wirklichkeit der Bundesrepublik Deutschland entwirft Hausers *Night-step*. Auf einer Abendversammlung geben sich Kapitalisten, ehemalige SS-Führer, hohe Nato-Militärs, reaktionäre Intellektuelle, degenerierte Adlige, Vertreter der Parteien, des katholischen Klerus und der Justiz ein Stelldichein, um die Möglichkeiten eines Einmarsches in die »Zone« zu beraten. Wie die übrigen Autoren der politischen Satire wendet Hauser eine radikale Überzeichnung und Typisierung an, um latente Strömungen in der Bundesrepublik Deutschland drastisch zu denunzieren gemäß dem ideologischen Ziel, dem das Genre dient.

In den Zusammenhang mit den politischen Satiren, zu denen auch HANS LUKKES (geb. 1927) *Satanische Komödie* (1962) zählt, sind andere literarische Produkte einzubeziehen, die trotz gleicher Zielsetzungen einen ernsteren Charakter haben: so die gegen die Gefahr eines Atomkrieges gerichteten Stücke *Laternenfest* (1957) von HANS PFEIFFER (geb. 1925) und *Weißes Blut* (1959) von Harald Hauser. Sie greifen die antiimperialistische Thematik zu Beginn der fünfziger Jahre wieder auf, die mit PAUL HERBERT FREYERS (geb. 1920) *Auf verlorenem Posten* (1951) einen Höhepunkt hatte. Denn diese Geschichte dreier Fremdenlegionäre im Indochinakrieg erreichte ca. 7000 Aufführungen im In- und Ausland. Auch die Lyrik beteiligte sich an der Auseinandersetzung mit dem Klassenfeind. Hervorzuheben sind die Protestsongs von JENS GERLACH (geb. 1926) gegen den Wunsch nach Atombewaffnung in der Bundesrepublik oder Gedichte wie *Der Nibelungen Not* von FRANZ FÜHMANN (geb. 1922), die die Wachsamkeit vor einem zu befürchtenden neuen deutschen Imperialismus beschworen.

Literarische Produkte im Umkreis von Bitterfeld

Das Bitterfelder Programm selbst, das im Grunde an proletarischen Traditionen anknüpfte, eröffnete Ansätze zu einer neuen basisdemokratisch orientierten Literatur, die angesichts der forcierten gesellschaftlichen Umwälzung einen neuen angemessenen Stellenwert in der DDR erhalten sollte. Doch trotz aller gegenseitigen Beteuerungen und Belobigungen in Kritiken und Parteiverlautbarungen blieben prinzipiell die ästhetischen Beurteilungsmaßstäbe, die die Klassiker der marxistischen Literaturtheorie vorgegeben hatten, erhalten. Das führte zwangsläufig zu einer inkonsequenten Verengung des eigenen Horizonts, der die erstrebten literarischen Produkte des ›Bitterfelder Weges‹ von vornherein disqualifizieren mußte. Dementsprechend wurden zwar Brigadetagebücher, die ganz spontan aus individueller Sicht über Schwierigkeiten und Erfolge am Arbeitsplatz berichteten, in bezug auf ihre gesellschaftliche Funktion als lobenswert erachtet, als literarisch relevant jedoch galten in verstärktem Maße Versuche schreibender Arbeiter, die sich als Berufsschriftsteller qualifiziert und etabliert hatten. Zu ihnen gehören u. a. HORST KLEINEIDAM (geb. 1932), der in seinem zunächst auf Zementsäcken notierten Erstling *Der Millionenschmidt* (1962) eigene Erfahrungen vom Bau verarbeitete, und HORST SALOMON (geb. 1929), der in die Konfliktkonstellation seines Stückes *Katzengold* (1964) die persönlichen Erlebnisse als Bergmann bei der Wismut einbrachte.

Vergleichbar mit den Reportagen und Produktionsromanen der frühen fünfziger Jahre entstanden im Umkreis von ›Bitterfeld‹ auch eine Reihe von Prosaarbeiten, die die industrielle Arbeitswelt erneut in den Mittelpunkt rückten, nunmehr bezogen auf die gewandelten ökonomischen und technologischen Verhältnisse und die aktive Rolle der Partei als Movens des Fortschritts komplexer betonend.

Aus der Vielzahl sind WERNER EGGERATHS (geb. 1900) Roman *Wassereinbruch* (1960) über eine Beinahe-Katastrophe im Mansfelder Revier und das *Tagebuch eines Brigadiers* (1960) von WOLFGANG NEUHAUS (1929–1966) zu nennen, das in enger Zusammenarbeit mit GÜNTHER GLANTE (geb. 1934), dem Brigadier selbst, zustande gekommen war. REGINA HASTEDT (geb. 1921) nahm mit ihrer Reportage *Die Tage mit Sepp Zach* (1959) die Ziele von Bitterfeld gleichsam vorweg, weil sie auf der Konferenz selbst bereits über ihren Lernprozeß und ihre Erfahrungen berichten konnte, die sie während ihrer Zeit mit dem Aktivisten Zach im Oelsnitzer Karl-Liebknecht-Schacht gemacht hatte. Ihr Bekenntnis, daß sie ihre bisherigen Vorstellungen von den Denk- und Verhaltensweisen der Arbeiter in ihrem Tätigkeitsbereich immer wieder revidieren mußte, geht ein in die Reportage und bekommt damit programmatische Bedeutung.

Parallel zu der intensivierten Hinwendung auf die Probleme der sozialistischen Arbeitswelt im industriellen Bereich bekamen auch Darstellungen der veränderten Produktionsverhältnisse auf dem Lande erneut einen wichtigen Stellenwert. Das ist auf unmittelbare realpolitische Hintergründe zurückzuführen. Denn obwohl sich die SED nach ihrem Beschluß auf der 2. Parteikonferenz 1952, der die Schaffung sozialistischer Produktionsverhältnisse auf dem Lande vorsah, durch Aktivierung ihrer Funktionäre alle Mühe gegeben hatte, eine stufenweise Kollektivierung zu erreichen, sah die Bilanz des V. Parteitages 1958 nicht allzu vielversprechend aus. Zwar hatten sich bereits 8000 Produktionsgenossenschaften gebildet, doch zumeist nur aus Klein- und Neubauern, so daß lediglich ¼ der landwirtschaftlichen Nutzfläche der DDR sozialistisch organisiert war. Daraufhin entschloß sich die Partei zu handeln. Nach einem Ministerratsbeschluß vom 9. 4. wurde am 3. 6. 59 das »Gesetz über die LPG« bekanntgegeben. Dieses Gesetz, im April 1960 von der Volkskammer verabschiedet, bestimmte den Eintritt aller Bauern in landwirtschaftliche Produktionsgenossenschaften. Eine neue Entwicklungsphase war programmiert.

Unter dem Eindruck der dabei zwangsläufig auftretenden Konflikte und Probleme entstanden einerseits literarische Arbeiten (speziell im Bereich des Dramas), die noch einmal an die schwierigen Anfänge nach dem Kriege erinnerten, andererseits Versuche, die bereits die neue Etappe thematisierten.

Unter den ersteren sind zwei beachtenswert: Strittmatters *Holländerbraut* (1960) und die Komödie *Frau Flinz* (1961) von Helmut Baierl. Strittmatter knüpfte in mehrfacher Hinsicht an *Katzgraben* (1953) an.

In *Holländerbraut* schildert er die wechselvollen Erlebnisse einer Frau, die noch ein Jahr vor Kriegsende Opfer des faschistischen Terrors wird und in den ersten Jahren nach dem Kriege mit den Schwierigkeiten des Neubeginns zu kämpfen hat.

Hanna Tainz, Tochter eines Landarbeiters, erwartet von dem Sohn eines Großbauern, in den sie sich verliebt hat, ein Kind. Als sie sich einer Abtreibung widersetzt, wird sie als Fremdarbeiter – »Holländerhure« denunziert und daraufhin schließlich in ein KZ verschleppt, wo sie ihr Kind aufgrund der Folterungen verliert.

1945 nach ihrer Rückkehr als Bürgermeisterin in ihrem Dorf eingesetzt, weigert sie sich trotz des Drängens von Matten, dem verständnisvollen Parteisekretär, die Schuldigen von damals zu nennen. Im Gegenteil: dem ebenfalls zurückgekehrten Heinrich Erdmann, dem sie eine Neubauernstelle verschafft, gelingt es, sich ihr erneut zu nähern. Wieder erwartet sie ein Kind, doch diesmal ist es der ehemalige Großbauer, der um seines eigenen Vorteils willen eine Abtreibung verhindert und Hanna sogar als seine Braut ausgibt. Als diese sich weiterhin weigert, die Parteigenossen in ihre privaten Probleme einzuweihen, löst man sie als Bürgermeisterin ab. Schließlich jedoch erkennt Hanna, daß Erdmann sie damals wie heute nur benutzt hat, daß er unverändert der Reaktionär geblieben ist, der mit allen Mitteln versucht, die demokratische Erneuerung im Dorf zu torpedieren. Aus dieser Einsicht heraus gibt sie den Namen des Schuldigen preis.

Obwohl Strittmatter thematisch an den Versuchen zu Beginn der fünfziger Jahre anknüpft, die sich mit den Anfangsproblemen auf dem Land auseinandersetzten, sind in der *Holländerbraut* die Konflikte bei der Bewältigung der faschistischen Vergangenheit, beim schwierigen Kampf gegen Rudimente des alten Klassengegensatzes in der Aufbauphase nach dem Kriege plastischer gestaltet und der Denk- und Empfindungshorizont der Figuren differenzierter charakterisiert. Auch im Formalen unterscheidet sich das Stück durch die komplexe episch-dramatische Komposition der 5 Akte, durch die Verwendung des Verses und die Einfügung mehrerer Lieder von den gängigen Mustern dieses Typs.

Mit einigem Recht hat deshalb die DDR-Kritik das Stück als besondere Leistung der sozialistischen Dramatik hervorgehoben.

Mit *Frau Flinz* entwirft Baierl, der von 1959–67 Dramaturg am Berliner Ensemble war, eine Art Gegenbild zu Brechts *Mutter Courage*, übertragen auf die Nachkriegszeit. In einer epischen Szenenfolge, die chronikartig die Jahre

1945 bis 1952 umfaßt, verfolgt er den Weg einer selbstbewußten Umsiedlerin, die sich mit Schlagfertigkeit und Witz gegenüber jeglicher Obrigkeit zu behaupten sucht, auch dann noch, als diese Obrigkeit angesichts der veränderten gesellschaftlichen Verhältnisse ihren Interessen objektiv nicht mehr entgegensteht. Doch im Gegensatz zur Courage, die nichts lernt und durch ihr Profitstreben nach und nach ihre Söhne verliert, macht Frau Flinz einen Erkenntnisprozeß durch, der sie am Schluß durch die Überzeugungsarbeit des Genossen Weiler an die Seite des sozialistischen Aufbaus stellt. Auch ihre Söhne, von denen sie auf ihrem Weg verlassen wird, gehen nicht wie die der Mutter Courage zugrunde, sondern finden ein sinnvolles Betätigungsfeld in der neu zu errichtenden Gesellschaftsordnung.

Entsprechend dem Komödiencharakter werden die Widersprüche optimistisch gelöst, wobei sich *Frau Flinz* durch effektvolle Episoden wohltuend von anderen Beispielen dieses Genres unterscheidet.

Thematisch aktueller waren Stücke, die sich mit generellen Konflikten zwischen Eigentums- und Genossenschaftsdenken und Konflikten, die durch Umplanung der Produktionsprozesse und verstärkte Kollektivierung auftraten, auseinandersetzten. Bei der Lösung dieser Konflikte wurde der Frau eine besondere Rolle zugewiesen. Das spiegeln allein schon Titel wie FRED REICHWALDS (1921–1963) *Das Wagnis der Maria Diehl* (1959), HELMUT SAKOWSKIS (geb. 1924) *Die Entscheidung der Lene Mattke* (1959) oder Gerhard Fabians *Geschichten um Marie Hedder*. Auch Sakowskis Stück *Steine im Weg* (1960) hat in Gestalt der Rinderzuchtbrigadierin Lisa Martin einen weiblichen »Helden«. – Die Betonung des Anteils der Frau an der Gestaltung der neuen Verhältnisse war von besonderer gesellschaftlicher Bedeutung. Denn im traditionellen bäuerlichen Betrieb seit jeher als billige Arbeitskraft ausgebeutet und als Sexualobjekt ausgenutzt, eröffnete die Genossenschaft der Frau die Möglichkeit, sich individuell zu emanzipieren und ihre Arbeitskraft freier zu gestalten. Daß dieser Wandel nicht ohne Komplikationen erfolgen konnte, versuchten die genannten LPG-Stücke beispielhaft darzustellen. So sind die weiblichen Handlungsträger weiterhin erstarrten doppelbödigen Moralvorstellungen ausgesetzt und müssen gegen herrschende Vorurteile kämpfen. Ihr Liebesbedürfnis und spontane emotionales Handeln bringen sie in immer neue Konflikte, weil es von den Gestrigen dazu mißbraucht wird, sich persönliche Vorteile auf Kosten der LPG und ihrer Entwicklung zu verschaffen (Maria Diehl). Doch wie Lisa Martin, Maria Diehl oder Hanna Tains (Strittmatter: *Holländerbraut*) erweisen sich die weiblichen Handlungsträger ihren persönlichen Konflikten gewachsen und überwinden ihre individuellen Schwierigkeiten zugunsten der Gemeinschaft. Mehr noch: Ihr Bewußtwerdungsprozeß im privaten Bereich, der mit der Einsicht in die Notwendigkeit der Veränderung überkommener Denkweisen zusammengeht, wirkt als Katalysator für die Unschlüssigen und Zweifler, so daß sie bei der Realisierung sozialistischer Produktionsverhältnisse auf dem Lande die ihnen zugedachte Funktion erfüllen können.

LPG-Schwänke

Um den »sozialistischen Frühling auf dem Lande« populär zu machen, forderte die Partei um 1959 zudem ein Genre, das anders als die skizzierten Problemstücke auf amüsante Weise »Überzeugungsarbeit« leisten sollte: den Schwank. Titel wie von Wangenheims *Der Instrukteur soll heiraten* (1961), Sakowskis *Weiberzwist und Liebeslist* (1961), ERICH HELLERS (1913–1964) und MARGRET GRUCHMANN-REUTERS (geb. 1908) *Alwin der Letzte* (1959) und Franz Freitags *Verschwörung um Hannes* (1963) sprechen für sich. Figurenkonstellationen und Gestaltungsprinzipien orientieren sich an traditionellen bewährten Mustern, die für die neuen Inhalte nutzbar gemacht werden. Störrische Bauern, die sich weigern, die LPG zu akzeptieren, spielen die Rolle von Dorftrotteln, wobei die Autoren alle Register der Situationskomik ziehen. Derber Wortwitz und Kalauer jeglicher Art werden eingesetzt, um auch den letzten (*Alwin der Letzte*: »Wir wollen nicht Alwin sein«) für die sozialistische Perspektive zu gewinnen und ihn vom Nutzen der LPG zu überzeugen.

Eine thematische Variante ist u. a. der bedenkliche Eigensinn innerhalb einer LPG, der ihre Entwicklung hemmt; etwa wenn eine zur Schweinezucht prädestinierte, aber am Kuhstall hängende Produktionsleiterin mit einer für die Milchwirtschaft ausgebildeten, aber an der Schweinezucht hängenden Produktionsleiterin hadert, bis beide ein Einsehen finden und darüber hinaus noch zustimmen, daß ihre Kinder heiraten. Solche und ähnliche trivialen und konstruierten Konflikte bestimmen den Charakter der LPG-Schwänke, die als operatives Genre eine große Verbreitung fanden, weil sie in ländlichen Gegenden sowohl von Laien als auch von Schauspielgruppen häufig aufgeführt wurden.

Ausblick

Operative Genres vergleichbarer Art blieben auch weiterhin Bestandteil der DDR-Literatur, doch spielten sie bald eine untergeordnete Rolle. Mit Beginn der sechziger Jahre zeichnete sich in mehrfacher Hinsicht eine neue Entwicklung ab. Theoriefetischismus und politisch-ästhetische Bevormundung des ersten Jahrzehnts traten stärker in den Hintergrund. Verengende frühere Leitsätze wurden allmählich erweitert und präzisiert. Die literarische Produktion selbst und ihre künstlerischen Gestaltungsprinzipien gewannen größere Aufmerksamkeit. Die Autoren bemühten sich um eine differenziertere Darstellung der DDR-Entwicklung. Persönliche Probleme im Alltag erschienen unmittelbar mit den veränderten politischen und gesellschaftlichen Entscheidungen verknüpft. Die individuellen Probleme aus der subjektiven Sicht des Einzelnen, der sich mit den Widersprüchen einer sozialistischen Gesellschaft in ihrer Entwicklung konfrontiert sieht, bekamen ein neues Gewicht. Programmatisch für diese Tendenz wurde BRIGITTE REIMANNS (1933–1973) Erzählung *Ankunft im Alltag* (1961), deren Titel zur Prägung des Begriffs ›Ankunftsliteratur‹ beitrug. – Auch die literarische Auseinandersetzung mit dem

Faschismus wurde mit der Entstehung von Ansätzen zu einem neuen Entwicklungsroman komplexer; ebenso die Auseinandersetzung mit den gesellschaftlichen Verhältnissen in der Bundesrepublik.

Heiner Müller vertiefte die Diskussion um den Stalinismus. Neue zur Eigengesetzlichkeit drängende Dichtungsmodelle wie die auf der Basis der Theorie einer sozialistischen Klassik entstandenen Stücke von Peter Hacks setzten wichtige Akzente.

Die Literatur der DDR begann, eine veränderte gesellschaftliche und ästhetische Stellung einzunehmen.

Von der Literatur des ›Bitterfelder Weges‹ bis zur Gegenwart

›Ankunft‹ – Zur Situation der Literatur am Anfang der sechziger Jahre

»Die Erde«, so beginnt Strittmatters *Ole Bienkopp*, »reist durch den Weltenraum. Der Mensch sendet eiserne Tauben aus und harrt ungeduldig ihrer Heimkehr. Er wartet auf ein Ölblatt von Brüdern auf anderen Sternen.
Was ist ein Dorf auf dieser Erde? Es kann eine Spore auf der Schale einer faulenden Kartoffel oder ein Pünktchen Rot an der besonnten Seite eines reifenden Apfels sein.«
Strittmatter stellt, bevor er noch zu erzählen beginnt, seinen Gegenstand in einen weiten Zusammenhang und formt damit zugleich die gewünschte Sichtweite des Lesers auf die zu erwartenden Inhalte. Er wählt eine sehr breite und scheinbar höchste Distanz wahrende Perspektive und Erzählhaltung; er läßt vom Universum her auf den Globus schauen. Unter dieser Optik wird irdisches Geschehen krümelhaft klein, idyllisch und liebenswert; und eben dadurch wird alle Distanz zu den Vorgängen wieder beseitigt, die Spannweite der vorgestellten Konflikte wird verengt.
Eine große, natürliche Ordnung wird vorausgesetzt. In sie erscheint das Menschenleben eingebettet. Weltraum und Mensch stehen sich nicht länger feindlich gegenüber: Er sendet ›eiserne Tauben‹, wartet ›auf ein Ölblatt‹. Er ist freilich ›ungeduldig‹. Dreierlei wird hier zur Einheit verdichtet: der Erkundungstrieb des Menschen, mithin sein Interesse an der Ausbreitung von Technik und Wissenschaft, Brüderlichkeit und Frieden, mithin die Hoffnung auf Ankunft beim Ziel der Klassenkämpfe und Systemauseinandersetzungen, und ein Aufgehen im natürlichen Kreislauf der Dinge, mithin die Aussicht auf die Aufhebung von Geschichte. In der Idylle kommt die Menschheitsutopie zum Vorschein, und die Dialektik wird zum Glied in der Organik des Naturprozesses; und auch der Gegensatz von bürgerlicher und sozialistischer Welt wird, ohne daß sein historisches Gewicht in Zweifel stünde, durch die Blende der Naturmetaphorik geschildert: ein Dorf kann eine Spore an faulender Kartoffel oder ein ›Pünktchen Rot‹ am reifenden Apfel sein. Christa Wolf ist der *Himmel* geteilt (*Der geteilte Himmel*, 1963); Jurij Brězan benutzt in *Eine Liebesgeschichte* (1962) für die Beschreibung Westdeutschlands das Bild vom »Himmel, der kein Seidenhimmel war, sondern ein fader, langweiliger Postkartenhimmel«.
Aber meist hat die Naturmetaphorik das Ziel, die Einheit oder doch die sichere Hoffnung auf eine Identität der erkämpften und endlich errichte-

ten sozialistischen Gesellschaft mit vermenschlichtem, natürlichem Leben darzustellen. Das gilt auch für das Gedicht, wo, gegenüber den Naturchiffren als Symbolen der Kälte, des Abweisenden und der Bedrohung in der Lyrik Erich Arendts, Peter Huchels oder Reiner Kunzes neue, heimatliche Bilder auftauchen. Kann Natur im Gedicht anzeigen, daß die Entfremdung unaufholbar, daß menschliches Leben Überwintern sei, so kann sie auch wieder spüren lassen, daß sommerlicher Einklang bestehe, daß die fortbestehenden Widersprüche solche eines natürlichen Lebenszyklus geworden seien. Beide Möglichkeiten bestehen hinfort, dazwischen die Ambivalenz des Zweifelnden, die Warnung vor dem Tagtraumdenken schon erworbener Sicherheit bei Günter Kunert oder die proteushafte Verwandlungstechnik Sarah Kirschs: bei ihr erscheint Natur als vielgestaltige Fülle und Gegenbild zur gesellschaftlichen Festlegung – emphatisch wird immer neu nach Einheit und Selbsterfahrung geforscht, ohne daß das malerische Panoptikum je erschöpft wäre. Damit aber wieder Zweifel aufbrechen können, und solche Zweifel, die nicht in Gegensatz zur eigenen Umgebung bringen, sondern auffordern, sie immer tiefer und weltläufiger zu durchforsten, muß zunächst einmal die Natürlichkeit der eigenen Sozietät, die Sozietät als eigene, als Heimat, erfahren sein.

Zu Beginn der sechziger Jahre findet sich kaum ein Roman, in dem nicht gesellschaftliche Zusammenhänge, individuelle Haltungen und Wandlungen, Vorgänge bei der materiellen Produktion mit atmosphärischen und landschaftlichen, jahreszeitlichen Schilderungen angereichert, aufgeladen oder ausgedeutet werden. In Erik Neutschs Entwicklungsroman *Spur der Steine* (1964) wird durchgehend die Einheit von geschichtlicher Bewegung und jahreszeitlichem Rhythmus hervorgehoben: bewußter Fortschritt vollzieht sich evolutionär, schmiegt sich den natürlichen Zyklen an; dem entspricht in der Lyrik der Gedicht-Zyklus. GÜNTHER DEICKE (geb. 1922) benutzt das Naturbild der Wolke (*Die Wolken*, 1965), um Wandel und Stetigkeit der Welt darzustellen. Die Wolken werden zum Symbolgefüge: sie ziehen, selbst unzerstörbar, über die wechselnden Vorfälle der Geschichte hinweg, bewahren deren Erinnerung; sie, »die den Himmel von Auschwitz verdunkelt«, warnen, ihr Zug am Himmel bedeutet Voranschreiten ebenfalls; die »Wolke Sehnsucht« lenkt die Phantasie in die Zukunft; der Zug der Wolken läßt die Erinnerung an ›Sklaverei‹, ›Hexenprozesse‹ zwar nicht verschwinden, aber doch vergänglich erscheinen; ihre Gegenwart ist freundlich am Ende, Beweis, daß »uns das Wasser bleibe«. Ähnlich seinen Vaterlands-Gedichten und seinem Kindheitszyklus, wo die Verbrechen und Leiden, die im Faschismus erworbenen Erfahrungen, im Zyklus Stück um Stück zueinandergefügt werden, um schließlich in zuversichtlicher Identifizierung mit der gegenwärtigen Entwicklung aufzugehen, ermöglichen Deickes *Wolken* eine Perspektivvielfalt, Blickpunktwechsel, Eingehen auf verschiedene Weltbezüge, um schließlich, als »Segel der Phantasie, die im Windhauch wehn, / Abschied – und Wandlung – und Wiederkehr«, für ein organisches Fortschreiten zu bürgen.

Franz Fühmann erscheint in *Kabelkran und blauer Peter* (1962) die Werft als ein vielgliedriges, in seiner funktionalen Schönheit aber freundliches Lebewesen, nicht länger als »Dschungel«.

Die ungelösten Probleme werden durch atmosphärische Schwankungen angezeigt; der ›verschleierte Himmel‹ erzeugt ›Unrast‹ (Christa Wolf, *Der geteilte Himmel*), letztlich daher Produktivität. Maschinen und Fabriken gehören zu der noch nicht endgültig eroberten Heimat; sie sind jedoch nicht abstoßend grau, häßlich und fremd, keine Kolosse oder Ungetüme, sondern umgängliche Wesen.

Die Naturmetaphorik in der DDR-Literatur der sechziger Jahre deutet auf den Versuch hin, das Leben als nicht länger nur entfremdetes erfahrbar zu machen, und seine Widersprüche als nunmehr friedlich lösbare. Im Sozialismus, das ist der dahinterstehende Gedanke, vermag der Mensch zur Identität mit sich selbst zu gelangen; das Naturbild wird dabei zum Instrument der literarischen Identifizierung mit der Gesellschaft. Die Überwindung noch nicht bewältigter Schwierigkeiten wird an eine weitere Aneignung der Naturkräfte verwiesen: ersetzt man diese Vokabel durch Begriffe wie: bessere Ökonomie der Mittel, wachsende Arbeitsleistung, Förderung wissenschaftlicher Neugier und eigenständiger Aktivitäten, dann wird deutlich, daß das Naturbild, das wir hier als ein augenfälliges Beispiel literarischer Toposbildung heranzogen, unmittelbar auch auf das gleichzeitige wirtschafts- und kulturpolitische Konzept der SED verweist, und es steht zu vermuten, daß in ihm eine ähnliche Verschmelzung von dialektischer Theorie mit einem romantischen Identitäts- wie Prozeßdenken zu entdekken sei, wie die Naturmetaphorik sie bietet, als eine geistesgeschichtliche und ideologische Folie des Technizismus und Ökonomismus der sechziger Jahre. Die ideologische Voraussetzung liegt in der Gewinnung einer neuen Totale, eines eben erst reif gewordenen sozialistischen Selbstbewußtseins, das eine geschichtliche Distanzierung der (und von der) jüngst erst auf wirtschaftliche, staatliche und rechtliche Füße gestellten Sozietät noch verbietet.

Lassen wir im Augenblick noch beiseite, mit welchen wirtschaftlichen und gesellschaftspolitischen Vorhaben das Heimatbewußtsein korrespondiert und auf welche kulturpolitischen Forderungen die Schriftsteller damit eingehen, so ist eines doch vorab schon zu begreifen: Die ›Ankunft‹ im neuen Staat und die beinahe selbstverständlich damit verbundene liebevolle Erkundung der neugeschaffenen Wirklichkeit war ganz im Sinne der Partei, gab sie doch Gelegenheit, Probleme großer Klassenauseinandersetzungen und gesellschaftlicher Widersprüche in die Vergangenheit, in historische Vorzeit abzuweisen und die Schwierigkeiten und Entbehrungen des Neuanfangs leichter hinzunehmen und zu tragen.

Kennzeichnend ist die fast ausschließliche Zuwendung zur Gegenwart. Im Hinblick auf die ideologische und ästhetische Traditionsbewältigung hat Jürgen Scharfschwerdt die These aufgestellt, jetzt zum erstenmal werde »die eigene Wirklichkeit in ihrer realen Faktizität und Problemstruktur als ein selbständiger Erkenntnisgegenstand entwickelt« (Schmitt, Einführung, 134). Damit ist freilich nicht gesagt, welche Folgerungen sich daraus für Wissenschaft und Kunst, für die Wege also, auf denen man sich des ›selbständigen Erkenntnisgegenstandes‹ anzunehmen hat, ergeben. Zunächst bleibt festzuhalten, daß für eine Reihe jüngerer Schriftsteller der Besuch eines Betriebs, einer LPG, die Mitarbeit in einer Brigade das Erlebnis bisher unbekannter Lebensbereiche bedeutete, die Aufhebung sogar entfremdeter Vorstellungen wie bei Franz Fühmann: »... ich wußte nichts vom Großbetrieb; ich lebte, ein Zeitgenosse der Weltraumraketen, in dieser Beziehung am Anfang des neunzehnten Jahrhunderts.« (*Kabelkran und blauer Peter*, 1962.) Den programmatischen Titel der durch Bitterfeld angeregten Bewegung gab Brigitte Reimanns Buch *Ankunft im Alltag* (1961). Das Panorama des Erreichten wird am Ort der Produktion und im täglichen Geschehen ins Auge gefaßt; Tätigkeit, Sorgen, Auseinandersetzungen der Bevölkerung am Arbeitsplatz, Ärger mit Vorgesetzten, Opportunismus, Verhalten zu westlicher Ideologie, Republikflucht, Widersprüche in der Anleitung durch die Partei wurden, in einfacher Sprache, in literarischen Kurzformen oder Erzählungen, in linear meist verfahrender Schilderungsweise dargestellt; der erste Sprung in eine unbekannte und doch eigene Welt diente dem Vertrautwerden mit dem Durchschnittsleben in der Republik.

Mit dem Interesse an Gegenwartsthemen war ein Wiedererwachen der dokumentarischen Literatur verbunden. Das drückte sich darin aus, daß auf der einen Seite minuziöse Abschilderungen von Produktionstechniken, Arbeitsabläufen und Werksgeländen in Erzählungen und Romane hineingenommen wurden, auf der anderen Seite die Reportage – und das Fernsehfeature – als eigene Literaturzweige ernst genommen und kultiviert wurden; und dabei wurden zunehmend Bericht-Formen mit anderen Erzählweisen montiert:

Die Erlebnisberichte von Schriftstellern, die in Betrieben arbeiteten, wie Franz Fühmann (der sich Mitte der sechziger Jahre für seine Person gegen die dokumentarische Schreibweise verwahrte), Brigitte Reimann (*Ankunft im Alltag*), Irmtraud Morgner (*Ein Haus am Rande der Stadt*, 1962) waren oft nichts anderes als mit erhöhter eigener Anteilnahme verfaßte Reportagen; umgekehrt wurde für die Reportage nach Gestaltungsweisen gesucht, mit denen die veränderten Lebensbedingungen, das Freundlich-Werden der industriellen Umwelt, persönliches Beteiligtsein und Zustimmen sich ebenso spiegelten wie wissenschaftliche Methodik und aufgelockerte didaktische Darstellungsmodelle. So kam es zu fließenden Übergängen zwischen Reportage und Roman (z. B. bei Johanna und Günther Braun: *Ein objektiver Engel*, 1967), Sachbuch und Erzählung. Die wichtigsten Autoren auf diesem Gebiet sind HELMUT HAUPTMANN (geb. 1928) mit *Das komplexe Abenteuer Schwedt* (1964) und *Im Kreis der Familie* (1964), JAN KOPLOWITZ (geb. 1909) mit *die taktstraße* (1969), Brigitte Reimann, Peter Gosse, Inge von Wangenheim, Werner Bräunig und Eberhard Panitz. *die taktstraße* beschäftigt sich mit dem Städtebau in der DDR; zum gleichen Thema kam 1969 außerdem ein von mehreren Autoren gemeinsam verfaßter Reportagenband unter dem Titel *Städte machen Leute* heraus. Kennzeichnend ist die Summierung verschiedener literarischer Mittel, Gespräche, Dokumente, Briefe, technischer

Erläuterungen und Porträts. Hinzu kommen in diesem Genre Reiseberichte aus anderen sozialistischen Ländern, deren Sinn ist, zur Verständigung der verbündeten Völker beizutragen und Anregungen aus der jeweiligen Entwicklung aufzunehmen.

Ähnlich wie in der sowjetischen Literatur der fünfziger Jahre zeigt sich in der DDR der sechziger ein Nebeneinander von außerordentlich breit angelegten Romanwerken, kleinen »operativen« Formen und einer novellistischen Prosa, bei der entweder einzelne Vorfälle oder wichtige soziale Entscheidungsmomente herausgegriffen und mit paradigmatischer Absicht geschildert werden (Neutsch: *Die Regengeschichte*; Herbert Nachbar: *Der Tod des Admirals* etc.), oder bei der die Geschehnisse zunehmend durch individuelle Sicht gebrochen erscheinen und eher zur Kennzeichnung von Personen, deren Verhalten und Gefühlsleben taugen als zur Erklärung staatlicher Zusammenhänge.

Eine ›Gegenwart‹, die sowohl in ihrer Gesamtheit als neue gesellschaftliche Totale als auch in all ihren einzelnen und alltäglichen Manifestationen literarisches Problemfeld wird, macht eine solche Breite leicht verständlich. Auch ein anderes Charakteristikum dieser Wirklichkeitserfahrung macht sich in der Literatur zu Beginn der sechziger Jahre deutlich bemerkbar: die von Emphase getragene Vorstellung, die Geschichte sei nun in einen neuen Abschnitt eingetreten. Mit wenigen Ausnahmen wird literarischer Stoff weder in Mythen, Märchen, früherer Dichtung noch in der Geschichte oder in geographischer Ferne gesucht. Nur Stefan Heyms zweibändiger Roman *Die Papiere des Andreas Lenz* (1963) behandelt einen geschichtlichen Vorwurf, den Badischen Aufstand von 1849; Hans Lorbeers *Die Obrigkeit* (1963) ist der letzte Band seiner über Jahre hinweg verfaßten Luther-Trilogie; und daß Eduard Claudius in *Das Mädchen ›Sanfte Wolke‹* (1962) Geschichten aus Syrien und Vietnam vorlegte, ist seiner Botschaftertätigkeit in diesen Ländern zu danken. Eine Ausnahme ist auch Franz Fühmann, der in Gedichten und in seiner Erzählung *Böhmen am Meer* (1962) mit Märchen- und literarischen Modellen arbeitet.

Der Traditionsbruch betrifft jedoch vor allem die Stoffwahl, nicht die Schreibweise und den Umgang mit Vorbildern und Modellen. So hat Gerhard Kaiser darauf hingewiesen (Schmitt, Einführung, 225), daß einige Dramatiker sich Brechtscher Themen bedienten, um sie, verkleinert, in DDR-Gestalt neu auszutragen: Claus Hammel in *Um neun an der Achterbahn* (Rückgriff auf den *Kaukasischen Kreidekreis*) oder Helmut Baierl in *Frau Flinz* (*Mutter Courage und ihre Kinder*) und in *Johanna von Döbeln* (*Die heilige Johanna der Schlachthöfe*).

Ein weiteres Kennzeichen ist die Nivellierung des traditionellen Unterschieds von hoher und trivialer Literatur, die der Ausrichtung auf eine für alle rezipierbare Volksdichtung entspricht. Diese Entwicklung steht keineswegs in Gegensatz zu der Scheidung von Berufs- und Laiendichtung, die durch den Bitterfelder Gedanken nicht eingeebnet, sondern gerade erst hervorgerufen wurde – um beide zu einem fruchtbaren Miteinander zu zwingen.

Ingeborg Gerlach (Bitterfeld) beschreibt den Übergang aus den fünfziger Jahren als eine Verwandlung der ›Klassen-‹ in ›Massen-‹Literatur; es sei ein – der Volksstaatidee entsprechendes – breites Band ›mittlerer Literatur‹ entstanden, ohne besondere, eigenwillige Qualitätsmerkmale, geschaffen, möglichst alle Bevölkerungsschichten zu erreichen. Zunächst ist dabei festzuhalten, daß in der Tat eine Entwicklung stattgefunden hat, der einerseits die im Westen gängige triviale Groschenheft-Schreibe fehlt und in der andererseits auf künstlerische Höhepunkte zwar Wert, aber geringer Nachdruck gelegt wurde; auch in der ästhetischen Theorie und Beschreibung wurde eher auf die ideologische Durchführung und ihre Richtigkeit als auf deren Form achtgegeben. Mit dem Entstehen jedoch der ›Massenliteratur‹ kommen das Bedürfnis nach Qualität und die Frage nach der Kunst als eigenständiger Arbeit wieder zum Vorschein; Gerlach bewertet diese Tendenz allerdings mit Unmut; denn dem Laienschaffen wird weniger Spielraum für spontanes Sich-Äußern gelassen; die Anleitung der Zirkel, deren Bewegung abflaut, durch fachlich ausgebildete Funktionäre und das Vorgehen nach Lehrbüchern wie dem Handbuch schreibender Arbeiter (1963/64) führten zur Abhängigkeit von normativen Poetiken, deren Regeln zumindest fragwürdig sind, und zum Glauben an die Lernbarkeit des Schreibens; durch meistersingerartige Selektion würden Begabte und Fortgeschrittene entdeckt und dem professionellen Schriftstellertum zugeführt. Gerlach beklagt also eine erneute Trennung von Laienkultur und Berufskunst.

Freilich blieb die Förderung der Laienkultur und die Durchführung von Arbeiterfestspielen eine wichtige Aufgabe des Staats und der Trägerorganisationen wie des FDGB, wenn auch stärker institutionalisiert und auf professionelles Tun ausgerichtet wird. Die Bemühungen der schreibenden Arbeiter wurden, wo nicht entsprechende Begabungen zutage traten, mehr auf Versuche in den operativen Formen als besonderer Genregruppe gelenkt, und zahlreiche regelmäßig oder in Abständen erscheinende Anthologien berichten weiterhin von ihnen: die »Deubener Blätter«, Vom Sein und Werden (1968), Schwedter Aspekte (1969), Das uns Gemäße. Lyrik-Anthologie schreibender Arbeiter (1970) usf.

Die Hinwendung zur eigenen unmittelbaren Gegenwart brachte die Neigung mit sich, mit authentischem Material zu arbeiten. Das Alltagsgeschehen gewann durch die künstlerische Benutzung beispielhaften Charakter; in ihm und durch es versuchte man, sich Einblicke ins Wesen der Gesellschaft zu verschaffen, was nicht nur zu Einsichten über das ›Typische‹ der Lebenszusammenhänge führte, sondern ebensooft auch zur Typisierung von Geschehen, zur Ausbildung also von Situations- oder Wandlungs-Schablonen gemäß allgemeinen Erkenntnissen oder dem der Kunst zugedachten Auftrag. So fand einerseits die dokumentarische Methode, die sonst bei Reportagen, Brigadetagebüchern oder im Film eingesetzt wurde, Eingang auch in die traditionellen Gattungen – doch das bedeutete nur bedingt das Entstehen einer nüchternen Beobachtungshaltung: andererseits nämlich wurden der wirtschaftliche Aufbau und das Alltagsleben mit eben der Wucht und Emphase geschildert, die in großen politischen Umwälzungen, im revolutionären Aufstand oder bei der Überwindung des Faschismus gerechtfertigt gewesen waren. KURT BARTHEL (KUBA, 1914–1967) behandelt in seinem Stück *terra incognita* (1962) authentische Vorgänge des Jahres 1961, die erfolgreiche Bohrung nach Erdöl in der DDR. Kuba überschreibt eine Vorbemerkung zum Stück mit »Heldentum« und fragt:

»Worin bestand das Heldentum der Arbeiter und Bauern von Reinkenhagen, ... als sie die Urgewalt Erdöl und Erdgas ... besiegten, zähmten und dann für die Republik dienstbar machten?«

Kuba will keineswegs nur berichten. Er sucht den »Sieg mit den Naturgewalten«, das Fertigwerden mit Sabotageakten, die Selbsthilfe gegen »die blutige Pranke der internationalen Erdölkonzerne« zu gestalten. Nicht die Fakten werden dokumentiert, sondern der tiefe Eindruck, den sie hinterlassen, die Bewunderung davor, wie der Mensch sich gegen die Unbilden von Natur und Klassenkampf, gegen Sturm und Sabotage durchsetzt. Das Geschehen wird hymnisch überhöht. Die Dialoge sind in Verse gefaßt; Techniken des Agitprop werden übernommen; die Haltung des Autors ist oratorisch. Angezeigt wird, daß der sozialistische Aufbau einen ebenso gigantischen Kampf bedeute wie die politischen Umwälzungen des Jahrhunderts. Die hyperbolische Darstellung führt zur Heroisierung des Alltags; die Übertragung Weinertscher Massenagitation auf die veränderten Umstände erzeugt jedoch ein Mißverhältnis, eine Kluft zwischen sozialem Inhalt und der Form, in der er bewältigt wird. Die unfreiwillige Selbstparodie hat zur Folge, daß die in Reimen redenden Arbeiter eher komisch als heldenhaft wirken. Auch Peter Hacks, dessen Bemühen seit 1959 darauf ging, »Wirklichkeit in großer Form widerzuspiegeln« (Programmheft *Die Sorgen und die Macht* 1962), entging in *Die Sorgen und die Macht* der Gefahr einer zu hohen Form – gemildert allerdings durch satirische Brechungen – nicht immer. Die Wirkung des Verses ist abhängig von der Größe des Gegenstandes. Hacks eröffnete sich die Möglichkeit, für die Form die Gegenstände anders zu wählen, Fabeln zu entwerfen, die den Staat als ganzen, die Systemauseinandersetzung, die inneren Widersprüche oder die Spannung von Gegenwart und Zukunft modellhaft vertreten und sich, in den folgenden Jahren, in einer den wachsenden Möglichkeiten des Sozialismus entsprechenden großen Form behandeln ließen. Bei dieser Gelegenheit konnte sich auch der Blankvers als eine geeignete Sprachform durchsetzen.
Es gab die andere Tendenz, die (»Gegenwarts«-)Stoffe beizubehalten und die Form einfacher, kleiner werden zu lassen. Machte sich die erstgenannte Richtung in bestimmten Zügen der DDR-Dramatik geltend, so entstand aus der zweiten ein zweiter Bereich, in dem die Kunst der DDR ausgezeichnete Leistungen hervorbringen konnte: der der Novellistik und der Kurzgeschichte, vertreten durch Franz Fühmann, Hermann Kant, Karl Mickel, Ulrich Plenzdorf, Rainer Kirsch, Gotthold Gloger, Günter de Bruyn, Günter Kunert, Wolfgang Trampe und andere.
Einige jüngere Schriftsteller wendeten sich gegen die überhöhende Darstel-

lungsweise. BRIGITTE REIMANN (1933–1973) schrieb 1962 im »Neuen Deutschland«: »Unsere Generation ist großer Gefühle fähig, aber sie scheut große Worte.« (*Entdeckung einer schlichten Wahrheit*) Mit ihrem Roman *Die Geschwister* (1963), der sich mit dem Verhältnis junger Intellektueller zum Staat und der – vor allem für Techniker und Naturwissenschaftler verlockenden – Republikflucht beschäftigt, stellte sie unter Beweis, daß eine nüchterne Einschätzung der Gegenwart eine starke Beteiligung und gefühlsmäßige Bindung an das Land nicht ausschließen muß. Freilich greift der Gestus dieser Literatur mit ihren Alltagsthemen, ihrem linearen, einschichtigen Aufbau und ihrer kunstlosen Sprache noch derart tief, daß im Ausschnitt, den das Werk bietet, nur wenig Wirklichkeit und wenige die Allgemeinheit betreffende Probleme gefaßt werden. Sie stand einer künstlerischen Fortentwicklung, die möglich wurde, als Sorgen wegen materieller Not schwanden, eher im Wege.

Und insgesamt darf ein Umstand nicht aus dem Blick verloren werden, daß nämlich der Zuwachs an Gegenwart zugleich einen Verlust an Geschichtlichkeit, an kritischem Abstand und übergreifenden Maßstäben mit sich brachte. Das sozialistische Selbstbewußtsein, das hier entstehen sollte und ein Stück weit auch entstand, konnte sich nur aufgrund staatlicher Abkapselung bilden, deren für westliche Augen schockierender Ausdruck der Mauerbau von 1961 war.

Kulturpolitik im Umkreis der Zweiten Bitterfelder Konferenz 1964

Doch diese Abriegelung gegen den Westen hatte nicht nur defensiven Charakter; und auch das erwachende Nationalgefühl war, sosehr Wunschdenken im Spiel war, nicht eine bloße Schutzideologie. Beides hatte seinen realen Grund in einer wirtschaftlichen und politischen Entwicklung, die – in der Diktion des VI. Parteitages 1963 – in den »Sieg der sozialistischen Produktionsverhältnisse« mündete.

Auf dem Land war die genossenschaftliche Entwicklung so gut wie abgeschlossen. Innerhalb von zehn Jahren (bis 1962) war das gesellschaftliche Gesamtprodukt von etwa 50 auf 150 Milliarden Mark angewachsen; der Anteil »des sozialistischen Sektors am gesellschaftlichen Bruttoprodukt« war auf 85,5 Prozent, in der Industrie auf 88,4 Prozent gestiegen; die sozialistisch genutzte landwirtschaftliche Fläche betrug 93,3 Prozent. Es konnte resümiert werden:

»Im Sozialismus gehören alle wichtigen Produktionsmittel – die Fabriken, Werke und Eisenbahnen, die Bodenschätze, die Felder, Gewässer und Wälder – dem Volke, das sie erschließt, mit ihnen arbeitet und neuen Reichtum schafft. ... An die Stelle der kapitalistischen Wirtschaftsanarchie, die Krisen und Arbeitslosigkeit hervorbringt, tritt die planmäßige Leitung und Entwicklung der sozialistischen Wirtschaft gemäß dem höchsten Stand der Wissenschaft und Technik.« (Vgl. Arbeiterbewegung XV, 108 u. 101)

Die sozialistische Umgestaltung schuf veränderte Klassenverhältnisse. Über 80 % der Beschäftigten rangierten 1962 als Arbeiter und Angestellte; die Rolle privatwirtschaftender Unternehmer war zur Bedeutungslosigkeit herabgesunken. Dieser Wandel gab Anlaß, den zuvor als Instrument der Diktatur des Proletariats begriffenen Staat als »Volksstaat« anzusehen, Hoffnung auf eine nicht mehr klassengespaltene Gemeinschaft und einen in ihr entstehenden sozialistischen Menschentypus zu setzen und eine durch den Bitterfelder Weg bereits ins Auge gefaßte Volks- oder Nationalkultur zu proklamieren, die hernach sogar verfassungsrechtlich verankert wurde (Art. 18 der Verfassung).

Aufgabe und Ziel der kommenden Jahre sollte nun der »umfassende Aufbau des Sozialismus« sein. Es war nicht zu übersehen, daß die Vorstellung einer sozialistischen Menschengemeinschaft sich zwar auf einen allgemeinen Wandel der Klassenstruktur stützen konnte, der politischen, ideologischen und ökonomischen Wirklichkeit jedoch noch keineswegs entsprach. Zwischen der zentral geleiteten Planung und der proletarischen Leistung, zwischen staatlichem Anspruch und sozialistischer Moral klafften offenkundig Widersprüche, die auf das Nationaleinkommen zurückschlugen » ... in der Tat«, sagte Walter Ulbricht 1962, »haben jetzt die ökonomischen Fragen den Vorrang. Die Voraussetzung für die friedliche Lösung der deutschen Frage ist die ökonomische Stärkung der DDR ... Was den Interessen der ökonomischen und politischen Stärkung der DDR dient, dient auch der Sache des deutschen Volkes, der Sache des Friedens und der nationalen Zukunft.« (Deuerlein, DDR, 252 und 253)

Demgemäß verlegte sich auch der VI. Parteitag in erster Linie auf die Formulierung einer wirtschaftlichen Strategie und forderte die »Konzentration auf die Planung und Leitung der Volkswirtschaft«.

Das 1963 eingeführte Neue ökonomische System der Planung und Leitung war die politökonomische Antwort auf objektive, wirtschaftliche Widersprüche und beweist also ihre Existenz.

Auf die ungenügende Ausgangslage nach dem Krieg mußte mit einer Wirtschaftsführung geantwortet werden, die allererst Zerschlagenes wiederherstellen ließ und die Mittel der Herstellung vermehrte. Diese Hervorbringungsweise wird ›extensiv erweiterte Reproduktion‹ genannt; sie zielt auf die Ausdehnung des ›Produktionsfeldes‹ – der Anzahl der Arbeitskräfte, des Umfangs an Produktionsmitteln, der Arbeitsfläche usw., wobei den Vorrang die Herstellung von Produktionsmitteln hatte, um die Grundlage des gesellschaftlichen Umschlages zu sichern. Im Lauf der fünfziger Jahre begannen die mengenmäßige Produktion und die entsprechende Entlohnung zum Hemmnis der Weiterentwicklung zu werden. Es kommt zu dem Widerspruch, daß bei verwickelteren Produktionsvorhaben die Summe der einzelnen dafür nötigen Vorgänge nicht den Organismus des Ganzen ergibt. Die verschiedenen nötigen Prozesse mußten zu rationellem Ineinandergreifen erst veranlaßt werden. Bisher wurde ein ausschließlich zentral ausgegebener Plan befolgt, der zusehends nicht mehr der durch technische und wissenschaftliche Weiterungen möglich und für das Nationaleinkommen notwendig gewordenen Arbeitsorganisation Genüge tat. Der Plan war auf seiten solcher Brigaden, die, mit Stoffen versorgt, aus größtmöglichem Ausstoß ihren Lohn zogen, auf Kosten anderer und auf Kosten einer gleichgewichtigen Zirkulation. Die einfache Form der kollektiven Arbeit, die für die pure quantitative Erweiterung der einzelnen Bereiche nützlich gewesen war, zeigte ihre Grenzen: bei ungeschickter Arbeitsverteilung, schlecht geregelter Materialversorgung und falschem Einsatz der Mittel entstanden mit unverhältnismäßig hohem Aufwand erzeugte Gebrauchswerte, Gebrauchswerte also, deren Wert zu hoch liegt – während das Ziel die Wertverringerung ist, also die Herstellung von mehr Gebrauchswert zu gleichem Wert. Dem Sinken des Produktwertes entspricht eine Erhöhung des Werts, den das gesellschaftliche Gesamtprodukt besitzt. Der angedeutete Widerspruch erschien, seiner einschneidenden Wirkung und dem Gegenwartsinteresse zum Trotz, nur selten in der Literatur; in Erik Neutschs Roman *Die Spur der Steine* (1964) wurde er am ausführlichsten, am schärfsten in dem nach diesem Erzählwerk gefertigten Stück Heiner Müllers, *Der Bau* (1965), behandelt; Peter Hacks griff ihn in *Die Sorgen und die Macht* (1959/62) auf; Volker Braun reihte ihn unter die Gegenstände seiner symbolhaft-verkürzenden DDR-Chronik *Hinze und Kunze* (1. Fassung: *Hans Faust*, 1968) ein. – Die qualitative Verbesserung der Arbeitsproduktivität und mit ihr ein Wandel des Lohnsystems wurden notwendig. Technik und Organisationswissenschaft gewannen erheblich an Bedeutung; Betriebsführung und Leitungstätigkeit, fachliche Ausbildung und individueller Einsatz rückten in den Vordergrund sozialen Interesses, bei Planung und Prognose wurden zentrale mit dezentralen Entscheidungsprozessen kombiniert. So entstanden eine beweglichere, aber deutlich hierarchisch geordnete Produktionsform, mehr Spielraum, aber kompliziertere Aufgaben. Der Zusammenhalt der sozialistischen Gemeinschaft wurde gleichzeitig mehrschichtiger und dichter, schwieriger, aber weniger verbissen. Zum Exponenten des Kollektivs wurde das sozial handelnde, eigenständig und umsichtig denkende Individuum, der Fachmann und der Kommunist, welcher seinem politischen Schwung durch genaue Kenntnisse mehr Halt zu geben versteht. Verharschtes Parteidenken, dogmatische und bürokratische Rückständigkeiten wurden sehr offen kritisiert – freilich zog die ökonomische Spannung auch Spannungen innerhalb der Partei nach sich.

Zudem ist mit der Schilderung einer stärker funktionalen Wirtschaftsführung nur eine Seite des gesamtgesellschaftlichen Prozesses beschrieben, den sie einleitete. Die Entfaltung der ökonomischen Verhältnisse wurde gleichwohl zum wichtigsten Bereich gesellschaftlicher und individueller Tätigkeit erklärt, dem alle anderen zu unterwerfen waren. Nur was hier nützte, schien Gewähr für die Zukunft zu bieten. Den Ausbau des Produktivkraftsystems gemäß dem Grade der Vergesellschaftung der Produktion, der Automatisierung und Verwissenschaftlichung sah man als den alle Lebensbereiche ergreifenden Prozeß der »Wissenschaftlich-technischen Revolution«. Wie eng dieser Gedanke mit dem einer kulturellen Umgestaltung verbunden wurde, zeigt die Formulierung des *Wörterbuchs der Ökonomie* von 1966:

Die wissenschaftlich-technische Revolution könne sich »nur unter sozialistischen Produktionsverhältnissen, wenn der Mensch zum bewußten Gestalter auch seiner gesellschaftlichen Verhältnisse geworden ist, zum Wohle der Menschheit entfalten«. (916)

Technischer und wissenschaftlicher Fortschritt erscheinen daher leicht als einzige Garantie für menschliches Zusammenleben; die emphatisch vorgetragene Idee der Menschengemeinschaft band sich daher ebenso leicht an wirtschaftliches Zweckdenken und an den Plan einer ›Kulturökonomie‹; umgekehrt förderte ein entsprechendes utilitaristisches Denken in der Kunst die Vorstellung vom Sozialismus als umsichtig organisierter Industriegesellschaft – eine unabweisbare, aber einseitige Anschauung, die zwangsläufig Gegner auf den Plan rief.

Der Widerspruch zwischen Plandirektiven und Leistungsverweigerung war mit alledem nicht aus der Welt geräumt und ließ sich auch innerhalb wirtschaftspolitischer Strategien nicht ohne weiteres beheben, nach denen der Gewinn im System ökonomischer Hebel die zentrale Stellung einnahm. Durch materielle Interessiertheit (Prämien etc.) sollte das Leistungsinteresse gefördert werden; darüber hinaus sah der Staat sich veranlaßt, noch eindringlicher als zuvor auf eine affirmative Haltung der Bevölkerung hinzuarbeiten. Dabei fällt nun die Forderung nach sozialistischer Moral mit der nach Produktionstugenden tendenziell zusammen. Kultur und Bildungsniveau wurden auf diese Weise Zuträger der wirtschaftlichen Stabilität. Oberstes Prinzip wurde die Steigerung der Arbeitsproduktivität und Arbeitsfreude, für die eine erhöhte Hygiene und Kultur am Arbeitsplatz nur dienlich sein konnte. Zur gleichen Zeit wurden die »Freundeskreise« eingerichtet, die die Verbindung von Werktätigen und Künstlern verstärken sollten und ein Zusammenwirken mit den kulturellen Einrichtungen in der »zwanglosen Form des schöpferischen Kunstgesprächs« ermöglichten.

Auch im großen Rahmen bestimmten solche Vorstellungen das Programm der Bildungs- und Kulturpolitik. Ihnen vorgeordnet war der Gedanke einer sozialistischen Erziehung. Im »Gesetz über das einheitliche sozialistische Bildungswesen« (Februar 1965) wurde ausgeführt:

»Den Schülern, Lehrlingen und Studenten sind gründliche Kenntnisse des Marxismus-Leninismus zu vermitteln. Sie sollen die Entwicklungsgesetze der Natur, der Gesellschaft und des menschlichen Denkens erkennen und anzuwenden verstehen und feste sozialistische Überzeugungen gewinnen. So werden sie befähigt, den Sinn des Lebens in unserer Zeit zu begreifen, sozialistisch zu denken, zu fühlen und zu handeln und für die Überwindung von Widersprüchen und Schwierigkeiten bei der Lösung von Aufgaben zu kämpfen.« – »Filme, Werke der Literatur und Kunst, Fernsehen, Rundfunk und Presse, Bibliotheken, Museen sollen den Bildungs- und Erziehungsprozeß unterstützen.«

Darin ist die gezielte pädagogische Aufgabe der Künste und der Künstler vorgezeichnet.

Auch auf der Zweiten Bitterfelder Konferenz (24./25. April 1964) wurde der »Zusammenhang von wissenschaftlich-technischer Umwälzung und Kulturrevolution« hervorgehoben. Walter Ulbricht bezeichnete den Bitterfelder Weg insgesamt als die »Entwicklung der deutschen sozialistischen Nationalkultur über einen längeren Zeitraum«. (Zweite Bitterfelder, 73). So ergab sich für diese Tagung eine doppelte Aufgabe: Es war zu sichten, was die Beschlüsse von 1959 erbracht hatten; und die Kritik daran sowie weiterführende Vorschläge mußten sich auf die bereits eingeleitete und prognostizierte Phase der gesellschaftlichen Entwicklung einstellen.

Der Kulturminister, Hans Bentzien, nannte als das Ziel des Bitterfelder Weges, »die Trennung von Kunst und Leben, von Künstler und Volk zu überwinden« (Zweite Bitterfelder, 15); die ehemalige Aufgabe fortschrittlicher Kunst, durch ›Protest‹ und ›Anklage‹ zu wirken, sei obsolet geworden:

»Der Künstler verwandelt sich in einen Mitstreiter der Arbeiter und Bauern, in einen Rufer und Mahner, einen Mitgestalter am schwierigen Weg des sozialistischen Aufbaus.« (A. a. O., 36)

Solche sehr allgemein gehaltenen Einschätzungen präzisierte Walter Ulbricht. Im Rückblick stellte er fest, in den künstlerischen Bemühungen zeige sich »ein Widerspruch zwischen Wollen und Können«, und er forderte eine »qualitative Erhöhung der Rolle aller subjektiven Faktoren und ihrer Auswirkung auf die Produktion« (Zweite Bitterfelder, 83). Damit ist das Gewicht der Laienbewegung und der Produktionsliteratur im engen Sinne teilweise zurückgenommen; zum wesentlichen Ausdruck der neuen historischen Periode und des »sozialistischen Menschenbildes« soll das große Kunstwerk werden:

»Ein Künstler, der die Wahrheit und das Ganze im Auge hat, kann nicht vom Blickpunkt eines empirischen Beobachters all dieser Erscheinungen schaffen, auch nicht vom Blickpunkt eines einfachen Mitarbeiters. Er braucht unbedingt auch den Blickwinkel des Planers und Leiters.« (81)

Mit der Zuerkennung leitender Position (die in Verbindung mit dem Ökonomismus der Zeit an Shdanovs »Ingenieuer der menschlichen Seele« erinnert) sind freilich auch Pflichten verbunden: Kunst soll sich als Kunst durch ihre ethische Haltung und ihre erzieherische Wirksamkeit beweisen. Auf solche Weise wurde sie auch ins allgemeine kulturpolitische Programm eingeplant:

»Die im Kunstwerk gestalteten Erkenntnisse und Gefühle dienen der moralischen Veränderung der Menschen im Geiste des Sozialismus.« (SED-Parteiprogramm von 1963)

Nur unter diesen Prämissen sind die hochgreifenden Entwürfe einer sozialistischen Volks- und Nationalkultur richtig einzuordnen, »die gesetzmäßig alles Große, Humanistische, Fortschrittliche, das die Kultur in unserem Volke in der Vergangenheit hervorgebracht hat, weiterführt und vereint mit den kulturellen Traditionen des mehr als hundertjährigen Kampfes der deutschen Arbeiterklasse.« (Ulbricht, in: Zweite Bitterfelder, 91). Der Gedanke der Nationalkultur ist, normativ gefaßt, einigermaßen vage und mußte, als Leitidee für die Verfertigung von Kunstwerken betrachtet, einiges Kopfzerbrechen bereiten. Als sozialwissenschaftliches Theorem ist er zwiefach zusammengesetzt, neben der Feststellung, daß durch das Vorhandensein sozialistischer Produktionsverhältnisse die Grundlage für eine klassenunspezifische Kulturentwicklung gegeben sei, enthält er eine Zielvorstellung, den Auftrag nämlich, einen – noch keineswegs erreichten – Einklang von Gesellschaftsform, Reichtum und individuellem Verhalten überhaupt erst zu schaffen. »Treibende Kraft«, sagte Ulbricht, »ist diese Übereinstimmung zwischen persönlichen und gesellschaftlichen Interessen jedoch nur dann und insoweit, wie wir es verstehen, sie im alltäglichen praktischen Leben wirksam zu machen.« (Arbeiterbewegung XV, 122) Die neue Sozietät muß von ihren Mitgliedern erst entdeckt und begriffen werden; dementsprechend wird das »Verhältnis des befreiten Menschen zur Arbeit« (A. a. O., 52) zum Hauptmotiv der neuen Kunst erhoben. Da nun der Dichter als Mit-Erbauer der zu bildenden Gesellschaft begriffen wird, der durch seine Darstellung tatsächlicher oder denkbarer Lösungen beispielhaft die Zukunft vorwegnehme, welche keimhaft im Leben der Gegenwart vorhanden, liegt die Gefahr nahe, Widersprüche für geringer zu erachten, als sie in der Tat sind. Der ›Ankunftsliteratur‹, den Entwicklungs- und Bildungsromanen, den Besserungsstücken und der Alltagshymnik eignet, sie nur unter dem Gesichtspunkt ihrer greifbaren Behebung zu schildern; der Unterschied von Erreichtem und Erreichbarem und der Gegensatz von Bewältigtem und unerreichbarer Utopie – die dichterische Angabe also des geschichtlichen Ortes der eigenen Umgebung – ziehen sich, aus solchem Blickwinkel betrachtet, zu literarisch nebenrangigen Problemen zusammen: »Die Kunst des sozialistischen Realismus«, sagte Hans Bentzien auf der Zweiten Bitterfelder Konferenz, »sieht ihre Ideale im Sieg über Widersprüche und Konflikte als den Triumph der Menschlichkeit und verschiebt ihn nicht in eine idealistisch-philosophische Hoffnungsprovinz.« (a. a. O.,38) Im Heute also soll sich bewahrheiten, was seit klassischen Zeiten die Sozialphilosophen und Dichter in die nur utopisch zu fassende Idealzeit des Posthistoire projizieren mußten. Das hat zur Folge, daß all jene literarischen Traditionen ausgeklammert werden, in denen dichterische Kraft und Bildwelt gerade aus der Verzweiflung an der bürgerlichen Welt gezogen wird. Die poetische Bewältigung des Leidens an entfremdeten Zuständen scheint kulturgeschichtlich abgegolten zu sein. Im Zusammenhang damit steht die These, daß die gesellschaftlichen Widersprüche des Sozialismus nicht länger antagonistisch seien und daß die Entfremdung in ihm aufgehoben werde. Entfremdung meint nach Marx die durch die kapitalistische Produktionsweise verursachte Abtrennung des Arbeiters von Produkt und Produktionsmitteln, dergestalt, daß durch ihn – dem nurmehr seine Arbeitskraft, welche er verkauft, gehört – Wert, Kapital, erzeugt wird, der ihm nicht gehört. Das von ihm geschaffene Kapital steht ihm feindlich gegenüber und scheint ihn zu beherrschen. Die Auflösung der kapitalistischen Wirtschaftsform beseitigt nun nicht alle Fremdheiten und Unmenschlichkeiten; und mit verschiedener Begründung – sei es wegen der Aufrechterhaltung der Warenform, der Stützung staatlich sanktionierter Machtverhältnisse oder der Arbeitsteilung – wird das Entfremdungstheorem bisweilen auch für die Gesellschaften der osteuropäischen Volksrepubliken geltend gemacht.

Die literarische Reflexion der Entfremdung wurde der DDR zunächst von außen angetragen. Ein Forum dafür war die am 27. 5. 1963 auf Liblice bei Prag abgehaltene Kafka-Konferenz, in der Gelehrte aus der CSSR, DDR, aus Polen, Ungarn, Jugoslawien, Frankreich und Österreich der Frage nachgingen, welche Bedeutung das Werk Kafkas für sozialistische Länder besitze und, ob seine literarische Technik innerhalb ihrer Literatur Verwendung finden müsse. Ernst Fischer schrieb in einem späteren Resümee:

»Nach der Revolution wuchert die Welt des Habens und des Herrschens ins Werdende hinein, nicht nur als Hinterlassenschaft der Ehemaligen, sondern als das durch neue Machtapparate Gedeihende.« (Kunst und Koexistenz 73)

Eduard Goldstücker verallgemeinerte noch stärker: zu fördern sei jenes Mißtrauen, das Kafkas Literatur in staatliche Gegebenheiten setze, »in etwas . . . , was sich als Illusion herausstellen könnte« (Raddatz III, 203). Die Spannung zwischen Argwohn und »Sehnsucht nach menschlicher Gemeinschaft« werde als produktives Moment erfahrbar gemacht. Roger Garaudy bezeichnete die Dialektik von Negativität und Glückssuche als eine zur Beseitigung von Unterdrückung drängende Kraft; entsprechend einer ins Metaphysische geweiteten Bestimmung von »Entfremdung als Entfremdung vom Menschen« kommt er zu dem fragwürdigen Satz: »Die Poesie ist der Gegenpol der Entfremdung.« (A. a. O., 215) Hans Koch bezeichnete Kafka als »hilfloses Opfer . . . der imperialistischen Bourgeoisie«, dessen Versuche, durch Schreiben über das Elend zu kommen, heute untaugliche Muster seien; er forderte statt dessen, »sich leidenschaftlich zur Realität des sozialistischen Aufbaus, zur täglichen Verwirklichung des Sozialismus zu bekennen.« (Literaturgesellschaft, 62)

Auf beiden Seiten ließ man sich auf eine genaue philosophische und gesellschaftswissenschaftliche Begriffsbestimmung nicht ein; es ging in der DDR auch weniger um die Einschätzung des Entfremdungsbegriffs als darum, kritische und auf Widersprüche zielende Schreibweisen abzuwehren. Befangen in der Ideologie der hergestellten Menschengemeinschaft konnte nicht zugelassen werden, daß die Deformationen der eigenen Gesellschaft aufgesucht, abgebildet und angeprangert würden. Autoren, die sich von solchen Versuchen nicht abbringen ließen, gerieten ein Jahr später ins Kreuzfeuer des 11. Plenums des Zentralkomitees der SED (16./18. 12. 1965). Auf dem 9. Plenum im April waren die Maßstäbe, die auf der Zweiten Bitterfelder Konferenz gesetzt wurden, wiederholt worden; die moralische und gesellschaftliche Verantwortung der Künstler wurde nochmals energisch hervorgehoben. Entsprechend der Orientierung auf eine ökonomische Wirtschaftsführung versuchte man zu ökonomischen Kulturplanungen zu gelangen, wobei die Finanzierung vom ideologischen Nutzen der geförderten Produkte abhängig gemacht werden sollte; als Verstoß dagegen wurde auf dem 11. Plenum die Fertigstellung des Filmes *Das Kaninchen bin ich* (Buch: Manfred Bieler) geahndet.

Nicht nur Bieler, der die DDR verließ und zunächst nach Prag ging, sondern auch Werner Bräunig, Wolf Biermann, Peter Hacks, Robert Havemann, Stefan Heym und Heiner Müller wurden angegriffen. Havemann, dessen Buch *Dialektik ohne Dogma?*, die schriftliche Fassung einer Vorlesungsreihe an der Humboldt-Universität, 1964 in Hamburg erschienen war, wurde seiner Professur enthoben. Biermann wurde anarchistisches Verhalten, Skeptizismus und Zynismus vorgehalten; Helmut Sakowski rügte an Werner Bräunigs *Rummelplatz* und Peter Hacks' *Moritz Tassow* »rüpelhafte Obszönität«.

So führte die Anwendung Bitterfelder Prinzipien zur Verurteilung des »kritischen Prinzips« der Literatur, zur Abwehr des »Skeptizismus als ideologischer Waffe des Feindes« (Max Zimmering) und zur Abgrenzung gegen »destruktive Bestrebungen« (Erklärung des Vorstandes des deutschen Schriftstellerverbandes vom 12.1.1966). Die ideologische Einengung, durch die sogar der Moralbegriff zu Anstand, guter Sitte und Sauberkeit (Honecker) verkürzt wurde, beengte auch künstlerische Entwicklungen, die durch den gleichen gesellschaftlichen Prozeß erst möglich geworden waren. Nicht ohne Grund warnte Christa Wolf 1965 vor einer Beschneidung des ›freien Verhältnisses zum Stoff‹.

Kritische Lyrik der sechziger Jahre

Im Streit um Kafka hatten sich die Auffassung, daß das Leid der Menschheit der derzeit wichtigste künstlerische Gegenstand sei, und die, daß die Überwindung des Leidens, für die man in der DDR die Lösung bereits gefunden habe und Schritt um Schritt in die Tat umsetze, betont werden müsse, ohne Verständnis und Vermittlung einander gegenübergestanden. So gehörte es zur erzieherischen Aufgabe der Kunst, vor allem den bereits erreichten Grad der Freiheit hervorzuheben und die ›lebensbejahenden‹ Kräfte zu unterstützen und zu wecken. Und so drängte sich ein verbindlicher Optimismus als Maßstab auch in die Literaturkritik.

Die Folge waren Auseinandersetzungen mit Autoren, die dieser Leitschnur nicht folgten und sich das Recht des Zweifels und subjektiver Empfindlichkeit vorbehielten. Das war der Fall bei einer Reihe junger Lyriker, die um 1960 erst zu publizieren begannen und bekannt wurden. Sie versuchten, Gedichtformen und Aussageweisen über die Vorbilder Becher, Brecht, Fürnberg oder Huchel hinaus weiterzuentwickeln. Einige traten in zwei Akademieabenden, die Stephan Hermlin Ende 1962 veranstaltete, um junge Schriftsteller vorzustellen, an die Öffentlichkeit; zu ihnen gehörte auch Wolf Biermann.

In der FDJ-Zeitschrift »Forum« entspann sich 1966 eine Lyrikdebatte, in der sich unter anderen Sarah Kirsch, Rainer Kirsch, Günter Kunert und Elke Erb zu Wort meldeten. Es ist kein Wunder, daß sich gerade in der subjektivsten der Gattungen Widerstand, das Gefühl des Ungenügens, der Verweis auf Bedrohung und auf nicht Verwirklichtes Ausdruck verschaffte, sofern nicht in der Tradition Bechers oder Fürnbergs naturlyrische Modelle übernommen und ungebrochen – so auch vom Stellenwert der Vorbilder abgehoben – übertragen wurden, oder sofern nicht die nur konstruktiv, aber auch nur im engeren politischen Sinne konstruktiv argumentierende, anheizende Form des operativen Genres eingesetzt wurde.

Mißbehagen und die Entdeckung, daß die propagierte Menschlichkeit des Zusammenlebens und individuelles Glück sich mit der Erledigung politischer und ökonomischer Erstaufgaben noch lange nicht automatisch herstellen wollen, kommen am ehesten im Gedicht zum Vorschein – denn die Lyrik spiegelt die Spannung zwischen privatem Ich und sozialer Welt unmittelbarer als die große Prosaform oder das Drama, in denen das literarische Ich sich in eine Vielzahl von Figuren ausgliedert und die Darstellung von umfänglichen Zusammenhängen als Ausgleich ihrer inneren Widersprüche näher liegt, der Rahmen der Affektverteilung also weiter gezogen ist.

Die ›subjektive‹ Haltung in der Lyrik, durch die die Grenze ihrer Ausdrucksmöglichkeiten markiert ist, umfaßt freilich die ganze Weite der Äußerungsform von Subjektivität. Reiner Kunze brachte 1960 in einem Referat – dabei an Becher anknüpfend – vor: »Der Lyriker und der Held seines lyrischen Werkes sind nicht identisch. Aber die dichterische Gestalt ergibt sich direkt aus dem Wesen des Lyrikers.« Innerhalb dieser formalen Bestimmung kann das völlige Sich-eins-Fühlen mit den Geboten der Zeit ebenso wie das völlige Sich-selbst-Fühlen gegen sie höchster subjektiver Ausdruck sein; und zwischen beiden Polen bewegte sich die Lyrik in der ersten Hälfte der sechziger Jahre. Die verschiedenen lyrischen Stellungnahmen kreisten, wo sie sich nicht mit lobender Anerkennung und einem identifikatorischen Empfinden begnügten, um die noch fehlende, die ausstehende ›Befreiung des Menschen durch den Menschen‹. Bei Schriftstellern, die um die Jahrhundertwende geboren wurden, dominiert ein Verfahren, bei dem weltanschauliche Fragen selbst zum Thema der Gedichte gemacht werden. Das gilt für GEORG MAURER (geb. 1907), dem die neue gesellschaftliche Lage zum Anlaß wird, über die in nachrevolutionärer Zeit aufbrechenden Probleme nachzudenken. Er hält dabei an der umfassenderen Schau des Erbauers dieser Zeit fest und betont eher prinzipiell die Energie, die erforderlich wird, sie ihrem Ziel entgegenzuentwickeln.

> Ungeheuerlich
> fallen wir in die Zukunft. Doch das
> ist uns nicht schnell genug.

Das einzelne Gedicht erweist sich für ein Programm, in dem Fragen der Vereinzelung, der Verlassenheit und des Todes mit der Aufforderung, sich den Konflikten zu stellen, verbunden werden, in dem kulturelle Tradition, zum Teil im Widerspruch zu bekannten literarischen Motiven und Lösungsangeboten, aufgearbeitet werden, in dem die Erfahrungen von Naturschönheit und sozialem Aufbruch nebeneinanderstehen, als unzureichend, und wie nach ihm Günter Deicke arbeitet er mit Gedichtzyklen. (*Das Unsere*, 1961/62; *Stromkreis*, 1962/63; *Variationen*, 1964; *Gespräche mit der Kunst*, 1964/65).

Auffallender sind nach 1960 die Zweifel, die die Lyriker in die Folgerichtigkeit des kommenden Fortschritts setzen. Dabei ist der Einfluß von Huchel und Arendt, deren Entwicklung für den Verlauf der DDR-Geschichte nicht mehr stellvertretend ist, zwar vorhanden; im Unterschied zu ihnen, denen die Möglichkeit zu einer Humanisierung immer fragwürdiger wird, denen die Idee der Hoffnung (des »Feuers« bei Huchel) immer mehr hinter Öde und Staub unsichtbar wird, setzen junge Lyriker direkt an der gesellschaftlichen und kulturpolitischen Auseinandersetzung ihrer Tage an; die grundsätzliche Auffassung dabei zeigt sich im Titel einer Anthologie, die Adolf Endler und Karl Mickel 1966 herausgaben: »*In diesem besseren Land*.« Gerhard Wolf sprach 1965 von einer »Lyrik-Welle« um 1962, und er kritisierte Tendenzen bei Heinz Kahlau, Günter Kunert und Armin Müller, »die Entwicklungsschwierigkeiten des Sozialismus zu verabsolutieren«. Mit dem Versuch, ihre »Ungeduld« (Sarah Kirsch) produktiv zu machen, verschaffen sich mehrere Autoren zum erstenmal Gehör: Karl Mickel (*Lobverse und Beschimpfungen*, 1963; *Vita nova mea*, 1966), Rainer Kirsch (*Marktgang*, 1964; *Gespräch mit dem Saurier*, 1965, mit Sarah Kirsch), Elke Erb – die 1955 mit Adolf Endler (*Die Kinder der Nibelungen*, 1964) in die DDR übergesiedelt war und nun Partei gegen die »Bekundungsgedichte« ergriff –, Heinz Czechowski, der mit seiner Natur- und Liebeslyrik freilich am wenigsten zu den Unbequemen gehörte, Jens Gerlach, Bernd Jentzsch, Volker Braun und Wolf Biermann. Das Formenarsenal erweiterte sich ebenso wie die Zahl der Vorbilder, auf die zurückgegriffen wurde. GÜNTER KUNERT (geb. 1929) schrieb intellektuelle Warngedichte, in denen ein poetisches Bild auf eine pointierte Sentenz als Schlußzeile hin zugespitzt wird. Das Mißtrauen in die Zielstrebigkeit des Menschen, mit aller unmenschlichen Vergangenheit aufzuräumen, ist eine Voraussetzung seiner Kurzprosa und Lyrik, die, an Brechtschem Gestus geschult, häufig Bilder und Ereignisse anekdotisch ausstellen, um sie dann in eine kurzgefaßte Sentenz, einen Lehrsatz oder eine didaktische Überlegung münden zu lassen. Sein Gedichtband *Erinnerung an einen Planeten* (1963) enthält unter anderem die Verse:

Über einige Davongekommene

Als der Mensch
Unter den Trümmern
Seines
Bombardierten Hauses

Hervorgezogen wurde,
Schüttelte er sich
Und sagte:
Nie wieder.

Jedenfalls nicht gleich.

Das Mißtrauen verbindet sich mit der Furcht vor einer Erstarrung der Umwelt, vor einer alles Denken lähmenden Festlegung auf ein eindressiertes All-
tagsverhalten. Das glückliche Weltbild wird in Frage gestellt; entsprechend
groß ist der Kontrast, den Kunerts streng reflektierende, aber auch an unge-
bräuchlichen Wendungen reiche Sprache zu der auf Vereinheitlichung zielenden Bitterfelder Prosa bildet. Ebenso abweisend verhält Kunert sich zu allem
Optimismus, der auf die technische Lösbarkeit setzt:

Während seiner Rückkehr zum Planeten
Ward ihm klar: Die Erde ist nur eins.
Die darauf sind, müssen miteinander leben,
Oder von ihr wird es heißen: Leben keins.
(*Gagarin*)

In einer Kugel aus Metall,
Dem besten, das wir besitzen,
Fliegt Tag für Tag ein toter Hund
Um unsre Erde
Als Warnung,
Daß so einmal kreisen könnte
Jahr um Jahr um die Sonne,
Beladen mit einer toten Menschheit,
Der Planet Erde,
Der beste, den wir besitzen.
(*Laika*)

Kunert nimmt – wie auch Paul Wiens, Karl Mickel oder Sarah Kirsch – in
seinen Gedichten und seiner Prosa die günstige Aussicht auf menschenwür-
diges Zusammenleben nicht einfach als gegeben hin. Er erinnert an die Nähe
des Faschismus, die imperialistische Herausforderung, den rings in der Welt
geschehenden Völkermord, die Unsicherheit der Gegenwart, die von einer
Überschätzung der Naturwissenschaften und der Produktivkraftentwicklung
vertuscht wird.
Sarah Kirsch verzichtete auf didaktische Wegweiser und beschrieb in erzählenden Gedichten Verhaltensweisen, die noch unausgerottet lebendig waren:
»... wenn ein Mensch im Visier ist ich kenne meine Brüder sie biegen einander Zweige zurück und sind geduldig bis ans Ende« (*Landaufenthalt*, 1967);
REINER KUNZE (geb. 1933) griff in aphoristischen Sinngedichten gängige
Denkformen an. Nicht nur die sehr verkürzte Form, auch die Denkweise ist
ohne weiteres als Gegenentwurf zu den zyklischen Panoramen Maurers,
Deickes oder Gerlachs zu deuten: bei Kunze kommen nicht nur Zweifel und

Warnung, sondern auch der beklagte Verlust individueller Selbstverwirklichung zum Ausdruck:

> Im mittelpunkt steht
> der Mensch
>
> Nicht
> der einzelne.

Kunze stellt sich, sein privates Glück, in Gegensatz zur »Ordnung«, der gegenüber er sich jedoch nur fordernd, enttäuscht und abwehrend verhält: »Wer für die rose ist, /ist gegen die Ordnung./ ... Bewacht ihn! Er will den untergang der ordnung« (*Widmungen*, 1963) Freiheit und Liebe, die gefährdet sind (der ›Vogel Schmerz‹, die verachtete ›rose‹), sind immer nur die des »Ich«, das in fast jedem Gedicht Kunzes im Vordergrund steht. Das ›Politische‹ seiner Verse liegt in seiner gegenpolitischen Stellungnahme; die politische Formulierung des gleichen Gedankens findet sich bei Wolf Biermann: »Das Kollektiv liegt schief./Ich bin der einzelne,/das Kollektiv hat sich mir / isoliert!« WOLF BIERMANN (geb. 1936) war 1953 von Hamburg in die DDR übergesiedelt. Er studierte in Berlin, arbeitete als Regieassistent im Berliner Ensemble und trat zu Beginn der sechziger Jahre mit seinen Liedern auf. Hans Mayer schrieb von ihm, er verkörpere »in seinem Bänkelsang eine durchaus neue Tradition: als Lyrik, die genuin ist, obgleich ihre literarischen Ahnen fast plakativ vorgezeigt werden. Villon und Wedekind und Brecht, dazu aber auch die Moritaten, die Kinderlieder und Dienstmädchengesänge.« (Literatur, 112) Die Lieder Biermanns sind, mit Ausnahme einiger früher Balladen, wie die »vom Drainage-Leger Fredi Rohsmeisl aus Buckow« oder »auf den Dichter François Villon«, selten als eigenständige Gedichte zu lesen, sondern als Gesangstexte; so rührt der Erfolg Biermanns – wo er nicht nur politisch motiviert ist – zu einem großen Teil aus der unmittelbaren Wirkung seiner Interpretation, aus seinem Entertainer-Talent. Biermanns Schallplatten und Liedsammlungen erschienen in der Bundesrepublik, nicht in der DDR. (*Die Drahtharfe*, 1965; *Mit Marx- und Engelszungen*, 1968). Ein Stück zum Berliner Mauerbau gelangte nicht zur Premiere (*Berliner Brautgang*); und nach einer Tournee in Westdeutschland sah sich Biermann 1965 heftiger Kritik seitens der SED ausgesetzt, die sich an seiner »skeptischen« und »nihilistischen« Haltung der Arbeitermacht und der Partei gegenüber festmachte. Biermanns Texte kamen diesem Urteil insofern entgegen, als in ihnen die Beschreibung von Mißständen und ideologischen Verhärtungen, wie in *Rücksichtslose Schimpferei*:

> Das Kind nicht beim Namen nennen,
> die Lust dämpfen und
> den Schmerz schlucken,
> den goldenen Mittelweg gehen
> am äußersten Ende des Schlachtfelds,
> den Sumpf mal Meer, mal Festland nennen,
> das eben nennt ihr
> Vernunft

verlassen wird und durch die Äußerung von Unmut und Wut, durch Beschimpfung ergänzt oder ersetzt wird, die auf rein emotionale Zustimmung baut – und mit ebensolcher Ablehnung rechnen muß: »Und merkt nicht, daß eure Vernunft/aus den Hirnen der Zwerge,/ aus den Schwänzen der Ratten,/ aus den Ritzen der Kriechtiere/ entliehen ist ... « Die poetische Bearbeitung verliert sich häufig im direkten Angriff: »Ihr, die ihr noch nicht ersoffen seid, Genossen/Im Schmalztopf der privilegierten Kaste ...«; Biermann versucht, einen sozialistischen Weg ohne Formen von Gewalt und Unterdrückung zu proklamieren, und die »Genossen« dafür und gegen die »Büroelefanten« zu gewinnen. Im Licht dieser politischen Auseinandersetzung, in der Biermann den in der DDR eingeschlagenen »sozialistischen Gang« zugunsten einer romantischen Staatsauffassung angreift, und im Zuge des Kalten Krieges zwischen BRD und DDR, in dem Biermann als linker Kronzeuge gegen den DDR-Dogmatismus herhalten mußte und herhielt, ist zu sehen, daß er in der DDR nicht gedruckt wurde, nicht auftreten konnte und schließlich, Ende 1976, ausgewiesen wurde. Hiervon wird später noch die Rede sein.

Tendenzen in der Prosaentwicklung

Durch Personen wie Anna Seghers, Willi Bredel oder Arnold Zweig gab es eine Brücke, die von den bürgerlichen Realisten der Emigration unmittelbar zum zeitgenössischen Schreiben herüberführte. So war eine nie ganz abgerissene Tradition vorhanden, über die bestimmte literarische Modelle mitgeführt worden waren. Die Gleichzeitigkeit ganz unterschiedlicher Strebungen nach 1960 zeugt vom Aufkommen einer neuen, mit der DDR aufgewachsenen Generation, die nun ihr eigenes Recht fordert: es entstand ein konfliktreiches Zusammenspiel von Traditionswahrung und Traditionsbruch.

Im Anschluß an die bürgerlichen und sozialistischen Romanciers der Emigration wurde die Möglichkeit genutzt, im Bildungsroman – anhand der Lebensgeschichte eines Helden oder eines Gegenspielerpaars, anhand auch der Chronik einer Familie (INGE VON WANGENHEIM [geb. 1912]: *Das Zimmer mit den offenen Augen* [1965]) – die Vorgeschichte des DDR-Staats aufzurollen; um größere Zeiträume einzufassen, Weimar, Faschismus, Krieg, Aufbau der DDR, bediente man sich häufig der Romanfolge, meist, im Anschluß an Bredel und Seghers, der Trilogie. So sind Jurij Brezans *Mannesjahre* (1964) der letzte Teil seiner Hanusch-Trilogie, der mit der Rückkunft des Helden im Heimatdorf nach 1945 beginnt. Bei FRITZ SELBMANN (geb. 1899) fehlt – in *Die lange Nacht* (1961), *Die Heimkehr des Joachim Ott* (1962) und *Die Söhne der Wölfe* (1965) – zwar die figurenmäßige Einheit des Trilogie-Verfahrens, doch ist die trilogische Einteilung nach wesentlichen Phasen der geschichtlichen Entwicklung unverkennbar: der erste Band handelt vom Widerstand im Konzentrationslager, der zweite vom Wiederaufbau 1945 bis 1962, der dritte vom politischen Versagen eines Wirtschaftsfunktionärs zur Zeit des Mauerbaus. Dieter Noll schrieb einen zweiten Band seiner *Abenteuer des Werner Holt*, nach dem »Roman einer Jugend« nun den »einer Heimkehr« (1963), der den Erfolg des ersten Teils jedoch nicht annähernd erreichte. Das Fortsetzungsverfahren fordert eine in sich einheitliche, in bestimmtem Sinn daher lineare Behandlungsform und setzt damit eine ebensolche kontinuierliche Entwicklung der Wirklichkeit, deren Bild sie sein soll, voraus. Es erwies sich jedoch in mehreren Fällen als schwierig, vom einmal gesetzten und für eine Situation des Faschismus oder des Krieges, für die Konfliktlage einer darin befindlichen Person als tauglich befundenen literarischen Modell her die Folgezeit ebenfalls zu bewältigen, die, als Gegenwart unabgeschlossen, andere Methoden fordert als jene, mit denen vergangene Prozesse im Rückblick sich ohne weiteres fassen ließen. Gegenwart sträubt sich gegen die Form des (unverschlüsselten) Entwicklungsromans; und so ist es nicht sonderbar, daß auch Erwin Strittmatter den zweiten Band seines *Wundertäter* erst 1973 in Druck gab oder daß Max Walter Schulz das geplante zweite Buch zu seinem Roman *Wir sind nicht Staub im Wind* (1962), das bis in die heutige Zeit führt, bis heute nicht vollendet hat.

Die Darstellung der Konflikte, die sich aus der Erziehung im Faschismus, Kriegsteilnahme und deutscher Schuld, die sich ferner aus der deutschen Spaltung ergaben, gehören weiterhin zu den vorrangigen Themen der Literatur, bei Franz Fühmann, Günter Kunert, Günter Noll, Max Walter Schulz, Christa Wolf, Jurij Brezan, Johannes Bobrowski wird die Erinnerung an den Nationalsozialismus hochgeholt; und zur Bewältigung deutscher Schuld kommt das Problem hinzu, wie ein von ihr befreites Verhältnis zu den östlichen Nachbarländern zu gewinnen sei (bei Wolf, de Bruyn, Fühmann, Kunze). Das Verhältnis beider deutscher Staaten und die Auswirkung ihrer Gegnerschaft auf die Bürger, auf einzelne und auf Familien, Republikflucht und Abwerbung behandeln Romane wie Brigitte Reimanns *Die Geschwister*, Christa Wolfs *Der geteilte Himmel*, Jurij Brezans *Eine Liebesgeschichte* oder, in Nebensträngen der Handlung, Hermann Kants *Die Aula* und Erik Neutschs *Spur der Steine*.

Ein wichtiges Motiv in Werken über den landwirtschaftlichen Strukturwandel ist der Kontrast zu den ehemaligen Feudalverhältnissen, die nun vom Frühling überrascht wurden; es ist ein Moment der Versuche, die im Dorf noch hartnäckig überwinternden konservativen Anschauungen zu verstehen und außer Kraft zu setzen. Bei der Darstellung der Bundesrepublik steht im Kern der Nachweis, daß dort die faschistische Vergangenheit weiterlebte – als Beispiele seien Franz Fühmanns *Böhmen am Meere* (S. 122), Rolf Schneiders Arbeiten und einige Filme genannt.

ROLF SCHNEIDER (geb. 1932), hat in der lyrischen Einleitung zu seinem Erzählungsband *Brücken und Gitter* (1965) die Notwendigkeit und den Drang, über das deutsche Herkommen zu handeln, folgendermaßen zu erklären versucht:

wir selbst
kinder des gewandelten zeitalters
möchten
zu erkennen ziel und ausmaß der wandlung
beiläufig
den blick kehren ins befremdlich andere
als unserem ausgangsort

Er spricht bereits vom »befremdlich« anderen und zeigt damit an, daß bei
jüngeren Schriftstellern die Aufarbeitung des Faschismus gegenüber der persönlichen Aufrechnung und Bilanz eine gewandelte Rolle spielt. Schneider
begann als Hörspielautor, und diese Technik färbte ab auf seine ersten Theaterstücke. *Der Mann aus England* (1962) behandelt die von Vorurteilen und
Intrigen, von fest eingewurzelten deutschnationalen Haltungen verursachte
Vertreibung eines jungen englischen Lehrers aus einer westdeutschen Schule. Schneider, der auch fähig ist, verschiedenste Stilformen zu adaptieren und
zu parodieren, verfaßte außerdem – als boshaften Gegenentwurf zu Ernst von
Salomons autobiographischer Rechtfertigung *Der Fragebogen* – die »Aufzeichnungen des deutschen Bildschöpfers Siegfried Amadeus Wruck«, die
Lebensgeschichte eines im Faschismus zu Ehren gekommenen opportunistischen Künstlers, der ohne Arg seine Weltauffassung zur Beherzigung weiter-
gibt: *Der Tod des Nibelungen* (1970). *Prozeß in Nürnberg* (1967) ist ein an
Kipphardt und Weiss anknüpfendes »dokumentarisches« Schauspiel, das den
Akten des Nürnberger Tribunals folgt. Es schließt, damit seine Absicht
kundgebend, mit den Worten des amerikanischen Anklägers: »mit dem gleichen maß, mit dem wir diese angeklagten heute messen, werden auch wir
morgen vor der geschichte gemessen werden.«
Die Filmkunst weist ähnliche Themen auf; zwischen 1958 und 1965 wiederholt sich sogar auffallend oft das Vorgehen, Gegenwartsstoffe über vorliegende literarische Werke einzubringen; zu den bekanntesten Streifen dieser
Jahre zählen Verfilmungen. Antifaschistische Bewegungen und Haltungen
werden in *Professor Mamlock* (1961, Regie: Konrad Wolf, nach Friedrich
Wolf) oder in *Nackt unter Wölfen* (1963, Regie: F. Beyer, nach Bruno
Apitz) behandelt; Kristen verfilmt 1963 Karl-Heinz Jakobs' Roman *Beschreibung eines Sommers*, Konrad Wolf Christa Wolfs *Der geteilte Himmel*, 1964, Joachim Kunert 1965 *Die Abenteuer des Werner Holt* nach Dieter Noll. Zum Problem der westdeutschen Restauration äußern sich János
Veiczi (*For eyes only*, 1963) und K. G. Egel, der gemeinsam mit H. Czepuk
1968/70 in seinem ›Fernsehroman‹ *Ich – Axel Cäsar Springer* den Weg eines bundesdeutschen Verlegers schildert. Günther Rückers Film *Die besten
Jahre* (1965) steht für ein anderes Verfahren, durch das ebenfalls eine die
Literatur der sechziger Jahre kennzeichnende Richtung in der Prosa geprägt
ist, die hier kurz mit dem Etikett »Bilanz« versehen werden soll. Darunter
fallen mehrere Darstellungsweisen, denen gemeinsam ist, daß mit ihnen der
Übergang zur gegenwärtigen Situation, sei es von der Nazizeit her
oder ansetzend bei der Nachkriegszeit, rückblickend überschaut und beurteilt wird.

Einige Schriftsteller, die den Faschismus als Jugendliche, den Krieg als Soldaten erlebt hatten, machen eigene Erfahrungen zum Ausgangspunkt ihres Schreibens. Bei ihnen steht die Frage nach der deutschen Schuld im Vordergrund, und sie beschreiben häufig die allmähliche Lösung aus der Befangenheit in nationalsozialistischer Erziehung. In keinem Fall dient die Erinnerung an den Faschismus dazu, geschichtlich distanziert und kühl abzurechnen; seine historische Ferne darzulegen, geschieht auf anderem Wege. Das Bedürfnis, vom Faschismus zu reden, rührt aus der Biographie der Verfasser. Autoren der älteren Generation wie Anna Seghers, Jurij Brezan, Fritz Selbmann, Werner Steinberg, Otto Gotsche oder Bruno Apitz waren im Widerstand tätig gewesen und betonen auch literarisch den Befreiungskampf gegen den nationalsozialistischen Terror. Dieter Noll, Günter de Bruyn, Franz Fühmann und Max Walter Schulz, alle nach 1920 geboren, beschäftigen sich sehr viel stärker mit der Frage nach dem Versagen der Deutschen und mit der allmählichen Lösung aus der Befangenheit in nationalsozialistischer Erziehung und Ideologie.

Bei der jüngeren Schriftstellergeneration – den nach 1930 Geborenen – beginnt die deutsche Vergangenheit wie im Nebel zu verschwinden. Sie wird hereinzitiert durch haftengebliebene, vage Erinnerungen an Kindheitserlebnisse, durch Erzählungen älterer Personen, die man auftreten läßt, oder durch Zeugnisse – wie die Gelände der Konzentrationslager, Architektur, Schriften –, die schon zu abgestreifter Geschichte erstarrt sind.

MAX WALTER SCHULZ (geb. 1921) war Soldat, nach dem Krieg Lehrer und ab 1957 Student des Instituts »Johannes R. Becher«, der staatlichen Ausbildungsstätte für Schriftsteller, Kritiker und Dramaturgen, dem Schulz seit 1964 vorsteht. Sein Roman *Wir sind nicht Staub im Wind* (1962) trägt stark autobiographische Züge; dementsprechend eng sind Erzähler und Hauptfigur – der Unteroffizier und spätere Lehrer Hagedorn, der sich, obwohl von einem Freund an die SS verraten, über die letzten Kriegstage in den Frieden rettet – aneinandergerückt. Alle Überlegungen und Handlungen Hagedorns, der nur langsam seine falschen oder doch verstiegenen Idealvorstellungen abwirft und sich für den Aufbau der sowjetischen Zone entscheidet, sind über persönliche Erlebnisse und Bekanntschaften vermittelt und werden häufig nur durch seine Sicht gebrochen geschildert. Schulz zeigt den Weg eines intellektuellen, von Bildungslasten eher behinderten Menschen; er illustriert damit, wie die Schranken von Verweigerung und ideologischer Einigelung gerade humanistisch denkenden, aber im Deutschen Reich mit Bildung versorgten Kopfarbeitern den Zugang zur sozialistischen Gesellschaft erschwerten, und er wählt, als selbst Betroffener, die umwegige Darstellung durch literarische Anspielungen und weltanschauliche Dispute – dabei offensichtlich an Thomas Manns *Zauberberg* anknüpfend. »Es kann lange dauern«, schreibt er,

»bis sich der Mut zur realistischen Einkehr die mystischen und altuntertänigen Hörner an der Wirklichkeit und an der wirklichen Freiheit abstößt und praktische, humane, charaktervolle Vernünftigkeit wird.«

Der Kreis des erzählten Stoffes wird, obwohl nur eine kurze Zeitspanne eingefangen ist, durch Rückblenden, Erinnerungen, philosophische Gespräche erheblich geweitet. So bleibt die Form des Bildungsromans oder der Familiengeschichte Schulz' Roman eher äußerlich. Die persönliche Rechenschaftslegung dehnt sich eher durch die Fülle der einbezogenen Episoden und Reflexionen zum Roman, als daß die Beziehungen der Personnage dessen Rückgrat bildeten. Trotz der ausschweifenden Erzählweise neigt dieser Roman einem kleineren Genre zu, das durch die Reduktion der Fabel, die Beschränkung auf die literarische Erfassung eigener Erlebnisse und Gedanken gekennzeichnet ist. Die fiktionale Struktur des Bildungs- und Entwicklungsromans wird von innen gesprengt. Damit ist ein Weg beschritten, der zur Auflösung der großen Romanform führt und dem erinnernden und nachdenkenden Erzähler-Subjekt Raum gibt.

FRANZ FÜHMANN (geb. 1922) verzichtet – bei einem sehr ähnlichen Anliegen – häufig ganz auf einen fiktiven Helden; und auch wenn er sich selbst aus dem Geschilderten zurückzieht und literarische Personen einsetzt, wie in der ›Idylle‹ *König Ödipus* (1966), bleibt die Nähe zum Geschehen spürbar, und die Haltung des Erzählers, der mit Ausnahme der Schlußworte, der Bekräftigungsformel »Das alles ist wirklich geschehen«, nicht selbst als Figur in Erscheinung tritt, der vielmehr aus den Gestalten, die er schildert, heraus redet und den Vorfall wie die Atmosphäre des Geschehens mit einer zuweilen an Kleist erinnernden sprachlichen Fülle und Spannkraft wiedergibt, ist die eines Augenzeugen und Beteiligten. Dieser Eindruck wird erhöht durch Techniken, die auch in anderen Novellen und Erzählungen Fühmanns zu finden sind: einmal die Verlagerung von Reflexionen in Dialoge, zum anderen die erzählerische Überfüllung von Momenten, die in Wirklichkeit Sekunden dauern; das Zusammenschießen von Empfindungen, Überlegungen, Segmenten der Wahrnehmung im grellen Augenblick wird bis zum äußersten ausgedehnt, in Satzpartikel zerlegt und doch wieder, durch zusammenbindende Perioden, oft einen einzigen, seitenlangen Satz, in Spannungseinheit gebracht. Für Fühmann, der in Böhmen geboren wurde und in kleinbürgerlicher und junkerlicher Umgebung zum Nationalsozialisten erzogen wurde, dem erst die sowjetische Gefangenschaft die Augen über den deutschen Irrweg öffnete, steht immer wieder die eigene Erfahrung im Mittelpunkt. In *Das Judenauto* (1962) sind 14 Ich-Erzählungen zusammengestellt, von denen jede ein Moment seines Lebens schildert. Die Erlebnisse sind jeweils gleichzeitigen geschichtlichen Etappen und Wendepunkten zugeordnet, sie spiegeln diese und zeigen, mit welcher Verblendung, eigener Anschauung entgegen, entgegen dem Stück um Stück offensichtlicher werdenden Wahnsinn und der propagandistischen Verlogenheit, Partei für die Vernichtung des Bolschewismus ergriffen wurde, bis die verinnerlichte Ideologie sich, viel zu spät, nach dem Zusammenbruch des Reiches erst, abschütteln läßt. Die Titelgeschichte, auf einem Schulerlebnis des Verfassers aufbauend, ist die literarisch geschlossenste und psychologisch interessanteste, sie zeigt, wie gegen die Peinlichkeit, mit der sich kindlich-eingebildetes Heldentum und Tagtraumdenken vor der Wirklichkeit blamiert, ein antijüdisches Vorurteil in faschistischen Rassenhaß gesteigert wird. Das nationalsozialistische Identifizierungsangebot wird restlos akzeptiert; und das blinde Einverständnis kann erst nach vielen betrogenen Hoffnungen aufgelöst werden. – In der Novelle *Böhmen am Meer* (1962) wird der Gegensatz der neuen Verhältnisse zu den junkerlichen ehemaligen herausgearbeitet. Eine böhmische Magd, die wie eine Leibeigene behandelt worden war, die man weggejagt hatte, die versucht hatte, sich zu ertränken, lebt nun als Umsiedlerin an der Ostsee. Die Vorgeschichte wird vom Erzähler, dem die übersteigerte Angst der Frau vor dem Meer auffällt, schrittweise enthüllt. Wieder gräbt Fühmann in eigener Vergangenheit; er verfolgt den Lebenslauf von Personen, die seine Kindheit beschatteten, findet einen Grundbesitzer, in seiner Haltung unverändert, als Leiter eines neonazistischen Vertriebenentreffens in Westdeutschland wieder; er entdeckt darüber die veränderten Verhaltensweisen der sozialistischen Neulandgewinner. Er enthüllt das Geheimnis der Frau, die trotz ihrer Angst nicht fort von der See will: die Zutunlichkeit, die sie hier erfuhr, ist stärker als der Schrecken, den das Wasser ihr einflößt.

Was für Franz Fühmann Erinnerung ist, deren Bilder unmittelbar auf dem Heute lasten –

»Ich sah ihn im Klubsessel sitzen, mit übereinandergeschlagenen Beinen und einem Glas Wein in der Hand, und ich sehe die Frau mit gekrümmtem Rücken auf seinem Feld, und ich sah mich selbst, wie ich mit dem Baron anstieß, und ich sah mich als Soldat in dem Heer, das auszog, dem Nebeneinander der Völker ein Ende zu machen, und ich preßte den Kopf in die Fäuste und wußte, daß mich das Schicksal dieser Frau anging wie mein eigenes.«

– wird von Brigitte Reimann kühler, wie in nicht mehr berührender Ferne liegend, angegangen. In *Die Geschwister* heißt es lapidar:

»Auch mein Vater war unpolitisch, er ging aber nicht mehr zu den jüdischen Bekannten; er verachtete die Nazis und nannte Hitler einen Emporkömmling, jedoch war er ein vorsichtiger Mann und hatte Familie ...«

Die große Romanform wurde vor allem für drei verschiedene Anliegen eingesetzt: Lebensläufe und das Entstehen von antifaschistischen und sozialistischen Entscheidungen und Haltungen zu zeigen; darzustellen, welche Wege aus Faschismus und Krieg heraus zur Gründung der DDR geführt haben, weiterhin: Bilanz zu ziehen über die Jahre, in denen die Republik sich bisher aufgebaut hat. Zu beidem gehört in der Regel die Darstellung der unterschiedlichen Richtung, die Ost- und Westdeutschland eingeschlagen haben. Schließlich: zu versuchen, die neue Totale in der Literatur sichtbar werden zu lassen, wobei das literarische Ensemble verschiedener Individuen aus möglichst vielen Berufsgruppen und mit unterschiedlichen Funktionen, Zielen und Denkweisen für das gesellschaftliche Ensemble steht.

Zum Musterbeispiel einer Rechnungslegung über die DDR-Geschichte wurde Hermann Kants Roman *Die Aula* (1964), nach dem das Landestheater Halle auch eine Bühnenfassung erstellte, die 1968 uraufgeführt wurde. Auch hier ist das individuelle Leben der Filter, durch den geschichtliche Abläufe ans literarische Licht gelangen. Unverstellt ist diese Haltung in einigen Erzählungen, die Kant unter dem Titel *Ein bißchen Südsee* 1962 veröffentlichte. Satirische Betrachtung und eine heitere Selbstironie, die auch Kants Romane auszeichnet, kommen hier, am scheinbar nebensächlichen Thema, am treffendsten zur Geltung. In *Die Aula* präsentiert der Verfasser sich als literarische Figur, die gleichwohl den kantschen Lebenslauf nimmt.

HERMANN KANT (geb. 1926) war Elektriker, erwarb an der Arbeiter- und Bauern-Fakultät (ABF) die Hochschulreife, lehrte dort, arbeitete als Journalist und läßt, als Schriftsteller, seine Figur, den Journalisten Robert Iswall, gleiches erleben.

Iswall erhält die Nachricht, daß die ABF – die 1949 gegründet wurde, um Werktätigen den Bildungsweg zu ebnen, den die bürgerliche Gesellschaft ihnen versagt hatte – geschlossen werden soll. Er wird aufgefordert, als einer, der mit Erfolg an ihrer Gründerzeit teilnahm, eine Erinnerungsrede bei der Schließungsfeierlichkeit zu halten. Iswall stellt Recherchen an, bei denen die Vergangenheit Revue passieren muß, die eigene Beteiligung erweist sich, nicht zuletzt persönlicher Fehlgriffe wegen, als heikles Hindernis, sachliche Bilanz zu ziehen; die Kommilitonen gewinnen, notgedrungen aus dem Blickwinkel des Chronisten beschaut, Züge von Stellvertretern; ihre Lebensläufe zeigen, umgekehrt gesehen, mehr von der Entwicklung des Staates, als karge Lexikonberichte vermöchten:

»Gelobt seit ihr alle, ihr meine nunmehr gelehrten Freunde, gelobt sei aber vor euch allen Jakob Filter, der Hauptabteilungsleiter in einem Ministerium, der vor dreizehn Jahren noch Löffel mit einem f geschrieben hat und inzwischen erreichte, daß ein paar hundert Arbeiter in Herrn Lehmanns... Wäldern das Wort Staatsmacht wie den Namen Jakob Filters buchstabieren...«

Persönliche Erlebnisse verschmelzen mit den gesellschaftlichen und politischen Strebungen und Vorgängen; andererseits aber erscheinen Konflikte nicht als Ausdruck, sondern als Widerspruch zu den Verhältnissen. In Fragen. der Liebe bricht unter Freunden egoistisches Anmaßen durch: »einmal nur mach diese Sorte glauben, du wolltest ihr in die Quere kommen, und schon zieht sie das Messer und gebraucht es.« – Die Rede wird nicht gehalten werden, es ist nicht Zeit für kleinkrämerische Rückschau, aber das Nachdenken, der freundlich-kritische und selbstkritische Nachvollzug behält Wert: »Hier ist niemand tot, und hier ist auch niemand zornig, und hier wird schon noch geredet werden.« Neben dem Wunsch, Rechenschaft über das Entstehen heutigen Lebens abzulegen, entstand das Bedürfnis, nun das Panoptikum der zustande gekommenen sozialen Totalität abzuwandern. Der Sozialismus wird dann als Schmelztiegel verstanden, in dem verschiedenste Lebensformen, Klassenverhalten und ideologische Auffassungen zusammenfließen, neue Verbindungen eingehen und neue Gestalt annehmen. Angedeutet war das bereits in Romanen von Inge von Wangenheim, Max Walter Schulz und Günter de Bruyn. Über de Bruyns *Der Hohlweg* (1963) ist in dem von Haase und Geerdts herausgegebenen Literaturgeschichtsband »Literatur der deutschen demokratischen Republik« (1976, 338) zu lesen:

»Die getrennten Lebenswege der Freunde und die Darstellung des umfangreichen Personenensembles sollen die spätere politische Entwicklung der beiden deutschen Staaten in ihrem Entstehungsstadium vorwegnehmen.«

Dort wird die – vom Nachhinein gedeutete – Bürgerwelt der DDR und der BRD mit Hilfe eines Ensembles soziologisch und charakterologisch definierbarer Figuren im embryonalen Stadium, scheinbar vorwegnehmend, beim Schlüpfungsvorgang beobachtet. Dafür erwies die breite Romanform sich als zureichend. Ähnliches gilt für Versuche, nun möglichst viele Bereiche der Republik mit Hilfe von Individuen, die ihre Rolle zugleich als typische Vertreter bestimmter Stände und Ausrichtungen spielen, den Umfang des Panoramas und ein Stück Geschichte der DDR abzuschreiten. Beispiele sind Anna Seghers' Roman *Das Vertrauen* (1968), der allerdings nur in die fünfziger Jahre führt, und ERIK NEUTSCHS (geb. 1931) *Spur der Steine* (1964). Jene Steine, die Spur, die die Arbeit des Helden hinterläßt, markieren den abgeschrittenen Weg. In der getanen Arbeit entdeckt der, der sie verrichtete, allmählich sein eigenes Ich. Einerseits spürt er die Qualen, die seine Tätigkeit verursacht, die Störungen, die sein ungewohnt selbständiges Tun bei ihm und in den Beziehungen zu andern auslöst. Über die Fron hinaus nimmt er wahr, wie durch sie das Land aufgebaut wird, Konturen und Ordnung bekommt, für die er verantwortlich ist. Er bemerkt die Rolle, die seine Beziehungen zu anderen Menschen und die sein Widerstand gegen eine zu selbstgefällige oder in ihrer eigenen Macht zu unsicher und Neuerungen gegenüber verschlossene Administration spielen. Und wieder kommt er zu dem Ergebnis, daß die Ankunft im Sozialismus gleichermaßen das Innewerden des eigenen Ich bedeute.

Die Wirkung der sozialistischen Umgestaltung, der Bildungs- und Kulturrevolution auf unterschiedlichste Menschen wird zum eigenen Thema; Ausdruck dieser Neugier sind zahlreiche Versuche, »*Lebensläufe*« nachzuvollziehen und entweder zum Gegenstand eines besonderen Genres zu machen oder immer wieder in Romanepisoden darzustellen. Es mag hier genügen, als Beispiele Rainer Kirschs Ende der sechziger Jahre entstandene Porträts – 1974 unter dem Titel *Kopien nach Originalen* veröffentlicht – und die 1974 erschienene Anthologie *DDR-Porträts* anzuführen.

CHRISTA WOLFS (geb. 1929) Erzählungen ragen insofern heraus, als unabhängig vom geschilderten Fall das Problem der Individualität im Sozialismus selbst Bedeutung erlangt und mit eigenwilligen Techniken erfaßt wird: Perspektivewechsel, Aufbrechen des chronologischen Schemas, Ordnung vergangener Ereignisse nach seelischen Bedürfnissen einer Hauptfigur, die erst dabei ist, Erlebnisse zu bewältigen und sich Einsichten zu verschaffen. Aus dem Bestreben, Identität mit der bis hierher gewachsenen Sozietät zu erlangen, erwächst der Wunsch, eigene Identität zu gewinnen.

»So ist der Mensch eingerichtet, und mit der Fähigkeit, sein Leben ineinanderzuschachteln, hilft er sich über die Kürze dieses Lebens hinweg«, heißt es in der *Moskauer Novelle* (1961). Im Mittelpunkt stehen bei Christa Wolf stets Erinnerungen an Personen, Begegnungen und Wiederbegegnungen, die Unordnung in einförmige, zu sehr als selbstverständlich hingenommene Lebensbahnen bringen, Schuld aufrühren, seelische Verwirrung auslösen, quälende, aber heilsame Denkprozesse hervorrufen und das eigene Leben wie das Verhältnis zur Umgebung neu zu bestimmen und einzurichten helfen. An die Stelle von soziologisch faßbaren ›Lebensbereichen‹ und aktuellen Vorgängen rückt die Bedeutsamkeit subjektiver Erfahrung. In der *Moskauer Novelle* gibt es noch eine Fabel; auch in *Der geteilte Himmel* (1963) liegt ein novellistischer Erzählvorgang zugrunde, der seinem Ablauf nach jedoch erst nachträglich zu rekonstruieren ist. Die Bekanntschaft des Mädchens Rita mit dem eigenwilligen Chemiker Manfred, der hernach die DDR verläßt, ihre Tätigkeit im Waggonwerk, ihre Liebesenttäuschung, ihr Konflikt zwischen persönlicher Zuneigung und sozialem Zugehörigkeitsgefühl werden nicht mehr dem Fortlauf der Ereignisse nach dargestellt; das Ordnungsprinzip ergibt sich vielmehr aus der Bedeutung, die die Begebenheiten in der Erinnerung bekommen. In *Nachdenken über Christa T.* (1968) gibt es keinen als Fabel lesbaren Untertext mehr. Christa Wolf schrieb 1966 zu dem damals begonnenen Roman, da sei

»... kein ›Stoff‹ gewesen, der mich zum Abschildern reizte ... Zu einem ganz subjektiven Antrieb muß ich mich bekennen: Ein Mensch, der mir nahe war, starb, zu früh. Ich wehre mich gegen diesen Tod. Ich suche nach einem Mittel, mich wirksam wehren zu können. Ich schreibe, suchend. Es ergibt sich, daß ich eben dieses Suchen festhalten muß, so ehrlich wie möglich, so genau wie möglich.« (Lesen und Schreiben, Berlin 1972, 80)

Die Romanform, die Kunst, Erzählfabeln zu bilden, verfällt zugunsten einer gleichermaßen essayistischen und lyrischen Verfahrensweise. Im Vordergrund stehen die Regungen, die Gefühle und Reflexionen der – wenn auch ›fiktiven‹ – Romanfiguren: der Erzählerin und der Toten, über die nachgedacht wird. Durch diesen Tagebuchstil, durch die Konzentration auf menschliche Eigenschaften – wie Mißtrauen, Schüchternheit, Unangepaßtheit – und ihren Wert, durch die Frage nach eigener Identität und die Spiegelungen des eigenen Ich im anderen wird die Selbstbeobachtung zum literarischen Gegenstand erhoben; insofern steht Wolfs Prosa gleichzeitigen Strebungen in der Lyrik der DDR sehr nahe. Insofern gibt sie einem wesentlichen Problem der DDR-Gesellschaft literarischen Ausdruck (ohne es noch ästhetisch zu bewältigen): welche Qualitäten nämlich der emphatisch und häufig auch in bloßen Phrasen beschworene ›neue Mensch‹ aufweisen müsse, um welche er sich, im Verein mit der Sorge um die soziale Fortentwicklung, zu bemühen habe. Christa Wolf macht Phantasie geltend, sie wählt eine Heldenfigur, die gar nicht zu den sonst in der DDR-Literatur üblichen paßt, der alle innere Stabilität und aus gesellschaftlicher Bewußtheit rührende Tugenden fehlen; sie fragt umgekehrt, ob nicht Zerbrechlichkeit, Gefährdung, Sehnsucht nach Zurückgezogenheit, um des eigenen Lebens willen auf sich genommene Unvollkommenheit soziale Tugenden sein könnten. Sie verleitet zum Nachdenken über Krankheit und Tod, vertritt damit den Standpunkt, daß – die formale Befreiung des Menschen, seine Emanzipation als mit allen anderen gleichberechtigter Bürger, einmal vorausgesetzt – wieder über die Existenzprobleme des Menschen geredet werden müsse, über, wie sie formuliert, sein »Zu-sich-selber-Kommen«.

Damit ist die literarische Richtung skizziert, für die das geschichtliche Gegenüber anderer Zeiten immer unwirklicher wird. Geschichte verschmilzt zu Erinnerungswerten, ihre Zeugnisse werden zu bloßen Zuträgern. Lehren und Sinnfülle der Historie werden schmal durch den Besitzanspruch der Lebenshungrigen; Christa Wolfs Prosa steht in der Mitte zweier Tendenzen. Sie selbst zeigt noch nicht den Verlust des Vermögens, sich in historischer Herentwicklung zu begreifen, der bei einigen jüngeren Autoren, die nach 1960 erst zu schreiben beginnen, spürbar wird; eine bildungsmäßige wie kulturelle Losgelöstheit, ein um Genauigkeit unbekümmertes Verhalten zur geschichtlichen und literarischen Tradition kennzeichnen Verfahren und Werk von Schriftstellern wie Volker Braun, Hartmut Lange, Wolf Biermann, Thomas Brasch oder Ulrich Plenzdorf; ist deren Haltung teilweise verständlich als Verneinung der behutsamen und idealisierenden Erbpflege, so ist sie auch ein unmittelbares Ergebnis der Bitterfelder Kulturpolitik. Durch sie wurde aufgefordert, die DDR-Entwicklung als unverwechselbar, unvergleichbar vergangenen historischen Zeiten zu begreifen, es sei denn, man stellte sie in Gegensatz zur faschistischen Vergangenheit oder zum imperialistischen System des Westens. Die Vorstellung des Neuen, Erstmaligen und nur der Zukunft Zugewandten verstellte eine geschichtliche Sicht auf die eigene Zeit, auf sich selber; alle nun entstehenden gesellschaftlichen und menschlichen Probleme scheinen dann auch nur aus dem Hier und Jetzt angehbar; literarische Modelle, gar mythische Parameter scheinen sich zu verbieten. Die andere Tendenz, in deren Nähe Christa Wolf ebenfalls steht, ist scheinbar entgegengesetzt: das Verlangen, den Dingen, wie Anna Seghers sagte, auf den Grund zu gehen, sich gerade aus der Vergangenheit, den demokratischen Traditionen und aber auch den menschenfeindlichen des Faschismus zu begreifen, nachzuforschen, welchen Abdruck das Vergangene hinterlassen hat.

GÜNTER KUNERTS (geb. 1929) Kurzprosa und Gedichte indessen warnen davor, die Zeit der Konzentrationslager vorschnell als abgetan zu übergehen. Kunert zeigt ihre Gegenwärtigkeit und die Bedrohung, die immer noch von ihr ausgeht. Er bekämpft Gleichgültigkeit und Vergeßlichkeit, macht Unmenschlichkeiten aus Gewohnheit im Alltag sichtbar. Kunert beschränkt sich in seinen Geschichten und Anekdoten meist auf den kleinen Radius des Tagtäglichen; anders aber als die Bitterfelder Poeten des Durchschnitts bricht er das Alltagsgeschehen auf, verfremdet es durch groteske oder entsetzliche Ereignisse. Zwei Taucher bringen sich auf der Suche nach einem Schatz, von zwei konkurrierenden Gesellschaften beauftragt, gegenseitig um – und es stellt sich heraus, daß ihr Tod ganz umsonst war: da gab es keinen Schatz mehr. (*Die Taucher* in: *Tagträume in Berlin und anderswo*, 1971) Ein Seemann ist letzter Überlebender eines Schiffbruchs, dem er mit einem Kameraden entronnen ist. Der andere von einem Hai gerissen worden; aber die Leute daheim nehmen mit Selbstverständlichkeit an, daß der Entkommene seinen Freund verspeist hat. Als Kannibale geächtet faßt der Unschuldige endlich den Entschluß, wieder zur See zu fahren und zu tun, wessen man ihn beschuldigt. (*Der Hai.* In: *Die Beerdigung findet in aller Stille statt*, 1968). Die ständig bestehende Möglichkeit, daß Ungeheures passieren kann, die latente Grausamkeit, der mörderische Aufwand um nichts, die Bereitschaft, vom andern nur das Schlechteste anzunehmen, lehren, wie lebensnotwendig es ist, stets die Gefahr eines neuen gesellschaftlichen Fiaskos, sogar eines technisch perfekten Weltuntergangs vor Augen zu haben.

Kunerts Vermögen erwies sich am wirksamsten in den kleinen Formen; seine für Details und außergewöhnliche Momente ausgeprägte und enthüllende Bildersprache versagte an *Im Namen der Hüte* (1967), einem pikaresken Zeitroman über das Kriegsende und die Folgezeit.

In dem Reisebericht *Schöne Gegend mit Vätern* (in: *Tagträume*) beschreibt Kunert das zur Touristenattraktion verkommene, sozusagen mit einer Grasnarbe überwachsene Gelände des KZ Dachau, das weniger mahnt als vergessen macht, besucht von braunen Rechtfertigern, Leuten, die Sprüche »mentaler Verschwommenheit« ins Gästebuch schmieren, Souvenirjägern, »die später, angenehm übergruselt, daheim ihre Beute vorzeigten: ein Stück KZ im gepflegten Heim, auch das gibt es, gab es, Nachfahre, Urenkel, dem alles noch unbegreiflicher vorkommen wird als uns. «

Der »wissenschaftlich-technische Fortschritt« stellte neue Anforderungen an die Leitung und Durchführung wirtschaftlicher Prozesse; politische Standfestigkeit und Überzeugungskraft reichten allein nicht länger hin. »Wenn z. B. heute noch von ›Kämpfertum‹, ›revolutionärem Elan‹ usw. gesprochen wird«, schreibt Eckart Förtsch in seiner 1969 erschienenen, um Objektivität bemühten Studie *Die SED*, »ist meist nichts anderes gemeint als berufliche Aktivität, die sich innerhalb des Apparates, besonders aber in der Wirtschaft entfalten soll. « (30)

Damit rücken die Einbeziehung der Intellektuellen beim gesellschaftlichen Aufbau und die wachsende Qualifizierung der Arbeitskräfte in den Mittelpunkt sozialen Interesses. Zugehörige literarische Themen sind Konflikte zwischen Arbeitern und Wissenschaftlern, Funktionären und fachlich besser geschulten, oft aber politisch noch ungeweckten Figuren. Die Verschmelzung von Arbeiterklasse und Intelligenz wird betont, in Kants *Aula*, in Neutschs Roman *Spur der Steine* und seiner *Regengeschichte* (*Bitterfelder Geschichten*, 1961) werden mit dem gegenseitigen Nichtverstehen von Proletariern und Intellektuellen Konfliktstoffe gebildet, wobei der gute Schluß meist obligatorisch ist; die Liebe zwischen Arbeitern und Angehörigen der Intelligenz wird als eine selbstverständlich werdende Beziehung geschildert – in Karl-Heinz Jakobs' *Das grüne Land* (1961) oder in Herbert Ottos *Die Zeit der Störche* (1966), die auch verfilmt wurde. Häufig und selten zugunsten der Parteivertreter wird die Auseinandersetzung zwischen einem Neuerer und dem Betriebsleiter, der Fortschritt durch Trägheit, Eigennutz oder Unfähigkeit verhindert, oder einem Parteisekretär, der borniert an starren Leitlinien festhält, angegangen; unterschiedliche Positionen innerhalb der Partei werden nicht länger verschwiegen: in *Spur der Steine*, Strittmatters *Ole Bienkopp* oder Jurij Brezans Roman *Mannesjahre*. Nicht selten werden Personen zu Romanhelden, die mit der Partei wenig im Sinn haben, sich jedoch durch besonderes Durchsetzungsvermögen, körperlichen Einsatz oder fachliche Fähigkeiten auszeichnen. Ihr eigenes Tun lehrt allmählich sozialistisch zu denken und zu handeln. Solche Figuren sind zum Beispiel der Brigadier Balla und der Ingenieur Hesselbart in *Spur der Steine* oder Thomas Breitsprecher in Karl Heinz Jakobs' *Beschreibung eines Sommers* (1961). Eine spezielle Variante ist der anarchische Held, der durch utopische oder auch nur krause Phantasie und spontanes Handeln das Aufbauwerk stört und fördert. Er gewinnt jedoch vor allem als dramatische Figur Bedeutung.

Freilich steuern diese Auseinandersetzungs-Fabeln immer wieder auf eine harmonische Lösung zu; daß Erwin Strittmatter den Titelhelden seines *Ole Bienkopp* sterben läßt, war bereits ein erhebliches Irritationsmoment. Zugleich aber deutet die Einführung wilder Figuren auf ein gelockertes Moralverständnis. Die Leibestriebe beginnen Unruhe zu stiften. »Und ist der findigste der fechter/ sein leblang nicht gefeit davor/, der weise nicht und nicht der tor/ im hohen grase der geschlechter«, heißt es in einer Nachdichtung Paul Wiens' nach Oswald von Wolkenstein. Neben hellgetönten Liebesgeschichten – wie Herbert Nachbars *Oben fährt der Große Wagen* (1963) – findet man in einer problematischeren Darstellung – bei Neutsch oder in Günter de Bruyns *Buridans Esel* (1968) – den offenbar sehr wirklichkeitsechten Konflikt zwischen ordentlicher Ehe und außerehelicher Liebe, deren Vorkommen die in ihr Befangenen häufig in heikle Parteiverfahren schlittern ließ. Mit der Wendung gegen Prüderie, Sanktionierung freizügiger Liebe und altväterliches Moralverhalten wächst die psychologische Klugheit und mit ihr eine genauere Zeichnung seelischer Vorgänge. Der Alltag wird dabei oftmals nicht verlassen, aber er wird reicher, füllt sich mit Individualität, Geschichte, fremdem Leben, das angeeignet wird. Es entwickelt sich Abneigung gegen den Gebrauch vorgegebener Topoi und Formeln.

Der gegenwärtige Alltag wird als Schnittpunkt von Vergangenheit und Zukunft betrachtet, in ihm erfüllen sich oder versiegen Hoffnungen, in ihm ist, unter der Kruste der Gewöhnung und des Verschleißes, nach dem Erbe der Vergangenheit, nach Festgefressenem, Lockerzumachendem zu suchen; hierin entsprechen sich Prosa, Dramatik und Lyrik. Einmal führt das zur tagtraumhaften Steigerung, zur erhöhten Intensität des persönlichen Engagements, zum Erleben der Wirklichkeit in proteushafter Vielgestaltigkeit, in die das Individuum einzudringen sucht, wie in der Lyrik Sarah Kirschs (so in der Sammlung *Landaufenthalt* von 1967), die ohne Vergleiche mit bildender Kunst kaum zu begreifen ist, oder zum grotesken und satirischen Spiel mit dem Alltag, in dem Unheimliches sich ereignet, Metamorphosen, Geschlechtertausch (siehe die Anthologie *Blitz aus heiterem Himmel*, 1975) die Umwelt verfremden, um – wie in diesem Fall den Grad der Befreiung der Frau und das Verhältnis der Geschlechter – die überkommenen Lebensformen und ihre Fortentwicklung auf ihren erreichten oder doch möglichen humanen Gehalt hin zu befragen.

Ein Œuvre scheint sich derartigen Tendenzbeschreibungen zu entziehen; und häufig wird JOHANNES BOBROWSKIS (1917–1965) Werk in westdeutschen

Abhandlungen (wie auch Huchels Lyrik) als ›eigentlich nicht der DDR zugehörig‹ angesehen. Bobrowski stammt aus Litauen; in Königsberg besucht er
das Gymnasium; ein Kunstgeschichtsstudium wird durch die Einberufung
zur Wehrmacht abgebrochen. Humanistische, kunsthistorische, philologische
Interessen gehen in sein Schreiben ein, ebenso eine Fülle von Beziehungen,
die ihn an seine Heimat fesseln, jenen Raum, in dem slawische Tradition und
deutsche Eroberungswut, eine vertraute, aber unterdrückte folkloristische
Kultur und die Kulturlosigkeit der vorfaschistischen imperialen Ideologie ge-
geneinanderstanden. Die Ergründung dieses Heimatraumes mit seiner
sprachlichen und literarischen Überlieferung und dem slawischen und jüdischen Herkommen der Bevölkerung hat bei Bobrowski allerdings kein distanziert volkskundliches Ziel, sondern ist identisch mit einer Archäologie der eigenen Familiengeschichte und Kindheit, in der die Spannungen, unter denen
sein *Schattenland Ströme*, seine *Sarmatische Zeit* (so die Titel zweier Gedichtbände) standen, spürbar waren, mit der sie erneut lebendig gemacht
werden können: ·

»Da reden wir also über die Väter oder Großväter und müßten doch wissen, daß diese
Väter und Großväter ihrerseits ebenfalls Kinder sind, im dritten oder vierten oder sie-
benundzwanzigsten Glied. Da gibt es kein Ende, wenn wir erst anfangen herumzusu-
chen. Da finden wir Schuldige über Schuldige und halten uns über sie auf und nehmen
uns unterdessen vielleicht stillschweigend aus.« (Levins Mühle, 88)

Bobrowski hatte Berührung mit dem christlichen Widerstand gegen den Faschismus, er war Mitglied der CDU in der DDR; sein grundsätzliches Einverständnis, besser vielleicht seine Gemeinsamkeiten mit sozialistischer Politik
hat er mehrfach geäußert, in *Fortgeführte Überlegungen*, einem Essay des
Bandes *Der Mahner*, 1967 posthum erschienen, und in anderen Selbstzeug-
nissen (*Selbstzeugnisse und neue Beiträge über sein Werk*, 1976).
Es sind ganz konkrete Gegenstände, über die Bobrowski handelt, wenn er das
Entstehen faschistischen Verhaltens, wenn er das Grauen nationalsozialistischer Barbarei beschreibt und dabei, in der Zwiesprache des Juden Moise und
dem Mond etwa, zeigt, wie in lebensbedrohender Lage Angst und der Versuch, sich wie selbstverständlich, in Hoffnung auf eine Befreiung menschlich
zu verhalten, gepaart sind. (*Mäusefest*, in: *Boehlendorff und Mäusefest*,
(1962, 1964). In einer knappen, stilisierten Sprache sind Redewendungen,
landläufige Äußerungen, Alltagsgerede aufgehoben, und durch die darin sich
offenbarende Liebe des Beobachters zu seinen Figuren wird deutlich, wie
stark bei den Unterdrückten Kreatürlichkeit und Humanität aneinanderge-
schmiedet sind, als ein Hoffnungsresiduum, als ein visionäres Wissen um die
Durchsetzbarkeit von Menschlichkeit. Eine ähnliche Darstellungsweise – um-
schweifiger und betulicher freilich – ist nur JUREK BECKER (geb. 1937) zu eigen, in *Jakob der Lügner* (1968), der Geschichte eines Getto-Juden, die
Eingeschlossenen, von aller Nachricht abgeschlossenen Leidensgenossen mit
dem Schwindel, er besäße ein Radio, über das er vom Vormarsch der Russen
und Niederlagen der Wehrmacht höre, bei Hoffnung und Kraft zu überleben
hält.

Bobrowski geht in *Levins Mühle* (1964) und *Litauische Claviere* (1966) sehr nah an seine Figuren heran; er argumentiert aus ihnen heraus; indem er – in *Levins Mühle*, der der ›Großvater‹ des Erzählers gegen einen Juden die deutsche Obrigkeit mobilisiert, um einen Rechtsbruch zu erwirken, sein Ziel erreicht, gegenüber der stillen Solidarität der Erniedrigten aber dennoch den Kopf einziehen muß – vorführt, wie diese Personen denken und handeln, scheinbar mit ihnen argumentiert, läßt er sie, ohne zu werten, selber ihr Urteil sprechen. Dabei mischt sich der Erzähler nicht nur soweit ein, daß er bisweilen vor die redende oder denkende Figur tritt (nicht: sie sagten, du kommst wie gerufen, sondern: X, komm wie gerufen usf.), er stellt die Dialektik von Nähe und Distanz auch dergestalt aus, daß er den Erzählerstandpunkt, die Frage, welche Verwandtschaft zwischen Heute und Gestern vorliegt, selbst zur Sprache bringt: wie kommt das, was ich erzählen will, vor meine Gedanken, warum, wie erzähle ich es? Verhaltensformen werden betrachtet, spürbar wird, wie wenig wir gegen sie gefeit sind; sichtbar an ihnen wird, wie sie sich und wie sich Interessen durchsetzen. Ähnliches gilt von den *Litauischen Clavieren*. Ein Wissenschaftler und ein Kapellmeister, die gemeinsam eine Oper über einen litauischen Dichter schreiben wollen, geraten bei ihrer Suche nach Material ins Jahresfest der Memeldeutschen und eine traditionelle Feier der Litauer. Die deutschen Nationalisten provozieren einen Streit, bei dem einer der ihren umkommt; gegen ihre Übermacht und den Versuch, dem Schuldigen den Garaus zu machen, setzt die Solidarität der litauischen Bevölkerung sich durch.

In der visionären Sicht, der metaphorischen Darstellung der Kälte und Bedrohung steht Bobrowski Huchel und Arendt nahe, auch Dichtern wie Nelly Sachs oder Dylon Thomas, ohne je aber in Resignation oder Mutlosigkeit zu verfallen. Mit seiner Weise, ›den Dingen auf den Grund zu gehen‹, steht er in der Nähe Fühmanns und anderer, die sich entgegen den landläufigen Maximen der Legenden, Mythen und Märchen als Bilder menschlichen Verhaltens und als Gegenbilder zur eigenen Zeit bedienen.

Drama und Theater nach dem VI. Parteitag

Unmittelbarer noch als andere Gattungen und Genres steht das Theater (wie auch der Film) in Berührung mit dem Publikum. Gerade hier drohten auch nach den strengen Regeln des 11. Plenums 1965 die schärfsten Sanktionen und Eingriffe. Die Verklammerung von Theater und Drama mit dem gesellschaftspolitischen Programm der SED oder, wie Manfred Nössig und Hans-Gerald Otto schrieben, die »Integration der Kultur des Theaters in das gesellschaftliche Gesamtsystem« war den ideologischen Vorstellungen des sozialistischen Menschenbildes und der Planung und Leitung ökonomischer Prozesse besonders stark unterworfen. »Es ging jetzt vor allem«, schreiben Nössig und Otto weiter, »um die Darstellung der ständigen Bewährung prinzipiell gleichgesinnter sozialistischer Persönlichkeiten bei der praktischen und prognostischen Gestaltung der Lebensprinzipien« (Theaterbilanz, 1971, 29). Auch hier dominierte die Forderung nach Gegenwartsstoffen – in Verbindung allerdings mit einer »Dramaturgie des Positiven«, einer grundsätzlichen Bejahung des Erreichten. Gefördert wurden Stücke wie *Seine Kinder* (1963) von Rainer Kerndl und *Katzengold* (1964) von Horst Salomon, die mit naturalistischen Mitteln die Bewährung kommunistischer Kader zeigten und die gegenwärtige Situation idealisierten. So kam es zu einem Bruch, einer Spaltung innerhalb der Gegenwartsdramatik; denn weder Heiner Müller noch Peter Hacks oder die jüngeren Dramatiker Hartmut Lange und Volker Braun hielten sich an diese Normen, wenn sie Stoffe der Gegenwart aufnahmen. In *Die Sorgen und die Macht* hatte PETER HACKS (geboren 1928) »den grauen Tinten der Gegenwart« der »Zukunft buntes Bild« entgegengesetzt und damit den Kommunismus als unerreichtes utopisches Bild mit der ›grauen‹ Gegenwart konfrontiert. Schon hier zeichnete sich eine Gegenposition zu dem gegenwartsfreundlichen Illusionismus ab, der Widersprüche hinter einem Modell des individuellen Noch-nicht-Angelangtseins verbirgt und Konflikte mit der mangelnden Einsichtsfähigkeit einzelner, ihrem von der Vergangenheit und dem vermeintlichen Glücksbild des westlichen Reichtums geprägten Fehlverhalten begründet, dessen Kur sich (jedenfalls auf der Bühne) verhältnismäßig einfach gestaltet.

Auch die Verskomödie *Moritz Tassow*, 1961 geschrieben, bezog ihren Stoff aus der Geschichte der Republik und behandelt dennoch die Fragen der Wirklichkeit in überhöhter und auf andere Weise schlüssiger Form. Der Sauhirt Moritz, der während der Nazizeit als stumm galt, weiß nach deren Niederlage 1945 plötzlich sehr geschwind und überzeugend zu reden. Er bringt die Bewohner seines mecklenburgischen Dorfes dazu, den Gutsbesitzer zu enteignen, und er gründet eine erste Genossenschaft, die sozialistische Bodenreform damit vorwegnehmend. Tassows Vorstellung von der Kommune jedoch ist eine Schlaraffenland-Utopie, seine Maxime ist »lustig sein und ungeheuer hausen«. Die nur auf Raubbau, nicht auf agrarische Bestellung hin betriebene anarchische Reform macht das Dorf binnen kurzem arm und für konterrevolutionäre Rückeroberung anfällig. Die Partei vertreibt ihn aus seiner Stellung. Seine Gegenspieler sind der Parteisekretär Mattukat und dessen Nachfolger Blasche. Mattukat zählt zu jenen Kommunisten, deren Zähigkeit die Errichtung sozialistischer Verhältnisse mitzuverdanken ist, deren revolutionärer Auftrag jedoch mit dieser Leistung erledigt ist; er wird abgelöst durch den Vertreter der ›neuen Zeit‹, Blasche, der die Berührung mit rebellischer Unruhe meidet: »keine Bewegung, Lenkung braucht die Zeit«. So steht im Kern des Stücks weniger ein einzelner historischer Vorgang als eine Fabel, die für die Dialektik von revolutionärem Veränderungsdrang, Frucht- und Unfruchtbarkeit chaotisch-genußsüchtiger Utopien und phantasieloser, doch notwendiger Aufbau- und Festigungsarbeit steht. Zugleich wird nach der Rolle der Individualität im Sozialismus gefragt, und zwar so, daß ihr Wert nach Maßgabe der je besonderen Erfordernisse bestimmt wird. Hacks' Forderung nach Größe, nach der Darstellung umfänglicher Zusammenhänge und Probleme, geht auch auf den Helden:

»So wenig wie die Natur kann der Stückeschreiber große Charaktere schaffen ohne große Aufgaben und große Chancen. Der große Charakter macht Wellen: falls da ein Ozean ist.« (Das Poetische, 27)

Hacks macht zwar deutlich, daß die Größe eines Tassow sehr zwiespältig ist und sein Freß- und Hursozialismus Leere zeugt, die Konterrevolution begünstigt und einen utopischen Wunschtraum zur schlechten Gegenwart macht; doch kam bei der Kritik der Argwohn zum Ausdruck, daß die DDR-Wirklichkeit als zu gering erachtet werde, um große Figuren hervorbringen zu können. Hacks konfrontiere die langweilige Realität mit einer insgeheim bewunderten Riesenfigur. Dabei verteidigt das Stück in der Figur des Funktionärs Blasche diese Realität als unbedingt notwendig; freilich läßt Hacks durchblikken, daß er diese Notwendigkeit nicht auch unbedingt liebt. *Moritz Tassow* wurde erst 1965 von Benno Besson in der Volksbühne Berlin uraufgeführt und nach wenigen Vorstellungen abgesetzt. Ähnlich erging es anderen Dramatikern. Heiner Müllers *Der Bau* (1965) kam über die Vorbereitung einer Inszenierung nicht hinaus; HARTMUT LANGES (geb. 1937) *Senftenberger Erzählungen* (1961) wurden nicht gespielt, und seine Komödie *Marski* (1962), die 1965 in den Kammerspielen des Deutschen Theaters Berlin uraufgeführt werden sollte, gelangte nicht zur Premiere, weil der Autor die DDR verlassen hatte. So erblickten einige der wichtigsten dramatischen Arbeiten nicht oder mit großer Verspätung das Licht der Öffentlichkeit. »Es ist natürlich schwer«, sagte Hacks schon 1963, »über den letzten Stand unserer Dramatik zu reden, solange die drei wichtigsten Stücke der DDR, Müllers *Umsiedlerin*, Langes *Marski* und mein *Tassow* der Öffentlichkeit nicht zugänglich sind.« (Das Poetische, 1966, 89).

Das war nicht so sehr die Schuld der Theater. Vor allem in Berlin wurde immer wieder versucht, Stücke der genannten Autoren auf den Spielplan zu rücken und die sozialistischen Alltagsstücke zu übergehen, die freilich in der theatralischen Provinz häufig aufgeführt wurden. Für das Deutsche Theater war es geradezu eine Ausnahme, als 1967 gleich drei Stücke zeitgenössischer Autoren aufgeführt wurden: das Dokumentarspiel *Prozeß in Nürnberg* von Rolf Schneider (die vor allem im Westen gepflogene Spielart des dokumentarischen Schauspiels war auch in der DDR adaptiert worden; Peter Weiss wurde vor allem in Rostock gespielt, und das Berliner Ensemble war mit einer vielbeachteten Aufführung von Kipphardts *Oppenheimer* hervorgetreten), *Baran oder Die Leute im Dorf* von Friedhold Bauer (ein Stück über die indifferent-mörderische Haltung einer Dorfgemeinschaft im Faschismus) und *Ein Lorbaß* von Horst Salomon, der immerhin eine Lanze für den Träumer bricht, welcher über allen Schaden, den er anrichtet, und alles Ungeschick hinaus in der Lage ist, Neuerungen zu ermöglichen. Das Deutsche Theater begründete seine Auswahl mit dem Vorhaben, »unser Publikum auf umfassendere Weise mit neuen Stücken unserer Autoren bekannt zu machen« und »Diskussionsstoff … um unsere sozialistische Gegenwartsdramatik zu schaffen«.

In Rainer Kerndls *Die seltsame Reise des Alois Fingerlein* (in der gleichen Spielzeit am Maxim-Gorki-Theater in Berlin uraufgeführt) wird die Odysee eines einfältig-gutmütigen Helden in Stationen vorgeführt, die ihn über das Warschauer Getto, Israel und Ägypten führen und schließlich seine Heimat in einer LPG finden lassen. Helmut Baierls *Johanna von Döbeln* (begonnen 1964, uraufgeführt 1969) stellt naiv und selbstbewußt ideale Forderungen und bringt den gefahrlosen Schlendrian einer Betriebsführung zur Unruhe – hier ist ein Grund gelegt für die Darstellung der protestierenden, gegen den Alltagsritus aufbegehrenden oder auch ausgeflippten Jugendlichen, die zu Beginn der siebziger Jahre typisch werden.

So schien es nach außen hin keine Neuentwicklung dramatischer Gegenstände und Formen zu geben, denn eben dort, wo neue Modelle entstanden, wurden sie als Entgleisungen angesehen und geahndet. Auf den Bühnen waren zumeist nur die Stücke zu sehen, die auf biedere Art das Programm der Zweiten Bitterfelder Konferenz erfüllten und sich eklektisch der vorhandenen Formen bedienten – ein Vorgang, den Nössig und Otto beschönigend die »Verschmelzung von vorsozialistischen deutschen Theatertraditionen, Erfahrungswerten beim Studium der sowjetischen, am Stanislawski-System orientierten Bühnenkunst und der methodischen Prinzipien des Brecht-Theaters« nannten (*Bilanz*, 33).

Die anarchischen Helden wurden nur als Störfaktoren begriffen; ihre verschiedenen Spielarten und Rollen, die sie innerhalb eines Stückes spielten, wurden kaum auseinandergehalten.

Heiner Müllers Barka (*Der Bau*) ist kein »Gegenheld« – »die Zeit der Helden (ist) vorbei«, heißt es einmal im Stück –, sondern ein kraftvoll-impulsiver Kerl, der nach eigenem Rezept Korrekturen vornimmt. Hier stemmt sich nicht das Chaos gegen die Ordnung, sondern gegen das Chaos, um es aufzuheben: Auf der Baustelle waltet selbst noch Anarchie, die auf Sozialismus erst wartet. Volker Brauns *Kipper Paul Bauch* (drei Fassungen von 1962 bis 1965, Uraufführung erst 1972) fordert das Mittelmaß heraus; hier wird spontanes Handeln zum revolutionären Schwung, der gegen die Erstarrung gerichtet ist. Braun unterstreicht dies Anliegen durch eine an frühe Stücke Brechts und an Revolutionsdramatik erinnernde Form – ihm wurde die Überbetonung der Subjektivität in der geschichtlichen Praxis vorgeworfen.

Langes *Marski* ist ein asozialer und genußsüchtiger Großbauer, der, als seine Knechte ihn verlassen, an Vereinsamung beinahe zugrunde geht, die tätige Gemeinsamkeit am Ende als Wohltat empfindet und all seine Kraft in die Bestellung der Felder (des Landes) wirft: eine Figur von der Lebenskraft eines Rabelaisschen Helden. Trotz des allen gemeinsamen Hanges zu »großen« Figuren oder »Riesen« werden also recht unterschiedliche soziale und künstlerische Spannungsfelder aufgebaut. Wenn Peter Hacks 1963 schreibt, er beschäftige sich mit dem »emanzipierten Menschen und seinen Widersprüchen zu einer nicht oder nicht vollkommen emanzipierten Gesellschaft« (*Das Poetische*, 92), dann trifft das auf die Problemstellung seines *Moritz Tassow* zu, nicht jedoch auf die Figur: Tassow ist noch nicht jenes emanzipierte Individuum. Aber einige neue ästhetische Farben leuchten hier auf: der Hang zu Genußfreude und Lebensfülle, die Konfrontation der Gegenwart mit der Größe, dem Ideal und Unerreichten, Unerreichbaren, die Überhöhung des Gegenwärtigen in literarischen Bildern und Modellen und die Wiedergewinnung der Verssprache. Zur gleichen Zeit, als Hacks der Streit um *Die Sorgen und die Macht* seine Stellung als Dramaturg beim Deutschen Theater kostete, erlebte er mit seiner Bearbeitung des aristophanischen *Frieden* (1962), die Benno Besson inszenierte, einen ungewöhnlichen Publikumserfolg, den er selbst weniger auf die Tatsache, daß dies Stück den Kampf zwischen Krieg und Frieden und die Errichtung einer lebenswürdigen Gesellschaft behandelt, zurückführt, als darauf, daß es poetischen Genuß und damit die Möglichkeit des Selbstgenusses, der Lust am Feiern und Beischlafen bot. Die Gesellschaft wird als gefestigt genug angesehen, um nun über die Notwendigkeit der aufbauenden, aber schwieligen Arbeit hinaus für die Zukunft große und kleine Freuden bereitzuhalten und über die Frage hinaus, wie die wirtschaftlichen Festen des Sozialismus zu mauern sind, sich Problemen der klassenlosen Gemeinschaft, der Geschlechterliebe, der Aufhebung von Unterdrückung und des Kunstvergnügens zuwenden zu können. Auch in *Moritz Tassow* – dem der Schriftsteller Helmut Sakowski auf dem II. Plenum 1965 rüpelhafte Obszönität vorwarf –, in *Die schöne Helena* (1964) und *Amphitryon* (1967) kommt das Verlangen nach einer freieren Haltung zur Liebe und Sexualität zum Ausdruck.

In *Amphitryon* wird die Welt mit einem Gott konfrontiert, der sie aufrührt. Jupiter kommt aus Liebe zu Alkmene, hilft ihr, Selbstbewußtsein zu finden und Forderungen an die Welt (und ihren Gatten) zu stellen; er läßt Amphitryon erfahren, daß über den Trott seiner Arbeit hinausgeschritten werden kann und muß – so entspricht die Fabel der Erkenntnis, daß die Vorstellung des menschlichen Ideals (der freien, klassenlosen Gesellschaft) geschichtsbildende Kraft besitzt, weil sie herausfordert, unzureichende Verhältnisse in bessere zu verändern.

Peter Hacks' Stücke und ästhetische Überlegungen entsprechen durchaus den Vorstellungen der Menschengemeinschaft und der Nationalkultur, mit dem Unterschied freilich, daß er beides nicht als gegeben, sondern erst als möglich begreift. Sein Optimismus greift in die Zukunft und ist nicht der Ausdruck einer selbstzufriedenen Gegenwartsideologie. Für ihn ist die Gesellschaft allerdings wieder kunstfähig geworden: »Die Kunst von morgen wird ja heute gemacht.« (*Das Poetische*, 23) Seine Antwort auf den gesellschaftlichen und kulturellen Entwicklungsstand der DDR ist eine klassische Kunsttheorie und Dramatik.

Der Begriff klassischer Kunst wird zunächst eingeführt, um zu zeigen, wie die Brechtsche Einteilung in aristotelische und nichtaristotelische, also politisch-revolutionäre Kunst aufzuheben sei. Klassik entstehe in einer gesellschaftlichen Lage, in der der Klassengegensatz vorübergehend in spannungsreiche Balance versetzt sei, in der der Staat nicht Herrschaftsinstrument einer Klasse zur Niederhaltung einer anderen sei, sondern sich, als zentrale Gewalt, über die streitbaren Parteien zu stellen wisse und sie, zu eigenen Gunsten und zugunsten einer ruhigen, verbesserten Situation des Volkes, gegeneinander ausspiele. Der Gedankengang knüpft an Friedrich Engels' Absolutismustheorie an. Der Vergleich dieser Staatsform mit der sozialistischen Gesellschaft, die dann als Übergang zwischen der bürgerlichen und einer kommunistischen Lebensform und in ihrem administrativen Aufbau betrachtet wird, und ihrem Ziele nach als aussichtsreicher als frühere Absolutismen, führt einmal dazu, den Blick von politökonomischen Gesetzlichkeiten auf solche von staatlichen Machtverhältnissen zu lenken, zum anderen, auf literarischem Gebiet mit früheren klassischen Dichtungsmodellen umzugehen. Die Klassik-Idee hat eine doppelte Wirkung: sie führt zur *Historisierung* der eigenen Sozietät, zu der mit Hilfe literarischer Fabeln, Figurenensembles und Techniken Abstand gewonnen wird, wobei gelingen kann, die eigenen Probleme wiederum im großen Zusammenhang philosophischer und weltgeschichtlicher Fragestellungen zu sehen und anzugehen; und zur Poetisierung der eigenen Sozietät, die den Vergleich der Wirklichkeit mit allgemeinen menschlichen Zielen, utopischen Wünschen und unerreichbaren, aber erstrebenswerten Idealen erzwingt. So drückt sich im Griff zur historischen Vergangenheit eine erhöhte Selbständigkeit ihr gegenüber aus; das Verfahren, als ein selbst klassisches, unterscheidet sich von den früheren »Erbe«-Vorstellungen in der DDR, bei denen man sich durch den Tunnel der demokratischen Kulturbewegung in unmittelbarer Nachfolge der klassischen Tradition sah, ebenso stark wie von der »plebejischen« und der proletarisch-sozialistischen Auffassung.

Mit ihm verändert sich auch der Charakter der Heldenfiguren und des Figurenensembles. Moritz Tassow ist noch ein plebejischer Held, der sich sozialistisch gebärdet und am Ziel vorbeischießt. In den folgenden Stücken verschiebt sich der Gesichtspunkt. Trygaios (*Der Frieden*) wächst an den sozial gegebenen Möglichkeiten durch sein Handeln. Polly (*Polly oder Die Bataille am Bluewater Creek*, nach John Gay, 1963) versteht es, sich gegen die Hindernisse ihrer Umgebung durchzusetzen und zu ihrer Subjektivität sich zu bekennen. Omphale (*Omphale*, 1968), Alkmene (*Amphitryon*, 1967), Eva und Adam (*Adam und Eva*, 1972) werden bereits zu Subjekten einer bisher nur erahnbaren Wirklichkeit. Gleichzeitig wandelt sich der Figurentypus des Funktionärs; Blasche wird zum Seneschall Croixbauc (*Margarete in Aix*, 1966), zum opportunistischen Bruder des Herakles (*Omphale*), zum braven, durch seine Dummheiten am Ende dennoch nützlichen Erzengel Gabriel (*Adam und Eva*). Hacks' Stücke enthalten seitdem immer wieder ein Figurenensemble, das stellvertretend für die Staatshierarchie eingesetzt ist. Die Vorgänge lassen sich, abgesehen von vielfältigen anderen Gehalten, immer auch auf den Verlauf gegenwärtiger Geschichte beziehen; am deutlichsten ist das vielleicht in dem Perserdrama *Prexaspes* (1968) zu beobachten.

Ein anderes häufig wiederkehrendes Thema ist das Verhältnis von Kunst und Staatsmacht, das im *Frieden*, in *Moritz Tassow* angesprochen und in *Margarete in Aix* und *Das Jahrmarktsfest in Plundersweilern* (1973) im Mittelpunkt steht.

Ein neues Verhältnis zum literarischen Modell, zur künstlerischen Ausformung anstehender Probleme, zur Metaphorik und zum Mythos ist entstanden. Auffallend ist um die Mitte der sechziger Jahre die Beschäftigung einer ganzen Reihe von DDR-Autoren mit mythischen Stoffen. HEINER MÜLLER (geb. 1929) schreibt einen *Philoktet* (1965, uraufgeführt 1968), verfaßt nach Aischylos einen *Prometheus* (1969), nach Sophokles *Ödipus Tyrann* (uraufgeführt 1967), mehrere Herakles-Szenen, deren einige als mythische Abbilder und Verallgemeinerungen nachrevolutionärer Mühen in sein Stück *Zement* (1972, nach Gladkows Roman) eingefügt sind. KARL MICKEL (geb. 1935), der sonst als Lyriker bekannt ist, schrieb eine *Nausikaa* (1968). Neben Hacks verfaßte ARMIN STOLPER einen *Amphitryon* (1965/66), in dem die göttliche Macht – anders als bei Hacks – sich freilich blamiert. JOACHIM KNAUTH (geb. 1931), der auch Märchenstücke und Bearbeitungen von Komödien schreibt, bearbeitete Aristophanes und Plautus.

Die Mythen sind von großer Allgemeinheit und poetischer Verdichtung. Sie erzählen Geschichten über Personen, die mit den grundlegenden Problemen der Natur und der Gesellschaft fertig zu werden versuchen; sie sind zugleich auch Ausdruck und Spiegel geschichtlicher Umstände: Ödipus steht – bei Müller – für die Entdeckung des abstrakten Denkens und die blutige Entzweiung von Praxis und Theorie. Herakles symbolisiert des Menschen Selbstbefreiung, und er kann wieder und wieder in der Literatur erscheinen, wenn es darum geht, ein Bild für den Widerstreit von revolutionärer Tat und unbeherrschter Machtausübung zu finden: bei Hartmut Lange am greifbarsten, aber auch sonst figuriert Herakles in der DDR für das Problem des Stalinismus. – Hans Pfeiffers *Begegnung mit Herakles* (1966) leidet darunter, daß der Autor nicht im mythischen Bild bleibt, sondern seinen Helden mit der DDR-Wirklichkeit konfrontiert.

Mythen enthalten uneingelöste Forderungen an die Geschichte und den Menschen; sie enthalten Grundmuster historischer und seelischer Dispositionen und Widersprüche, die sie, nicht wertend, in einfachen Vorgängen erzählen. Anhand ihrer Fabeln und Bilder lassen sich Fragestellungen und Deutungen der eigenen Zeit formulieren. So sind Mythenaneignungen keineswegs immer dem gleichen Zweck unterworfen. Hacks benutzt unter anderem das utopische Potential des Mythos, um sich Ausblicke in die klassenlose Gesellschaft zu gestatten. Damit ist eine mögliche heitere Weise, sich der Mythen zu bedienen, genannt; setzt man hingegen auf das ›archaische‹ Potential, die grausamen und blutigen Inhalte, auf den tragischen Gehalt, so kann mit der Mythenadaption eine entgegengesetzte Haltung zur Gegenwart und zum Weltverlauf eingenommen werden.

Heiner Müllers und Peter Hacks' Wege sind immer weiter auseinandergegangen. Zu *Philoktet* schrieb Hacks 1966, zweifelnd, wie weit die Schönheit der Sprache die »Barbarei« des Gegenstandes aufhebe:

»Folgt Tragik allein aus der geschichtlichen Konstellation des Vorgangs, oder folgt sie vielmehr aus dem geschichtlichen Bewußtsein des Beschreibers?« (Poetische, 116)

In der Haltung zum Stoff schlägt sich die Haltung zur Gegenwart und ihren

Aussichten nieder. Müllers Phantasie zeichnet Situationen, in denen für Menschlichkeit kein Platz ist, wo humane Regungen auf der Strecke bleiben. In *Philoktet* geschieht das noch unter dem herausfordernden Hinweis auf eine alte Zeit, »Als noch der Mensch des Menschen Todfeind war/Das Schlachten gewöhnlich, das Leben eine Gefahr«, und zugleich mit der Absage an jene Forderung, derzufolge der sozialistische Künstler ethisch ermunternd und verbessernd in den Gang des Aufbaus eingreifen soll: »Was wir hier zeigen, Hat keine Moral/Fürs Leben können Sie bei uns nichts lernen.« Müller verweigert den Standpunkt des ›Planers und Leiters‹; und wenn bei ihm eine humanistische Zukunft in die Kunst lugt, dann nur durch die künstlerische, vor allem sprachliche Bewältigung der gezeigten Barbarei, durch den Ruf nach ihr, weil in der Wirklichkeit nichts von ihr zu finden sei. Müllers Thema ist der unaufhebbare, tödliche Konflikt; das historische Material, welches er benutzt, stammt aus der russischen Revolution (*Zement, Mauser*), wobei stets die Rolle des über die Notwendigkeit hinausschießenden Tötens und die Vernichtung des Henkers als zwingende Folge, der Widerspruch zwischen blutiger Realpolitik und Machtexzeß ins Spiel kommt; hier ist die Auseinandersetzung mit dem Stalinismus unmittelbar deutlich – im *Mauser*-Fragment (1970), einem Lehrstück-Versuch, ist Stalins Lebenslauf für die Kennzeichnung der Titelfigur benutzt worden; in *Horatier* (1968/69) und in *Philoktet* erscheint dieser Bezug verallgemeinert, im mythischen Exempel vorgeführt und als historisches Grundproblem gestellt.

Von Ulbricht zu Honecker: Wandlungen in der Kulturpolitik

Im Laufe der sechziger Jahre war in der DDR ein breitgestaffeltes Panorama vielfältiger, interessanter und auch gegenläufiger literarischer Strömungen entstanden. Einige wesentliche Richtungen waren dabei keineswegs den unmittelbaren kulturpolitischen Maßnahmen zu verdanken und hatten im Gegenteil Mühe, sich gegen Verbot und Verhinderung durchzusetzen, obgleich sie keine grundsätzliche Kritik übten. Insofern war das wirkliche Bild der DDR-Literatur teilweise verdeckt. Eine sichtbare kulturpolitische Zäsur setzte erst der VIII. Parteitag 1971: nun erst kam manches Angestaute an die Öffentlichkeit, und der ganze literarische Reichtum der vergangenen Jahre wurde sichtbar. Dennoch ergab sich daraus, vor allem ab Mitte der siebziger Jahre, keine neue Erweiterung und Entfaltung der ästhetischen Mittel und Gegenstände, sieht man von Dichtungen ab, die das Gesicht der sozialistischen Welt düsterer schraffieren als je zuvor. Zudem entstanden neue, zum Teil unüberwindliche Konflikte zwischen Schriftstellern und dem Staat, und die zahlreichen Übersiedlungen in den Westen zerreißen das in seiner Widersprüchlichkeit organische Leben der nationalen DDR-Literatur.
Der noch von Ulbricht geleitete VII. Parteitag der SED 1967 setzte kulturpoli-

tisch keine neuen Akzente, sondern diente eher der Verstärkung und Verfestigung der zuvor beschrittenen Bahn. Der Schwerpunkt lag wiederum auf der Behandlung ökonomischer und wissenschaftlich-technischer Fragen. Es gab kaum Veränderungen; die meisten Bezirkssekretäre wurden wiedergewählt. Das »Neue ökonomische System« wurde beibehalten und für das nun propagierte »entwickelte gesellschaftliche System des Sozialismus« modifiziert; die Eigenverantwortlichkeit der Betriebe und der lokalen Bereiche wurde erhöht. Von Bedeutung ist, daß der Sozialismus nicht mehr nur als eine Übergangsgesellschaft zum Kommunismus hin betrachtet wurde, sondern als »relativ selbständige ökonomische Gesellschaftsformation«.

Dem entspricht in wirtschaftlicher Hinsicht der weitere Ausbau der gewinnorientierten Betriebsführung und die Förderung von Technologie, Automation, kybernetischen Modellen und Elektronik. Das wiederum verweist auf eine besondere Unterstützung der naturwissenschaftlichen und technischen Intelligenz und auf eine Ausrichtung der kulturellen Tätigkeit, zuvörderst auf die »Schrittmacher« des Fortschritts, als die geeignetsten ›Multiplikatoren‹.

In politischer Hinsicht spiegelt es die seit der Abwahl Chruschtschows gewachsene staatliche und nationale Souveränität, die sich auch in dem Angebot an die Regierung der Bundesrepublik ausdrückt, Verhandlungen über gleichberechtigte Beziehungen beider deutscher Staaten aufzunehmen; von Wiedervereinigung ist nun keine Rede mehr, und der Gedanke an eine allmähliche Konvergenz wird abgewehrt. Statt dessen wird eine Politik der friedlichen Koexistenz vertreten. Die DDR begreift sich als »sozialistisches Vaterland«, und in diesem Sinne wird eine neue Verfassung formuliert, die durch Volksabstimmung am 6. 4. 1968 angenommen wird. In ihr heißt es:

»Die sozialistische Gesellschaft fördert das kulturvolle Leben der Werktätigen, pflegt alle humanistischen Werte des nationalen Kulturerbes und der Weltkultur und entwickelt die sozialistische Nationalkultur als Sache des ganzen Volkes.« (Art. 18)

Technizismus und Ökonomismus dieser Jahre, Rentabilität und Rationalisierung sind also nichts anderes als die Kehrseite des Nationalgedankens und der Nationalkultur. Insofern wird weiterhin an den Bitterfelder Beschlüssen von 1964 festgehalten, wobei als Hauptaufgabe »die Förderung der kulturellen Bildung jener Schichten der Arbeiterklasse« gilt,

»die bei der Durchführung des neuen ökonomischen Systems der Planung und Leitung, im Kampf um das wissenschaftlich-technische Höchstniveau, bei der komplexen Rationalisierung und in der Neuererbewegung in vorderster Reihe stehen.« (Rede Ulbrichts auf dem VII. Parteitag. Schubbe, Dokumente, 1252)

In den kulturpolitischen Dokumenten nach 1967 wird Wert auf eine ›ökonomische‹ Förderung der Künste – vor allem in den kostenintensiven Massenmedien – gelegt; Kunst wird auf ihre mit ethischen Ansprüchen gemessene Nützlichkeit für die Ziele der Vollendung des sozialistischen Systems hin befragt; Arbeit und Kultur, einschließlich ›kultivierter Arbeitsmilieugestaltung‹ (Gerda Huth), werden im unmittelbaren Zusammenhang gesehen; entsprechend werden die Kontakte zwischen Künstlern und Arbeitern eindringlicher gepflegt; Film und Fernsehen (hier insbesondere die Fernsehspiele Helmut Sakowskis und Benito Wogatzkis) werden, da sie breiteste Kreise erfassen, besonders hervorgehoben. Medienwissenschaftliche und empirisch soziologische Untersuchungen über die Teilnahme der Bevölkerung an Presse, Funk, Fernsehen, Bibliotheken, Kinos werden angestellt; seit 1970 beschäftigt sich die Kunsttheorie erstmals ausgiebig mit rezeptionsästhetischen Fragestellungen. Die Analyse von Freizeitbedürfnissen und Kulturniveau korrespondiert dem Auftrag an die Massenorganisationen wie FDGB und FDJ, Volkskunstbewegung, Arbeiterfestspiele, Auftragswesen, Dorfklubs, Anrechtwesen, Singebewegung zu fördern. In der Literatur dominiert weiterhin die Gegenwartsthematik; gemessen an der bildungs- und kulturpolitischen Bemühung, die hinter den zahlreichen Abhandlungen und Berichten steckt, ist der Ertrag an einzelnen Kunstwerken, die ihn rechtfertigen würden, einigermaßen mager.

So hatten die betonte Hervorhebung der sozialistischen Nationalität und der Versuch, alle ihre Bereiche stärker zu integrieren, in erster Linie einen Ausbau der Massenkultur zur Folge. Auch das Bemühen um das Konzept eines umfassenden materialistischen Kulturbegriffs spiegelt diesen Vorgang. Dem Ökonomismus der sechziger Jahre entsprechend hatte sich einerseits eine technizistische Haltung in die Kunst eingeschlichen, für die mythische Bilder und historische wie kunstgeschichtliche Parallelen und Muster sich verboten; andererseits aber war auch die Eigengesetzlichkeit von Kunst wiederentdeckt worden – entsprechend den gewachsenen Bedürfnissen und der allmählichen Überschaubarkeit des gesellschaftlichen Ganzen. Das schließt ein, daß die Ästhetik sich wieder dem Grund des ästhetischen Vergnügens, der Poetik, dem Sinn von Metaphern, der Realitätshaltigkeit von Mythen, den Gesetzen der Gattungen zuwendet. Gleichzeitig konnten also Überlegungen zu einer kybernetischen Ästhetik und semiotischen Kommunikationstheorie (Wilhelm Girnus, Günter K. Lehmann, Georg Klaus etc.) und einer an klassischen Mustern anknüpfende Kunsttheorie (Robert Weimann, Wolfgang Harich, Peter Hacks) angestellt werden. Insgesamt zeigt sich der Wunsch, über die soziologisch und naturalistisch bewältigte Realitätsabschilderung hinaus tragfähige künstlerische Modelle zu entwickeln; in den folgenden Jahren werden immer häufiger Erwägungen über die Kunst des Schreibens aus der Feder von Schriftstellern veröffentlicht: von Anna Seghers, Christa Wolf, Franz Fühmann, Heinz Kahlau, Volker Braun und anderen – ein weiteres Indiz für diese Tendenz ist die Rückgewinnung der Künstlerproblematik als literarisches Thema.

Solche Bestrebungen schienen nun nach dem VIII. Parteitag 1971 ihre Bestätigung und die zuvor mehr oder weniger versagte Anerkennung zu finden.

Dieser Parteitag setzt insofern eine Zäsur, als innerhalb des übergreifenden Programms, die »entwickelte sozialistische Gesellschaft« auf allen Gebieten zu verwirklichen, einige der zuvor vertretenen Positionen aufgegeben wurden. Das heißt, daß bestimmte ideologische Einschätzungen sich veränderten oder lockerten, und bedeutet keinen grundsätzlichen Kurswechsel. Dabei sollten auch der Rücktritt Walter Ulbrichts 1971 und die Wahl Erich Honeckers zum Ersten Sekretär des Zentralkomitees der SED nicht überbewertet werden (vgl. Rüdiger Thomas, Modell DDR, 36). Die Theorie, der Sozialismus sei eine relativ eigenständige Gesellschaftsformation, wurde fallengelassen zugunsten der Auffassung, er sei »die erste, niedere Phase der kommunistischen Gesellschaft«. Der Vollkommenheitsanspruch weicht einer nüchternen Erfassung der wirklichen Situation. Auch der euphemistische Begriff der ›sozialistischen Menschengemeinschaft‹ wird zurückgenommen, ohne jedoch konvergenztheoretischen Anschauungen Raum zu geben – wenige Jahre später wurde die DDR verfassungsrechtlich als eigene Nation innerhalb des deutschsprachigen Raumes deklariert.

In dieser Hinsicht ist also am Programm der sechziger Jahre nicht gerüttelt worden. Auch die Orientierung auf stärkere internationale Zusammenarbeit, auf »ökonomische Integration« mit den RGW-Staaten, und die wachsende Aufmerksamkeit gegenüber den materiellen und kulturellen Bedürfnissen der Bevölkerung ergaben sich folgerichtig aus der Politik der vergangenen Jahre. Dem technokratischen Denken und der Macht technologischer Wissenschaften begegnete man freilich mit größerer Skepsis, und Honecker nannte wieder die Arbeiterklasse »die bestimmende, ausschlaggebende Kraft bei der Entwicklung in allen Bereichen der sozialistischen Gesellschaft«.

Keineswegs aber war der Glaube an die Notwendigkeit eines raschen Wachstums aufgegeben. »Der Hauptweg, um den Umfang und die Qualität der gesellschaftlichen Produktion zu steigern«, heißt es in der Direktive zum Fünfjahresplan für die Entwicklung der Volkswirtschaft 1971–1975, sei »ihre Intensivierung und die Erhöhung der Effektivität.« Auch hier hatte sich nur die ideologische Einschätzung geändert: Die wirtschaftliche Entwicklung wurde nicht länger als das Ziel aller politischen und kulturellen Arbeit betrachtet, sondern umgekehrt als »Mittel zum Zweck, Mittel zur immer besseren Befriedigung der wachsenden materiellen und kulturellen Bedürfnisse des werktätigen Volkes«. (Honecker im Bericht des ZK der SED an den VIII. Parteitag). Diese Auffassung ließ sich durch eine große Anzahl sozialpolitischer Maßnahmen im Bereich der Renten, Versicherungen, des Krankenschutzes, der Sozialfürsorge, der Förderung von Müttern und jungen Ehen und der Wohnverhältnisse stützen.

Aufgrund der tatsächlichen Stärkung und Konsolidierung des Staates und der daran geknüpften ideologischen Umgewichtung schwanden auch Vorurteile gegenüber ästhetischen Formen und Lebenshaltungen, die ehemals als schädlich und westlich korrumpiert galten. Künste und Kunstkritik wurden zur Methodenvielfalt und zum ›ergiebigen Meinungsstreit‹ angehalten. Kunst wurde nicht länger nur als kulturelle ›Produktivkraft‹ angesehen, die den wirtschaftlich-technischen Fortschritt unterstützen soll, nicht länger nur als pädagogisches Instrument, sondern als eigenständige Lebens- und Genußform. Damit verliert auch das zu kurz greifende ethische Denken an Bedeutung.

Die Frage nach der Systemauseinandersetzung und nach Klassenkämpfen wird zusehends durch die nach dem Verhältnis von Individuum und Gesellschaft ersetzt – ein Begriffspaar, das seit 1972 häufig in literaturkritischen und -theoretischen Abhandlungen auftaucht (z. B. bei Hans-Georg Werner oder Klaus Schuhmann). So unterschiedlich die Perspektiven auch sein mögen, unter denen die Triade Gesellschaft – Staat – Individuum nun betrachtet wurde, und so wenig dieses Verhältnis in der ästhetischen Literatur geklärt ist, so unverkennbar ist doch die Wirkung dieses Problemzusammenhangs auf die Literatur der siebziger Jahre. Die Gegenwart als stofflicher Fundus verliert ihren Überanspruch; an die Stelle von stark objektivierter literarischer Abbildungsweise tritt oft die persönliche Stellungnahme und Erfahrung, die »subjektive Authentizität« (Christa Wolf), die »subjektive Empirie« (Günter Kunert). Den individuellen Bedürfnissen wird gegenüber aller moralischen Anpassung Eigengewicht zugestanden; umgekehrt wird von der Entfaltung individueller Möglichkeiten eine Bereicherung der sozialen Umgebung und Fortentwicklung erwartet. ›Totalität‹ hat nicht mehr nur die Grenzen der politischen Provinz, sondern scheint sich zu öffnen. Wie weit diese Öffnung ging, erwies sich wenige Jahre später, als einige daraus gewonnene Illusionen an der Wirklichkeit des Staates zerschellen mußten.

Das literarische Ensemble der siebziger Jahre

In Ulrich Plenzdorfs *Die neuen Leiden des jungen W.* (1972) sind die Probleme der heranwachsenden Generation, einer neuen Subjektivität und Suche nach Selbstverwirklichung und die Aneignung literarischer Tradition ineinander verschränkt. ULRICH PLENZDORF (geboren 1934) verursachte mit der als Novelle und Theaterstück (Uraufführung in Halle 1972) gefaßten Geschichte seines Helden Edgar Wibeau und seinem Film *Die Legende von Paul und Paula* (1973) einen lebhaften Meinungsstreit, in dem die Verdammung der literarischen Darstellung eines »verwahrlosten« Jugendlichen (F. K. Kaul) und eines laxen, wertvergessenen Verhaltens zum Erbe Goethes gegenüber gewichtigeren Argumenten unterging, wie sie Robert Weimann vorbrachte: Er zeigte, daß Plenzdorfs Edgar W., der sich dem Kollektiv entzieht und in seiner »Laube« anders als auf den vorgegebenen Bahnen sich selbst – in Liebe, im Erfinden, im Lesen – zu verwirklichen sucht und ums Leben kommt, über die forsche, skeptische Haltung seiner »Werther«-Lektüre verblüfft wird durch Aktualität, den Nutzen der Literatur zu spüren beginnt und sie benutzt Steigerung des geistigen und praktischen Ausdrucks seiner selbst.« (»Sinn und Form«, 1973, H. 1, S. 232) Nicht aber, meldeten sich, in einer Diskussion der Zeitschrift »Sinn und Form«, andere Teilnehmer zu Wort, die fördernde Beschäftigung mit einem Stück »klassischer« Literatur als Spiegel- und zugleich überholbares Gegen-Bild habe die eigentliche und unbestreitbar große Wirkung ausgemacht, sondern, »weil sich der Held des Stückes so geäußert hat, wie sich eben Siebzehnjährige hierzulande äußern, und dabei Probleme angesprochen hat, die sie unmittelbar bewegen« (Ernst Schumacher). Im *Jungen W.* und im Film *Paul und Paula* endet der Alleingang tödlich. Dennoch wird damit keine tragische Lösung vorgezeigt; der Tod wird nicht unmittelbar aus einem nicht lösbaren sozialen Konflikt abgeleitet, sondern ist eher ein Risiko, auf das sich einzulassen notwendig sein kann: Die Suche nach einem eigenen, nicht gesellschaftlich vorgeformten Leben wird gutgeheißen, ebenso, daß sie mit einer gewissen Waghalsigkeit verbunden ist; diese Haltung enthüllt damit eine Beschränktheit, zeigt, daß sie nur vorläufig sein kann; sie ist aber produktiv für die Ausbildung, auch erst das Kennenlernen der persönlichen, privaten Kräfte und letztlich also sozial förderlich. Die Betonung liegt dabei auf der Freiwilligkeit, mit der der einzelne sich im Sozialismus beteiligt, und sie kann erst dann gewonnen werden, wenn man Zeit hat, sich selbst und seine Möglichkeiten zu prüfen.

Daher ist, wenn auch Plenzdorf Ton, Lebensgefühl und Sprache der Siebzehnjährigen trifft und stilistisch höchst geschickt einsetzt, mehr als nur ein »Jugend«-Generationsproblem angesprochen. Es wird als solches nur besonders deutlich, da es einen literarisch bisher stummen, in der Wirklichkeit aber um so lauteren Umgangston Jugendlicher aufnimmt; und so rührt Plenzdorf an heilige Konventionen (literarisch gesehen) und Rituale im genormten Verhalten (soziologisch gesehen). Da formale wie inhaltlich-kritische Attitüde sich so deutlich entsprechen, mußte seine Novelle, mußte sein Stück mehr auffallen als andere, minder eindeutige Auseinandersetzungen mit dem Denken der sechziger Jahre – Heiduczeks Bücher, Günter de Bruyns *Preisverleihung* (1972) und auch Alfred Wellms *Pause für Wanzka oder Die Reise nach Descansar* (1968), wo am Verhältnis eines älteren Lehrers zu einem mathematisch begabten, von den parteisattelfesten Kollegen aber als unzuverlässig eingeschätzten Schüler dem Sozialismus eine pädagogische Provinz erarbeitet wird. In Plenzdorfs Arbeiten halten die Identifikation mit der Gesellschaft und der Konflikt mit erstarrenden Lebensmustern sich die Waage; er ist von der Verschleierung der unausweichlichen Generationsspannung und vom Bruch mit der Welt der Väter gleichweit entfernt.

In der Kinder- und Jugendliteratur ist vor allem ein Bemühen um Harmonie erkennbar. Die Probleme der Kinder in den Büchern Uwe Kants, Benno Pludras oder Joachim Nowotnys sind Probleme innerhalb der sozialistischen Gemeinschaft und betreffen sie; entsprechend weit ist die Perspektive. Umgekehrt spielt das Motiv der Perspektive des Kindes in der »Erwachsenen«-Literatur eine wichtige Rolle. Werke der fünfziger Jahre (Strittmatters *Wundertäter I, Tinko*), Helga Schütz' *Vorgeschichten oder Schöne Gegend Probstein* (1971), Franz Fühmanns *Der Jongleur im Kino* (1970), Wolfgang Trampes *Kupferpfennig* (1976) und Christa Wolfs *Kindheitsmuster* (1977) haben eines gemeinsam: Im individuellen Rückblick in die Kindheit wird politische Vergangenheit ›bewältigt‹. Am geeignetsten erwiesen sich hier wiederum die kleinen Formen, Erzählung und Kurzprosa, wo Augenblicke, erinnerte Geschehnisse gedrängt faßbar sind, Genres, die standhalten, auch Unzusammenhängendes aufzunehmen und bedeutsam zu verdichten. Trampe zum Beispiel wählt knappe Prosastücke, die er lose aneinanderreiht und die ihren Zusammenhalt durch die Titelfigur finden, die im Krieg aufwächst. Er schildert Idyllen, läßt das schöne Bild eines Kurztextes, mit einem einzigen Satz zumeist nur, in Schrecken und Greuel umschlagen. Im *locus amoenus* der Kindheit entsteht, fordernd, gegen die Unbill, die so als nicht notwendig gezeigt wird, humane Utopie. – Bei Helga Schütz wird der Faschismus aus dem Blickwinkel des Kindes geschildert, das unwissend sieht, was an Schrecken auf es zukommt, das allmählich zu begreifen und zu benennen lernt. Wirklichkeitsverständnis wird zunächst über die arglose Haltung des Kindes vermittelt und dadurch kräftiger gemacht. Christa Wolf versucht sich freilich, darin ihren vorigen Versuchen folgend, in der Form eines ›reflektierenden‹ Romans. Sie begibt sich der erzählerischen Möglichkeit, aus der Sichtweise des Kindes zu denken und durchgräbt ihre Prosa durch wissendes Benennen und literarisch nicht bewältigtes, altgeworden altkluges Nachdenken; die große Erzählform bricht ihr auseinander.

So subtil die Beschreibung auch ist, in der geradezu die Summe der früheren Arbeiten gezogen wird, es zeichnet sich hier ein Stehenbleiben, eine Stagnation ab, und die weitere Vertiefung und Differenzierung allein machen die Kunst nicht glaubhafter. Überall dort, wo die Schreibweise an die Vorstellung einer weiter sich öffnenden, linear und unbeirrt in die Zukunft greifenden Sozietät geknüpft bleibt, läßt sich zwar eine Verfeinerung, ein genaueres Schildern als zuvor beobachten, aber auch zunehmende Sterilität. Besonders deutlich wird das bei Autoren, die an den Ankunfts-, Anspruch-, Bewährungs- und Bilanz-Problematiken festhalten, bei Hermann Kant (*Das Impressum*, 1972, oder *Der Aufenthalt*, 1977) oder bei Wolfgang Joho, der in *Das Klassentreffen* (1971) einen Schriftsteller beim Wiedersehen mit ehemaligen Schulkameraden in Westdeutschland die ganz unterschiedlichen Lebensgänge vom gleichen Ausgangsort her beleuchten läßt, oder bei Erik Neutsch: In *Auf der Suche nach Gatt* (1973) läßt der Autor anhand des Lebenslaufes eines antifaschistischen Arbeiters, der Zeitungsredakteur wird und in Konflikte gerät, die von staatlicher Seite mitverschuldet waren, die wesentlichen Aufbauphasen der Repubik Revue passieren. Er schildert sie in ihrer Wirkung auf die Lebensvorgänge, bis hin zum persönlichen Tief, aber auch wieder bis zu dessen Überwindung: sein Held kann den technischen Aufschwung und den Zwang, nicht nur politisch standfest zu sein, sondern sich weiterzubilden, nicht sobald begreifen. Er scheitert, wird aber wiedergewonnen.

So wird wiederum nur das Erreichte vorgeführt, samt der Aussicht auf eine weiter vermenschlichte Gesellschaft. Neutsch bleibt im Vorfeld stehen, wenn er, mit seiner Hauptfigur, nur schreibt, »daß sich die alte Frage: Wer – wen? immer komplizierter stellte, daß sie sich nicht mehr allein mit den alten Erfahrungen des Klassenkampfes beantworten ließ«. Immerhin wird die Gegenwart deutlich zum Schnittpunkt zwischen der Vergangenheit und einer kommunistischen Zukunft, aber der schneidende Schmerz dieser Zeit erscheint allzu gelinde, die Wunden, die sie schlägt, werden mit Watte abgetupft.

Bei anderen, zumeist jüngeren Autoren, verdichtet sich der Konflikt des aufbegehrenden Jugendlichen und gewinnt an Sprengkraft.

VOLKER BRAUN (geboren 1939) wurde mit seinem Gedichtband *Provokation für mich* (1965) gegen Ende der sogenannten Lyrikwelle der sechziger Jahre bekannt, die sich in der darauffolgenden Zeit durch die verengte, auf wachsende Integration bedachte Kulturpolitik auflöste oder an Herausforderung verlor. Braun versucht in seinen Gedichten und Stücken, Bilder für die Selbstentdeckung der Arbeiter und der Individuen zu finden, die der neue, nicht länger fremde Produktionsprozeß möglich macht, dessen Auswirkungen, was die Organisierung der Verhältnisse und die Ausübung von Macht betrifft, jedoch nicht weniger tiefgreifend sind und nach Veränderung rufen als die vorsozialistischen Arbeitsformen. Das Stück *Tinka* (1972/73) zeigt, zu welch neuen Widersprüchen die von der Ausbeutung befreite Arbeit unter den derzeitigen Verhältnissen führen kann, wie ungelöst noch die Spannung zwischen kollektiven und individuellen Ansprüchen sich darstellt, so daß der tragische Fall nicht ausgeschlossen ist: der Tod des alten Betriebsleiters am Beginn, der Tod Tinkas am Schluß sind Ereignisse, die den gediegenen Industriealltag aufplatzen lassen. – *Gegen die symmetrische Welt* heißt ein Gedichtband, der 1974 erschien. Braun spürt unter der Decke ideologischen und sprachlichen Gleichklangs die Widersprüche, die nach Veränderung drängenden, vorhandenen Impulse. Er zerrt an den Polen der durch Benennung und Begriffsfetische harmonisch gewordenen Gegensätzlichkeiten:

> »Die eisernen Reifen, wie
> Fallen sie von meiner Brust
> Wenn sie sich weitet?«

heißt es einerseits in dem Gedicht *An Friedrich Hölderlin*; in *Eigene Kontinuität*, wo Braun wie häufig mit Redewendungen, sprichwörtlichen Festlegungen spielt, nimmt er andererseits die Praxis gegen ihre Ideologie in Schutz:

> »Und es wird sich daran nichts ändern
> Bis eines schönen Jahrhunderts
> Fragt mich nicht wie
> Der Kommunismus ausgebrochen ist.«

Im Zentrum steht eine Erkenntnis – die von vielen anderen Schriftstellern auch als Frage an sich selbst und an das bereits Erreichte gestellt wird –, daß die wirtschaftlichen, technischen, gesellschaftlichen Errungenschaften das Problem des Gattungswesens Menschen noch nicht beantwortet haben, sondern erst richtig stellten: »Das meiste«, heißt es in *Allgemeine Erwartung*, »ist noch zu erwarten.«

Die erstarrende und zur Behäbigkeit neigende Gegenwart soll wieder revolutionär flüssig gemacht werden. Dementsprechend wird die Revolutionsproblematik wiederbelebt: in *Guevara oder Der Sonnenstaat* (1977), die hero-isch scheiternde, von Anfang an todgeweihte Revolution des Che Guevara, die ihren eigenen Tod als Vorbild für künftige, siegreiche Revolutionen setzt – Braun zeigt diese Konsequenz, indem er seine Szenen gegen die Chrono-logie laufen läßt; oder in *Großer Frieden* (1979), einen über lange Jahre lau-fenden, gesamtgesellschaftlichen Revolutionsprozeß in der Form einer von Brecht inspirierten fernöstlichen Parabel. Wichtiger noch als der Griff zum Revolutionsmotiv ist jedoch die formale Konsequenz: Braun mißtraut dem Vorgeprägten: »Das Gedicht wird fordern, was die Sache fordert. Es wird operativ.« Damit wird behauptet – und Braun versucht, die schriftstellerische Praxis dafür zu finden –, daß die Kunstmittel jedesmal aus den neu sich stel-lenden Problemen und Widersprüchen des Sozialismus herzuleiten seien. Braun traut den Deutungen vorwegnehmenden literarischen Modellen und Genregesetzen nicht, er glaubt nicht an ihre Fähigkeit, politische Spannungen der Gegenwart – die er zu einseitig zum eigentlichen Gegenstand von Kunst erklärt – in ihrem Koordinatensystem zu fassen, und er sieht keinen Sinn in ihrer Gegenbildfunktion.

Diese Postition steht im Kontrast zu anderen Einstellungen. Im Bereich der ästhetisch-technischen Auseinandersetzung kündigt sich der dahinterstehen-de ideologische Konflikt freilich noch einigermaßen harmlos an; schon in den sechziger Jahren standen sich die Auffassung, man müsse aus den bewährten Stoffen und den stabilen, klassischen Kunstformen die Funken der Utopie schlagen, und die Vorstellung, man brauche zur Gestaltung unabgeschlosse-ner, ständig neu zu entdeckender, mit vorgefertigten Mustern nicht faßbarer Bewegung operative Genres beziehungsweise eine experimentelle Handha-bung der großen Gattungen, fremd und feindlich gegenüber. Die beiden Ge-sichtspunkte wurden in einem Rundfunkinterview einander gegenüberge-stellt, das Klaus Höpcke 1966 mit Volker Braun führte (Schubbe, Dokumente, 1199 ff.). Daß in dieser Frage die Namen Hacks und Braun als Antipoden gal-ten, muß nicht eigens erläutert werden (vgl. Silvia Schlenstedts Gespräch mit Braun in den »Weimarer Beiträgen« 10/1972).

Tiefergreifend ist die ideologische Spaltung, die grundsätzlich unterschiedene politische Haltungen zur DDR voneinander trennte. Es ist, als bräche nach 1972 ein längst schon schwelender Brand offen aus.

Selbst in der Verwendung mythischer Bilder macht sich dieser Gegensatz zum Teil in radikaler Weise bemerkbar. Der Lyriker und Herausgeber von Lyrikanthologien Adolf Endler wies 1971 in der Zeitschrift »Sinn und Form«, anläßlich einer Polemik gegen den Germanisten Hans Richter, auf das Odys-seus-Motiv hin, »angefangen von Erich Arendts ›Odysseus' Heimkehr‹ bis zu Mickels ›Nausikaa‹«. Der Mythos ist auch dem Lehrgedicht und der Ballade nicht fremd; wir finden ihn auch bei Franz Fühmann, Hanns Cibulka und wiederum bei Mickel, der das Motiv seines Stücks in einem 1966 erschiene-nen Gedicht *Odysseus in Ithaka* bereits aufgenommen hat. Zunächst interes-siert bei dieser Thematik vor allem die Erinnerung an den Krieg und die Lei-den der Irrfahrten, zweifelnde Fragen an die Zukunft Ithakas; bei Stefan Schütz, um eine letzte Version hinzuzuziehen, ist das Bild gewandelt. Weniger die Figur des Irrfahrers ist bedeutsam als das Aussehen Ithakas, das Odysseus erst zehn Jahre nach der Beendigung des Krieges betritt. Die Leute wie das Vieh sind verrottet, trotten im Gleichmaß ihres Systems, das Odysseus' Sohn Telemach leitet, dahin, sind von einem Schorf überzogen, der jedoch erst zu jucken beginnt, als sie mit dem einzig menschlich gebliebenen Fremdling Odysseus konfrontiert werden.

».. . wenn etwas so umfassend ist, im ganzen Land verbreitet, kann es keine Epidemie sein. Die Menschen sterben nicht daran, das ist der Fortschritt«,

sagt der Sauhirt Eumaios. Telemach, der Staatslenker, ist älter als sein Vater Odysseus. Die ehemals kämpfenden Sozialisten sind zu selbstherrlichen Verwaltern geworden. Ein ähnlicher Gedanke liegt Thomas Braschs Erzählungsband *Vor den Vätern sterben die Söhne* (1977) zugrunde. Eine rebellische Generation will die »Nabelschnur durchreißen« (Brasch: *Fliegen im Gesicht*, Väter, 18), will sich vom Anspruch der Alten, der »Spanienkämpfer« lösen und vom Druck der bürokratischen Instanzen befreien. Bei ihnen gerät die Darstellung der DDR immer schwärzer, die stalinistischen Erbschaften und der ›gewöhnliche Faschismus‹ werden hervorgehoben (vgl. auch Reiner Kunze: *Die wunderbaren Jahre*, 1976). Wolf Biermann prägte das Wort vom *Preußischen Ikarus* (1978):

»Warum wurde Ikarus so viel berühmter als sein Vater? Warum ist nicht der Vater tiefer eingekerbt in unser Gedächtnis, der es doch geschafft hat? Daedalus hatte den guten Einfall mit den künstlichen Flügeln, Daedalus baute sie aus Adlerfedern und Bienenwachs. Daedalus war klug, er flog nicht zu tief am Wasser, nicht zu hoch an der Sonne und schaffte so die Flucht von der Insel Kreta über das Meer, in dem der Sohn ertrank. Dummkopf, der auf den Vater nicht hören wollte. Oder was?«

Während bei Hacks die DDR, ob sie im Modell Lydiens, Persiens, des Paradieses oder Weimars erscheint, trotz der historischen Sündenfälle noch stets als ein in sich vernünftiges und zukunftsträchtiges Gebilde erscheint, kommt bei Heiner Müller, Stefan Schütz und anderen eine Haltung der Ablehnung, des Hasses auf Unterdrückung, Stumpfheit und Verbrechen zum Zuge, eine Form negativer Utopie, des Leidens an der Geschichte, der Hoffnung aus Schmerzen, die ihre Rechte gegen die und nicht länger mit der sozialen Entwicklung fordert.

In dem Revolutionsstück *Zement* (1972) und der Parabel *Mauser* (1970) steht die Notwendigkeit der Revolution außer Frage. Das tragische Grundgesetz, das sich da enthüllt, war das der eisernen Logik der Partei, die sich durch Mord vor der Gegenrevolution schützt und den einzelnen zwingt, im Namen der Revolution zu töten oder selbst zum Opfer zu werden. Der Konflikt zwischen Lebenswille und Menschlichkeit wird unaufhebbar, solange dieser Zwang als Notwendigkeit, nicht als Willkür erkannt ist. In *Mauser*, der Brechts *Maßnahme* nachgeformt ist, wird diese nur noch innerhalb des unausweichlichen Zirkels dialektische Logik kalt und ohne Stellungnahme exerziert; das Lehrstück ist zum Anti-Lehrstück geworden.

Entpuppt sich jedoch der Kommunismus, um dessentwillen die Maschinerie des Tötens rotierte, als ›stalinistische Hure‹, so entfällt der Gedanke zwingender Notwendigkeit, ja, es entsteht nun der Druck, gegen die stalinistisch deformierte Gesellschaft selbst revolutionär vorzugehen oder ihr doch den Widerstand zu wünschen. Ist aber Notwendigkeit kein Argument mehr, dann gleicht die Geschichte auf einmal einem Schlachtfeld von grausamer, mörderischer Sinnlosigkeit.

Müller zieht in seinen letzten Stücken einen Schlußstrich unter die Traditionslast der deutschen Misere (*Leben Gundlings Friedrich von Preußen Lessings Schlaf Traum Schrei*, 1976), des Faschismus (*Die Schlacht*, Szenen aus der Zeit von 1951 bis 1971, 1975 uraufgeführt) und der preußischen Synthese eigener und stalinistischer Geschichte (*Germania*, 1976). In der *Hamletmaschine* (1978) wird der Vatermord vollzogen, haßerfüllt und ohne Fähigkeit zur Trauer; und der Nachgeborene vollstreckt das Urteil der Geschichte an sich selbst: »Ich ziehe mich zurück in meine Eingeweide. Ich nehme meinen Platz in meiner Scheiße, meinem Blut.«

Die Abrechnung mit den Vätern wird radikal vollzogen. Diese Unerbittlichkeit wird dadurch verstärkt, daß Müller demokratischen, humanistischen Traditionen der deutschen Geschichte keinerlei Raum und Luft mehr läßt. Er erlaubt sich nurmehr eine bruchstückhafte Widerspiegelung historischer Vorgänge und heutiger Verhaltensformen; und das Fragment wird durch seine Sätze zu granitener Objektivität gemeißelt.

STEFAN SCHÜTZ (geb. 1944) steht bereits in der Nachfolge Heiner Müllers; seine Schreibweise, an dessen Stücken geschult, hat sich indessen zu einer ganz eigenen Kraft entwickelt.

Wie Müller verwendet Schütz eine bis aufs äußerste verknappte und dennoch bildhafte metapherngeladene Sprache; wie er griff er zu Stoffen aus der russischen Revolution (*Majakowski*, 1971; *Fabrik im Walde*, 1973), und der griechischen Mythologie (*Antiope und Theseus*, 1974; *Laokoon*, 1979). Sein Thema ist mehrfach die Unterjochung der Revolution durch die Revolution oder die sich aus ihr herausbildende neue Gesellschaft; der Untergang schöpferischer Versuche, Alternativen, menschlichere Formen des Lebens zu finden: auch *Heloisa und Abaelard* (1975) gehen an der erstickenden Enge ihrer Umwelt, die ihre Liebe aufzusprengen droht, zugrunde. Der Macht des Mittelmaßes und der »Unterjochung von Hirnen, die sich selbst unterjochen und deren Wirklichkeit eine Scheinwelt ist, gezeugt von zwanghafter Ökonomie und dem Elend der Geschichte«, sagen seine Stücke, von denen in der DDR nur wenige gespielt wurden, den Kampf an. Den höchsten Grad künstlerischer Verdichtung hat Schütz in Laokoon erreicht: Der Priester versucht vergeblich, die Troer vor dem trojanischen Pferd zu warnen. Die Kurzsichtigkeit und Sorglosigkeit seiner Landsleute schlägt um in selbstmörderische Borniertheit. Vergeblich versucht Laokoon sie durch das Opfer seiner Söhne aufzuwecken; mit den Worten: »wir sind müde, ich und meine Söhne. Wozu ist dies alles – wozu«, bringt er sich selbst um.

Bis 1972 war der literarische Streit zwischen den genannten Richtungen mehr oder weniger latent geblieben; danach wurde er offen und teilweise hart polemisch ausgetragen. Ein Beispiel ist die Auseinandersetzung um Heiner Müllers Shakespeare-Bearbeitung *Macbeth* (1972), bei der Hacks das »Revidieren von Klassikern« angriff und Wolfgang Harich vor einem Verzicht auf Bildung und dem Verlust geschichtlicher Erinnerung warnte. In der Zerschlagung literarischer Inhalte und Formen, in der Zertrümmerung historischer Totalität sah Harich die Gefahr, selbst in ein kulturelles Loch zu stürzen. Er verwies damit auf politische und gesellschaftliche Konsequenzen der antiklassischen Ästhetik.

In der Tat verbargen sich hinter den gegensätzlichen literarischen Positionen enorme politische Differenzen. Die Spannung besteht hier zwischen einer von historischem Wissen ausgehenden, von einem Denken in großen Zusammenhängen geprägten indirekten und am Ende positiven Kritik und der direkten, spontanen, gegen alle Systemzwänge aufbegehrenden Kritik. 1976 erreichte die zum unmittelbaren Politikum gewordene Systemauseinandersetzung einen Höhepunkt, als der Liedermacher Wolf Biermann im November des Jahres während einer Tournee in der Bundesrepublik ausgebürgert wurde. Als Grund wurden staatsfeindliche Äußerungen während eines Konzertes angegeben.

Robert Havemann, der wenig später wegen einer Stellungnahme im »Spiegel« unter Hausarrest gestellt wurde, schrieb über die Situation vor der Ausbürgerung:

>»Eigentlich bis zu der berühmten Erklärung gegen die Ausweisung Biermanns hat sich kein einziger bürgerlicher Intellektueller der DDR offen und öffentlich für Biermann oder für unsere Position oder überhaupt für eine unzweideutige Kritik an der Position der SED geäußert.« (*Ein deutscher Kommunist*, 1978, 23)

In dem in Hamburg erschienenen Buch geht Havemann auch eingehend auf Vorstellungen und Ziele dieser gegen die SED gerichteten Kritik ein, in der eine alternative Kulturpolitik und Wirtschaftspolitik – hier bezieht Havemann sich auch auf den inhaftierten und später in die Bundesrepublik entlassenen Rudolf Bahro und sein systemkritisches Buch *Die Alternative* – vertreten wird. Die Gruppe, in deren Namen Havemann spricht, opponiert gegen »den Zwang zum ständigen Wachstum« und versucht, einer ökologischen Naturkatastrophe entgegenzutreten; sie fordert demokratische Kontrolle der Machtfunktionen und die Abschaffung der bürokratischen Strukturen, freimütigere Formen der Diskussion in Partei und Verbänden, eine liberale Presse und von der Partei unabhängige Publikationsorgane auch auf literarischem Feld. Dabei wird eine wirkliche Erneuerung des sozialistischen Prozesses durch die demokratischen und kommunistischen Bestrebungen innerhalb der kapitalistischen Staaten und Gesellschaften erwartet, um auf eine gesamt- und eurokommunistische Entwicklung hinwirken zu können. Damit wird im Grunde für die Auflösung des Staatswesens in der DDR plädiert, und es ist nicht verwunderlich, daß die SED auf diese Vorschläge mit Unterdrückung, Ausschlüssen und Inhaftierungen reagiert und versucht, die Verbreitung dieser Ideen zu verhindern. Zugleich wurden sie jedoch durch die drastische

Maßnahme gegen Biermann zum öffentlichen Streitpunkt. Die von Havemann zitierte »berühmte Erklärung« gegen die Ausbürgerung des Liedermachers hatten am 17. 11. 1976 Sarah Kirsch, Christa Wolf, Erich Arendt, Jurek Becker, Volker Braun, Franz Fühmann, Stephan Hermlin, Stefan Heym, Günter Kunert, Heiner Müller, Rolf Schneider, Gerhard Wolf und der Bildhauer Fritz Cremer unterzeichnet. Sie löste heftige Reaktionen seitens der Partei und zahlreicher Schriftstellerkollegen aus, die sich öffentlich von ihr distanzierten und die Entscheidung guthießen. Einige Autoren wurden aus dem Schriftstellerverband ausgeschlossen – ein Beschluß, der einen fatalen Verlust an Publikationsmöglichkeiten nach sich zieht. Damit war der Riß zwischen den Parteiungen freilich vergrößert, und eine bis dahin nur als Subkultur tätige Opposition geriet ins Licht der Öffentlichkeit. Freunde Biermanns – die Liedermacher Jürgen Fuchs, Gerulf Pannach und Christian Kunert – wurden festgenommen und hernach in die Bundesrepublik abgeschoben; andere Schriftsteller wichen dem Druck und gingen, mehr oder weniger freiwillig, nach Westdeutschland, unter ihnen auch wichtige Gestalten des literarischen Ensembles der DDR: Jurek Becker, Sarah Kirsch, Günter Kunert und Rolf Schneider siedelten um; einige verließen die DDR endgültig, andere erwirkten sich einen Paß für langfristigen Auslandsaufenthalt.

Die kulturpolitischen Ereignisse des Winters 1976 wurden nun selbst wieder zum Gegenstand literarischer Arbeit. Der Romancier STEFAN HEYM (geboren 1913), der 1972 in dem satirischen Roman *Der König David Bericht* die stalinistische Geschichtsklitterung verschlüsselt als Herrschaftslegitimation angegriffen hatte, griff nun wieder zu Formen, die er am amerikanischen Kolportageroman erlernt hatte, und reflektierte in *Collin* (1978) die Haltung eines Schriftstellers unter dem Druck der stalinistischen Erbschaft. Dieser Roman erschien nur in Westdeutschland, nicht in der DDR; da Heym das Urheberrechtsbüro umgangen hatte, wurde er nach neuer Gesetzgebung wegen Devisenvergehens verurteilt und ebenfalls aus dem Schriftstellerverband ausgeschlossen. Damit war ein Präzedenzfall geschaffen: Schriften, die in der DDR nicht erscheinen durften, dürfen nur mit Erlaubnis des Urheberrechtsbüros in anderen Ländern gedruckt werden; damit ist es möglich, Veröffentlichungen überhaupt zu verhindern, es sei denn, der Verfasser nimmt das Risiko schwerer Strafen auf sich.

ROLF SCHNEIDER ging noch direkter als Heym auf die Ausbürgerung Biermanns ein. In *November* (1979) erlebt die anerkannte Schriftstellerin Natascha Roth die Ausweisung des Dichters Bodakov als einen Riß in ihrer persönlichen Einstellung zu ihrem Land. Sie verfaßt gemeinsam mit anderen Autoren einen Protestbrief, der mit Mißtrauen, Nachstellungen und Überwachungen quittiert wird. Aber sie beharrt: »Unser Staat hat etwas getan, was falsch war. … Es gibt Dinge, die werden getan, bloß damit sie getan werden. Aus keinem anderen Grund. Es gibt so etwas wie ein moralisches Gedächtnis der Allgemeinheit. « – Auch ihr sechzehnjähriger Sohn Stefan bekommt den Entzug der zuvor genossenen und geneideten »Privilegien« zu spüren; der Selbstmordversuch eines Freundes vertieft seine Verstörung: Dem Jugendlichen ist das Land, in dem er lebt, nicht länger selbstverständlich. Schneider beschließt sein Buch mit dem Hinweis, es verwende »in sehr freier Form einige Geschehnisse der jüngsten Zeitgeschichte. Eben darum ist dem Verfasser zu versichern wichtig, daß er weder einen Schlüsselroman schreiben wollte noch eine Dokumentation, vielmehr eine erfundene Geschichte mit erfundenen Figuren.« Und gewiß ist in *November* die Reaktion wichtiger als der Anlaß. Bodakov, der »das Land, aus dem er kam, ein Land staatlich organisierter Verbrechen gegen Menschlichkeit« bezeichnet, ist eine ambivalente Figur. Das eigentliche Thema sind Bewußtseinsvorgänge, das plötzliche Erlebnis eines Mangels, des im Lande Versagten. Natascha Roth hatte sich in Reisen nach Frankreich kulturelle Nahrung verschaffen können, die daheim nicht gewährt wird. In ihrer Beschäftigung mit Rimbaud meldet sich mit rebellischer Gebärde all das, was aus dem Bewußtsein herausgefallen war; in einem Tagtraum Stefans, der ihn fortlaufen und verkommen läßt, hat Schneider ebenfalls Episoden des Rimbaudschen Lebens verdichtet. Er zeigt die Möglichkeit (und Wirklichkeit) von Rauschphantasien, die die sozialistische Literatur bisher ausgespart und verbannt hatte.

Die Romanfigur Natascha Roth hatte einst eine Dissertation über ihren Namensvetter Joseph Roth verfaßt. Ihr Titel war: »Melancholische Wirklichkeit.«

Einsamkeit, Stille und Dunkelheit sind Grundstimmungen in Stephan Hermlins *Abendlicht* (1979), einer lyrisch-reflektierenden Lebensbilanz des Dichters. Ihm bewahrte der ästhetische Blick die Haltung im »Kampf der Unterdrückten, auch wenn neuerlich Hoffart und Dünkel, Verachtung und Beharren im Irrtum sichtbar würden«. Das Ästhetische selbst wird zum Widerstandsmotiv, und im Atmosphärischen kommt die lastende Spannung der Wirklichkeit zur Balance. Das Buch endet mit einem Landschaftstraum: »Kein Kabel war mehr sichtbar, kein eiserner Träger, kein Haus, furchtbar und wohltuend zugleich tat sich eine große Einsamkeit vor mir auf.« Melancholische Verfassung wird auch bei anderen Autoren spürbar, nicht zuletzt darin, daß immer häufiger das Todes- und Selbstmord-Motiv erscheint, das schon seit Strittmatters *Ole Bienkopp*, Plenzdorfs *Neuen Leiden des jungen W.* und Volker Brauns *Tinka* in die DDR-Literatur hineinragt. Bei Schneider kommt es zweifach vor – im Fenstersturz eines Schülers und im Verweis auf Georg Trakl. Christa Wolf gibt die Schriften der Günderode heraus, und in *Kein Ort, Nirgends* (1979) schließt sie mit einem langen fiktiven Gespräch der Günderode mit Heinrich von Kleist.

Für manche der Melancholiker und politischen Gegner ist es selbstverständlich, das Land nicht zu verlassen; auch Biermann und Havemann halten die DDR für ihren Lebensbereich und halten den freiwilligen Weggang für Flucht. Mögen ihre politischen Motive begreiflich sein und ihre Heimatliebe überschatten – auch andere sind trotz des Druckes, den sie verspüren, nicht bereit, das Land zu verlassen, in dem sie leben und für das sie schreiben; für viele besteht auch nicht der geringste Grund. Für Heiner Müller ist der Aufenthalt zum Ausharren in der Eiszeit geworden.

Für Peter Hacks? Er ist keiner der genannten Positionen zuzuordnen; seine Parteinahme für den Staat der DDR hat ihm jedoch zu Unrecht den Titel eines »Hofpoeten« eingetragen. Seine Beharrlichkeit ist freilich anderer Art. Er handelt als Dichter, der aus der Stabilität seiner Gesellschaft schöpft und ihre Widersprüche beschreibt, ohne sie als mörderische Maschinerie zu deuten. Die Stagnation und Enge beantwortete er mit dem Fleiß dessen, der »gezwungen ist zu handeln«: das Beispiel Goethes im Weimarschen Kleinstaat, der Widerstreit von Genie und Gesellschaft ist nicht von ungefähr eines der Themen seines in einem Monolog versteckten Drei-Personen-Stücks *Ein Gespräch im Hause Stein über den abwesenden Herrn von Goethe* (1974). Sein 1978 abgeschlossenes Stück *Senecas Tod* behandelt die Haltung im Tode und den Selbstmord. Im *Seneca-Essai* schreibt er:

»Der Caesarismus bot endlose Aussicht und nicht die entfernteste Hoffnung. Der Staatskörper ging zu retten, das ist, die Pleite ging zu mumifizieren. Aus solcher Verumständung erklärt sich die innere Befindlichkeit eines Anhängers des Kaisertums, eines Caesaristen. Senecas Vielgesichtigkeit hört auf, erstaunlich zu sein. Der Aufschub ihres Untergangs war genügend Grund, sich aufs Tätigste auf die Welt einzulassen, und überhaupt kein Grund, aus der Welt eine Philosophie abzuleiten. Philosophie nimmt die Gegenwart nur wahr, wenn sie die Zukunft lieben kann. . . . Ich kann Seneca sehr gut leiden.«

Literaturhinweise

Ernst Deuerlein (Hrsg.): DDR – Geschichte und Bestandsaufnahme. München 1966, 2. Aufl. 1971.

Dokumente der Sozialistischen Einheitspartei Deutschlands. Hrsg. v. ZK der SED. Berlin 1951 ff.

Ernst Fischer: Kunst und Koexistenz. Reinbek 1966.

Konrad Franke: Die Literatur der Deutschen Demokratischen Republik. München und Zürich 1971.

Geschichte der deutschen Arbeiterbewegung. Berlin (Periodikum).

Greif zur Feder, Kumpel. Protokoll der Autorenkonferenz des Mitteldeutschen Verlages Halle (Saale) am 24. April 1959 im Kulturpalast des Elektrochemischen Kombinats Bitterfeld. Halle 1959.

Ingeborg Gerlach: Bitterfeld. Arbeiterliteratur und Literatur der Arbeitswelt in der DDR. Kronberg i. Ts. 1974.

Horst Haase u. a.: Geschichte der deutschen Literatur. Bd 11. Literatur der Deutschen Demokratischen Republik. Berlin 1976.

Peter Hacks: Das Poetische. Frankfurt am Main 1972.

Robert Havemann: Ein deutscher Kommunist. Rückblicke und Perspektiven aus der Isolation. Reinbek 1978.

Peter Uwe Hohendahl und Patricia Herminghouse (Hrsg.): Literatur und Literaturtheorie in der DDR. Frankfurt am Main 1976.

Hermann Kähler: Gegenwart auf der Bühne. Berlin 1966.

Hans Koch: Unsere Literaturgesellschaft. Kritik und Polemik. Berlin 1965.

Werner Mittenzwei (Hrsg.): Theater in der Zeitenwende. 2 Bände. Berlin 1972.

Fritz J. Raddatz: Traditionen und Tendenzen – Materialien zur Literatur der DDR. Frankfurt am Main 1972.

Fritz J. Raddatz (Hrsg.): Marxismus und Literatur. Bd 3. Reinbek 1969.

Wolfram Schlenker: Das »kulturelle Erbe« in der DDR. Gesellschaftliche Entwicklung und Kulturpolitik 1945–1965. Stuttgart 1977.

Hans-Jürgen Schmitt (Hrsg.): Literaturwissenschaft und Sozialwissenschaften 6. Einführung in Theorie, Geschichte und Funktion der DDR-Literatur. Stuttgart 1975.

Elimar Schubbe (Hrsg.): Dokumente zur Kunst-, Literatur- und Kulturpolitik der SED. Stuttgart 1970.

Theaterbilanz. Herausgegeben im Auftrag des Verbandes der Theaterschaffenden der DDR von Christoph Funke, Daniel Hoffmann-Ostwald und Hans-Gerald Otto. Berlin 1971.

Rüdiger Thomas: Modell DDR. München [4] 1974.

Zweite Bitterfelder Konferenz. Protokolle. Berlin 1964.

Literatur
in der Bundesrepublik

Literatur in der Restaurationsphase

Politische und sozialgeschichtliche Voraussetzungen der Kulturentwicklung in den Westzonen

»Tabu ist der bestehende Zustand unserer westdeutschen Gesellschaft, der Zustand des Wirtschaftswunders. ›Keine Experimente!‹ Das heißt auch: Bei uns ist alles in Ordnung, es gibt in Westdeutschland keine wirklichen sozialen Probleme mehr, es gibt in unserm Staat keine Klassenunterschiede mehr. Es heißt: keine Alternative – und das ist der Beginn einer tödlichen Langweile. Gesellschaftskritik wird zum Verrat am Status quo...« (Paul Schallück 1962) [1]

Die Flucht ins Unpolitische und scheinbar Gesellschaftslose kennzeichnet in den fünfziger Jahren nicht nur den Sektor der literarischen Öffentlichkeit, sondern öffentliches Bewußtsein allgemein. Vor allem der nach dem Zusammenbruch des Faschismus – selbst für die Besitzer der Produktionsmittel – unerwartet schnell sich vollziehende Wiederaufbau der Wirtschaft, die extensiv und intensiv stark erweiterte Reproduktion des Kapitals (Ende 1948 erreicht die industrielle Produktion der drei Westzonen schon wieder zwei Drittel der industriellen Produktion des Jahres 1936, 1950 ist der Vorkriegszustand bereits überholt) ließ die Restitution des Kapitalismus auf allen Ebenen der Gesellschaft als quasi naturnotwendige Entwicklung bzw. als magisches Ereignis (Wirtschaftswunder) erscheinen. Entsprechend erklärte man den Hang zum Unpolitischen und Privaten breiter Schichten der Bevölkerung als naturwüchsiges Resultat des Faschismus, als ›verständliche‹ Reaktion auf dessen ›totale Politisierung‹, als Erschöpfungserscheinung nach Kriegs- und Trümmerelend bzw. als Folge der Konsumfixiertheit nach langen Jahren der Entbehrung.

Doch die Antipathie gegen jedes kritisch-politische Engagement ist in der Ära Adenauer auch die Folge einer zuvor in den großen Industrien und mittelständischen Betrieben gewaltsam durchgesetzten Depolitisierung. Denn 1945 ist die Arbeiterschaft keineswegs durchweg entpolitisiert. Erst als gegen zunächst starken Widerstand jede Möglichkeit zu sozialistischen Alternativen beim Wiederaufbau von Wirtschaft und Gesellschaft abgeschnitten wird und gleichzeitig der Stalinismus sozialistische Alternativen auf scheinbar unabsehbare Zeit diskreditiert, kommt es zu dem in den fünfziger Jahren sprichwörtlichen »Keine Experimente« (Konrad Adenauer). Ständige politische Niederlagen der organisierten Arbeiter und Angestellten und der politisch engagierten Intelligenz am Ende der vierziger Jahre führten zur Hinnahme der Währungsreform und – verbunden mit dem steten Anstieg der Löhne, dem Rückgang der Arbeitslosigkeit und der Fiktion eines auf ewig krisenfreien Kapitalismus – zur aktiven Bejahung der autoritär-restaurativen Gesellschaftsform der fünfziger Jahre.

Einige Hinweise auf wichtige politische und soziale Entwicklungen, die vorentscheidend wirkten für die spätere restaurative ›Wohlstandsgesellschaft‹, den ›Adenauer‹-Staat. Um einschneidende ökonomische und soziale Strukturveränderungen bei der Umstellung von Kriegs- auf Friedensproduktion zu vermeiden, sind die von Stagnation und Arbeitslosigkeit betroffenen USA nach dem Sieg über den Faschismus bemüht, Auslandsmärkte zurückzugewinnen. Das vom Krieg zerstörte Europa bietet große Exportmöglichkeiten für Kapital (niedriges Lohnniveau) und Waren, die in den USA unverkäuflich oder schwer absetzbar sind (Marshall-Plan 1947). Im Unterschied zu der UdSSR, die durch unverhüllten Machtzugriff ihre politischen Interessen durchsetzt, verfolgen die USA ihre ökonomischen und gesellschaftspolitischen Interessen unter dem Banner demokratischer Freizügigkeit und propagieren die freie Entscheidung des deutschen Volkes über seine zukünftige Gesellschaftsform. Die amerikanische Besatzungspolitik ist dabei von Anfang an darauf gerichtet, kapitalistische Fakten zu schaffen, die die freie Selbstbestimmung präformieren bzw. entbehrlich machen sollen: »Wenn wir daher die Angelegenheit (d. i. die Sozialisierungsfrage) hinauszögern können«, meint Lucius D. Clay, der Kommandierende General in Deutschland, die politischen und ökonomischen Ergebnisse der USA-Besatzungspolitik richtig voraussagend, »dann wird sich die Frage dem deutschen Volk vielleicht gar nicht mehr stellen.«[2]

In der Praxis bedeutete dies: Demokratische Entscheidungsfreiheit wurde gefordert, solange sie den Interessen der USA entgegenkam; andernfalls verbot man die Ergebnisse demokratischer Meinungsbildung oder aber machte sie durch bürokratische Verschleppungstaktiken gegenstandlos. Die teilweise alternativen Labour-Pläne der britischen Besatzungsmacht (Verstaatlichung der Schlüsselindustrie, Mitbestimmung) werden nicht zuletzt durch den Druck der Hegemonialmacht USA (Wirtschaftshilfe) auf das ökonomisch geschwächte Großbritannien hinfällig (»resolute acceptance of American leadership«, Bevin 1948).

Die Taktik der USA, unter dem Banner der Redemokratisierung Deutschlands ihre Kapitalinteressen zu verfolgen, hat den größten Effekt unmittelbar nach Kriegsende, als es undenkbar scheint, daß durch eine kapitalistisch strukturierte Gesellschaft eine humane und demokratische Zukunft begründet werden könnte. So beginnt das Wirtschaftsprogramm der CDU Nordrhein-Westfalen 1947 mit dem Satz: »Das kapitalistische Wirtschaftssystem ist den staatlichen und sozialen Lebensinteressen des deutschen Volkes nicht gerecht geworden.« Gefordert wird deshalb u. a. die Beteiligung öffentlicher Körperschaften an Großunternehmen, die Begrenzung von privatem Aktienbesitz, die Vergesellschaftung monopolartiger Wirtschaftszweige, Mitbestimmung (Berufung von Arbeitern und Angestellten in den Vorstand) und Beteiligung der Arbeitnehmer am Ertrag ihrer Arbeit.

Zu diesem Zeitpunkt eint die Sozialisierungsforderung noch linksliberale Katholiken, Sozialdemokraten, Sozialisten und Kommunisten. Sozialisierungsmaßnahmen in der sowjetischen Besatzungszone werden in antifaschistischem Konsens zunächst auch von vielen bürgerlichen Intellektuellen begrüßt. Das rasche Auseinanderbrechen der antifaschistischen Front im Zeichen des sich verschärfenden Kalten Krieges, die Schwächung von antifaschistisch-demokratischen Institutionen wie z. B. dem Kulturbund zur demokratischen Erneuerung Deutschlands wurde begünstigt durch die verdeckt widersprüchliche Motivation der bürgerlich-konservativen und der sozialistischen Intellektuellen in der Sozialisierungsfrage. Konservative und liberale Intellektuelle definieren Sozialisierung ex negativo. Die stalinistische Bürokratisierung soll verhindert werden, und zugleich will man eine übergroße Machtkonzentration von kapitalistischen Konzernen vermeiden. Diese – häufig jenseits politisch-ökonomischer Analyse gewonnene – Vorstellung einer befreiten Gesellschaft als Gesellschaft freier Individuen ist illusionär, wenn sie den angeblich zum Monopolkapitalismus ›entarteten‹ Kapitalismus auf das Format des liberalistischen Konkurrenzkapitalismus zurückstutzen will.

Bemerkenswert dabei ist, daß nach 1945 überhaupt eine derart intensive und breit geführte Sozialismusdiskussion aufkommt, nachdem sozialistisches Denken »seit 1933 durch die nationalsozialistische Verfolgung in die Illegalität gedrängt, seit 1939 auch von der Verbindung mit der Emigration und damit von der internationalen sozialistischen Diskussion radikal abgeschnitten« war. [2A] Die von Intellektuellen der verschiedensten ideologsichen Herkunft unter Begriffen wie ›sozialistischer Humanismus‹, ›Sozialismus mit menschlichem Gesicht‹, ›Sozialismus der Freiheit‹, ›Dritter Weg‹ oder ›Sozialismus aus christlicher Verantwortung‹ in den politischen und politisch-literarischen Zeitschriften geführte Debatte um die Zukunft eines fundamental veränderten Deutschland ist spätestens 1949 mit der Gründung der BRD gegenstandslos, als entsprechend den durchgesetzten materiellen Realitäten auf allen publizistischen Ebenen Kampagnen gegen Reste sozialistischen Denkens geführt werden. Im sich verschärfenden Kalten Krieg wird dieser Antisozialismus zur antikommunistischen Angstpropaganda gesteigert, wobei die brutale Niederschlagung des Arbeiteraufstands in Ost-Berlin (17. Juni 1953) durch sowjetische Truppen zur pauschalen Berufungsinstanz wird. Die ›geistige Linke‹ bleibt ›heimatlos‹ zwischen ›abendländischer‹ Restitution des Kapitalismus und Stalinismus, der die sozialistischen Ideale in Terror erstickt.

In die Mittelstandsprogramme der bürgerlichen Parteien ist als Rest der Sozialismus- und Sozialisierungsdiskussion nach 1945 ein abstrakter, moralisch formulierter Antimonopolismus eingegangen. Zuvor wird er in der amerikanischen Entflechtungsverordnung Realität, einer Verordnung, die so viele Ausnahmen vorsieht, daß sich z. B. die Banken 1950 schon wieder zu drei großen Netzen zusammenschließen können.

Exemplarisch für die Vergeblichkeit des politischen Kampfes um Mitbestimmung nach 1945 ist die Entwicklung im Ruhrgebiet. Dort kommen auf britischen Druck die Unternehmer zunächst den Sozialisierungsforderungen der Bergleute und Stahlarbeiter entgegen. Als die Mitbestimmung dann aber vor Ort entweder nicht durchgeführt wird oder aber im Gestrüpp juristischer Ausführungsbestimmungen ihre materielle Substanz verliert, versuchen die Gewerkschaften, in den Länderverfassungen Sozialisierungsartikel und paritätische Mitbestimmung zu verankern. Wo immer dies gelingt (im hessischen Verfassungsartikel 41, im bayerischen Durchführungsgesetz Artikel 160, das im Mai 1947 vom Landtag verabschiedet wird, im Gesetz zur Enteignung des Kohlebergbaus vom Januar 1947 in Nordrhein-Westfalen), legen die Besatzungsmächte ihr Veto ein mit der Begründung, alle Entscheidungen über Sozialisierung müßten der zukünftigen Zentralregierung vorbehalten bleiben. Massenstreiks gegen derartige Entscheidungen werden als kommunistisch gelenkt verdächtigt und kriminalisiert.

Selbst über Resultate ›klassisch‹ demokratischer Meinungsbildung geht man hinweg. Als sich in Hessen, wo der Sozialisierungsartikel einem gesonderten Plebiszit unterworfen wird, 72 % der Bevölkerung für Sozialisierung aussprechen, dispensiert die Besatzungsmacht Volkswillen und Verfassungsartikel und spricht das endgültige Verbot aus.

Das propagandistisch-demokratische, in entscheidenden Fragen aber unbeirrt repressive Vorgehen der USA, ihre seit 1945 immer mehr zunehmende Bereitschaft, die alten Führungseliten als neue Geschäftspartner zu akzeptieren, zeigt sich deutlich im Lizenzierungsverfahren der politischen Gruppierungen und nicht zuletzt auch in der politischen Zensur der sich neu entwickelnden Kulturproduktion Westdeutschlands. Entweder betreibt die amerikanische Besatzungsmacht hier unmittelbar ihre Kapitalinteressen, wie z. B. in der Filmindustrie, wo sie den Ufa-Konzern zu zerschlagen und den deutschen Markt den Interessen des amerikanischen Filmkapitals zu unterwerfen versucht. Meist schaffen die USA jedoch nur mittelbar die Voraussetzungen zur Restitution des Kapitalismus und wahren den Schein demokratischer Freizügigkeit. Jeder auch nur als linksliberal vermutete Ansatzpunkt in literarischen und politischen Zeitschriften, die in der ersten Nachkriegszeit, als es so gut wie keine Bücher gibt, hauptsächlich die literarische Öffentlichkeit herstellen, verfällt indessen der politischen Zensur. Prominentestes Beispiel: die von Alfred Andersch und Hans Werner Richter herausgegebene radikaldemokratische Zeitschrift *Der Ruf, Unabhängige Blätter der jungen Generation*, der ›Nihilismus‹ vorgeworfen wird. Bei konservativen Literaturprodukten achtet die Zensurbehörde dagegen meist lediglich auf offen faschistische Töne, darauf, daß die Insignien des NS verbannt bleiben.

Während die ›Deutsche Verwaltung für Volksbildung‹ in der sowjetischen Besatzungszone eine ›Liste der auszusondernden Literatur‹ von 15 000 Bänden herausgibt, umfaßt das amerikanische Pendant lediglich 1000 Titel. Von Ernst Jünger oder Oswald Spengler z. B. wird kein einziger Titel verboten, von Guido Kolbenheyer, Hans Grimm, Gustav Frenssen, Hanns Heinz Ewers und Bruno Brehm nur einzelne Schriften. Zu den ersten Büchern, deren Neudruck von den amerikanischen Kulturoffizieren forciert wird, gehört neben Ortega y Gassets *Aufstand der Massen* (1930) Bergengruens *Der Groß-tyrann und das Gericht*. Dies Werk, 1935 noch vom *Völkischen Beobachter* als ›Führerroman der Renaissance-Zeit‹ gepriesen, wird nun als Zeugnis widerständigen deutschen Geistesgutes in einer Massenauflage verbreitet. Ähnliche Prioritäten entwickeln die westlichen Besatzungsmächte bei der Lizenzierung politischer Gruppierungen nach dem Zusammenbruch. Insbesondere verboten (Mai 1946 im britischen Sektor) wird jedes Zusammengehen von SPD und KPD, den beiden großen Organisationen, die der faschistische Terror zerschlug (Abwehr von Volksfront-Bündnissen, wie sie die Sowjets verfolgen).

Die gesellschaftspolitische Folgelosigkeit massenhafter Streiks in dieser Zeit ist mitbedingt durch die widersprüchliche politische Struktur der Gewerkschaften. Die Gewerkschaftsspitze vertritt strikten Antikommunismus, während die Gewerkschaftsbasis (z. B. im Ruhrgebiet auf der Ebene der Betriebsräte) nicht selten von Kommunisten geprägt wird.

Als im Mai 1950 durch den Deutschen Bundestag die Rückgabe der Montan-Industrie an die ehemaligen Besitzer beschlossen und die paritätische Mitbestimmung zurückgenommen wird, stimmen mehr als 95 % der IG-Metall-Mitglieder für Streik, ohne daß die Gewerkschaftsführung daraus Konsequenzen zieht. Das Betriebsverfassungsgesetz (1952) besiegelt die weitgehende Entmachtung der westdeutschen Arbeiterschaft als einer gesellschaftspolitisch bewußten und aktiven Kraft, indem es u. a. die politische Betätigung am Arbeitsplatz illegalisiert. Die Gewerkschaften verstehen sich fortan fast ausschließlich als ›Tarifmaschine‹, d. h. sie verzichten weitgehend auf ihr politisches Mandat.

Kollektivschuld und Entnazifizierung

Im Unterschied zur UdSSR, die den deutschen Faschismus als politisch-ökonomisches System auffaßt, interpretieren die USA den NS im Sinne einer nationalen Psychopathologie, als abartige Steigerung des preußisch-deutschen Militarismus und seines Kadavergehorsams. Diese Faschismuserklärung, die den strukturellen Zusammenhang von Kapitalismus und Faschismus verdeckt und derzufolge sich der Faschismus zum Kapitalismus verhält wie das Abnorme zum Normalen, ist auch in Westdeutschland weit verbreitet; der SPD-Politiker Kurt Schumacher z. B. hat sie unermüdlich wiederholt. Das nationalpathologische Faschismusbild, das das ideologische Selbstbild der Faschisten (›artgesunde Herrenrasse‹) umkehrt und die materiellen Ursachen des Faschismus weitgehend im Dunkel läßt, nahm Gestalt an im reaktionären Plan des amerikanischen Finanzministers Henry Morgenthau (*Germany is Our Problem*)[3], der vorschlug, Deutschland auf die Stufe agrarischer Produktion zurückzuwerfen, weil die Deutschen charakterlich nicht reif seien für den Umgang mit dem modernen Kapitalismus.

In einem Rückblick auf die Jahre nach dem Zusammenbruch des Faschismus interpretiert Hans Werner Richter die damalige Debatte um die Kollektivschuldthese als ideologisches Manöver zugunsten der reaktionären Kräfte in Westdeutschland: »Um die Fama von der ›Kollektivschuld‹ aufrechterhalten zu können, wurde der innerdeutsche Widerstand nicht anerkannt (...) Die Kollektivschuldthese war die erste Entlastung für alle Nationalsozialisten, denn indem sie das ganze Volk für schuldig erklärte, entlastete sie jene und verhinderte so alles, worauf die Gegner Hitlers in Deutschland gewartet hatten: radikale Maßnahmen zur Säuberung der deutschen politischen Schicht, ja, die so notwendige Revolution oder Revolutionierung des öffentlichen Lebens.«[4]

Die gleiche politische Tendenz zeigt sich aber auch bei jenen, die die Kollektivschuldthese eigentlich ablehnen, z. B. bei Konrad Adenauer: »Es ist nicht richtig, jetzt zu sagen, die Bonzen, die hohen Militärs oder die Großindustriellen tragen allein die Schuld. Gewiß, sie tragen ein volles Maß an Schuld (...) aber breite Schichten des Volkes, der Bauern, des Mittelstandes, der Arbeiter, der Intellektuellen, hatten nicht die richtige Geisteshaltung, sonst wäre der Siegeszug des Nationalsozialismus (...) nicht möglich gewesen.«[5] Als Mittel gegen die »Giftsaat« der »materialistischen« (d. h. faschistischen wie kommunistischen) Geisteshaltung empfiehlt Adenauer, Deutschland als »eines der religionslosesten und unchristlichsten Völker Europas« zu rechristianisieren.[6] Die Kontroverse um die Frage ›Kollektivschuld oder Individualschuld‹ verdeckt die entscheidende, beiden Schuldtheoremen gemeinsame Tendenz: Beiden erscheint – gemessen am ›Abgrund moralischer Verirrung‹ – die politisch-ökonomische Seite des NS als vergleichsweise unwichtig. Der Vertreter der Kollektivschuldthese, Carl Gustav Jung z. B., schlägt den gleichen depolitisierenden Ton an wie der Vertreter der Individualschuld, z. B. Heinz Fleckenstein. Fordert jener dazu auf, das »irrationale Wesen der Kollektivschuld« anzuerkennen[7], so mahnt dieser zur individuellen, zur privaten Sühne: »Wer bei genauer Gewissenserforschung mehr bei sich erkennt als die allgemeine Mitbeteiligung an dem objektiven Abfall von Gott, hat das in privater Erkenntnis und Anerkenntnis seiner Schuld (...) in Ordnung zu bringen. Mit einem öffentlichen oder gar politischen einseitigen Schuldbekenntnis hat das nichts zu tun.«[8]

Das massive Interesse der USA an Kapital- und Warenexport führte dazu, daß selbst die personalisierende Entnazifizierung inkonsequent gehandhabt wurde. Personalisierende Entnazifizierung bedeutete, daß nicht primär gegen den NS als politisches und ökonomisches System vorgegangen wurde, sondern jeweils gegen das einzelne Individuum, seine persönliche Mitschuld am Dritten Reich. Während man die Entnazifizierungsverfahren der kleinen faschistischen Funktionäre und Mitläufer gleich nach Kriegsende erledigte, verzögerten sich die Verfahren gegen die prominenten Faschisten und Kriegsverbrecher häufig wegen schwieriger Beweisaufnahme und weil man gegen Anwaltsstrategien angehen mußte bis zu dem Zeitpunkt, als das Interesse der USA bereits wieder offen darauf gerichtet war, mit den ehemaligen Verwaltungs- und Wirtschaftseliten des Faschismus zusammenzuarbeiten. Die große Entnazifizierungsprozedur, die das deutsche Volk von Grund auf reinigen sollte, wurde schließlich auf Anordnung der Besatzungsbehörden im Eilverfahren abgeschlossen. Dazu veränderte man willkürlich die

Schuldkriterien und bestrafte so die ›Mitläufer‹, die gleich nach Kriegsende abgeurteilt worden waren, im Verhältnis mehr als die Angehörigen der NS-Eliten.

›Nullpunkt‹-Ideologie.
Der Zusammenbruch des Faschismus als ›Stunde des Geistes‹

Als Alfred Andersch 1946 im *Ruf* erklärt: »Deutschland besitzt aus der unglaublichen Gunst einer totalen Niederlage heraus die Kraft zur totalen Wandlung« formulierte er eine Erwartung, die in der politisch-literarischen Öffentlichkeit dieser Zeit von Intellektuellen der verschiedensten ideologischen Provenienz geteilt wird. Die meisten fassen aber die Programmatik der ›Wandlung‹ lediglich idealistisch, sehen in der militärischen Zerschlagung des Faschismus, seiner Wirtschaft und Verwaltung, und im physischen und psychischen Elend der Menschen in den zerstörten Städten ihre Stunde gekommen, die ›Stunde des Geistes‹. Die totale Niederlage des ›totalen Materialismus‹, als den sie den Faschismus verstehen, erscheint ihnen in der Perspektive der Innerlichkeit und des individualistischen Schuldräsonnements als geschichtliche Chance zu einer ›geistigen Wiedergeburt‹. Die Klassiker der Nationalliteratur – bis in die letzte Phase der faschistischen Durchhaltepropaganda zur Legitimation von ›deutschem Wesen‹ und ›Herrenrasse‹ strapaziert – werden nun als Wertfundierung einer äußerlich zerscherbten, innerlich aber unzerstörbaren Nation aufgerufen (dies sowohl in den drei Westzonen als auch in der sowjetisch besetzten Ostzone, wo das humanistische ›Erbe‹ zur kulturideologischen Berufungsinstanz der stalinistischen Volksfront wird).

»Auf eine Verinnerlichung unseres Daseins kommt heute alles, alles an«, resümiert der greise Historiker Friedrich Meinecke 1946 seine historischen bzw. geschichtsphilosophischen Überlegungen (*Die deutsche Katastrophe*). Über die Ruinen der »Bismarckzeit« hinüber müßten die »Pfade zur Goethezeit« wieder aufgesucht werden: »(...) tiefsinnige Gedankendichtung von der Art der Goetheschen und Schillerschen sind vielleicht das Deutscheste vom Deutschen in unserem gesamten Schrifttum. Wer sich ganz in sie versenkt, wird in allem Unglück unseres Vaterlandes und inmitten der Zerstörung etwas Unzerstörbares, einen deutschen character indelebilis spüren.«[9] Meinecke schlägt zu diesem Zweck »Goethegemeinden« vor. In jeder größeren deutschen Ortschaft soll allwöchentlich, umrahmt von »großer deutscher Musik«, »große deutsche Dichtung« in einer Feierstunde zelebriert werden, »wo es irgend möglich wird, sogar in einer Kirche! Denn der religiöse Untergrund unserer großen Dichtung rechtfertigt, ja fordert es (...)«[10]

Beschwört Meinecke ausdrücklich die Werke der »Goethezeit«, die, Reliquien ähnlich, den Weg zurückweisen zum alten nationalen Wahren, so ist in der Schrift *Geistige Revolution* (1947) von Frank Thiess der Wertehorizont allgemeiner ›abendländisch‹ geweitet: »Die abendländische Staatengemeinschaft ist die legitime Erbin der gräco-latinischen Mittelmeerkultur«[11]. Der Mittelpunkt dieser ununterbrochenen geistigen Tradition liege »weder in Paris noch

in London, noch in Wien oder Rom, er liegt in einem Seelenraum (...)«. Die
»Kräfte der Seele«, sogenannte »rein menschliche« Werte sollen materielle
Geschichte produzieren. Die politische Machtlosigkeit des geschlagenen
Deutschland und die »Fragwürdigkeit alles Bestehenden« idealistisch wen-
dend, sieht Thiess die Stunde einer »geistigen Revolution« gekommen: »Wir
können der Welt zeigen, daß es keiner politischer Machtmittel bedarf, um die
geistige Revolution einer Umwertung aller Werte durchzuführen«[12]; die geistige Revolution werde sich »Freiheiten verschaffen, die niemand zu zerschlagen vermag; die Freiheit, endlich unser Selbst rein auszuglühen und auch im
Rocke der Armut reich zu sein«.[13] Dieser Idealismus, der inmitten von Trümmern, Hunger und Wohnungsnot für kurze Zeit als konkrete politische Möglichkeit erscheint, wird von der Realgeschichte schnell ins Unrecht gesetzt.
Dennoch, bzw. gerade deshalb, lebt die Fiktion des geistigen Neuanfangs in
der restaurativen Bundesrepublik fort. Die Konstruktion von »Abendland«,
politikfreier Sphäre »reinmenschlicher Werte« ist mehr als nur Gespenster-
reich, mehr als leeres Vokabular im Geschrei des Kalten Krieges. Es beeinflußt konkret das kulturelle und soziale Leben im Adenauer-Staat. Der wohl
wirkungsvollste Transfer des abstrakt ›Geistigen‹ in die konkreten Bahnen
der Gesellschaftspolitik vollzieht sich in den fünfziger Jahren dann im Bannkreis kirchlicher Autorität, vor allem durch die katholische Naturrechtslehre.
In einer Broschüre zur »Ethik der Frauenberufe unserer Tage« (*Frau und
Beruf*, 1947) heißt es – wie in einer Vorausdeutung der CDU-Arbeits- und
Sozialpolitik der fünfziger Jahre –: »Der materialistische Zeitgeist hat auch
die Berufsarbeit entseelt. Er riß sie aus dem Zusammenhang mit den geistigen Werten heraus und zerstörte so ihre Würde und Freiheit. Auch schalte-
te er damit die stärksten Antriebe zum opferfrohen Arbeiten aus. (...) Die
in der menschlichen Natur wurzelnde Pflicht zur Arbeit wird nicht mehr
anerkannt. (...) Jeder Tag zeigt uns, daß die Berufsnot der Jugendlichen
letzthin eine innere Not ist, die aus der Zerrüttung der geistigen und sittlichen Kräfte entspringt. Was vermögen da staatliche Gesetze und Maßnahmen?«[14]
Die Kapitalismusrekonstruktion kann um so mehr als ›sittliche Pflicht‹ und
›Freiheit‹ der Millionen Arbeiter und Angestellten erscheinen, als der Faschismus dazu herhält, die ›unsittliche‹, ›unfreie‹ Seite des Kapitalismus als
überwunden zu beglaubigen. Depraviert ›idealistische‹ oder religiöse Erklärungsform verdüstert die Herrschaft des Faschismus zu den ›Jahren des Un-
heils‹, des ›braunen Spuks‹, zur ›unfaßbaren Realität‹ oder aber – dies die
geläufigste Umschreibung des als traumatisches Erlebnis verdrängten Faschismus – zur ›Vergangenheit‹.
Daß die Adenauer-Ära, die zum Inbegriff von Restauration wurde, einst mit
Nullpunkt- und Wandlungsprogrammatik begründet worden war, dieses von
kritischen Intellektuellen immer wieder monierte Auseinandertreten von Anspruch und Wirklichkeit umschreibt das bedeutendste Ideologiekontinuum in
der kulturellen Öffentlichkeit der BRD: das Problem der ›unbewältigten
Vergangenheit‹. Während Schuld- und Vergangenheitsbewältigung 1945
noch den persönlichen oder kollektiven Bezug zum rezenten Faschismus the-

matisiert, heftet sich im Laufe der fünfziger Jahre an die Vorstellung ›unbewältigte Vergangenheit‹ eine zusätzliche Bedeutung: die Klage, daß die Faschismusbewältigung nicht gelang, ihre Notwendigkeit verdrängt wurde. Noch 1963, nur wenige Monate vor der Uraufführung von Rolf Hochhuths Theaterstück *Der Stellvertreter*, jenem Werk, das die Bewältigungsdebatte der Nachkriegszeit reaktiviert[15] und damit zugleich die Diskussion über die Möglichkeiten einer neuen politischen Literatur anregt, meint Ulrich Sonnemann: »Im Bewußtsein der bundesdeutschen Gesellschaft faßt das, was nicht an ihr stimmt, sich im Wort von der unbewältigten Vergangenheit zusammen«.[16]

Anlaß dazu, im ›Musterstaat‹ westlicher Demokratie, der angeblich ›aus dem Nichts‹ entstanden ist, von Zeit zu Zeit zurückzuschauen auf die Ära des NS, liefern immer wieder Fälle, wo Angehörige der gesellschaftlichen Elite der Bundesrepublik, Politiker, Unternehmer, Ärzte oder Lehrer, als ehemalige Nazimörder entlarvt werden. Als skandalöse individuelle Fälle aufgefaßt, tragen solche Nachrichten zum Bewußtsein von Kontinuität und Diskontinuität von CDU-Staat und Drittem Reich nur wenig bei. Das ändert sich entscheidend erst zu Beginn der sechziger Jahre, als in Verbindung mit dem Eichmann-Prozeß und Frankfurter-Judenmord-Prozeß Autoren wie Rolf Hochhuth, Peter Weiss und Heinar Kipphardt mit ihren Werken in der literarischen Öffentlichkeit die längst überfällige politische Faschismus-Debatte auslösen.

Nach 1945, als in der literarischen und politischen Publizistik der Faschismus meist in der Form der moralischen Schuldfrage debattiert wird, äußert sich Faschismusbewältigung häufig als erbauliche Darstellung des inneren Schmerzes und der moralischen Selbstanklage: einer Abschwörung dunkler Kräfte ähnlicher als dem bewußten Versuch zu einer politisch konkreten Neuorientierung. In seinem Aufruf *An das deutsche Volk* bewegt Franz Werfel vorrangig die Sorge: »Wird Deutschland seine Seele retten?«, und Emil Barth mahnt: »Alles was gelitten worden ist, wird umsonst gewesen sein, (...) wenn nicht die ganze abendländische Zeitgenossenschaft die grauenhaften Erfahrungen dieser Jahre in unermüdlicher geistiger und seelischer Arbeit zum Grundstoff ihrer Selbstprüfung und Erneuerung macht.« Dieser Sprachgestus findet sich auch im Umkreis von Theoriebildung mit wissenschaftlichem Anspruch. So bilanziert der konservative Soziologe Alfred Weber 1945 in der ersten Nummer der Zeitschrift *Die Wandlung* seine Faschismuserfahrung: »Es war wie eine plötzliche Verfinsterung, die eintrat, in der man den unheimlichen Flügelschlag der Mächte spürte, von deren Wirkungen man in den Geschichtsbüchern als von dem Auftreten von seelischen Massenepidemien gelesen hatte (...) Der Flügelschlag dunkel dämonischer Mächte; es gibt keinen anderen Ausdruck, um ihre überpersönliche und zugleich transzendente Art zu bezeichnen.«[17] Dieses metaphysisch umwölkte Faschismusbild schließt nun aber – wie die Perspektive-Diskussionen in den neugegründeten Zeitschriften nach 1945 zeigen – ein waches Interesse für die Planung der materiellen Realitäten des zukünftigen Deutschland nicht unbedingt aus. Nicht anders als z. B. Alfred Andersch, der in Heft 1 des 1946 in München erscheinenden *Ruf* erklärt, der private Besitz von Produktionsmitteln erscheine ihm ebenso absurd wie die Sklaverei vor zwei Jahrtausenden[18], fordert Alfred Weber einen nichtbürokratischen, d. h. nichtstalinistischen Sozialismus, vorrangig die Sozialisierung der Schlüsselindustrien. Noch im Frühjahr 1948 versichert der prominente CDU-Politiker und Ministerpräsident von NRW, Karl Arnold: »Das deutsche Volk wird dafür sorgen, daß an der Ruhr niemals wieder großkapitalistische Zusammenballungen entstehen werden.«[19]

»Der Zusammenbruch der alten Welt hat aber, vor allem bei der jungen Generation, das Gefühl einer völligen Voraussetzungslosigkeit geschaffen, das Vorgefühl eines originalen Neu-Werdens, für das es keine Muster und Vorbilder gibt.« (Alfred Andersch 1948)[20]

Die Rede von der existentiellen Erschütterung, dem irreparablen Traditionsbruch bzw. der völligen Voraussetzungslosigkeit ist nach 1945 Vehikel für die verschiedensten und widersprüchlichsten ideologischen Zielsetzungen. Während Andersch, Autor des radikaldemokratischen *Ruf*, seine Vorstellung vom angeblich totalen Traditionsbruch mit der Perspektive eines sozialistischen Deutschland verbindet, setzen konservative Intellektuelle, wenn sie, scheinbar vom gleichen Befund redend, totalen Wertverlust, Traditionsbruch und geistiges Vakuum zur Voraussetzung einer »Wandlung von Grund auf« erklären, die lange Tradition des deutschen Geschichtspessimismus fort. »Wir haben fast alles verloren«, konstatiert Karl Jaspers 1945 im ›Geleitwort‹ zur ersten Nummer der Zeitschrift *Die Wandlung*, »Staat, Wirtschaft, die gesicherten Bedingungen unseres physischen Daseins, und schlimmer noch als das: die gültigen uns alle verbindenden Normen (...).«[21]
In diametralem Gegensatz zur ›Jungen Generation‹, die tabula rasa und Normverlust eng in Verbindung bringt mit ihrer persönlichen Erfahrung von Krieg und Faschismus und, wie z. B. Andersch, den Bezug des französischen Existentialismus zur résistance vor Augen hat, formuliert Jaspers Normverlust und Existenzerschütterung im Reflexionskontinuum einer jahrzehntealten Theorie, für die existentielles ›Geworfensein‹ das Allervertrauteste, das durch den Faschismus abermals bestätigte ›seinsmäßig‹ Normale ist. Wertzweifel ist ihm als Grundlage seines Denkens letztlich ähnlich unproblematisch wie z. B. der katholischen Naturrechtslehre die ›zeitlose‹ christlich-sittliche Wertfundierung.
Orakelt Jaspers im erwähnten Geleitwort: »Der Sinn kommt aus dem Grunde, den wir nicht wissen, wenn wir von ihm geführt werden möchten«, wird solch dunkle Wertfindung REINHOLD SCHNEIDER (1903–1958), einem Exponenten des Katholizismus in der literarischen Öffentlichkeit nach 1945, zur lichten Offenbarung: »Die Gnade der Not: das wäre, daß wir alles verlieren, was uns trennt von Christus.«[22]
Daß die ›Jungen‹, wenn sie terminologisch oft fast identisch mit der älteren Generation von Nullpunkt und Vakuum reden, politisch in die entgegengesetzte Richtung zielen, zeigt sich (wenn auch nur indirekt) darin, daß sie sich, ohne Aussicht, dies Vorurteil erschüttern zu können, gegen den Verdacht

verteidigen müssen, ›nihilistisch‹ zu sein. Dies immer dann, wenn etwa in Artikeln des *Ruf* oder *Ende und Anfang* das Nullpunkt- bzw. Wandlungsprogramm politisch konkret eingeklagt wird, wenn die Autoren zu zerstören auffordern, was den ›Zusammenbruch‹ heil überstanden hat oder ihn zu revidieren droht: die alte Klassenstruktur, die sich z. B. in der Universität zeigt oder die sich nur wenige Jahre nach Kriegsende wieder abzeichnende Remilitarisierung Deutschlands. Zu spät erkennen die ›Jungen‹, daß entgegen allem Augenschein die ›rauchgeschwärzte Ruinenlandschaft Deutschland‹ (Richter) nicht ohne weiteres den Ruin des kapitalistischen Systems bedeutete, sich z. B. Hans Werner Richter irrte, als er 1946 im zweiten Heft des *Ruf* (*Warum schweigt die junge Generation?*) meinte: »Die Mechanik der ökonomischen Gesetzmäßigkeit, die das menschliche Sein bedingen und bestimmen soll und die einen so breiten Raum in den geistigen Auseinandersetzungen des vorigen Jahrhunderts einnahm, wird sekundär (...) Mit der Zerstörung der Dinge und in der Nivellierung des Menschen hob sie die Klassengegensätze auf, zermalmte sie ihre eigene ökonomische Basis und ließ den Menschen mit dem Menschen allein.«[23]

Weil jegliche Organisierung, konkrete politische Interessenvertretung, von der ›Jungen Generation‹ strikt abgelehnt wird – dies das deutlichste Resultat faschistischer Sozialisation –, bleibt ihre Entschlossenheit zum Widerstand ›Literatur‹. Auch der Plan, aus dem Grundstock der 120000 *Ruf*-Abonnenten eine *Ruf*-Partei zu entwickeln, blieb so ein Plan. Daß tabula rasa und Stunde Null eine vom Eindruck des massenhaften materiellen Elends abgeleitete, letztlich aber unpolitische ›geistige‹ Annahme war, erfährt besonders schmerzlich ein Konservativer wie Reinhold Schneider, der durch Erzählungen und Essays berühmt wurde, in denen das Verhältnis von geistiger und materieller Macht Problem ist. (Am bekanntesten wurde *Las Casas vor Karl V.*, 1938, eine Erzählung, die auf dem Erfahrungshintergrund der Judenverfolgung durch die Faschisten die Verfolgung der Indios durch die Konquistadoren schildert.) Weil Schneider trotz des sich verschärfenden Kalten Krieges an Überzeugungen festhält, die 1945 für die Ewigkeit zu gelten schienen, er auch 1951 noch nicht von der Meinung abzubringen ist, daß Wiederaufrüstung »von Christus trennt«, und dies im Ostberliner *Aufbau* zusammen mit Autoren wie Wolfgang Weyrauch und Rudolf Alexander Schröder veröffentlicht, fällt er bei den konservativen Presse- und Rundfunkredaktionen, deren vielbeschäftigter Star er in den ersten Nachkriegsjahren war, in Ungnade und verstummt. Erst kurz vor seinem Tode und vor allem posthum wird der ehemalige Organisator des katholisch-geistlichen Widerstands gegen den Faschismus rehabilitiert und mit Preisen und Auszeichnungen bedacht.

In eklatantem Widerspruch zur Nullpunkt- und Wandlungsprogrammatik nach dem Zusammenbruch des Faschismus werden die einzelnen Etappen der kapitalistischen Rekonstruktion dann von der literarischen Intelligenz weitgehend widerspruchslos hingenommen; so der erste Schritt zur Einfügung Westdeutschlands in den unter amerikanischer Hegemonie stehenden Westblock, die Gründung der Bi-Zone (wirtschaftliche Vereinigung von amerikanischer und britischer Zone, 1947); so 1948 die Währungsreform, die die

Besitzer von Produktionsmitteln, die Geschäftsleute und Schuldner auf Kosten der Lohn- und Gehaltsempfänger saniert (Sparkonten werden radikal abgewertet, Aktien aufgewertet); so auch das Betriebsverfassungsgesetz (1952). Heftig umstritten dann die Wiederaufrüstung (Freiwilligen-Gesetz 1955, Soldaten-Gesetz bzw. Bundeswehr 1956).

Zwar halten viele Autoren intellektuelle Distanz zum CDU-Staat. Doch ihre Gesellschaftskritik, wo sie überhaupt laut wird, ist oft noch immer vom Nullpunkt-Moralismus bestimmt. Noch 1961 versucht der Schriftsteller Johannes Gaitanides die Versprechen der Stunde Null einzuklagen: »Die große Katharsis, die Reinigung, ist nach der Katastrophe ausgeblieben (...); der Geist ist ohne Macht in unserem öffentlichen Leben«.[24] Bezeichnenderweise setzen die meisten Autoren ihre Kritik nicht an der Sphäre der materiellen Produktion an, sondern fixieren sich auf Erscheinungen des privaten Konsums. Als die Arbeiter und Angestellten, die nach dem ›Zusammenbruch‹ drei Jahre lang für Hungerrationen Trümmer geräumt und Produktionsanlagen wieder in Gang gesetzt hatten und die bei der Währungsreform mit einem ›Kopfgeld‹ abgefunden worden waren, im Laufe der fünfziger Jahre ihren privaten Konsum merklich vergrößern können (sogenannte ›Freßwelle‹, ›Reisewelle‹, steigender Fernsehkonsum, zunehmende Motorisierung), halten ihnen dies die Kulturproduzenten oft moralisierend vor als ›Vermassung‹, Verrat am Ideal bürgerlicher Individualität und Geistigkeit. Ob nun konsumselig-wirtschaftswundergläubig oder konsumkritisch eingestellt, über der verschiedenen Bewertung des ›Wirtschaftswunders‹ gerät fast völlig aus dem Blickfeld, daß trotz der vielen Lohnsteigerungen der Anteil der Arbeiter und Angestellten am Realvermögen nicht steigt, sondern rapide (zwischen 1950 und 1955 um die Hälfte) zurückgeht, daß die »Arbeitnehmerklasse trotz aller Hebung des Lebensstandards eine unterdrückte Klasse bleibt«, wie Carlo Schmid 1950 in einem Referat des Hamburger Parteitags der SPD ausführt.

Nicht selten transportiert gerade die kulturpessimistische Klage über die Bedrohung des ›Geistigen‹ durch die nivellierenden Kräfte der ›Massengesellschaft‹ eine handfeste ideologische Message über die sozioökonomische Realität der BRD, die Behauptung nämlich, daß die sozialen Unterschiede ebenfalls nivelliert würden, von Klassenschranken und dergleichen schon seit langem keine Rede mehr sein könne. Nur zu gern pflichtet man dem belgischen Soziologen Hendrik de Man bei, der 1951 (*Vermassung und Kulturverfall*) die Auflösung der alten Hierarchien beschreibt: »Es gibt zwar immer noch übereinandergeschichtete und miteinander um allerlei Machtpositionen und Vorteile ringende soziale Gruppen; sie sind aber unbeständig geworden, da sie im wesentlichen nur noch auf der Gradverschiedenheit von materiellen Erfolgen beruhen, die grundsätzlich in jedermanns Reichweite liegen.«[25] Schon 1947 hatte Frank Thiess davor gewarnt, Begriffe wie Arbeiterschaft und Bürgertum zu benutzen und damit »Gliederungen (zu) erzeugen, die vom sozialen Standpunkt aus gar nicht bestehen« – eben das, freilich in anderer Terminologie, war den ›Volksgenossen‹ zwölf Jahre lang von den Faschisten eingebleut worden: keine Klassenwidersprüche mehr, sondern ›Volksgemeinschaft‹. Die idealistischen Hoffnungen der Stunde Null, die Klassenschranken mögen fallen, verbinden sich mit der ›Wirtschaftswunderideologie‹ der fünfziger Jahre. Daran am wenigsten hatte der als Kulturoffizier aus dem Exil zurückkehrende Alfred Döblin gedacht, als er sich 1947 enthusiastisch für einen radikalen Neuanfang engagierte: »Die Harfen werden neu gestimmt. Das ist keine Zeit für Klassen . . .«[26]

Die Reorganisation der literarischen Öffentlichkeit

Verfolgt man die Entwicklung der Literatur seit 1945, ihre ästhetische Programmatik und Formentwicklung, die Entwicklung des Buchmarktes, die gesellschaftliche Situation und das Selbstverständnis der Autoren, der Literaturkritiker und Literaturwissenschaftler, so wird auf allen diesen Ebenen deutlich, daß das Konzept der ›Wandlung‹, das Geist und politische Realität gleichermaßen umfassen sollte, im wesentlichen blieb, was es von Anfang an war: ein idealistisches und insofern ›ewiges‹ Postulat. Während in den neugegründeten literarischen und politisch-literarischen Zeitschriften die ›schweigende‹, ›junge‹ Generation ermuntert, ja gedrängt wird, sich für eine von Grund auf erneuerte Literatur zu engagieren, da sie angeblich am wenigsten ins Dritte Reich verstrickt sei, schreibt die ältere Autorengeneration, die während des Faschismus am Markt war, unbeirrt ihr Oeuvre fort und beherrscht die Literaturszene mit neuen und wiederaufgelegten Titeln: ERNST JÜNGER (geb. 1895), FRIEDRICH GEORG JÜNGER (1898–1977), BERNT VON HEISELER (1907–1969), WERNER BERGENGRUEN (1892–1964), GERTRUD VON LE FORT (1876–1971), HANS CAROSSA (1878–1956). Dazu kommen all jene Bücher, die vor der Machtübergabe an die Faschisten entstanden waren und nach 12jähriger Verbannung nun wieder zugänglich sind (Kafka, Musil, Broch, Thomas Mann, Brecht). (Im Unterschied zur sowjetisch besetzten Zone bzw. der späteren DDR, wo Exilautoren in der literarischen Öffentlichkeit einen hohen Stellenwert haben, wird Exilliteratur in der Bundesrepublik kaum verlegt und gelesen.) Das Interesse an konservativer Literatur der ›Inneren Emigration‹, an den ›Klassikern der Moderne‹ und allgemein an Weltliteratur, von der man so lange abgeschnitten war, schafft Marktpräferenzen, die für junge Autoren, die erst nach 1945 zu schreiben beginnen, alles andere als günstig sind.

Noch zu Beginn der sechziger Jahre setzen sich die Akademie- und PEN-Club-Mitglieder der BRD zu etwa 80 % aus Autoren zusammen, die bereits vor 1945 ihre erste Arbeit veröffentlicht hatten. Mehr als die Hälfte aller in wichtigen literarischen Institutionen der BRD kooptierten Autoren hatte schon vor 1933 veröffentlicht. Anders gesagt: Der Anteil der Nachkriegsgeneration in diesen Institutionen beträgt fast zwei Jahrzehnte nach dem vermeintlichen Nullpunkt und Neuanfang kaum 20 %![27] Die gleiche personelle Kontinuität von Drittem Reich und Adenauer-Staat läßt sich für die Medien Film und Theater nachweisen.

Wie war es möglich, daß sich die restaurativen Züge in der literarischen Öffentlichkeit der BRD derart schnell gegen die sozialistischen Tendenzen und insbesondere gegen den scheinbar unbeirrbaren Traditionsskeptizismus, den ›totalen Ideologieverdacht‹ der ›Jungen Generation‹ durchsetzen konnten, gegen Autoren und Publizisten wie Alfred Andersch, Walter Kolbenhoff, Hans Werner Richter, Nicolaus Sombart, Walter Mannzen, Theo Pirker?

Wie ist zu erklären, daß die Autoren der älteren Generation nicht nur auflagenmäßig und institutionell dominierten, sondern – wie am Beispiel Benn exemplarisch zu verfolgen ist – binnen kurzem zum ästhetischen und kulturideologischen Vorbild einer Generation werden konnten, deren entschlossenster Teil sich nach dem Zusammenbruch des Faschismus in einer Mischung aus Zorn und Verzweiflung zugeschworen hatte, alles zu bekämpfen, was die Vergangenheit fortzuschreiben versuche?

In der Hunger- und Schwarzmarktzeit, als das ehemals ökonomisch hochentwickelte Deutschland auf den Stand einer Selbstversorgergesellschaft zurückgeworfen ist, in dieser von einem ungeheuren Leidensdruck bestimmten Situation, wächst der Kultur außergewöhnliche Bedeutung zu; sie vor allem bietet den Menschen inmitten der Trümmerwelt kompensatorische Erfahrungsmöglichkeiten. Die oft in unbeheizten, notdürftig hergerichteten Behelfsräumen veranstalteten Vorträge, Konzerte, Theateraufführungen, Kabarettvorstellungen oder Filmvorführungen wirken trotz – nicht selten gerade wegen – der vielen Unzulänglichkeiten, die sich aus den mangelhaften Produktionsbedingungen von Kultur ergeben, derart intensiv, daß ihr Rang im nachhinein nicht selten ins Legendäre gesteigert wurde.

»War das zu verantworten? War das gesund?« fragt 1946 der Kritiker Friedrich Luft rhetorisch in einem Jahresrückblick auf die Berliner Theaterereignisse seit dem Zusammenbruch des faschistischen Regimes: »Noch brannte nur an wenigen Stellen elektrisches Licht. Die Versorgung war ungewiß. Verkehrsmittel fuhren nur sehr vereinzelt. Die Sorge sah über jede Schulter. Aber da wurde gespielt und Theater gemacht mit einer Hingabe, einem Ehrgeiz, einer Besessenheit, als gäbe es nur diese Sorge und sonst keine: daß ein jeder bald vor einem rauschenden Vorhang säße und sich der Traumwelt eines Dramas hingäbe (...) Man spielte alles. Wedekind kam wieder auf die Szene. Und ein paar hundert Meter weiter war es das ›Weiße Rößl‹. Man griff zu Bert Brecht und man spielte Shakespeare. Georg Kaiser wurde gezeigt und Lessing entdeckt. Und daneben unwichtigste Posse mit Gesang, leichte Stücke, die man schon jahrelang hatte sehen können. Zu schweigen von den mehr als 800 Kabaretts, die allenthalben aus der Erde schossen, kaum war der letzte Schuß um Berlin gefallen (...) Zwei große Opernhäuser spielen allabendlich. Welche Großstadt Europas hat das sonst?«[28]

Über solcher auf dem Hintergrund des materiellen Elends verklärten Kulturerfahrung wurde allzuleicht vergessen, daß sowohl in bezug auf ›Hochkultur‹ wie ›Massenkultur‹ häufig nur unter verändertem Vorzeichen sich fortsetzte, was schon im Faschismus galt.

Die kulturpolitische Priorität der Nazis, »dem Volk gerade in so schweren Zeiten Entspannung und Erholung zu geben« gemäß der Einsicht »Ohne Optimismus ist kein Krieg zu gewinnen« (Goebbels), bekommt nach der Zerschlagung des Faschismus die Funktion, über Hunger, Kälte, Wohnungsnot hinwegzuhelfen. Die Priorität ›leichte Unterhaltung und Zerstreuung‹ hatte sich am deutlichsten im Film mit zunehmender Kriegsdauer herausgebildet, als die Faschisten die ›Durchhaltemoral‹ der Bevölkerung über scheinbar unpolitische Unterhaltungsfilme organisierten (zwischen 1939 und 1944 geht die Zahl der offenen Propagandafilme um zwei Drittel zurück). Diesen Zusammenhang verdrängend, betonen viele Kulturproduzenten und -multiplikatoren nach 1945, sie hätten mit den Nazis nichts zu tun gehabt, stets nur der ›ernsten Kunst‹ bzw. ›leichten Unterhaltung‹ gelebt.

Der große Kulturhunger in den ersten Jahren nach dem Zusammenbruch umschließt sehr widersprüchliche Motive; sowohl den Versuch, einer aussichtslos erscheinenden Realität für Stunden im Literaturerlebnis, Kino oder Theater zu entkommen, als auch die Lust auf all diejenigen neuen Kunstformen, die der Faschismus behindert oder verboten hatte; das reicht vom Interesse für Jazzmusik bis zur Diskussion der ›abstrakten‹ Kunst. Nicht selten schließen ideelle Begründungen der Notwendigkeit von Kunst materielle Argumente ein. Als Anfang 1947 infolge Kohlenknappheit und strenger Kälte in vielen Teilen Deutschlands die ›Kohleverbraucher‹ Theater, Kino, Varieté usf. geschlossen werden müssen, gibt die »Genossenschaft Deutscher Bühnenangehörigen« zu bedenken, »wie viele Menschen durch den Theaterbesuch etwa drei Stunden täglich, vor Kälte geschützt, durch wertvolle Unterhaltung von der Not des Alltags und von der Sorge des Winters abgelenkt werden« könnten, wenn die Theater geöffnet blieben.[29]

Lizenz und Zensur

Die Kulturpolitik der Besatzungsmächte lebt von Widersprüchen. Um z. B. den Opernhäusern in Berlin genügend qualifizierte Sänger zu verschaffen, machen die zuständigen Besatzungsoffiziere, selbst passionierte Opern- und Operettenliebhaber, eine Ausnahme und lassen auch ehemalige Nazis, die eigentlich Berufsverbot haben, auftreten. Dagegen schreiten sie unverzüglich mit Zensurdrohung oder Zensur ein, wenn ihnen eine Aufführung oder eine Publikation politisch nicht paßt. So plante der Regisseur und erste Intendant der Münchner Kammerspiele nach dem Ende des Faschismus, Erich Engel, im Herbst 1945 eine Feier zu Ehren der Opfer des Faschismus. In einer szenischen Kollage, zu der der kommunistische Schriftsteller Eduard Claudius das Manuskript geschrieben hatte, sollten zwischen den Wachtürmen eines Konzentrationslagers die verschiedenen vom Faschismus verfolgten Gruppen dem Augenblick ihrer Vernichtung entgegendiskutieren. Ein von den Besatzungstruppen abhängiger Verwaltungsbeamter verbot die antifaschistische Feier und bestand auf einer Feierstunde »mit Lorbeerbäumen aus der Stadtgärtnerei, Reden und Beethoven-Symphonie, wie sie alsdann auch stattfand. Es war dies ein erster, für viele weitere typischer Vorgang, wo ein Vertreter der herrschenden Nachkriegsschicht (...) das Andenken an die Märtyrer eines besseren Deutschland möglichst mit Musik und Phrasen zu überdekken wünschte.«[30] Auch in die nächste Inszenierung dieses Theaters greift die Besatzungsmacht ein; diesmal wird der Regisseur – mitten in der Arbeit – für ›untragbar‹ erklärt.

Die Beeinträchtigung der Theateraufführungen durch die Zensur der Besatzungsmächte ist allenthalben spürbar, wird im Bewußtsein von Theaterproduzenten und Theaterpublikum aber mehr als aufgewogen durch die neuen Stücke und szenischen Mittel, die die französischen, englischen und amerikanischen Kulturoffiziere in die Theater bringen. Daß handfeste nationale Interessen eine Rolle spielen, wenn Aufführungsrechte und Drucklizenzen vergeben werden, die die verschiedenen Besatzungszonen ihren politischen Einfluß auch kulturell ausprägen, zeigt ein Blick auf die Theaterstatistik. Im *Amerika Dienst* wird Ende 1948 befriedigt aufgerechnet, daß in der US-Zone 122 Bühnen amerikanische Autoren gespielt hatten, während in der Britischen Zone nur 38, in der Französischen Zone gar nur 3 Theater amerikanische Stücke aufführten.[31] Die meisten Aufführungen dieser Jahre erreicht *Das Lied der Taube* von John van Druten (Dt. Erstaufführung Mai 1947 in den Münchner Kammerspielen), eine unterhaltsame Dreiecksgeschichte.

Laienkunst

Im Bewußtsein von Nullpunkt und Ausnahmezustand schreiben nach 1945 viele Menschen, die es sonst nie gewagt hätten, sich den Ansprüchen der Hochliteratur und des institutionalisierten Kulturbetriebes zu stellen. Das Theaterstück *Liebe ist alles* (1948) ist ein (extrem affirmatives) Beispiel für solche in den Hungerjahren von Laien produzierte ›graue Dichtung‹. In überfüllten Sälen, in Städten und Dörfern spielt man dies vom Flüchtlingskommissar und Bürgermeister MAX MARTIN BREHM, wie er angibt, »nach wahren Begebenheiten« verfaßte Stück. In einer Mischung aus Komödienelementen und oft nur notdürftig als Dialogstruktur kaschierten ideologischen Räsonnements werden sämtliche Themen, die die Menschen des Jahres 1947 unmittelbar angehen, eingebracht: Schwarzmarkt und Hamstern, Kriegsheimkehr, Behördenwillkür, Wohnungsnot, Kälte, Hunger, Liebe. Erklärtes Ziel des Flüchtlingskommissars ist es, dem Publikum »ein paar heitere Stunden« zu bereiten, um so »eine Gesinnungsgemeinschaft gegen die Not des Volkes und der Welt« zu schaffen (Vorwort).

Ähnlich auf ›Gesinnungsgemeinschaft‹ ausgerichtet, aber deutlicher institutionalisiert, ist das in den ersten Nachkriegsjahren aufblühende Laientheater der Vertriebenen, das im Unterschied zu den Kulturaktivitäten in den Kriegsgefangenenlagern über die Hungerjahre hinaus weiterbesteht. Die personelle Kontinuität der prominenteren Laienautoren, die Form des neuverfaßten oder aktualisierten ›volkhaften Spielgutes‹ (Weihespiele, Flüchtlingsspiele, Eingliederungsspiele) und die Aufführungsformen verweisen auf die Tradition des völkischen Laien- und Chorspiels.

Obwohl viele Kommunikationswege noch unterbrochen sind, chronischer Papiermangel herrscht und die alliierte Lizenzierungspraxis die Entwicklung des Buchmarktes behindert, entsteht nach 1945 dank der verschiedenen schnell gegründeten Zeitschriften (die dann mit der Währungsreform größtenteils wieder eingehen) eine erstaunlich intakte literarische Öffentlichkeit. Die meisten Zeitschriften enthalten sowohl literarische als auch politische Beiträge, oft geht das eine ins andere über. So in *Die Neue Zeitung. Eine amerikanische Zeitung für die deutsche Bevölkerung* (Mitarbeiter u. a. Hans Habe, Stefan Heym, Erich Kästner, Hans Wallenberg); *Die Wandlung* (Mitarbeiter u. a. Karl Jaspers, Alfred Weber, Dolf Sternberger); *Der Ruf. Unabhängige Blätter der jungen Generation* (Mitarbeiter u. a. Alfred Andersch, Hans Werner Richter, Walter Mannzen, Friedrich Minssen); *Ende und Anfang. Zeitung der jungen Generation* (Mitarbeiter u. a. Ernst Schumacher, Theo Pirker, Ludwig Döderlein): *Frankfurter Hefte. Zeitschrift für Kultur und Politik* (Herausgeber Eugen Kogon und Walter Dirks). Vom Kulturbund zur demokratischen Erneuerung Deutschlands herausgegeben wird die kulturpolitische Monatsschrift *Aufbau* (ständige Mitarbeiter u. a. Theodor Plievier, Heinrich Mann, Hans Fallada, Friedrich Wolf, Ernst Wiechert, Georg Lukács, Willi Bredel; ab 1946 auch Günther Weisenborn, Anna Seghers, Herbert Ihering). Die zonenübergreifende demokratisch-antifaschistische Programmatik des *Aufbau* endet mit der Bildung zweier deutscher Staaten.

In Österreich haben nach dem Ende des Faschismus besondere Bedeutung: *Der Turm. Monatsschrift für österreichische Kultur* (herausgegeben von der Österreichischen Kulturvereinigung); *Plan. Literatur, Kunst, Kultur* (Herausgeber Otto Basil); *Österreichisches Tagebuch. Wochenschrift für Kultur, Politik, Wirtschaft* (Mitarbeiter u. a. Alexander Sacher-Masoch, Ernst Fischer, Bruno Frei); *Wiener Literarisches Echo. Kritische Vierteljahresschrift für Dichtung und Geistesgeschichte* (Mitarbeiter u. a. Rudolf Bayr, Arnold Gehlen, Karl Heinrich Waggerl).
So charakteristisch die Wandlungs- und Nullpunktprogrammatik für die literaturtheoretische Debatte der Hungerjahre ist, so wenig ist sie wörtlich zu nehmen als Bestimmung der spezifischen Form von Literaturproduktion und -rezeption nach 1945. Anspruch und Wirklichkeit klaffen weit auseinander; dies nicht, weil es vielen Autoren nicht, oder nicht so schnell, möglich gewesen wäre, dem eigenen ins Absolute und Grundsätzliche gehenden Wandlungsideal auch praktisch zu entsprechen, sondern umgekehrt: Die Beschwörung von tabula rasa und völligem Neuanfang bildet in der Regel die rhetorische Fassade, hinter der sich um so problemloser im alten Literaturverständnis weiterschreiben und die eigene Literaturpraxis im Dritten Reich verdrängen läßt. Die große Zäsur, die das Gros der älteren Autoren in ihre künstlerische Biographie später einbaut, wird vom literarischen Werk und vom Bewußtsein, mit dem Literatur produziert wird, nicht gerechtfertigt. Ähnliches aber gilt selbst für jüngere Autoren, deren Werk man gewöhnlich

ausschließlich mit der Epoche seit 1945 verbindet, obwohl es oft frappierende Rückbezüge zur Zeit des Dritten Reiches enthält. Denn bedeutende jüngere Autoren der Nachkriegszeit, Koeppen, Schnabel, Kaschnitz, Kreuder, Huchel und auch Eich hatten bereits im Faschismus – und keineswegs erfolglos – publiziert. In den fünfziger und sechziger Jahren ist oft schon die bloße Erinnerung, daß die jeweilige schriftstellerische Karriere im Dritten Reich begann, wie gelöscht, und erst die wissenschaftliche und publizistische Öffentlichkeit der späten siebziger Jahre interessiert sich genauer für derartige Kontinuitäten. Exemplarisches Beispiel für verdeckte Kontinuität der literarischen Produktion im Dritten Reich und in den fünfziger und sechziger Jahren ist Günter Eich, der bis zum Ende seines Lebens Biographie verweigerte bzw. die Fragwürdigkeit oder Unzulässigkeit von Biographie thematisierte (noch im letzten Gedichtband *Nach Seumes Papieren* [1972] überschreibt er ein Gedicht »Nach dem Ende der Biographie«). Eich, der an über 20 Hörfunkproduktionen des gleichgeschalteten NS-Rundfunks mitarbeitete, hatte einen Teil jener Gedichte, die 1948 unter dem Titel *Abgelegene Gehöfte* erscheinen und zum Inbegriff der Literatur des ›Null-Punktes‹ werden, bereits während des Dritten Reiches geschrieben und auch veröffentlicht.

1945 machen es sich viele Autoren mit dem moralischen Schuldbekenntnis auf falsche Weise schwer. Alles, und alles von Grund auf, will man verändert wissen, den Staat, die Wirtschaft, die Moral. Doch die am Ideal autonomer Dichtung ausgerichtete Autorenhaltung erklärt man für sakrosankt. Auch ein Schriftsteller und Publizist wie Alfred Andersch rührt letztlich nicht an der tradierten Autonomievorstellung, wenn er im Gestus des französischen Existentialismus 1948 zu Richtung und Form zukünftiger Literatur äußert: »Indem wir die Dichtung zur Angelegenheit existentieller Entschlüsse der Dichter machen, erheben wir sie in jenes Reich der Freiheit, in dem allein sie geboren werden kann.«[32] Die apologetische Autonomiefiktion der ›Inneren Emigration‹ bezieht Andersch ausdrücklich in diesen Zusammenhang ein.

In der berühmt gewordenen Kontroverse zwischen Thomas Mann und Vertretern der ›Inneren Emigration‹, in der bis zur haßerfüllten Unterstellung das gestörte Verhältnis von emigrierter Literatur und nichtfaschistischer, im Faschismus entstandener und veröffentlichter Literatur Gestalt gewinnt, wird die apologetische Funktion des autonomen Kunstbegriffs überdeutlich. So behauptet Frank Thiess: »Die Welt, auf die wir innerdeutschen Emigranten uns stützen, war ein innerer Raum, dessen Eroberung Hitler trotz aller Bemühungen nicht gelungen ist.«[33]

Während Thomas Mann, der der Vorstellung einer ›nationalen Pathologie‹ bzw. ›deutschen Schizophrenie‹ nahesteht, abstrakt jede im Faschismus gedruckte Literatur ablehnt, weil ihr ein »Geruch von Blut und Schande« anhafte[34], argumentiert Frank Thiess, durch die Isolation der Autoren im Dritten Reich sei ein »Schatz an Einsicht und Erfahrung« angehäuft worden, der den ›äußeren‹ Emigranten notwendig fehle.[35] Die Isolation im Faschismus als poetisches Glück im politischen Unglück begreifend, erinnert sich Walter von Molo mit Wehmut an ein Zusammentreffen mit Friedrich Bischoff im Jahre 1933, wo er, Molo, den Freund ermuntert habe, »glücklich zu sein, daß er nun Zeit habe, an sich selber zu denken, er sei nach seinem Wesen und seiner inneren Ordnung als Dichter geboren. – Und ich behielt recht, sein erster großer Roman ›Die goldenen Schlösser‹ war ein Riesenerfolg (...). Werk folgte auf Werk.«[36]

Solche Formen von Apologie, Verharmlosung bzw. absichtsvoller Naivität vor Augen, überrascht aus der historischen Rückschau dennoch, wie schnell und reibungslos in einer durch die Faschismuserfahrung zumindest doch moralisch außerordentlich sensibilisierten Öffentlichkeit auch solchen Autoren das Prädikat des ›Überpolitischen‹ und ›Geistigen‹ zugesprochen wird, die geistige Wegbereiter und zeitweise offene Parteigänger des NS waren. Denn man hält Gottfried Benn, Josef Weinheber oder Ernst Jünger gerade den genuinen Teil ihrer Affinität zum Nationalsozialismus, das literarische Werk, als überpolitisch und entlastend zugute; eben jenes literarische Werk, das auch dann noch den Schein von Humanität und Kulturnation aufrechtzuerhalten half, als Tausende von Intellektuellen Berufsverbot hatten, sie aus Deutschland und Österreich verjagt oder in Konzentrationslager geschleppt wurden.

Die moralisierende Debatte um die ›Schuldverstrickung‹ von Autoren im Faschismus wird unversehens zur Farce, wenn dabei von den gleichen irrationalen, trüb idealistischen oder religiösen Voraussetzungen ausgegangen wird, durch die viele Intellektuelle (oft schon geraume Zeit vor der eigentlichen Machtübergabe an die Nazis) zur passiven Hinnahme oder aktiven Kollaboration mit den Faschisten disponiert worden waren. In einer redaktionellen Vorbemerkung zu der im österreichischem *Turm* geführten Debatte um Josef Weinheber (ab Heft 5/6, 1946/47) geht man von einer Position aus, die eigentlich jede ›Debatte‹ überflüssig macht. Die Redaktion fragt: »Inwieweit bleibt unbezweifelbar Dichterisches gültig, wenn es, aus der Zeit und aus der Einstellung zu ihr, mit Irrtum oder gar Schuld belastet ist? Der Standpunkt, von dem aus wir die Antwort auf die gestellte Frage zu geben unternommen hatten, ist auf dem bedingungslosen Primat des Religiösen über alles Irdische, Menschliche, also auch über das Politische sowohl wie das Dichterische, gegründet.«

Alfred Anderschs ›Standortbestimmung der deutschen Literatur‹

Auf besondere Weise repräsentativ für die Haltung kritischer Intellektueller gegenüber der Literatur im Dritten Reich ist ALFRED ANDERSCHs programmatische Schrift *Deutsche Literatur in der Entscheidung* (1948), ein Resümee des »Verhaltens des deutschen Geistes in den Jahren der Diktatur«, mit dem zugleich der Kollektivschuldthese entgegengetreten werden soll.

Kennzeichnend für diese 1947 auf der zweiten Tagung der *Gruppe 47* vorgetragene ›Standortbestimmung‹ deutscher Literatur ist die widersprüchliche Perspektivierung. Während Andersch noch im Vorwort die Bedeutung »des gesellschaftlichen Standorts des Kunstwerks wie des Schriftstellers« für die Literaturkritik betont, gruppiert er seine Bemerkungen zur Haltung der Autoren und ihren Werken im NS stets um ein und dieselbe, von konkreter Ge-

schichte weitgehend abgehobene Wertvorstellung des substantiell Dichterischen, autonom Geistigen. Anderschs Festhalten am Ideal autonomer Kunst
wird als zeitgenössisches Beispiel besonders zwingend durch seine antifaschistische Vergangenheit. Denn als ehemaliges aktives Mitglied eines kommunistischen Jugendverbandes, als Häftling im KZ Dachau und mit Kriegsende als
Mitarbeiter des amerikanischen Umerziehungsprogramms und als Herausgeber der wohl bedeutendsten Nachkriegszeitschrift *Der Ruf*, ist er in der literarischen Diskussion nach 1945 in bezug auf kulturrestaurative Zielsetzung eine
denkbar unverdächtige Stimme. Trotz seiner antifaschistischen Vergangenheit
argumentiert Andersch merkwürdig apologetisch. Als Gegenort zum Faschismus fordert er, Hofmannsthals kulturkonservativistische Metapher aktualisie-
rend, einen »geistigen Raum der Nation«. Unter dieser Zielvorstellung verkehrt
Andersch den Pauschalvorwurf, die Kollektivschuldthese, die gesamte deutsche
Intelligenz sei Komplize des Faschismus gewesen, in die ›Entlastungs‹-These,
daß »jede Dichtung, die unter der Herrschaft des Nationalsozialismus ans Licht
kam, Gegnerschaft gegen ihn bedeutete, sofern sie nur Dichtung war. Eine
Zeugung des Dichterischen aus dem Geist des Nationalsozialismus gab es
nicht.«[37]
Die mit dieser Argumentation verbundene, 1948 verständliche Absicht, dem
»literarischen Leben« im Nachkriegsdeutschland aufzuhelfen, es aus den
»trüben Strudeln der Selbstbezichtigung«[38] zu befreien, bereitet den restaurativen Tendenzen, die sich zu Beginn der fünfziger Jahre immer stärker bemerkbar machen, und die Andersch dann (u. a. als Kritik an Benn und Fabri
in *Die Blindheit des Kunstwerks*, 1956) bekämpft, unfreiwillig den Boden.
Um eine »Identität« der Inneren Emigration mit dem »Rest der in Deutschland verbliebenen Literatur« behaupten zu können, muß Andersch selbst und
gerade prominenten NS-Sympathisanten, Weinheber z. B. oder Ernst Jünger,
›echte Künstlerschaft‹ als angeblich unanzweifelbare antifaschistische Potenz
zuschreiben. (Das argumentative Einstehen für Jünger läßt sich bis zu Anderschs Tod 1980 als indirekte Selbstdefinition verfolgen; vgl. das Kapitel
›Gesellschaftsbilder im Roman der fünfziger Jahre‹.) Vor allem mit dem Roman *Marmorklippen* (1939) habe Jünger eine »Selbstreinigung vollzogen, eine Rehabilitierung, die endlich anerkannt werden sollte«.[39] So führt Andersch Jünger als das Schlußstück der ›Beweis‹-Kette an, daß »echte Künstlerschaft identisch war mit Gegnerschaft zum Nationalsozialismus, daß die Begriffe ›deutsche Literatur‹ und ›Emigration‹ zu einem Begriff verschmelzen«.[40] Entsprechend erscheinen die »Volkstümler« (Grimm, Kolbenheyer,
Schäfer, Strauß und in Teilen auch Wiechert) als »langweilige Säulen vor
dem Gebäude« der faschistischen Kulturpolitik.[41] Die Breitenwirkung dieser
Autoren im vom Abstieg bedrohten Kleinbürgertum führt Andersch als Beweis ästhetischer Unzulänglichkeit an; sein Werturteil verdeckt den Zusammenhang von Faschismus-Disposition in der Literatur und faschistischer Herrschaft im gleichen Augenblick, in dem er ihn nennt. Diese völkischen Autoren,
so Andersch, seien vor 1933 »nur« gelesen worden »in den – zahlenmäßig
allerdings breiten – Schichten jenes kleinen und mittleren Bürgertums, das in
Wirklichkeit damals schon seiner sozialen Grundlage beraubt war«.[42]

Offene und unbestreitbare Zusammenarbeit bedeutender Schriftsteller mit dem Faschismus wird von Andersch psychologisiert und damit harmlos. Weinheber erscheint weniger als NS-Kollaborateur denn als bemitleidenswertes NS-Opfer, das durch »gewissenlose propagandistische Schmeichelei großen Stils« verführt und in seiner poetischen Potenz beeinträchtigt worden sei. In Weinhebers Werk sei »mühelos« ein vom Faschismus verschuldeter Bruch der dichterischen Qualität ausmachbar: »Wo aber die dichterische Substanz aufblitzt, trägt sie eine dem Regime feindliche Tendenz, wie etwa in der seherischen Ode vom *Menschen der Mitte*.«[43] Nur wo Form und Inhalt auseinanderklaffen, soll es den Faschisten gelungen sein, Macht über den autonomen Dichter zu gewinnen. In diesem Sinne merkt Andersch 1948 in einer Rezension der *Statischen Gedichte* Benns an: »Es ist interessant zu beobachten, daß in dem einzigen Gedicht, in dem der gedankliche Inhalt fragwürdig erscheint (*Am Saum des nordischen Meers*) auch die Form wie zersprungen wirkt.«[44]

Die Vorstellung vom Ganzen als dem Wahren, die Meinung, daß ein reaktionäres (›inhaltlich fragwürdiges‹) Gedicht sich als ästhetisch defizitäres, formbrüchiges offenbart, erinnert nicht von ungefähr an die tradierte bürgerliche Dichotomie von Kultur und Politik. Nach 1945 aber erscheint die wertende Opposition von Geist und Macht fast automatisch als antifaschistische Aussage; die Reflexion des historisch besonderen Verhältnisses von materieller und geistiger Produktion im Faschismus wird auf diese Weise gerade abgeschnitten.

Der Einfluß Gottfried Benns

Es ist sicher kein Zufall, daß ein Autor mit NS-Vergangenheit wie GOTTFRIED BENN (1886–1956) emphatisch eben diese Dichotomie von geistiger und politischer Welt hervorkehrt. Beschäftigt mit den Vorbereitungen zu seinem glänzenden Comeback, fragt Gottfried Benn 1948 in einem Brief an seinen Verleger rhetorisch, ob es »für das Abendland noch eine geistige Welt, eine metaphysische Realität außerhalb und unabhängig von der geschichtlich-politischen« gebe. (Brief an Schifferli v. 29.4.48) Mit dieser, wie er sie nennt, »Grundfrage der ganzen Epoche« formuliert Benn einen Anspruch, der ihn als ehemaligen NS-Belasteten unversehens in die Rolle eines unerbittlichen geistigen Anklägers versetzt. Von herrischer überpolitisch-moralischer Höhe herab erkennt er Weimarer Republik, Drittes Reich und Nachkriegsdeutschland als ein einziges gigantisches Ekelpanorama, das den Geist beleidige. Wenn man bedenke, klagt Benn, »in welcher unbeschreiblichen inneren Verkommenheit wir – alle weißen Völker – seit Jahrzehnten leben, wie sich alle nur noch mit Hilfe von Lügen, ideologischen Konstruktionen, faulem Zauber, Suspensorien, Urinarien, Pessaren (...) am Leben erhalten, am produktiven Leben, so wird alles, was wir in gutem Glauben 1933 etwa hofften, hinnahmen, hineinsahen, wirklich belanglos. Der Umfang unserer existentiellen Katastrophe ist kaum jemandem klar (...)« (Brief an Weyl v. 10.5.46). Auf die von Zivilisationsekel erfüllte Katastrophenmeldung folgt als poetische Antwort die weise Lehre der *Statischen Gedichte* (1948): die aus der Dialektik der Geschichte gesprungene »statische Existenz«:

> Entwicklungsfremdheit
> ist die Tiefe des Weisen,
> Kinder und Kindeskinder
> beunruhigen ihn nicht,
> dringen nicht in ihn ein.
>
> Richtungen vertreten,
> Handeln,
> Zu- und Abreisen
> ist das Zeichen einer Welt,
> die nicht klar sieht.
> (...)

Die Verhaltensfigur des ›Nichthandeln‹ bildete bereits den Mittelpunkt der Erzählungen *Weinhaus Wolf* und *Roman des Phänotyp*, die, 1937 bzw. 1944 entstanden, 1949 zusammen mit *Der Ptolemäer* erscheinen.

Was Benn 1943 *Zum Thema Geschichte* (veröffentlicht 1959) formuliert, entspricht ganz der in den fünfziger Jahren dominierenden Tendenz der literarischen Intelligenz, sich aus der politischen Geschichte zu stehlen: »Wir wissen nicht im entferntesten, was gespielt wird, universal gesehen, wer oder was wir überhaupt sind (...). Was sich abhebt, ist immer nur das durcheinandergehende Spiel verdeckter Kräfte.« Jüngere Autoren (Dürrenmatt etwa in seiner Komödientheorie) eignen sich dieses Theorem der Undurchschaubarkeit der Welt, der Anonymität der Geschichte, in den fünfziger Jahren an, ergänzen das Faschismuserlebnis, das Benns Geschichts- und Zivilisationspessimismus prägt, um die Erfahrungen der Atombombendrohung und der sinnleeren Wortmaterialschlachten des Kalten Krieges. Natürlich darf man das Theorem der katastrophierenden, letztlich undurchschaubaren Geschichte nicht personalistisch an Benn und sein Weltverständnis binden. Auch Ernst Jünger z. B. vermag politische Geschichte nurmehr als »Dekorationswechsel« in einem immergleichen »Spiel« zu verstehen. In einem Geleitwort zu den 1949 erscheinenden Erinnerungen des Generals Speidel (*Invasion*, 1944) rekurriert er auf die barocke Theatermetapher: »Das große Welttheater spielt mit beschränktem Personal. Es treten im Kostüme der Epochen und mit ihren Gedanken ausgerüstet die stets gleichen Figuren auf und tragen die alten Konflikte aus.«
Im absurden Drama der fünfziger Jahre, das in der BRD z. T. intensiver rezipiert wurde als in Frankreich (Ionesco etwa), wird die Theatermetapher der leerdrehenden Geschichte zur dramaturgisch-szenischen Form. Aber auch die konventionelle ›Klassiker‹inszenierung der fünfziger und sechziger Jahre folgt diesem ahistorischen Geschichtsbild.

Benn aber wird zum »Phänotyp dieser Stunde« (Dieter Wellershoff, 1958)[45] nicht zuletzt deshalb, weil er den Hang seiner Zeitgenossen zum Unpolitischen apodiktisch zur einzig möglichen und richtigen Haltung erklärt: »Das Abendland geht nämlich meiner Meinung nach gar nicht zugrunde an den totalitären Systemen oder den SS-Verbrechen«, schreibt er im Juli 1948 aus dem von den Sowjets blockierten Berlin an die Zeitschrift »Merkur«, »sondern an dem hündischen Kriechen seiner Intelligenz vor den politischen Begriffen. Das Zoon politikon, dieser griechische Mißgriff, diese Balkanidee – das ist der Keim des Untergangs, der sich jetzt vollzieht.«

Man verkennt, abgesehen von der ästhetischen Qualität seines Werks, einen entscheidenden Faktor der Bennschen Vorbildwirkung für die jüngere Autoren- und Lesergeneration, wenn man sich lediglich auf die ideologiegeschichtliche Ableitung seiner geschichtspessimistischen und demokratiefeindlichen Äußerungen beschränkt. Denn Benn fasziniert nicht als alter oder neuer Reaktionär. Die Modalität seines antidemokratischen Denkens fasziniert: der Gestus totaler Verweigerung, zorniger Isolation. Solch entschiedene agnostizistische Verweigerungshaltung, die – wie die Briefe Benns drastisch verdeutlichen – Hoffnungslosigkeit und Isolation in Kauf nimmt, ist in der literarischen Öffentlichkeit der fünfziger Jahre ohne Parallelen. In der Form des Bennschen Geschichtspessimismus, der auktorialen Verweigerungshaltung, trifft sich der ›totale Ideologieverdacht‹ der jungen Generation mit dem des ›Ptolemäers‹. Im Zentrum steht, wie in Benns Gedicht *Reisen* (1951), das einsame Ich:

> Ach, vergeblich das Fahren!
> Spät erst erfahren Sie sich:
> bleiben und stille bewahren
> das sich umgrenzende Ich.

Das Ende des ›Ruf‹ und die Anfangsphase der ›Gruppe 47‹

»Der Ursprung der Gruppe 47«, meint Hans Werner Richter 1962 rückblickend, »war politisch-publizistischer Natur. Nicht Literaten schufen sie, sondern politisch engagierte Publizisten mit literarischen Ambitionen.« (Almanach) Daß diejenigen, die den *Ruf* zur bedeutendsten westdeutschen Zeitschrift gemacht hatten, schon nach wenigen Jahren aus der politischen Publizistik weitgehend verdrängt sind, ihr Vorhaben, eine Nachfolgezeitschrift (*Skorpion*) für den 1947 verbotenen *Ruf* zu gründen, sich schließlich zur rein literarischen und überwiegend unpolitischen Autorenvereinigung *Gruppe 47* entwickelt, hat nur zum Teil materielle Gründe, wie z. B. die Lizenzierungspolitik der Alliierten. Die entscheidende Ursache, warum die zunächst so überaus wirkungsvolle ›junge‹ Publizistik binnen kurzem zur Bedeutungslosigkeit absinkt, ergibt sich aus ihrer spezifischen ideologischen Zielsetzung, dem Konzept des totalen Ideologieverdachts (Hans Mayer). Diese Haltung ist ableitbar aus den Erfahrungen einer desillusioniert aus dem Krieg zurückkehrenden Intellektuellengeneration, die den Faschismus als verlogen-autoritären Machtapparat (weniger als Form kapitalistischer Herrschaft) erlebt hat und sich zuschwört, eine Wiederholung des Faschismus nicht zuzulassen. Als die ›Junge Generation‹ (›jung‹ meint nicht nur buchstäblich Alterszugehörigkeit, sondern vor allem eine antiideologische Grundhaltung, die 1945 u. a. auch von 40jährigen vertreten wird) erlebt, wie sich die alten Gesellschaftsstrukturen wieder durchsetzen, reagiert sie mit schroff antibürokratischem und antitraditionalistischem Affekt. In ihrer radikalen – in dieser Radikalität abstrakten – Organisationskritik, ihrer tiefen Abneigung »gegen jeden Zwang, gegen jede Organisation, gegen Parteien, Vereine und gegen dogmatische Weltanschauungen« (Richter)[46], vergewissert sie sich im gleichen Maße ihrer völligen Unabhängigkeit und Unbestechlichkeit, wie sie sich andererseits politisch ins Abseits manövriert; man ist stolz, von den Konservativen ebenso abgelehnt zu werden wie von den Stalinisten. Ungewollt beteiligt man sich am allgemeinen Depolitisierungsprozeß der fünfziger Jahre, denn abstrahiert man einmal vom Pathos und der Aggressivität des ›unbedingten‹, des ›kritischen‹ Engagements, so zeigt sich, daß die Haltung des »totalen Ideologieverdachts« der Ideologie der ›Sachzwänge‹ und der Naturwüchsigkeit des ›abendländischen‹ Kapitalismus politisch nichts entgegensetzt.

Züge dieser Haltung, z. B. die intellektuelle Lust, sich durch ›brutale Kritik‹ immer wieder völlige Unabhängigkeit von jeglicher Ideologie und Doktrin zu bestätigen, gingen ein in die legendär gewordene Gruppenkritik und die bewußt informelle Organisationsform der Gruppe 47 (ähnliche Stegreifkritik – ›kritische Grausamkeit‹ – versuchte man auch bei den ›Internationalen Erlanger Theatertreffen der Studentenbühnen‹ zu etablieren). Die spontane, ›rücksichtslos offene‹ Kritik der Kollegen, die – gerade weil sie sich als solidarische Kritik versteht – bewußt in Kauf nimmt, den auf dem ›elektrischen Stuhl‹ lesenden Autor wenn nötig zu ›vernichten‹, dieses Charakteristikum bestimmt das Bild der Gruppe 47 in der Öffentlichkeit der BRD und – etwa seit 1951 – des Auslands. Von Richter wird zum Autorentreffen der Gruppe 47 erneut eingeladen, wer »auch die schärfste und vernichtendste Kritik hinnehmen konnte, ohne emotionale Reaktionen zu zeigen«.[46a]

Daß diese Autorengruppe einen ›intimen Stil‹ pflege, nicht fest organisiert sei, keine Mitglieder-, sondern nur Adressenlisten kenne, kein bürokratisches Kooptionsverfahren wie die Literaturakademien habe, nur informell durch die ›liberale Autorität‹ Richters zusammengehalten werde, an dieses – die Organisationsfrage negativ nachgerade fetischisierende – Selbstbildnis klammert man sich auch dann noch, als die Tagungen von den Massenmedien übertragen werden, Verleger und Buchagenten regelmäßig an ihnen als an einer Börse von Stilmodernität und Literaturtrend teilnehmen. Die Sentenz Enzensbergers, die Gruppe 47 sei »nichts anderes als ihre eigene Tagung«, verharmlost die kulturpolitische und ökonomische Bedeutung dieser Institution.

Es ist sicher nicht abwegig, die Organisations- und Arbeitsform der Gruppe 47 in systematischer Analogie zu bestimmten Öffentlichkeitsformen der bürgerlichen Aufklärung (Salon, Lesegesellschaft) zu verstehen. Ebenso wie der alle Individualität erdrückenden feudal-absolutistischen Öffentlichkeit nur in der künstlich vereinbarten Ausnahmesituation des Zirkels zu entgehen war, organisiert sich die Gruppe 47 im ›Kalten Krieg‹ (gezwungenermaßen, nachdem sie zunächst mit politischen Zielsetzungen begonnen hatte) auf der schmalen Basis des unpolitisch ›Handwerklichen‹ von Literaturproduktion, der literarischen Qualitätsdiskussion: »Man fragt nicht«, heißt es in einem Tagungsbericht von 1949, »Was schreibst du?‹, sondern ›Wie schreibst du?‹«[47]; »daß ein Satz ein guter Satz sei, das einer die Sprache, die Ausdrucksmittel der Sprache beherrsche (...), das ist diesen Schriftstellern das erste und wichtigste Problem«, berichtet 1952 Martin Walser den Hörern von Radio Bern.[48] Es zeugt durchaus von politischer Einsicht, wenn der außerhalb der Gruppe 47 politisch sich engagierende Hans Werner Richter bemüht ist, die Autorentreffen von politischen Auseinandersetzungen so weit wie möglich freizuhalten. Denn nur die künstliche, auf informeller Vereinbarung beruhende Ausschaltung der Fronten des ›Kalten Krieges‹, wo jeder Ansatz politisch-kritischer Orientierung in die faule Dichotomie von einerseits Stalinismus und andererseits kapitalistischer ›Freiheit‹ gepreßt zu werden droht, hat die Gruppe 47 über die Jahre arbeitsfähig erhalten. Der Preis: weitgehende Isolierung der Literatur von Politik. Das ändert sich faktisch auch nicht, wenn Gruppenmitglieder Resolutionen gegen die Atombewaffnung der Bundeswehr oder das geplante ›Adenauer-Fernsehen‹ verabschieden. Die kontroverse Debatte während der Tagungen bleibt literarisch, formkritisch kontrovers. Das Vorverständnis literarischer Pluralität und Toleranz, das solche Kontroversen erst ermöglicht, die Absage an jedes feste ästhetische Programm, jeden ›Ismus‹, artikuliert sich politisch entsprechend allgemein als ›kritisch-liberale‹ Grundhaltung. In der Gruppe 47 soll jeder Autor, ausgenommen Faschisten, Stalinisten und andere Anhänger ›totalitärer Ideologien‹, zu Wort kommen – mit dieser negativen Abgrenzung am ehesten ist der ›liberale Geist‹ der Autorenvereinigung umschrieben, den konservative und linke Autoren gleichermaßen für sich in Anspruch nehmen.

1967 zählt Reinhard Lettau in seinem zum 20jährigen Jubiläum der Gruppe herausgegebenen Handbuch (*Die Gruppe 47*) fast 200 Autoren, die auf Tagungen der Gruppe 47 gelesen haben. Die Liste der Preisträger zeigt deutlich, daß verschiedene Literaturauffassungen hier gleichermaßen gefördert wurden: 1950 Günter Eich, 1951 Heinrich Böll, 1952 Ilse Aichinger, 1953 Ingeborg Bachmann, 1954 Adriaan Morrien, 1955 Martin Walser, 1958 Günter Grass, 1962 Johannes Bobrowski, 1965 Peter Bichsel, 1967 Jürgen Becker.

Die herausragende Stellung der Gruppe 47, der in den fünfziger Jahren fast ausnahmslos alle bedeutenden Autoren der BRD angehören, wird auch deutlich, wenn man ihre Praxis mit der der übrigen literarischen Gesellschaften, die in der BRD junge Autoren fördern, vergleicht. Dort steht entweder nostalgische Dichter- bzw. Klassikerpflege im Vordergrund (Deutsche Gang-hofer-Gesellschaft, Rudolf-Alexander-Schröder-Gesellschaft, Deutsche Friedrich-Schiller-Stiftung), enge ideologische Zielsetzung (wie z. B. beim Wangener Kreis, der die Pflege »schlesischen Kulturgutes« mit Hilfe des »Eichendorff-Taugenichts-Stipendiums« betreibt); oder aber die Entwicklung von Literatur wird steuertechnisch vorangetrieben (wie z. B. vom Kulturkreis im Bundesverband der Deutschen Industrie).

In der Gruppe 47 dagegen lesen Debütanten vor interessierten Autorenkollegen, wird der Preis der Gruppe nicht von einer besonderen Jury, sondern von allen anwesenden Autoren und Kritikern in demokratischer Wahl an einen Kollegen vergeben, dessen Lesung die poetische ›Klaue des Löwen‹ sichtbar gemacht hat. Hans Werner Richter, das informelle Haupt der Gruppe, versucht, durch die spezifische Organisationsform der Treffen jeweils ein berufsspezifisches Forum zu schaffen, auf dem der sonst an seinem Schreibtisch und am Buchmarkt vereinzelte Autor Erfahrungen über Literaturproduktion mit Kollegen und Literaturkritikern austauschen kann. Dies vor allem und nicht, wie ultrakonservative Kritiker der Gruppe 47 zu Unrecht vorwarfen, mafiose Methoden zur Beherrschung des Buchmarktes, dürfte die epochale Bedeutung der Gruppe 47 wesentlich mitbegründet haben.

Weil Hans Werner Richter bestimmten restaurativen Tendenzen in der BRD-Gesellschaft (Wiederaufrüstung, neofaschistische Aktivitäten) nicht tatenlos zusehen will, er die Einflußlosigkeit der ›Geistigen Linken‹ für politisch gefährlich erkennt, gründet er 1956 unabhängig von der Gruppe 47, aber nach ihrem informellen Organisationsmuster den Grünwälder Kreis (Grünwald bei München). In dieser sich als ›Feuerwehr der Demokratie‹ verstehenden Gruppe engagieren sich u. a. die Publizisten Erich Kuby und Thilo Koch, der Schauspieler und Kabarettist Werner Finck, der SPD-Politiker Hans-Jochen Vogel. Weil sich der Kreis nicht organisatorisch in die politische Kleie, die er beklagt, begeben will, kommt er über warnende Deklarationen von der Warte des ›Geistigen‹ nicht hinaus.

Mitte der sechziger Jahre ist die kritisch-liberale Grundhaltung der Gruppe 47 immer größeren politischen Zerreißproben ausgesetzt. Mit der Studentenrevolte Ende der sechziger Jahre endet ihre Ära. 1977 trifft sich die Gruppe noch einmal (in Saulgau) ... um ihre eigene ›Beerdigung‹ zu feiern.

›Kahlschlag‹ und ›Inventur‹

In einer Bilanz des zweiten Treffens der Gruppe 47 (Herbst 1947, Herrlingen bei Ulm) heißt es: »Die bürgerliche Sicherheit in Deutschland ging verloren. Die Elfenbeintürme sind geborsten, die ›Gemeinden‹ zerstoben. Selbst in die Burgen der Innerlichkeit beginnt eine neue, kühle und wache Generation einzudringen.«[49] In solchen Sätzen zeigt sich die oppositionelle Absicht der ›Jungen‹. Tatsächlich dominiert noch immer die ›kalligraphische‹ Literatur aus Kriegsbeständen. Ihre Auffassung von Form als »Zuflucht, Rettung vor Überwältigung, vor Trostlosigkeit und Überraschung« (Krolow 1944) ist nach 1945, in den Jahren größten materiellen Elends, mindestens so gefragt wie zuvor im Dritten Reich. Im Gegensatz zu dieser Innerlichkeitshaltung versuchen sich die Autoren der Jungen Generation der materiellen Realität im zerstörten Deutschland bewußt auszusetzen, formulieren sie ihr Selbstverständnis, ihre Themen und ihre ästhetische Linie in enger Beziehung zur Kriegs- und Nachkriegserfahrung. So hält Heinrich Böll 1952, zu einem Zeitpunkt, wo sich bereits eine neue ›kalligraphische‹ Dichtungskonzeption herauszubilden beginnt, daran fest, daß die enge Orientierung an der sozialen Realität das entscheidende qualitative Moment der Literaturproduktion nach 1945 gewesen sei. In seinem *Bekenntnis zur Trümmerliteratur* wehrt er sich gegen die einsetzende Denunziation der ersten Nachkriegsliteratur als ästhetisch defizitär: »Die Menschen, von denen wir schrieben, lebten in Trümmern, sie kamen aus dem Kriege (...) und wir als Schreibende fühlten uns ihnen so nahe, daß wir uns mit ihnen identifizierten. Mit Schwarzhändlern und den Opfern der Schwarzhändler, mit Flüchtlingen und allen denen, die auf andere Weise heimatlos geworden waren (...). Wir schrieben also vom Krieg, von der Heimkehr und dem, was wir im Krieg gesehen hatten und bei der Heimkehr vorfanden: von Trümmern; das ergab drei Schlagwörter, die der jungen Literatur angehängt wurden: Kriegs-, Heimkehrer- und Trümmerliteratur.«

Statt stilbegrifflich distanziert zu argumentieren, den Krieg als ein Literatursujet wie jedes andere aufzufassen, versteht diese Autorengeneration den ungeheuren Leidensdruck im zerstörten Deutschland als die wichtigste Bedingung zur Entwicklung einer »neuen Sprache«. In ihren programmatischen Äußerungen verweigern die ›Jungen‹ deshalb – entsprechend der Haltung des ›totalen Ideologieverdachts‹ – jeglichen notwendig an Formgeschichte orientierten konzisen Formbegriff und betonen statt dessen die Besonderheit der authentischen Erfahrung. Der Kahlschlag, diesen Begriff prägt Wolfgang Weyrauch erst 1949, quasi rückwirkend für die ›junge‹ Literatur nach 1945 (im Nachwort der Anthologie *Tausend Gramm*), soll den Blick für die Realität öffnen, das Dickicht der Innerlichkeit und der naturlyrischen Verklärung roden. Die aus den »Schlammlöchern dieses Krieges« Zurückkehrenden haben »den Realismus der Wirklichkeit am eigenen Leibe blutig erfahren« (Richter), sind »scharfhörig« (Hocke), »scharfäugig« (Böll) und stehen, wie Minssen 1947 feststellt, »unter der Herrschaft eines weitgespannten, mitunter fast unbarmherzigen Willens zur Klarheit und Präzision«.[50] Trotz der Entschlossenheit und Zielstrebigkeit, die der auktoriale Gestus verspricht, läßt sich die Kahlschlagliteratur nicht auf einen formanalytischen oder gar stilgeschichtlich einheitlichen Begriff bringen. Kahlschlag, Inventur oder Bestandsaufnahme umfassen – ebenso wie die Sujetbegriffe ›Kriegsliteratur‹, ›Trümmerliteratur‹ – sehr heterogene ästhetische Strukturen; das Vorbild der amerikanischen short story ist in dieser Literatur ebenso spürbar wie neusachliche oder expressionistische Formelemente.

Ebenfalls ästhetisch uneinheitlich und nicht formbegrifflich zu glätten ist der vom Kahlschlag durchgängig erhobene Realismusanspruch. Das »Bekenntnis zum Realismus der Zeit« (Richter) gilt gleichzeitig der gesellschaftlichen Realität und der besonderen Form der ästhetischen Aneignung, fungiert zugleich (und ohne daß dies der ›Jungen Generation‹ als Widerspruch erscheint) als Gegenstand und als Ergebnis der Kahlschlagliteratur. Allenfalls indirekt, meist aus apologetischer Position, grenzt man sich formgeschichtlich ab. »Die

Jugend weiß«, so Hocke in *Deutsche Kalligraphie oder Glanz und Elend der modernen Literatur* (1946), »daß ein bloß literarischer Naturalismus mit seinen etwas peinlichen ›wirklichkeitsnahen‹ Plattitüden ebenso kleinbürgerlicher Herkunft ist wie der Drang ›gewählt‹ zu schreiben«.[51] Ähnlich Richter: »Realismus kann sich nicht erschöpfen in der Kleinmalerei von Armeleutszenen.«[52]

An die Realismusdebatten der zwanziger und dreißiger Jahre glaubt man – entsprechend der Ideologie des totalen Ideologieverdachts – nicht anschließen zu können. Eine der wenigen Ausnahmen, wo die Tradition proletarischer Literatur aufgerufen wird, bilden die Thesen Theo Pirkers, des Lyrikers und Mitarbeiters der linkskatholischen Zeitschrift *Ende und Anfang*:

> »Der moderne Dichter sieht (...) seine Aufgabe in der Darstellung der gesellschaftlichen Realität, in der Sichtbarmachung des in der steten Bewegung schwer faßbaren Schicksals, das ist des politischen Schicksals der Gesellschaft. Es ruft auf, direkt oder indirekt, zur Änderung der Zustände, zu ihrer Überwindung (...)«[53]

Nur wenige Jahre später gilt jegliche, den gesellschaftlichen Zusammenhang reflektierende Begründung der besonderen Form und Funktion von Literatur als obsolet, wird jeder Versuch, konkrete gesellschaftliche Erscheinungen kritisch zur Sprache zu bringen, als unmodern, minderwertig, im doppelten Sinne als stillos abgewertet. Bereits 1950 heißt es in einer Rezension des Treffens der Gruppe 47: »Wolfdietrich Schnurre las einige saubere Parabeln im ›Kahlschlägerstil‹. Woher nehmen diese Geschichten heute noch ihre Lebensberechtigung? Kafkas *Verwandlung* erschien 1916 (...); das sollte genügt haben. In absolutistischen Perioden und im Dienst von Weltanschauungen in diktatorischen Zeitläuften wird diese Kunstform immer wieder Triumphe feiern, wie bei Lafontaine oder Bert Brecht (...).«[54] Gelobt wird im gleichen Tagungsbericht – schon ganz in der Idolisierungsmanier der autonomen, politikfreien Sprache, die in den fünfziger Jahren üblich wird – die Lesung Günter Eichs, der den Preis der Gruppe 47 zugesprochen erhält. Bei ihm sei »die Melodie einer reinen Sprache« spürbar gewesen, er habe eine »Beglückung« zu erzeugen vermocht, einen »Zauber, den näher zu definieren Beckmesserei gewesen wäre«.[55]

Während der Kahlschlag auf Motivation und Form von Literaturtheorie und Literatur fortan keinen Einfluß mehr hat – allenfalls negativ als Gegenideal –, überdauert die ›bedingungslose‹, ›unbarmherzige‹, unbestechlich ›harte‹ Stegreifkritik als Relikt der Haltung der ›Jungen Generation‹. Eine liebevolle Karikatur der Diskussionsauftritte der Großkritiker der Gruppe (Höllerer, Jens, Kaiser, Reich-Ranicki) gibt Martin Walser in seinem *Brief an einen ganz jungen Autor* (1962).

Literatur der ›Kahlschlag‹-Phase

Noch in amerikanischer Kriegsgefangenschaft entsteht WALTER KOLBENHOFFS (geb. 1908) *Von unserem Fleisch und Blut* (1946), ein Roman, der bei einem unter deutschen Kriegsgefangenen veranstalteten Literaturwettbewerb (initiiert vom amerikanischen Lager-*Ruf*) den ersten Preis zugesprochen bekam und dann auch die Literaturdiskussion in den deutschen Nachkriegszeitschriften beschäftigte. 1949 folgt *Heimkehr in die Fremde*. Im ersten Roman schildert Kolbenhoff das nächtliche Zusammentreffen eines fanatischen 17jährigen, der sich für den ›Endsieg‹ Deutschlands opfern will, mit einem verbittert als Krüppel aus dem Krieg heimkehrenden Soldaten. Der Junge fürchtet die Argumente des Soldaten gegen den Krieg, wehrt sich gegen die Erinnerung an die Friedenszeit und kann sich ihrer schließlich nur dadurch erwehren, daß er den Kriegskrüppel mit der Pistole in Schach hält. Den Tod vor Augen phantasiert er sich noch als strahlenden Panzerhelden: »Alles krepiert. Auch ich krepiere für Deutschland. Wie die Katze unter der Straßenbahn. (...) Ich liege mit der Fresse auf dem Fußboden. Es riecht nach Küche. Ich werde aussehen wie der Mann auf dem Panzer.«

Der Roman ist einerseits am nüchternen Erzählstil der zeitgenössischen amerikanischen Realisten geschult, die Kolbenhoff in der Kriegsgefangenschaft kennenlernte; andererseits steht er aber auch stellenweise in der Tradition des Expressionismus. Zusammengeschlossen werden die heterogenen Stilelemente durch die eindeutige Tendenz, den verzweifelten und in dieser Verzweiflungserfahrung selbstsicheren Gestus der »Generation aus den Schlammlöchern«. Im Bewußtsein dieser Generation kommt ästhetizistisches Schreiben einem Selbstverrat gleich. Sie schwankt zwar zwischen Sprachaskese und oft sentimentaler Verzweiflungsrhetorik, bekämpft ihr »Rilkeherz« (Borchert) mit expressionistischem Kraftaufwand, weiß, daß sie ihre Sprache, die die Authentizität der rezenten Kriegserfahrung haben soll, noch nicht gefunden hat, formuliert aber gleichzeitig, daß Stilkonsistenz, abgeklärte ästhetische Form, angesichts der traumatischen Erfahrungen verdächtig ist. Denn *Die Erde bebt noch*, wie es im gleichnamigen beim ersten Treffen der Gruppe 47 gelesenen Gedicht WOLFGANG BÄCHLERS (geb. 1925) heißt:

> (...)
> Die Städte bröckeln noch in grauen Nächten.
> Es weht noch Asche unterm Blütenstaub.
> Die Toten stöhnen manchmal in den Schächten.
> Und auf den Märkten stehen die Gerechten
> und schreien, schreien ihre Ohren taub.
> (...)

Charakteristisch für den Kahlschlag als einer Phase versuchter Neuorientierung, die heterogene Stilelemente zusammenbringt: der gleiche, damals 22jährige Autor, der so engagiert das konkrete Kriegserlebnis zum Ausgangspunkt seiner Lyrik macht, findet Identität auch in den »Sternen«, im »Fluß der Zeiten«, im »Weltall«. (Die Zisterne, 1950)

Die allenthalben als Medium politischer Reflexion virulente Schuldfrage wird von HANS HENNING ZENCKE (geb. 1925) mit der konkreten Nachkriegsrealität konfrontiert:

(...)
Über den Vanilleersatzreklamen
Gegen die verstopften Bedürfnisanstalten,
Schräg an den abgemagerten Litfassäulen,
Zwischen den Zeilen der literarischen Besinnung,
Längs der Stümpfe verkohlter Ruinen,
Quer durch die angefaulten Leiber der Straßenpassanten,
Senkrecht auf deiner Angst
          und deinen zuckenden Träumen
          Steht das Wort geschrieben:
Du sollst das Leid auf dich nehmen!

(*Raskolnikow 1947*)

Bei NIKOLAUS SOMBART (geb. 1923) wird der für die Junge Generation typische strikte Abweis von jeglichem Organisationszwang fast als philosophischer Dialog entfaltet. In *Capriccio Nr. 1 oder des Wachsoldaten Irrungen* (1947) kritisiert die Sinnlichkeit der Liebesbeziehung den nur auf dem Papier, als Nummer existierenden, verwalteten Menschen. Im Unterschied etwa zu Schnurre oder Borchert erscheint die beklagte Entfremdung kaum in der sprachlichen Form, in der sie geäußert wird: »Denk Dir jetzt, wir machen einen Menschen, den wir uns bis in die kleinste Kleinigkeit ausdenken, mit Augenfarbe und Haarfarbe und Gewicht (...) und dann praktizieren wir ihn in alle diese verdammten Ernährungs- und Wohnungsämter und Standesämter und Büros (...) und Du wirst sehen, den gibt's!«

In der 1947 erscheinenden »Anthologie junger Autoren« *Der Anfang*, herausgegeben von Paul E. H. Lüth,[56] taucht immer wieder das Motiv der Verweigerung auf. So heißt es in THEO PIRKERS (geb. 1922) *Aus den zehn Liedern von der Methode*:

Wenn jemand dich fragt: Was denkst Du?
Sags nicht! Schüttle den Kopf und hau auf die Stirn dich
wie Narren, doch sags nicht!
Sie werden dich sonst in eine Zwangsjacke pressen,
dich in dunkle Zellen werfen und dich dann vergessen –
dich Menschen.

Die emphatische Reduktion auf den nicht gesellschaftlich bzw. politisch vereinnahmbaren »Menschen« schließt immer auch die Hoffnung ein, daß gerade durch die Verweigerung von Vergesellschaftung die Gesellschaft sich ändern möge. Das Mensch-Pathos des deutschen Expressionismus klingt dabei ebenso an wie die moderne existentialistische Formulierung individualistischen Protests: *Man müßte ein Mensch sein* überschreibt der 1947 24jährige RUDOLF KRAUSE seine von Verweigerungssehnsucht durchherrschten Phantasien:

Man müßte ein Mensch sein
Weiter nichts.
Und als böses Gewissen für die andern
jeden Tag durch die Straßen wandern.

Weiter nichts.
Bei Konferenzen eine Weile vor dem Fenster stehen,
sich langsam umwenden und gehen.
Weiter nichts.
(...)

Bei den Weisen süßer Schalmeien
gellend und unartikuliert schreien.
Weiter nichts.
Vor rasenden, blitzenden Fern-D-Zügen
erfroren auf den Schienen liegen.
Weiter nichts.
Die, die Politik praktizieren,
täglich vor ein Massengrab führen.
Weiter nichts.
Man müßte ein Mensch sein.
Weiter nichts!

Es ist gerade das Bekenntnishafte der ›Bestandsaufnahmeliteratur‹, der ›Kriegs- und Trümmerliteratur‹, das sie nach der Währungsreform – nicht selten auch in den Augen der Autoren selbst – als defizitär erscheinen läßt. Man verweist dann auf das Stigma dieser Literatur, im doppelten Sinne ›Notliteratur‹ zu sein, eklektizistisch an Formmustern zu hängen, wo sie traditionslos auf sich gestellt zu schildern vermeint. Doch solches Insistieren auf dem Auseinanderklaffen von selbstgesetztem Anspruch und erreichtem Ergebnis, der Nachweis nicht restlos überwundener NS-Terminologie, die unbemerkte Nähe zur Diktion der Faschisten gerade dort, wo mit dem Faschismus ›fanatisch‹ abgerechnet wird [57], verdeckt allzuleicht den Gegenbezug: daß sich in der Kahlschlagphase eine kompromißlos antifaschistische Haltung herausbildet, eine politisch-moralische Haltung, die in den fünfziger Jahren, in denen die faschistische Vergangenheit als unwirklicher Spuk verdrängt wird, dann als ›übermäßige Gebundenheit an die äußere Welt‹ erscheint. Die wichtigsten literaturästhetischen Einwände gegen die Kahlschlagliteratur sind im folgenden Urteil über Kolbenhoffs Roman *Von unserem Fleisch und Blut* versammelt: »Die nachexpressionistischen Stilmerkmale und Bilder aber, ein Übermaß an didaktischer Deutlichkeit und der Mangel an stilistischer Konsequenz verringern die künstlerische Bedeutung des Kolbenhoff-Romans zu einem literatur-soziologischen Zeitdokument.« [58]

Ähnliche Einwände werden gegen den in den ersten Nachkriegsjahren viel gelesenen Roman *Stalingrad* (1945) von THEODOR PLIEVIER (1892–1955) laut, der authentische Interviews mit Soldaten in Romanform integriert. Die ritualisierten Formen des Mißverstehens solcher Literatur als »nackte Faktensammlung«, als »kahle Fotomontage«, als »platt-realistisch«, »kunst- und seelenlos« gehen auf die gleiche Zeit zurück, an die Plievier formgeschichtlich anzuschließen versucht. Dokumentarische Literatur, Tendenzliteratur, Faktenmontage hat nach 1945, gerade weil sie an die Zeit der Arbeiterbewegung erinnert, keine Chance. Der ideologische Abweis ist oft ebenso eindeutig wie die form- und stilkritische Begründung vage. Gunter Groll, um ein zeitgenössisches Beispiel für diesen Zusammenhang anzuführen, Autor und Kritiker der Gruppe 47, lehnt 1948 die kalligraphische Elfenbeinturmliteratur ebenso entschieden ab wie die »Posaunisten eines angeblich neuen Realismus, die ewigen Frontberichter und literarischen Landser, die Dokumentarier, Reporter und Plakateure. Sie sind sehr laut und sehr aktuell und haben wenig zu sagen.«

Den Kriegsroman von HANS WERNER RICHTER (geb. 1908) nimmt er von diesem Urteil aus mit der widersprüchlichen Begründung, es handele sich bei den *Geschlagenen* (1949) um »ressentimentlose, unreflektierte, chronistische Prosa, dem Bereich des reinen Reportierens bereits in strengere Bezirke entwachsen«.[59] In *Die Geschlagenen* wird das Schicksal deutscher Soldaten im militärisch sinnlos gewordenen Kampf um Monte Cassino geschildert, wobei Richter vor allem die Bewußtseinslage der Soldaten interessiert, die politische und moralische Unselbständigkeit, die faschistisches Denken ›automatisch‹ weiterleben läßt und jeden Gedanken an die eigene Mitschuld am Faschismus abwehrt. 1951 folgt *Sie fielen aus Gottes Hand*, ein Roman, der sich ähnlich wie bei Plievier auf recherchiertes Tatsachenmaterial, vor allem auf Interviews, (zwischen 1939 und 1950) gründet und unter anderem die Geschichte eines estnischen Hauptmanns, eines polnisch-jüdischen Schusterjungen, eines spanischen Hauptmanns der republikanischen Armee, einer lettischen Bardame, eines deutschen Dachdeckermeisters erzählt.

Richter geht es in seinen Kriegsgeschichten stets auch um den Versuch realpolitischer Orientierung. Aber eine solche Orientierung auch nur zu versuchen, erscheint vielen Autoren der Jungen Generation als widersinnig, weil so in gewisser Weise die Perspektive des faschistischen – totalitären – Geschichtsbegriffs eingenommen wird, die das Individuum unter dem Aspekt des Allgemeinen und Anonymen subsumiert, es nur als Teil von Massen, als Kanonenfutter, Problem der Statistik begreift. Die Bewunderung der amerikanischen short story hat demgegenüber ihren besonderen historischen Erfahrungsort darin, daß dies Genre Realität unter umgekehrter Perspektive einzuholen versucht, es das scheinbar Zufällige, Banale, unbedeutende Schicksal des verlorenen Individuums lupenhaft vergrößert zum Bild kollektiver sozialer und psychischer Erfahrung.

Bei der Entwicklung der ersten Nachkriegsliteratur kommt deshalb der Kurzgeschichte besondere Bedeutung zu; in dieser Form von Kurzprosa am ehesten gewinnen die literarischen, politischen und psychischen Strebungen der ›jungen‹ Autoren ihren adäquaten ästhetischen Ausdruck. Vorbild ist die Prosa Faulkners, Steinbecks und vor allem Hemingways. Noch in amerikanischer Kriegsgefangenschaft lernen spätere Autoren und Publizisten wie Andersch, Richter, Kolbenhoff, Mannzen, Hocke sie kennen und sind, wie ihre Beiträge im (Lager)*Ruf* und anderen Lagerzeitschriften belegen, fasziniert von der nüchternen, harten, bis zur Banalität gegenständlichen und scheinbar tendenzlosen Realitätsschilderung.

WOLFDIETRICH SCHNURRE (geb. 1920), als Soldat mehrfach wegen ›Defätismus‹ inhaftiert und nach einem mißglückten Desertionsversuch in eine Strafkompanie versetzt, debütiert nach 1945 mit Kurzgeschichten, in denen die programmatische Verweigerung von Sprachüberhöhung und Innerlichkeit deutlich wird. In *Das Begräbnis* (1946), der ersten Arbeit, die überhaupt in der Gruppe 47 zur Diskussion gestellt wurde, demontiert Schnurre Kult- und Feiervokabular, indem er scheinbar beiläufig und anteilslos das verregnete ›Begräbnis Gottes‹ beschreibt, provokant die Banalität des umgangssprachlichen Dialogs einsetzt:

> »Frau!« ruf ich, »n Mantel.«
> »Wieso n?« brummelt sie oben.
> »Frag nich so blöd« sag ich; »muß zur Beerdigung.«
> »Kenn ich« greint sie; »Skat kloppen willste.«
> »Quatsch« sag ich; »Gott is gestorben.«

Der Versuch, den Sprachausdruck durch Verkürzung (wie hier durch Ellipsen und Elisionen) zu intensivieren, führt bis zum Realitätsstenogramm. So räsoniert ein Kriegsheimkehrer in einer Schnurre-Geschichte: »Studium weitermachen, nebenher schreiben, um Geld zu scheffeln für die Eltern ... aus kaputt, Eltern tot, Bücher verbrannt. Verzweiflung.«
Aus der Rückschau (*Kritik und Waffe*, 1961) hat Schnurre dieses Verzweiflungsstakkato, das zum belächelten Stilklischee des Kahlschlag wurde, mit der »Überfülle an peinigenden Erlebnissen aus den Kriegsjahren« begründet. Das »Stoffliche« habe den atemlosen Stil erzwungen: »Schuld, Anklage, Verzweiflung – das drängte zur Aussage ... zu keiner durchkomponierten oder gar episch gegliederten: nein, zu einer atemlos heruntergeschriebenen, keuchend kurzen, mißtrauisch kargen Mitteilungsform.« Um den Leidensdruck der Nachkriegszeit als entscheidenden Faktor der Literatur herauszustellen, unterschlägt Schnurre beinahe, was sein frühes Werk durchweg belegt: die ›mißtrauisch karge‹ Sprache ist das Resultat von Komposition, einer oft virtuosen Beherrschung der Mittel der Kurzgeschichte – genretypischer abrupter Beginn, Understatement, indirekte Charakterzeichnung, Verweigern von Gefühl und kommentierender Reflexion, Einblendung anderer Sprach- und Zeitebenen, kontrastierende Sprachmontage, lapidar pointierter Schluß.
Schnurre hat seine Kurzgeschichten, die er als ein »Stück herausgerissenes Leben« verstanden wissen will, in mehreren Sammelbänden veröffentlicht: *Die Rohrdommel ruft jeden Tag* (1950); *Eine Rechnung, die nicht aufgeht* (1958); *Man sollte dagegen sein* (1960).
In seinem Werk dominieren kleinepische Formen (Fabel, Parabel, ›Roman in Geschichten‹); in den fünfziger Jahren entstehen zahlreiche Hörspiele, danach auch Fernsehspiele. Auch in dem sehr umfänglichen Roman *Der Schattenfotograf* (1979) arbeitet Schnurre mit kleinepischen Formen, vielen virtuos ineinander verschränkten einzelnen Geschichten. Im Gegensatz zur gesellschaftskritisch engagierten Prosa, im Gegensatz auch zu seinen literaturtheoretischen Essays, in denen sich Schnurre dezidiert als politischer Autor versteht (»Auszug aus dem Elfenbeinturm« in *Schreibtisch unter freiem Himmel*, 1964), stehen Arbeiten wie *Sternstaub und Sänfte. Aufzeichnungen des Pudels Ali* (1953) oder *Die Blumen des Herrn Albin* (1955). Die fiktiven Verfasser von Tagebuchaufzeichnungen hängen skurril-esoterischen Gedan-

ken nach, deren Abseitigkeit Schnurre zu einer mitunter etwas betulichen Ironie Gelegenheit gibt.

HEINRICH BÖLL (geb. 1917), nach seiner Rückkehr aus amerikanischer Kriegsgefangenschaft zunächst als Hilfsarbeiter und Angestellter in Köln arbeitend, beginnt seine literarische Karriere mit Kurzgeschichten, die seit 1947 in Zeitschriften erscheinen (*Die Botschaft; Über die Brücke; So ein Rummel; Wanderer kommst Du nach Spa ...*; 1950 Sammelband unter diesem Titel).

In *So ein Rummel* benutzt Böll das abseitige Tingel-Tangel-Exotik versprechende Jahrmarktsmilieu zu einer in seiner Brutalität und Illusionslosigkeit grotesk übersteigerten Schilderung von Nachkriegsgesellschaft. Zwei in kurze Montageeinheiten zerschnittene Handlungsebenen, die brutalen Spiele der Schaustellerkinder und das ›Einstellungsgespräch‹ zwischen dem auf dem Rummelplatz nach Arbeit suchenden Erzähler und der ›Frau ohne Unterleib‹, werden ineinandergeschoben. Gerade die ständigen Handlungsbrüche (die Erwachsenen unterbrechen das Kinderspiel, die Kinder das Gespräch der Erwachsenen) konstituieren – als Montageschnitte – die vom Leser zu erschließende Bedeutung der Kurzgeschichte. Mit Mitteln der Untertreibung, satirischen Verfremdung läßt Böll die Inhumanität des Krieges als das ganz Normale, Alltägliche, als unanzweifelbares Realitätsprinzip erscheinen. So wenn die Mutter die Kinder in ruhig pädagogischem Ton auffordert, statt ›Neandertaler‹ lieber ›Totalgeschädigt‹ zu spielen oder ›Bunker‹; oder wenn sich eins der Kinder schluchzend in den Schoß der Mutter flüchtet und jammert: »Ich soll das Flüchtlingskind sein, das erfriert, und Fredi will meine Schuhe und alles verscheuern« und die Mutter dreier Kinder, ›Frau ohne Unterleib‹ mit täglich fünf Vorstellungen, illusionslose Illusionistin, um ihr Kind zu trösten, dem Bruder bestellen läßt: »Sag Fredi, er soll sterben, ich hätte gesagt, er sei jetzt an der Reihe mit Sterben.« In diese Kritik der Nachkriegsgesellschaft bezieht Böll den Stunde-Null-Jargon seiner eigenen Generation ein, wenn er seinen Helden, befragt nach seinem Beruf, antworten läßt: »Betrachten Sie mich als einen Vertreter des Nichts« – die ›Frau ohne Unterleib‹ schließt daraus, daß sie es mit einem Schwarzmarkthändler zu tun hat.

Böll hat die Kurzgeschichte als die für ihn ›reizvollste Prosaform‹ bezeichnet, weil sie am wenigsten ›schablonisierbar‹ sei. Bevor er 1951 den Preis der Gruppe 47 erhält, erscheinen seine Arbeiten nur in kleiner Auflage und ohne, daß er davon leben könnte. Auf den Zusammenhang der frühen Kurzgeschichten mit den Romanen Bölls wird später einzugehen sein.

Neben den Kurzgeschichten Heinrich Bölls Wolfdietrich Schnurres, ERNST SCHNABELS (geb. 1913) (*Sie sehen den Marmor nicht*, 1949) haben vor allem die Geschichten und kurzen Erzählungen WOLFGANG BORCHERTS (1921–1947) (*Die Hundeblume. Erzählungen aus unseren Tagen*, 1947; *An diesem Dienstag*, 1947; *Die traurigen Geranien*, aus dem Nachlaß, 1962 erschienen) für das Bild der Kahlschlag- und Trümmerliteratur besondere Bedeutung erlangt. Es gehört zu den Widersprüchen des Literaturverständnisses der fünfziger Jahre, daß ein Autor wie Borchert in den Kanon der dichterischen Literatur, der autonomen Sprachkunstwerke gerät, obwohl sein Werk alle jene Merkmale aufweist, die bei anderen Autoren als Beweis mangelnder dichterischer Kraft angeführt werden: Tendenz bis zur Lehrhaftigkeit, enger Zeitbezug und nicht zuletzt Abhängigkeit von literarischen Vorbildern (Rilke, Benn, Ringelnatz). Abwehr von heiler Sprachwelt und Rilkereminiszenz, beides findet sich in Borcherts Texten eng nebeneinander. In *Das ist unser Manifest* heißt es: »Wir brauchen keine Dichter mit guter Grammatik. Zu guter Grammatik fehlt uns Geduld. Wir brauchen die, (...) die zu Baum Baum und zu Weib Weib sagen und ja und nein sagen: laut und deutlich und dreifach und ohne Konjunktiv (...) Über den Schornsteinen, über den Dächern: die Welt: lila. Über unseren hingeworfenen Leibern die schattigen Mulden: die blaubeschneiten Augenhöhlen der Toten im Eissturm, die violettwütigen Schlünde der kalten Kanonen.«

Charakteristisch für die Ambivalenz des ›Kahlschlag‹, fordert Borchert gegen die falschen Trost versprechende, kalligraphische Literatur die eindeutige ›deutliche‹ Sprache; zugleich aber steigert er sich in vieldeutige expressionistische Metaphorik. Eindeutig ist indessen der Verzweiflungsgestus, die Unbedingtheit der pazifistischen Position, die Verweigerung gegenüber denen, die das fürchterliche Elend des Krieges angerichtet haben. Wie viele junge Autoren dieser Zeit findet Borchert seine Sprache, indem er die Unmöglichkeit, den modernen Vernichtungskrieg mit poetischen Mitteln zu schildern, beschreibt:

»Wer unter uns, wer denn, ach wer weiß einen Reim auf das Röcheln einer zerschossenen Lunge (...) welche Druckerei hat ein Zeichen für das Rostrot der Güterwagen, dieses Weltbrandrot, dieses angetrocknete, blutigverkrustete Rot auf weißer, menschlicher Haut?« (*Im Mai, im Mai schrie der Kuckuck*)

Im Unterschied etwa zur ›mißtrauisch kargen‹ Sprache Schnurres tendiert Borcherts Sprache zur Ausschaltung der Reflexion, drängt auf die direkte Aussage des Gefühls. Repetierend und insistierend wird die überwältigende Realität, für die es kein Wort gibt, rhetorisch beschworen. (»Denn für das grandiose Gebrüll dieser Welt und für ihre höllische Stille fehlen uns die armseligsten Vokabeln. Alles was wir tun können, ist: Addieren, die Summe versammeln, aufzählen, notieren.«) Zwei Hauptformen der Erzählung sind bei Borchert zu unterscheiden: Erzählungen, die linear auf den Zielpunkt der Handlung hinführen (wie *Die Hundeblume*), und solche, die fast ohne Handlung in pathetischen Steigerungen, rhythmisch-rhetorisch ihre Message verkünden (wie *Generation ohne Abschied, Die Elbe*).

Der im Krieg schwer verwundete Borchert, der zehn Monate im Lazarett und sechzehn Monate im Gefängnis wegen defätistischer Äußerungen zubrachte, stirbt kurz vor der Uraufführung seines Heimkehrer-Dramas an den Folgen von Kriegsverletzungen, von Gelbsucht und Fleckfieber. Die Leidensunmittelbarkeit, der pazifistische Protest, das ›Nein‹ seiner Gedichte und Erzählungen, all das wird in der Rezeption mit dem authentischen Schicksal des Autors verbunden. Generationen von Schülern ist er fortan Pflichtlektüre und Gegenstand der Identifikation zugleich. In der wiederaufgerüsteten, prosperierenden Bundesrepublik wird das Werk Borcherts ausgenommen vom Verdacht,

»zynisch-perverse Wirklichkeitsschilderung« zu sein; für die übrige ›Inventur‹-, ›Bestandsaufnahme‹-, ›Trümmer‹-Literatur gilt indessen seit der Währungsreform, spätestens Anfang der fünfziger Jahre, was Borchert zum Untertitel seines Theaterstücks *Draußen vor der Tür* wählte: »Ein Stück, das kein Theater spielen und kein Publikum sehen will.«

Heinz Friedrich, *Ruf*-Autor und Mitbegründer der *Gruppe 47*, der seinerzeit die Sprengung der Elfenbeintürme begrüßte und einen neuen Realismus entstehen sah, 1953, in einem Kommentar zu einer Gruppe-47-Tagung in Mainz, mokiert er sich über die Reste der Kahlschlag- und Bestandsaufnahmeliteratur: »Die literarischen ›Avantgardisten‹ des Jahres 1947 haben sich noch nicht alle beruhigt. Sie schreiben noch immer ›Vorwährungsreform-Literatur‹«. [60]

Magischer Realismus und Surrealismus in der Nachkriegszeit

Als 1946 die Zeitschrift *Das Silberboot* wieder erscheint, ist ihr die vom Faschismus erzwungene 10jährige Unterbrechung kaum anzumerken. Denn für viele Autoren des magischen Realismus hatte der Faschismus in der ›äußeren‹ Realität lediglich wahr gemacht, was kulturpessimistisch-mythologisierendes Denken zu Beginn der dreißiger Jahre als allgemeinen ›Verfall‹ der Werte, als ›Chaos der Zeit‹ imaginiert hatte, und so gelten die entsetzlichen Opfer, das Trümmerelend, das vom Dritten Reich übrigbleibt, wiederum nur als abgehobene ›Realitätsvokabel‹, als Kontrastmittel, das die ›innere Wahrheit‹ magisch-realistischen Dichtens um so deutlicher konturiert. ERNST KREUDER (1903–1972) äußert 1945: »Daß wir nach dem gänzlichen Zusammenbruch (...) nicht mehr wie früher schreiben werden, leuchtet uns allen ein«, und fährt fort: »Ich muß sagen, daß mich diese Realität, in der sich solche blutigen Schundromane abspielten, nicht mehr interessiert. Politik und Erotik kann ich nicht mehr ernst nehmen, geschweige denn Kunst damit machen.« (Brief an Oda Schaefer und Horst Lange v. 24.10.45)

Kreuder, der 1939 Kurzgeschichten unter dem Titel *Die Nacht des Gefangenen* veröffentlicht hatte, wird mit der – auch international erfolgreichen – romanhaften Erzählung *Die Gesellschaft vom Dachboden* (1946) bekannt, in der die ›Rückgewinnung‹ der Persönlichkeit, der ›Urwahrheit‹ aus dem ›Chaos der Zeit‹ Thema ist. Die Zivilisationsfeindlichkeit, die Lust auf hermetische Isolation, »die Schau des Unsichtbaren und das Hören des Niegehörten«, wie es in Kreuders Erzählung heißt, wird als Forderung und Protest gegen die politisch-soziale Realität formuliert. Was Kreuders Figuren zwischen Dachbodengerümpel diskutieren, trägt »atmosphärisch noch den Duft des zivilisations- und technikfeindlichen neuromantischen Seelenvagabunden, wenn auch nicht mehr das deutsche Parfüm der Gestalten von Waldemar Bonsels und Manfred Hausmann«. [61] 1948 erscheint von Kreuder der Roman *Die Unauffindbaren*, 1954 *Herein ohne anzuklopfen*.

Prägendes Vorbild für magisch-realistische Literatur nach 45 ist – neben Kafka – vor allem die um ›neue Religiosität‹ ringende Prosa Hermann Brochs (Roman-Trilogie: *Die Schlafwandler*, 1931/32), von dem 1945 *Der Tod des Vergil* erscheint. HERMANN KASACK (1896–1966) schildert in *Die Stadt hinter dem Strom* (1947) ein ›Zwischenreich‹, in dem die Gestorbenen vor ihrem endgültigen Übergang in die Welt der Toten ein total entfremdetes Dasein führen. Im Unterschied zu den undurchschaubaren, auswegloslastenden Situationen, in die die Figuren Kafkas gestellt sind, konstruiert Kasack einen von geschichts- und kulturpessimistischer Warte aus schematisch übersichtlichen Dualismus von Geist und Ungeist, humanitas und Nihilismus, Persönlichkeit und entmenschtem Kollektiv usf. An der Seite der Hauptfigur, des ›Chronisten‹ Dr. Lindhoff, einem Abgesandten des ›Archivs‹ (das für Geist und humanitas steht), erwandert der Leser den Ort des zynischen Materialismus, die Ruinen und Katakomben der unter dem Diktat der allmächtigen ›Präfektur‹ geknechteten ›Stadt‹. Kasack hypostasiert gesellschaftliche Entfremdung als absurd-leere Bewegung, wenn er zwei Fabriken schildert, die, ohne voneinander zu wissen, gegeneinander arbeiten: Während die eine unter ständiger Steigerung der Arbeitshetze, Verbesserung der Qualität usf. Kunststeine produziert, zerreibt die andere Fabrik, ersterer damit den ›neuen‹ Rohstoff liefernd, die Steine zu Staub. Der ›Materialismus‹ kommt mithin jenseits von ökonomischem und politischem Interesse zu sich selbst; es geht in der endzeitlich KZ-artigen Welt lediglich noch darum, wie Kasack einem Vertreter des ›Bösen‹ in den Mund legt, »einen Symbolwert« zu erreichen.

Der Versuch, das Erlebnis des Faschismus in einer modellhaft konstruierten schwarzen Utopie zu überhöhen, konvergiert immer wieder ungewollt mit Momenten faschistischer Ideologie, so im erwähnten Beispiel der absurd verselbständigten Bewegung des ›Materialismus‹ der Imperativ des ›Eine-Sache-um-ihrer-selbst-willen-Tun‹, mit dem die Faschisten die konkreten politischen und ökonomischen Interessen ihrer Herrschaft verschleierten. Die Schreckensbilder von Zwangskollektiv, Bewußtlosigkeit, Brutalität enthalten bei Kasack zugleich indirekt traditionelle religiöse Trostvorstellungen, laden den Leser ein zu spiritueller Läuterung.

Bei ELISABETH LANGGÄSSER (1899–1950) gewinnt das beängstigende kulturpessimistische Panorama von Verfall und Endzeit deutlich christliche Kontur. Beeinflußt vom französischen ›Renouveau catholique‹ (Bernanos), aber auch von Joyce und Broch, veröffentlicht sie 1946 *Das unauslöschliche Siegel*, einen Entwicklungs- bzw. Bekehrungsroman, der fortan als exemplarisches Beispiel des ›magischen Realismus‹ gilt.

Einem »neuen Realismus des inwendigen Menschen« verpflichtet ist das schmale Werk des erst zu Beginn der fünfziger Jahre veröffentlichenden österreichischen Erzählers GEORGE EMMANUEL SAIKO (1892–1962). Geschichte verflüchtigt sich in den beiden Romanen *Auf dem Floß* (1948) und *Der Mann im Schilf* (1955) zur ahistorischen ›Umbruchzeit‹, die im Getriebensein und Ausgesetztsein des Individuums ihren Ausdruck findet (*Die Wirklichkeit hat doppelten Boden. Gedanken zum Magischen Realismus*, 1952).

601

Für HANS ERICH NOSSACK (1901–1977) wurde die Zerstörung Hamburgs, die er in der Erzählung *Der Untergang* (entstanden 1943) beschreibt, in doppelter Weise zum Ausgangspunkt des späteren Werks: Als sämtliche seit den zwanziger Jahren entstandenen Manuskripte verbrennen, begreift Nossack diesen Moment als existentiellen Augenblick, d. h. die weitere Arbeit kompensiert nicht den Verlust, sondern basiert auf ihm.

Das Existentialerlebnis des ›Verstoßenwerdens‹ wird zum Ausgangspunkt eines verwandelten Neubeginns: »Mit dem Augenblick, wo wir uns von den Trümmern unseres einstigen Heims abwenden, beginnt ein Weg, der über den Untergang hinausführt.« Nossack, der 1947 mit dem Roman *Nekya. Bericht eines Überlebenden* und dem ein Jahr später erscheinenden *Interview mit dem Tode* bekannt wird (durch die Vermittlung Sartres auch in Frankreich), hält auch in seinem späteren Werk am Todesmotiv fest (*Nach dem letzten Aufstand. Ein Bericht,* 1961). Im Unterschied zur Hypostasierung der entfremdeten Gesellschaft als hermetisches Totenreich in Kasacks *Stadt hinter dem Strom* vollzieht Nossack in den Formen Interview, Bericht, Selbstverhör, Protokoll usf. Erkenntnisprozesse, die, von existentialistischer Negation der Entfremdung ausgehend (›Aufbruch ins Nicht-Versicherbare‹), schließlich wieder in Todesmetaphorik, Realitätspessimismus münden – damit die Möglichkeit des existentiellen Aufbruchs neu begründen, den zirkelhaften bzw. spiralförmigen Erkenntnisprozeß auf diese Weise weitertreiben. (*Spirale. Roman einer schlaflosen Nacht,* 1956). Entsprechend ist es Nossack möglich, Motive, Figuren und Situationen, die die Grundstruktur von Untergang-Grenzüberschreitung-Untergang erfüllen, in verschiedenen Arbeiten z. T. fast identisch zu wiederholen. Nossack fühlt sich Albert Camus und Cesare Pavese verwandt, die wie er den »circulus vitiosus der Intellektuellen unserer Generation« durchlaufen, dabei »sämtliche Positionen bis zur Selbstaufgabe ausprobiert« haben. (*Die schwache Position der Literatur. Reden und Aufsätze,* 1966)

Das Literaturverständnis der fünfziger Jahre

Zu Beginn der fünfziger Jahre setzt sich der Autonomie heischende Sprach- bzw. Wortkult nicht zuletzt deshalb so erstaunlich problemlos gegen den Antiästhetizismus und ›totalen Ideologieverdacht‹ der ›Jungen Generation‹ durch, weil er zuvor in der Nullpunktideologie vielfach schon angelegt war: so in der wohl verbreitetsten Form ›geistiger‹ Faschismusbewältigung nach 1945, der ›Reinigung‹ der vom Faschismus ›besudelten‹ und ›infizierten‹ Sprache (exemplarisch in der Artikelserie der *Wandlung: Aus dem Wörterbuch des Unmenschen,* 1957 von Sternberger, Storz und Süskind auch als Buch herausgegeben). Der Versuch, die ursprüngliche, reine Wortbedeutung etymologisierend und moralisierend freizulegen, präludiert in vielen Fällen die Feier des Wesenhaften und Urwahren, des Überzeitlichen und Absoluten von Sprache. Das heißt, die Befreiung der Sprache von der faschistischen Befleckung läuft tendenziell hinaus auf die Befreiung der Sprache von jeglichem besonderen historischen und gesellschaftlichen Bezug, auf eine durch Sprache gestiftete »Welt oberhalb unserer Gebundenheit« (Sieburg). Durch die idealistische Erklärungsform der Ursachen des Faschismus werden Faschismusbewältigung und Faschismusverdrängung fast ununterscheidbar. Behauptet wird in topischer Gleichförmigkeit, daß vor allem Ideen, Worte, nicht materielle Verhältnisse den faschistischen Terror hervorgetrieben hätten. »Die ungeheure Gefährlichkeit des Wortes«, räsoniert Benn mit Zustimmung einer ganzen Intellektuellen-Generation (Brief an Rychner v. 27. 5. 59), »ist das Erlebnis unserer Generation (...) Worte, die töten, Gedanken, die Millionen das Leben kosten.«[62]

Der affirmative Nutzen, der sich aus der idealistischen bzw. dämonologischen Interpretation der verbrecherischen NS-Sprache ziehen läßt, liegt auf der Hand: die Errettung der gesellschaftlichen Verhältnisse durchs geschichtsfern magische Dichterwort. »Und das Wort kann sein«, betont Hans Egon Holthusen, »es kann aufschwellen zu einem unmittelbar und ursprünglich wirklichen Sein (...). Das poetische Wort ›bedeutet‹ nicht, sondern es zeugt Wirklichkeit.«[63]

Gerade das Absehen der Literatur von allem ›diesseitig Gebundenen‹, das Abschotten gegen die ›äußeren‹ gesellschaftlichen Verhältnisse soll den Blick für die eigentlichen Probleme der Gegenwart öffnen. Realitätsverlust, Evasion aus dem gesamtgesellschaftlichen Zusammenhang in die heilige Frühe magischen Sprachzaubers feiert man paradox als einzig geschichtsmächtige Potenz. Die sogenannten ›zeitergriffenen Dichtungen‹, die ›modernen Sprachkunstwerke‹, ergreifen die Zeit meist nur, um sie als akzidentell zu zeigen, das Überzeitliche zu rühmen.

»Aber das Wirkliche ist nicht die Wahrheit«, erkennt Hagelstange in einem Gedicht zur Krönung Elisabeth II. von England:

> Könige sterben aus und entarten.
> Kronen sind unsterblicher Art.
> Wie die Form.
> (*Zwischen Stern und Staub*, 1953)

Literaturkritik und Literaturwissenschaft

Die politisch und kulturell gleichermaßen engagierte Publizistik der ersten Nachkriegsjahre ist nach der Währungsreform bald verdrängt. Großen Einfluß auf die jüngere Generation der Literaturkritiker üben nun vor allem zwei Kritiker und Wissenschaftler aus, die noch an den Literaturdebatten der zwanziger Jahre teilgenommen hatten: Ernst Robert Curtius und Max Rychner. Curtius' Aufsatz über »Goethe als Kritiker«, 1948 im Merkur zuerst erschienen, betont die Bedeutung der ›Goethe-Zeit‹, der deutschen Klassik und Romantik und wertet die folgenden Epochen der Literatur und Literaturkritik zunehmend als Verfallsgeschichte. Diese Tendenz zu Klassizität und Ahistorizität erwies sich als überaus folgenreich für die Entwicklung jüngerer Kritiker wie Holthusen, Hohoff, Boehlich, Fabri oder Horst. Abgewehrt wird insbesondere die Tradition der politisch-literarischen Publizistik nach 1830.

Ihr Mandat leitet die Literaturkritik der fünfziger Jahre nicht von der gesellschaftlichen Kommunikation zwischen Leserschaft und Werk ab, sondern allein vom literarischen Kunstwerk als Kunstwerk. Kritik gilt dementsprechend als »Literatur der Literatur« (Curtius). Kritik und Autorschaft wachsen »aus ein und demselben Wurzelgrunde«. Wo der Kritiker »sich durchstreitet bis zu den Quellen des ursprünglichen Lebens, da kann auch in seiner Hand das Wasser der Wahrheit sich ballen«.[64]

Man betont seine vermeintlich autonome Stellung als Kritiker, indem man sie mit seinem Literaturideal, dem autonomen ahistorisch gültigen Sprachkunstwerk, analogisiert. Alles was nicht immanent das Kunstwerk betrifft, meint z. B. Günter Blöcker noch 1959, sei als »sekundär« anzusehen, der »gesellschaftliche Zweck« der Literaturkritik bestehe einzig darin, »dem Kunstwerk Antwort zu geben«.[65]

Das ›Kommerzielle‹, die materiellen und ideologischen Zwänge und Abhängigkeiten, die der ›Literaturbetrieb‹ mit sich bringt, werden zwar in zahlreichen kulturpessimistischen Veröffentlichungen moralisierend beklagt, einschneidende Konsequenzen für die Selbsteinschätzung, die Autonomiefiktion, zieht man aber bis zum Beginn der sechziger Jahre nicht daraus. Einen für die Adenauer-Ära bezeichnenden Vorschlag, wie sich der Widerspruch von autonomer Kunst und Massenkultur glätten läßt, macht Karl Korn (*Die Literaturfabrik*, 1953). Der ›geistige Mensch‹, eingeklemmt zwischen kapitalistischem Tun und abendländischem Trachten, solle mit der ›modernen Technologie‹ durchaus Schritt halten, müsse sich dabei aber »einen Ort im eigenen Inneren (...), den die Apparatur nicht beherrschen soll«, freihalten.[66]

Der beinahe kultisch anmutenden Verehrung ›großer Dichtung‹, die in der literarischen Öffentlichkeit der fünfziger Jahre die diskursive Erörterung der Form und gesellschaftlichen Funktion von Literatur fast völlig verdrängt, entspricht das spezifische Erkenntnisideal der Literaturwissenschaft dieser Zeit: die immanente, ahistorische »Kunst der Interpretation« (Emil Staiger). Diese Wissenschaftsmanier entsteht nicht erst in der Zeit nach 1945, sondern reicht – genauso wie die Heideggersche Philosophie und ihr »Weg zur Sprache« – weit zurück in die dreißiger und zwanziger Jahre. Wissenschaftler wie Emil Staiger oder Wolfgang Kayser rechnen es sich als Verdienst an, jegliche Frage nach der Historizität, der besonderen gesellschaftlichen Bedingungsform von Literaturproduktion und Literaturrezeption als akzidentell zu entlarven und statt dessen das ›Unaussprechlich-Identische‹, das ›Überzeitliche‹ des ›großen Kunstwerks‹ zu beschwören. Vor allem im naturmagischen Gedicht, das in den fünfziger Jahren zum privilegierten Literaturgenre wird, kommt diese immanente Interpretationspraxis zu sich selbst.

Daß die Feier d e r Sprache in der literarischen Öffentlichkeit des Adenauer-Staats eine so dominierende Rolle spielt, Wahrheitsanspruch erhebt, hängt wesentlich damit zusammen, daß sich der Sprachkult im Verbund der verschiedensten kulturellen Institutionen durchsetzt. Der letzte Winkel in den Kulturredaktionen des Rundfunks und der Presse ist davon ebenso bestimmt wie der Literaturunterricht im Gymnasium oder die erbauliche Rede am ›Ort der Begegnung‹. Allerorts ist die Heidegger-Schule, der es in den fünfziger Jahren gelingt, eine Vielzahl von Lehrstühlen an den Universitäten zu besetzen, ideologisches Vorbild und Berufungsinstanz. Sprache soll danach »an den Urgrund des Seienden, an die Tiefe und Wahrheit des Seins« rühren; »was in der Sprache sich ausspricht (oder im sprechenden Denken), ist nur in der Sprache gegenwärtig. Es ist kein Meinen, keine Rede über etwas, das richtig oder falsch sein könnte, sondern das Wesenhafte selbst, das Sein des Seienden in unmittelbarem Dasein. Die Sprache ist das Wesen und das Herz der Welt.« (Walter F. Otto)[67]

Endzeitbewußtsein

In den fünfziger Jahren kostet man die Gewißheit, daß alles seinsmäßig ungewiß und absurd sei, in unendlichen Varianten aus, weidet sich am absurd Transitorischen der Zeit, richtet es sich schwarz-gemütlich ein in Todesmetaphorik und ›Geworfenheit‹. Vom Nullpunkt und Kahlschlag der unmittelbaren Nachkriegszeit erklärt man sich geheilt: »Wir rufen nicht mehr unklug und ungebärdig nach dem ›Zeitroman‹, dem ›Zeitgedicht‹, dem ›Zeitdrama‹«, heißt es in einer christlich-konservativen Literaturgeschichte der fünfziger Jahre: »Wir sind durch Erfahrung klug geworden und haben am Exempel das überzeitliche, nach eigensten Gesetzen offenbare Wesen und Wirken (...) echter Dichtung auch in diesem Jahrzehnt erkannt.«[68] Man schwankt, zwei Seiten derselben Sache, zwischen ›katastrophischem Bewußtsein‹ und der ›Gewißheit letzter Bewältigung des Seinsgeheimnisses‹.

Dieses Bewußtsein durchherrscht die Diskussion praktisch aller Kunstdisziplinen. In der ›Wesensbestimmung‹ des Grotesken, die der Literaturwissenschaftler Kayser 1957 gibt, wird der affirmative Zusammenhang, in dem das Bild der katastrophierenden Welt steht, ausdrücklich hervorgehoben: »Bei aller Ratlosigkeit und allem Grauen über die dunklen Mächte, die in und hinter unserer Welt lauern und sie uns entfremden können, wirkt die echte künstlerische Gestaltung zugleich als heimliche Befreiung. Das Dunkle ist gesichtet, das Unheimliche entdeckt (...).«[69]

Verlust der Mitte überschreibt der Kunsthistoriker Hans Sedlmayr 1948 eine kulturpessimistische Abhandlung, die mit der modernen Kunst scharf ins Gericht geht und – mit Gewährsleuten wie Jaspers, Jünger, Spengler oder Bernanos – einen »Krankheitsverlauf« der Kultur und des Geistes bis ins Endstadium, die unmittelbare Gegenwart, diagnostiziert. Sedlmayr kommt in der vieldiskutierten Schrift, die Mitte der fünfziger Jahre als Taschenbuch weite Verbreitung findet, zu dem Schluß, daß man es mit »Extremzuständen« zu tun habe, »jenseits welcher man sich kaum etwas anderes vorzustellen vermöchte als die totale Katastrophe – oder den Beginn der Regeneration. Das scheint nicht eine der vielen Krisen zu sein (...) sondern die Krise des Menschseins schlechthin.«[70] Auch die konservative Theatertheorie dieser

Zeit ist von ›katastrophischem‹ Bewußtsein geprägt: *Katastrophe oder Wende des deutschen Theaters* überschreibt der Journalist und Dramaturg Egon Vietta 1955 eine polemische Schrift, die die Wiedergeburt des Theaters aus dem ›Geist‹ (nicht aus ›äußeren Bühnenmitteln‹) beschwört, eine Re-Archaisierung, Re-Sakralisierung fordert: »Die Bühne muß in die Katakomben steigen.«[71]

Während die Wirtschaft der Bundesrepublik auf Hochtouren läuft, die alten politischen und ökonomischen Eliten die Geschäfte der jungen Demokratie besorgen, es scheinbar ohne Ende ›aufwärts‹ geht, genießen die schöngeistigen Intellektuellen die Chimäre einer angeblich undurchschaubaren und sinnlosen ›äußeren‹ Welt, versenken sich in die Metaphorik des dunkel Verrätselten, Ausweglosen, Absurden. Nähe zum ›barocken‹ Lebensgefühl konstatiert nicht nur Bingel, der im Nachwort zu einer 1961 erscheinenden Gedichtanthologie ausführt:

»Was sich bei Gryphius bereits anzeigte, die veränderte Stellung des Menschen, ist zum Fundament dieser Auffassung geworden: der Mensch ist nicht mehr bevorrechtigt, sondern Tiere und Dinge sind gewissermaßen seine Partner. Der Mensch empfindet sich darüber hinaus als Objekt, das den Apparaturen der modernen Welt ausgeliefert ist.«[72]

Die Lyrik zieht, wie Bingel es sieht, aus solcher katastrophalen Situation (wie seinerzeit Gryphius) qualitativ Nutzen; ihre Möglichkeiten erweitern sich durch die Konzeption des ›Eins-mit-den-Dingen-Sein‹.

Die Radikalisierung der magisch-hermetischen Dichtungskonzeption

Naturlyrik der fünfziger Jahre

Naturmagische Dichtung zielt, wo sie einzelnen Naturerscheinungen metaphysische Wahrheit abzulesen versucht, rätselhafte Zeichen und Spuren beschwört, in Kräutern, Rinde und Blüte, in Vogelflug und Wolkenzug einen Zugang zur ›Urwahrheit‹, zum ›Urtext‹ sucht, am wenigsten auf Natur als Natur ab. Zwar erscheint Lyrik in den fünfziger Jahren, wie der Lyriker und Essayist Peter Rühmkorf 1962 bissig anmerkt, als »ein einziger Blumenladen«, eine »Wiedergeburt des Mythos aus dem Geiste der Kleingärtnerei.«[73]

Doch solche Kritik, die sich polemisch festmacht an Idyllik und ›vegetarischer‹ Evasion in ›heile Welt‹, greift zu kurz. Sie erreicht noch *Weinberghaus* (1947) und *Silberdistelklause* (1947) von Georg Friedrich Jünger, Elisabeth Langgässers *Der Laubmann und die Rose* (1947), Friedrich Schnacks *Kleine Gartenillusion* (1948). Die in den fünfziger Jahren sich durchsetzende erkenntnispessimistisch gepanzerte magische Dichtungskonzeption, die das

Werk von Günter Eich oder Ingeborg Bachmann bestimmt, ist indessen mit dem Hinweis auf tröstliche Idyllik, Natur als naivem Refugium, nicht zu erklären. Daß Natur – entgegen dem ersten Eindruck, den naturmagische Gedichte vermitteln – qua Sujet am wenigsten ästhetischen Sinn stiftet, sich vielmehr das in Bedrängnis geratene bürgerliche Ideal autonomer Kunst in ihr zu ›renaturalisieren‹ sucht, zeigt sich z. B. darin, daß der für die Entwicklungsgeschichte naturmagischer Dichtung in Deutschland so wichtige Autor OSKAR LOERKE (1884 –1941) seine ›Stadtgedichte‹ in die gleiche poetische Perspektive stellt, in der seine ›Naturgedichte‹ stehen, er die moderne Großstadt als ›ein Stück Natur‹ auffaßt. Gegenüber seinem Vorbild Stefan George, der die hermetische Dichtungskonzeption noch mit elitärer Subjektüberhöhung verwirklichte, priesterlich ›eigne namen‹ und ›seltne reiche‹ erfand, die über der materiellen Realität der kapitalistischen Warenwelt erhaben waren, nimmt Loerke (und nach ihm Günter Eich) Erscheinungen der modernen Großstadt ins naturmagische Gedicht hinein. Anders gesagt: die historische, an elitäre Subjektüberhöhung geknüpfte Form des Ästhetizismus ist nicht länger zu halten, nur über ihre Negation weiter ausbaubar: das Subjekt wird magisch eins mit den ›Dingen‹, dem geschichtslosen bzw. archaisch gedachten ›Sein als solchem‹. Die ›Kacheln‹ der ›Untergrundbahn‹ verweisen ebenso aufs lyrische Ich und lösen seinen Erkenntnisschock aus wie die magischen Spuren auf der Birkenrinde, der Vogelzug, die Zeichen am Gewitterhimmel usf.

In den frühen noch expressionistisch und surrealistisch beeinflußten Gedichten GÜNTER EICHS (1907–1972) ist Natur Konterpart des träumenden Subjekts, Natur spiegelt Innerlichkeitserfahrungen, liefert das Metaphernarsenal zur Darstellung des Verhältnisses von Subjekt und Welt. (*Gedichte* 1930). Entsprechend hatte Eich 1932 in einer Diskussion mit Bernhard Diebold betont:

»(...) der Lyriker muß ›alte‹ Vokabeln gebrauchen (...). An Vokabeln wie ›Dynamo‹ oder ›Telefonkabel‹ hängen soviele zeitlich bedingte Assoziationen, daß sie die reine Ichproblematik des Gedichts durch ihre eigene Problematik zumeist verfälschen.«

Die Abwehr von ›Vokabeln‹ der Industriegesellschaft als Abwehr von Historizität und Gesellschaftlichkeit von Sprache erübrigt sich mit der radikalisierten magisch-hermetischen Dichtungskonzeption, die die ›Welt‹, historische und soziale Erscheinungen ebenso wie solche der organischen oder anorganischen Natur zu ›Dingen‹ hypostasierend, zum immer gleichen Ort hermetischer Erfahrung macht. Auch die ›grellen Namen‹ werden nun magisch vereinnahmt. Eichs *Zigarettenfrau* (aus: *Untergrundbahn*, 1949) sitzt ›in Reklamen‹, ›grellen Bildern‹, ›grellen Namen‹, ist in ihrem Kiosk eingesperrt wie im ›Grabgewölbe‹.

Wenn Oskar Loerke verschiedentlich betont hat, daß seine Gedichte an »Gesehenes« anknüpften und Wilhelm Lehmann 1959 als Erkenntnisform seiner Lyrik angibt: »Von den Dingen zur Sprache, nicht umgekehrt, nicht mallarméisch«, so verdecken beide, indem sie die Sinnlichkeit physischer Realität als Primum dichterischer Gestaltung hervorkehren, den besonderen Vermittlungszusammenhang, in dem solche ›Dinge‹ allererst sinnlich erfahrbar werden. Was als durch Natur bewirkter Erkenntnisschock erscheint, ist in Wahrheit die okkulte Verrätselung und Natur-Einkleidung eines gesellschaftlich bedingten Interesses, ist letzter Versuch, die Aura autonomer Kunst zu retten. Dieses Interesse als archaisches Sein zu mystifizieren, es ›in die Dinge selbst‹ zurückzuverlegen, ist der Hauptzweck naturmagischer Beschwörung. Wenn ein Naturlyriker wie FRIEDRICH SCHNACK (1888–1977) (*Vogel Zeitvorbei*, 1922; *Das Buch Immergrün*, 1956) »in das Naturall (...) untertaucht und sein Lager bei den Wurzeln aufschlägt, wo die Ursprünge ihre Heimat haben (...)«, so schneidet er sich zugleich den Rückweg in die ›äußere Welt‹ ab (Vorwort zu *Kleine Auslese*, 1946). Nichts soll von der Urwurzel und dem archaischen Erkenntniszauber zur Dialektik der Geschichte zurückführen. Dieser hermetische Zug unterscheidet das naturmagische Gedicht prinzipiell von regionaler deskriptiver Naturdichtung. Zwar avisieren beide Urnatur und Vorgesellschaftlichkeit als Rettung vor den Ergebnissen der vergesellschafteten Welt. Während aber regionale Naturlyrik – etwa im Zusammenhang völkisch-faschistischer Ideologie – reaktionär darauf drängt, daß das Wurzelechte realpolitisch wieder ausschlägt, beharrt naturmagisch-hermetische Lyrik in der Regel auf der ›ewigen‹ Dichotomie von Realgeschichte und archaischer Wahrheitserfahrung. Dieser Zug, mit dem das magische Naturgedicht an der gesamteuropäischen Tradition hermetischer Lyrik teilhat, macht es gegen tagespolitische Parteinahme weitgehend immun. Günter Eich nimmt denn auch im Adenauer-Staat keine prinzipiell andere Autorenhaltung ein als in der Weimarer Republik oder im Dritten Reich:

»Mir selbst stelle ich keine Fragen über das Warum und die Tendenzen meines Schaffens, kann sie also auch nicht beantworten (...) und ich werde immer darauf verzichten, auf mein ›soziales Empfinden‹ hinzuweisen (...).«

Extremer Individualismus macht sich gegenüber gesellschaftlicher Widersprüchlichkeit blind: »Verantwortung vor der Zeit? Nicht im geringsten. Nur vor mir selber.« Paradoxerweise ist es 1945 dann die Geschichte, die dieser ahistorischen Dichtungskonzeption recht zu geben scheint.
Naturmagisch-hermetische Lyrik ist im gleichen Maße, in dem sie von ›äußerer‹ Realität wie der Wirtschaftswunder-BRD emanzipiert zu sein scheint und autonom ›Dingewelt‹ und ›Geisterreich‹ imaginiert, eng am Faktum gesellschaftlicher Entfremdung orientiert. Das gilt für die Chiffrenlyrik der Spätphase des naturmagischen und hermetischen Gedichts, für Celan, Eich, Meister oder Bachmann genauso wie für die Blütezeit des Naturgedichts in den dreißiger Jahren, die mit Namen wie Loerke oder Lehmann verbunden ist. Und verfolgt man die formgeschichtliche Tradition noch weiter zurück bis hin zu Stefan George, der die Poetologie des französischen Symbolismus der deutschen Literatur erschloß, damit den Ausgangspunkt der hermetisch-magischen Dichtungskonzeption bezeichnete, so wird jedesmal sichtbar, daß die Verdinglichung in der Massengesellschaft, auf die die naturmagische Dich-

tung als Gegenphantasie reagiert, in der Form dieser Phantasiearbeit sich emphatisch bestätigt. Weil es dem modernen Dichter, wie sich bei George im Zeitalter des Imperialismus zuerst zeigt, immer saurer wird, entfremdete Realität in den subjektiv reinen Ausdruck hineinzunehmen und aufzulösen, macht er aus der Not seine Rettung und schreibt den ›Dingen‹ ihre Entfremdung metaphysisch gut. Und indem ›Natur‹ bzw. ›Dingewelt‹ als verrätselte Urwahrheit beschworen wird, wird zugleich die Möglichkeit rationaler Ableitung und Erklärung von Realitätserfahrung mit jedem Vers als Irrglaube, Teil der entfremdeten Realität beschrien. Erst dieser Zusammenhang gibt dem Regreß aufs primitive, magische Denken Sinn, macht verständlich, warum allen Ernstes eine archaische ›Identität von Wort und Ding‹ als Gegenphantasie zur entfremdeten Industriewelt entwickelt wird, das lyrische Ich sich im ›Atomzeitalter‹ Kräutern, Blumen und Vögeln als Boten der Wahrheit anvertraut.

> Möchte das Nichts mich überfallen,
> Suche ich nach dem Elsternei,
> Trinke aus seiner Schale, damit ich
> Der Sprache der Vögel kundig sei.
>
> (Wilhelm Lehmann: *Die Elster*, 1951)

Auch in Günter Eichs *Die Häherfeder* (aus *Abgelegene Gehöfte*, 1948) ist die naturmagische Erkenntniskonzeption unmittelbar Thema:

> Ich bin, wo der Eichelhäher
> zwischen den Zweigen streicht,
> einem Geheimnis näher,
> das nicht ins Bewußtsein reicht.
> (...)
>
> Der Häher warf seine blaue
> Feder in den Sand.
> Sie liegt wie eine schlaue
> Antwort in meiner Hand.

In den fünfziger Jahren verdunkeln sich die von naturmagischer Erkenntnis kündenden Verse zunehmend, die »Vogelschrift« ist mit Todesahnung und Verzweiflung verknüpft, bleibt aber zunächst unbezweifelte Erkenntnisquelle:

> Dem Vogelzug vertraue ich meine Verzweiflung an.
> Er mißt seinen Teil von Ewigkeit gelassen ab.
> (...)
>
> Es heißt Geduld haben.
> Bald wird die Vogelschrift entsiegelt,
> unter der Zunge ist der Pfennig zu schmecken.
>
> (*Ende des Sommers* aus: *Botschaften des Regens*, 1955)

Im gleichen Band aber findet sich auch ein Gedicht, das auf die *Häherfeder* von 1948 ›antwortet‹, paradigmatisch die dort formulierte Erkenntniszuversicht negiert:

> Der Häher wirft mir
> die blaue Feder nicht zu.
> (...)
>
> Ungesehen liegt in der Finsternis
> die Feder vor meinem Schuh.

Was auf den ersten Blick als radikaler Bruch erscheint, die Erkenntnis der naturmagischen Dichtungskonzeption in Frage zu stellen scheint, ist nichts anderes als die Form ihrer Radikalisierung. Ähnlich wie Gottfried Benn wehrt Günter Eich ab Mitte der fünfziger Jahre mögliche Zweifel an seinem Literaturverständnis dadurch besonders effektiv ab, daß er seine Erkenntnismöglichkeit extrem skeptizistisch einschätzt. In *Einige Bemerkungen zum Thema Literatur und Wirklichkeit* (1956) – eine der wenigen Bemerkungen, die Eich überhaupt zum Verständnis seiner ästhetischen Praxis veröffentlicht hat – heißt es: »Als die eigentliche Sprache erscheint mir die, in der das Wort und das Ding zusammenfallen. Aus dieser Sprache, die sich rings um uns befindet, zugleich aber nicht vorhanden ist, gilt es zu übersetzen. Wir übersetzen, ohne den Urtext zu haben. (...) Ich muß gestehen, daß ich in diesem Übersetzen noch nicht weit fortgeschritten bin. Ich bin über das Dingwort noch nicht hinaus. Ich befinde mich in der Lage eines Kindes, das Baum, Mond, Berg sagt und sich so orientiert (...) Allein für das Dingwort brauche ich gewiß noch einige Jahrzehnte.« Die Kehrseite dieses fundamentalen Erkenntniszweifels, der emphatischen Demutsgebärde gegenüber Urtext und Urwahrheit ist Rancune gegen jede Form rationalen Denkens. Lächerlichkeit und Verachtung wird jedem angedroht, der über solch frühkindliche Orientierungsweise hinauszusein glaubt. Es ist faszinierend zu sehen, wie das 1946 als aktuellste ›Zeitdichtung‹ verstandene Gedicht *Inventur* – wahrscheinlich das bekannteste Nachkriegsgedicht überhaupt – eben diese ›kindliche‹ Orientierung vollzieht, die Eich Mitte der fünfziger Jahre dann grundsätzlich auf die Form dichterischer Erkenntnis bezieht:

> Dies ist meine Mütze,
> dies ist mein Mantel,
> hier mein Rasierzeug
> im Beutel aus Leinen.
> (...)

Was einerseits auf die besondere historische Situation ›Zusammenbruch‹ einzugehen scheint, enthält andererseits das Parameter ahistorischer Geistigkeit. PETER HUCHEL (geb. 1903) (nach 1945 künstlerischer Direktor des [Ost]*Berliner Rundfunks* und Chefredakteur der wichtigsten DDR-Literaturzeitschrift

Sinn und Form, 1971 in die Bundesrepublik übersiedelnd) hat die Form des in den dreißiger Jahren vom Dresdner Autorenkreis *Kolonne* entwickelten Naturgedichts nach 1945 konsequent weiterverfolgt. Zu einer einschneidenden Infragestellung bzw. Radikalisierung der naturmagischen Dichtungskonzeption wie bei Eich kommt es bei ihm nicht, obwohl sich sein ehemals optimistischer Naturzauber in den fünfziger Jahren zunehmend skeptizistisch eintrübt (*Chausseen, Chausseen*, 1963). Auch in den Nachkriegsgedichten von ODA SCHAEFER (geb. 1900) (*Grasmelodie*, 1959) und HORST LANGE (1904–1971) (*Aus dumpfen Fluten kam Gesang*, 1958) ist das rauschhaft dunkle Naturgedicht der dreißiger Jahre noch spürbar.

Während die frühen Gedichte von KARL KROLOW (geb. 1915) noch im Banne der Naturmetaphorik Lehmanns und Loerkes stehen, vermindert sich die melancholische Schwere später zugunsten des ›luft- und lichtdurchlässigen‹, des ›porösen‹ Gedichts. Mittel dazu ist eine zunehmend virtuose Metaphernbildung (*Wind und Zeit*, 1954; *Fremde Körper*, 1959).

Krolow kritisiert Hermetik als »Dunkelkammer des Unvermögens, in der irgendein Hieronymus – sprich Lyriker – sitzt und im Grunde auf die Parfüms der Außenwelt wartet. – Für mich hat ein Gedicht porös zu sein (...) Es muß in der Lage sein, unaufhörlich an die Außenwelt abzugeben und von ihr aufzunehmen.« (*Intellektuelle Heiterkeit*, 1955)

In diametralem Gegensatz dazu hat PAUL CELAN (1920–1970) konsequent die von Mallarmé ausgehende hermetische Dichtungstradition fortzuführen versucht und die traditionelle Königsaura des absoluten Gedichts um den Preis zunehmender Schwerverständlichkeit, ja Unverständlichkeit aufrechterhalten. Wohl bei keinem zweiten Lyriker der fünfziger und sechziger Jahre klafft Informationssprache und dichterische Rede derart weit auseinander nach der klassischen Devise des Hermetismus: »geh mit der Kunst in deine allereigenste Enge. Und setze dich frei« (*Rede zum Büchner-Preis 1960*). Gegen das »bunte Gerede der Menschen« (der »unheiligen menge« – wie George gesagt haben würde) werden die Kräfte archaischen Denkens beschworen, taucht Celan hinab in die Welt der christlichen und jüdischen Mystik (*Der Sand aus den Urnen*, 1948; *Mohn und Gedächtnis*, 1952; *Sprachgitter*, 1959; *Lichtzwang*, 1970). Berühmt wurde Celans Gedicht *Todesfuge*, in dem der faschistische Völkermord in symbolistisch elegischer Überhöhung, in kontrapunktisch variierenden Assoziationsreihen thematisiert wird:

> (...)
> der Tod ist ein Meister aus Deutschland sein Auge ist blau
> er trifft dich mit bleierner Kugel er trifft dich genau
> ein Mann wohnt im Haus dein goldenes Haar Margarete
> er hetzt seine Rüden auf uns er schenkt uns ein Grab in der Luft
> er spielt mit den Schlangen und träumet der Tod ist ein Meister aus Deutschland
> dein goldenes Haar Margarete
> dein aschenes Haar Sulamith

Ebenfalls auf jüdische Mystik (vorkabbalistische Mystik und von der Kabbala geprägte Theosophie) rückbezogen ist das Werk von NELLY SACHS

(1891–1970), das erst zu Beginn der sechziger Jahre intensiv in der BRD rezipiert wird (*In den Wohnungen des Todes*, 1947; *Eli. Ein Mysterienspiel vom Leiden Israels*, 1951; *Glühende Rätsel*, 1964). Die szenische Dichtung *Eli* wurde im Winter 1943 in »Armut, Krankheit, vollkommener Verzweiflung« geschrieben. Im Mittelpunkt der siebzehn, dramaturgisch ans expressionistische Stationendrama erinnernden Bilder steht die leitmotivisch wiederholte Geschichte des toten Hirtenjungen Eli (in ihr gewinnt Sachs' Erschütterung über den »Opfertod« eines Freundes legendenhaft überhöhten Ausdruck). Eli war von einem Soldaten erschlagen worden, als er, auf seiner Hirtenflöte blasend, seinen zur Liquidierung abgeholten Eltern folgte. Die mit dem Gedichtzyklus *In den Wohnungen des Todes* motivverwandte szenische Dichtung wurde erst zwei Jahrzehnte nach ihrer Entstehung, 1962, in Deutschland uraufgeführt (von der ›neuen bühne‹, einer Theatertruppe von Studenten der Universität Frankfurt; 1961 Ursendung der Hörspielfassung).

Weniger bekannt wurde das Werk von ERNST MEISTER (1911–1971), eines konsequenten Vertreters des poetischen Hermetismus. Die Gewißheit einer »Existenz im Totum« jenseits der geheimnislos gewordenen Welt, eines »Grundes«, ist in seinen Gedichten paradox formuliert als Ineinander von Sprachapotheose und Sprachzweifel. Die karge, epigrammatisch auf Sprachrätsel und Chiffren reduzierte Sprache Meisters gilt den ›Welträtseln‹, den großen metaphysischen Fragen nach der Bestimmung von Mensch und Welt, jenen Wahrheiten, die »unergründlich, wenn auch offenbar« sind (Sammelband: *Gedichte 1932–1964*, 1964; *Zeichen um Zeichen*, 1968; *Im Zeitspalt*, 1976).

Sprachzweifel bildet, wie INGEBORG BACHMANN (1926–1973) in ihren *Frankfurter Vorlesungen* (1959/60) hervorgehoben hat, die ›Problemkonstante‹ ihres Werks. Die magisch-naive ›Namensgebung‹ ist zweifelhaft geworden; im Erkennen des Erkenntnisverlusts triumphiert gleichwohl das Prinzip magischer Erkenntnis:

> Berauscht vom Papier am Fließband,
> erkenn ich die Zweige nicht wieder,
> noch das Moos, in dunkleren Tinten gegoren,
> noch das Wort, in die Rinden geschnitten,
> wahr und vermessen.
>
> (*Holz und Späne*)

Im Unterschied zu Günter Eich, dessen Sprache im Laufe des radikalisierten naturmagischen Erkenntnisprozesses immer mehr zur spröde-esoterischen Geheimchiffre schrumpft, gewinnt Ingeborg Bachmann dem Sprachzweifel (darin Hofmannsthal nicht unähnlich, auf dessen Lord Chandos Brief sie sich in systematischer Analogie bezieht) oft harmonische Bildassoziationen ab (*Die gestundete Zeit*, 1952; *Anrufung des Großen Bären*, 1956). Die programmatische Klage über den Verlust von Urwahrheit und ursprünglicher Sprache macht sich den Assoziationsreichtum von heiliger Frühe und Ursprache (genesis, Märchen) dienstbar; unterm sprachskeptizistischen Vorzeichen werden tradierte literarische Formen neu assimilierbar:

Es kommen härtere Tage.
Die auf Widerruf gestundete Zeit
wird sichtbar am Horizont.
Bald mußt du den Schuh schnüren
und die Hunde zurückjagen in die Marschhöfe.
Denn die Eingeweide der Fische sind kalt geworden im Wind.
(...)

Sieh dich nicht um.
Schnür deinen Schuh.
Jag die Hunde zurück.
Wirf die Fische ins Meer.
Lösch die Lupinen!

Es kommen härtere Tage

(Die gestundete Zeit)

Einverständnis in Endzeit wird im Werk Bachmanns meist nicht als lastende Todesmystik realisiert, sondern über Formen, die Entscheidung und Aktion angesichts eschatologischer Realitäten imaginieren. Dieser – die Sprachfähigkeit erhaltende – Endzeitimperativ ist für viele Autoren in den fünfziger Jahren charakteristisch:

Nimm die gestalt der steine an
von denen du lebst
(...)
Wirf dich dem wind in den weg
der blindlings kommt.
Wurzeln schlag am verbliebenen acker

fordert JOHANNES POETHEN (geb. 1928) im Gedicht *Wind* (aus: *Stille im trokkenen Dorn*, 1958). (*Gedichte 1946 – 1971.*)

Abkehr von Magie und Innerlichkeit

Der Politisierungsprozeß der Literatur in den sechziger Jahren ist in den Gedichten von WERNER RIEGEL (1925 – 1956), PETER RÜHMKORF (geb. 1929), GÜNTER GRASS (geb. 1927) und HANS MAGNUS ENZENSBERGER (geb. 1929) schon am Ende der fünfziger Jahre spürbar. Diese Autoren schreiben im Bewußtsein, daß es zwischen Drittem Reich und Bundesrepublik Kontinuitäten gibt und entwickeln aus der Position virtuoser Sprachfähigkeit (das unterscheidet sie diametral sowohl von der Sprachnot des ›Kahlschlag‹ wie dem – ganz anders begründeten – Sprachzweifel der magisch-hermetischen Naturlyrik) ironische, sarkastische oder aggressiv groteske Sprachhaltungen, in denen jedesmal das Einverständnis in die Unabänderlichkeit der deutschen Wirtschaftswunder-Gesellschaft in Zweifel gezogen wird; so in den aus dem Nachlaß herausgegebenen Arbeiten des früh verstorbenen Riegel, *Gedichte und Prosa, In Konfrontation* (1961), Rühmkorfs *Irdisches Vergnügen in g* (1959), *Kunststücke* (1962), Grass' *Die Vorzüge der Windhühner* (1956),

Gleisdreieck (1960), Enzensbergers *verteidigung der wölfe* (1957) und dem 1960 erscheinenden Gedichtband *landessprache*. Als Negativ-Abgrenzung dieser Lyrik formuliert Rühmkorf, ebenso wie Enzensberger ein glänzender Essayist, in seinem Aufsatz *Das lyrische Weltbild der Nachkriegsdeutschen* (1962)[74] die Abkehr »von aller feierlichen Heraldik und kunstgewerblichen Emblemschnitzerei, Absage an Tragik und sauertöpfische Heroität (...)«; was die neue Lyrikgeneration verbinde, sei »willentliche Offenheit gegenüber Weltstoff und Wirklichkeit. Diese Lyrik spielte sich nicht mehr im luft- und leuteleeren Raume ab, sondern bezog sich auf, verhielt sich zu, brach sich an: Gegenstand und Gegenwart«. Im Gedicht *Anti-Ikarus* (1959) ist die schnoddrige Absage an Transzendenz und Geistesadel usurpierende Dichtung mit der Entdeckung der banalen, realen Gegenwart verbunden:

> (...)
> Auf dem Prometheus-Gasbrenner koche ich meine
> Zamek-Suppe. Ich habe die Flamme nicht erfunden
> Ich werde die Glut nicht erläutern. Überhaupt
> sind meine Gedanken auf die nächsten drei Tage
> zugeschnitten: wie ich mein Brot mache für ein
> Leben, das ich sowieso nicht versteh. Und sieh
> nur, wie das Gulasch strampelt im Dural-Patent-
> topf ... Wer wächst da über sich hinaus?
> Nun noch den Pfeffer und Lorbeer, frisch von
> der Stirn gepflückt –:
> Ich werde kein absolutes Ding drehn!

Die ›Innere Bühne‹ – Hörspiel in den fünfziger Jahren

Kompensativ zur wachsenden Bedeutung des, wie man in den fünfziger Jahren allgemein klagt, Geist und Geschmack nivellierenden Massenmediums Fernsehen, spricht man den ›alten‹ Medien, Literatur und Theater, den Rang auratischer Wahrheit, ›innerer‹ Werthaftigkeit zu. Ähnlich wie in der Geschichte des zunächst aus bildungsbürgerlicher Warte bekämpften Massenmediums Film gestehen die kunstproduzierenden und -verwaltenden Intellektuellen dem neuen Medium Fernsehen in der Regel nur dort Kulturkraft zu, wo es der Literatur und dem Theater Platz einräumt, vor allem also im Fernsehspiel, das in den fünfziger Jahren von einer ›Kammertheaterästhetik‹ bestimmt ist. (Erst in den sechziger Jahren gelingt es dem Fernsehspiel, sich vom Vorbild der Theaterdramaturgie endgültig zu emanzipieren.)
In der Adenauer-Ära profitiert insbesondere das Hörspiel von der bildungsbürgerlichen Klage über die ›Äußerlichkeit‹ und ›Vermassung‹, die durch das Fernsehen entstehe. Das ›Originalhörspiel‹ (in Opposition zum ›Reportagehörspiel‹) soll als autonome ›Innere Bühne‹ Gegenort zur ›äußeren Welt‹ sein. So definiert Erwin Wickert Mitte der fünfziger Jahre die medienspezifischen Eigenschaften des Hörspiels analog zu denen der zeitgenössischen Lyrik: »Das Hörspiel kann die äußere Zeit der Handlung zu einer inneren

umwandeln (...) Die Handlung des Hörspiels spielt auf einer Inneren Bühne.«[75]

Die entscheidende Voraussetzung, die es überhaupt erst ermöglicht, das Hörspiel in die Wesensbestimmung autonomer Geistigkeit aufzunehmen, ist die Ignoranz der gesellschaftlichen Produktions- und Rezeptionsbedingungen des Massenmediums Rundfunk. Das Medium wird reduziert auf Übertragungstechnik, auf seine ›technisch dienende‹ Funktion. Dem entspricht das Idealbild des Originalhörspiels als eines irrationalen Erlebnisses, einer Veranstaltung der Innerlichkeit, aus der alle ›äußeren‹ Handlungsmomente‹ verbannt sind: »Die Handlung wird daher meist ins Innere der Person gelegt, in dem der Konflikt wächst und aus dem heraus er gelöst wird. Äußere Handlungsmomente (...) wirken im Hörspiel zufällig, nicht schlüssig und verstimmend.«[76]

Nur die ›verborgensten Erzitterungen der Sprache‹ sollen die Sendekanäle passieren dürfen. Individualistische Rezeption, wie sie hermetisch-magische Dichtung impliziert, steht Modell für die Rezeptionsform der ›Inneren Bühne‹: »Das Hörspiel spricht nur den einzelnen an. Gemeinschaftsempfang eines Hörspiels, was sich immer wieder bei Pressevorführungen erweist, verfälscht den Eindruck. Die Technik (...) hat hier also eine Form entstehen lassen, durch die zwar viele Menschen gleichzeitig angesprochen werden können, aber nie als Masse, sondern nur als einzelne, nur in ihrem Innern.«[77]

Die Ästhetik der ›Inneren Bühne‹, der ›Aufhebung von Raum und Zeit‹ ist genauso wie die des naturmagischen Gedichts eng mit literarischen Ansätzen der dreißiger Jahre verknüpft. Was Richard Kolb 1932 als gattungsspezifische Qualität des ›funkischen‹ Genres Hörspiel herausstellt, könnte auch in den fünfziger Jahren fomuliert worden sein: »Um so mehr kann uns der Funk das Immaterielle, das Unpersönliche, das Seelische im Menschen in abstrakter Form und in Gestalt körperloser Wesenheiten näherbringen. Frei von aller äußeren Form wird das Wort gleich einer Eingebung zur zeugenden Kraft in uns.«[78]

Als vorbildliche Einlösung der Innerlichkeits-Forderung an das Hörspiel der fünfziger Jahre gilt PETER HIRCHES (geb. 1923) *Die seltsamste Liebesgeschichte der Welt* (1953), aber auch *Der gute Gott von Manhattan* (1958) von Ingeborg Bachmann, ein Hörspiel, das einen Dualismus von konventioneller normativer Existenz (Leben in »den Senkrechten und Geraden der Stadt«) und trunkener, selbstvergessener Liebe poetisch entfaltet. Das Paar Jennifer und Jan steigert seine Liebe, vom Zuhörer als verschiedene Stadien der Überwindung des Realitätsprinzips, des ›Normalen‹ miterlebbar, bis zum endgültigen »Grenzübertritt«, wo die folie-à-deux eine Gegenwelt bzw. »Gegenzeit« schafft, eine Sphäre, die über alle ›äußere‹ Realität sich erhebt. Gegen diese schwärmerische ›Macht der Liebe‹ schreitet die law-and-order-Macht in Gestalt des »Guten Gotts von Manhattan« ein, der mit Hilfe seiner »Agenten«, den Eichhörnchen, das Liebespaar in die Luft zu sprengen versucht. Bachmann organisiert die Konfrontation der beiden ›Mächte‹ dramaturgisch in der Form der Gerichtsverhandlung. Den angeklagten »Gott von Manhattan« läßt der Richter schließlich laufen, weil er sich dem Argument nicht verschließen kann, daß alles, auch die Liebe, Ordnung und Maß haben müsse. Die Sehnsucht nach nichtentfremdeter Existenz formuliert Bachmann als Sehnsucht nach gesellschaftsfreier Gegenexistenz (»Ich bin mit dir und gegen alles«, sagt Jan zu Jennifer). Die Entfremdung, derer die Gesellschaft geziehen wird, wird ihr im gleichen Augenblick auch als unabänderlich zugestanden. Die Liebe gefährdet zwar wie eine ›ansteckende Krankheit‹ den ›gesunden Menschenverstand‹, aber die ›Infizierten‹ heben ab in eine andere Welt. Daß der ›gute Gott von Manhattan‹ sie »in die Luft fliegen« läßt, ist dramaturgische Notwendigkeit, um die beiden ›Welten‹ vor Gericht zu konfrontieren; tatsächlich sprengt sich die Liebe, utopisch in raum- und zeitlose Sphären vorstoßend, selbst aus der ungeliebten Gesellschaft.

Am Beispiel Günter Eich, der in den fünfziger Jahren als der unbestrittene Großmeister des Hörspiels gilt, läßt sich die enge Beziehung von naturmagischer Dichtung und ›Innerem Hörspiel‹ exemplarisch verfolgen. Die ›Übersetzungs‹-Poetologie, die Eichs Gedichte strukturiert, die ›Übersetzung‹ eines als Urwahrheit verstandenen, aber abhanden gekommenen ›Urtextes‹, bestimmt auch die Struktur der Hörspiele. In *Allah hat hundert Namen* (1957) befindet sich der Kapitalist Hakim auf der Suche nach dem hundertsten Namen Allahs. Erst nachdem er verarmt, knapp dem Tode entronnen und zum Treppenputzer heruntergekommen ist, erkennt er, »daß man übersetzen muß, wenn das Original fehlt«. In *Das Jahr Lazertes* (1953) wird das Ineinander von Wortzauber und Wortzweifel als Odyssee eines Wahrheitssuchers geschildert. Ein Maler hört ein Wort, das er nur halb versteht. Die Suche nach der Bedeutung des Wortes führt ihn schließlich in eine brasilianische Lepra-Station. Der immanente Sinn der ›unendlichen‹ Assoziationskette ist das Einverständnis in die Vergeblichkeit der Sinnsuche. Eich formuliert sie am Ende als paradoxe Pointe: »Gewiß sie (d. i. der Leprakranken) konnten alle auch ohne mich sterben«, sagt der irrtümlich in die Station eingewiesene Wahrheitssucher, »aber ich konnte nicht ohne sie leben.« Wie in diesen Hörspielen, so ist auch in Eichs *Geh nicht nach El Kuwehd* (1950) oder *Die andere und ich* (1952) das Beweisziel jedesmal das gleiche: einen verläßlich definierbaren Sinn, eine unanzweifelbare Deutung von Wirklichkeit gibt es nicht, Absurdität bestimmt die Welt, Raum und Zeit sind aufgehoben.

Es gibt fast keinen bedeutenden Autor der fünfziger Jahre, der nicht auch Hörspiele verfaßt hätte. An der Namenfolge der mit dem ›Hörspielpreis der Kriegsblinden‹ – dem begehrtesten Hörspielpreis – ausgezeichneten Autoren läßt sich die Entwicklung dieses Genre in den fünfziger Jahren ablesen: Erwin Wickert *Darfst die Stunde wissen* (1951); Günter Eich *Die andere und ich* (1952); Heinz Oskar Wuttig *Nachtstreife* (1953); Wolfgang Hildesheimer *Prinzessin Turandot* (1954; später auch als Theaterstück); Leopold Ahlsen *Philemon und Baucis* (1955); Friedrich Dürrenmatt *Die Panne* (1956; auch als Theaterstück); Ingeborg Bachmann *Der gute Gott von Manhattan* (1958); Wolfgang Weyrauch *Totentanz* (1961).

Bevor sich im ›Originalhörspiel‹ magisch-lyrische Sprache und zunehmend absurde Thematik durchsetzen, standen realistische Ansätze zur Debatte. Nach 1945 regen verschiedene Sender durch Preisausschreiben die Suche

nach dem ›neuen‹ Hörspiel an (NWDR: »Wir suchen das interessante Kurz-
hörspiel«, 1974; »Hörspiele der Zeit«). Von den engagierten Hörspielen dieser Zeit am bekanntesten wurde Wolfgang Borcherts *Draußen vor der Tür*
(1947).

Literatur und Rundfunk

Der Rundfunk ist in den fünfziger und sechziger Jahren der große Mäzen der
Literatur – ein Zusammenhang am ehesten vergleichbar jener eminenten Bedeutung, die in den sechziger und siebziger Jahren das Fernsehen für die ökonomische Sicherung des Autorenfilms der Bundesrepublik hat. Ohne das regelmäßig beim Funk untergebrachte Hörspielmanuskript, das dem Autor den
Lebensunterhalt für eine gewisse Zeitspanne sichert, hätten viele Schriftsteller im Bereich der ›klassischen‹ literarischen Genres nicht weiterarbeiten
können. Neben der nicht nur Genre-, sondern auch Medienwechsel einschlie-
ßenden ›Sekundärverwertung‹ von Literatur (Bearbeitung von Erzählungen,
Gedichtzyklen, Theaterstücken zu Hörspielen) sorgt ein Netz von Feature-
Formen, Literatur-Gesprächen, Essays über Dichtung usf. für die Rentabilität
des älteren Mediums – das auf diese Weise gerade nicht bleibt, was es im bildungsbürgerlichen Verständnis von Literatur immer noch ist: Medium autonomer Geistigkeit. Zwar verschafft die Literaturredaktion des ›öffentlich-
rechtlichen‹ Rundfunks der zeitgenössischen qualitativ avancierten, der
›literarischen Literatur‹, Freiräume und Entwicklungsmöglichkeiten, die der
Buchmarkt immer weniger gewährt. Es handelt sich aber nicht um selbstlose Hilfeleistung eines Mediums zugunsten eines anderen. Der Rundfunk
ist kein ›technischer Verstärker‹ des für sich bleibenden Mediums Literatur, sondern beide entwickeln sich in einem Prozeß gegenseitiger Interde-
pendenz, der sowohl die Produktion wie die Rezeption der beiden Medien
qualitativ verändert: »Die alten Formen der Übermittlung nämlich bleiben«, wie Brecht es früh formulierte, »durch neu auftauchende nicht unverändert und nicht neben ihnen bestehen. Der Filmesehende liest Erzählungen anders. Aber auch der Erzählungen schreibt, ist seinerseits ein Fil-
mesehender« (W 18,156). Was das tradierte Literaturverständnis, das an
der Autonomie des literarischen Werks (und erst recht des literarischen
Mediums) festhält, nicht wahr haben will, allenfalls der Trivialliteratur an-
kreidet, wird durch viele Schriftstellerbiobibliographien bestätigt: die Inter-
dependenz von Literatur und modernen Massenmedien nimmt nach 1945
ständig zu. Exemplarisch läßt sich das an den Autoren Schnabel und Andersch zeigen.

ERNST SCHNABEL, im Dritten Reich bereits Romanautor, nach 1945 Autor
von Kurzgeschichten und vielen Hörspielen, ist Chefdramaturg bzw. Intendant des NWDR (1946–55), später Leiter des 3. Rundfunkprogramms des
NDR und SFB (1962–65); 1965 Leiter der *Literarischen Illustrierten* des III.
Fernsehprogramms. Schnabel entwickelt neue Featureformen, in denen
epische und dramatische Szenen mit Dokumentarmaterial bzw. Reportage-
passagen montiert werden, schreibt Drehbücher für Fernsehfilme bzw.

Fernsehspiele und Filme (u. a. für den Käutnerfilm *In jenen Tagen*, 1947), außerdem ein Opernlibretto (für Henzes *Das Floß der Medusa*, 1968). Aus dieser Arbeit und den Erfahrungen der Uraufführung entsteht 1969 das Buch *Das Floß der Medusa. Zum Untergang einer Uraufführung.*

ALFRED ANDERSCH ist 1945/46 Redaktionsassistent der *Neuen Zeitung*, dem in bezug auf Umfang wie Bedeutung wichtigsten Presseerzeugnis der ersten Nachkriegszeit; 1946 bis zum Verbot (1947) Redakteur des *Ruf*. Seit 1948 arbeitet Andersch für den Rundfunk (Leiter des Nachtprogramms der Sender Frankfurt und Hamburg, Gründer des literarischen *Abendstudios*), entwickelt neue Formen für Zeitkritik-Hörfolgen. Andersch ist Leiter der Feature(Film)-Redaktion der Sender Hamburg und Frankfurt, gibt die Buchreihe *studio frankfurt* heraus; ab 1955 produziert er die Sendereihe *Ein Buch und eine Meinung*, 1956–58 (zusammen mit Enzensberger) die Sendung *Radio-Essay* (bis 1963 literarischer Berater der *Radio-Essay*-Redaktion). Außerdem gibt Andersch die literarische Zweimonatszeitschrift *Texte und Zeichen* (1955–57) heraus.

Die Arbeit als Journalist, Redakteur, Hörfunk-, Film-, Opern-, Fernsehautor ist eng verknüpft mit der Arbeit als Romanautor, Erzähler, Lyriker usf. Nicht erst die Mehrfachadaption macht den Medienverbund im Kopf des Schriftstellers wie des Rezipienten (Hörer, Leser, Fernsehender, Filmsehender) evident: Anderschs ›Funkmontage‹ *Der Tod des James Dean* (1960) z. B. ist ein Jahr zuvor Hörspiel; szenisch dargestellt mit Texten von Don Passos, Ginsberg und Cumming ist *Der Tod des James Dean* dann auch als Buch und Schallplatte auf dem Markt.

Die Formen Radio-Essay, Hörspiel, Fernsehspiel, Feature oder Funkmontage ›antworten‹, ihre eigene ästhetische Struktur dabei verändernd, auf die Ästhetik der Literatur, so wie diese sich im Zusammenhang der audiovisuellen Formen verändert. Im Laufe der sechziger Jahre wird dieser intermediale Produktions- und Rezeptionszusammenhang u. a. daran ablesbar, daß Filme, Fernsehspiele oder Hörspiele häufig erst das Interesse und den Markt für die literarische Form schaffen. (Vgl. dazu auch das Kapitel ›*Im Verbund der Massenmedien – Trivialromane der 50er und 60er Jahre*‹)

Das Gesellschaftsbild im Roman der fünfziger Jahre

Die Bornierungen der Literaturkritik der Adenauer-Ära sind an keinem Werk vergleichbar schroff zutage getreten wie an dem von WOLFGANG KOEPPEN (geb. 1906). Im Vorwurf übermäßiger ›Zeitgebundenheit‹ bezeugen die Kritiker ihre eigene zeitbedingte Abhängigkeit von den Denkmustern bzw. Denkverboten der bundesrepublikanischen Gesellschaft der fünfziger Jahre. »Weil dieses Buch sich fast ausschließlich im Morbiden, im Sumpfe tummelt«, resümiert Schwab-Felisch moralisch entrüstet Koeppens ersten Nachkriegsroman *Tauben im Gras* (1951), »weil es außer in der Analyse dieser Gegebenheiten keine Kraft aufweist, weil sein Pessimismus keine substantielle Größe hat – darum auch mangelt es ihm an dem Atem, an der Überzeugungskraft, die es hätte ausstrahlen können, wäre es nur von einer höheren Warte aus geschrieben worden«.[79]

Zustimmende Kritiken – und dies erst recht beweist die normative Kraft ahistorisch-depolitisierten Denkens in den fünfziger Jahren – betonen die angebliche ›höhere Warte‹ dieses Romans, nehmen Koeppen paradoxerweise vor dem ›Vorwurf‹ in Schutz, er habe die konkrete bundesrepublikanische Realität geschildert: »Sein Roman spielt an einem bestimmten Tage des bestimmten Jahres 1951 (...) Aber die Zeit des Romans ist jede geschichtliche Stunde (...). Und der Ort der Erzählung ist jede größere Stadt, die lediglich der Erinnerung und der Ahnung Daseinsrecht zu vergönnen scheint (...).«[80]

Koeppen hatte im Faschismus zu veröffentlichen begonnen. Die Romane *Eine glückliche Liebe* (1934) und *Die Mauer schwankt* (1935; später unter dem Titel *Die Pflicht*) blieben ohne große Resonanz – nicht zuletzt wegen der Umstände der Publizierung. Gerade erschienen, verschwindet Koeppens Werk, als die Nazis den Verlag Bruno Cassirer liquidieren, wieder aus den Buchläden.

Als er 1951 mit *Tauben im Gras* erstmals wieder an die Öffentlichkeit tritt, einem Roman, der bewußt an die literarische Moderne, Joyce vor allem, anknüpft, gerät Koeppen in doppelten Widerspruch zu den herrschenden literarischen Richtungen nach '45. Er teilt weder den abstrakten Traditionsskeptizismus der Null-Position, noch verlängert er die Formtraditionen des konventionellen Romans, der gesellschaftliche Realität über die Schilderung des privaten Einzelschicksals, eine Familiengeschichte oder über eine ähnlich modellhafte Konstruktion in den Blick rückt. In Koeppens *Tauben im Gras* ist die erzählte Zeit auf nur achtzehn Stunden zusammengedrängt (in Joyces *Ulysses*, der offenkundig Vorbild ist, neunzehn Stunden). In diesem engen Zeitrahmen treten auf etwa zwanzig Schauplätzen (Münchens) über dreißig Figuren auf, bilden in 106 unterbrochenen Abschnitten ein ›Pandämonium‹ der Nachkriegsgesellschaft um 1950. Die einzelnen Figuren, einzelnen Fakten, Ereignisse, Zitate, Slogans treten dem Leser en face gegenüber, d. h. es gibt keine einsinnig durcherzählte Fabel, die Zeitgeschichte, politische und gesellschaftliche Widersprüche lediglich mit ›ins Spiel‹ bringt. Koeppen verzichtet auf Romanhelden, Hauptfiguren und Haupthandlungen, die verläßlich das Interesse und die Sympathie des Lesers leiten, anderen Figuren und Erzählebenen vorgeordnet sind. Keine private Lebensgeschichte einer Person oder Familie macht den ›Inhalt‹ von *Tauben im Gras* aus, sondern die in engstem zeitlichen und örtlichen Rahmen gruppierten Figuren und ihre u. a. durch Altersunterschied, Klassenunterschied, Rasse, Nationalität bedingten Beziehungen zueinander. Koeppen »variiert vielfach die Konstellationen der Figuren, bis es am Ende des Buches keine Romangestalt gibt, die nicht jeder anderen irgendwie begegnet oder zumindest durch gemeinsame ›Bekannte‹ verbunden wäre«.[81] Beziehungsstiftend ist dabei nicht familiäre oder freundschaftliche Vertrautheit, zu deren emotionalem Nachvollzug der Leser eingeladen würde, sondern Trostlosigkeit, Angst, Aggression, Entfremdung bestimmt das

Verhältnis der Figuren zueinander. Koeppen zeigt, wie die dem Krieg entronnenen Menschen in Bewußtlosigkeit, Surrogaterfahrungen, Selbstbetrug fliehen, weil sie ihre soziale und psychische Existenz anders nicht auszuhalten vermögen:

»(...) sie hatten genug von der Zeit, genug von den Trümmern; die Leute wollten nicht ihre Sorgen, nicht ihre Furcht, nicht ihren Alltag, sie wollten nicht ihr Elend gespiegelt sehen.«

Solche Realitätsflucht ist vom Intellektuellen nur diagnostizierbar, nicht aufhaltbar. Der Schriftsteller ›Philipp‹ gesteht sich ein, daß er

»den Leuten, die draußen vorübergingen, nichts zu sagen (hatte). Die Leute waren verurteilt. Er war verurteilt. Er war in anderer Weise verurteilt als die vorübergehenden Leute. Aber er war auch verurteilt. Die Zeit hatte diesen Ort verurteilt.«

Ausweglosigkeit, ein Zirkel von materiellem Elend, Angst, Entfremdung, Verlogenheit, bestimmt die Großstruktur des Romans (Ringkomposition) ebenso wie die einzelne Satzstruktur (zyklische Wiederholung einzelner Worte, einzelner Sätze – Epanalepse, Anapher, Variation, Epiphora). Aber die zyklische Gedankenwiederholung signalisiert nicht resignatives Einverständnis in eine katastrophierende Welt, sondern besteht in zorniger Enttäuschtheit auf der Widersprüchlichkeit einer Gesellschaft, die die Nullpunkt-Hoffnung auf Humanität, demokratische ›Wandlung‹ verspielt hat, die in die Fiktionalität kitschiger Heimatfilme und Heimatromane flieht (»Das Schicksal greift nach Hannelore«), sich am ›exklusiven‹ Illustriertenbericht über die Privatgeschichten der Nazigrößen weidet (»Wie Emmy Hermann Göring kennenlernte«). Über das Kunstmittel des Schlagworts, des authentischen oder erfundenen Slogans, der in den Text montierten Zeitungsschlagzeile (»Schah heiratet«; »Eisenhower inspiziert in Bundesrepublik«; »Superbomber in Europa stationiert«) zitiert Koeppen den politischen und publizistischen Alltag der Bundesrepublik in die Romanhandlung.

Dieses auffällige – auch typographisch hervorgehobene – Stilmoment verweist auf Vorbilder wie Döblin (*Berlin Alexanderplatz*, 1929) oder Dos Passos, der in *Manhattan Transfer* (1925) und in seiner *USA*-Trilogie (1930–37) Newsreel-Zitate verwendet.

Mehr noch als die in den Assoziationsfluß des Romans ›filmisch‹ eingeschnittenen Sensationsmeldungen, Film- und Romantitel, ideologischen Slogans, mit denen sich Koeppen den Vorwurf des Reportage-Literaten zuzog, irritierte die komplizierte Erzählstruktur des Romans die zeitgenössischen Rezipienten. Denn gerade dadurch, daß einzelne Wörter, kleinere syntaktische Einheiten oder ganze Sätze ›unkompliziert‹ aneinandergereiht sind, bleibt es dem Leser überlassen, kausale Zusammenhänge zu erschließen, den einzelnen Wechsel der Erzählperspektive bzw. des Schauplatzes ›visuell‹ nachzuvollziehen. Koeppen montiert heterogene Schauplätze und Ereignisse, ohne eine kommentierende, den Leser über den Perspektivenwechsel orientierende Zwischenpassage einzufügen. Eine Figur, eben noch aus der Perspektive einer anderen beschrieben, wird von einem Augenblick zum anderen (mitten im Satz – nicht einmal die Interpunktion macht verläßlich auf den Einstellungswechsel aufmerksam) zum Träger der neuen Erzählperspektive. Aber auch dort, wo Koeppen die Heterogenität der montierten Realitätsausschnitte kenntlich macht, verweigert er dem Leser die orientierende Übergangspassage. Lediglich ein Wort oder Satz, der am Ende eines vorausgegangenen Abschnitts steht, wird zum Beginn des neuen Abschnitts aufgenommen, fungiert als semantisches Verbindungszeichen:

»Josef verstand nur hin und wieder ein Wort, Städtenamen (...) Moskau, Berlin, Tokio, Paris – In Paris schien die Sonne (...)«

Man hat die ästhetische Organisation der etwa zwanzig Erzählstränge als ›Mosaik‹-Technik beschrieben, damit das vielteilig Zusammengesetzte der Erzählstruktur betont. Dieser Analogie zur Zweidimensionalität bildender Kunst fehlt indessen eine für *Tauben im Gras* entscheidende Dimension: die der besonderen Verlaufsform der einzelnen Erzählstränge. Adäquater erscheint deshalb die Analogie zur Montageästhetik des Films, die durch Nacheinandererzählen die Gleichzeitigkeit mehrerer Ereignisse und Handlungen herstellt (Parallelmontage), die Ereignisse nicht gleichweit zeitlich verfolgt, bzw. zeitversetzt in die Erzählstruktur aufnimmt.

Die Ringkomposition von *Tauben im Gras* schließt sich mit Sätzen, durch die die Eingangsformulierungen dieses Romans zugespitzt, appellativ verstärkt wieder aufgenommen werden: »Deutschland lebt an der Nahtstelle, an der Bruchstelle, die Zeit ist kostbar, sie ist eine Spanne nur, eine karge Spanne, vertan, eine Sekunde zum Atemholen (...)«

Als Antwort auf die ›elenden Skribenten‹, wie er 1952 die Kritiker der *Tauben im Gras* in einem polemischen Artikel tituliert, schickt Koeppen den folgenden Auflagen seines Romans die Bemerkung voraus, »Ähnlichkeiten mit Personen und Geschehnissen des Lebens« seien nicht beabsichtigt gewesen und »zufällig«.

In dem 1953 publizierten Roman *Das Treibhaus* heißt es entsprechend: »Die Dimension aller Aussagen des Buches liegt jenseits der Bezüge von Menschen, Organisationen und Geschehnissen unserer Gegenwart; der Roman hat seine eigene poetische Wahrheit.«

In diesem zweiten Teil der Fünfziger-Jahre-Trilogie Koeppens erscheint dem resignierten, am Ende sich von der Bonner Rheinbrücke stürzenden Abgeordneten Keetenheuve die restaurative Nachkriegsgesellschaft als ein »großes öffentliches Treibhaus«.

Die Assoziationen, Tagträume, Erlebnisse, Reflexionen des Abgeordneten, der seiner Mitarbeit am Wiederaufbau wegen ohne politischen Kampf ein Bundestagsmandat erhalten hatte und nun immer weniger weiß, was er in einer Welt der Korruption und Verlogenheit ausrichten soll, werden als – von Vergeblichkeit determinierte – Rollenversuche geschildert: »Keetenheuve Schulmeister, Keetenheuve Mädchenräuber, Keetenheuve Drachen aus der Sage (...) Keetenheuve Moralist und Lüstling, Keetenheuve Abgeordneter.«

Koeppens Held ist ein »grau werdender Jüngling«, er war »geschlagen als er anfing«; unfähig, sich mit seiner gesellschaftlichen Rolle zu identifizieren, sich politisch, interessengerecht zu verhalten, bietet diese Außenseiterfigur dem Leser einerseits die Möglichkeit, ihr in die Schaltstellen der Macht zu folgen (in die Wandelgänge des Bundeshauses, die Ausschußsitzung, die Zeitungsredaktion usf.); andererseits kann sich der Leser leicht von Politik als ›schmutzigem Geschäft‹ distanzieren. Folgenreich ist aber, daß die privaten Aporien des Helden, der »nicht für die Ehe bestimmt« ist, »vor jeder Lebensaufgabe« versagt, zu Kontakten »unfähig« ist usf. zur Reflexionsinstanz der gesellschaftlichen Verhältnisse der Bundesrepublik zu Beginn der fünfziger Jahre wird. Solche durchs Medium gescheiterter privater Existenz formulierte Gesellschaftskritik neigt zur Tautologie. Kritische Beobachtungen werden ein ums andere Mal von Resignation, kontemplativer Trauer aufgesogen: »Und zwischen den alten verfallenen Dörfern, verloren, einsam, zerstreut, auf Kohläckern, Brachen und mageren Weiden standen die Ministerien, die Ämter, die Häuser der Verwaltung, sie waren in alten Hitlerbauten untergekrochen, schrieben ihre Akten hinter Speerschen Sandfassaden und kochten ihre Süpplein in alten Kasernen. Die hier geschlafen hatten, waren tot, die man hier geschunden hatte, waren gefangen, sie hatten's vergessen, sie hatten's hinter sich, und wenn sie lebten und frei waren, bemühten sie sich um Renten, jagten Stellungen nach – was blieb ihnen übrig?«

Das Treibhaus wurde publizistisch zum literarischen Skandalfall hochgespielt vor allem wegen der Analogie von politischer Macht und Sexualität (etwa wenn Koeppen seinen Romanhelden im ›Treibhaus Deutschland‹ »gierige, fleischfressende Pflanzen, Riesenphallen, Schornsteinen gleich voll schwelenden Rauches« imaginieren läßt). Solche Analogie mußte eine intellektuelle Öffentlichkeit besonders treffen, die sich ihre überpolitische ›Geistigkeit‹ (Ideologie der Ideologielosigkeit) ebenso unkritisch zugute hielt wie ihre sexuelle Prüderie.

Koeppens dritter Roman über die bundesrepublikanische Nachkriegsgesellschaft *Der Tod in Rom* (1954) thematisiert in der Formtradition des Künstlerromans das Problem der unbewältigten Nazi-Vergangenheit. Ein junger Komponist, Sohn einer ehemaligen Nazi-Größe, die nach '45 ›demokratisch‹ zum Bürgermeister einer westdeutschen Großstadt gewählt wurde, ist zu einem Kongreß für moderne Musik nach Rom gekommen. Dirigieren soll seine erste Symphonie ein ehemaliger Generalmusikdirektor, der von den Nazis aus Deutschland vertrieben worden war. Weiterhin gruppiert Koeppen auf der ›Bühne‹ Rom den ›Henker‹, SS-General ›Judejahn‹, einen Waffeneinkäufer einer arabischen Macht, und dessen Sohn, der Priester geworden ist. Am Ende des Romans, als alle wichtigen Figuren in einem Konzertsaal zusammengeführt sind, ist Koeppen zugleich an der Grenze der Wahrscheinlichkeit der Konfiguration angelangt, die Handlungsführung neigt der Kolportage zu, wird künstlich wie eine ›Ballettchoreographie‹ (Andersch). Hatte Koeppen in *Tauben im Gras* ein ›Pandämonium‹ der restaurativen BRD-Gesellschaft entworfen, das durch die

Haltung zornig-enttäuschter Hoffnung auf ›Wandlung‹ ihre kompliziert beschreibende Genauigkeit gewann, so dämonisiert er in *Der Tod in Rom* in manchmal klischeehafter Weise die faschistische Vergangenheit, enthistorisiert und mystifiziert sie vor allem in der Figur des ›Judejahn‹, der Koeppen das Aussehen einer Nazi-Karikatur gibt, die durch perverse Charaktereigenschaften motiviert wird, düsteren Glanz in einer quasi-religiösen Metaphorik von ›Hölle‹ und ›Tod‹ gewinnt.

Trotz zum Teil skandalumwitterter Rezeption (Pornographie-Vorwurf) erreichen Koeppens Nachkriegsromane nur vergleichsweise geringe Auflagenzahlen; der Autor Koeppen verschwindet – abgesehen von einigen Reisebüchern, in denen die Meisterschaft der assoziativen Montage weiterentwickelt ist (*Nach Rußland und anderswohin*, 1958; *Amerikafahrt*, 1959; *Reise nach Frankreich*, 1961), von der literarischen Szene und wird damit – wie man es dann aus der Perspektive der sechziger Jahre formuliert – zum ›Fall‹, zum exemplarischen Beispiel für die Fehleinschätzung eines literarischen Werks. Koeppen fällt jener Verdrängungs- bzw. Entpolitisierungstendenz der fünfziger Jahre zum Opfer, die Thema seiner Trilogie ist. Erst als 1969 eine Sonderausgabe der drei Romane erschien, »regte sich niemand mehr auf, im Gegenteil, selbst die entlegensten Provinzzeitungen veröffentlichten freundliche Hinweise. Koeppens Romane waren ungefährlich geworden, sie waren Geschichte.«[82]

Daß der ›Abfall der Geschichte‹, gerade das von der Gesellschaft Mißachtete zum humanen Gegenentwurf werden kann, diese für die ›Junge Generation‹ charakteristische Einstellung hat HEINRICH BÖLL in den fünfziger und sechziger Jahren konsequent weiter verfolgt und darauf eine ›Ästhetik des Humanen‹ (*Frankfurter Vorlesungen 1963/64*) zu gründen versucht. Literatur soll gerade das »zum Gegenstand wählen, was von der Gesellschaft zum Abfall, als abfällig erklärt wird«. In den ersten Arbeiten beschreibt Heinrich Böll unmittelbare Opfer der Geschichte. In der Erzählung *Der Zug war pünktlich* (1949) trifft ein junger deutscher Soldat auf dem Weg zur Front in einem Bordell eine polnische Partisanenagentin. Sie verlieben sich, versuchen gemeinsam aus der Brutalität des Krieges auszubrechen. Bezeichnenderweise sieht Böll die Partisanin im gleichen Entfremdungs- und Schuldzusammenhang wie den jungen deutschen Soldaten, der für den Faschismus töten bzw. sich töten lassen muß. In der Perspektive der Erzählung sind beide schließlich Opfer ein und derselben anonymen Macht. Sinnfällig wird diese totale Sinnlosigkeit der Kriegsmaschinerie im Roman *Wo warst Du Adam?* (1951), wo deutsche Soldaten eine von Partisanen zerstörte Brücke wieder aufbauen, um sie anschließend zu sprengen. Auch in diesem, aus mehreren Episoden zusammengesetzten Roman wird ein Liebesverhältnis vom Krieg zerstört. In *Der Zug war pünktlich* kommen die Liebenden um, als sie auf der Flucht von Partisanen beschossen werden; in *Wo warst Du Adam?* stirbt sie im KZ, er auf der Schwelle seines Elternhauses, getroffen vom Geschoß eines ›Endsieg‹-Kämpfers. Im gleichen Maße, in dem so materielle Geschichte als sinnlos übermächtige und undurchschaubare Schlächterei erscheint, wächst dem individuellen Glück als einer autonomen, von materieller Geschichte unabhängigen Größe die Aura von Reinheit und Humanität zu.

In dem Nachkriegszeit thematisierenden Roman *Und sagte kein einziges Wort* (1953), in *Haus ohne Hüter* (1954) und im *Brot der frühen Jahre* (1955) treten an die Stelle des anonymen und absurden Kriegs vielfältigere und entfaltetere gesellschaftliche Konflikte. Aber die Auseinandersetzungen der Helden Bölls mit Kirchenhierarchie, Militär, Politik und Wirtschaft, ob sie sich nun jeweils der entfremdeten Realität zu verweigern suchen oder gegen jene Institutionen hilflos aggressiv opponieren, münden sämtlich in eine Perspektive, die schon in den ersten Werken bestimmend ist: individuell verwirklichtes Glück. Dieses Ideal ist von der besonderen Form der geschilderten gesellschaftlichen Widersprüchlichkeit letztlich unabhängig. Das Konzept der individuellen Glückserwartung wird nämlich durch Geschichte nie in Frage gestellt; immer nur wird die Verwirklichung gestört bzw. verhindert. Bölls Romane sind in diesem spezifischen Sinne sämtlich ›Liebesromane‹; im Liebesverhältnis wird jeweils die Frontstellung gegen die verwaltete Welt zum konkreten humanen Gegenentwurf, soll jene Menschwerdung gelingen, die nach Böll beginnt, »wenn einer sich von der jeweiligen Truppe entfernt«. Der ›totale Ideologieverdacht‹ und Organisationsskeptizismus der Kahlschlaggeneration ist damit bei Böll in besonderer Weise erhalten und zu einem positiven individualistischen Konzept von Humanität weiterentwickelt.

In *Ansichten eines Clowns* (1963) spitzt Böll die Konzeption des ›Abfälligen‹, des von der Gesellschaft ›Fallengelassenen‹ auf die Figur des Ich-Erzählers Hans Schnier, des ›schwarzen Schafs‹ aus der Industriellenfamilie der ›Braunkohlenschniers‹, zu. Der Held ist »Clown, offizielle Berufsbezeichnung Komiker, keiner Kirche steuerpflichtig, siebenundzwanzig Jahre alt«. Böll zeigt die Existenzkrise seines Helden (der auf der Bühne gestürzt ist und den vorläufigen Tiefpunkt seiner künstlerischen Existenz erfahren hat), indem er im ständigen Wechsel von Schnier-Monologen, Erinnerungen, Telefondialogen mit verschiedenen Verwandten und in der Schilderung des Zusammentreffens von Vater und Sohn die individuelle Situation Schniers als gesellschaftlich produzierte erhellt. Das einzige, was den von der Familie mißverstandenen und mittellosen Helden noch vor der totalen Resignation bewahrt, ist die Hoffnung, daß seine Geliebte, die mit einem ehrenfesten katholischen Bürger auf Hochzeitsreise nach Rom abreist, zu ihm zurückkommt. Am Ende sitzt Schnier, Spottlieder auf CDU und Kirche singend, weiß geschminkt als Clown auf der Bonner Bahnhofstreppe. Ein provokantes Paradigma des Künstlers im Adenauer-Staat.

Bereits in seinem autobiographischen ›Bericht‹ *Die Kirschen der Freiheit* (1952) hat ALFRED ANDERSCH (1914–1980), der in seiner Jugend als aktiver Kommunist in einem KZ interniert worden und im 2. Weltkrieg von der italienischen Front desertiert war, die für sein literarisches Werk bestimmende auktoriale Grundhaltung beschrieben: existentialische Flucht in die Freiheit, Aussteigen aus Konventionen, aus der das Individuum vergewaltigenden Ideologie. Die reale Desertion aus der Hitler-Armee 1944 ist so zugleich zu verstehen als ›innere‹ Desertion: »Ach, Odysseus, an den Mast gefesselt, den Liedern der Sirenen lauschend. Und wir, auf Odyssee durch das Jahrhundert, umtönt von den Klängen der das Herz zerfleischenden Ideologien. Erzverrat: sich losbinden lassen« (*Kirschen der Freiheit*). Im Roman *Sansibar oder Der letzte Grund* (1957) wird die Flucht aus der ›totalitären‹ Welt des Faschismus als jeweiliger Versuch individueller Selbstbefreiung zum zentralen Motiv (im norddeutschen Fischerdorf Rerik treffen eine junge Jüdin, ein vom Kommunismus enttäuschter Kommunist – in dieser Figur schildert sich der Autor selbst –, ein Pfarrer und ein Fischerjunge, der vom fernen Sansibar träumt, zusammen).

Obwohl auch der Roman *Die Rote* (1960, 1972 mit verändertem ›offenem‹ Schluß) mit existentiellem Ausbruch der Heldin, der rothaarigen, ›scharfen‹ Sekretärin mit Fremdsprachenkenntnissen, aus ihrem spießigen Mittelstandsmilieu motiviert wird, ist hier der ehemalige militant existentialistische Freiheitsgestus, wie er noch die *Kirschen* bestimmte (»Deserteure sind Menschen, die sich selbst in die Wüste schicken«), zur philosophischen Attitüde verkommen, der individualistische Abweis von Konventionalität selbst konventionell geworden. So wenn die nach Venedig geflohene Heldin als vermeintliches Ergebnis existentieller Selbstbefragung sich immer wieder zu den patriarchalischen Klischees von Frauenerotik bekennt oder ihre Meinung »es gibt nur zwei Möglichkeiten zu leben, ganz allein oder unter Massen« durch Erfahrung revidieren muß: »Man kann nicht untertauchen. Man kann fortgehen, aber nur, um zu entdecken, daß man wieder irgendwo angekommen ist. Man verläßt Menschen, um unter Menschen aufzutauchen.« Der dem Leser sprachlich kaum Widerstand entgegensetzende, häufig im Mittelstandsjargon von Geschmacks- und Charakterurteil sich aufhaltende Roman mündet in seinem letzten Drittel in Kriminal-Kolportage. Ein ehemaliger Nazimörder, Albino (»dieser große weiße Böse«; »die Inkarnation des Teufels«), unmäßig fressender, saufender und schwitzender Gewaltmensch, wird von einem Folteropfer wiedererkannt und umgebracht. Die existentialistische Freiheitskonzeption Sartres klingt noch einmal an, obwohl Andersch der befreienden engagierten Tat nicht mehr traut: »Es war allerdings kein Mord, für den er von den Erinnyen gejagt werden würde; es war nur ein Irrtum (...) Sie sah, daß die Einsamkeit in seinem Gesicht sich schon zu formen begann.« Aber zuvor hat selbst der »große weiße Böse« bekannt, daß er den »Glauben« an den faschistischen Rassenhaß noch während des Faschismus verloren habe. Opfer und Täter treffen sich jenseits ihrer Rollen in der gemeinsamen Haltung, nicht mehr engagiert handeln zu können. Romanimmanent wird die Kriminalkolportage um faschistische Vergangenheit paradox damit legitimiert, daß Andersch seine Romanheldin verwundert erkennen läßt, daß ihre Erlebnisse bereits Kolportageform haben: »ich bin in einen Kriminalroman geraten, das gibt es doch gar nicht, es gibt keine ›gangs‹, keinen Untergrund (...)«

Die politische Position Anderschs scheint in der Figur des Musikers Fabio auf. Im Spanischen Bürgerkrieg auf der Seite der Linken kämpfend, hat er sich nun bei den »zurückgebliebenen Juden von Venedig, in einem ihrer schweigsamen Häuser« eingemietet, weil »dieser Schauplatz der schrecklichsten Niederlage des Jahrhunderts (...) der richtige Platz für einen Mann der verlorenen Revolution« ist. Diese ›Revolution‹ ist ihm ›zur Schimäre verdampft‹, hat nur noch als Beeinträchtigung seiner ehemals geplanten Solistenkarriere Realitätswert. Die Figur des desillusionierten Fabio muß für die Depolitisierungstendenz in der Öffentlichkeit der Adenauer-Ära besonders überzeugend wirken, weil ihr das Argumentationsmuster: ›Wenn selbst die ehemals überzeugtesten Demokraten nicht mehr an eine humane Zukunft durch politisches Engagement glauben können ...‹ eingelagert ist. Diese Argumentation scheint vollends unausweichlich, wenn auch die politischen Gegner von gestern sich aus der Politik zurückziehen: »Er beobachtete übrigens, daß auch die besten seiner Gegner, die geistigen Häupter des konservativen Katholizismus, der Monarchisten, des Faschismus, sich zurückzogen oder ausgeschaltet wurden (...)«. Übrig bleibt – als scheinbar radikale Einsicht – die Gewißheit der unabänderlichen Katastrophe, der ›Apokalypse‹, herbeigeführt durch »die reinen Machtblöcke, die beiden großen nihilistischen Apparaturen, vor denen alle Ideen verblaßten«. Daß solche Räsonnements selbst ideologischer Natur sind, zu den »falschen Münzen der Ideologien« der fünfziger Jahre gehören, liegt außerhalb des Reflexionshorizonts der *Roten*.

Die agnostizistische bzw. antiideologisch ernüchterte Position Fabios wiederholt sich im Roman *Efraim* (1967). Georg Efraim, das exemplarische Opfer der Geschichte, Sohn deutscher Juden, die im faschistischen Konzentrationslager umkommen, gerade er wird zum Kronzeugen der Irrationalität der Geschichte, die ihm als »wüstes Durcheinander aus biologischen Funktionen und dem Spiel des Zufalls« erscheint: »Es ist purer Zufall, daß vor zwanzig Jahren jüdische Familien ausgerottet wurden und nicht zwanzig Jahre früher oder später, jetzt zum Beispiel.« Der in dieser Allgemeinheit den Geschichtsirrationalismus eines Spengler, Theodor Lessing, Jaspers, Jünger oder Benn zu teilen scheint, steht »in beinahe allen aktuellen politischen Fragen auf der Seite der Linken«.

Efraim ist eine Kunstfigur (die ihre Realität findet, indem sie über sich schreibend nachdenkt, nachdenkend schreibt), sie ist nicht Andersch. Dennoch scheint diese Figur in einigen grundlegenden Zügen ihrem Erfinder ähnlich. Als sich eine neue Linke in den sechziger Jahren zu formieren beginnt, hält der desillusionierte Alt-Linke Andersch sich zurück; nach der ›Tendenzwende‹, in den siebziger Jahren, als unter dem Rechtstitel Terrorismusbekämpfung immer mehr Grundrechte ausgehöhlt werden, veröffentlicht er, politisch-publizistischen Skandal auslösend, sein Gedicht *Artikel 3(3)*. Während er dort eine Kontinuität von Drittem Reich und Bundesrepublik konstatiert, er die Berufsverbote eine Form von Folter nennt, verteidigt er Georg Jüngers Werk gegen den Verdacht, daß hier die Kontinuität von Drittem Reich und Nachkriegsdeutschland sich abbilde, mit den Worten, Jünger sei ein »milder Patriot«, ein »Anhänger des Weltstaats«. Andersch besteht auf solchen Widersprüchen, scheint sich gerade in ihnen als Selbstvergewisserungen der intellektuellen Nichtkonformität wiederzuerkennen. »Ich gebe zu«, sagt der gleiche Andersch, der *Artikel 3(3)* veröffentlicht, in seiner ›Jünger-Rede‹,

»daß ich dahingekommen bin, politische Literatur ›wertfrei‹ oder, um mich drastischer auszudrücken, zynisch zu beurteilen.«

»Bei jeder neuen Arbeit hatte ich das naive Gefühl, daß ich jetzt, Gott sei Dank, ein radikal anderes Thema angehe – um früher oder später festzustellen, daß alles, was nicht radikal mißlingt, das radikal gleiche Thema hat« (Bienek, *Werkstattgespräche*). Diese Selbstbeobachtung des Schweizer Autors MAX FRISCH (geb. 1911) läßt sich an seinem Romanwerk (*Jürg Reinhart*, 1934; *Stiller*, 1954; *Homo Faber*, 1957; *Mein Name sei Gantenbein*, 1964), aber auch an seinen Tagebüchern (*Tagebuch 1946–1949*, 1950; *Tagebuch 1966–1971*, 1972) nachweisen, in denen Frisch Themen und Motive seiner späteren Dramen- und Romanproduktion vorgezeichnet hat. Frischs Helden sind sämtlich auf der Suche nach ihrer Identität, nachdem sie erfahren haben, daß die gesellschaftliche Rolle, das Fremdbild, das sich ihre Umgebung von ihnen gemacht hat, nicht mit ihrer Persönlichkeit in Einklang zu bringen ist. Der in Beruf und Ehe scheiternde Anatol Stiller flieht nach Amerika, um eine seiner wahren Persönlichkeit entsprechende Existenz zu gründen. Unter falschem Namen in die Schweizer Heimat zurückgekehrt und deshalb ins Gefängnis gesperrt, unterzieht er sich einer qualvollen Selbstanalyse, an deren Ende der – abermals vergebliche – Versuch steht, sein wahres Ich gesellschaftlich zu realisieren. Weil sich Stillers Frau, Hannah, weiterhin an das alte Persönlichkeitsklischee von ›ihrem‹ Mann klammert, scheitert die Ehe, von Stiller als ›letzter Prüfstein‹ neu gewonnener Identität verstanden, zum zweiten Mal.

Beginnt *Stiller* mit der Konflikterfahrung des Helden, sein Selbstgefühl nicht weiter mit der Rollenerwartung seiner Umwelt harmonisieren zu können, so ist die Erfahrung zweifelhaft gewordener Identität in *Homo Faber* Resultat eines langwierigen Erkenntnisprozesses. Der stets herumreisende, seine Biographie nüchtern verplanende, gesellschaftlicher Entfremdung als vermeintlich selbstgewählter Persönlichkeit lebende Techniker Faber entdeckt beim Versuch, sich die Problemlosigkeit seiner individuellen Existenz zu beweisen, eine problematische, nicht verdinglichte Seite seines Ich, Spontaneität, Emotionalität. Ohne zu wissen, daß Sabeth, die spontan emotionale Frau, die er durch Zufall trifft, in die er sich verliebt, mit der er schläft, seine eigene Tochter ist, versucht er jene unentfremdete Beziehung zu verwirklichen, die in seiner Ehe mit der jüdischen Frau Hannah ein Leben lang unterdrückt worden war.

Selbst diese ›klassisch‹ konstruierte Vater-Tochter-Beziehung scheint, wie so oft bei Frisch, aus einem Moment seiner eigenen Biographie entwickelt; in einer Tagebucheintragung erwähnt Frisch, daß er 1936 eine jüdische Studentin aus Berlin habe heiraten wollen.

Die in *Homo Faber* immer wiederkehrende Imagination der Gestalt des blinden Ödipus (»Ich kann es nicht ausstehen, wenn man mir sagt, was ich zu empfinden habe; dann komme ich mir, obschon ich sehe, wovon die Rede ist, wie ein Blinder vor«) ist in Frischs nächstem Roman *Mein Name sei Gantenbein* zum Romansujet wie zum kompositorischen Prinzip weiterentwickelt. Der fiktive Erzähler spielt seiner Umgebung, als Mittel, um zu einer von keinem Fremdbild verstellten Identität zu gelangen, einen Blinden vor, womit im Gegenzug die Menschen, auf die er trifft, von der üblichen Rollenzuweisung befreit, jene Rollen als Mittel der Ich-Findung spielen können, die zu erproben sie – ohne in ihrem Gegenüber einen Blinden zu vermuten – sonst nie gewagt hätten. Mit dem Durchspielen vieler Rollen versucht Frisch ex negativo das Bild gelingender Identität zu ›umschreiben‹; es erscheint »als weißer Fleck (...) umrissen durch die Summe der Fiktionen, die dieser Person möglich sind« (*Ich schreibe für Leser*, 1964). Im *Tagebuch 1946–49* hatte Frisch dieses negative literarische Verfahren in Analogie zur Bildhauerei beschrieben: »die Sprache ist wie ein Meißel, der alles weghaut, was nicht Geheimnis ist (...)«[83]

MARTIN WALSER (geb. 1927) erlebte das Ende des Zweiten Weltkrieges als Soldat, studierte Literaturwissenschaft, Philosophie und Geschichte (Dissertation: *Versuch über die epische Dichtung Franz Kafkas. Beschreibung einer Form*, 1952) und arbeitete zunächst als Autor und Regisseur für den Rundfunk (Hörspiele: *Die Dummen*, 1952; *Ein Angriff auf Perduz*, 1955). Seine frühen Erzählungen lesen sich wie die poetische Komplettierung seiner wissenschaftlichen Kafka-Studien (Sammelband: *Ein Flugzeug über dem Haus und andere Geschichten*, 1955). Die Handlung setzt jedesmal damit ein, daß eine als alltäglich bzw. gewohnheitsmäßig geschilderte Situation sich radikalisiert, eine Störung erleidet; die »Realität macht Seitensprünge«, wie es in der Erzählung *Die letzte Matinee* heißt. Walsers Helden (Portier, Fahrradmechaniker, Mieter, ›kleine‹ Angestellte) sehen sich ohnmächtig einer ihnen fremden, historisch, gesellschaftlich, interessenmäßig im Dunkeln bleibenden Gegenwelt gegenüber. Walser führt – was er als Merkmal der Kafka-Prosa in seiner Dissertation beschrieben hatte – in seinen frühen Geschichten »die Vielzahl der Einzelnen, die eine Masse bilden auf einen einzigen Antrieb zurück, er behandelt sie also wie einen einzigen Körper, und diesen (...) mechanisiert er völlig«. In der Erzählung *Die letzte Matinee* kommen der Erzähler und seine Frau, eine leidenschaftliche Cineastin, von einer Film-Matinee zurück und treffen in ihrer Wohnung fremde Wesen an, die von ihnen keine Notiz nehmen. Ohne das geringste Erstaunen und ohne Bedürfnis nach Aufklärung nehmen andere Teilnehmer der Filmmatinee, denen das gleiche widerfährt, die Invasion abnormer Wesen zur Kenntnis. Polizisten, die sich zu den Vorfällen nicht äußern mögen, dirigieren die unentwegt diskutierenden Filmfreunde durch die Stadt und schließen am Ende die Tore einer Güterhalle hinter ihnen. Dem Erzähler gelingt es freizukommen, nachdem er zuvor vergeblich versucht hatte, seine Frau aus der Gruppe der Diskutierenden herauszuholen.

In *Ehen in Philippsburg* (1957) wird der Aufstieg der Hauptfigur, Hans Beumann, vom examinierten Studenten zum Schwiegersohn eines Fabrikanten verfolgt; Rückblenden holen frühere Lebensabschnitte Beumanns ein. Diese Aufstiegsfabel bildet den Rahmen für zwei weitere Geschichten, Episoden aus dem Leben des Frauenarztes Dr. Benrath und des Juristen Alwin. Diese Teile des Romans korrelieren mit dem geschilderten Sozial-, Moral- und Sexualverhalten des angepaßten Helden, variieren und vervollständigen zusammen mit Partyszenen und Szenen aus dem ›Kulturleben‹ der provinzhaften Großstadt Philippsburg ein – wie man mit Koeppen sagen könnte – ›Pandämonium‹ der Doppelmoral, intellektuellen Hohlheit, provinziellen Spießigkeit mit mondänem Anstrich. Auch die Gegenfigur des schwachen Helden, der als Portier des Stadttheaters arbeitende, zur Untermiete wohnende, Kulturbetrieb wie Politik verachtende Intellektuelle Klaff, bringt keine – über den Horizont der übrigen Geschichten und Episoden hinausreichende – gesellschaftskritisch nach den Ursachen der korrupten Gesellschaft fragende Perspektive in den Roman. Sein zwanghafter Nonkonformismus läßt ihn lediglich als auf andere Weise als die anderen Figuren beschränkt erscheinen.

Im Unterschied zu bundesdeutschen Autoren, die die Nationalidentität nach der Ära des Faschismus als problematisch darstellen, den Handlungsort ihrer Romane in ›Philippsburg‹ statt in Bonn, München oder Berlin ansiedeln (was die zeitgenössischen Kritiker wohlwollend den Autoren vermerken: Walser »erzählt nicht von der Bundesrepublik, auch nicht von Bonn, wie es der unvorsichtige Herr Wolfgang Koeppen tat«),[84] gibt es in Österreich eine Gruppe von Autoren, die Wien und den Austria-Mythos – wie z. B. HEIMITO VON DODERER (1896–1966) – vom alten Byzanz bis in die Gegenwart der sechziger Jahre in breit angelegten Gesellschaftsromanen imaginieren: (*Die Strudlhofstiege*, 1951; *Die Dämonen*, Trilogie von 1956; *Die Merowinger*, 1962, *Die Wasserfälle von Slunij*, 1963).

GERTRUD FUSSENEGGERS (geb. 1912) Geschichten und Romane spielen in der böhmisch-altösterreichischen Gesellschaft (*Das Haus der dunklen Krüge*, 1951; *Das verschüttete Antlitz*, 1957).

FRITZ RITTER VON HERZMANOVSKY-ORLANDO (1877–1954), Architekt, Graphiker und Schriftsteller, wurde erst an seinem Lebensende und postum als skurriler, Elemente der Barockkultur integrierender Erzähler entdeckt (*Der Gaulschreck im Rosennetz*, 1928).

Im Unterschied zu diesen Autoren, die ein konservativ-nostalgisches Verhältnis zum alten Österreich kennzeichnet, hat der 1923 geborene Lyriker und Erzähler HERBERT ZAND in seinem Gegenwartsroman *Erben des Feuers* (1961) die Widersprüche der Rumpf-Nation Österreich geschildert, indem er die junge Wiener Nachkriegsgeneration sowohl zur anachronistischen k. u. k.-Herrlichkeit wie zur konsum- und karrierebesessenen Neuwiener Gesellschaft in Gegensatz bringt.

Dramen der fünfziger Jahre

Als das von Carl Zuckmayer noch im amerikanischen Exil fertiggestellte Schauspiel *Des Teufels General* 1946 in Zürich uraufgeführt und daraufhin auf den deutschsprachigen Bühnen zum – mit Abstand – größten Erfolgsstück wird, als Günther Weisenborns *Die Illegalen* (1946) (ein Drama, das den Untergrundkampf gegen den Faschismus am Beispiel einer Gruppe zeigt) auf dem Theater erscheint, als schließlich Wolfgang Borcherts *Draußen vor der Tür*, einen Tag nach dem Tod des Autors als Drama uraufgeführt wird (21. 11. 47) (danach auch als Film), scheint alles darauf hinzudeuten, daß neben der Unterhaltungsware (Kabarett, Komödien), den ›Klassikern‹ und den großen zeitgenössischen ausländischen Autoren auch eine deutschsprachige zeitkritische Dramatik sich entfaltet. Dieser Schein trügt, wie man spätestens mit der Währungsreform weiß. Der Detailrealismus Zuckmayers ist zwar effektvoll und füllt die Theater (wie manche Kritiker zu Recht argwöhnen mit einer zweifelhaften Form von Faschismusdarstellung, die, psychologisierend zwischen ehrenwert apolitischen und fanatisch faschistischen Soldaten bzw. Politikern unterscheidend, es dem Zuschauer leicht macht, sich emotional auf die Seite des ›besseren Deutschland‹ zu schlagen): Weisenborns Denkmal der vielen aus politischen Gründen umgebrachten Faschismus-Gegner kann moralische Dignität für sich beanspruchen ebenso wie Borcherts Stationsdrama, das einer Bewußtseinsetappe der ›verratenen Generation‹ Allgemeingültigkeit verschafft: Von ihrer poetischen Substanz her betrachtet, haben diese Stücke keine Zukunft, sind sie, jedes auf seine Weise, anachronistische Ästhetik; am meisten wohl Borcherts Drama *Draußen vor der Tür*, das eng der Formtradition des Heimkehrerstücks (Stationendramaturgie) verpflichtet ist, frappierende Ähnlichkeit zu Tollers Anti-Kriegsdrama *Hinkemann* (1924) aufweist.

»Von den Nachkriegsjahren am unergiebigsten waren, was das Drama angeht, die frühen fünfziger Jahre, von 1948 bis etwa 1954. Es ist eigentlich kein einziges Stück jüngerer Autoren aus jenen Jahren übriggeblieben. (...) Wenn es in jenen Jahren gesellschaftlich belangvolles Theater gegeben hat, so auf den Nudelbrettern der Kabaretts (...)«[85]

Dieses Urteil bezieht sich auf die Autoren der West-Zonen bzw. der Bundesrepublik Deutschland, läßt die beiden bedeutendsten deutschsprachigen Autoren dieser Jahre, Max Frisch und Friedrich Dürrenmatt, deshalb aus. Am häufigsten aber werden auf dem Theater dieser Zeit gespielt die zeitgenössischen französischen, britischen und amerikanischen Autoren: Thornton Wilder (*Unsere kleine Stadt*, 1938; *Wir sind noch einmal davongekommen*, 1942), Eugene O'Neill (*Der Eismann kommt*, 1939; *Ein Mond für die Beladenen*, 1943), William Saroyan (*Mein Herz ist im Hochland*), Tennessee Williams (*Die Glasmenagerie*, 1944; *Endstation Sehnsucht*, 1947), Thomas Stearns Eliot (*Mord im Dom*, 1935), Christopher Fry (*Ein Phönix zuviel*, 1946), Arthur Miller (*Alle meine Söhne*, 1947), Jean-Paul Sartre (*Die Fliegen*, 1944), Jean Anouilh (*Antigone*, 1942; *Einladung ins Schloß*, 1946), Jean Giraudoux (*Elektra*, 1937; *Die Irre von Chaillot*, 1945).
Der sich in diesen Autorennamen und Stück-Titeln widerspiegelnde Nachholbedarf des deutschsprachigen Theaters macht es gerade jüngeren Autoren nicht eben leicht, sich durchzusetzen.
Die überragende Vorbildfigur für die jüngere deutschschreibende Autorenge-

neration aber wurde Bert Brecht, der mit seinen Stücken, neugierig, sie endlich im Sinne seines episch-dialektischen Theaters zu erproben, aus der Emigration zurückkehrte und – nach heftigen Auseinandersetzungen in der DDR (Stanislawskij-Streit) und der BRD (Brecht-Boykott) – zum Maßstab der Drama-Entwicklung wurde. Daß Frisch ein ›Lehrstück ohne Lehre‹ schreibt (*Biedermann und die Brandstifter*), Dürrenmatt sich gegen den ›Ideologen‹ Brecht behauptet, weist auf diesen Zusammenhang hin.

Für das *5.Darmstädter Gespräch* schreibt Brecht im April 1955 einen Beitrag, der sich der Frage widmet, ob die ›heutige Welt‹ durch Theater überhaupt noch wiedergegeben werden kann: »Es wird Sie nicht verwundern, von mir zu hören, daß die Frage der Beschreibbarkeit der Welt eine gesellschaftliche Frage ist.« Brecht erklärt, die ›heutige Welt‹ könne durchaus auf dem Theater wiedergegeben werden, »wenn sie als veränderbar aufgefaßt wird«. Die entgegengesetzte Position vertritt FRIEDRICH DÜRRENMATT (geb. 1921) (*Theaterprobleme*, 1955). Ausgehend von der ›Darstellbarkeit der Welt‹ zur Zeit Schillers, wo es noch sichtbare, die tatsächliche Machtstruktur repräsentierende Persönlichkeiten gegeben habe, bestreitet Dürrenmatt kategorisch, daß die herrschenden gesellschaftlichen Verhältnisse der Gegenwart noch erkennbar seien: »Der heutige Staat ist jedoch unüberschaubar, anonym, bürokratisch geworden (...) Die echten Repräsentanten fehlen und die tragischen Helden sind ohne Namen (...). Die Kunst dringt nur noch bis zu den Opfern vor, dringt sie überhaupt zu Menschen, die Mächtigen erreicht sie nicht mehr. Kreons Sekretäre erledigen den Fall Antigone. (...) Gestalt wird die heutige Macht nur etwa da, wo sie explodiert, in der Atombombe.« Für die Dürrenmattsche Dramentheorie und poetische Praxis bedeutet diese Ableitung, daß die ›reine Tragödie‹ nicht mehr möglich ist. Einer Welt, die »am Zusammenpacken ist wie die unsrige«, komme nur noch die Komödie bei.

Die Ideologie vom Ende der Ideologien, vom »Kehraus der Weltanschauungen«, ist eine in den fünfziger Jahren weithin verbreitete Intellektuellenposition; das Ende der Ideen bei Andersch gehört ebenso zu dieser Position wie das katastrophische Bewußtsein bei Benn. In Dürrenmatts Komödie *Die Ehe des Herrn Mississippi* (1952, Neufassung 1957) werden drei Weltverbesserer dem Spott überantwortet: ein Staatsanwalt, der mit der Zahl seiner Todesurteile Rekorde aufstellt, ein ›Weltrevolutionär‹, der immer noch nicht begriffen hat, daß er in eine anachronistische Welt gehört, und ein schwärmerischer ›Narr der Liebe‹. Daß der Welt der Brutalität, in der »Weltmetzger« und »Hackmaschinen« sich jenseits von aller Beeinflußbarkeit anonym durchsetzen, doch nicht beizukommen sei, und daß es besser sei, sich aller Macht zu begeben, um so am ehesten Sittlichkeit noch möglich zu machen, ist die Grundkonstellation der ›ungeschichtlichen historischen‹ Komödie *Romulus der Große* (1949, verändert 1958). Der letzte römische Kaiser unternimmt nichts, um sich gegen die heranrückenden Germanen zu wehren. Der Hof des Kaisers ist ein einziger Hühnerhof, sein einziges Interesse gilt seinem Lieblingshuhn, dem er den Namen des Feindes gegeben hat.

Am bekanntesten wurde Dürrenmatts Stück *Der Besuch der alten Dame* (ursprünglicher Titel: *Komödie der Hochkonjunktur*). Eine Multimillionärin stiftet ihrem Heimatdorf, Güllen, eine Milliarde, wenn die Bürger von Güllen ihren ehemaligen Jugendgeliebten, der sie mit einem Kind sitzenließ, umbringen. Die Moral der verarmten Einwohner von Güllen wird sukzessive korrumpiert, die Güllener bekommen überall Kredit, gewöhnen sich an den Wohlstand. Dürrenmatt läßt sie – bühnenwirksam – mit einem Mal alle gelbe, neue Lederschuhe tragen (in Brechts *Die Rundköpfe...* bekommen die tschuchischen Bürger neue [SA-]Stiefel). Der Zuschauer wird Zeuge, wie die veränderte materielle Interessenlage aus Gut Böse und aus Böse Gut macht: die groteske Verkehrung wird perfekt, als die alte Dame, damit ein Todesurteil vollstreckend, einen Scheck überreicht; die Gemeindevertretung beschließt ›Gerechtigkeit‹ zu verwirklichen, das bedeutet im korrumpierten Güllen: ›Lynchjustiz‹.

Bei aller ideologischen Distanzierung vom ›Weltverbesserer‹ Brecht teilt Dürrenmatt viele seiner dramaturgisch-theatralen und sprachlichen Mittel. Am deutlichsten im Stück *Frank der Fünfte. Oper einer Privatbank* (1960), wo Dürrenmatt Brechts Dreigroschenoper verarbeitet (aus der These Brechts ›Gangster sind eigentlich Bürger‹ wird ›Bürger sind eigentlich Gangster‹). Ähnlich Brecht verwendet auch Dürrenmatt die Parabelform, episierende Songs, sprachliche Verfremdungsformen, Pointierung von Stückstrukturen durch lehrhaft deutliche Bühnenmittel. Als indirekte Auseinandersetzung mit Brecht läßt sich Dürrenmatts Schauspiel *Die Physiker* (1960) verstehen (Problemnähe zu *Galilei*). Mit *play Strindberg* (1969) kann Dürrenmatt noch einmal Bühnenerfolge erzielen, bevor seine Stücke in den siebziger Jahren weitgehend vom deutschsprachigen Theater verschwinden.

Im Unterschied zu Dürrenmatt hat MAX FRISCH keine vergleichbar ausgeprägte Theatertheorie entwickelt. Die beiden Parabelstücke *Biedermann und der Brandstifter* (zunächst als Hörspiel [1953], dann mit dem Untertitel *Lehrstück ohne Lehre* uraufgeführt 1958; danach auch als Fernsehspiel) und *Andorra* (1961) spielen modellhaft soziale und moralische Situationen unter ›totalitären‹ Verhältnissen durch. Biedermann, der ›arglose‹ Kleinbürger, der seine Ruhe haben will, hat alles, was er mit einigen Hausierern, die in seinem Dachboden Benzin lagern, erlebt, bereits in der Zeitung gelesen. Selbst nicht beteiligt an den Fällen von Brandstiftung, tönt er: »Aufhängen sollte man sie (...) Und wieder dieselbe Geschichte, sage und schreibe: wieder so ein Hausierer, der sich im Dachboden einnistet (...)« Als dieselbe ›Geschichte‹ in seinem Hause passiert, verdrängt er sie in grotesker Weise, erklärt die ›Hausierer‹ für seine Freunde, trinkt Bruderschaft mit ihnen und gibt ihnen schließlich auch noch die Streichhölzer. Ein – antiken Chor parodierender – Feuerwehrchor faßt als das Resultat des ›Lehrstücks ohne Lehre‹ zusammen:

> Sinnlos ist viel, und nichts
> Sinnloser als diese Geschichte:
> Die nämlich, einmal entfacht,
> Tötete viele, ach, aber nicht alle
> Und änderte gar nichts (...)

Im *Nachspiel in der Hölle* sitzt Biedermann nach der Zerstörung »der Stadt«, die er mitverschuldete, in der Hölle und bejammert sich als Opfer der Geschichte. Aber auch die Hölle ist nicht mehr intakt, auch hier geschieht dem Spießer Biedermann nichts, was ihn zu Erkenntnissen gelangen ließe. Und auch die Gesellschaft insgesamt lernt nichts aus ihrer Katastrophe; als wäre nichts gewesen, wiedersteht die »Stadt« im Glanz von Chrom und Nickel.

Andorra ist politisches und soziales Modell für die Produktion von Vorurteilen, Inhumanität, feiger Anpassung von Kleinbürgern. Im Unterschied zu lehrhaftem Theater vermeidet Frisch jede historische Konkretion: »Es gibt keine Lösungen und keine Hinweise, wie Veränderungen denkbar und machbar wären.« Frischs Stücke »treten also nicht mit dem Anspruch auf, die allein richtige Lehre zu verbreiten. Sie führen nicht Standpunkte eines richtigen Bewußtseins vor, sondern sie versuchen (...) eine Reflexion in Gang zu setzen, die vielleicht einmal in einzelnen Punkten zu Veränderungen beitragen könnte.«[86]

Im Kontext des absurden Theaters (Ionescos *Kahle Sängerin* wurde 1950 uraufgeführt, Becketts *Warten auf Godot* erschien 1952) stehen die Dramen von WOLFGANG HILDESHEIMER (geb. 1916) (*Pastorale oder Die Zeit für Kakao*, 1958; *Die Uhren*, 1959; *Landschaft mit Figuren*, 1959) (Sammelband: *Spiele, in denen es dunkel wird*). Das in den fünfziger Jahren allenthalben virulente Verdikt von der Undurchschaubarkeit der ›Welt‹ findet im absurden Theater seinen reinsten Ausdruck: »Die Wirklichkeit ist so absurd, daß sie nirgends eine Lehre vermittelt«, formuliert Hildesheimer, über Frischs Diktum vom »Lehrstück ohne Lehre« hinausgehend, seine absurdistische Lehre. Die Brechtsche lehrhafte Parabelform und jegliche, Realismus intendierende Dramenform wird ad absurdum geführt, wenn »das absurde Theaterstück eben durch das absichtliche Fehlen jeglicher Aussage zu einer Parabel des Lebens wird. Denn das Leben sagt ja auch nichts aus.« (*Erlanger Rede über das absurde Theater*, 1960)

Ebenfalls vom zeitgenössischen absurden Theater beeinflußt, aber ohne pseudophilosophische Realitätsdeutung auskommend, schreibt Günter Grass seine frühen kleinen Stücke, aggressiv-komische Burlesken, die mit skurrilen Überraschungen und Einfällen, oft der Sphäre der kindlichen Phantasie entlehnt, unterhalten: (*Onkel Onkel*, 1957; *Noch zehn Minuten bis Buffalo*, 1959). Sehr erfolgreich, wenngleich nicht durch innovative Theaterästhetik überzeugend, war das 1956 uraufgeführte Drama KARL WITTLINGERS (geb. 1922) *Kennen Sie die Milchstraße?* Ähnlich wie in AXEL VON AMBESSERS (geb. 1910) Drama *Das Abgründige in Herrn Gerstenberg* (1946) ist die episierende Dramaturgie Thornton Wilders (*Unsere kleine Stadt*, 1938) spürbar; Spielleiter-Dramaturgie, Spiel im Spiel, Rollenzuweisung. Eine allegorisierende Darstellung der Ost-West-Polarisierung im Kalten Krieg versucht RICHARD HEY (geb. 1926) in *Thymian und Drachentod* (1955); 1957 *Der Fisch mit dem goldenen Dolch*.

LEOPOLD AHLSEN (geb. 1927) aktualisiert den antiken *Philemon-und-Baukis*-Stoff: das Gesetz unbedingter Gastfreundschaft wahrt der Bergbauer Philemon 1944 in seiner okkupierten Heimat auch gegenüber dem Feind, einem deutschen Soldaten: selbst um den Preis des eigenen Todes (1955 Hörspiel, 1956 erfolgreiches Theaterstück, darauf Fernsehspiel). Ebenfalls gleichermaßen für Bühne und Fernsehen schreibt HERBERT ASMODI (geb. 1923) (*Pardon wird nicht gegeben*, 1958; *Nachsaison*, 1959; *Die Mohrenwäsche*, 1963).

Arbeiterliteratur

Arbeiterliteratur in den Westzonen und später in der Bundesrepublik zeichnet den Prozeß der gesellschaftlichen Restauration nach. Sie läßt die Widersprüche der kapitalistischen Produktionsverhältnisse entweder ganz beiseite, verlegt sich aufs Ausschildern des kleinen Feierabendglücks, stilisiert die Konsumsphäre zum Ort der Selbstverwirklichung der arbeitenden Menschen; oder aber sie perspektiviert den Gegensatz von Arbeiter und Kapitalist in Richtung ›Arbeitsfrieden‹.

Eine Kontinuität besonderer Art zeichnet sich ab in den Werken ERICH GRISARS (1898–1955). Bei ihm wird das Arbeitsheldentum des Faschismus nach 1945 paradox zum Mittel der Vergangenheitsbewältigung. In *Die Tat des Hilko Boßmann. Eine Erzählung aus dem Jahre 1945* (1947) verwandelt sich die namenlose Opferbereitschaft im heldenhaften Arbeitskampf, die nur wenige Jahre zuvor im Dienste der psychologischen Aufrüstung für den Faschismus gestanden hatte, in ein Faschismuspurgativ. Der Held, ein ehemaliger Hitlerjunge, der, den Durchhalteparolen des NS gehorchend, eine Brücke sprengte und so mitschuldig wurde am Tod der kranken Mutter (!), bewältigt seine schuldhafte Vergangenheit, indem er, »sein ganzes Sein an die Arbeit« hingebend, nun auch noch die Trümmer der Brücke sprengt. Diese gefährliche Sprengaktion, geschildert als existentielles Wagnis, führt den Jungen zurück in die sittlich reine Männergesellschaft.

Ein Vergleich dieser Erzählung mit dem 1937 erschienenen ›Werkroman‹ *Siebzehn Brückenbauer – ein Paar Schuh* zeigt, wie die Ideale der verschwommenen Volks- und Schicksalsgemeinschaft bzw. des Kampfes gegen widrige Naturgewalten ideologisch mühelos aufs existentialistische Format der Nachkriegszeit getrimmt werden konnten. Eine derartige Verwandlung von faschistischer Ideologie in faschismusbewältigende Sittlichkeit, die auskommt ohne jede Erklärung der gesellschaftlichen Verhältnisse, unter denen Tatmenschentum jeweils veranstaltet und ausgefochten wird, bestimmt denn auch Grisars (in der 1. Fassung bereits 1943 vorliegenden) Roman *Die Holtmeiers* (1946), der die Entstehungsphase des Rheinisch-Westfälischen Industriegebiets schildert. Die Widersprüche, die den Prozeß der ursprünglichen Akkumulation kennzeichnen, werden sämtlich nach der idealistischen Devise geglättet: »Mochte auch das Geld sich überall in den Vordergrund schieben, es war nur Werkzeug, wirklich bewegt wurde die Welt allein durch den Glauben.«

Im Roman *Der Schatten des Schlotes* (1947), den MARTHA SCHLINKERT-GALINSKY (geb. 1913) ihrer Heimatstadt Gelsenkirchen widmet, wird anhand der Entwicklung eines Proletariers zum einsamen großen Arbeiterführer, der für die Klassenharmonie als für die sittliche Erkenntnis der Stunde kämpft, aktuelle zeitgenössische Ideologie gestaltet. Denn nicht zufällig erscheint dieser Entwicklungsroman parallel mit der Ausrufung des ›Christlichen Sozialismus‹ und des Ahlener Programms durch den Zonenausschuß der CDU der Britischen Zone.

Der Aufstieg des verwachsenen und deshalb unbarmherzig gehänselten Romanhelden, der aus diesem Leid wie aus zahlreichen anderen Schicksalsschlägen asketischen Durchhaltewillen gewinnt, liest sich in der von Armut, Wohnungsnot und Arbeitslosigkeit bestimmten Nachkriegssituation als Vorgriff auf die zu erwartende soziale ›Chancengleichheit‹. Auf nichts als auf sich selbst gestellt, absolviert das Proletarierkind ein Studium und erhält schließlich einen politischen »Ruf von Auswärts«. Durch des Helden Einfluß auf einsichtige Unternehmer wird zunehmend soziale Gerechtigkeit eingeführt, bis rothaarige gewissenlose Aufwiegler, die »immer nur aus dem Hinterhalt« angreifen, den Helden tragisch in einen gewalttätigen Lohnkampf verwikkeln. An dieser Schlüsselstelle des Romans wird das Credo des zukünftigen klassenneutralen Arbeiterführers formuliert: »Er war kein Hetzer und Aufwiegler (...). Er wußte, daß arm und reich immer bleiben würden, daß es immer Menschen geben würde, die das Leben bejahten und verneinten. Aber die Verbundenheit untereinander als Schicksalsgemeinschaft fehlte, und die wollte er schaffen.«

Eine ähnliche Tendenz verfolgt der Roman *Die Tochter der Wirkerin* (1948), in dem ein schönes armes Arbeitermädchen einen Fabrikanten heiratet. (Mitte der fünfziger Jahre wechselt die Autorin das Genre und schreibt konventionelle Kinderbücher.)

Neben solchen Werken aus den ersten Nachkriegsjahren, die, wie am Beispiel Schlinkert-Galinsky angedeutet, die Klassenharmonie als sittliche Verpflichtung preisen und zur endgültigen Aufhebung der gesellschaftlichen Widersprüche auffordern, finden sich in den fünfziger Jahren Formen entpolitisierender Arbeiterliteratur, die den Betriebsfrieden im Westen Deutschlands schon allenthalben verwirklicht sehen und ihn tröstlich-idyllisch ausschildern. In einem Gedicht von WILLY BARTOCK (geb. 1915) wird der Küchentisch – übertragen und wörtlich zugleich – zum dichterischen Ort des schreibenden Kumpels; er ist das »Symbol des kleinen Tages, der doch so groß sein kann an Glück und Leid«; hier führt der Kumpel seinen »Zauberblei«, sein »billig Schreibzeug«:

> Ein derber Tisch, um den die Kinder spielen,
> breit in die kleine Küche hingestellt.
> Und auf ihm ruhend Hände voller Schwielen,
> dazu ein billig Schreibzeug sich gesellt.
>
> Aus diesem Tisch, der täglich trägt die Speise,
> um den die munt're kleine Sippschaft drängt,

an dem die Hausfrau treu in schlichter Weise
die Suppe in die Steingutteller schenkt (...)

(Bunt blüht das Jahr in unserem Garten, 1953)

Bartock ist seit 1949 Leiter der ›Kulturellen Bergwerksbetreuung‹, Redakteur und Autor der Werkszeitung *Der Kumpel* (Walsum). Seine Zuarbeit zum Produktionsfaktor Betriebsfrieden hat er stets als ästhetisch autonome Praxis mißverstanden, als reine »Herzenssache«. Bartock kann als paradigmatisches Beispiel für den ästhetischen Niedergang und die sklavische politische Indienstnahme von Arbeiterliteratur in der BRD gelten. Verdeckt oder offen appelliert er in seinen Arbeiten an die Arbeiterschaft, sich mit den Interessen des Kapitals als mit den vermeintlich eigenen zu identifizieren, sich aus freien Stücken in freudigem Verzicht den herrschenden Produktionsverhältnissen zu unterwerfen.

Im Konzept der Ruhrfestspiele Recklinghausen, dem einzigen bedeutenden, speziell für Arbeiter organisierten Kulturereignis in der BRD, ist Klassenneutralität, das ›Allgemeinmenschliche‹ von Geist und Kultur von Anfang an Programm. In den Hungerjahren als Gegenleistung von Künstlern für Kohlesonderlieferungen aus dem Ruhrgebiet entstanden, verlängern die »Festspiele des schaffenden Volkes« in den fünfziger Jahren lediglich die herrschende bürgerliche Kulturpraxis. Organisatoren und Kritiker heben dieses Faktum besonders hervor. Den Arbeitern, die gerade noch für die Vergesellschaftung der Betriebe gekämpft haben, rufen sie zu, jetzt käme alles auf das »geistige Ringen um eine neue Seinsordnung« an. Die Welt sei voller »dämonischer Triebkräfte«, derer man sich erwehren müsse, aber: »(...) wer die Prüfungen des Seins in tiefem Vertrauen auf die Kraft des Guten besteht, wer im Einklang mit der Schöpfung lebt, der ist gegen die zerstörenden Mächte gefeit. Denn die Ordnung der Welt wird nur gesichert durch die Ordnung des Herzens.«[87] 1949 wird der »Weg zur Erkenntnis einer neuen Ordnung unseres Seins« u. a. gewiesen durch die »von edelstem Menschentum beseelte ›Iphigenie‹«, durch das »von stillem Leben durchtränkte Spiel ›Ein Leben lang‹« oder durch den von »sakralem Geist durchwebten ›Lohengrin‹«.[88]

Bevor sich die Dortmunder *Gruppe* 61 gründet und einen neuen Zugang zu einer ›Literatur der Arbeitswelt‹ zu erschließen sucht, werden einige Romane veröffentlicht, die ohne jede Reminiszenz an die kleinbürgerlichen Klischees der alten Arbeiterliteratur Menschen im Arbeitsprozeß schildern: Siegfried Lenz: *Der Mann im Strom* (1957); Ruth Rehmann: *Illusionen* (1959); Klas Ewert Everwyn: *Die Leute vom Kral* (1961).

Im Verbund der Massenmedien
Trivialromane der fünfziger und sechziger Jahre

Wenn von Andersch, Frisch, Eich oder Schnurre als von Repräsentanten der deutschsprachigen Nachkriegsliteratur die Rede ist, ist von einem – gemessen an der insgesamt gelesenen Literatur – statistisch verschwindend kleinen Literatursektor die Rede: nur ein bis zwei Prozent der bundesrepublikanischen Bevölkerung lesen in den fünfziger Jahren die in ihrer Zeit entstehende ›anspruchsvolle‹, die ›literarische‹ Literatur. Nimmt man alle Literaturklassiker, deutschsprachige wie fremdsprachige hinzu, den gesamten Kanon der Weltliteratur also, so ergibt sich eine Leserzahl von sechs Prozent. Gelesen wird aber viel mehr – jenseits von Kategorien wie Nationalliteratur, Hochliteratur oder Dichtung.

> Daß wir Feuer zapfen aus dünnen Drähten,
> bannen ein fern-fernes Lied in unsere Stuben,
> den Schall überholen ... haben wir nicht dafür
> einen Millimeter seligen Raumes zuviel geopfert:
> diesen, um den sich des Auges Pupille geweitet
> von der natürlichen Trauer aller Geschaffenen
> zur Angst hin?

Die Angst erregende industrielle Technik, die in die »Stube« reicht, ist nicht nur Gegenstand der Literatur, wie in Rudolf Hagelstanges *Zwischen Stern und Staub*, sondern längst auch Voraussetzung von Literaturproduktion und Literaturrezeption. Als Hagelstange 1953 seine Verse drucken läßt, laufen die nach amerikanischem Vorbild auch in der Bundesrepublik für die Taschenbuchproduktion in Gang gesetzten Rotationsdruckmaschinen bereits auf vollen Touren. Hohe Auflage, billige Klebeheftung (Lumbeck-Verfahren) unterminieren die Aura des Buches, gleichen es an Druckerzeugnisse wie Heftchenromane an. Die Reclam-Heftchen, die Generationen mit den Meisterwerken der Weltliteratur vertraut gemacht hatten, wirken angesichts dieser Entwicklung wie Zeugnisse einer überlebten Epoche. In die »Stuben« dringt 1953 nicht nur der Schlager aus dem Rundfunk (und wenig später aus dem Fernsehen), sondern auch die Millionenauflage der industriell gefertigten Trivialliteratur.

Die altfränkische Bedenklichkeit, die aus Hagelstanges Gedicht spricht, dieser hilflose Versuch, mit edlen Genitivfügungen und vorindustriellen Worten die Medienrealität im Alltag der Bundesrepublik zu fassen, ist kein Einzelfall; die kulturpessimistischen Urteile über die Existenzberechtigung und die Ästhetik solcher Medien sind in den fünfziger Jahren Legion; beschäftigt man sich überhaupt damit, dann in der Tradition bildungsbürgerlichen Kulturverständnisses: »Die Trivialliteratur wendet sich nicht an Kenner, welche das Vergängliche vom Bleibenden unterscheiden können«,[89] stellt der Germanist Walther Killy 1962 im Vorwort zu *Deutscher Kitsch* fest. »Das Kitschpublikum muß solche Einsichten entbehren, denn die Kunst ist ihm fremd, das echte Märchen lebt nicht mehr und die Bibel wurde zum unbekannten Buch. So blättert es in den ›modernen‹ Märchenbüchern (...)«[90]

Die tradierte bildungsbürgerliche Bedeutungszuweisung von Massenliteratur als ›Schund‹, ›niedere Unterhaltung‹, die von ›niederen‹ Schichten gelesen werde, ist – abgesehen von der Fragwürdigkeit der elitären Position – literatursoziologisch nicht zu halten. Empirisch-statistische Untersuchungen des Literaturkonsums der fünfziger und sechziger Jahre zeigen, daß Unterhaltungsliteratur, vor allem Unterhaltungsromane (Liebes-, Gesellschafts-, Frauen-, Arzt-, Berg-, Bauernromane), fast in gleichem Maße von Beamten und Angestellten wie von Arbeitern gelesen werden (lediglich die bäuerliche Bevölkerung liegt unter dem Durchschnitt). Der einzige Widerspruch dieser homogenen Trivialliteraturrezeption ist nicht schichtenspezifisch, sondern geschlechtsspezifisch begründet: Frauen interessieren sich für Unterhaltungsromane (einschließlich Kriminal- und Abenteuerromane) stärker als Männer (35 % gegenüber 24 %; nach einer statistischen Erhebung des Jahres 1961).[91]

1960 macht Belletristik etwa 20 % des Gesamtvolumens der Buchproduktion der Bundesrepublik Deutschland aus (die Zahl bleibt in den folgenden Jahren relativ konstant). Den weitaus größten Teil der belletristischen Literatur setzen dabei die Buchgemeinschaften um (Mitte der sechziger Jahre 80 %). In dieser Zeit erreicht der Bertelsmann-Konzern durch Zukäufe anderer Buchgemeinschaften die absolute Vormachtstellung. Sein Marktanteil von über 50 % aller bundesrepublikanischen Buchgemeinschaften bedeutet, daß der Konzern ein Viertel der gesamten Buchproduktion auf sich vereint (Anfang der sechziger Jahre hat der ›Bertelsmann-Lesering‹ annähernd 2,5 Millionen Mitglieder, die einen jährlichen Buchabsatz von über 20 Millionen Büchern garantieren). Noch gigantischere Mengen von Lesestoff, der industriell hergestellt und vertrieben, wenngleich immer noch zuvor von einzelnen Autoren oder Autorenteams in herkömmlicher Kopfarbeit erdacht, allenfalls in manufakturähnlicher Arbeitsteilung zusammengeschrieben wird, liefern zusammen mit den Fortsetzungsromanen der Illustrierten (Marktführer ist die 1957 gegründete *Ferenczy Presse Agentur, FPA*) die Millionen Heftromane (Groschenhefte). Die eigentliche Produktions- wie Rezeptionsdimension dieser Trivialliteratur aber ergibt sich erst aus der intermedialen Verflechtung, dem Medienverbund. Die Romane *Der Arzt von Stalingrad* (HEINZ GÜNTHER KONSALIK, geb. 1921), *Soweit die Füße tragen* (JOSEF MARTIN BAUER, 1901–1970), *Am grünen Strand der Spree* (Hanns Scholz, geb. 1911), bereiten die Rezeption der Fernsehspielfassungen vor, so wie diese wiederum die Nachfrage nach den Romanen stimulieren; analoges gilt für Film und Schallplatte. *Der Arzt von Stalingrad* z. B. erscheint 1960 als Lizenzausgabe der Buchgemeinschaft ›Deutsche Hausbücherei,‹ wird in 10 Sprachen übersetzt, verfilmt und dann in Hunderttausenden von Exemplaren bei Bertelsmann weiterverkauft. Jahrelang im Buchhandlungssortiment, wurde der Roman *Geliebt, gejagt und unvergessen* von ARNOLD KRIEGER 10000mal verkauft. Als sich Bertelsmann entschließt, diesen Titel in die ›Vorschlagsliste‹ aufzunehmen, sind es 800000 Exemplare (Zum Vergleich: Günter Grass'

Hundejahre [1963], der sensationelle Bestseller der Frankfurter Buchmesse, 125 000 Exemplare).

Was wird in Massenauflagen verkauft? Folgt man den Genres, Sujets, so teilt sich der Markt auf in Liebesromane, Landserromane, Arztromane usf. Auf der Ebene der Heftchen- und Illustriertenromane gibt es normative Schreibmuster: »Der Leser muß ständig in einem Erlebnisstrudel gehalten werden. Alle 20 Seiten, nämlich jeweils am Ende einer Fortsetzung, muß ein dramatischer Höhepunkt eingebaut sein«.[92] Bestimmte Tabus dürfen von den Lohnschreibern nicht angetastet werden, Verlagsanordnungen regeln die Inhalte: »Die Romane spielen in Deutschland unter deutschen Menschen«, konstatiert der Wolfgang Marken Verlag in seiner Vorschrift bereits deren Einhaltung. Im *Eva-Tierarzt-Roman* hat der Held »seine Praxis in der Stadt. Er soll möglichst nicht auf dem Dorf angesiedelt werden.« Politik und Sex sind strikt verboten: »Politische Themen, etwa die Problematik der deutschen Spaltung, dürfen im Tierarztroman nicht zur Sprache kommen. (...) Sex ist im Eva-Tierarzt-Roman wie bei allen Frauen-Heftromanen tabu. Szenen mit erotischen Anklängen sind zu vermeiden«.[93]

Was für den Frauenroman gilt (und selbst das Verbot von Politik verweist auf den politischen Zusammenhang: Depolitisierung, nicht Politikfreiheit), läßt sich nicht für das Gros der Trivialromane verallgemeinern; im Gegenteil, wenn es eine dezidiert politische Literatur in den fünfziger und sechziger Jahren gibt, dann ist es die Trivial-, nicht die literarische Literatur: »Diese Unterhaltungsromane von den Kriegsgeschichten in Heftchenform über die Illustriertenromane bis hin zu den Spannungsreißern in Buchform, die einige erfolgreiche Autoren wie Kirst und Simmel regelmäßig schreiben, sind die eigentliche politische Literatur der Gegenwart in der Bundesrepublik (...)«[94] Bereits die Sujets, nicht erst die besondere ästhetische Form der Literatur, unterscheiden in den fünfziger Jahren die literarische von der trivialen Literatur. Während Illustrierten-Romane, Fernsehspiele, Filme einem Millionenpublikum den Zweiten Weltkrieg, Flucht, Nachkriegszeit zum ›Nacherleben‹ schildern, Partei nehmen im Kalten Krieg, in der Schilderung der Gegenwartsgesellschaft immer wieder die Kriegserinnerung wach halten, ist in der Hochliteratur Zeitgeschichte und Politik anathema (die Romane von Plievier, Richter, Böll sind Ausnahmen, gemessen am Gros der literarischen Literatur). Der spätere liberale Nestor der linken Intelligenz in der BRD, Walter Jens, vermutet sich noch 1961 im »Roboter-Äon der Jahrhundertmitte«,[95] kann gesellschaftliche Realität nur als – eine den Intellektuellen unzugängliche – »Epoche der Automation«[96] verstehen. Mit der pauschalen Entfremdungsklage verschränkt sich das ästhetische Ideal der fünfziger Jahre, das Jens zutreffend so verallgemeinert: »Sosehr man sich sozialpolitisch im einzelnen unterscheidet, der Gegner ist allen gemeinsam. Verpönt sind Historismus und naturalistische Manier; Photographie und Reportage erscheinen als Erzfeind. Man will nicht beschreiben, sondern deuten«.[97] Diesem Gegner überläßt man das Feld, sieht sich gar bestätigt, wenn die Trivialromane mit Restposten des Realismus des 19. Jahrhunderts bzw. des Naturalismus ihre reaktionäre Geschichtsdeutung ans Millionen-Publikum bringen. »Welt«, so betont Jens noch zu Beginn der sechziger Jahre, ist nicht beschreibbar, sondern nur »kraft kühner Metaphorik (zu) bannen«.[98]

Was Theodor W. Adorno 1954 als ›unmöglich‹ herausstellt, das ›abenteuerlich‹ unmittelbare Eingehen auf Kriegserlebnis und Zeitgeschichte, es kennzeichnet zutreffend die Erzählform des Trivial-Romans: »Zerfallen ist die Identität der Erfahrung, das in sich kontinuierliche und artikulierte Leben, das die Haltung des Erzählers einzig gestattet. Man braucht nur die Unmöglichkeit sich zu vergegenwärtigen, daß irgendeiner, der am Krieg teilnahm, von ihm so erzählt wie früher einer von seinen Abenteuern erzählen mochte«.[99] In der Massenliteratur der fünfziger und sechziger Jahre verschränken sich in eben diesem ideologischen Zusammenhang usurpierter Erfahrungsidentität die Genres Kriegsroman und Abenteuerroman.

Doch es gibt qualitative Abstufungen. GERD GAISER (geb. 1908), der Elitesoldaten des Zweiten Weltkriegs ein heroisches Denkmal in *Die sterbende Jagd* (1953) setzte, wird, wenn auch wegen seiner konservativen Tendenz kritisiert, zur Hochliteratur gerechnet. Sein vielgelesener Roman *Schlußball* (1958), der sich mit der bundesrepublikanischen ›Wohlstandsgesellschaft‹ beschäftigt, gelangt als vorbildliche Literatur auch in die Schulbücher der Gymnasien usf. HANS HELLMUT KIRST (geb. 1914) gilt mit den frühen Romanen (*Wir nannten ihn Galgenstrick*, 1950) und der 08/15-Trilogie noch als im bildungsbürgerlichen Sinne passabler literarischer Literaturproduzent; *Die letzte Karte spielt der Tod* (1955) verfällt dem Schund-Verdikt.

Der interessanteste Autor zwischen ›trivialer‹ und ›literarischer‹ Wertzuordnung ist der bislang erfolgreichste Autor in der Geschichte der Bundesrepublik, JOHANNES MARIO SIMMEL (geb. 1924). Seine Bücher sind in einer Weltauflage von über 30 Millionen (deutschsprachige Auflage fast 20 Millionen). Exemplaren erschienen. Fast ausnahmslos wurden die Romane auch verfilmt. Noch bevor der Roman geschrieben ist, handeln der Verleger und der Filmproduzent die Filmrechte aus (*Es muß nicht immer Kaviar sein*, 1960; *Lieb Vaterland magst ruhig sein*, 1965; *Und Jimmy ging zum Regenbogen*, 1970; *Niemand ist eine Insel*, 1975). Simmels Romane kennzeichnet, daß affirmative Effekte, Einverständnis in soziale und politische Abhängigkeit bzw. Ohnmacht über Kritik entwickelt werden. Simmels Romane unterscheiden sich von der Masse der Illustrierten-Reißer (Simmel selbst war Illustrierten-Hausautor) durch das Flair ›anspruchsvoller‹ Literatur und vor allem durch die ebenso emotional entschiedene wie oberflächliche Faschismus- und Kapitalismuskritik. Seine meist vom sozialen Abstieg bedrohten bzw. abgestiegenen Protagonisten versuchen ihre ökonomische Zwangslage aus eigener Kraft mit besonderen, ihrer Persönlichkeit geschuldeten Fähigkeiten zu kompensieren, so daß sich jedesmal als Identifikationsschema für den Leser eine widersprüchliche Einheit bzw. Ambivalenz von Rebellion und Unterwerfung ergibt: »Das romantische antikapitalistische Aufbegehren gegen ›die Reichen‹ bei gleichzeitiger Furcht vor der sozialen Deklassierung, Verhimmelung der Individualität bei gleichzeitiger Einsicht in deren real immer totaler werdende Bedeutungslosigkeit.«[100]

Anmerkungen

1 Paul Schallück: Vorurteile und Tabus. In: Hans Werner Richter (Hrsg.): Bestandsauf-nahme. Eine deutsche Bilanz 1962. München, Wien, Basel 1962, S. 442 f.

2 John Gimbel: Amerikanische Besatzungspolitik in Deutschland. 1945–1949. Frank-furt/M 1971, S. 225.

2a Wolfgang Abendroth: Bilanz der sozialistischen Idee in der Bundesrepublik Deutsch-land. In: Hans Werner Richter (Hrsg.): Bestandsaufnahme. Eine deutsche Bilanz 1962. München, Wien, Basel 1962, S. 251.

3 Henry Morgenthau: Germany is our Problem, New York, London 1945.

4 Hans Werner Richter: Zwischen Freiheit und Quarantäne. Eine Einführung. In: H. W. Richter (Hrsg.): Bestandsaufnahme. Eine deutsche Bilanz 1962. München, Wien, Basel 1962, S. 12.

5 Konrad Adenauer: Rede des Ersten Vorsitzenden der Christlich-Demokratischen Union für die Britische Zone. Oberbürgermeister a. D. Konrad Adenauer in der Aula der Kölner Universität (24. 3. 1946). Zit. n. Ernst-Ulrich Huster u. a.: Determinanten der westdeutschen Restauration. 1945–1949. Frankfurt 1972, S. 397.

6 a. a. O., S. 401.

7 Carl Gustav Jung: Nach der Katastrophe: In: Neue Schweizer Rundschau. Neue Folge (Jg. 13) H. 6, 1945/46, S. 70.

8 Heinz Fleckenstein: Drei Thesen zur sogenannten Kollektivschuld. In: Die Besinnung (Jg. 1) H. 1, Nürnberg, Bamberg, Passau 1946, S. 41.

9 Friedrich Meinecke: Die deutsche Katastrophe. Betrachtungen und Erinnerungen. Wiesbaden 1946, S. 176.

10 a. a. O., S. 175.

11 Frank Thiess: Geistige Revolution. Zwei Vorträge. Deutsches Theater. Europäisches Theater. Bremen 1947, S. 26.

12 a. a. O., S. 30.

13 a. a. O., S. 31.

14 Margarete Brendgen: Frau und Beruf. Beitrag zur Ethik der Frauenberufe unserer Tage. Köln 1947, S. 7 f.

15 vgl. Jan Berg: Hochhuths ›Stellvertreter‹ und die ›Stellvertreter‹-Debatte. ›Vergangen-heitsbewältigung‹ in Theater und Presse der sechziger Jahre. Kronberg 1977.

16 Ulrich Sonnemann: Das Land der unbegrenzten Zumutbarkeiten. Deutsche Reflexio-nen. Reinbek 1963, S. 44.

17 Alfred Weber: Unsere Erfahrung und unsere Aufgabe. In: Die Wandlung (Jg. 1) H. 1, 1945/46, S. 55.

18 Alfred Andersch: Das junge Europa formt sein Gesicht. In: Der Ruf. Unabhängige Blät-ter der jungen Generation H. 1, 1946.

19 Karl Arnold: Die Ruhrfrage. Alte Fehler oder neue Wege? In: Das andere Deutschland. Überparteiliches Organ für entschiedene demokratische Politik v. 22. 5. 48

20 Alfred Andersch: Deutsche Literatur in der Entscheidung. Ein Beitrag zur Analyse der literarischen Situation. Karlsruhe 1948, S. 24 f.

21 Karl Jaspers: Geleitwort. In: Die Wandlung (Jg. 1) H. 1, Heidelberg 1945/46.

22 Reinhold Schneider: Gnade der Not. In: Im Antlitz der Not. Bonn 1947, S. 10.

23 Hans Werner Richter: Warum schweigt die junge Generation? In: Der Ruf. Unabhän-gige Blätter der jungen Generation. H. 2, 1946.

24 Johannes Gaitanides: Von der Ohnmacht unserer Literatur. In: Wolfgang Weyrauch (Hrsg.) Ich lebe in der Bundesrepublik. Fünfzehn Deutsche über Deutschland. München 1961, S. 11.

25 Hendrik de Man: Vermassung und Kulturverfall. München 1951, S. 56.

26 Alfred Döblin: Zur literarischen Situation. Baden-Baden 1947.

27 Gertraud Linz: Literarische Prominenz in der Bundesrepublik. Olten/ Freiburg/Brsg. 1965, S. 191–204.

28 Friedrich Luft: Blick auf die Bühnen Berlins. In: Heute. Eine neue illustrierte Zeitschrift für Deutschland (Hrsg. v. amerikanischen Informationsdienst) (München) v. 15. 5. 46.

29 Pressemitteilung der ›Genossenschaft deutscher Bühnenangehöriger‹ v. 30. 1. 47.

30 Wolfgang Petzet: Theater. Die Münchner Kammerspiele. 1911–1972. München 1972, S. 425.

31 Amerika Dienst v. 12. 11. 48.

32 Alfred Andersch: Deutsche Literatur. . . . a. a. O. (Anm. 20), S. 7.

33 Frank Thiess: Innere Emigration. In: Thomas Mann, Frank Thiess, Walter von Molo: Ein Streitgespräch über die äußere und die innere Emigration. Dortmund 1946, S. 3.

34 Thomas Mann u. a.: Ein Streitgespräch . . . a. a. O. (Anm. 33), S. 4..

35 Frank Thiess: Innere Emigration . . . a. a. O. (Anm. 33), S. 3.

36 Walter von Molo: Die Gnade. In: E. J. Johann (Hrsg.): Linien eines Lebens. Fr. Bischoff. Gestalt, Wesen und Wert. Tübingen 1956, S. 119.

37 Alfred Andersch: Deutsche Literatur . . . a. a. O. (Anm. 20), S. 7.

38 a. a. O., S. 6.

39 a. a. O., S. 14.

40 a. a. O., S. 13.

41 a. a. O., S. 9.

42 a. a. O.

43 a. a. O., S. 8.

44 Rezension in der Neuen Woche v. 20. 11. 1948.

45 Dieter Wellershoff: Gottfried Benn. Phänotyp dieser Stunde. Köln 1958.

46 Hans Werner Richter: Fünfzehn Jahre. In: H. W. Richter (u. W. Mannzen) (Hrsg.): Almanach der Gruppe 47. Hamburg 1962, S. 10.

46a a. a. O., S. 12f.

47 Arnold Bauer: Literarische Öffentlichkeit. In: Die Neue Zeitung v. 11. 5. 49 zit n. R. Lettau (Hrsg.): Die Gruppe 47. Bericht. Kritik. Polemik. Ein Handbuch. Neuwied 1967, S. 267.

48 Martin Walser: Gruppenbild 1952. In: Radio Bern 10/1952. Zit. n. R. Lettau: Die Gruppe . . . a. a. O. (Anm. 47) S. 279.

49 Friedrich Minssen: Notizen von einem Treffen junger Schriftsteller. In: Frankfurter Hefte, Feb. 1948 zit. n. R. Lettau: Die Gruppe . . . a. a. O. (Anm. 47), S. 30.

50 a. a. O., S. 29.

51 Gustav René Hocke: Deutsche Kalligraphie oder Glanz und Elend der modernen Literatur. In: Der Ruf. Unabhängige Blätter der jungen Generation. H. 7, 1946.

52 Hans Werner Richter: Zum Thema des Abgründigen auf der Bühne unserer Zeit. In: Der Ruf. Unabhängige Blätter der jungen Generation. H. 8. 1946.

53 Theo Pirker: Moderne und Romantik. In: Ende und Anfang (2. Jg.) H. 13/14, 1947.

54 Albrecht Knaus: Die Meistersinger von Inzigkofen. In: Die Neue Zeitung v. 16. 5. 1950 zit. n. R. Lettau: Die Gruppe . . . a. a. O. (Anm. 47), S. 54.

55 a. a. O., S. 55.

56 Mit seiner *Literatur als Geschichte. Deutsche Dichtung von 1885–1947* einer unselbständigen und fehlerhaften Literaturgeschichte (1947) machte Lüth – zum Schaden der Reputation seiner Anthologie *Der Anfang* – Skandal. Vgl. die Streitschrift v. Paul Rilla: Literatur und Lüth, Berlin 1948, wieder abgedr. in Hans Mayer (Hrsg.): Deutsche Literaturkritik. B. 4. Vom Dritten Reich bis zur Gegenwart. Frankfurt 1978 (Fischer Taschenb.), S. 276–357.

57 vgl. Urs. Widmer: 1945 oder die ›Neue Sprache‹. Studien zur Prosa der ›Jungen Generation‹. Düsseldorf 1966.

58 Volker Christian Wehdeking: Der Nullpunkt. Über die Konstituierung der deutschen Nachkriegsliteratur (1945–1948) in den amerikanischen Kriegsgefangenenlagern. Stuttgart 1971.

59 Gunter Groll: Die Gruppe, die keine Gruppe ist. In: Süddeutsche Zeitung v. 10. 4. 48 zit. n. R. Lettau a. a. O. (Anm. 47) S. 32 u. 34.

60 Heinz Friedrich: Gruppe 47 – Anno 1953. In: Hessische Nachrichten v. 26. 10. 53. zit. n. R. Lettau a. a. O. (Anm. 47), S. 94.

61 Frank Trommler: Realismus in der Prosa. In: Thomas Koebner (Hrsg.): Tendenzen der deutschen Literatur seit 1945, Stuttgart 1971, S. 192 f.

62 Eine späte eklektizistische Übernahme der sprachdämonologischen Faschismuserklärung ist Rolf Hochhuths: Als Nachwort ein Blick auf Wörter. In: R. Hochhuth: Die Hebamme. Komödie. Erzählungen. Gedichte. Essays. Reinbek 1971, S. 287–302

63 Hans Egon Holthusen: Ja und Nein. Neue kritische Versuche. München 1954, S. 26.

64 a. a. O., S. 12 f.

65 Günter Blöcker: Literaturkritik. In: Karl Otto (Hrsg.) Kritik in unsrer Zeit, Göttingen² 1962, S. 10.

66 Karl Korn: Die Kulturfabrik, Wiesbaden 1953, S. 104.

67 Walter F. Otto: Sprache als Mythos. In: Bayerische Akademie der Schönen Künste (Hrsg.): Die Sprache. Vortragsreihe München. Berlin. 5. Folge d. Jb. Gestalt und Gedanke. München 1959, S. 176.

68 Inge Meidinger-Geise: Welterlebnis in deutscher Gegenwartsdichtung. Bd. 1 u. 2. Nürnberg o. J., S. 16.

69 Wolfgang Kayser: Das Groteske, seine Gestaltung in Malerei und Dichtung. Oldenburg i. Oldb. 1957 zit. n. d. Rowohlt-Taschenb.ausg. (Das Groteske in Malerei und Dichtung) Reinbek 1960, S. 139.

70 Hans Sedlmayr: Verlust der Mitte zit. n. d. Ullstein-Taschenb.ausg. v. 1955, S. 153.

71 Egon Vietta: Katastrophe oder Wende des deutschen Theaters. Düsseldorf 1955, S. 219 ff.

72 Horst Bingel (Hrsg.): Deutsche Lyrik. Gedichte seit 1945. 1961, S. 278.

73 Peter Rühmkorf: Das lyrische Weltbild der Nachkriegsdeutschen. In: H. W. Richter (Hrsg.): Bestandsaufnahme a. a. O. (Anm. 2a), S. 452.

74 a. a. O.

75 Erwin Wickert: Die Innere Bühne. Neue Dichtungsgattung Hörspiel. In: Akzente (1. Jg.) 1954 H. 6, S. 505.

76 a. a. O., S. 513.

77 a. a. O., S. 512.

78 Richard Kolb: Das Horoskop des Hörspiels. Berlin 1932, S. 52.

79 Hans Schwab Felisch: Kritik (1952). In: Ulrich Greiner (Hrsg.): Über Wolfgang Koeppen. Frankfurt 1976, S. 38.

80 Wolfgang von Einsiedel: Ein dichterischer Zeitroman (1952). In: Ulrich Greiner a. a. O. (Anm. 79), S. 33.

81 Karl Korn: Ein Roman der Epoche macht. In: Ulrich Greiner (Anm. 82).

82 Ulrich Greiner: Wolfgang Koeppen oder Die Geschichte eines Mißerfolgs. In: U. Greiner (Hrsg.): Über Wolfgang Koeppen. Frankfurt 1976, S. 16.

83 Max Frisch in: Horst Bienek: Werkstattgespräche mit Schriftstellern (1962) zit. n. d. Taschenb.ausg. v. 1965, S. 27.

84 Karl Korn: Satirischer Qesellschaftsroman. In Frankfurter Allgemeine Zeitung v. 5. 10. 57 zit. n. Thomas Beckermann (Hrsg.): Über Martin Walser. Frankfurt/M. 1970, S. 29.

85 Henning Rischbieter u. Ernst Wendt: Deutsche Dramatik in West und Ost. Velber/ Hannover 1965, S. 47.

86 Marianne Biedermann: Politisches Theater oder radikale Verinnerlichung? In: Text und Kritik Nr. 47/48 (Max Frisch), S. 56.

87 Karl Pempelfort: Zum Spielplan der Ruhr-Festspiele. Recklinghausen 1951, S. 9.

88 Ders.: Vom Sinn der Ruhr-Festspiele. Recklinghausen 1949, S. 8.

89 Walther Killy: Deutscher Kitsch. Ein Versuch mit Beispielen. Göttingen 1962, S. 30.

90 a. a. O., S. 31.

91 Rolf Fröhner: Das Buch in der Gegenwart. Eine empirisch-sozialwissenschaftliche Untersuchung, Gütersloh 1961, S. 132 f.

92 Josef Ferencys produktions/rezeptionsästhetische Rezeptur. In: Der Spiegel 8/1962, S. 52.

93 Gerhard Herm: Die Romanfabriken. In: Die Zeit v. 23. 9. 66.

94 Wolfgang Langenbucher: Politische Literatur – für die Millionen. Aspekte des Unterhaltungs- und Illustriertenromans in der Bundesrepublik. In: Frankfurter Allgemeine Zeitung v. 14. 2. 68.

95 Walter Jens: Deutsche Literatur der Gegenwart. Themen, Stile, Tendenzen. Stuttgart 1961, S. 35.

96 a. a. O.

97 a. a. O., S. 38.

98 a. a. O., S. 35.

99 Theodor W. Adorno: Form und Gehalt des zeitgenössischen Romans. In: Akzente (1. Jg.) 1954. H. 5, S. 411.

100 Bernd Neumann: Rebellion und Unterwerfung. Versuch, Johannes Mario Simmel und seinen Erfolg zu verstehen. In: Basis. Jahrb. f. d. dt. Gegenwartslit. Bd. 7. Frankfurt 1977, S. 166.

Literaturhinweise

Nicolas Born/Jürgen Manthey (Hrsg.): Literaturmagazin 7. Nachkriegsliteratur. Reinbek 1977.

Peter Demetz: Die süße Anarchie. Skizzen zur deutschen Literatur seit 1945. Frankfurt, Berlin, Wien 1970.

Manfred Durzak (Hrsg.): Die deutsche Literatur der Gegenwart. Aspekte und Tendenzen. Stuttgart 1971.

Gerhard Hay (Hrsg.): Zur literarischen Situation 1945–1949. Kronberg 1977.

Ernst-Ulrich Huster u. a.: Determinanten der westdeutschen Restauration. 1945–1949. Frankfurt 1972.

Thomas Koebner (Hrsg.): Tendenzen der deutschen Literatur seit 1945. Stuttgart 1971.

Friedhelm Kröll: Die ›Gruppe 47‹. Soziale Lage und gesellschaftliches Bewußtsein literarischer Intelligenz in der Bundesrepublik. Stuttgart 1977.

Dieter Lattmann (Hrsg.): Die Literatur in der Bundesrepublik Deutschland. Kindlers Literaturgeschichte der Gegenwart. Bd. 3. München 1973.

Reinhard Lettau (Hrsg.): Die Gruppe 47. Ein Handbuch. Bericht. Kritik. Polemik. Neuwied u. Berlin 1967.

Volker Christian Wehdeking: Der Nullpunkt. Über die Konstituierung der deutschen Nachkriegsliteratur 1945–1948 in den amerikanischen Kriegsgefangenenlagern. Stuttgart 1971.

Bernhard Zeller (Hrsg.): ›Als der Krieg zu Ende war‹. Literarisch-politische Publizistik 1945–1950. Eine Ausstellung des Deutschen Literaturarchivs im Schiller-Nationalmuseum Marbach a. N. (Katalog-Nr. 23) 1973.

Gustav Zürcher: Trümmerlyrik. Politische Lyrik 1945–1950. Kronberg 1977.

Literatur im Zeichen der Rezession, Neuen Linken und »Tendenzwende«

Voraussetzungen

Als der Schriftsteller und Kritiker Dieter Wellershoff 1975 mit Blick auf die zurückliegenden Jahre zur aktuellen Stellung der deutschsprachigen Literatur befragt wurde, antwortete er ebenso lakonisch wie vieldeutig: »Literatur ist Widerstand mit vielleicht veralteten Waffen« (*Tintenfisch* 8, 89). Dieses Urteil scheint mehr als nur individuelle Erfahrungen der literarischen Produktion der vergangenen Jahre zu resümieren. Zum einen reflektiert es bei aller immanenten Unbestimmtheit ein seit den sechziger Jahren in den nicht-sozialistischen deutschsprachigen Ländern für nahezu alle schriftstellerischen Fraktionierungen gültiges, freilich unterschiedlich interpretiertes (wieder-) gewonnenes gesellschaftlich operatives Literaturverständnis; zum anderen bewahrt dieses Urteil zugleich die Zweifel an der Wirksamkeit der »Waffe« Literatur, wie sie sich für die gesellschaftlich engagierten Autoren in freilich unterschiedlicher Radikalität nahezu zwangsläufig als Kehrseite einer gegenüber der unmittelbaren Nachkriegszeit gewandelten utilitären Literaturauffassung einstellten; Zweifel und Fragen, die sich konkret bezogen auf
- historisch bedingte Inhalte und Formen sowie
- die Aussagekraft und die spezifischen Rezeptionsweisen von Literatur; dies vor allem mit Blick auf
- das Konkurrenzverhältnis der Literatur zu den anderen, vornehmlich den elektronischen Medien sowie
- die Stellung des Literaturproduzenten im gesamtgesellschaftlichen Produktionsprozeß, in dessen Rahmen Literaturproduktion besonderen Funktions- und Verwertungsbedingungen unterliegt, die dem tradierten bürgerlichen Verständnis vom ›freien‹, autonomen Schriftsteller zuwiderlaufen.

Art, Zielrichtung und vor allem die Intensität dieser Fragen waren nicht zufällig. Sie sind entstanden in und aus einem konkreten geschichtlichen Kontext; sie bezogen und beziehen sich – so unterschiedlich auch ihre jeweiligen ideologischen Prämissen sind – als literarische Reaktionen auf Widersprüche und Veränderungen in der bürgerlichen Gesellschaft der sechziger und nachfolgenden Jahre; dies selbst dort, wo sie – wie stellenweise zu beobachten – subjektiv gesellschaftliche Bezüge leugnen oder radikal aufkündigen zu können glauben.

Sozialgeschichtliche Veränderungen in den sechziger Jahren

Bereits gegen Ende der fünfziger Jahre kündigte sich in Westdeutschland das Ende der Rekonstruktionsperiode an; jener Phase der Restauration bürgerlicher Produktionsverhältnisse, die unter Verschleierung ihres allgemeinen kapitalistischen Charakters und ihrer geschichtlichen Besonderheiten als »Wirtschaftswunder« fetischisiert worden ist und nun in den sechziger und nachfolgenden Jahren seine ersten tiefgreifenden strukturellen Krisen erfuhr.

Ließ sich die seit 1959 virulente Krise im Ruhrbergbau noch als eine lokale Erscheinung verharmlosen, so mußten spätestens die Rezession von 1966/67 und noch mehr die Krise von 1974/75 die Ideologie von der »sozialen Marktwirtschaft«, vorgeblicher Garant für soziale Gerechtigkeit, stetig steigenden Lebensstandard sowie für politische Liberalität und Stabilität, als Legende entlarven. Nicht zuletzt der Bau der Mauer am 13. August 1961, als die DDR die Grenze nach West-Berlin schloß, signalisierte den Beginn dieser neuen Phase in der sozio-ökonomischen Entwicklung Westdeutschlands. Nachdem im Zuge der durch die EWG zusätzlich beschleunigten Kapitalkonzentration und der damit verbundenen Polarisierung der Eigentumsverhältnisse in der BRD das westdeutsche Arbeitskräftereservoir weitgehend ausgeschöpft war, wurde nun auch das ökonomische Potential der DDR dem Zugriff der westdeutschen Wirtschaft entzogen. Dies bedeutete, daß der bisherigen extensiven Erweiterung der Produktion Grenzen gesetzt worden waren, die nur durch eine Umstellung auf einen Wachstumstypus der intensiven erweiterten Reproduktion aufzuheben waren: Steigerung der Produktivität durch eine Intensivierung der Ausnutzung der Arbeitskraft sowie durch Anwendung und Verwertung neuer Verfahren und Technologien. In dieser Situation, in der der internationale Konkurrenzdruck besonders spürbar wurde, traten nicht nur die jahrelangen Versäumnisse im nicht unmittelbar mehrwertschaffenden Forschungs- und Entwicklungssektor zutage. Mit der sich rasch ändernden Arbeitskräfte-Bedarfsstruktur der Wirtschaft wurden zugleich die qualitativen und quantitativen Mängel des Bildungswesens offenkundig, was nur durch das Eingreifen des Staates aufgeholt werden konnte.

Die Wirtschaftskrise in den Jahren 1966/67, die mehr als einer Million Erwerbstätigen den Arbeitsplatz kostete, hatte im Verlauf der zyklischen Entwicklung – erstmals in der Nachkriegszeit – Produktionsrückgänge und mithin offenkundige Wachstumsverluste gezeigt. Da das gesellschaftliche System in der BRD von seiner Struktur her seine inneren Widersprüche und sozialen Gegensätze, wie die vorangegangenen fünfziger Jahre hatten, mit relativ hohen Wachstumsraten überbrückte, dies aber gerade mit den neoliberalistischen Methoden der Wirtschaftspolitik der zurückliegenden Jahre nicht mehr zu leisten war, wurden verstärkte Regulierungsmaßnahmen des Staates im Sinne des kapitalistischen Produktionsprozesses dringend erforderlich.

Während die Krise die Arbeiterschaft nicht zuletzt auf Grund der Wandlung der Gewerkschaften von einem Kampfverband mit Zielen ökonomischer Strukturveränderungen zu einem systemaffirmativen ›Tarifpartner‹ politisch unvorbereitet traf, um sich gegen die Folgen der Kurzarbeit und Arbeitslosigkeit zu wehren, beteiligte sich 1966 die seit dem Godesberger Programm endgültig und expressis verbis auf einen sozialliberalen Reformismus verpflichtete SPD am staatlichen Krisenmanagement in Form der Großen Koalition. Mußte allein schon der Eintritt der SPD in die Regierung unter dem ehemaligen NSDAP-Mitglied Kiesinger die definitive Preisgabe einer echten parlamentarischen Alternative zur CDU/CSU signalisieren, so erst recht der Katalog der von der Großen Koalition durchgeführten wirtschaftlichen und politischen Maßnahmen: so z. B. die Förderung des Kapitalexports in Länder der 3. Welt unter dem Signum der sogenannten Entwicklungshilfe; die Erschließung neuer Märkte in den Ostblockstaaten: die Verpflichtung der Gewerkschaften zur sogenannten Konzertierten Aktion (langfristige Tarifverträge auf der Basis staatlich vorgegebener ›Lohnleitlinien‹) – insgesamt wirtschaftspolitische Steuerungen, die von politisch disziplinierenden Präventivmaßnahmen wie vor allem den 1968 verabschiedeten Notstandsgesetzen flankiert wurden.

1969 wurde die Große Koalition durch ein sozial-liberales SPD/FDP-Bündnis in der Regierung abgelöst. Mit diesem Wandel verbanden sich bei großen Teilen der Bevölkerung nicht geringe Hoffnungen auf einen spürbaren gesellschaftlichen Wandel. Gerade die gegenüber der CDU/CSU vergleichsweise größere ideologische Flexibilität der SPD/FDP-Koalition, zumeist außerparlamentarisch oppositionell artikulierte Interessen teilweise integrieren und zur eigenen Sache machen zu können, verhieß manchem – sinnfälligerweise während des vorübergehenden wirtschaftlichen Booms 1968/1969 – eine politisch glaubwürdigere demokratische Interessenvertretung, die nicht zuletzt in dem für viele charismatischen Bild W. Brandts ihre Bestätigung zu finden schien. Doch die Zunahme der Basisaktivitäten in den Betrieben, die in den folgenden Jahren ein bislang nicht bekanntes Ausmaß annahmen, machte die begrenzte Reichweite der partiell eingeleiteten infrastrukturellen Reformen offenkundig. Die bundesweiten spontanen Streiks im September 1969 und im Sommer 1973 waren ebenso sehr Ausdruck der Verschärfung der sozialen Gegensätze wie praktische Kritik an dem zunehmend etatistisch affirmativen Verhalten der Gewerkschaftsspitzen, die in ihrer Politik bei häufiger personeller Verflechtung mit der großen Regierungspartei nicht selten als Hebel staatlicher Regulierungsversuche fungierten. Diese wiederum mußten im politisch-ökonomischen Sektor den Konsequenzen der fortschreitenden internationalen Kapitalverflechtung und damit auch der Abhängigkeit des westdeutschen Kapitals von internationalen Krisen ebenso sehr Rechnung tragen, wie im Innern auf politischer Ebene den sich zunehmend formierenden linksgerichteten Oppositionsbewegungen disziplinierend begegnen. Verschärfung des Ausländerrechts, Berufsverbote, Verschärfung des politischen Strafrechts mit der damit jeweils verbundenen Kontroll- und Überwachungspraxis (§§ 88 a, 126, 130 a, 140 nach dem 14. Strafrechtsänderungsgesetz) – all dies war Ausdruck einer zweiten Restauration, die im wesentlichen gerichtet war gegen anarchistische Strömungen sowie die zunehmenden radikaldemokratischen und sozialistischen Oppositionstendenzen, die sich nach der

Studentenbewegung über die parteipolitischen Neugründungen (DKP, KPD u. a.) hinaus in Rote-Punkt-Aktionen, Bürgerinitiativen, Stadtteilmobilisierungen, Komitees gegen die Berufsverbote, Anti-Kernkraft-Initiativen und systemkritischen Basisgruppen in Betrieben, Schulen und Hochschulen manifestierten.

Zur gesellschaftlichen Situation der Schriftsteller

Die skizzierten realgeschichtlichen Prozesse seit Beginn der sechziger Jahre waren für die literarische Produktion dieses Zeitraums von bestimmender und gleichwohl vielfältiger Bedeutung. Noch am unvermitteltsten waren sie Anlaß, Bedingung und Gegenstand einer Literatur, in deren thematischen Bereich sich die gesellschaftlichen Krisenerscheinungen am unverhülltesten niederschlugen: in der industriellen Arbeitswelt. Zum ersten Mal in der Nachkriegszeit entstand eine – zumeist aus der Perspektive der unmittelbar Betroffenen verfaßte – literarische Produktion, die existentielle Probleme der Arbeiterklasse, ihrer Produktions- und Reproduktionsbedingungen, thematisch zu gestalten versuchte. Allerdings ließen die gerade in den Anfängen schon virulenten Kontroversen allein um die Nomenklatur zur Charakterisierung dieser neuen Literatur (»Arbeiterdichtung«, »Arbeiterliteratur«, »Industriedichtung«, »Industrieliteratur«, »Literatur der Arbeitswelt«) immanente Probleme der ästhetischen und literaturpolitischen Begründung und Zielsetzung dieser Literatur erkennen, die dann programmatisch in den konkurrierenden Organisationen Dortmunder ›Gruppe 61‹, ›Werkkreis Literatur der Arbeitswelt‹, ›Produktion Ruhrkampf‹ ihren manifesten Ausdruck fanden (vgl. Kap. *Arbeiterliteratur – Literatur der Arbeitswelt*).
Vermittelter, aber nicht weniger folgenreich schlugen sich die skizzierten gesellschaftlichen Veränderungen in jenem dominierenden Bereich der literarischen Produktion nieder, der angesichts der bestehenden Verhältnisse das Attribut ›bürgerlich‹ zukommt:
– Bürgerlich in Hinblick auf die thematisierten Wirklichkeitsbereiche: »Alle Literatur ist bürgerlich bei uns. Auch wenn sie sich noch so antibürgerlich gebärdet«, schrieb M. Walser 1968 im Vorwort zu Erika Runges *Bottroper Protokollen*. »Arbeiter kommen in ihr vor wie Gänseblümchen, Ägypter, Sonnenstaub, Kreuzritter und Kondensstreifen. Arbeiter kommen in ihr vor. Mehr nicht.«
– Bürgerlich in Hinblick auf die überwiegende soziale Herkunft der Literaturproduzenten: Nur 7 % aller Autoren, so die groß angelegte Sozialenquete von Karla Fohrbeck und Andreas J. Wiesand (*Der Autorenreport* 1972), »kommen aus Arbeiterhaushalten, nur 15 % der Väter von Autoren waren untere Beamte, Angestellte oder kleine Selbständige; 61 % der Autoren dagegen stammen aus der mittleren und oberen Beamten-, Angestellten- und Selbständigen-Schicht, und 14 % der Väter übten selbst (zumeist akademische) freie Berufe aus« (259).
– Bürgerlich schließlich aber auch in Hinblick auf das Selbstverständnis der meisten Autoren als privat produzierende, freie Schriftsteller; ein gedank-

liches Substrat, das sich selbst noch bei jenen nachweisen läßt, die – zumeist verlagsinterne Richtlinien und vorgegebene Handlungsmuster illustrierend – als schreibende Kulis an dem industriellen Massenausstoß von jährlich rund 400 Millionen ideologisch affirmativer Groschenhefte mitwirken.

In einem weiteren historischen Zusammenhang gesehen, hatte dieses Selbstverständnis, das sich ausgeprägter noch bei den anspruchsvolleren Autoren zeigte, einen rationalen Kern gehabt. Wenn zu Beginn des bürgerlichen Zeitalters der Liberalismus die Existenz des freien Schriftstellers und den Ausdruck seiner persönlichen Erfahrungen und Stimmungen ermöglicht hatte, so wurde mit dem Ende der freien wirtschaftlichen Konkurrenz die individuelle Produktion des Künstlers und seine Autonomie zunehmend fragwürdig. Die Besonderheiten der schwer kalkulierbaren künstlerischen Arbeit ließen es dem Verleger ratsam erscheinen, dem Künstler nicht die Arbeitskraft, sondern seine Erzeugnisse abzukaufen. »Wenn der Künstler oder Schriftsteller einen Teil seiner Unabhängigkeit (oder ihren Schein) bewahrt und nicht als Lohnabhängiger figuriert, so hat dies für die kapitalistische Herrschaft den Vorzug, daß er seiner wirklichen Stellung im Produktionsprozeß nicht inne wird und dadurch behindert ist, sich gesellschaftlich zu vermitteln. Für den Schriftsteller ist es auf Grund dieses seines Sozialstatus schwieriger noch als für die Angehörigen der technischen und wissenschaftlichen Intelligenz, die überwiegend in der Wirtschaft oder im Staatsdienst tätig sind, sich seiner sozialökonomischen Situation bewußt zu werden. Die widersprüchliche Stellung, die er im gesellschaftlichen Reproduktionsprozeß innehat, führt zu jenem gebrochenen Selbstverständnis, das zwar die Problematik, wenn auch mehr als Unbehagen, wahrnimmt, aber ihm zugleich – jedenfalls in der Regel – verändernde oder revolutionäre Praxis versagt« (Batt, 8 f.).

Seinen sinnfälligsten Ausdruck fand dieses Bewußtsein in der Nachkriegsliteratur in dem von Walter Jens 1961 apostrophierten »Nonkonformismus«; eine Haltung, die sich in der Gruppe 47 praktisch vermittelte: »der Schriftsteller als Wächter, der sich zwar in einer unkonturierten Opposition zu den herrschenden Verhältnissen weiß, im Grunde aber über den gesellschaftlichen Kräften und Parteiungen steht« (Batt, 13).

Es ist ein Kennzeichen der sechziger Jahre, daß nun dieses wenig konturierte »Unbehagen« konkrete, wenn auch nicht widerspruchsfreie Formen annahm: auf der ökonomischen wie (kultur-)politischen Ebene. »Ende der Bescheidenheit« betitelte H. Böll programmatisch seine Rede »Zur Situation der Schriftsteller in der Bundesrepublik«. Anlaß war die Gründungsversammlung des Verbandes deutscher Schriftsteller (VS) am 8. 6. 1969 in Köln, auf der sich zum ersten Mal in der Nachkriegszeit Schriftsteller auf bundesweiter Ebene zu einem berufsständischen Interessenverband mit gewerkschaftlicher Perspektive zusammenschlossen.

Unübersehbar war das Ausmaß der inzwischen fortgeschrittenen Abhängigkeit der Autoren (und gerade der weniger verkaufsträchtigen unter ihnen) von der auch im Verlagswesen wirksamen allgemeinen Kapitalkonzentration geworden. So erschienen 1970 von über 30 000 produzierten Büchern 68 % in nur 6,5 % der Verlage (vgl. Fohrbeck/Wiesand, 172). Zunehmend verloren Verlage herkömmlichen Zuschnitts mit ihren relativen Freiräumen ihre Selbständigkeit und wurden multimedialen Großkonzernen wie der Holtzbrinck-, Bertelsmann- oder Springer/Ullstein-Gruppe einverleibt, die in einem bisher nicht gekannten Maße mit den Methoden von modernem ›marketing research‹ und ›sales promotion‹ literarische Produkte als Waren kapitalistischem Verwertungsinteresse unterwarfen.

Angesichts dieser Entwicklung stellte die Gründung des VS den Versuch dar, aus der verschärften ökonomischen Situation für die Literaturproduzenten adäquate organisatorische Konsequenzen zu ziehen. Voraussetzung war ein Wandel des traditionellen Selbstverständnisses, den H. Böll stellvertretend formulierte: »Wir [sind] Mitarbeiter einer Riesenindustrie (...). Vergleiche ich das Interessengetümmel im Wirtschaftswunderland mit einem Freiwildgehege, so sind wir darin die Karnickel, die zufrieden und freundlich in herkömmlicher Bescheidenheit ihr Gräschen fressen. (...) In Wirklichkeit sind wir tarifgebundene Mitarbeiter einer Großindustrie, die hinter einer rational getarnten Kalkulationsmystik ihre Ausbeutung verschleiert« (*Schwierigkeiten mit der Brüderlichkeit. Politische Schriften* 1973).

Der Katalog der auf diesen Einsichten basierenden sozialen Forderungen des VS (u. a. Durchführung einer Sozialenquete zur Situation der Schriftsteller in der BRD, ein Autorenversorgungswerk, Novellierung des Urheberrechtsgesetzes, Musterverträge mit Verlagen und Sendern, Befreiung von der Umsatzsteuer) signalisierte in der Tat Ansätze eines Bewußtseinswandels, zugleich aber auch noch eine entscheidende Schwäche, auf die M. Walser deutlich hinwies: »Ich halte die jetzt sich (beim VS) abzeichnende kentaurische Lösung – Edellobby plus Gewerkschaftstouch – für einen Verzicht auf politische Vertretung«, womit er als Sprecher einer vorwiegend von jüngeren Autoren getragenen Fraktion vehement für die Schaffung einer IG Kultur plädierte (*Wie und wovon handelt Literatur. Aufsätze und Reden* 1973). Wenn sich schließlich 1973 auf dem 2. Schriftstellerkongreß in Hamburg die »kleine Lösung«, der Anschluß des VS an die IG Druck und Papier, durchsetzte, so reflektiert dieser Schritt bei all seiner Novität mit seinem vorläufigen und bis heute nicht revidierten Verzicht auf die Schaffung einer einheitlichen Mediengewerkschaft die faktische Zählebigkeit des Typus des gewerkschaftsskeptischen privatistischen Literaturproduzenten, der sein widersprüchliches Selbstverständnis noch in dem Motto des 1. Kongresses des VS 1970 in Stuttgart formuliert und bestätigt fand: »Einigkeit der Einzelgänger.«

Den allgemeinen sozio-ökonomischen Veränderungen mit ihren Rückwirkungen auf die soziale Lage der Literaturproduzenten und dem korrespondierenden Bewußtseinswandel bei weiten Teilen der literarischen Intelligenz entsprach die Profilierung ihres politischen Selbstverständnisses. Konnte der gewiß nicht linkslastige Kritiker der Frankfurter Allgemeinen Zeitung K. H. Bohrer sicherlich zutreffend schreiben: »Die Literaten, Schriftsteller, Kritiker, die ›Intellektuellen‹ Westdeutschlands sind zur Zeit ihres größten Selbstgefühls, etwa Anfang der sechziger Jahre, nie besonders politisch und nie besonders links gewesen. Sie waren Moralisten. Sie waren Rüpel im sich leicht

gruselnden CDU-Theater, Grass als ›Pornograph‹, Walser als ›Demagoge‹ usw.« (Bohrer, *Phantasie*, 90 f.) – so thematisierte etwa G. Grass 1966 dieses Verhalten in seiner Princeton-Rede »Vom mangelnden Selbstvertrauen der schreibenden Hofnarren« – realistischerweise freilich »unter Berücksichtigung nicht vorhandener Höfe«. Die Rückwirkungen der ökonomisch-strukturellen Widersprüche auf die Sphäre der politischen Öffentlichkeit, die sich in einer zusehends fragwürdiger werdenden Möglichkeit oppositioneller Alternativen ausdrückte, provozierte zum Verlassen jener schon in der Adenauer-Ära problematischen literarischen Freiräume, zu deren nachdrücklicher Grenzmarkierung sich nicht zuletzt der damalige Kanzler Erhard berufen sah: »Ich muß diese Dichter nennen, was sie sind: Banausen und Nichtskönner, die über Dinge urteilen, von denen sie einfach nichts verstehen«, verwahrte er sich demagogisch gegen Einmischung literarischer Autoren in tagespolitische Fragen und konnte dabei noch – es war die Zeit des Wahlkampfes 1965 – öffentlicher Zustimmung sicher sein. »Ich habe keine Lust, mich mit Herrn Hochhuth über Wirtschafts- und Sozialpolitik zu unterhalten. (...) Nein, so haben wir nicht gewettet. Da hört der Dichter auf, da fängt der ganz kleine Pinscher an« (*Die Zeit* 30. 7. 1965).
Schon die breiten Solidaritätsbekundungen mit den Betroffenen der staatlichen Übergriffe in der SPIEGEL-Affäre 1962 signalisierten punktuell, was innerhalb der literarischen Intelligenz zunächst noch vage das unspezifizierte, Sartresschen Vorstellungen entlehnte und von Adorno problematisierte Prädikat ›Engagement‹ abdeckte. Die Krise der parlamentarischen Opposition, die in dem Regierungsbündnis der SPD mit der CDU/CSU 1966 ihren sinnfälligsten Ausdruck fand, die zur gleichen Zeit offen auftretenden neofaschistischen Tendenzen, die Verabschiedung der Notstandsgesetze, die im Bedarfsfall wesentliche Grundrechte der westdeutschen Verfassung außer Kraft zu setzen vermögen, die im Zuge der Restaurationsphase der siebziger Jahre durchgeführten Disziplinierungsmaßnahmen, für die die Aktivitäten der Baader-Meinhof-Gruppe und ihrer Nachfolgeorganisationen Anlaß für die Verschärfung des politischen Strafrechts und die Überwachungspraxis linksoppositioneller Personen, Gruppen und Verlage lieferten, die zunehmende Beschneidung der öffentlichen Meinungsfreiheit durch publizistische und ökonomische Pressekonzentration, für die die konservative Springer-Presse lediglich ein (wenn auch nicht unwesentlicher) Exponent war – all diese Tendenzen hatten einen deutlich spürbaren Politisierungseffekt bei der literarischen Intelligenz zur Folge, der auf der publizistischen Ebene ebenso offenkundig wie zugleich in sich heterogen und widersprüchlich war; widersprüchlich in Hinblick auf die politische Zielrichtung und in bezug auf die entsprechend vermittelte ästhetisch-literarische Produktion. Symptomatisch erscheint unter diesem Blickwinkel die Entwicklung von M. Walser, G. Grass und H. M. Enzensberger. »Wurden Ende der fünfziger Jahre die politischen Unterschiede zwischen den drei etwa gleichaltrigen Autoren (...), die gern als typische Nonkonformisten vorgewiesen wurden, kaum registriert, so lagen sie zehn Jahre später offen zutage« (Batt, 15). Wo Grass, trotz seiner Auseinandersetzungen mit dem Springer-Konzern, sich als reformistischer Prag-

matiker, als Parteigänger der SPD bei klarer Abgrenzung gegen die an einer »links-scholastischen« Theorie kopflastig gewordenen »schmalbrüstigen Radikalen«, gegen die »Abbrucharbeiter von links« an der parlamentarischen Demokratie (*Über das Selbstverständliche* 1968), systemdienliche Propaganda betrieb, entwickelte sich Enzensberger zu einem führenden Vertreter der studentischen Neuen Linken, die sich rebellierend und schließlich auf fragwürdige Weise wirksam ›dem System‹ versagte, während sich Walser in einem schwierigen, literarisch höchst widersprüchlichen Prozeß der DKP näherte (vgl. a. a. O.).

Die maßgebliche Theorie

Von nicht unerheblicher Bedeutung erwies sich im Rahmen dieses Politisierungsprozesses der Einfluß der »Kritischen Theorie« – und dies gerade dort, wo die politische Parteinahme der Autoren im Verhältnis zur eigenen literarischen Produktion nicht nur eine äußerliche war. Die in den sechziger Jahren einsetzende breite Rezeption der philosophischen kulturkritischen Schriften Adornos, Horkheimers, H. Marcuses sowie der Arbeiten W. Benjamins, der in den zwanziger Jahren mit den genannten Vertretern der »Frankfurter Schule« zeitweise, allerdings nicht konfliktlos zusammengearbeitet hatte, bedeutete nicht nur die Ablösung der in zahlreichen Schattierungen auftretenden subjektivistisch gestimmten existentialistischen Kunstauffassungen der fünfziger Jahre. Die Kritische Theorie wurde zum bestimmenden gedanklichen Substrat, von dem – freilich in sehr unterschiedlicher und stellenweise im Resultat höchst kontroverser Weise – etwa Enzensbergers Analysen der Bewußtseinsindustrie und der Massenindustrie ebenso lebten wie die späteren Essays D. Wellershoffs, R. Baumgarts, H. Heissenbüttels; ja nicht zuletzt die kulturkritischen Publikationen der Neuen Linken, die ohne die Kenntnis der grundlegenden Schriften jener Autoren nicht denkbar sind. Nutznießer aber waren auch – und diese Tatsache hat beileibe nicht nur anekdotischen Wert – etwa jene Marktforschungsinstitute, die 1965 den Standard der kritischen Gesellschaftswissenschaft der Frankfurter Schule, seinen Urhebern sicherlich zum Trotz, in eine vom Springerverlag in Auftrag gegebene Expertise zur Absatzförderung der BILD-Zeitung höchst effizient einbringen konnten.

Theodor W. Adorno und Max Horkeimer

Angesichts des schwierigen, umfangreichen und vielschichtigen Œuvres Adornos, das sich von seiner methodischen Anlage her gegen eine geschlossene systematische Kategorisierung sperrt (»Das Wesen wird durchs Résumé des Wesentlichen verfälscht«, heißt es in der *Negativen Dialektik*), kann es in dem vorliegenden Rahmen nur darum gehen, die Gedanken herauszustellen, die sich für die kulturkritische und literarische Diskussion der sechziger Jahre als höchst einflußreich erwiesen.

Seit 1930 war THEODOR WIESENGRUND ADORNO (1903–1969), Professor für

Philosophie, Mitarbeiter an dem Frankfurter Institut für Sozialforschung, das in dem Professor für Sozialphilosophie MAX HORKHEIMER (1895–1973) seinen Direktor und in der *Zeitschrift für Sozialforschung* seine publizistische Basis hatte. Nach der Emigration 1933 in die USA wurde das Institut 1950 unter der gemeinsamen Leitung Adornos und Horkheimers in Frankfurt neu gegründet, wo es sich in der Folge zum Zentrum der vornehmlich gegen den »Kritischen Rationalismus« der neopositivistischen Schule gerichteten »Kritischen Theorie« entwickelte.

Im Mittelpunkt der in den Jahren 1942–1944 von Adorno und Horkheimer gemeinsam verfaßten Studie *Dialektik der Aufklärung* steht die Untersuchung eines aporetisch gefaßten geschichtlichen Sachverhalts: »die Selbstzerstörung der Aufklärung«. Für die Verfasser steht es außer Zweifel, »daß die Freiheit in der Gesellschaft vom aufklärenden Denken unabtrennbar ist«; zugleich aber auch, »daß der Begriff eben dieses Denkens, nicht weniger als die konkreten historischen Formen, die Institutionen der Gesellschaft, in die es verflochten ist, schon den Keim zu jenem Rückschritt enthalten, der heute überall sich ereignet«. Entsprechend der methodologischen Einsicht, daß Aufklärung, sofern sie nicht »die Reflexion auf dieses rückläufige Moment« in sich aufnimmt, »ihr eigenes Schicksal« besiegelt, zielten Adornos und Horkheimers Bemühungen auf die geschichtlich rückversicherte »Erkenntnis, warum die Menschheit, anstatt in einen wahrhaft menschlichen Zustand einzutreten, in eine neue Art von Barbarei versinkt«. Den aktuellen Bezugspunkt dieser Untersuchung stellten dabei Adornos und Horkheimers Erfahrungen mit dem Faschismus dar; freilich nicht nur in seiner historischen Besonderheit, seiner besonders offen zutage tretenden Erscheinungsweise in Deutschland, sondern ebenso in seiner pseudo-liberalen kryptischen Ausprägung, wie ihn die Verfasser im nordamerikanischen Exil selbst erlebt hatten und wie er an anderer Stelle, in der empirischen sozial-psychologischen Studie Adornos *Authoritarian Personality* (dt.: *Die autoritäre Persönlichkeit*, ersch. 1950; Mitautoren E. Frenkel-Brunswik, D. J. Levinson, R. Newitt Sanford) analysiert worden ist.

Über eine historische Analyse der Differenz und Einheit von »mythischer Natur und aufgeklärter Naturbeherrschung«, über eine Entfaltung des dialektischen Zusammenhangs von Mythos und aufklärerischem Denken (»Entzauberung der Welt«, »die Mythen auflösen und Einbildung durch Wissen stürzen«), thematisierten Adorno und Horkheimer den für die Gegenwart höchst charakteristischen Umschlag der Aufklärung in Mythologie. Die dem Mythos eignende »Naturverfallenheit der Menschen heute ist vom gesellschaftlichen Fortschritt nicht abzulösen. Die Steigerung der wirtschaftlichen Produktivität, die einerseits die Bedingungen für eine gerechtere Welt herstellt, verleiht andererseits dem technischen Apparat und den sozialen Gruppen, die über ihn verfügen, eine unmäßige Überlegenheit über den Rest der Bevölkerung. Der Einzelne wird gegenüber den ökonomischen Mächten vollends annulliert. Dabei treiben diese die Gewalt der Gesellschaft über die Natur auf nie geahnte Höhe. Während der Einzelne vor diesem Apparat verschwindet, den er bedient, wird er von diesem besser als je versorgt. Im ungerechten

Zustand steigt die Ohnmacht und Lenkbarkeit der Masse mit der ihr zugeteilten Gütermenge.« Daß die Ausführungen dieses Ansatzes erst seit Ende der fünfziger Jahre auf breiterer Basis rezipiert wurden, kam nicht von ungefähr. Abgesehen davon, daß allein das teilweise bei Marx entlehnte begriffliche Instrumentarium die Autoren in der Adenauer-Ära suspekt erscheinen lassen mußte, behielten in den kultur- und gesellschaftswissenschaftlichen Auseinandersetzungen der Nachkriegszeit aufgrund ihres affirmativen Charakters zunächst die subjektivistischen Spielarten des Existentialismus ebenso die Überhand wie der nach den ›ideologischen Verirrungen von Wissenschaft in der Nazizeit‹ allen Wertungen abholde und vermeintlich ideologiefreie Positivismus, von dem Adorno und Horkheimer in der *Dialektik der Aufklärung* schrieben: »Das Tatsächliche behält recht, die Erkenntnis beschränkt sich auf seine Wiederholung, der Gedanke macht sich zur bloßen Tautologie.« Angesichts dieser Positionen mußte der Ansatz Adornos und Horkheimers als radikal gelten; radikal in bezug auf den Erkenntnisgegenstand wie auf das Maß der historisierenden Selbstreflexion. Zugleich enthielt die der Kritischen Theorie inhärente Totalitarismuskritik eine im doppelten Sinne wirksame Gegen-ständlichkeit. Implizit wandte sie sich gegen eine Totalitarismuskritik, die auf der Basis einer formalen Verabsolutierung bestimmter institutioneller Merkmale bürgerlicher Öffentlichkeit (Mehrparteiensystem, Gewaltenteilung o. a.) ausschließliche Kriterien für eine Faschismuskritik lieferte, die dann, nach Kriegsende, ohne große Schwierigkeiten für eine – qualitative Merkmalsunterschiede ignorierende – Kommunismuskritik übertragbar waren und die zudem dem Interpreten selbst das Bewußtsein vermittelte, in einer ›freien‹ Gesellschaft zu leben.

Überdies ließen sich Adorno und Horkheimer explizit auf geschichtliche Widersprüche zwischen der technischen Rationalität und der Rationalität der Gesamtgesellschaft westlichen Zuschnitts in einer Weise ein, die gerade den Mythos ihrer Liberalität, in Westdeutschland staunend als Attribut des »Wirtschaftswunders« apostrophiert, radikal hinterfragten; »der Fortschritt schlägt in den Rückschritt um. Daß der hygienische Fabrikraum und alles, was dazu gehört, Volkswagen und Sportpalast, die Metaphysik stumpfsinnig liquidiert, wäre noch gleichgültig, aber daß sie im gesellschaftlichen Ganzen selbst zur Metaphysik werden, zum ideologischen Vorhang, hinter dem sich das reale Unheil zusammenzieht, ist nicht gleichgültig.«

Unbeschadet ihrer unumstrittenen geschichtsphilosophischen Analysen gesellschaftlicher und insbesondere künstlerischer Prozesse im 18. und 19. Jahrhundert vermochte die Kritische Theorie ihren bürgerlichen Ausgangspunkt jedoch nicht zu transzendieren, wo es galt, gesellschaftliche Prozesse des organisierten Kapitalismus ideologiekritisch zu reflektieren. So sehr sie auch danach trachtete, den »ideologischen Vorhang« der bürgerlichen Gesellschaft des 20. Jahrhunderts zu zerreißen, so ausgeprägt war ihre Tendenz, die Relevanz und die Funktion des von ihr kritisierten ideologischen Überbaus im Verhältnis zu den konkreten Bedingungen der materiellen Produktion zu hypostasieren und zu einem rein theoretischen Problem zu stilisieren. So ist vor allem von marxistischer Seite die Ineinssetzung ökonomischer Produktionsverhältnisse mit der technologischen Struktur der Produktivkräfte, die mit einer spezifischen begrifflichen Unschärfe der daraus abgeleiteten Kategorien korrespondiert, kritisiert worden. Die Kritische Theorie konnte nur zeigen, *daß* die immense Steigerung der Produktivkräfte eine *Herrschaft der Mittel* hervorbringt, nicht *wie* diese Mittel historisch bestimmten Zwecken und Funktionen unterstehen.[1] Dieses analytische Defizit hatte Folgen: So erweist sich zum einen die von Adorno und Horkheimer prätendierte dialektische Einheit von Theorie und Praxis letztlich als eine inner-ideologische Schein-Dialektik, »welche isolierte Fragmente der materialen Wirklichkeit unvermittelt in den theoretischen Ablauf hineinzieht, um sie wieder abzustoßen, nachdem sie ihre Funktionen erfüllt haben« (Helms, 89 f.); eine konkrete systematische Vermittlung zwischen Überbau und Basis findet nicht statt. Zum anderen kommt dem Identitätssatz – »Technische Rationalität heute ist die Rationalität der Herrschaft selbst« – einem Verzicht auf die Reflexion der positiven Seiten gesellschaftlicher Widersprüche gleich, die für Marx gerade in der historischen Entfaltung der Produktivkräfte lag. Bei Adorno und Horkheimer gerinnt gesellschaftlicher Fortschritt zu einer abstrakten Utopie, die mit der sozio-ökonomischen Wirklichkeit faktisch unvermittelt ist und nur negativ, als Denknotwendigkeit in der kontemplativen Versenkung in die Phänomene des entfremdeten, »beschädigten Lebens« beschworen wird mit der Überzeugung, daß »die vollendete Negativität einmal ganz ins Auge gefaßt, zur Spiegelschrift ihres Gegenteils zusammenschießt« (*Minima Moralia* 1951).

»Das Ganze ist das Unwahre« – so die fast »zum Bonmot regredierte Umkehrung Hegels« (Helms, 91), die als zentrale These in Adornos *Minima Moralia* (1944–49) erschien und in *Negative Dialektik* (1966) ihre philosophische Explikation fand. Für unseren Zusammenhang sind hierbei von besonderer Bedeutung die Überlegungen zum Verhältnis von eigener Theorie und Praxis. Denn wenn Adorno schreibt: »Philosophie, die einmal überholt schien, erhält sich am Leben, weil der Augenblick ihrer Verwirklichung versäumt war« (*Negative Dialektik*), so vermittelt sich die hier apostrophierte Vertagung von Praxis ›ad calendras graecas‹ in seinen ästhetischen Überlegungen, speziell den Reflexionen zum Verhältnis von Kunst und Literatur zu politischer Praxis, zum »Engagement«.

»Kunst«, so schrieb Adorno in seinem 1970 posthum erschienenen Werk *Ästhetische Theorie*, »hat ihren Begriff in der geschichtlich sich verändernden Konstellation von Momenten; er sperrt sich der Definition. (...) Deutbar ist Kunst nur an ihrem Bewegungsgesetz, nicht durch Invarianten. Sie bestimmt sich im Verhältnis zu dem, was sie nicht ist.« Konkret bezogen auf den aktuellen gesellschaftlichen Rahmen, heißt dies für Adorno, daß sich Wesen und Funktion von Kunst und Literatur nur negativ bestimmen lassen in Abhub von jenen totalitären Formen regredierter Aufklärung, wie sie von Adorno und Horkheimer nach Verwerfung des euphemistischen Prädikats ›Massenkultur‹ seit der *Dialektik der Aufklärung* unter dem Begriff der »Kulturindustrie« subsumiert worden sind.

Der Ausdruck Kulturindustrie bezieht sich dabei primär auf die durch neue Techniken wie Film, Radio etc. ermöglichte »Rationalisierung der Verbreitungstechniken« und auf die dementsprechende »Standardisierung« geistiger Produkte. »Die gesamte Praxis der Kulturindustrie überträgt das Profitmotiv blank auf die geistigen Gebilde. (...) Geistige Gebilde kulturindustriellen Stils sind nicht länger *auch* Waren, sondern sind es durch und durch« (*Résumé über Kulturindustrie* 1963). Unter Berufung auf die Marxsche Analyse des Warenfetischismus suchten die Verfasser zu zeigen, daß mit dem Übergang der Kultur in Kulturindustrie der Gebrauchswert den Reiz des sinnlichen Bedürfnisses an den Tauschwert abgibt: »Je unerbittlicher das Prinzip des Tauschwerts die Menschen um die Gebrauchswerte bringt, umso dichter vermummt sich der Tauschwert selbst als Gegenstand des Genusses (...). Die Erscheinung des Tauschwerts an den Waren hat eine spezifische Kittfunktion übernommen« (*Dissonanzen* 1956); sie entfaltet in totalitärer Form »die Ideologie in der Vergötzung des Daseienden und der Macht, von der die Technik kontrolliert wird« (*Dialektik der Aufklärung*). Insofern fungiert die Kulturindustrie als »Ordnungsfaktor«. »Die Ordnungsbegriffe, die sie einhämmert, sind allemal solche des status quo. (...) Der kategorische Imperativ der Kulturindustrie hat, zum Unterschied vom Kantischen, mit der Freiheit nichts mehr gemein. Er lautet: du sollst dich fügen, ohne Angabe worein; fügen in das, was ohnehin ist, und in das, was, als Reflex auf dessen Macht und Allgegenwart, alle ohnehin denken. Anpassung tritt kraft der Ideologie der Kulturindustrie anstelle von Bewußtsein (...). Die Ersatzbefriedigung, die die Kulturindustrie den Menschen bereitet, indem sie das Wohlgefühl erweckt, die Welt sei in eben der Ordnung, die sie ihnen suggerieren will, betrügt sie um das Glück, das sie ihnen vorschwindelt. Der Gesamteffekt der Kulturindustrie ist der einer Anti-Aufklärung.«

Diese Zitate aus Adornos *Résumé über Kulturindustrie* (1963) umreißen das argumentative Grundmuster einer Kulturkritik, wie sie – bei nur unwesentlichen Modifikationen – vor allem in der ersten Hälfte der sechziger Jahre als Kritik der Massenmedien etwa bei Enzensberger in seinen *Einzelheiten* (1962) oder bei Günther Anders (*Die Antiquiertheit des Menschen* 1956) wirksam geworden ist. Sie lassen aber auch zugleich einen kritischen Horizont erkennen, der seine bürgerlichen Prämissen dort offenbart, wo der von Marx adaptierte Produktionsbegriff seine soziale und historische Konkretheit verliert. »Der Ausdruck Industrie ist dabei nicht wörtlich zu nehmen. Er bezieht sich (...) nicht (...) streng auf den Produktionsvorgang«, schrieb Adorno selbst. Aus einem historischen wird ein logisch-abstrakter Zusammenhang. Der ökonomische Warenkreislauf, dessen fetischisierenden Folgen unter kapitalistischen Bedingungen außer Frage stehen, wird über eine Verdinglichung der Distributions- bzw. Kommunikationsweisen dämonisiert und zu einer Entfremdungsgröße a priori. »In Adornos Auffassung wird die Massenkunst bzw. Massenliteratur sowohl unterschätzt als auch überschätzt.«[2] Überschätzt insofern, als – ungeachtet der zutreffenden Erkenntnis *einer Seite* bürgerlicher Herrschaftsformen: der verschleierten Manipulation – die Verdinglichung massenmedialer Kommunikation, die durch den Markt verursachte Bedürfnisanpassung etc., einen fatalistisch-zwanghaften Zug erhält. Unterschätzt, als über eine undifferenzierte Analogisierung von geistiger und materieller Produktion, die von der Massenkultur ausgehende Manipulierung echter Bedürfnisse sich auf den Vermittlungsbereich der ›Kulturindustrie‹ reduziert, was zu der fatalistischen Ausformung des Satzes von der sich selbst produzierenden und reproduzierenden Manipulation führt.[3]

Es bleibt dem entsprechenden nachstehenden Kapitel vorbehalten, darzustellen, wie dieser doppelte Aspekt der Kritischen Theorie der Kulturindustrie – ihre Hypostasierung und ihre Unterschätzung – zu einem wesentlichen Kristallisationspunkt der kultur- und literaturpolitischen Auseinandersetzung im Umkreis der Studentenbewegung wurde. Für Adorno konstituiert die hier skizzierte Theorie der Kulturindustrie den Abhebungshintergrund, vor dem sich Wesen und Funktion von Kunst und Literatur ex negativo bestimmen. »Kunstwerke sind die Statthalter der nicht länger vom Tausch verunstalteten Dinge, des nicht durch den Profit und das falsche Bedürfnis der entwürdigten Menschheit Zugerichteten. Im totalen Schein ist der ihres Ansichseins Maske der Wahrheit« (*Ästhetische Theorie*). Angesichts des totalitären Zugriffs der Instanzen der Kulturindustrie, ihrer ideologischen »Standardisierung und Immergleichheit« von Bewußtseinsformen, vermögen Kunst und Literatur ihrer gesellschaftlich aufklärerischen Funktion in der Moderne nur durch eine bewußte radikale Autonomie gerecht zu werden. »Gesellschaftlich an der Kunst ist ihre immanente Bewegung gegen die Gesellschaft, nicht ihre manifeste Stellungnahme. (...) Soweit von Kunstwerken eine gesellschaftliche Funktion sich prädizieren läßt, ist es ihre Funktionslosigkeit.« Nur in der konsequenten Aufkündigung jeglicher positiver – formaler wie inhaltlicher – Bezüge zur vorgegebenen Wirklichkeit behaupten Kunstwerke ihren ureigensten Wert, evozieren sie indirekt die notwendigerweise nur als abstrakte Denkmöglichkeit existierende Utopie eines gerechteren und humaneren Zustands. »Sie verkörpern durch ihre Differenz von der verhexten Wirklichkeit negativ einen Stand, in dem, was ist, an die rechte Stelle käme, an seine eigene.«

So als gesellschaftliches Moment verstandene Autonomie des Kunstwerks beinhaltet nach Adorno paradox anmutende Konsequenzen. Seine literatursoziologischen Analysen – vornehmlich in den *Noten zur Literatur* (1958–1965) gesammelt – illustrieren am Einzelfall, wie sich für Adorno das Problem der Vermittlung von Kunst und Wirklichkeit stellt: »Die ungelösten Antagonismen der Realität kehren wieder in den Kunstwerken als die immanenten Probleme ihrer Form. Das, nicht der Einschuß gegenständlicher Momente, definiert das Verhältnis der Kunst zur Gesellschaft« (*Ästhetische Theorie*). Mit Blick auf die zeitgenössische Literatur heißt dies: Allein Kunstwerke, in denen sich, wie prototypisch bei Beckett geschehen, die geschichtliche »Abdankung des Subjekts« in einer durch keine Subjektivität verfälschte, bis zur Sprachlosigkeit gehenden Form vergegenständlicht, erweisen sich als echte Antithese zur Gesellschaft, die »an keinen Trost sich verschachert« (*Noten zur Literatur*). So besehen, reduziert sich nach Adorno wahre gesellschaftliche Praxis auf einen radikal skeptischen, nur auf die »helfende Kraft bestimmter Negation« bauenden Intellektualismus. »Praxis ist nicht Wirkung der Werke, aber verkapselt in ihrem Wahrheitsgehalt« (*Ästhetische Theorie*).

Stellen Adornos Arbeiten den vorläufigen Endpunkt einer der Tradition der Aufklärungsphilosophie verpflichteten, allein auf die Kraft der Theorie vertrauenden Gesellschafts- und Kulturkritik dar, so erweisen sich die in den sechziger Jahren rezipierten Schriften H. Marcuses als der Versuch, den Ansatz der Frankfurter Schule in eine ausdrückliche politische Dimension zu übersetzen. Lange Zeit hat der 1898 in Berlin geborene, 1933 über Genf in das amerikanische Exil gegangene und bis zu seinem Tod (1979) dort residierende HERBERT MARCUSE im Schatten Benjamins, Blochs, Adornos und Horkheimers gestanden. Mitte der sechziger Jahre jedoch erlangte er schlagartig Berühmtheit. Die deutsche Übersetzung seines 1955 verfaßten Buches *Eros and Civilization*, das zunächst kaum Beachtung gefunden hatte (dt. *Eros und Kultur*, 1957), gehörte nach seiner neuen Titelgebung *Triebstruktur und Gesellschaft* (1965) zusammen mit *The One-Dimensional Man* (1964; dt. *Der eindimensionale Mensch*, 1967) und der neu aufgelegten Studie *Über den affirmativen Charakter der Kultur* (ursprünglich in der *Zeitschrift für Sozialforschung* 1937 publiziert) zu den am häufigsten zitierten Werken der Studentenbewegung, vor allem in ihrer anti-autoritären Phase.

Triebstruktur und Gesellschaft stellt den Versuch dar, zentrale Kategorien der Freudschen Psychologie als sozial-psychologische Begriffe im materialistischen Sinne zu historisieren. Über ein ontogenetisch und phylogenetisch fundiertes historisches Modell des von Freud thematisierten Zusammenhangs von Kultur und Unterdrückung gelangte Marcuse zu der These, daß die moderne Industriegesellschaft mit dem Abbau personalisierter zugunsten anonymer Herrschaftsformen stabilisierende Abwehrmechanismen entwickelt habe, die sich bei dem Ausfall väterlicher Ersatzfiguren im Bewußtsein des Individuums als »Automatisierung des Über-Ich« niederschlagen. Damit sei die Voraussetzung gegeben, daß Herrschaft die Form von Verwaltung annehme.

Der eindimensionale Mensch hat, den Worten von J. Habermas zufolge, zum Ziel, »jene Analysen der spätkapitalistischen Gesellschaft, die dem spezifischen Ansatz der Frankfurter Soziologie (Adorno, Horkheimer) folgen, in einen systematischen Zusammenhang zu bringen«. Mit Eindimensionalität bezeichnet Marcuse – hierin die totalitäre Bestimmung der Kulturindustrie bei Adorno und Horkheimer auf das gesellschaftliche Ganze ausweitend – jenen Zustand der hochindustrialisierten Gesellschaft, die sich gegen jede theoretische und praktische Veränderung, gegen jegliche »›Transzendenz‹ (...) im empirischen, kritischen Sinne«, als abgeschlossen erweist. »Im Medium der Technik verschmelzen Kultur, Politik, Wirtschaft zu einem allgegenwärtigen System, das alle Alternativen in sich aufnimmt oder abstößt.« Immobilität, die »Unterbindung des sozialen Wandels«, wird somit zum hervorstechendsten Merkmal der modernen Industriegesellschaft, in der die materiellen Leistungen des Wohlfahrtsstaates und selbst seine Attribute wie die der bürgerlichen Freiheit, Toleranz etc. zu Instrumenten des »repressiven Ganzen« werden. Ist für Adorno und Horkheimer die Abstraktion von den historischen

Bedingungen der Produktionssphäre zu einem rein logischen Zusammenhang bei gleichzeitiger Prävalenz des ideologischen Überbaus charakteristisch, so gelangen bei Marcuse Basis und Überbau letztlich zur völligen Identität. Geschichte und Gesellschaft werden zu einem sistierten Freiluftgefängnis, zu einem magischen ›circulus vitiosus‹ allseitiger und undurchbrechbarer Abhängigkeit der Individuen vom technischen Apparat, der, Marcuse zufolge, selbst die herkömmlichen Klassengegensätze zwischen Kapitalisten und Arbeitern aufhebt. Damit aber geriet Marcuses Argumentation in die Nähe der konservativen bürgerlichen Gesellschaftskritik, die er mit guten Gründen immer bekämpft hat.

Marcuses gesellschaftliche Alternativen sind ebenso das folgerichtige Resultat seines eigenen theoretischen Ansatzes wie zugleich – auf einer anderen Ebene – Reflexe eines von Intellektuellen und anderen von sozialer Deklassierung Bedrohten getragenen ausweglosen Protests. Aus ihnen spricht nicht nur die Unfähigkeit, befreiende Tendenzen *innerhalb* der bestehenden Gesellschaft aufzuweisen; sie bleiben zudem gesellschaftlich partikulär, Sache der einzelnen Individuen und überdies rein negativ: Die »Große Weigerung« – dem englischen Philosophen A. M. Whitehead noch Metapher für das Wesen der Kunst, insofern sie ihre ästhetische Wahrheit gegenüber der Tatsachenwahrheit zur Geltung bringt – wird zum Schlagwort einer von vorkritischen Traditionsbeständen, Heilserwartung und Romantik genährten Revolte.

In *Triebstruktur und Gesellschaft* bezog Marcuse diese Metapher auf die orphischen und narzißtischen Mythen als »Urbilder der Großen Weigerung«, die auf Befreiung des Eros von unterdrückender Gewalt und auf Vereinigung des Getrennten abzielen. In *Der eindimensionale Mensch* und anderen späteren Schriften (vgl. bes. *Versuch über die Befreiung*, dt. Erstausgabe 1969) hat Marcuse der ästhetisch-psychologischen Deutung unter Beibehaltung des ursprünglichen Impulses eine ausdrückliche politische Wendung gegeben: die Kunst, speziell der Surrealismus, bleibt das Muster der »Großen Weigerung – der Protest gegen das, was ist«. So vage auch der Protest in seinem Inhalt sein mag, in der Absage an die herrschenden Zustände beinhaltet er ein Versprechen auf eine Zukunft hin, deren Umriß sich für Marcuse etwa in den Gewohnheiten der Beatniks und Hippies schon andeuten.

Geschichtlich rückblickend ist man versucht, Marcuses Theorie der »Großen Weigerung« nicht zuletzt in den Zusammenhang eines verselbständigten anarchischen Aktionismus zu stellen; zumal dann, wenn man sich auf seinen Aufsatz *Repressive Toleranz* (1965) berufen kann, der mit den appellativen Sätzen endet: »Wenn sie Gewalt anwenden, beginnen sie keine neue Kette von Gewalttaten, sondern zerbrechen die etablierten. Da man sie schlagen wird, kennen sie das Risiko, und wenn sie gewillt sind, es auf sich zu nehmen, hat kein Dritter (...) das Recht, ihnen Enthaltung zu predigen«.

Auf jeden Fall hat Marcuse wesentlich dazu beigetragen, zu legitimieren, was schon die Surrealisten mit ihren Manifestationen intendierten: einen Schwebezustand zwischen Kunst und politischer Praxis herzustellen. Gerade deshalb konnte Marcuse auch »in den unentschieden zwischen ästhetischem

Selbstausdruck und politischer Revolte pendelnden Aktionen der Studenten und der Intellektuellen 1967/68 eine Bestätigung seiner Vorstellungen sehen« (Batt, 21).

Walter Benjamin

Wenn gesagt worden ist, daß die Rezeption Adornos und Marcuses – bei aller Ungleichzeitigkeit, bei allen Überschneidungen sowie individuellen Ausprägungen im Literaturprozeß – je spezifischen gesellschaftlichen Entwicklungsphasen entspricht (vgl. Batt, 24), so trifft dies vor allem in bezug auf Westdeutschland einen wahren Sachverhalt. Gemeinsam ist den gesellschafts- und kulturkritischen Werken Adornos, Marcuses und Horkheimers, daß sie wesentlich dazu beigetragen haben, die in den fünfziger Jahren ins Uferlose drängende Diskussion um den »entfremdeten« und »unbehausten« Menschen insgesamt konkretisiert und den Entfremdungsbegriff auf ein dem Gegenstand angemesseneres, objektiveres analytisches Niveau gehoben zu haben. Dabei reflektiert Adornos entsprechend abgeleitete elitäre und esoterische Kunstauffassung ein intellektuelles Selbstverständnis, das charakteristisch für die Endphase der Ära Adenauer war: ein nur in der konkreten bestimmten Negation gesellschaftlicher Zwänge faßbares, defensives schriftstellerisches Engagement, das sich im Bewußtsein der eigenen Ohnmacht praktischen Wirkungszusammenhängen bewußt zu entziehen trachtete. Marcuses Theorie, die in dem Bild der »Großen Weigerung« einen individualistischen aktionistischen Protest mit der Hoffnung auf eine entsublimierte Kultur zu legitimieren und zu vermitteln versuchte, brachte wesentliche in der Studentenbewegung zum Ausbruch gekommene Probleme auf einen subjektiv verwertbaren praktischen Begriff.

Demgegenüber markiert vor diesem Hintergrund die in der zweiten Hälfte der sechziger Jahre einsetzende Rezeption des marxistischen Spätwerks WALTER BENJAMINS (1892–1940) nach dem Scheitern der Studentenbewegung eine Phase der Selbstreflexion, die das Verhältnis der im kulturellen Sektor tätigen Intelligenz zu ihren eigenen und zu den gesamtgesellschaftlichen Produktionsbedingungen in einer produktiveren Weise zu lösen suchte. Ohne an dieser Stelle auf das umfangreiche, bislang noch keineswegs vollständig publizierte Gesamtwerk Benjamins, auf seine höchst widersprüchlich verlaufene Entwicklung zu einem der subtilsten Vertreter marxistischer Kulturkritik eingehen zu können, sei hier lediglich ein knapper Hinweis auf zwei seiner Werke gegeben, die vor allen anderen für die Diskussion der sechziger und siebziger Jahre von nachhaltiger Bedeutung waren. *Der Autor als Produzent* – so lautete der programmatische Titel eines 1934 im französischen Exil vor dem Institut zum Studium des Faschismus in Paris gehaltenen Vortrags des 1892 in Berlin geborenen W. Benjamin, der bis zu seinem Freitod 1940 auf der Flucht vor den faschistischen Truppen stärker als andere die Proletarisierungstendenzen eines freien Schriftstellers erfahren hatte. Ähnlich den Repräsentanten der Frankfurter Schule sah Benjamin eine kritisch oppositionelle Literatur vor dem Dilemma, »daß der bürgerliche Produktions- und Publikationsapparat erstaunliche Mengen von revolutionären Themen assimilieren, ja propagieren kann, ohne damit seinen eigenen Bestand und den Bestand der ihn besitzenden Klasse ernstlich in Frage zu stellen«. Im Gegensatz aber zu Adorno etwa, der das Verhältnis von ästhetischer Technik zur industriellen Technik nur als ein äußerliches und zudem ausschließlich negativ bestimmtes begriff, betonte Benjamin deren im dialektischen Sinne identischen Charakter. »Also ehe ich frage: wie steht eine Dichtung *zu* den Produktionsverhältnissen der Epoche? möchte ich fragen: wie steht sie *in* ihnen?« Mit dieser Fragestellung lenkte Benjamin das kritische Augenmerk von einer isolierten Fixierung auf Phänomene des kulturellen Überbaus, auf die objektive Stellung des Intellektuellen im gesamtgesellschaftlichen Zusammenhang: »der Ort des Intellektuellen im Klassenkampf ist nur aufgrund seiner Stellung im Produktionsprozeß festzustellen oder besser zu wählen«. Dabei komme es darauf an zu erkennen, »daß die politische Tendenz, und mag sie noch so revolutionär scheinen, solange gegenrevolutionär fungiert, als der Schriftsteller nur seiner Gesinnung nach, nicht aber als Produzent seine Solidarität mit dem Proletariat erfährt«.

Wie das in einem positiven Sinne zu geschehen habe, illustrierte Benjamin am Beispiel des auch von Brecht geschätzten sowjetischen Autors S. Tretjaków. Tretjaków, der den lediglich informierenden vom operierenden Schriftsteller unterschied, sah seine Mission nicht darin, nur zu berichten, »sondern zu kämpfen«, »nicht den Zuschauer zu spielen sondern aktiv einzugreifen«. In der Praxis einer »utilitären Produktionskunst«, die aus dem Zusammenhang von materieller Produktion und politischer Aktivität hervorwächst, verliere – so Benjamin – der Autor, der auf diese Weise an der revolutionären sozialistischen Praxis teilhabe, seinen Sonderstatus als freier Schriftsteller. Unter den Bedingungen der bürgerlichen Gesellschaft könne die Solidarität des literarischen Spezialisten mit dem Proletariat freilich »immer nur eine vermittelte sein«. Seine Verantwortung bestimme sich »in einem Verhalten, das ihn aus einem Belieferer des Produktionsapparates zu einem Ingenieur macht, der seine Aufgabe darin erblickt, diesen den Zwecken der proletarischen Revolution anzupassen«. Die ersten Ansätze für eine derartige »Vergesellschaftung der geistigen Produktionsmittel« sah Benjamin in Deutschland bei Brecht realisiert. Gemäß dem Diktum – »Ein Autor, der die Schriftsteller nichts lehrt, lehrt niemanden« – werde das epische Theater Brechts zu einem maßgeblichen Modell, »andere Produzenten erstens zur Produktion anzuleiten, zweitens einen verbesserten« – nach Maßgabe des Möglichen, im Sinne des Sozialismus veränderten – »Apparat ihnen zur Verfügung zu stellen«.

Die appellativen Ausführungen dieses Essays zur notwendigen operativen Umfunktionierung der Kunst im Sinne des Sozialismus stehen in engem Zusammenhang mit dem 1935 entstandenen, 1936 in der *Zeitschrift für Sozialforschung* publizierten Aufsatz *Das Kunstwerk im Zeitalter seiner technischen Reproduzierbarkeit*. Benjamins Analyse ging davon aus, daß die im Zuge der fortschreitenden Entwicklung der Produktivkräfte entstandenen modernen Reproduktionstechniken der Kunstwerke diese nicht nur äußerlich verändert haben, etwa indem sie zu Waren verwandelt worden sind; vielmehr habe sich ihr Wesen qualitativ verändert, so daß »eine Anzahl überkommener Begriffe« zum Verständnis von Kunst – »wie Schöpfertum und Genialität, Ewigkeitswert und Geheimnis« – entweder unbrauchbar geworden seien oder infolge unkontrollierter Anwendung »zur Verarbeitung des Tatsachenmaterials in faschistischem Sinn« geführt hätten. In realistischer Einschätzung der geschichtlichen Gegebenheiten verstand Benjamin seine Ausführungen weniger als »Thesen über die Kunst des Proletariats nach der Machtergreifung, geschweige die der klassenlosen Gesellschaft«, sondern vielmehr prognostisch »als Thesen über die Entwicklungstendenzen der Kunst unter den gegenwärtigen Produktionsbedingungen« und als Ausdruck »revolutionärer Forderungen in der Kunstpolitik«.

Nach Benjamin verliert im Zuge der Entwicklung künstlerischer Reproduktionstechniken das alte Kunstwerk seine ursprünglich im kultischen Ritual fundierte Funktion, seine Einzigkeit und seine »Aura«, die sich als Originalanhängigkeit – unlösbar von Ort und Traditionszusammenhang – manifestierte: »die technische Reproduzierbarkeit des Kunstwerks emanzipiert dieses zum erstenmal in der Weltgeschichte von seinem parasitären Dasein am Ritual.«

Die technische Reproduzierbarkeit von Kunstwerken ist – wie Benjamin am Beispiel des Films, der nicht-auratischen Kunstgattung par excellence – »unmittelbar in der Technik ihrer Produktion gegründet«. Damit sah Benjamin ganz im Sinne Brechts die auratische Geheimnisstruktur der Kunst durch ihre wissenschaftliche Verwertbarkeit abgelöst: »An Stelle ihrer Fundierung aufs Ritual tritt ihre Fundierung auf eine andere Praxis: nämlich ihre Fundierung auf Politik.« Denn wie alle naturwissenschaftlich-technischen Eingriffe vermehren die Reproduktionsmittel »auf der einen Seite die Einsicht in die Zwangsläufigkeiten (...), von denen unser Dasein regiert wird, (...) um auf der anderen Seite (...) eines ungeheuren und ungeahnten Spielraums uns zu versichern«. Die Wahrnehmung dieses emanzipatorischen Potentials im Interesse des Proletariats wird zu einem wesentlichen politischen Imperativ; dies um so dringlicher angesichts des Faschismus, der die proletarisierten Massen zu organisieren versuchte, ohne die Eigentumsverhältnisse, auf deren Veränderung jene hindrängten, anzutasten. »Der Faschismus läuft folgerecht auf eine Ästhetisierung des politischen Lebens hinaus. Der Vergewaltigung der Massen, die er im Kult eines Führers zu Boden zwingt, entspricht die Vergewaltigung einer Apparatur, die er der Herstellung von Kultwerten dienstbar macht.« Alle Bemühungen um die Ästhetisierung der Politik gipfeln nach Benjamin in der Glorifizierung des Krieges, wie sie etwa der italienische Futurist und Faschist Marinetti 1936 anläßlich des italienisch-äthiopischen Kolonialkrieges lieferte. Der imperialistische Krieg, bestimmt durch die Diskrepanz zwischen den gewaltigen Produktionsmitteln und einer durch die bestehende Eigentumsordnung beschränkten adäquaten Verwertung im Produktionsprozeß, wird bei Marinetti beispielhaft zum kultischen ästhetischen Genuß sondersgleichen stilisiert. »Die Menschheit, die einst bei Homer ein Schauobjekt für die Olympischen Götter war, ist es nun für sich selbst geworden. Ihre Selbstentfremdung hat jenen Grad erreicht, der sie ihre eigene Vernichtung als ästhetischen Genuß ersten Ranges erleben läßt. So steht es um die Ästhetisierung der Politik, welche der Faschismus treibt. Der Kommunismus antwortet ihm mit der Politisierung der Kunst.«

Literatur und Neue Linke

Gegen Ende des 1971 erschienenen Sammelbandes Enzensbergerscher *Gedichte. 1955 – 1970* findet sich das Poem *Zwei Fehler*:

> Ich gebe zu, seinerzeit
> habe ich mit Spatzen auf Kanonen geschossen.
>
> Daß das keine Volltreffer gab,
> sehe ich ein.
>
> Dagegen habe ich nie behauptet,
> nun gelte es ganz zu schweigen.
>
> Schlafen, Luftholen, Dichten:
> das ist fast kein Verbrechen.
>
> Ganz zu schweigen
> von dem berühmten Gespräch über Bäume.
>
> Kanonen auf Spatzen, das hieße doch
> in den umgekehrten Fehler verfallen.

Anspielungsreich und nicht frei von kokettierender Selbstironie nahm Enzensberger hier im Rückblick eine poetologische Korrektur vor, die nicht nur selbstkritisch einer von ihm selbst vertretenen früheren Position galt, sondern zugleich pointierte Argumente einer kulturkritischen Diskussion verwarf, die nicht zufällig auf dem spektakulären Höhepunkt der Studentenbewegung formuliert worden waren. Stellvertretend für deren dominierende Fraktion hatte bekanntlich Karl Markus Michel im *Kursbuch* 15 (1968) einen »Kranz für die Literatur« gewunden, Walter Boehlich zum literarischen »Autodafé« aufgerufen und Enzensberger ihnen sekundiert: »Für literarische Kunstwerke läßt sich eine wesentliche gesellschaftliche Funktion in unserer Lage nicht angeben.« Um so erstaunlicher mußte zunächst 1971 Enzensbergers Zurücknahme anmuten, zumal zugleich die Zwiespältigkeit seines revidierenden Urteils – getragen von dem Widerspruch zwischen gestischer Apodiktik und metaphorischer Vieldeutigkeit – unübersehbar war. Angesichts der Stellung Enzensbergers als eines ›opinion leaders‹ der akademischen Neuen Linken signalisierte es auf spezifische Weise die Phase einer neuen Selbstverständigung in der literarischen Produktion, die thematisch und politisch funktional eng mit jener Oppositionsbewegung verbunden war.

Zur Theorie und Praxis der Neuen Linken

Sieht man einmal von ihrer polemischen Plakatierung als überwiegend von Intellektuellen geprägten Revolutionsfetischismus ab (vgl. bes. H. G. Helms und W. Harich), so werden Eigenart und geschichtlicher Stellenwert der Neuen Linken deutlich, wenn sie als Reaktion auf das Zusammenwirken verschiedener historischer Entwicklungstendenzen begriffen wird:

- die zunehmende Integration der traditionellen Organisationen der Arbeiterbewegung in die politischen Willensbildungs- und Entscheidungsprozesse der bürgerlichen Gesellschaft;
- die Bürokratisierungstendenzen in den etablierten sozialistischen Staaten des Ostblocks;
- die verstärkten Erfahrungen der negativen Bedingungen geistiger Arbeit bei der kulturellen und sozialwissenschaftlichen Intelligenz in den westlichen Staaten;
- die offen imperialistischen Tendenzen kapitalistischer Länder, speziell in ihrem Verhältnis zur Dritten Welt (vgl. bes. Lateinamerika und Vietnam).

Politischen Ausdruck fand die auf diese Entwicklungen reagierende Opposition in Theoremen und Aktionsformen, die sich deutlich an Positionen des traditionellen Linksradikalismus sowie teilweise auch des Anarchismus anlehnten; Linksradikalismus in diesem Zusammenhang freilich nicht im Sinne des aktuellen öffentlichen Sprachgebrauchs verstanden, wo dieser historische Begriff nur allzu oft im Dienste einer dezisionistischen Herrschaftspraxis zur polemischen Abqualifizierung politischer Gegner als nahezu beliebig fungibles Synonym für jegliche systemverändernden Tendenzen verwendet wird. Vielmehr wird der Begriff Linksradikalismus im folgenden im Sinne der während der Zweiten und frühen Dritten Internationale historisch geprägten Verwendungsweise verstanden, wo er zur Charakterisierung einer radikalen, links von der SPD (im 19. Jahrhundert) und links von der KPD (im 20. Jahrhundert) orientierten Kritik an den klassischen Organisationen des revolutionären Proletariats diente.

Angesichts der inneren Heterogenität dieser in den sechziger Jahren unter dem Signum der Neuen Linken auftretenden Opposition, die sich organisatorisch vornehmlich um den Sozialistischen Deutschen Studentenbund (SDS) gruppierte, angesichts ihrer eingestandenen Unfähigkeit, eine eigenständige geschlossene Theorie zu entwickeln[4], läßt sich die bestimmende, antiautoritär sich gerierende Fraktion dieser Sammelbewegung in bezug auf den vorliegenden Darstellungszusammenhang am ehesten durch die wichtigsten von ihr rezipierten Traditionen revolutionär-sozialistischer Theorie charakterisieren:

- die philosophische Opposition in der frühen Dritten Internationale, vertreten durch Georg Lukács und Karl Korsch;
- die rätekommunistischen Theoretiker der »Holländischen Marxistischen Schule« (Pannekoek und Gorter) sowie in Deutschland besonders Otto Rühle;
- die Schriften des Theoretikers der »Sex-Pol-Bewegung« Wilhelm Reich.

In den von Lukács und Korsch in den frühen zwanziger Jahren verfaßten Schriften *Geschichte und Klassenbewußtsein* bzw. *Marxismus und Philosophie* – Darstellungen, die das Hegelsche Erbe im Marxismus hervorkehrten – sah man die Ansätze zu einer authentischen Marx-Interpretation, die sich gleichermaßen gegen einen speziell von der Zweiten Internationale (Kautsky) vertretenen Geschichtsobjektivismus richtete, wie den Verdinglichungs- und Pragmatisierungserscheinungen der marxistischen Theorie sich versagte, die in der Dritten Internationale zum »Sowjetmarxismus« und zu den späteren stalinistischen Verformungen führten.

In den Werken der rätekommunistischen Theoretiker Pannekoek, Gorter, Rühle u. a. wurden die Kritik an der Strategie der Bolschewiken und die von den Rätekommunisten erhobene Forderung einer westeuropäischen Kulturrevolution als Voraussetzung einer von der Spontaneität der Massen – und nicht von der Leninschen »Partei neuen Typus« – getragenen revolutionären Bewegung zum wichtigsten Anknüpfungspunkt der Neuen Linken in ihrer theoretischen Selbstverständigung.

Das überaus breite Interesse an den politischen und sexualpädagogischen Schriften des 1933 aus der KPD ausgeschlossenen Wilhelm Reich, der Marxismus und Psychoanalyse zu vermitteln versuchte, gründete sich auf dessen Kritik an der Organisationspraxis der sozialdemokratischen und kommunistischen Arbeiterorganisationen und an der vollständigen Vernachlässigung der subjektiven, in psychologischen Kategorien faßbaren Faktoren des Klassenkampfes bei deren Strategiebildung.[5]

So unterschiedlich die philosophischen Voraussetzungen dieser innerhalb der organisierten Arbeiterbewegung verdrängten Theorieansätze waren – so etwa Hegel bei Lukács und Korsch, Dietzgen bei Pannekoek und Gorter, Freud bei Reich – so war ihnen doch eines gemeinsam: die besondere Akzentuierung des »subjektiven Faktors«, die Betonung der Relevanz des Bewußtseins und des subjektiven Willens im revolutionären Klassenkampf[6]; jene »revolutionäre Subjektivität«, die man auch aus neu-linker Sicht während der Zweiten und Dritten Internationale aus realpolitischem Pragmatismus unterdrückt und die man schließlich unter den restaurativen Tendenzen der Nachkriegszeit und den totalitären Bedingungen bürgerlicher Bewußtseinsmanipulation, wie sie die Frankfurter Schule beschrieben hatte, von der politischen Lethargie und Apathie der Arbeiterschaft vollends verdrängt sah. Angesichts dieses geschichtlich gesellschaftlichen Sachverhalts schien es nur eine aktuelle Konsequenz zu geben: die Einsicht in die »Notwendigkeit einer langandauernden Kulturrevolution gerade in den hochentwickelten kapitalistischen Ländern Mitteleuropas als der Bedingung für die Möglichkeit einer Revolutionierung der Gesamtgesellschaft«[7].

So ist es nicht verwunderlich, daß der Kampf gegen die systemstabilisierenden manipulativen Instanzen des bürgerlichen »Establishments«, insbesondere gegen die publizistischen Medien der »Kulturindustrie«, und die Schaffung einer »kritischen Gegenöffentlichkeit« zum obersten Prinzip erhoben wurde. Eingestandenermaßen getragen von der

»Hoffnung vieler Genossen, daß die entscheidende Barriere fiele, wenn die Manipulation zerschlagen werde, beruhte [sie] auf der Vorstellung, daß die Manipulation ein besonderer, ablösbarer Bereich der kapitalistischen Herrschaft sei und darum auch als gesonderte Herrschaftsform bekämpfbar. Sie hofften, daß wenn der ›Schleier der Manipulation‹ weggerissen wäre, die Unterdrückten den wirklichen Gegner erkennen und den Kampf gegen ihn aufnehmen würden.«[8]

Unter soziologischen Gesichtspunkten rechtfertigte die dominierende Bedeutung einer derart motivierten Kulturkritik den politischen Führungsanspruch der Intelligenz. Dabei war jene im Grunde das Resultat ihrer eigenen widersprüchlichen Lage. Es war der Anspruch einer Intelligenz, die in der im weitesten Sinne verstandenen Kultur den eigentlichen Bereich ihrer Praxis erkannte und sich von hier aus als das revolutionäre Subjekt der Geschichte in einer verändernden Welt legitimierte (vgl. Barck in: Mittenzwei/Weisbach, 414 f.); einer Intelligenz bürgerlicher Herkunft freilich, in deren Verhältnis zur gesellschaftlichen Praxis sich die negativen Bedingungen der geistigen Arbeit reproduzierten. Aus Gründen kapitalistischer Opportunität abgetrennt und isoliert von materieller Produktion und politischer Herrschaft, erschien der Intelligenz die ›Kopfarbeit‹ als scheinbar positive Möglichkeit verzerrt, »die dem Geist ›entfremdete‹ Gesellschaft mit der Kraft des Geistes allein zu verändern« (Helms, 58).

Veränderungen im Literaturbetrieb

Für den Literaturbetrieb blieb insbesondere die Vorstellung von der notwendigen Schaffung einer »kritischen Gegenöffentlichkeit« bestimmend; diese hob sich primär ab von der von kapitalistischen Verwertungsinteressen bestimmten Verlagspraxis, sie wandte sich weiterhin gegen entsprechend ausgerichtete Vermittlungsinstanzen – hier besonders gegen die Gruppe 47 – und drückte sich in der literarischen Produktion inhaltlich positiv in einer Operationalisierung der literarischen Genera aus.

Die linke Kritik am bestehenden Verlagswesen, die in der spektakulären Umfunktionierung der Frankfurter Buchmesse 1968 ihren aktionistischen Höhepunkt fand, zielte vor allem auf zwei interdependent interpretierte Merkmale der bestehenden verlegerischen Praxis: die Ausrichtung an der zum Nachteil der Autoren gereichenden Profitmaximierung und die direkte oder indirekte Manipulation der Information. Demgegenüber sah man in der sich schwunghaft entwickelnden Raubdruckbewegung, aber auch in den zahlreichen Gründungen von zumeist ›non-profit‹ konzipierten Kleinverlagen mit einer häufig mehr oder weniger präzis profilierten Programmatik Ansätze zu einer echten kritischen Gegenöffentlichkeit. Nur selten allerdings gelang es, dauerhafte Alternativen – und sei es nur in Hinblick auf eine ökonomische Neustrukturierung – zu entwickeln. Der genossenschaftlich organisierte *Verlag der Autoren* in Frankfurt ist hierfür ein, allerdings nicht unbedingt repräsentatives, Beispiel. Die Entwicklung des politisch ungleich profilierteren Wagenbach-Verlags – eine der maßgeblichen Publikationsbasen der Neuen Linken –

scheint in dieser Hinsicht typischer. Nach vehementen internen Kontroversen über das redaktionelle politische Konzept und über die wirtschaftliche Organisationsform stand der Verlag nach relativ kurzer Zeit vor der Spaltung. Die Raubdruckbewegung ihrerseits belegt beispielhaft die Problematik der in ihr sedimentierten »Großen Weigerung« gegenüber dem bestehenden Verlagswesen. So wenig ihre Bedeutung für die in den sechziger Jahren gelaufene breite Aneignung und Aufarbeitung der Werke der Frankfurter Schule, der Schriften Freuds und Reichs, des Linkskommunismus und des Anarchismus sowie der proletarisch-revolutionären Literatur der zwanziger Jahre überschätzt werden kann, so wenig ist aber auch zu übersehen, daß diese am bestehenden ›copy-right‹ vorbei edierten Publikationen ab einem bestimmten Punkt für die etablierten Großverlage objektiv eine zum Teil unmittelbar verwertbare Schrittmacherfunktion erfüllten, indem sie ihnen aufwendiges Marketing und kostspielige Werbung ersparen halfen.

»Denn die illegalen Drucke signalisierten ihnen einerseits ein erhöhtes Interesse einer bestimmten Käuferschicht für einen bestimmten Autor oder für eine bestimmte Richtung, und waren andererseits geeignet, ein Interesse für bestimmte, bisher sehr viel schwerer absetzbare Werke überhaupt erst zu erzeugen oder jedenfalls es erheblich zu erhöhen.«[9]

Unter diesen Bedingungen gerieten Raubdrucke nicht selten unfreiwillig zu Testobjekten der bestehenden Großverlage. Die Sammlung Luchterhand, die Basis-Bücher der Europäischen Verlagsanstalt, zahlreiche Taschenbuch-Editionen bei Fischer und Suhrkamp oder die Rowohlt-Ausgaben sozialistischer und anarchistischer Texte etwa zeigen ebenso deutliche wie profitable inhaltliche Anleihen bei der Raubdruckbewegung.
Im Kontext der skizzierten kulturkritischen Auseinandersetzungen sind auch jene Ereignisse anzusiedeln, die den Exitus der GRUPPE 47 zur Folge hatten und damit das definitive Ende einer bestimmenden literarischen und publizistischen Tradition der Nachkriegszeit markierten. In den fünfziger und frühen sechziger Jahren rechtfertigte die Gruppe ihre Bedeutung als Zentrale und Sammelbecken einer Opposition, die als nonkonformistische Vermittlungsinstanz an der Schwelle von Literaturproduktion und politischer Öffentlichkeit fungierte. »Der Ursprung der Gruppe 47«, so ihr Leiter Hans Werner Richter 1962 im Rückblick, »ist politisch-publizistischer Natur. Nicht Literaten schufen sie, sondern politisch engagierte Publizisten mit literarischen Ambitionen.«[10] Ohne vereinsrechtliche und institutionelle Fundierung, ohne explizite Programmatik bestimmte sie sich – typisch für die Haltung weiter Teile der kulturellen Intelligenz der Nachkriegszeit – primär ex negativo: »Man dachte und fühlte antifaschistisch und antimilitaristisch; man widersetzte sich, so gut es ging, dem Schwarz-Weiß-Denken des Kalten Krieges; man hielt sich an die Verfassung und verteidigte sie gegen Übergriffe der Administration.« So Enzensberger in seiner Bestandsaufnahme *Klare Entscheidungen und trübe Aussichten* 1967, der wie ein Großteil der mittlerweile etablierten Autoren sein Debüt in jener als Workshop konzipierten Gruppe ge-

geben hatte. »Für eine gewisse Solidarität, für ein Gefühl der Zusammengehörigkeit sorgte allein der Druck von außen«, und sei es etwa der der öffentlichen politischen Verteufelung als neue »Reichsschrifttumskammer«, zu der sich ein CDU-Landesinnenminister genötigt sah.

Sowenig die Bedeutung der Gruppe für das literarische Leben vor allem in den fünfziger Jahren überschätzt werden kann, so sehr muß betont werden, daß ihre wenig konturierte Opposition gerade jenen Tendenzen nichts entgegenzusetzen hatte, die schließlich zu ihrer faktischen Auflösung führten. Zum einen nahmen die Tagungen der Gruppe mit ihrem ritualisierten Zusammenspiel von Lesung, kollegialer und professioneller Kritik unter dem Zugriff des als Käufer auftretenden Verlagsmanagements zusehends den Charakter einer Kulturbörse an; die Reaktionen der Gruppenmitglieder wurden unfreiwillig zu Marktexpertisen. Ein Autor, so Hans Mayer, »produzierte bewußt einen Text, der die Chance in sich trug, von der Gruppe akzeptiert und damit vom Markt absorbiert zu werden«.[11] Auf der anderen Seite schlug sich der gesamtgesellschaftliche politische Polarisierungsprozeß auch in dieser Gruppe nieder. Spätestens seit der Tagung 1966 in Princeton/USA gab es kaum noch eine Klammer zwischen den politisch und ästhetisch divergierenden Strömungen: etwa zwischen den entschiedenen Vietnam-Krieg-Gegnern wie Enzensberger, Fried, Weiss auf der einen und der auf Ausgleich mit den amerikanischen Geldgebern bedachten Leitung der Gruppe auf der anderen Seite; oder in der höchst kontroversen Einschätzung des durch die Große Koalition in der BRD geschaffenen Machtkartells zwischen Anhängern und Sympathisanten der SPD einerseits und denen der Außerparlamentarischen Opposition andererseits. Als sich auf der Tagung 1967 in der bayrischen Pulvermühle der Unwillen rebellierender Studenten über die politische Unentschiedenheit der Gruppe vehement entlud, traten die Konflikte vollends offen zutage; »vom Zorn der neuen Linken weit in die Mitte gerückt (...) – fast schon dahin, wo Bundesverdienstkreuze wachsen«, so der Schriftsteller und SPD-Bundestagsabgeordnete Dieter Lattmann selbstironisch (Lattmann, 98), zeigte sich, daß die Gruppe 47 ihren einstigen Ansprüchen nicht mehr genügte.

Probleme einer politisch-operativen Literatur

›Gattungssorgen‹

Der skizzierte kulturpolitische Anspruch der Neuen Linken schlug sich nicht nur in programmatischen Artikeln oder spektakulären Aktionismen nieder. In der literarischen Praxis drückte er sich bei den bereits schreibenden Autoren in dem Wandel von einer vagen, auf die verschiedenste Weise vermittelten Protesthaltung gegenüber den bestehenden Verhältnissen zu einer inhaltlich profilierteren politischen Aussage aus; Debütanten begannen unter dem Eindruck der einsetzenden Aufarbeitung der marxistischen literaturtheoretischen Debatten der zwanziger und dreißiger Jahre zu schreiben. Aufschlußreich ist indes die Tatsache, daß die Aneignung der sozialistischen Literaturtradition vornehmlich über die links-intellektuellen Gewährsleute Piscator, Brecht und Benjamin erfolgte, jedoch zunächst kaum über die eher nur beiläufig rezipierte genuin proletarische Literaturtradition der Weimarer Republik. So überwog die ins akademisch Begriffliche gewendete Frage nach dem »Gebrauchswert« von Literatur, wo die proletarischen Schriftsteller der zwanziger Jahre nach Möglichkeiten gesucht hatten, Literatur als eine »Waffe im Klassenkampf« zu schärfen. Bar der konkreten Vermittlung mit der Situation der Arbeiterschaft, weitgehend abstrahiert von konkreten Erfahrungen des Klassenkampfes, sah man nun die Antwort auf jene Frage in einer unmittelbaren thematischen wie methodischen Funktionalisierung der Literatur. Die Frage nach dem geeigneten Medium, das Problem der Zielgruppen, das unterschiedlich interpretierte Wirkungspotential der einzelnen literarischen Gattungen gerieten in den Mittelpunkt der Überlegungen.

Dieser Reflexionsprozeß war angesichts der umrissenen sozialgeschichtlichen Voraussetzungen nicht frei von Widersprüchen. Beispielhaft in dieser Hinsicht wirken R. Baumgarts *Sechs Thesen über Literatur* (*Tintenfisch* 3, 29–38); etwa dort, wo er auf »Gattungssorgen« zu sprechen kam und sich über die unterschiedliche politische Operationalisierbarkeit der literarischen Genera äußerte. Einleuchtend sind seine einführenden abstrakten Überlegungen. So etwa zum Gedicht, dem es,

»da verhältnismäßig schnell, spontan produziert, (...) schon aus diesem banalen Grund nicht schwer [fällt], schnell, aktuell, also selbst auf Tagesnachrichten zu reagieren. Es darf sich auch als Ansprache, als Adresse eines einzigen Sprechers verstehen, also parteilich sein. Doch vor allem: Gedichte können öffentlich vorgetragen, der Vortrag gesellschaftlich veranstaltet werden. Sie erreichen dann, mit unmittelbarem Appell, ein konkretes, statt ein diffuses Publikum.«

Problematisch wirkt indes der argumentative Kontext Baumgarts: sein Begründungszusammenhang konstruiert sich aus einem ontologisierten Gattungsschema, das gerade in seiner abstrakten Allgemeinheit bei gleichzeitigem Ausfall der Reflexion konkreter sozialer und politischer Produktions- und Rezeptionszusammenhänge seinen bürgerlichen Ursprung bewahrt hat. Inhaltsleere Apodiktik spiegelt diesen Sachverhalt wider: »Die Schwierigkeiten oder die Bereitschaft der Literatur, sich politisch zu engagieren, sind (...) von Gattung zu Gattung verschieden.« Unter diesen Prämissen muß der explizite politische Gehalt literarischer Aussagen als der schriftstellerischen Arbeit etwas äußerlich Anhaftendes erscheinen, eben als »Tendenz«, so wie Lukács diesen Begriff kritisch als Korrelat zu einer ideell vorausgesetzten »reinen Kunst« verstanden hatte (*Tendenz oder Parteilichkeit* 1932). Mit Benjamin ließe sich Baumgart entgegenhalten, daß die fortschrittliche Parteinahme falsch ist, solange sie nicht in der literarischen Produktion selbst die Haltung erkennen läßt, »in der man ihr nachzukommen hat«. Vor diesem Hintergrund wären »Gattungssorgen« unter dem Blickwinkel zu reflektieren, inwieweit es dem Autor gelingt, »den Produktionsapparat nicht zu beliefern, ohne ihn zugleich nach Maßgabe des Möglichen, im Sinne des Sozialismus zu verändern«; »(...) dieser Apparat [ist] um so besser, je mehr er Konsumenten der Produktion zuführt, kurz aus Lesern oder aus Zuschauern Mitwirkende zu machen imstande ist« (*Der Autor als Produzent*). Demnach kann für die Realisierung dieser organisierenden Funktion der Kunst und Literatur die Parteinahme nur die notwendige, niemals aber hinreichende Bedingung sein. Unter diesem Blickwinkel erscheinen die weitreichendsten Versuche seitens der literarischen Neuen Linken nicht, wie Baumgart meint, in den didaktischen Revuen eines Peter Weiss, sondern in der sich seit Mitte der sechziger Jahre herausbildenden politischen Lyrik sowie in den experimentellen Formen des Theaters, dem Straßentheater und Kindertheater, verwirklicht.

Das dialektische Gedicht

Gesellschaftliche und politische Operationalisierung der Literatur – dies beinhaltete eine entschiedene poetologische Revision, bzw. einen Neuansatz insbesondere für die Lyrik; für jene Gattung also, die bis dahin – wie kein anderes Genre der Nachkriegszeit – von dem dichterischen Anspruch geprägt war, das Potential der relativen Autonomie von Sprache auszuloten und in einer verabsolutierten Weise zu entfalten; für jene Gattung, in deren Produktionen formal-artistische Exerzitien und eine vieldeutige Metaphernkombinatorik zum Ausweis autonomen individuellen Schöpfertums stilisiert wurden, hinter denen sozial kommunikable Wirklichkeitszusammenhänge verblaßten, wenn nicht gar atomisiert zerfielen und z. T. bewußt aufgelöst wurden.

So unterschiedlich sich diese Lyrik auch im einzelnen artikulierte,
- ob in den poetischen Chiffrierungen konkreter Naturerscheinungen (z. B. Eich),
- ob in der von »intellektueller Heiterkeit« getragenen, mediterrane Assoziationsbereiche entfaltenden imaginativen Wortkombinatorik eines Karl Krolow,
- ob in den an der Grenze des Verstummens sich bewegenden Gedichten eines Paul Celan, die den »singbaren Rest«, den »Lichtton« zu greifen suchten, der zwischen »Fadensonnen über der grauschwarzen Ödnis« schwebte,

wesentliche Momente waren dieser Lyrik ungeachtet aller individuellen Ausprägungen doch gemeinsam. Poetisches Schreiben wurde als individuelles, von der gesellschaftlichen Praxis abgehobenes ideelles Schöpfertum begriffen und metaphysisch fundiert; dies selbst oder gerade dort, wo für die Autoren – spätestens seit Benn – subjektiv keine verläßlichen ideellen Orientierungspunkte auszumachen waren. Poetisches Schreiben wurde nachgerade als *die* Überlebensmöglichkeit verstanden, existentialistisch verinnerlichte Entfremdungszustände zu überdauern. Wortmagie gebannt fixiert auf eine »leere Idealität«, eine »leere Transzendenz« – das stellte nach der höchst einflußreichen Studie von Hugo Friedrich (*Die Struktur der modernen Lyrik* 1956) ein wesentliches Merkmal der – von ihm freilich einseitig bürgerlich-ideologisch verabsolutierten – lyrischen Tradition von Baudelaire, Rimbaud und Verlaine bis zur Gegenwart dar. »Ein Geist, dem alle Wohnstätten unwohnlich geworden sind, kann sich im Dichten die einzige Wohn- und Werkstätte seiner selbst schaffen« (68).

Entfremdung in diesem Zusammenhang beschrieb aber nicht nur das Bewußtsein, das Lukács als »transzendentale Obdachlosigkeit« gekennzeichnet hatte; Entfremdung charakterisierte zugleich das Verhältnis dieser Lyriker zur konkreten gesellschaftlichen Realität. Soziale Beziehungen erschienen ihnen verdinglicht, reale Wirklichkeitszusammenhänge fragmentarisch und atomisiert, an deren Bruchstellen man vor allem »seismographisch« reagierte; so ein Schlüsselwort W. Höllerers in der von ihm edierten Lyrik-Anthologie *Transit* (1956). Eine solche Feinnervigkeit versagte sich, auf die irritierende Realität sich konsequent einzulassen, geschweige denn nach Ursachen für deren Ungereimtheiten und Widersprüche zu fragen; statt dessen suchte man Zuflucht in einer uneigentlichen Sprache, für die die Metapher zur alles beherrschenden Stil- und imaginierenden Spielfigur wurde; »die Urbestimmung der Metapher«, so H. Friedrich, liege nicht darin, »vorhandene Ähnlichkeiten zu erkennen, sondern darin, nicht-existierende Ähnlichkeiten zu erfinden«.[12]

Entfremdung im obigen Sinn gefaßt, beschrieb aber auch die soziale Dimension dieser Lyrik. Ihrem Charakter nach monologisch, nicht selten einem ausgeprägten Hermetismus anhängig, suchte und fand sie ihr Lesepublikum allenfalls in kleinen elitären Kreisen Gleichgesinnter. So wenig die Bedeutung dieser Lyrik für die Nachkriegszeit verkannt werden soll – so ist es u. a. ihr zu verdanken, daß sie die im Nazi-Deutschland zwangsweise unterbrochene Beziehung zur bürgerlichen Moderne des Auslands wieder herstellte – so unübersehbar ist die Tatsache, daß sie seit Beginn der sechziger Jahre ihre innovative Kraft verlor. »Der Gestus des dunklen Dichters«, so Jürgen Theobaldy im Rückblick, »schliff sich zur modischen Pose ab, die verabsolutierte Metapher und die Chiffre als wichtigste formale Errungenschaften wurden zerschlissen. Ein esoterischer Code war verfügbar geworden, und je länger in ihm geschrieben wurde, desto fragwürdiger mußte seine Eignung werden, adäquater lyrischer Ausdruck von wirklichen geschichtlichen Erfahrungen zu bleiben« (Theobaldy/Zürcher, 14).

Zwar fehlte es in den frühen sechziger Jahren nicht an kritischen Gegenstimmen, auch wenn sie – über die eigenen Produktionen hinaus – nicht unmittelbar wirksam geworden sind. Doch Peter Rühmkorfs polemischer Angriff auf *Das lyrische Weltbild der Nachkriegsdeutschen* (1960), H. M. Enzensbergers programmatischer – an Adorno gemahnender – Versuch, zwischen poetischem Autonomie- und gesellschaftlichem Gebrauchswertanspruch dialektisch zu vermitteln (*Poesie und Politik* 1962), signalisierten ebenso wie W. Höllerers leicht mißverständliche und z. T. mißverstandene *Thesen zum langen Gedicht* (1965) den Beginn einer neuen Entwicklungsphase in der Lyrik. »Längeres Sich-einlassen: so daß Verbindungen zwischen Gegenstand, Leser, Autor, Gedicht möglich werden«, forderte Höllerer als neue lyrische Haltung angesichts der »erzwungene[n] Preziosität und Chinoiserie des kurzen Gedichts« der vergangenen Jahre mit seiner »starrgewordenen Metaphorik, der knarrenden Rhythmik, der bemühten Schriftbildmechanik« (in: *Akzente*, 1965, 129 f.).

Während Höllerer trotz aller Unbestimmtheit und Offenheit seiner Thesen noch in defensive Rückzugsscharmützel der von ihm provozierten Lyrikergeneration verwickelt wurde (vgl. z. B. K. Krolow in: *Akzente* 1966, 375 ff.), stellte Peter Hamm in der Anthologie *Aussichten* (1966) bereits eine Reihe von jüngeren Autoren vor, mit denen er den vollzogenen Beginn einer neuen Entwicklungsphase der Nachkriegslyrik repräsentiert sah. Ihnen testierte Hamm nicht nur die Teilhabe an der stofflichen »Wiederentdeckung der Wirklichkeit«; in ihren Gedichten drücke sich zugleich ein neues realistisches Verhältnis der Autoren zur konkreten Wirklichkeit und zum Leser aus. Im Sinne der bislang verdrängten und ignorierten marxistischen Gewährsleute Lukács und vor allem Brecht beweise sich die realistische Schreibweise dieser Autoren darin, »inwieweit sie mit der realen Welt des Lesers verbunden ist und ihm diese nicht nur zu interpretieren, sondern auch für ihn zu verändern vermag, inwieweit sie die Zukunft ins Gedicht mit einbeziehen kann, inwieweit es ihr gelingt, die Ideologien abzubauen und dadurch realistisches Fühlen, Denken und Handeln zu ermöglichen, kurz: inwieweit sie in der Lage ist, durch den Genuß von Gedichten eine kritische Haltung zu erzeugen« (334).

Die bei Hamm versammelten Autoren vermochten diesen Ansprüchen vorerst nur zum Teil zu genügen; immerhin war aber deutlich eine neue programmatische Perspektive vorgezeichnet. Die eigentliche Zäsur setzte ein bis dahin in der literarischen Öffentlichkeit erst mit vereinzelten Publikationen in Erscheinung getretener und kaum beachteter, seit 1938 im Londoner Exil lebender Autor; die Rede ist von ERICH FRIED (geb. 1921) und seinem 1966 im Wagenbach-Verlag erschienenen Gedichtband *und Vietnam und*.

Provozierend wirkte allein schon die Tatsache, daß Fried in den einundvierzig Gedichten sich auf die brutale – im Bewußtsein der westlichen Öffentlichkeit weitgehend verdrängte – Faktizität der US-Aggression und des Leidens der Bevölkerung in Vietnam unverschlüsselt einließ. Wenn etwa P. Härtling rhetorisch rückfragte: »Kann man über Vietnam Gedichte schreiben?« (*Gegen rhetorische Ohnmacht*), um damit implizit deren Unmöglichkeit zu konstatieren, dann war dies stellvertretend mehr als nur der Ausdruck einer thematisch wie ästhetisch gereizten bürgerlichen Reaktion. Es war zugleich das Unverständnis, ein Sich-Sperren gegen ein ästhetisches Verfahren, moralisch und politisch Partei zu ergreifen in einer weltgeschichtlich bedeutsamen Konfrontation, deren Auswirkungen bis in das öffentliche Leben Westeuropas hineinreichten. Wie bereits der Titel des Bandes mit seiner angedeuteten offenen syndetischen Reihung erkennen läßt, wird Vietnam stellvertretend als *ein* Fall in der Geschichte des Neokolonialismus gesehen. Darüber hinaus ist Vietnam aber auch ein Fall unserer Gesellschaft: als Fall der Interessenidentität des US-amerikanischen und des bundesrepublikanischen Staates (vgl. das Poem *Gleichheit Brüderlichkeit*), mehr aber noch ein Fall, an dessen Berichterstattung die Manipulation der öffentlichen Meinung durch die bürgerlichen Medien offenkundig gemacht wird:

17.–22. Mai 1966

Aus Da Nang
wurde fünf Tage hindurch
täglich berichtet:
Gelegentlich einzelne Schüsse

Am sechsten Tag wurde berichtet:
In den Kämpfen der letzten fünf Tage
in Da Nang
bisher etwa tausend Opfer

Frieds Verfahren besteht im wesentlichen darin, Sachverhalte, dokumentarisches Material, Nachrichten und eingefahrene Vorstellungen auf ihre Ungereimtheiten, ihre Widersprüche hin lakonisch zu konzentrieren und damit bewußt zu machen. Der Leser wird somit gezwungen, Stellung zu beziehen, sich bewußt zu verhalten, Partei zu ergreifen. Politische Didaktik, so gefaßt –, denaturiert nicht – wie etwa z. T. in der späteren Agitprop-Lyrik – zur politischen Klippschule; vielmehr vermittelt sie sich formal und inhaltlich im Sinne Brechts als dialektisches Gestaltungsprinzip, das dem Leser die aufbereiteten gesellschaftlichen Widersprüche im Sinne eines ›eingreifenden Denkens‹ zur Auflösung überantwortet. »Hier kann das von den Meinungstrusts zum Analphabeten zweiten Grades herabgewürdigte Landeskind zum zweiten Mal das Lesen lernen«, schrieb Peter Rühmkorf zutreffend in einer Rezension. Praktisch instrumental erweise sich diese Lyrik, »weil sich jedes dieser Gedichte auf seine Art als Dechiffriergerät verwenden läßt, geeignet, herrschende Einwickelverfahren nachhaltig zu durchleuchten und mithin ein Stück verstellten Daseins zur Kenntlichkeit zu entwickeln«.

und Vietnam und machten Erich Fried zusammen mit seinen weiteren Gedichtbänden (*Anfechtungen* 1967, *Zeitfragen* 1968, *Befreiung von der Flucht* 1968, *Die Beine der größeren Lügen* 1969, *Unter Nebenfeinden* 1970, *Die Freiheit den Mund aufzumachen* 1972, *Gegengift* 1974, *Höre, Israel* 1974, *So kam ich unter die Deutschen* 1977, *Die bunten Getüme* 1977) zu einem der Hauptrepräsentanten jener politisch motivierten neuen Lyrikbewegung, die maßgeblich mitgetragen wurde von einer Reihe jüngerer Autoren wie etwa F(RIEDRICH) C(HRISTIAN) DELIUS (geb. 1943; *Kerbholz* 1965, *Wenn wir, bei Rot* 1969, *Ein Bankier auf der Flucht* 1975), YAAK KARSUNKE (geb. 1934; *Kilroy & andere* 1967, *reden & ausreden* 1969), VOLKER VON TÖRNE (geb. 1934; *Wolfspelz* 1967, *Kopfüberhals* 1979), ARNFRIED ASTEL (geb. 1933; *Notstand* 1968, *Kläranlage* 1970, *102 Gedichte* 1970) oder Peter-Paul Zahl (geb. 1944; *Schutzimpfung* 1975).

Auch wenn sich in ihren Gedichten z. T. ungleich stärker und unvermittelter als bei Fried Momente der subjektiven Betroffenheit und persönliche – im Zuge der APO gewonnene – Erfahrungen niederschlugen, so sind doch ihre Gemeinsamkeiten unübersehbar. Stofflich-thematisch gab es kaum ein öffentlich relevantes Ereignis, das in ihnen nicht aufgegriffen worden wäre: von den ›großen‹ tagespolitischen Auseinandersetzungen (neben dem Vietnam-Krieg u. a. der israelisch-arabische Konflikt, die Bildung der Großen

Koalition in der BRD, die Notstandsgesetze, später die Berufsverbote, die Überwachungspraktiken der Verfassungsschutzorgane oder die Praktiken der politischen Justiz) bis hin zu den alltäglichsten Erscheinungen der von CDU-Kreisen euphemistisch deklarierten »formierten« Gesellschaft, die selbst in den privatesten Verhaltensweisen noch ihren repressiven politischen Gehalt offenbaren:

Yaak Karsunke: *alternativ*

ich sitze am schreibtisch beschäftigt
meine sorgen mit denen
dieses jahrzehnts zu vertauschen

eines der spielenden kinder
ein stockwerk tiefer
vor meinem fenster
fängt an zu schreien

wenn ich (vom fenster aus)
sehe
es ist nicht meine tochter
kehre ich wieder
an den schreibtisch zurück

so weit
haben sie mich
oder bin ich
nicht weit genug?

»Abrißarbeiter im Überbau« – so charakterisierte Yaak Karsunke das Selbstverständnis dieser Lyriker, wobei die ideologische Destruktion aus neu-linker Perspektive primär Bewußtseinsstereotypen des bürgerlichen Lagers galt; jedoch nicht nur ihnen allein. Ihren authentischsten Ausdruck gewann diese Lyrik oftmals gerade dort, wo sie sich selbst-reflexiv mit bürgerlich-ideologischen Residuen, politischen Widersprüchen innerhalb der Neuen Linken auseinandersetzte.
Vorherrschende Grundgeste zahlreicher Gedichte war zunächst der appellative Protest, in dem sich die ›Aufkündigung des vorherrschenden gesellschaftlichen Einverständnisses‹ artikulierte. »Brandt: es ist aus. Wir machen nicht mehr mit. Viel Wut im Bauch«, heißt es – symptomatisch für die frühe Phase dieser Lyrik – zu Beginn des von Delius nach Bildung der Großen Koalition verfaßten Gedichts *Abschied von Willy*. In dem Maße jedoch, in dem sich solcher Protest im Zuge der öffentlichen Auseinandersetzungen und der Diskussionen innerhalb der Neuen Linken politisch profilierte, wurde das dialektisierende Argument zur bestimmenden rhetorischen und stilistischen Grundfigur. Ihre prägnanteste Ausprägung sollte sie inhaltlich wie formal im reflexiven Epigramm finden. Neben den schon erwähnten E. Fried und A. Astel ist in diesem Zusammenhang vor allem PETER MAIWALD (geb. 1946) zu nennen, dessen bewußte Anleihen bei Brecht mehr als nur literarhistorische Reminiszenzen darstellen.

Standpunkt

Nachdem der Herr
im Hause zum wiederholten Male
seinen Standpunkt vertreten hatte
(der hieß:
Die Unternehmerwirtschaft ist
unantastbar),
forderte B. die Kollegen auf,
die Unternehmerwirtschaft
nicht anzutasten,
und der Betrieb
stand still.

Einen gewichtigen Stellenwert in der öffentlichen Auseinandersetzung mit staatlichen und gesellschaftlichen Einrichtungen hatte in der Taktik der Neuen Linken das Verfahren des »Umfunktionierens«; jene Technik, die (vorgebliche) Rationalität von verfestigten sozialen Ritualen und Institutionen in ihrem ideologischen, d. h. klassenmäßig interessengebundenen Charakter zu dekuvrieren. Indem man sich scheinbar auf die normierten Spielregeln einließ, sie gleichzeitig aber durch demonstrative Forcierung ihres jeweiligen Form-Inhalt-Widerspruchs verletzte, provozierte man Reaktionen, die das öffentliche Selbstverständnis jener Institutionen spektakulär konterkarierten. In engem Zusammenhang mit diesem politischen Aktionsmodell ist im Literarischen das »Umfunktionieren« traditionell vorgeprägter lyrischer Gattungen zu sehen. So wurden traditionsbeladene Genres wie z. B. Elegie, Moritat, ja selbst Choral und Gebet zu beliebten verfremdenden Formmustern, in denen Erscheinungen der spätkapitalistischen Wirklichkeit zu historischen Anachronismen gerannen.

Nicht immer war mit der »Wiederentdeckung der Wirklichkeit« in dieser Lyrik allerdings auch eine qualitativ neue Aneignungsweise von Realität verbunden. Diese Einschränkung gilt insbesondere für die überwiegende Zahl jener Gedichte und politischen Lieder, die im Zuge der politischen Strategie entstanden sind, über wiederentdeckte Agitpropformen eine unmittelbar wirksame Mobilisierung und Organisierung der kritischen »Gegenöffentlichkeit« zu erreichen. »Zwischentöne sind bloß Krampf/im Klassenkampf«, motivierte FRANZ JOSEF DEGENHARDT (geb. 1931) seine Wandlung von einem eher boheme-anarchisch subversiven Liedermacher zu einem dezidierten Politsänger. Mißverständlich deshalb, weil Degenhardt – ähnlich wie DIETER SÜVERKRÜP (geb. 1934) oder WALTER MOSSMANN (geb. 1941) – es zumeist verstanden hat, dem Dilemma der damaligen Agitprop-Produktionen zu entgehen. »Zwischentöne« vermeiden – das konnte bedeuten, konkrete gesellschaftliche und politische Erfahrungen sinnlich anschaulich auf ihren im marxistischen Sinne geschichtlich bedeutsamen Nenner zu bringen; ebensogut konnte es aber auch heißen, sich auf die Formulierung abstrakter, von der sinnlichen Erfahrung losgelöster links-progandistischer Kontrafakturen zum System der bürgerlichen Ideologie zu beschränken; eine Versuchung, der das Gros der Agitprop-Lyrik jener Jahre tatsächlich erlegen ist. Repräsentativ ist in dieser Hinsicht die 1969 veröffentlichte Anthologie *agitprop*, deren unzureichender politischer Gebrauchswert beispielhaft von H. P. Piwitt hervorgehoben wurde: »Hier ist die Wirklichkeit nur Bodensatz; geboten wird der ideologische Abhub, und er bietet denen, die voll sind von wahnwitzigen Glaubensformeln wie ›westliche Freiheit‹, ›Pluralismus‹, ›Sozialpartner‹, ›Totalitarismus‹, ›Arbeitnehmer‹ nur selbst wieder Abstrakta und keine Möglichkeit zur Identifikation« (Piwitt, 18).

Straßentheater

»Die Straße ist nach wie vor die einzige zensurfreie Tageszeitung der Opposition und bietet Raum für Kundgebungen und Demonstrationen aller Art, für Plakate, Wandzeitungen und Mauerinschriften, für improvisierte Szenen, Dokumentarfilme und Agitprop. Wenn die Herrschenden dem Volk die Ohren dicht halten wollen, bleiben die öffentlichen Straßen und Plätze die letzte Schule der Nation.«

So umriß der vornehmlich als Verfasser von politischer Lyrik, Essayistik sowie agitatorischer Dramatik auftretende PETER SCHÜTT (geb. 1939) die Voraussetzungen für die Neuentdeckung und politische Nutzbarmachung des Straßentheaters in der zweiten Hälfte der sechziger Jahre. Personell nicht selten aus den Agitations- und Songgruppen im Umkreis der Abrüstungskampagnen und der Ostermarschbewegung hervorgegangen (so etwa im Fall der Düsseldorfer CONRADS), ideell den Erfahrungen nordamerikanischer Gruppen wie dem BREAD AND PUPPET THEATER oder dem TEATRO CAMPESINO und nordvietnamesischen oder lateinamerikanischen Kampftheatern gleichermaßen verpflichtet wie der Agitprop-Tradition der Weimarer Republik, verstanden sich die meisten Straßentheater weniger als rein ästhetische Alternativen zu dem bürgerlichen Theater als vielmehr politisch instrumental im Dienste der neuen Opposition.

»Wir begreifen uns (...) als ein Medium, um eine Art Gegenöffentlichkeit zu schaffen« (KÖLNER STRASSENTHEATER 1968), als »politisches Agitationsinstrument« (SOZIALISTISCHES STRASSENTHEATER WESTBERLIN 1968), als »Spektakel zur Unterstützung von Flugblattaktionen« (KREUZBERGER STRASSENTHEATER 1970), um beizutragen zu einer »populäre[n] Verbreitung von Wissen über gesellschaftliche Zusammenhänge« (HOFFMANNS COMIC THEATER 1970). So repräsentative Selbstaussagen von einigen der bekanntesten Straßentheatergruppen. [13]

Zumeist eingebettet in die theoretische und praktische Arbeit von studentischen oder betrieblichen Basisgruppen, Bürgerinitiativen, in die Aktivitäten des Republikanischen Clubs oder anderer Gruppierungen links von der SPD, griffen die Straßentheater vornehmlich tagespolitisch virulente Themen auf: den Krieg in Vietnam, die Notstandsgesetze, die Arbeitskämpfe 1969, den Mietwucher und die Bodenspekulation in den Großstädten, die Situation der Lehrlinge, den Paragraphen 218 u. a. In einer plakativen Stilisierung der Konflikte, die die jeweils kollidierenden politischen und ökonomischen Interessen freilegen sollten, vermittelte sich größtmögliche Aktualitätsbezogenheit mit einer auf unmittelbare Einsicht zielende radikaldemokratische Aufklärung, so daß sich das Straßentheater zu einem nicht unwesentlichen Bestandteil der öffentlichen neu-linken Agitation entwickelte.

Gegen dieses Straßentheater sind von verschiedener Seite Einwände geltend gemacht worden. Seitens der literarischen Prominenz etwa von Handke, der zwar mit Recht von den bestehenden bürgerlichen Theatern als den »akzeptierten Widerspruchsorten« gesprochen hatte; der aber indes in den Straßentheatern lediglich ein herkömmliches »Freilufttheater« sah, in dem »die Mystik der STRASSE (...) ein metaphorisches Regendach« sei (*Theater heute* 1968, H. 7). Gravierender als diese formalistische Kritik, die an den konkreten Entstehungshintergrund, das politische Selbstverständnis und die inhaltliche Arbeitsweise des Straßentheaters kaum heranreicht, sind jene Bedenken, die von grundsätzlich solidarischen Kritikern vorgebracht wurden. So sah Mittenzwei die Straßentheaterbewegung dadurch gefährdet, daß sich diese vornehmlich rein negativ, »nur als neue theatralische Bewegungsform, als bloße[r] Gegensatz zum traditionellen Theater (...) etablieren« könne; eine konzeptionelle Schwäche, die sich unter gesamtgesellschaftlichem Blickwinkel dahingehend potenzieren könne, im Straßentheater einen mehr oder weniger spontanen Vorgang zu sehen und es aus der organisierten Agitation der Gesamtbewegung herauszulösen. »Diese Gefahr«, so Mittenzwei weiter, »war um so größer, weil die organisatorische Basis der gesamten Protestbewegung äußerst schmal war« (Mittenzwei in: Mittenzwei/Weisbach, 480 f.).

Kindertheater

In bestimmter Hinsicht konsequenter als das Straßentheater der sechziger Jahre erwies sich das zeitlich parallel sich entwickelnde Kindertheater, sofern unter diese Kategorie nicht die als kassenfüllende Pflichtübung absolvierten Aufführungen kulinarischer Weihnachtsmärchen auf den etablierten Bühnen subsumiert werden. Abgestimmt auf die Interessen einer wesentlich konturierteren Zielgruppe als beim Straßentheater, erfuhren in den neuen Stücken spezifische Alltagskonflikte – in der Regel solche von sozial ohnehin schon benachteiligten Kindern – ihre Thematisierung. So ging es in den Produktionen der wohl populärsten Gruppe, des THEATERS FÜR KINDER IM REICHSKABARETT BERLIN (jetzt GRIPS-THEATER FÜR KINDER) um die Auseinandersetzung zwischen Hauseigentümer und Mietern (z. B. *Maximilian Pfeiferling*), Geschlechtsrollenfixierung und Unterdrückung der Eltern am Arbeitsplatz sowie ihre Auswirkungen im häuslichen Reproduktionsbereich (z. B. *Mannomann*), den Konsumterror am Beispiel des Spielzeugmarkts (*Trummi kaputt*) oder um das Verhalten von Lehrern, Schülern und Eltern bei Konflikten im Schulalltag (*Doof bleibt Doof*). Zumeist enthielten die auf mehreren Ebenen ausdifferenzierten Demonstrationen solcher Konflikte praktische Lösungsvorschläge, die um so konkreter ausfielen, je mehr man sich aus dem anfänglichen Umkreis der antiautoritären Pädagogik der Summerhill-Schule von

Neill entfernte und Konzepten der proletarischen Pädagogen der Weimarer Republik wie Edwin Hoernle, Otto F. Kanitz, Otto Rühle oder Wilhelm Reich näherte.

Besondere theoretische Bedeutung kam in diesem Zusammenhang der neu interpretierten Brechtschen Lehrstücktheorie sowie W. Benjamins erst 1969 publiziertem *Programm eines proletarischen Kindertheaters* zu (1928 gemeinsam mit Asja Lacis verfaßt). Brechts und Benjamins Überlegungen stimmten darin überein, daß das (Kinder-)Theater seine eigentliche operative Funktion darin sehen müsse, den Zuschauer seiner bloß kontemplativen Rolle zu entheben und ihn selbst zu einem experimentierenden Mitspieler zu machen; das Theater würde somit zu einem Laboratorium, in dem die Veränderung der bestehenden gesellschaftlichen Verhältnisse unter Einbeziehung der subjektiven Erfahrungen und unter dem Korrektiv des mitagierenden Kollektivs projektiv erspielt werde. Aus einem ›Theater *für* Kinder‹ würde ein ›Theater *der* Kinder‹ werden.

Der Bezug auf Brecht und Benjamin erhellt indes einen wesentlich problematischen Aspekt des aktuellen Kindertheaters. Waren schon die Konzepte Brechts und Benjamins mehr Entwürfe als bereits verwirklichte Praxis, so waren sie doch immerhin geprägt und legitimiert von den geschichtlichen Erfahrungen einer proletarischen Massenbewegung, sei es in der Weimarer Republik oder im revolutionären Rußland. Eine auch nur annähernd entsprechende organisatorische und inhaltlich soziale Verankerung, die erst dem Kindertheater eine konkret definierbare Bedeutung im gesamtgesellschaftlichen Bewußtseinsbildungsprozeß zuweisen würde, war und ist jedoch momentan nicht gegeben. Die zumeist enge Verbindung des Kindertheaters mit der Kinderladenbewegung, die ihrerseits von den Widersprüchen zwischen einer bürgerlich-liberalen antiautoritären Erziehung und einer proletarischen Gruppenpädagogik gekennzeichnet war, bedeutete in dieser Hinsicht kaum mehr als einen Anfang.

Dokumentarliteratur

In kaum einem Sektor der literarischen Produktion spiegelt sich in einer ähnlich nachhaltigen Weise das gegenüber den fünfziger Jahren gewandelte Selbstverständnis der Literatur wider, wie in dem schwunghaften Entstehen einer Fülle von dokumentarischen Werken. Nirgendwo sonst scheinen sich in ähnlich zugespitzter Form Sedimente bürgerlicher Ideologie mit dem Anspruch einer kritisch operativen Literatur derart nachhaltig zu vermitteln. Nichts verdeutlicht dies mehr als die Tatsache, daß sich der dokumentarischen Methode von ihrem politischen Standort so unterschiedliche Autoren wie z. B. Hochhuth, Kipphardt, Weiss, Grass, Wallraff, Runge, Delius, Enzensberger, Scharang oder selbst Frisch bedient haben. Unabhängig vom jeweils manifesten politischen Inhalt, der Zielrichtung wie der Reichweite der Kritik, lag der Dokumentarliteratur ein einheitliches Motiv zugrunde. Erwachsen aus der Kritik an der ›affirmativen‹ Funktion der Massenmedien diente die dokumentarische Methode mit ihrem Verzicht auf verallgemeinernde fiktionale Gestaltung und dem Vorzug für konkrete, unmittelbar sinnlich anschauliche Stoffe subjektiv dazu, zur Bildung einer kritischen Gegenöffentlichkeit beizutragen. »Kritik an der Verschleierung (...) in Presse, Rundfunk und Fernsehen«, »Kritik an Wirklichkeitsfälschungen«, »Kritik an Lügen«, nannte P. Weiss die Aufgaben des dokumentarischen Theaters (*Dramen II* 1968); wider die »Manipulationsinstrumente für falsches Bewußtsein« in der Behandlung von »politischen Schlüsselfragen« zu wirken, hieß es bei Kipphardt (*Stücke I* 1973); Öffentlichkeit in jenen Bereichen ökonomischer und politischer Unterdrückung herzustellen, die als materieller Produktionsprozeß im Bewußtsein weiter Teile der Bevölkerung durch die Ideologie der Sozialpartnerschaft unbekannt oder verfälscht erscheint, bei Wallraff.

Der Schriftsteller schafft keine Fiktionen mehr, er wird zum Rechercheur, Interviewer, Berichterstatter, zum »Rekonstrukteur« von Geschichte (Enzensberger); auf der Basis des recherchierten Materials wählt er aus, arrangiert er, liefert er zur kritischen Begutachtung »ein abgekürztes Bild« der Wirklichkeit, das »die Wahrheit nicht beschädigt« (Kipphardt): »im Inhalt unverändert, in der Form bearbeitet« (Weiss), auf die Evidenz und die arrangierte Schlüssigkeit des Materials vertrauend oder insistierend auf der bewußt durchgehaltenen »Widersprüchlichkeit der Formen«, die die Rekonstruktion zu einem »Puzzle« werden läßt, »dessen Stücke nicht nahtlos ineinander sich fügen lassen« und in dessen »Fugen« die Wahrheit vermutet wird (Enzensberger *Der kurze Sommer der Anarchie* 1972).

Für den Autor und Filmemacher ALEXANDER KLUGE (geb. 1932) gar wird eine derartig offene Montagestruktur nicht nur durch die Komplexität und Vielschichtigkeit geschichtlich-gesellschaftlicher Ereignisse und Prozesse nahegelegt; ihm wird sie nachgerade zur einzig sinnvollen Darstellungsform angesichts der Tatsache, daß die Literatur (wie im übrigen auch der Film) per se ein sinnlich unvollständiges Medium ist, in dem sich soziale Erfahrungen des Produzenten wie Rezipienten immer nur gebrochen, verkürzt und deformiert vermitteln; denn »elementar, d. h. das umfassende Massenmedium« ist für Kluge allein »die lebendige Arbeit, die das ununterdrückbare Produktionsverhältnis ist«. Die bestimmende Funktion der nach dem Prinzip der offenen »Kristallgitter« aus dokumentarischem und halbdokumentarischem Material arrangierten Montagen Kluges liegt nun darin, gleichsam als Katalysator die durch die Instanzen und Medien der bürgerlichen Öffentlichkeit verkrüppelte soziale Phantasie und sinnliche Erfahrung zu stimulieren und zu einem komplexen Wahrnehmungszusammenhang zu organisieren. »Um Zusammenhang herzustellen, muß ich ›Zusammenhang‹ aufgeben.«

Status und Funktion der Dokumentarliteratur waren von Anfang an äußerst umstritten – von bürgerlicher wie von marxistisch orientierter Seite. Wo es nicht, wie etwa im Fall von Hochhuths *Stellvertreter*, um die Authentizität und Beweiskraft des recherchierten und aufbereiteten Materials ging, zielte die bürgerliche Kritik vornehmlich auf den vermeintlichen inhärenten Widerspruch zwischen dem Anspruch nach nicht-manipulierter Wirklichkeitsdarstellung und den Eingriffen des Autors in Form von Auswahl und Arrangement der Fakten. Unter Berufung auf Hegels *Ästhetik* konterte Kipphardt derartige Einwände, daß es, in Abgrenzung zur Geschichtsschreibung, die Aufgabe des Schriftstellers sei, »den ›Kern und Sinn‹ einer historischen Begebenheit aus den ›umherspielenden Zufälligkeiten und gleichgültigem Beiwerke des Geschehens‹ freizulegen, ›die nur relativen Umstände und Charakterzüge abzustreifen und dafür solche an die Stelle zu setzen, durch welche die Substanz der Sache klar herausscheinen kann‹«. Mit dieser abstrakten, der aristotelischen Tradition verpflichteten Auffassung wurde aber die Problematik der Dokumentarliteratur unfreiwillig eher unterstrichen als gelöst; denn mit der Berufung auf die notwendige Darstellung von »Kern und Sinn« der Geschichte stellte sich um so dringlicher die Frage nach dem Standort und dem erkenntnisleitenden Interesse des Schriftstellers, nach der eigenen bewußten oder unbewußten Parteilichkeit.

Symptomatisch für ein in dieser Hinsicht widersprüchliches Problembewußtsein war die Auffassung von P. Weiss. Wenn Hegel einst gesagt hatte, daß »der Inhalt nichts ist, als Umschlagen der Form in Inhalt, und die Form nichts als Umschlagen des Inhalts in Form« (*Enzyklopädie* § 133), so wirkt die Weiss'sche Interpretation des Form-Inhalt-Verhältnisses – »im Inhalt unverändert, in der Form bearbeitet« (*Notizen zum dokumentarischen Theater*) – nicht nur undialektisch; im Zusammenhang mit der von ihm erhobenen Forderung nach Parteilichkeit erscheint sie äußerlich und voluntaristisch. Sie muß sich den in früheren Auseinandersetzungen von Lukács geäußerten Vorwurf gefallen lassen, daß eine formal-inhaltlich derart unvermittelte Parteilichkeit lediglich

»eine Forderung, ein Sollen, ein Ideal [darstellt], das der Schriftsteller der Wirklichkeit gegenüberstellt; sie ist keine vom Dichter (im Sinne von Marx) nur bewußt gemachte Tendenz der gesellschaftlichen Entwicklung selbst, sondern ein (subjektiv ersonnenes) Gebot, dessen Erfüllung von der Wirklichkeit gefordert wird« (*Tendenz oder Parteilichkeit* 1932).

Überhaupt sahen sich die Vertreter der dokumentarischen Methode – und hier besonders diejenigen, die wie Weiss, Enzensberger oder Wallraff eine sozialistische Position für sich in Anspruch nahmen – mit kritischen Einwänden konfrontiert, die im wesentlichen schon in den zwanziger und frühen dreißiger Jahren in den Auseinandersetzungen um den proletarischen Reportageroman geltend gemacht worden waren. Dabei zentrierten sich die kritischen Argumente um die Frage, inwieweit es dem Dokumentarismus gelänge, über die Wiedergabe gesellschaftlicher Oberflächenerscheinungen, der reinen Faktizität geschichtlicher Tatsachen und Ereignisse hinaus, deren Ursachen und wesensmäßige Zusammenhänge transparent zu machen.

In dem blinden Vertrauen auf die Evidenz des Dokuments, so die Kritik, konvergiere die dokumentarische Methode erkenntnistheoretisch mit dem bürgerlichen Positivismus. Die Konzentration auf »nur einzelne isolierte Tatsachen (oder bestenfalls Tatsachenkomplexe) abgetrennt (...) von der bewegtwiderspruchsvollen Einheit des Gesamtprozesses« (Lukács *Reportage oder Gestaltung* 1932) versage sich einer gestaltenden Reflexion gesellschaftlicher Wirklichkeit unter dem Blickwinkel geschichtlicher Totalität, Voraussetzung zur Erkenntnis historischer Gesetzmäßigkeiten. Politisch führe der Dokumentarismus zu einem idealistischen Dualismus von Sein und Sollen, in dem solcherart reproduzierte Tatsachenkomplexe kaum mehr als »moralische Werturteile« dem Leser oder Zuschauer abverlangen würden. Der *Viet Nam Diskurs* von Peter Weiss wie z. T. auch die Industriereportagen Wallraffs lieferten hierfür die auffälligsten Beispiele. Unzugänglich für den prospektiven Horizont der »realen Möglichkeiten« (Hegel) im Schoße der antagonistischen Gesellschaft, offenbare der Dokumentarismus seine geistige Verwandtschaft zum utopischen Sozialismus, nämlich: »im Elend nur das Elend, ohne die revolutionäre umstürzende Seite darin zu erblicken, welche die alte Gesellschaft über den Haufen werfen wird« (K. Marx *Das Elend der Philosophie*, MEW 4, 143). Damit falle das Programm, eine Wirklichkeit abzubilden, die man verändern müsse, hinter die Brechtsche Forderung zurück, die Wirklichkeit als veränderbare darzustellen;

»es läßt dem Betrachter nur die Alternative, entweder zu resignieren oder die Leninsche Antwort auf die Frage ›Was tun?‹ durch ein bloßes ›Was tun!‹ zu ersetzen« (Pallowski, 267).

Die dezidierten methodischen Einwände gegen die dokumentarische Literatur können freilich nicht vergessen lassen, daß es ihr zuweilen durchschlagend gelungen ist, breites öffentliches Interesse auf bestimmte Problembereiche zu lenken. Daß dies freilich zuweilen weniger an der expliziten politischen Aussage und argumentativen Überzeugungskraft der Werke lag, als vielmehr an der hektischen Reaktion der dokumentarisch Inkriminierten, wird besonders im Fall Hochhuth deutlich: Erst das Echo der katholischen Kirche verhalf dem Drama *Der Stellvertreter* zu seiner weltweiten Publizität. Wirkungen anderer Art zeigten die Industriereportagen Wallraffs und die satirische Festschrift *Unsere Siemens-Welt* (1972) von F. C. Delius, deretwegen beide Autoren mit Prozessen überzogen wurden, die unfreiwillig zu öffentlich-politischen Lehrstücken gerieten. Machten sie doch die indirekten Wirkungsmechanismen einer literarischen Zensur offenkundig, die spätestens dann einsetzt, wenn der fiktionale Rahmen traditioneller Kunst zugunsten eines Schreibens mit konkreter Namensnennung gesprengt wird; wenn z. B. – wie bei Wallraff – der Bankier »Abs nicht ›Moloch‹ sondern Abs genannt wird« (*Neue Reportagen, Untersuchungen und Lehrbeispiele* 1972), wenn – wie im Fall von F. C. Delius – durchaus bekannte Detailfakten, die schon in firmeneigenen Publikationen oder anderen Darstellungen unbestritten veröffentlicht waren, zu einem schlüssigen satirischen Gesamtbild montiert werden.
Bezogen sich die skizzierten kritischen Argumente hinsichtlich der Einschätzung der Dokumentarliteratur vornehmlich auf das Problem der adäquaten Widerspiegelung von Wirklichkeit, so kommt MICHAEL SCHARANG (geb. 1941) das Verdienst zu, die Kritik an ihren Reproduktionsformen theoretisch und praktisch produktiv weitergeführt zu haben. In enger Anlehnung an Brecht und Benjamin forderte er, daß das Bedürfnis nach gesellschaftlicher

Veränderung »sich bereits und in erster Linie auf die Methode der Dokumentation« selbst auswirken müsse. Wie das aussehen könne, entwickelte er alternativ zu der Sozialreportage, so wie sie prototypisch von Erika Runge und Günter Wallraff repräsentiert wird:

»Der Autor sollte den einzelnen oder die Gruppe, zu der er Kontakt sucht, von vornherein als Mitautor ansehen. Das würde bedeuten, daß er den Plan seines Vorhabens darlegt und zur Diskussion stellt – und von diesem ersten Schritt an alle weiteren Schritte in die Dokumentation aufnimmt. (...) Die Mitautoren würden (...) selbst bestimmen, welche Fragen ihnen als sinnvoll zu beantworten erscheinen. Der Gebrauchswert einer Dokumentation wäre demnach nur dann garantiert, wenn der Herstellungsprozeß selbst für die Beteiligten einen Gebrauchswert hat, wenn er in die Richtung einer Emanzipation und Politisierung der Beteiligten wirkt« (in: Arnold/Reinhardt, 42 f.).

Die These vom »Tod der Literatur«

Sieht man von dem zuletzt skizzierten Ansatz ab, so reflektiert die Dokumentarliteratur der sechziger Jahre neben den genannten Intentionen einen deutlichen Vorbehalt gegen die herkömmlichen Literaturformen; sicherlich nicht zufällig auf dem Höhepunkt der Studentenbewegung sollte sich dieses Mißtrauen zeitweilig zu einem generellen Kunstvorbehalt verstärken. So hieß es in einem von der Berliner SDS-Gruppe »Kultur und Revolution« verfaßten programmatischen Artikel *Kunst als Ware der Bewußseinsindustrie*:

»Für die Kulturindustrie legitimiert sich die Kunstproduktion nur durch den Tausch-, nicht durch den Gebrauchswert. Mit anderen Worten: Der objektive Gehalt von Kunstwerken, die aufklärerische Funktion, werden uninteressant für ein System, das nur Profitmaximierung im Kopf hat und gegen dessen Interessen eine adäquate und konsequente Rezeption ja gerade Widerstand leisten würde« (*Die Zeit* 29. 11. 1968).

Was diesem analytischen Ansatz zugrunde lag, war eine der Frankfurter Schule entsprechende Uminterpretation der bei Marx *formbestimmten* Kategorie der Ware zu einer inhaltlichen Größe. An die Stelle der Rückkopplung von der ökonomischen Form auf den gesellschaftlichen Inhalt war die Gleichsetzung beider getreten: die Produktionsverhältnisse wurden gleichgesetzt mit den Produkten, das Vertriebssystem mit dem, was da vertrieben wird. Am Ende der entsprechenden Ausführungen stand immanent folgerichtig Resignation.

Den *Kursbuch*-Autoren W. Boehlich, H. M. Enzensberger und K. M. Michel blieb es vorbehalten, die endgültige Kapitulation vor den allmächtigen Apparaten der Bewußtseinsindustrie zu formulieren.

»Heute liegt die politische Harmlosigkeit aller literarischen, ja aller künstlerischen Erzeugnisse überhaupt offen zutage: (...) Für literarische Kunstwerke läßt sich eine wesentliche gesellschaftliche Funktion in unserer Lage nicht angeben«, brachte Enzensberger die Diskussion um den »Tod der Literatur« auf den kleinsten gemeinsamen und zugleich pointiertesten Nenner (*Kursbuch* 15, 194 f.). Dabei sekundierte ihm einerseits K. M. Michel mit seinem Abgesang *Ein Kranz für die Literatur*, wo Michel alternative Ansätze allein im »ästhetischen Mehrwert der antiautoritären Bewegung« mit den »neuen Protest- und Demonstrationsformen sah: denn das mit der Konventions- und Tabuverletzung verbundene Lusterlebnis sprenge »die überkommenen Kontexte und Einzäunungen (...), weniger durch vorgefaßte Absicht als durch ihre unmittelbare Existenz«. Auf der anderen Seite wurde Enzensberger von Boehlich unterstützt, der in seinem *Autodafé* das Ende der bürgerlichen Literaturkritik kommen sah: »Es gibt keine ›großen‹ Kritiker mehr / Es gibt höchstens Großkritiker«, die in Analogie zum ›Großunternehmer‹ mit ihrer Tätigkeit zur Perpetuierung und Stabilisierung kapitalistischer Produktions- und Verkehrsformen beitragen. »Die Kultur ist das einzige Terrain, auf dem die Bourgeoisie unangefochten dominiert. Ein Ende dieser Herrschaft ist nicht abzusehen« (Enzensberger). Die Aporien des kulturrevolutionären Ansatzes der Neuen Linken hätten kaum einen deutlicheren Ausdruck finden können. Wurden zu Beginn der Bewegung die Institutionen des Überbaus als das schwächste Glied der bürgerlichen Klassengesellschaft angesehen, so erschienen sie am Ende als deren stärkstes. Es war die Quadratur des Kreises (vgl. Barck in: Mittenzwei/Weisbach, 445).

Stofflich-thematische Präferenzen

Vor diesem Hintergrund nimmt es nicht wunder, daß sich der überwiegende Teil der praktisch literarischen Produktionen zwiespältig ausnimmt; oszillierend zwischen dezidiertem Votum für sozialistische Positionen und bürgerlich ideologischen Residuen als Reflexe der eigenen Klassenlage. Allein die Vorliebe für bestimmte Stoffe und Themen liefert in dieser Hinsicht interessante Aufschlüsse. Legt man die seit Lenin geläufige Subklassifizierung der *Drei Quellen und drei Bestandteile des Marxismus* (Lenin, Werke, 19, 3 ff.) in die Bereiche des historischen und dialektischen Materialismus, der politischen Ökonomie sowie der Geschichte der Arbeiterbewegung zugrunde, so fällt vor allem die überaus geringe Zahl an Werken auf, die sich mit der sinnlichen Veranschaulichung konkreter Probleme aus dem Gebiet der politischen Ökonomie als zentralem Thema beschäftigen. Rühmkorfs Stücke *Was heißt hier Volsinii? Szenen aus dem klassischen Wirtschaftsleben* (1969), *Lombard gibt den letzten* (1972) oder die dokumentarischen Satiren von F. C. Delius *Wir Unternehmer* (1966) und *Unsere Siemens-Welt* (1972) erscheinen in dieser Hinsicht eher als Ausnahmen, die die Regel bestätigen.

Ebenso auffällig ist die nahezu totale Abstinenz der Autoren gegenüber Themen aus der Geschichte der deutschen Arbeiterbewegung. Zwar nahm TANKRED DORST (geb. 1925) mit *Toller* (1968) die Ereignisse der Münchner Räterepublik zum Gegenstand, doch erwies sich das Stück im wesentlichen als eine um die Gestalt des expressionistischen Dichters zentrierte Revue, die anstelle einer politisch abwägenden historisierenden Einschätzung jener

Ereignisse die Illustration eines ontologisierten Wirklichkeitsverständnisses lieferte: »Toller, der Schauspieler«, der durch geschichtliche Umstände hochgespielte Intellektuelle, der glaubt, »er könne die Welt verändern mit Ideen, denen er sich nie ganz unterworfen hat« (*Arbeit an einem Stück*).

Aspekte der russischen Arbeiterbewegung erscheinen nur in wenigen Werken thematisch vermittelt: so in dem Stück *Trotzki im Exil* (1970), in dem P. Weiss seinen Protagonisten – hierin weitgehend der Trotzki-Biographie Isaac Deutschers verpflichtet – gegen die Epigonen Lenins und gegen Stalin in Schutz nimmt. HARTMUT LANGES diesbezügliche Korrektur im Sinne Otto Rühles (*Trotzki in Coyoacan* 1971) sowie seine dialektisch aufeinander bezogenen Stalin-Stücke *Der Hundsprozeß* (1964) und *Herakles* (1967) sind wie die übrigen Stücke dieses 1937 geborenen Autors von der literarischen Kritik – zu Unrecht – eher stiefmütterlich als Artikulationen eines Außenseiters auf der linken Szene abgetan worden.

Angesichts der offenkundigen Zurückhaltung in der Behandlung von Themen aus der Geschichte der europäischen Arbeiterbewegung fällt das Interesse wortführender Autoren für die Befreiungskämpfe in der Dritten Welt ins Auge. Erich Frieds Gedichtsammlung ... *und Vietnam und* ... (1966), der *Gesang vom Lusitanischen Popanz* (1967) sowie der *Viet Nam Diskurs* (1968) von Peter Weiss, Enzensbergers Dokumentation *Das Verhör von Habana* (1970), aber auch weniger bekannt gewordene Werke wie Gerhard Kellings Stück *Die Massen von Hsunhi* (1971), ja selbst noch das Hochhuth-Drama *Guerillas* (1970) dokumentieren zusammen mit einer Reihe von Reisenotizen und Tatsachenberichten eine literarische Praxis, die trotz aller Verdienste, öffentliches Interesse auf Probleme der antiimperialistischen Befreiungsbewegungen gelenkt zu haben, dennoch nicht unumstritten waren; sah man doch – so der generelle Einwand – diese Werke, eingebettet in zentrale Theoreme der Studentenbewegung, auch als »Ausdruck eines fatalen Eskapismus« (Barck in: Mittenzwei/Weisbach, 439). Denn für die Neue Linke verband sich mit der philosophisch methodischen Konstruktion gesellschaftlicher Totalität, gefaßt als Weltgeschichte, nicht nur die Preisgabe eines überkommenen Europazentrismus (vgl. Enzensberger *Europäische Peripherie* in: *Kursbuch* 2); es ermöglichte ihr zugleich, die vergangenen und gegenwärtigen Ereignisse in den westlichen Metropolen mit den Befreiungskriegen in der Dritten Welt zu vermitteln. Subjektiv verhieß dieses theoretische Verständnis der Weltlage einen Zugang zur politischen Praxis in dem Maße, wie sich die Einsicht der Neuen Linken in die eigene Ohnmacht einstellte, im eigenen Land als geschichtsbildende Kraft wirksam zu werden.

Angesichts der faktischen politischen Isolierung der Studentenbewegung von der Arbeiterschaft, angesichts ihrer eigenen sozialen Voraussetzungen als »Kopfarbeiter« nimmt es nicht wunder, daß die im Umkreis der Neuen Linken entstandene Literatur vornehmlich Themen aufgriff, die die »philosophische Seite des Marxismus« (Korsch *Marxismus und Philosophie* 1923) betrafen: die Interpretation des Verhältnisses von Basis und Überbau, und hier speziell die prekäre Beziehung von Theorie und Praxis.

Wenn sich für die Neue Linke die zentralen politischen Fragen auf das wesentliche Problem zurückführen ließen »Wie und unter welchen Bedingungen kann sich der subjektive Faktor als objektiver Faktor in den geschichtlichen Prozeß eintragen?«,[14] so konkretisierte sich dieser Ansatz im literarischen Bereich in der Frage nach der Stellung und Funktion des Intellektuellen – im nicht seltenen Sonderfall: nach der des Schriftstellers – im Klassenkampf. Tatsächlich lassen sich diesem thematischen Stichwort nicht nur eine Reihe historisch eingekleideter Werke zuordnen: etwa die erfolgreichsten Stücke von P. Weiss *Marat/Sade* (1964) und *Hölderlin* (1971), T. Dorsts *Toller* (1968), H. Langes *Die Ermordung des Aias oder Ein Diskurs über das Holzhacken* (1971) sowie *Staschek oder Das Leben des Ovid* (1972), G. Salvatores *Büchners Tod* (1972). In diesem Zusammenhang sind auch jene Werke anzusiedeln, die in unmittelbarer Form subjektive Erfahrungen der literarischen Intelligenz widerspiegeln: seien es die Romane der Studentenbewegung von Peter Schneider *Lenz* (1973) und von Uwe Timm *Heißer Sommer* (1974), seien es die nicht minder autobiographisch gefärbten Werke von Gerhard Zwerenz (*Kopf und Bauch* 1971, *Der plebejische Intellektuelle* 1972, *Der Widerspruch* 1974), von M. Walser (*Die Gallistl'sche Krankheit* 1972) oder von Karin Struck (*Klassenliebe* 1973); insgesamt ein Thema, dessen gesellschaftliche Bedeutung für die sechziger und siebziger Jahre selbst noch in den polemisch antimarxistisch gewendeten Werken eines Günter Grass *Die Plebejer proben den Aufstand* (1966), *Davor* (1969) bzw. *Örtlich betäubt* (1969) erkennbar wird.

Drei wortführende Autoren: Peter Weiss, Hans Magnus Enzensberger, Martin Walser

Peter Weiss

Kaum ein anderes deutschsprachiges Bühnenstück der Nachkriegszeit erregte eine ähnlich weltweite Aufmerksamkeit wie das 1964 uraufgeführte, von PETER WEISS (geb. 1916) verfaßte Drama mit dem barocken Titel *Die Verfolgung und Ermordung Jean Paul Marats dargestellt durch die Schauspielgruppe des Hospizes zu Charenton unter Anleitung des Herrn de Sade*. Im Epilog dieses Dramas, das unter den Bedingungen der Restaurationsphase im nachrevolutionären Frankreich ein ganz im Sinne der aristotelischen Poetik imaginäres, aber historisch mögliches Zusammentreffen des Marquis de Sade mit dem plebejischen Revolutionär Marat thematisiert, läßt Weiss den Marquis in dessen Funktion als Spielleiter resümieren:

> »Es war unsere Absicht in den Dialogen
> Antithesen auszuproben
> und diese immer wieder gegeneinander zu stellen
> um die ständigen Zweifel zu erhellen
> Jedoch finde ich wie ichs auch dreh und wende
> in unserm Drama zu keinem Ende.«

Wenn Weiss die starre Antithetik der Konfrontation von Sade und Marat erläuterte –

»Was uns (...) interessiert, ist der Konflikt zwischen dem bis zum Äußersten geführten Individualismus und dem Gedanken an eine politische und soziale Umwälzung. Auch Sade war von der Notwendigkeit der Revolution überzeugt (...), jedoch schreckt er auch vor den Gewaltmaßnahmen der Neuordner zurück und sitzt, wie der moderne Vertreter des dritten Standpunkts, zwischen zwei Stühlen«

– dann kommt dem *Marat/Sade* unter diesen Gegebenheiten eine doppelte Schlüsselstellung zu. Zum einen brachen sich in der antithetischen Konfrontation von radikalem Individualismus und sozialem Engagement wesentliche Momente des individuellen Lebensprozesses des Autors; zum anderen verliehen diese in der persönlichen Biographie verwurzelten Konflikte einem allgemeinen Bewußtwerdungsprozeß Ausdruck, dessen charakteristischer Zirkel von Auflehnung und Resignation in der Entwicklung der Neuen Linken eine erstaunliche Entsprechung finden sollte.

Der autobiographische Roman *Fluchtpunkt* (1962) beschrieb den Akt einer individuellen Selbstbefreiung aus bürgerlichen Sozialisationsformen, der widersprüchlich über forcierte Anpassungsversuche, nonkonformistische Protestversuche bis hin zu anarchisch asozialen Verhaltensweisen verlief und schließlich in das Stadium einer leeren idealistischen, nur sprachlich imaginativ ausfüllbaren Freiheit einmündete:

»Dies war der Augenblick der Sprengung, der Augenblick, in dem ich hinausgeschleudert worden war in die absolute Freiheit, der Augenblick, in dem ich losgerissen worden war von jeder Verankerung, jeder Zugehörigkeit, losgelöst von allen Nationen, Rassen und menschlichen Bindungen, der Augenblick, den ich mir gewünscht hatte, der Augenblick, in dem die Welt offen vor mir lag. (...) die Freiheit war so groß, daß ich alle Maßstäbe verlor« (*Fluchtpunkt*).

Diese Sätze reflektieren sprachlich eine Erfahrung, die in ihrer abstrakten Axiomatik einen spezifischen sozialhistorischen Wandel widerspiegelt.

»Selbstverwirklichung, in der Aufstiegsphase des Bürgertums als praktische, gesellschaftsbezogene Betätigung verstanden, in der sich Gesellschaft und Individuum gegenseitig bestimmen sollten, wendet sich ins Absolute, ins Leere, ins Nichts. Die Formen der materiellen Produktion des gesellschaftlichen Lebens sind dem spätbürgerlichen Individuum aus dem Blickfeld geraten.«[15]

Dem Protagonisten des *Marat/Sade* blieb es vorbehalten, die offenkundigen politischen Konsequenzen zu ziehen: Was sich bei Sade zunächst noch als vorbehaltloser Empirismus auszunehmen scheint (»nie sind andere Wahrheiten zu finden / als die veränderlichen Wahrheiten der eigenen Erfahrungen«), erweist sich realiter als Abgesang eines elitären Intellektuellen auf eine praktische Wirklichkeitsbewältigung. In der Auseinandersetzung mit Marat präzisiert Sade sein Verhältnis zur sozialen Realität: »Ich / habe es aufgegeben mich mit ihr zu befassen / mein Leben ist die Imagination / Die Revolution / interessiert mich nicht mehr.« In einem ›circulus vitiosus‹ schlägt der politische Skeptizismus in lähmende Verinnerlichung um: »Ich ersinne die ungeheuerlichsten Torturen / und wenn ich sie mir beschreibe / so erleide ich sie selbst.« Unter diesen Bedingungen kippen selbst die wichtigsten Momente seines zugleich auch utopischen Denkens – die auf Freud vorausweisenden hedonistischen Ansprüche auf eine Befreiung des menschlichen, speziell sexuellen Triebpotentials – in die resignative Regressivität politisch restaurativen Verhaltens um.

In Marat findet Sade seinen Gegenspieler, der, wenn man dem Epilog Glauben schenkt, die Position des adligen Spielmeisters bis zur Neutralisierung der ideellen Auseinandersetzung aufwiegt. In Marat findet sich jene alternative praktische und gedankliche Einstellung entwickelt, die sich schon in der Figur des Arztes Hoderer in *Fluchtpunkt* – allerdings nur episodisch angedeutet – vorfand:

> »Deine Arbeitsversuche bleiben fruchtlos, so lange sie nicht dem Kampf um die Veränderung der Gesellschaft dienen. Du bist verloren, wenn du dich nicht einordnen kannst in eine Solidarität« (*Fluchtpunkt*).

Was Marat von Sade unterscheidet, ist bei allen idealistischen Setzungen (z. B.: »In der großen Gleichgültigkeit erfinde ich einen Sinn«) seine in Ansätzen materialistische Geschichtsinterpretation. Die gesellschaftlichen Beziehungen werden nicht verdinglicht, sondern primär historisch prozessual als von konkreten materiellen ökonomischen Bedingungen und Interessen bestimmte begriffen. So erkennt Marat den zwiespältigen Charakter der Revolution: ihre zunächst widersprüchliche *Einheit* der revolutionären Kräfte, die dann notwendigerweise zum Schaden der Sansculotten auseinanderbrechen mußte und das Frühproletariat um den Ertrag seines Kampfes brachte.

> »(...) es zeigt sich
> daß es in der Revolution
> um die Interessen von Händlern und Krämern ging
> Die Bourgeoisie
> eine neue siegreiche Klasse
> und darunter der Vierte Stand
> wie immer zu kurz gekommen.«

Marat teilt mit Sade das Schicksal des gescheiterten revolutionären Intellektuellen. Beide erweisen sich in ihrem Denken als geschichtlich Zuführgekommene: Sade mit seinem Anspruch auf Befreiung des menschlichen Triebpotentials, das er jedoch als anthropologische Konstante nicht von gesellschaftlichen Faktoren affiziert und bestimmt sieht; Marat mit seinen plebejisch revolutionären Forderungen, die in den gedanklichen Eruptionen des ehemaligen Priesters Jacques Roux, dem »Alter Ego« Marats (P. Weiss), ihre konsequent radikalisierte und zugleich zukunftsweisende Variante erfahren.

Jedoch vermag P. Weiss – im Gegensatz zur Zeichnung Sades – nicht, das für ihn im Kern individuelle Scheitern Marats aus den historischen Bedingungen seines Handelns zu erklären. Zudem wird die

»Differenz zwischen dem perspektivelosen Pessimismus Sades und der historisch vorwärtsweisenden Position Marats (...) zwar angedeutet, aber nicht zugespitzt oder wei-
tergetrieben. Die Statik dieses Stückes, das keine Entwicklung, nur Ergebnisse kennt,
komprimiert sich am Schluß: der Standpunkt des *dritten Wegs*, dem Weiss damals an-
hing, kostet die Unabhängigkeit zwischen den politischen Lagern noch einmal moralisierend und mit künstlerischer Raffinesse aus«.[16]

Die Heterogenität der Standpunkte vermittelt sich formal in einer sinnlich
emotional überrumpelnden Vielfalt der theatralischen Mittel, die sich nicht
zuletzt in der dreifachen Schachtelung und Brechung von Ort, Zeit und dramatischer Handlungsebene niederschlägt. Auf die Gefahr dieses dramaturgischen Verfahrens, »daß bei so vielfacher Spiegelung das, was eigentlich
gespiegelt werden soll, verlorengeht«, hat P. Schneider nachdrücklich hingewiesen;[17] ein Zug, der keineswegs dem prätendierten offenen analytischen
Gestus des Stücks Rechnung trägt, sondern im Grunde als dramaturgisches
Korrelat zu der ungebrochenen Spielleiterfunktion Sades zu seiner faktischen
und ideellen Überlegenheit beiträgt.[18]

Nach Abfassung des *Marat/Sade* machte sich bei Weiss ein deutlicher politischer Bewußtseinswandel bemerkbar, der u. a. in der Positionsbestimmung
10 Arbeitspunkte eines Autors in der geteilten Welt (1965) seine programmatische Ausformulierung fand. Danach erschien ihm angesichts der »bestehenden Mißverhältnisse in der Welt« die dem »dritten Standpunkt« eignende
»Bindungslosigkeit« der Kunst als »eine Vermessenheit«. Nur in einer Bindung an »die Richtlinien des Sozialismus« und in direkter Beziehung zu den
entsprechenden gesellschaftlichen Kräften könne seine Arbeit als Schriftsteller »erst fruchtbar werden« (*Rapporte 2*, 1971). Unter diesen neuen Prämissen erfolgte anläßlich der Rostocker Aufführung des *Marat/Sade* eine eindeutige Festlegung des Autors hinsichtlich der zuvor unentschieden beurteilten Fragestellung des Stückes; demnach sei »das Prinzip Marats als das richtige und überlegene« anzusehen. »Eine Inszenierung meines Stückes, in der
am Ende nicht Marat als der moralische [!] Sieger erscheint, wäre verfehlt.«
Diese neue Einschätzung ist in doppelter Hinsicht aufschlußreich. Angesichts
der Struktur des Dramas erweist sich das Votum für die Position Marats
kaum mehr als die abstrakte voluntaristische Option eines sich zum Sozialismus bekennenden Autors. Dementsprechend vermochte er unter dem Blickwinkel der allenfalls rudimentären Historisierung von Personen und Geschehnissen die Überlegenheit Marats lediglich in ihrer moralischen, nicht
aber in ihrer konkret geschichtsbildenden Qualität zu erfassen.
Diese Züge besitzen weit mehr als nur beiläufige Bedeutung im weiteren
Werk von P. Weiss. Nach den beiden Dokumentarstücken *Die Ermittlung*
(1965) und dem *Diskurs über die Vorgeschichte und den Verlauf des lang an-
dauernden Befreiungskrieges in Viet Nam als Beispiel für die Notwendigkeit
des bewaffneten Kampfes der Unterdrückten gegen ihre Unterdrücker sowie
über die Versuche der Vereinigten Staaten von Amerika die Grundlagen der
Revolution zu vernichten* (1968) sowie nach dem *Gesang vom Lusitanischen*

Popanz (1967) verfaßte Weiss *Trotzki im Exil* (1970) und *Hölderlin* (1971). Gerade *Hölderlin*, nach Selbstaussagen des Autors weit mehr als alle bis dato verfaßten Werke ein subjektiv gültiger Selbstverständigungsversuch in der laufenden politischen Diskussion, verdeutlicht die paradoxe Eigenart des Weiss'schen Denkens.

Nachdem in den sechziger Jahren vor allem die französischen Germanisten Pierre Bertaux und Robert Minder das enge Verhältnis des historischen Hölderlin zum Jakobinertum belegt und somit wesentliche Korrekturen am gängigen Hölderlin-Bild vorgenommen hatten, geriet jener am Widerspruch zwischen revolutionärem Denken und geschichtlich gesellschaftlicher Realität scheiternde Dichter nicht nur bei Weiss zu einem beliebten literarischen ›thema probandum‹: man denke etwa an Walsers Essays *Hölderlin auf dem Dachboden* (1960) und *Hölderlin zu entsprechen* (1970) oder an Peter Härtlings soziale Biographie *Hölderlin* (1976). Bei Weiss zielte das Stück – ein historischer Bilderbogen, der in acht Tableaux die Entwicklung Hölderlins stationsweise von der Studienzeit mit Hegel, Hiller, Sinclair und Schelling bis zur eigenen physischen und psychischen Zerrüttung im Tübinger Turm nachzeichnet – auf die »Apotheose« (Epilog) des Protagonisten; eines Visionärs, dessen unverbrüchliche Treue zur eigenen Idee wider »allen Druck der alltäglichen Forderungen« (*Notizen zum »Hölderlin«-Stück*) moralisch existentiell jene vom nach-revolutionären Zustand erhoffte Identität antizipierend zu verwirklichen sucht. »Vielleicht ist er, in seinem Turm, von allen der am wenigsten Gebrochene«; eine Darstellungsperspektive des Autors, deren Legitimation Weiss von berufener Autorität absegnen ließ: im 8. Bild läßt Weiss Karl Marx im Tübinger Turm auftreten und dem verzweifelten Hölderlin versichern:

> »Zwei Wege sind gangbar
> zur Vorbereitung
> grundlegender Veränderungen
> Der eine Weg ist
> die Analyse der konkreten
> historischen Situation
> Der andre Weg ist
> die visionäre Formung
> tiefster persönlicher Erfahrung.«

Dieser sowohl für Marx als für einen Marxisten, als den sich Weiss versteht, einigermaßen verblüffende Schluß entbehrt nicht seiner entsprechenden Voraussetzungen. Denn der Preis für die »Reinheit der Existenz« des Weiss-schen Hölderlin (H. Lange) ist ein Geschichtsbild, das, gereinigt von den realen Widersprüchen des historischen Prozesses wie der auftretenden Personen, zu einem geradezu anti-empirischen idealistischen Konstrukt gerät. Geschichte wird reduziert auf eindeutige personalisierte alternative Verhaltensmodelle in restaurativen Zeiten: »hier die Verräter – dort die Bewahrer der Idee, [dies] ermöglicht nur noch die Denunziation der einen, die Verklärung der anderen«.[19] Dementsprechend fällt bei Weiss die Zeichnung der Antipoden Hölderlins aus. So ist etwa Hegel, von dessen Dialektik immerhin Lenin meinte, daß ohne ihre Kenntnis der Marxismus nur Stückwerk sei, für P. Weiss nur wegen seines zum politischen Opportunismus neigenden Wesens von Interesse (»In ihm tritt die Gestalt des Sozialdemokraten hervor, der sich in unserem Jahrhundert als Feind der Revolutionäre entpuppen wird«, *Notizen ...*); so wird Goethe zu einem selbstsüchtigen Snob und geistigen Handlanger der Frankfurter Finanz verkleinert, der später als autokratischer Dichterfürst zu Weimar Hof hält.

Angesichts dieser – wie H. Lange polemisch meinte (*Die Revolution als Geisterschiff* 1973) – vom »halbgebildeten Ressentiment« getragenen Personalgeschichte können von Weiss weder die widersprüchlichen Bedingungen des Bürgertums noch die der sozialen Revolution des Proletariats eingefangen werden; dies aber zur Darstellung zu bringen, ist der erklärte Vorsatz des Autors: *Hölderlin* »ist ein Stück aus dem Gegenwärtigen, verfremdet nur durch die Hineinversetzung in eine vergangene Epoche. Hölderlins psychologische Reaktionen sprechen von den gleichen Gefahren, die auch uns bedrohen« (*Notizen ...*). Wo etwa Brecht betonte, daß das Verfahren der Historisierung sich darin bewähren müsse, daß »man zeigt, was damals anders war als heute, und den Grund andeutet«, darüber hinaus, »wie aus dem Gestern das Heute wurde«, da charakterisieren Analogiebildungen vor einem auf den fortwährenden Zusammenhang von abstrakter Unterdrückung und Befreiung zusammengeschmolzenen Geschichtshintergrund die Methodik von P. Weiss; ein Verfahren, das schon anläßlich des *Viet Nam Diskurs* seine Kritiker gefunden hatte.[20]

Was bleibt, ist die moralische Appellfunktion des von den ›Niederungen‹ der gesellschaftlichen Praxis enthobenen Schriftstellers im zähen Kampf der Ideen. Eine gleichwohl nicht ungebrochene Haltung im Bewußtsein der unaufhebbaren Spannung von Idee und Tat, Poesie und Politik entlädt sie sich, wie die eingebettete Empedokles-Handlung in *Hölderlin* zeigt, voluntaristisch, auf daß das Schreiben nicht mehr als Ersatzhandlung erscheine. »Und doch / ich wünsch den Tag herbei / dass ich die Feder / in den Kehricht werfe / die Blätter Papirs flattern lass / in Wind / und dort hin geh / wo ich gebraucht werde.« Empedokles, zu einem frühen Che Guevara stilisiert, sprengt die Fesseln seiner geschichtlichen Bedingungen durch einen Sprung in den Ätna, durch seine eigene Negation, surrealistisch anmutende Befreiungsversuche mit einem individuellen Aktionismus vermittelnd: »Durch einen freywilgen / Entschluss / Indem er es nicht nur / bei der Idee belässt / sondern / aus der Idee sich / raus sprengt.« Der zum mythisch-missionarischen Sendboten stilisierte Intellektuelle, der als Bewahrer der reinen Idee durch »eine außerordentliche That« den lethargischen Massen die Befreiung von Knechtschaft verheißt – das ist der Gestus des *Hölderlin*-Empedokles; »die Revolution als Geisterschiff (...), die Reinheit der Existenz, der Jakobiner auf Lebenszeit« (H. Lange) der des Weiss-Hölderlin. Die Kluft zwischen revolutionärem Enthusiasmus und faktischer Isolierung des Intellektuellen von der gesellschaftlichen Basis ist nur allzu offenkundig.

Um so größere Bedeutung gewinnt in diesem Zusammenhang die Dimension des Ästhetisch-Fiktionalen als Bereich des Denkmöglichen seine besondere Bedeutung. Insbesondere dann, wenn Fiktion und authentisch dokumentarisches Geschehen zu einer künstlichen Einheit montiert werden, gerät Literatur für Weiss zum Medium, real historische, d. h. in ihrer immanenten dialektischen Qualität zu begreifende Widersprüche voluntaristisch einzuebnen. Diese Tendenz findet nicht zuletzt ihren Ausdruck in dem auf mehrere Bände angelegten Roman *Die Ästhetik des Widerstands*, von dem 1975 bzw. 1978 die beiden ersten Teile erschienen sind. Dieses Werk ist zunächst und vor allem die aus eigenen authentischen Erfahrungen und Erlebnissen des Autors mit fiktionalen Elementen synthetisierte fiktive Autobiographie eines Proletariers, die, beginnend mit der kommunistischen Untergrundarbeit im Berlin der dreißiger Jahre, verwoben mit der Geschichte der internationalen Arbeiterbewegung, ihre verschiedenen Stadien in der Emigration sowie in Rußland reflektiert. Dazwischen werden vom Ich-Erzähler Beschreibungsebenen eingeschoben, auf denen Kunstwerke der verschiedensten Epochen, vom Pergamon-Altar bis zu Picassos *Guernica*, evoziert und analysiert werden. Diese Kunstwerke fungieren als Paradigmen, um Ansätze zu einer Theorie des ›kulturellen Erbes‹ zu entwickeln; darüber hinaus wird insbesondere an den Beispielen aus der jüngsten Zeit gegenüber der KP der Anspruch geltend gemacht, die zeitgenössische Kunst als Teil eines allgemeinen Befreiungsprozesses zu begreifen.

Der prekäre Vermittlungszusammenhang zwischen Kunst und Politik ist aber nicht nur thematischer Gegenstand des Romans; unfreiwillig wird er in der Anlage dieses Werkes als Problem des Autors selbst sichtbar. So markiert etwa die Diskrepanz zwischen der von der literarischen Kritik einhellig gefeierten Sensibilität und sinnlichen Raffinesse der Bildbeschreibungen auf der einen und der abstrakt schematischen, scherenschnitthaft gesichtslosen Zeichnung der historischen politischen Weg- und Kampfgefährten des Erzählers auf der anderen Seite, wodurch diese lediglich als Sprachrohr für unterschiedliche Auffassungen und Fraktionierungen erscheinen, mehr als nur einen stilistischen Widerspruch. Vielmehr reflektiert dieser tieferliegende Schwierigkeiten des Autors, ästhetische Produktion mit der konkreten Strategie und Taktik der historischen KP (aber auch mit der Theorie und Praxis der aktuellen sozialistischen Strömungen) konkret und differenziert zu vermitteln. Im Roman wird diese Last der Vermittlung einer fiktiven Kunst-Figur aufgebürdet; die Tatsache, daß ihr wohl auffälligster Zug das Fehlen einer plastischen, unverwechselbaren persönlichen wie sozialen Identität (und damit Überzeugungskraft) ist, spricht für sich.

Hans Magnus Enzensberger

Von einer vergleichbaren subjektiven Betroffenheit, die sich nicht zuletzt in den z. T. sehr ausgeprägten autobiographischen Zügen im Werk von Peter Weiss niederschlägt, scheint das Œuvre von HANS MAGNUS ENZENSBERGER (geb. 1929) weit entfernt. In einer vielbeachteten Kontroverse mit Peter

Weiss antwortete Enzensberger auf die von Weiss aufgeworfene Frage »Auf wessen Seite stellen wir uns?«, indem er bezeichnenderweise den subjektiven Bekenntnischarakter des Weiss'schen Ansatzes kritisierte:

»Die Moralische Aufrüstung von links kann mir gestohlen bleiben. Ich bin kein Idealist. Bekenntnissen ziehe ich Argumente vor. Zweifel sind mir lieber als Sentiments. (...) Im Zweifelsfall entscheidet die Wirklichkeit« (*Kursbuch 6*).

Es ist nicht nur die Entschiedenheit der Absage an Weiss, die die Frage nach Enzensbergers Verständnis dessen, was für ihn Wirklichkeit ist, nahelegt; es ist überdies der offenkundige Wandel eines den methodischen Prämissen Adornos weitgehend verpflichteten Lyrikers und Essayisten der frühen sechziger Jahre zu einem ›spiritus rector‹ der neu-linken Bewegung, die in dem von ihm mit edierten *Kursbuch* ihr richtungweisendes Publikationsorgan hatte.

Wo P. Weiss mit seinem Votum für »die Richtlinien des Sozialismus (...) die gültige Wahrheit« für sich gefunden zu haben glaubte, da bezog Enzensberger eine differenzierte Position. Zwar verstand auch er sich mittlerweile als Marxist, doch – oder gerade deshalb – wandte er sich in aller polemischen Schärfe gegen die abstrakt normative Auffassung von P. Weiss, die sich nach Enzensberger den Zugang zu naheliegenden empirischen Problemen hinsichtlich des Stellenwerts, der Strategie und Taktik einer sozialistischen Opposition in Westdeutschland ebenso verstellte wie den Blick auf reale Widersprüche im sozialistischen Lager im Einflußbereich der Sowjetunion; Überlegungen, die in dem pamphletistischen Artikel *Berliner Gemeinplätze* (*Kursbuch* 11 und 13) ausgeführt wurden und auf dem Höhepunkt der Studentenbewegung einen breiten Adressatenkreis fanden. Doch eine praktikable Antwort auf die von der Neuen Linken aufgeworfenen Fragen vermochte Enzensberger nicht zu geben. So zutreffend auch zahlreiche seiner Einsichten im Detail waren (z. B. »selbstverständlich sind weder die Studenten noch die Intellektuellen ›das revolutionäre Subjekt‹«), bedurfte es doch kühner, mit der unumstrittenen Enzensbergerschen Brillanz absolvierter rhetorischer Volten, um dem vermeintlichen Dilemma zwischen revolutionärer Notwendigkeit und nicht-revolutionärem Bewußtsein der westeuropäischen Arbeiterschaft beizukommen: »In Sachen der Revolution ist jeder Mensch ein Experte, der sich von den historisch längst hinfälligen ›Sachzwängen‹ eines repressiven Gesellschaftssystems nicht einschüchtern läßt.« Um so leichter ließ sich mit diesem, dem gedanklichen Fundus der antiautoritären Bewegung entlehnten Argument die intellektuell tröstende, praktisch jedoch unverbindliche Zuversicht verbinden: »Die Wahrheit ist revolutionär.«

Kritiker wie K. H. Bohrer oder der Dramatiker H. Lange haben auf die romantischen Züge des Enzensbergerschen Revolutionsbegriffs hingewiesen: »der Begriff Revolution, die Herausforderung gelingt Enzensberger nicht im Zuge eines politischen Plädoyers, sondern nur im Zuge seiner puristischen Mustersprache. (...) Die zukünftige Revolution ist hier beglaubigt durch Stil. Sie wird glaubhaft nur im geistreichen Indizienbeweis der auf- und abtanzenden Wörter, die (...) nichts anderes beweisen als das, daß das Wort ›Revolution‹ noch immer eine poetische Metapher ist«; diese ist allgemein und unverbindlich, sie ist das »Schöne« und das »Kühne« schlechthin (vgl. Bohrer, 96 f.).

Besonders nachdrücklich vermittelt sich diese Haltung in dem Roman *Der kurze Sommer der Anarchie* (1972). Gestützt auf umfangreiche Recherchen unternahm Enzensberger hier den Versuch, über schriftliche und mündliche Äußerungen dritter – Zeugnissen von Historikern, Journalisten, Schriftstellern, Kampfgefährten, Verwandten – das Leben und den nicht völlig geklärten Tod des spanischen Anarchistenführers Buenaventura Durruti (1896 –1936) zu rekonstruieren. Begleitet von acht kommentierenden »Glossen« Enzensbergers wird aus den vielstimmigen, z. T. einander widersprechenden Zitaten eine literarische Collage montiert, deren bewußte innere Rissigkeit und Mehrstimmigkeit mehr als nur Ausdruck jener Distanz ist, die der Autor zwischen sich und seinen Stoff legt, um den Leser zur Mitarbeit und zur Entscheidung anzuregen (vgl. Batt, 167). Sie ist überdies und vor allem Indiz einer Wirklichkeitssicht des Autors, die im Bewußtsein der Grenzen positivistischer Rekonstruktion von Geschichte das eigene Interesse primär an der Art der Tradierung, der »Methode der Nacherzählung« von Durrutis Mit- und Nachwelt festmacht. So ist Enzensbergers Buch im Grunde weniger ein Dokumentarroman über Durruti als vielmehr eine Dokumentation über Durrutis Bild im Bewußtsein derer, die ihn mittelbar oder unmittelbar gekannt haben.

Unversehens jedoch changieren die berechtigten Vorbehalte gegenüber einer Methode der sich ›interesselos dünkenden wissenschaftlichen Recherche‹ zu einer grundsätzlichen Skepsis des Autors gegenüber deren Gegenstand und offenbaren damit einen romantisch affizierten Idealismus: Enzensberger erscheint Geschichte »als kollektive Fiktion«; sie ist ihm »eine Erfindung, zu der die Wirklichkeit ihre Materialien liefert«. Zwar nimmt Enzensberger sofort eine Einschränkung vor –

»sie ist keine beliebige Erfindung. Das Interesse, das sie erweckt, gründet auf den Interessen derer, die sie erzählen; und sie erlaubt es denen, die ihr zuhören, ihre eigenen Interessen, ebenso wie die ihrer Feinde, wiederzuerkennen und genauer zu bestimmen«

– doch der Ausgangspunkt nimmt sich kaum als der eines Marxisten aus. Während der Marxismus sich auf objektive historische Gesetzmäßigkeiten bezieht, beruft sich Enzensberger auf den Primat der Erfindung, dem die materiell begründeten Interessen nachgeordnet sind.

Wenn Geschichte in diesem Sinne als subjektive Interpretationsmöglichkeit begriffen wird, dann gerinnt die Rekonstruktion von »Buenaventura Durrutis Leben und Tod« – so der Untertitel des Romans – zur Inszenierung eines Mythos, deren »Dramaturgie der Heldenlegende (...) in wesentlichen Zügen« verpflichtet ist.

Zwar betont Enzensberger, daß selbst das anekdotische Detail »bis in die privatesten Handlungen hinein ein[en] gesellschaftliche[n] Gestus« zeitige; doch angesichts der inhaltlichen Gesamtstruktur des Romans kann dies kaum mehr als ein Postulat gelten. Denn entsprechend seiner methodischen Voraussetzungen gelingt es Enzensberger kaum, die Fiktionalisierung Durrutis mit der politisch unproduktiven Dialektik des (spanischen) Anarchismus ins Bild zu setzen: seine Volkstümlichkeit und Stärke in der ersten, spontanen Phase der Revolution, später dann seinen von revolutionärer Ungeduld getragenen Zug ins Selbstzerstörerische, als es gilt, sich in einem Dreifrontenkampf gegen die organisierte Revolution der Kommunisten, gegen die organisierte Konterrevolution und gegen den passiven Widerstand der Massen zu behaupten, und schließlich sein von Illusionen getragenes Nachleben in der französischen Emigration.

Enzensberger personalisiert und naturalisiert diese gesellschaftlichen Metamorphosen des spanischen Anarchismus. Nicht zufällig unterwirft er sie im Titel des Romans metaphorisch dem Jahreszeitenzyklus. Gegen Ende des Buches sieht er die spanische Revolution mit den Emigranten in Frankreich altern, wo doch – wie H. Lange kritisch anmerkte – das »Altern der spanischen Revolution« historisch schon »mit dem Sturm auf die Kasernen in Barcelona« anfing (Lange *Die Revolution als Geisterschiff* 1973). Wo P. Weiss das Scheitern seines mit unverhohlener Sympathie belegten Hölderlin durch die Akzentuierung seines utopischen Denkens in einer idealistischen Apotheose überhöht, da entledigt sich Enzensberger seines Gegenstands in einer romantisch anmutenden Attitüde von Melancholie und Ironie.

»Ja, natürlich, sie sind sehr gut organisiert, die spanischen Emigranten, zahlen jeden Monat ihren Mitgliedsbeitrag. Auch die Zeitung kommt immer noch heraus, das Blatt der Anarchisten. Ich möchte ja gern alles glauben, was darin steht, aber manches davon kommt mir so einfältig, so naiv vor. Das ist vielleicht ein hartes Wort, aber ich sage, was ich denke: ich kann ihnen nicht folgen. Die meisten bilden sich ein, sie bräuchten nur nach Spanien zurückkehren, wenn es soweit ist, und da wieder anfangen, wo sie 1936 aufgehört hatten. Aber was vorbei ist, ist vorbei. Man macht nicht zweimal dieselbe Revolution« (293).

Ironie in diesem Sinne ist freilich weniger eine Wirklichkeitsflucht aus der konkreten Geschichte; vielmehr ist sie zu verstehen als intellektueller Vorbehalt eines Bewußtseins unendlicher abstrakter Möglichkeiten von Geschichte, im vorliegenden Fall von der Spontaneität und der aller disziplinierenden Organisationen entbehrenden Volkstümlichkeit des spanischen Anarchismus. So besehen, ist das Angriffsziel der Enzensbergerschen Ironie, wie angemerkt wurde, »nicht das Subjekt, sondern die objektive Realität, die sich um das Subjekt nicht kümmert«.[21]

Dieser gedankliche Hintergrund umreißt nicht nur den Kontext, in dem die eingangs dieses Kapitels zitierte poetologische Positionsbestimmung Enzensbergers (*Zwei Fehler*) anzusiedeln ist; er vermittelt sich zugleich bis in seine jüngsten essayistischen und poetischen Produktionen. In dem Gedichtband *Mausoleum* (1975), der, wie es im Untertitel heißt, Sammlung von »Siebenunddreißig Balladen aus der Geschichte des Fortschritts«, begründet Enzensberger anhand von balladesken, über Zitatcollagen montierten Porträts von historischen Personen aus Wissenschaft, Kultur und Politik – der Bogen reicht von dem italienischen Uhrmacher Giovanni de' Dondi (1318–1389) bis zum argentinischen Revolutionär Ernesto Guevara de la Serna (1928–1967) – seine intellektuellen Vorbehalte und seine Skepsis angesichts der Rückschritte im geschichtlichen Fortschritt, sobald dieser nur praktische (und damit unwiderruflich verbindliche) Formen annimmt. »Die Vernunft wird geblendet durch die strikte Anwendung der Vernunft. Ununterscheidbar der Fortschritt des Schwindels vom Schwindel des Fortschritts.«

Scheinbar einen Schritt weiter geht das in 33 Gesängen raffiniert durchkomponierte Versepos *Der Untergang der Titanic* (1978); denn in diesem apokalyptischen Abgesang auf das Symbol des technischen und gesellschaftlichen Fortschritts, als das jenes für unsinkbar gehaltene und dann doch untergegangene Schiff fungiert, hat Enzensberger mit bis dahin nicht gekannter Konsequenz die kritische Selbstreflexion der eigenen politischen Erfahrungen in Kuba (der späten sechziger Jahre) und in Westdeutschland bzw. West-Berlin (der siebziger Jahre) sowie des eigenen Schreibens eingearbeitet. Doch paradoxerweise scheint gerade das, was von der literarischen Kritik vorbehaltlos als Virtuosität Enzensbergers gefeiert wurde – seine luzide sprachliche Distinktheit und Schärfe, die gerade im scheinbar absichtslosen und beiläufigen Detail wesentliche Widersprüche witzig und pointiert auf einen höchst anschaulichen und analytischen Begriff zu bringen vermag – den Autor davor zu bewahren, sich selbst offenen Zweifeln auszusetzen. So geht das Geschriebene letztlich im schon längst Gewußten auf und es »stellt sich Leere ein. Diese Leere ist die der radikalen Ironie. Der Autor scheint als ironisches Subjekt, das letztlich von der Selbstversicherung lebt, eben alles – reflektieren zu können.«[22] »Ich schwimme und heule. / Alles, heule ich, wie gehabt [!], alles schlingert, alles / unter Kontrolle, alles läuft, die Personen vermutlich ertrunken / im schrägen Regen, schade, macht nichts, zum Heulen, auch gut«, heißt es im Schlußgesang. Ironie und ästhetische Formgebung als Rettungsanker im drohenden Untergang: Enzensberger hat dieses Versepos als eine »Komödie« bezeichnet.

Martin Walser

»Ironie entstand literarisch wohl immer dann, wenn ein Autor sich und seine Gesellschaft dafür entschädigen wollte, daß er und seine Gesellschaft nicht das praktizierten, was er und seine Gesellschaft von sich verlangten. Ironie bringt Entschädigungsliteratur hervor. Aufhebung und Stillegung des Anspruchs. Veredelung eines persönlichen und gesellschaftlichen Versagens.«

Im historischen Rückblick bringt dieses pointierte Diktum MARTIN WALSERS (geb. 1927) bei aller Verkürzung und Verknappung nicht nur einen wichtigen Problemaspekt der politischen Dimension in der literarischen Produktion jener linken Fraktion der Gruppe 47 in den frühen sechziger Jahren auf den Begriff, der neben Lettau und Fried auch Enzensberger u. a. angehörte. Es vergegenwärtigt zugleich die thematische Leitlinie für Walsers eigenes essayistisches und fiktionales Schreiben bis zum Beginn der siebziger Jahre, für das die – freilich unterschiedlich entfalteten – Topoi von der gesellschaftlichen Funktion des Autors als »Freizeitgestalter in spätkapitalistischen Gesellschaften« (*Kursbuch* 20) von ebenso bestimmender Bedeutung waren wie die vermeintliche politische »Folgenlosigkeit« der Literatur.

Bescheidener als Peter Weiss in Hinblick auf die Rekonstruktion ›großer‹ historischer Stoffe bzw. Epochen, hartnäckiger als Enzensberger in dem Bemühen, die ideologischen Strukturen des westdeutschen ›hic et nunc‹ aufzubrechen, verstand Walser sein Werk Mitte der sechziger Jahre im Dienst einer Demontage des »aus konkurrierenden Jargons« – »Ostwestjargons, Lohnkampfjargons, Marktwirtschaftsjargons, Jargons für Hygiene, Freiheit und Jenseits« – »montierte[n] Bewußtsein[s]« (*Erfahrungen und Leseerfahrungen* 1965) bundesrepublikanischer Prägung.

Der Gestus eines so motivierten Schreibens war, wie das Zitat in seiner egalisierenden Reihung andeutet, weniger getragen von sozio-ökonomisch fundierter Analyse als von der Denunzierung der bis in vermeintlich absurde Paradoxien gesteigerten Widersprüche der herrschenden bürgerlichen Ideologie in ihren sprachlichen Niederschlägen. So folgen nahezu alle Dramen Walsers jener Zeit dem gleichen dramaturgischen Muster: angelegt auf unausweichliche Katastrophen, werden die jeweiligen Konflikte jedoch im ›Freiluftgefängnis‹ bürgerlicher Ideologie sistiert und scheinbar neutralisiert. Der kritische Horizont des Autors vermittelt sich vornehmlich in der satirischen Perspektive der Darstellung, deren politische Zielrichtung im wesentlichen nur ex negativo, durch die Absage an den status quo, bestimmt ist.

In *Eiche und Angora* (1962) erweist sich der naive und willfährige Protagonist Alois Grübel unter den Bedingungen der westdeutschen Restauration als der Unangepaßte, der durch unfreiwillige »Rückfälle« in seinem ständigen übereifrigen Sich-anpassen-Wollen an die herrschende Meinung gehindert wird und damit, aus der Perspektive des Autors, die bequemen Anpassungen der Majorität denunzieren soll. In *Überlebensgroß Herr Krott* (1963), im Untertitel als »Requiem für einen Unsterblichen« bezeichnet, beschwor Walser das Bild einer kapitalistischen Gesellschaft, in der alles sich ändern müßte und nichts sich ändert, weil die – wie Walser zu diesem Zeitpunkt argumentiert hätte – potentielle Dynamik der Klassengegensätze im Bewußtseinsklima eines totalen Konformismus erstickt ist.[23] Seine parodistische Schärfe bezieht dieses Stück aus dem Grundeinfall, einer paradoxen Verkehrung der Klassenkampfsituation: Krott, Inkarnation des Kapitals par excellence, vermag als einziger die konformistische Idylle nicht zu ertragen. Doch niemand aus der Masse der von ihm Abhängigen versetzt ihm den Gnadenstoß. So bleibt ihm nur noch – und hier bezieht sich das Stück auf einer höheren Ebene in die vorausgesetzte gesellschaftliche Immobilität selbst mit ein – die Beschimpfung als Kapitalist durch seinen Diener, den Kellner Ludwig, zur selbst inszenierten allabendlichen »Theatervorstellung« zu machen. Angriffspunkt der Parodie sind somit weniger die ökonomischen Voraussetzungen dieser Gesellschaft als vielmehr die eigene literarische Praxis Walsers sowie die seiner

Kollegen und die Rezeptionshaltung ihrer Adressaten, denen unterstellt wird, durch besinnungslose Anpassungsbereitschaft einen Zustand geschaffen zu haben, der ein bewußtseinsveränderndes antikapitalistisches Theater vom Schlage Brechts als parodiefähigen Anachronismus erscheinen läßt.[24]

Daß jene parodistische Kritik Walsers implizit zugleich das eigene Unvermögen wie das seiner Kollegen im Umkreis der Gruppe 47 widerspiegelte, eine zielbewußte gesellschaftsverändernde Perspektive zu entwickeln, erscheint erst im Rückblick von der in den siebziger Jahren von Walser bezogenen Position plausibel. Mitte des vorangegangenen Jahrzehnts vermittelten sich jene Züge – zur literarisch-ästhetischen Methode stilisiert – noch in Walsers Ausführungen über den zu entwickelnden »Realismus X« (*Imitation oder Realismus* in: *Erfahrungen und Leseerfahrungen*). Unausgesprochen noch einem bürgerlichen Ideologiebegriff verhaftet – Ideologie als das falsche Bewußtsein schlechthin –, habe dieser ›neue‹ Realismus »das ideologische Minimum an-[zusteuern]«; mit ihm verbinde sich eine Darstellungsweise, die über die »verschütteten Sachverhalte der nächsten Umgebung« zur Veranschaulichung der unaufhebbar interpretierten Paradoxien »des« Bewußtseins gelange; zur Darstellung von Individuen, »die so schwer verständlich wäre[n] wie jeder wirkliche Mensch, wie jedes wirkliche Bewußtsein«. Die Repräsentanten des »Absurden Theaters«, Beckett, Ionesco und Adamov, werden in dieser Hinsicht ausdrücklich als Gewährsleute für einen so verstandenen Realismus benannt.

Ungeachtet seiner Stücke wie *Der Abstecher* (1961) oder *Der Schwarze Schwan* (1961/64) – letzteres ein Drama, das am Thema der westdeutschen ›Vergangenheitsbewältigung‹ »ein paar Arten von Gedächtnis zeigt« und dementsprechend »auch ›Gedächtnisse‹ heißen könnte« (Walser) –, ungeachtet des wohl erfolgreichsten Bühnenstücks *Die Zimmerschlacht* (1962/63, uraufgeführt 1967) – im Untertitel als ein »Übungsstück für ein Ehepaar« bezeichnet –, geriet Anselm Kristlein, der Protagonist der Romantrilogie *Halbzeit* (1960), *Das Einhorn* (1966) und *Der Sturz* (1973) zur eigentlichen Kristallisationsfigur, in der sich Walsers gesellschaftliche und ästhetische Erfahrungen der sechziger Jahre am nachhaltigsten niederschlugen, um dann in der Person des Josef Georg Gallistl (*Die Gallistl'sche Krankheit* 1972) unter dem Eindruck des allgemeinen politischen Polarisierungsprozesses auf einer höheren Ebene intentional aufgehoben zu werden. *Halbzeit* schildert vor dem Hintergrund des westdeutschen »Wirtschaftswunders« den Aufstieg des Vertreters Kristlein zum Werbefachmann als einen Prozeß der permanenten gesellschaftskonformen Konditionierung. Soziale Herkunft und Tätigkeit lassen Kristlein als den Typus des gescheiterten Intellektuellen erscheinen. Abgehoben von den Bedingungen der materiellen Produktion, gleichwohl notwendiges Element im kapitalistischen Distributionsbereich und im Prozeß bürgerlicher Ideologiebildung, inkarniert die Tätigkeit des Vertreters typische Widersprüche der bürgerlichen Intelligenz. »Es gibt (...) keinen Beruf«, so Walser, »der einem Menschen das Gefühl seiner eigenen Überflüssigkeit so aufdringlich klar machen könnte, wie der des Vertreters. Das hat mir diesen Beruf sympathisch gemacht, er erinnerte mich eigentlich fast an den des Schriftstellers (...). Andererseits kann der Vertreter sich sagen, daß ohne ihn diese Art von Wirtschaft nicht mehr funktionieren würde; da mehr produziert wird als gebraucht wird, ist das Verkaufen wichtiger als das Produzieren.«

Diese widersprüchliche Situation bestimmt Seh- und Erzählweise des Protagonisten. Getragen von dem Zwiespalt zwischen bemühtem Konformismus und dem ›point of view‹ des bewußtseinsmäßig nicht ganz Dazugehörigen, wird der Protagonist und Erzähler Kristlein zum bloßen Registrator, dem Geschichte und Gesellschaft als Einheit von Schicksal und Handlung zerstört und in eine quantitativ egalisierte Fülle von ebenso vielschichtigen wie unübersichtlichen Details atomisiert erscheinen. *Das Einhorn* spiegelt die doppelte Unmöglichkeit wider, unter diesen Bedingungen einerseits in der individuellen Liebesbeziehung persönliche Identität zu entwickeln, andererseits diese negative Erfahrung literarisch zu objektivieren. Anselm Kristlein, nun Schriftsteller, erhält den Auftrag, einen »Sachroman« über die Liebe zu schreiben. »Anselm bleibt im Bett und auf dem Papier und versäumt Zeit, so folgenlos als möglich, und baut aus Bettzeug und Papier, weiße Tempelstädte. Übt Museum.«

Werden im Roman *Das Einhorn* trotz des offenkundigen Scheiterns des Helden das Schreiben als Aufgabe, als ein Fixieren von Erlebnis und Erfindung in der Sprache von Walser zumindest in einem äußerlichen Sinne noch ernst genommen (vgl. Batt, 174), so denunziert Walser ungeachtet seines erst 1973 publizierten Abgesangs auf die Welt Kristleins (*Der Sturz*) in dem Roman *Fiction* (1970) am radikalsten die Fragwürdigkeit des Schreibens eines freischwebenden, der gesellschaftlichen Verantwortung enthobenen Intellektuellen. »Schon der Titel denunziert die Zweideutigkeit des Fremdworts: Einerseits wird es im Sinne von ›literarischer Erfindung‹, andererseits im Sinne einer durch nichts verifizierbaren Aussage, einer ›fixen Idee‹ verwendet« (Batt, 175). Literatur in diesem Sinne wird verstanden als *die* künstliche und folgenlose Praxis; fruchtloses Arbeitsergebnis einer den wesentlichen Produktionszusammenhängen enthobenen Klassensituation, vermag sie sich nur noch dadurch zu rechtfertigen, daß sie sich selbst nicht mehr ernst nimmt. Die Einsicht, daß diese gedankliche Position gerade in ihrer Paradoxie letztlich von einer Verinnerlichung der gesellschaftlichen Widersprüche eines bürgerlichen Autors zeugt, sollte erst mit dem Roman *Die Gallistl'sche Krankheit* mit einer produktiven Perspektive thematisiert werden.

»Die Gallistl-Figur ist (...) entstanden, weil die Kristlein-Figur sich sträubte (...). Kristlein konnte erst stürzen, als Gallistl leben konnte. Dialektik führt von einem zum anderen. Kristlein ist mehr leidens- als entwicklungsfähig. Ich hänge an ihm. Er ist jetzt im Gallistl aufgehoben. Ich hoffe, das sei ihm recht« (Walser in: *Die Zeit* 18. 5. 1973).

Walser verstand diesen Roman primär als Anamnese des Protagonisten Gallistl, als »Eigenbericht des Kranken über seine Krankheit« und ihre Vorgeschichte. In drei Kapiteln schildert der Ich-Erzähler die Stadien seines stufenweisen Verfalls, um im abschließenden vierten Kapitel Ansätze zur Überwindung der Krise und zur Heilung zu entdecken. Was Gallistl als Krankheit erfährt und beschreibt, ist genau das, was vordem Kristlein verdrängt oder akzeptiert hatte: Einsamkeit, Leistungsdruck, Rollenzwang – gesellschaftlich verursachte Deformierungen des Individuums, denen Gallistl sich nicht mehr gewachsen zeigt oder zeigen will (vgl. Batt, 178). Nimmt er im ersten Kapitel die Selbstentfremdung nur an sich selbst wahr (»Ich arbeite, um das Geld zu verdienen, das ich brauche, um Josef Georg Gallistl zu sein. Aber dadurch, daß ich soviel arbeiten muß, komme ich nie dazu, Josef Georg Gallistl zu sein«), so stellt er im zweiten Kapitel die Wirkungen dieser Krankheit, ausgeprägt vor allem als Konkurrenzmentalität, auch bei anderen, vor allem seinen Freunden, fest. Im dritten Kapitel schildert Gallistl seine Unfähigkeit, Sozialbeziehungen aufrecht zu erhalten; er »steigt aus«, um in vollendeter Isolation parasitär dahinzuvegetieren. Im letzten Abschnitt, dessen Titel »Es wird einmal« ein »nach vorn projiziertes Märchen verheißt« (Batt, 178), verhelfen neue Freunde, Mitglieder und Funktionäre der DKP, Gallistl zur Heilung; getragen von ihrer Solidarität, lernt Gallistl, Ansätze zu einem neuen Bewußtsein und einer neuen Sprache zu entwickeln.

Unverkennbar eröffnen sich für Gallistl Möglichkeiten eines Auswegs, die Kristlein versagt waren. Dennoch sind gegen diesen Roman eine Reihe von kritischen Einwänden geltend gemacht worden. »Dem Buch mangelt es in auffälliger Weise an Welthaltigkeit« bemängelte Reinhold (285). So liegen die »gesellschaftlichen Ursachen für das, was Walser hier als Krankheit vorführt, (...) bereits vor der in diesem Buch mitgeteilten Erfahrung. Sie werden gewissermaßen vorausgesetzt und nur noch in den Reaktionsweisen des individuellen Bewußtseins, in Symptomen vorgeführt« (Reinhold, 281). Überdies verharrt die Anamnese auf der Ebene der Deskription, eine Diagnose wird nicht geliefert. Dementsprechend erfährt Gallistl die Genesung wie ein Wunder. Die utopische Hoffnung des »Es wird einmal« vermittelt sich in einem durch den Romankontext schwerlich zu legitimierenden Pathos: »Ich komme schon wieder zu mir. Dann geht es weiter. Das sehe ich doch ganz klar. Ich habe das Glück, der Zukunft zu dienen.« Zweifellos, mit der Welt, in der Gallistl sich auskennt, ist er fertig; daß er aber eine neue Welt nicht kraft seiner Erkenntnis allein zu gewinnen vermag – davon ist in dem Roman wenig zu spüren.

Wie fragil im Grunde die an Gallistl demonstrierte Position im konkreten gesellschaftlichen Kontext war, sollten die im Zuge der politischen Restauration der siebziger Jahre entstandenen Werke Walsers zeigen. Die Prosabände *Jenseits der Liebe* (1976), *Ein fliehendes Pferd* (1978) und *Seelenarbeit* (1979) lassen kaum mehr einen Schimmer von jener Hoffnung erkennen, die Gallistls Heilung ausgemacht hatte; ihre Protagonisten versuchen allenthalben verzweifelt, im defensiven Rückzug und in Selbstisolation individuelle Überlebensstrategien zu entwickeln.

Im Kontext der übrigen Literaturproduktion der beginnenden siebziger Jahre stellte Gallistls Bestandsaufnahme keinen Einzelfall dar – weder in bezug auf die autobiographische Form noch in Hinblick auf die zugrundeliegende Problematik des in der Krise befindlichen Intellektuellen. Entsprechend der theoretischen Fixierung in der neu-linken Diskussion auf das Verhältnis von Ideologie und subjektivem Faktor, entsprechend der vorherrschenden Ansicht, »daß der historische Materialismus einen systematischen, ins Detail gehenden Zusammenhang zwischen den objektiven Bedingungen für den Verdinglichungsprozeß und den zahlreichen Erscheinungsformen im Sozialcharakter des Menschen nicht entfaltet« habe (Wiese/Beyer in: *Kursbuch* 29, 140), entstanden in den siebziger Jahren nach dem Scheitern der Studentenbewegung und den mittlerweile einsetzenden Zweifeln an der unmittelbaren Operationalisierbarkeit der Literatur eine Reihe von Werken, die in vergleichsweise größerer Bescheidenheit jenem für die Intelligenz problematischen Tatbestand Rechnung zu tragen versuchten. Dabei schlugen sich die spezifischen sozialen Voraussetzungen der neu-linken Bewegung nicht zuletzt darin auffällig nieder, daß der breite Publikumserfolg weniger einem dem Proletariat entstammenden Autor wie GERHARD ZWERENZ (geb. 1925) (*Kopf und Bauch* 1971, *Der plebejische Intellektuelle* 1972, *Der Widerspruch* 1974) beschieden war; zu wahren Bestsellern wurden vielmehr Bücher wie *Klassenliebe* (1973) von KARIN STRUCK (geb. 1947) sowie *Lenz* (1973) von PETER SCHNEIDER (geb. 1940).

Klassenliebe – der großspurig anmutende Titel soll erst aus Marktüberlegungen auf Drängen des Verlags gewählt worden sein – ist ein Tagebuch, das die verinnerlichten Erlebnisse und psychischen Schwierigkeiten einer Studentin proletarischer Herkunft im täglichen akademischen Betrieb und im privaten Bereich, zudem überlagert von Erfahrungen femininer Rollenzwänge, zu objektivieren versuchte. Nicht zuletzt die in der Kritik unbestrittene sprachliche Sensibilität der Autorin mit ihrem Gespür für sublimste Formen von Ängsten, Zwängen und Unterdrückung trugen dazu bei, daß dieses Buch mehr durch seine Unmittelbarkeit und subjektive Betroffenheit wirkte als durch eine Selbstreflexion, die überzeugende praktikable Handlungsmöglichkeiten eröffnet hätte. Dieser fehlende analytische Zug sollte bei Karin Strucks nächstem Roman *Die Mutter* (1975) derart zur Methode werden, daß Peter Handke mit Recht bemängelte: »*Die Mutter* ist (...) ein durch und durch schematisches Buch – das Höchstpersönliche als Schema« (in: *Der Spiegel* 17. 3. 1975).

Demgegenüber spiegelt die Erzählung *Lenz* von P. Schneider die subjektiven Wahrnehmungs- und Verhaltensschwierigkeiten wider, unter denen der durch die Studentenbewegung politisch und emotional sensibilisierte Lenz leidet; dies vor allem angesichts der in verschiedene linke Zirkel zerfallenen Oppositionsbewegung der West-Berliner Politszene. In Büchners *Lenz* – der literarischen Vorlage Schneiders – scheiterte der Protagonist an dem subjektiv nicht aufhebbaren Widerspruch einer zerfallenen Wirklichkeit und einem inkommensurabel gewordenen Idealismus; Lenz, wahnsinnig geworden, verübt Selbstmord. Bei Schneider gerät Lenz in eine ähnliche ernste existentielle Krise. Die Praxis, so wie er sie vorfindet, versagt sich seinen intellektuellen und psychisch-emotionalen Bedürfnissen; überall stößt er auf eine Barriere des Widerstands, des Nicht-Verstehens oder der Gleichgültigkeit. Erst eine Italienreise, wo sich ihm im Verlauf solidarischer Kämpfe von Arbeitern und

Studenten neue Erfahrungs- und Wahrnehmungsformen erschließen, die seine politisch-soziale Bedeutung als Intellektueller ebenso relativieren wie präzisieren, verhilft ihm zu jenem selbstkritischen Bewußtsein, das ihn nach seiner Rückkehr in Berlin aushalten läßt: »Was Lenz denn jetzt tun wolle. ›Dableiben‹, erwiderte Lenz.«

Arbeiterliteratur – Literatur der Arbeitswelt

1959/60 signalisierte die Krise im Ruhrbergbau das Ende der Rekonstruktionsphase der BRD und zugleich die ersten strukturellen Einbrüche einer Gesellschaft, deren vergleichsweise hohe wirtschaftliche Zuwachsraten der herrschenden politischen Meinung nach sicherster Garant schienen, um gegen soziale Krisen gefeit zu sein. In dem Maße, in dem sich jedoch mit dem einsetzenden ›Zechensterben‹ das Ende jener zum »Wirtschaftswunder« mythisierten Entwicklung ankündigte, rückte in der literarischen Öffentlichkeit zunehmend die Tatsache ins Bewußtsein, daß, von wenigen Ausnahmen abgesehen, die bisherige Nachkriegsliteratur mit der Ausklammerung der materiellen Produktionssphäre aus ihren thematischen Präferenzen einen, ja den wesentlichen gesellschaftlichen Bereich ignoriert hatte.

So stellte, nachdem zuvor schon A. Andersch auf diesen prekären Sachverhalt aufmerksam gemacht hatte (*Frankfurter Allgemeine Zeitung* 24. 7. 1959), W. Rothe 1960 in einem Rundfunkvortrag die Frage »Für Dichter kein Thema?«, um dann selbst die Antwort zu geben: »Die industrielle Arbeitswelt – ein Stiefkind der Literatur« (Hessischer Rundfunk, 5. 4. 1960); und W. Jens sekundierte: »Die Welt, in der wir leben, ist noch nicht literarisch fixiert. Die Arbeitswelt zumal scheint noch nicht in den Blick gerückt zu sein. Wo ist das Porträt eines Arbeiters? (...) Arbeiten wir nicht? (...) Ist unser tägliches Tun so ganz ohne Belang? Geschieht wirklich gar nichts zwischen Fabriktor und Montagehalle, ist das Kantinengespräch ohne Bedeutung, prüft kein Labor seine lebenslänglichen Sklaven?«.[25]

Die wenigen Ausnahmen an Arbeiterliteratur seit 1945 schienen unfreiwillig eher dazu angetan, die Forderung nach einer realistischen Literatur der Arbeitswelt noch dringlicher erscheinen zu lassen. So etwa die 1949 im katholischen Butzon und Bercker Verlag erschienene Broschüre *Dichter und Arbeiter* von Matthias Ludwig Schröder, die im Geist der Barthel, Bröger und Lersch den Arbeiterdichter als einen über den Parteien stehenden Sänger pries, dem es zukomme, den Hymnus auf die moralisch adelnde Kraft der Arbeit anzustimmen und – hierin auf die alte nationalsozialistische Gleichung »Arbeiter – Soldat« rückgreifend – dem Arbeitsethos als »Frontschweinkameradschaft« zu huldigen, die allen materiellen Lohn aufwiege. Kaum anders geriet die in demselben Verlag erschienene Übersicht *Deutsche Arbeiterdichter* (1951) von Herrmann Blech. Und wenn man gar die staatlich lizenzierten Schullesebücher zu diesem Thema in den Nachkriegsjahren konsultierte, dann offenbarte sich das verlogene Bild einer vorindustriellen Idylle, in dem die hochkapitalistische Gesellschaft mit ihren Herrschafts- und Abhängigkeitsverhältnissen zu einem patriarchalischen Agrarstaat regrediert erschien: Zu »ein[em] Land von Bauern und Bürgern, die in umhegter Häuslichkeit schaffen und werkeln«, wie der französische Literaturwissenschaftler R. Minder schrieb.[26]

Die Dortmunder ›Gruppe 61‹

Zwar fehlte es in den späten fünfziger Jahren nicht an vereinzelten Bemühungen, realistischere Gegenbilder zu entwerfen; doch zu einer Gegenbewegung kam es erst, nachdem sich 1961 eine Reihe schreibender Arbeiter, Kritiker und Journalisten als DORTMUNDER GRUPPE 61 zu einem »Arbeitskreis für die künstlerische Auseinandersetzung mit der industriellen Arbeitswelt« zusammenschlossen. Bereits das Einleitungsreferat Fritz Hüsers – als Bibliothekar und Gründer des Dortmunder »Archivs für Arbeiterdichtung« zugleich einer der Hauptinitiatoren des Zusammenschlusses – markierte den Traditionszusammenhang, aus dem die programmatische Perspektive der Gruppe 61 entwickelt wurde. Historischer Anknüpfungspunkt war nicht die proletarisch-revolutionäre Literatur der Weimarer Republik im Umkreis der KPD, sondern die Arbeiter- und Industriedichtung, wie sie zu Beginn des Jahrhunderts vor allem vom Bund der »Werkleute auf Haus Nyland« und dem »Ruhrlandkreis«, seiner späteren regionalen Parallele und Ergänzung, gepflegt worden war.

Zwar verstand die Gruppe 61 ihre Anbindung an die Tradition der Arbeiterdichtung keineswegs als eine unreflektierte Rezeption. »Kritische Beschäftigung mit der früheren Arbeiterdichtung und ihrer Geschichte« lautete einer der vier Hauptpunkte ihres Programms, das am 22. 3. 1963 verabschiedet wurde. Doch entsprechend der ausschließlichen Fixierung auf die dem politischen Reformismus verpflichtete Tradition der Arbeiterdichtung blieb der Horizont der Kritik bescheiden. Ohne die von der proletarisch-revolutionären Literatur aufgeworfenen Fragen zum problematischen Verhältnis von Volkstümlichkeit – Parteilichkeit – Realismus und die je erprobten Antworten vor dem politischen Hintergrund der geschichtlichen Spaltung der Arbeiterbewegung zur Kenntnis zu nehmen, sah man die heutigen historischen Grenzen der Arbeiterdichtung lediglich in der thematischen Unzeitgemäßheit und formalen Unzulänglichkeiten begründet. »Im Zeitalter der Mitbestimmung und der Automation, der Kybernetik und Atomkräfte, der Volksaktie und der 40-Stunden-Woche stehen andere Fragen und Probleme im Vordergrund als die der früheren Arbeiterdichtung«, hieß es im Vorwort zum »Almanach der Gruppe 61« (*Aus der Welt der Arbeit* 1966).

Was somit blieb, war eine Literaturauffassung, die zwar der Nachkriegsliteratur einen neuen Darstellungsbereich erschloß: den der »industriellen Arbeitswelt«; eine Konzeption, die aber zugleich die Institution Literatur mit ihren Vermittlungsinstanzen und ihren Qualitätsnormen – hierin in entscheidendem Maße bürgerlich ideologische Muster reproduzierend – als klassenindifferent unbefragt voraussetzte. »Die Autoren der Dortmunder Gruppe 61 schreiben nicht als Arbeiter für Arbeiter, sie wollen einen Beitrag leisten zur literarischen Gestaltung aller drängenden Fragen und Erscheinungen unserer von Technik und ›Wohlstand‹ beherrschten Gegenwart. Nicht der Beruf und die soziale Stellung des Schreibenden ist entscheidend – wichtig allein ist nur das Thema und die Kraft, es künstlerisch darzustellen«, faßte F. Hüser die wesentlichen Ziele der Gruppe 61 zusammen (Vorwort zu: *Aus der Welt der Arbeit*).

Zu Recht ist in diesem Zusammenhang darauf verwiesen worden (Stieg/ Witte, 139), daß mit diesem Anspruch jener Annäherungsprozeß an die bürgerliche Literatur zum Abschluß kam, der schon von den der SPD nahestehenden Arbeiterdichtern der zehner und zwanziger Jahre angestrebt worden war. In seiner aktuellen Dimension entsprach er der mit dem Godesberger Programm (1959) endgültig vollzogenen Wandlung der SPD von einer ehemaligen Arbeiterpartei zu einer »Volkspartei« bürgerlichen Zuschnitts. Wenn es im Zuge der intendierten pluralistischen ›Entideologisierung‹ im Godesberger Programm hieß:

»Nur ein vielgestaltiges wirtschaftliches, soziales und kulturelles Leben regt die schöpferischen Kräfte des einzelnen an, ohne die das alles geistige Leben erstarrt«,

so wirkte die programmatische Festlegung der Gruppe 61 – »in jeder Beziehung unabhängig und nur den selbst gestellten künstlerischen Aufgaben verpflichtet – ohne Rücksicht auf andere Interessengruppen« (*Programm*) – als sinngetreu entsprechender literarischer Arbeitsauftrag. Darüber hinaus erwies sich das Programm de facto als Komplement zu dem Verzicht der Nachkriegs-SPD, eine eigenständige Kultur- und speziell literaturpolitische Theorie zu entwickeln (vgl. Stieg/Witte, 140).

Man muß sich diese Zusammenhänge vergegenwärtigen, um zu einer Erklärung der Einheit wie inneren Heterogenität, zu einer Einschätzung der Leistungen wie Grenzen der Gruppe bei ihrem Versuch zu gelangen, die eigene Lebens- und Arbeitssituation literarisch zu reflektieren.

Da feierte, speziell in der Lyrik, einerseits die expressionistische Dämonisierung von Natur und Maschine ganz im Stil von Engelke, Zech oder Schönlank ein schier ungebrochenes Nachleben. Arbeit erscheint im alltäglichen Streß als chtonische, naturschändende Auseinandersetzung mit numinosen Mächten, wo »Menschentier mit Menschenlist / sich mit den Gewalten mißt. / Aufgeschreckte Geister schrein / urwelthaft aus dem Gestein« (JOSEF BÜSCHER, geb. 1918, *Gedichte* 1965). Mit trotzigem Stolz, oftmals untermischt mit allegorisch religiösen Tönen, werden schicksalhaft die Arbeitsbedingungen unter Tage mannhaft auf sich genommen, nicht zuletzt angesichts des lohnenden Trostes der »friedvolle[n] Heimstatt, / der braven Gefährtin / und Mutter der Kinder« (ARTHUR GRANITZKI, geb. 1906). Von solchen Vorstellungen deutlich abgehoben, standen andererseits die Versuche, die Bedingungen der gegenwärtigen Arbeitswelt in einer durch die eigene Subjektivität nicht getrübten Sachlichkeit zu objektivieren: Die Ausnahme als die Regel eines gefährlichen Arbeitsplatzes (KLAS EWERT EVERWYN, geb. 1930, *Beschreibung eines Betriebsunfalls*), die Monotonie des mechanisierten Arbeitsprozesses als dessen Besonderheit zu beschreiben (ANGELIKA MECHTEL, geb. 1943, *Im Glasquadrat*) – das waren die häufig wiederkehrenden Muster zahlreicher Prosastücke. Dies galt nicht nur für die Darstellung von Bereichen aus der industriellen Arbeitswelt. So schilderte WOLFGANG KÖRNER (geb. 1937) in seinem Roman *Versetzung* (1966) die Erfahrungen eines Angestellten in einer Sozialversicherung, deren bürokratisch verdinglichte Verkehrsformen bis in den privaten Reproduktionsbereich hinein wirksam werden.

Die politischen Einsichten, die diese Werke erkennen ließen und dem Leser vermittelten, waren, der unmittelbaren Widerspiegelung der erlebten Widersprüche entsprechend, bescheiden. So ist es sicher auch kein Zufall, daß in diesem Zusammenhang Herleitungen aus der geschichtlichen Kontinuität des Kampfes der Arbeiterklasse um gerechtere Verhältnisse, die Anlaß und Anhalt zur Reflexion der aktuellen politischen Praxis geboten hätten, die Ausnahme darstellten: so etwa KURT KÜTHER (geb. 1929) mit der *Kleine[n] Ballade von der Freiheit zur Sonne* in *Schichtenzettel* (1969) oder BRUNO GLUCHOWSKI (geb. 1900) mit seinem freilich von idyllischen Verengungen nicht freien Roman *Der Honigkotten* (1965).

Am ehesten fand die unkonturierte politische Perspektive der Gruppe 61 ihren adäquaten Ausdruck wohl in jener bekannten Eingangszeile aus HILDEGARD WOHLGEMUTHS (geb. 1917) Gedicht *Wir kommen aus den Elendsvierteln*, die auch dem *Almanach der Gruppe 63* als Motto diente: »Wir stören? Das ist unsere Absicht.«

Dies allerdings ungeachtet aller ästhetischen Anfechtungen seitens der konservativen bürgerlichen Kritik mit der Erschließung neuer gesellschaftlicher Darstellungsbereiche vor allem in den Anfangsjahren der Gruppe 61 öffentlich erreicht zu haben, war nicht zuletzt das Verdienst eines Mannes, der vom Mitinitiator der Gruppe zu ihrem prominentesten Mitglied und 1970 zu ihrem offiziellen Sprecher avancierte: MAX VON DER GRÜN. Geboren 1926 in Bayreuth, nach der Kriegsgefangenschaft von 1951 bis zu einem schweren Arbeitsunfall 1963 im Bergbau tätig, hatte von der Grün die extremen Arbeitsbedingungen unter Tage in eigener Anschauung erlebt. Zugleich war er Zeuge wie unmittelbar Betroffener jener Krise im Ruhrbergbau geworden, die man in der Öffentlichkeit nur zu bereitwillig mit der Metapher vom »Zechensterben« naturalisierte. Nahm von der Grün in dem Roman *Männer in zweifacher Nacht* (1962) noch eine Ausnahmesituation, ein Bergwerksunglück, traditionellen Mustern folgend zum eigentlichen Gegenstand seines Werks, um, wie kritisch angemerkt worden ist, Vorstellungen »einer animalisch-frühmenschlich gedachten Sozietät« im Kontext einer archaisierenden Dämonisierung der Arbeitsbedingungen appellativ zu entfalten,[27] so offenbarte schon der nächste Roman, *Irrlicht und Feuer* (1963), mit seiner ungleich größeren Konkretheit ein wesentlich kritischeres Potential. Allein der Vorabdruck einer Episode in der Wochenzeitung *Echo der Zeit* (19. 5. 1963), worin ein Unglücksfall unter Tage geschildert wurde, brachte Autor und Verlag einen Prozeß ein. Die Herstellerfirma eines höchst profitversprechenden, aber sicherheitstechnisch nicht ausgereiften mechanischen Kohleabbaugeräts, durch das nach von der Grüns Bericht mehrere Bergleute schwer verletzt worden und schließlich sogar ein Steiger zu Tode gekommen waren, versuchte, wegen angeblicher Geschäftsschädigung, eine Publikation dieser Darstellung zu unterbinden.

Allein diese Reaktion verriet, daß von der Grüns Schreiben der konkreten Wirklichkeit spürbar nähergekommen war; eine Tendenz, die dann den ganzen Roman prägte. Zentriert um die Person des Jürgen Fohrmann, zeichnete der Autor den Alltag eines Kumpels mit seinen bis in den privaten Reproduktionsbereich hinein wirksamen Erscheinungen der physischen wie psychischen Ausbeutung und sozialen Entfremdung, die durch Konsumdenken und Aufstiegsmentalität kaum kompensiert, ja eher verschärft werden.

Entsprechend dem Stand der sozialen Auseinandersetzungen zu Beginn der sechziger Jahre in Westdeutschland artikulierte sich das Drängen auf Veränderung der untragbaren gesellschaftlichen Verhältnisse noch primär in spontaner, sporadischer Rebellion, die sich vor allem gegen die politische Resignation weiter Teile der Arbeiterschaft richtete. Auf einer Betriebsversammlung bricht es bei dem angetrunkenen Fohrmann hervor:

»Wir möchten gerne aufbegehren, weil gegen die herrschenden Zustände aufbegehrt werden muß. Aber wir halten die Schnauze, wir müssen nämlich Geld verdienen, wir müssen leben, wir wollen gut leben. In uns ist ein kleiner Rebell, aber die Rebellen sind in unserem Land müde geworden.«

Schuld an diesem desolaten Zustand haben nach Max von der Grün nicht unmaßgeblich die Gewerkschaften, die im Sinne der offiziösen »Sozialpartnerschafts«-Ideologie dazu beigetragen hatten, den Kontakt mit der werktätigen Basis zu verlieren.

»Wir meutern und begehren auf und beziehen Front, nur wenn es unsere Gewerkschaft wünscht, auch wenn wir dann selbst keinen Grund zum Aufbegehren sehen. (...) Aber wehe, ein, zwei, fünf oder zehn Mann setzen sich zur Wehr, weil ihnen Unrecht geschehen ist, weil es irgendwo im Betrieb stinkt, dann fällt uns die Gewerkschaft in den Rücken und sagt, das sei ein nichtlegitimer Streik, und nichtlegitime Streiks sind ein Unrecht an der Gesellschaft, das ist dann ein wilder Streik.«

So blieben auch in diesem Punkt die entsprechenden Reaktionen nicht aus: Die Gewerkschaften, die zunächst Texte von der Grüns und anderer Autoren in ihren Organen veröffentlicht hatten, zeigten sich fortan nicht länger bereit, ihnen brisant erscheinende publizistische Aktivitäten zu unterstützen. Mit dem Argument der fehlenden gewerkschaftlichen Solidarität wurden von der Grün und andere Autoren vor allem dann mit dem Entzug der Publikationsorgane bestraft, wenn Einrichtungen der Mitbestimmung, so wie sie als Zentralpunkte gewerkschaftlicher Politik im Betriebsverfassungsgesetz und dem Mitbestimmungsgesetz der Montanindustrie formuliert waren, auch auf ihre ordnungspolitische Funktion hinterfragt wurden.

Überhaupt lieferte von der Grün das eindringliche Beispiel dafür, in welche Konflikte sich ein Autor gestellt sieht, der, selbst wenn er nicht mit kommunistischen Organisationen zusammenarbeitet oder mit ihnen sympathisiert, sowohl mit den Kapitaleignern, deren Management und Verbänden auf der einen wie mit den Gewerkschaften auf der anderen Seite geraten konnte, wenn er sich um eine realistische Annäherung an die Arbeitswirklichkeit bemüht. Beredtes Zeugnis stellt in dieser Hinsicht von der Grüns Roman *Stellenweise Glatteis* (1973) dar. Auf der Grundlage authentischer Vorkommnisse schildert dieses Buch den Kampf des Kraftfahrzeugschlossers Karl Maiwald, der in seinem Betrieb die Installierung einer Abhöranlage entdeckt hat. In spontaner Empörung zerstören die Kollegen die Abhöreinrichtungen. Während die Sanktionen der Geschäftsleitung gegen Maiwald nicht lange auf sich warten lassen, aber mit Hilfe sich solidarisierender Kollegen unterbunden werden können, zeigt sich die Gewerkschaftsleitung trotz anderslautender Parolen praktisch indifferent, die Mobilisierung der Arbeiter zu organisieren und voranzutreiben. Einige Monate später übernimmt die gewerkschaftseigene Bank für Gemeinwirtschaft gar den Betrieb, ohne jedoch den Erwartungen der Belegschaft Rechnung zu tragen, Veränderungen im Produktionsablauf herbeizuführen. Einer der Höhepunkte des Romans ist eine Demonstration von rund 10000 Arbeitern in Dortmund, die Maiwald, italienische kommunistische Arbeiter und ein DKP-Mitglied, das jedoch aus Gründen der politischen Opportunität den Druck der Flugblätter vor seiner Partei verheimlichen muß, maßgeblich organisieren. Da jedoch die Demonstration von keiner politischen Kraft aufgenommen und vorangetrieben wird, bleibt sie ohne sichtbares Ergebnis. Gegen Ende des Romans eröffnet sich dem Protagonisten allenfalls die fragwürdige Perspektive des individuellen Aufstiegs in einen florierenden Familienbetrieb: »Ich hätte zufrieden sein müssen. Aber ich war es nicht«, lauten Karl Maiwalds letzte Worte.

So besehen lieferte Max von der Grüns Roman das im Rahmen der Gruppe 61 weitestgehende Beispiel einer gesellschaftskritischen Bestandsaufnahme westdeutscher Arbeitswelt, offenbarte aber auch zugleich die begrenzte Reichweite jener Position. Die Mitglieder der Dortmunder Gruppe 61 sind, wie der Hallenser Germanist Wolfgang Friedrich schon 1965 resümierend schrieb, »kaum (...) über die allgemein gehaltene Androhung der Rebellion hinausgelangt. Wollen sie weiterhin den selbstgestellten Aufgaben gerecht werden, müssen sie ohne Zweifel einen Schritt weitergehen, nicht nur Fakten nennen, nicht nur das wachsende Unbehagen der westdeutschen Arbeiter wiedergeben, sondern Wege zeigen, dessen Ursachen zu beseitigen«.[28]

Der Werkkreis Literatur der Arbeitswelt

Notwendige Voraussetzung für einen solchen Schritt war indes nicht weniger als eine kritische Überprüfung jener zentralen Programmpunkte der Gruppe 61, die die eigene literarische Arbeit freiwillig/unfreiwillig den Prämissen einer bürgerlich aufklärerischen Literaturkonzeption unterworfen hatte; es bedeutete dies vor allem eine Revision

- der Verpflichtung zu pluralistischer ideologischer »Offenheit« wie zu politischer Überparteilichkeit und Unabhängigkeit (»Die Dortmunder Gruppe 61 ist in jeder Beziehung unabhängig und nur den selbstgestellten künstlerischen Aufgaben verpflichtet – ohne Rücksicht auf andere Interessengruppen«);
- der Verpflichtung auf verdinglichte normative ästhetische Maßstäbe (»Die künstlerischen Arbeiten müssen individuelle Sprache und Gestaltungskraft ausweisen und entwicklungsfähige Ansätze zu eigener Form erkennen lassen«);
- der Hinwendung an ein unspezifiziertes Publikum, was spätestens nach dem teilweisen Entzug gewerkschaftlicher Publikationsorgane de facto einer Adressierung der »bürgerlichen Öffentlichkeit« gleichkam;
- der unreflektierten Verwendung des Mediums Literatur unter Inanspruchnahme ihrer bürgerlichen Vermittlungsinstanzen, das den Arbeiter als neugewonnenes *Objekt* der literarischen Darstellung und der kommerziellen Verwertung akzeptierte.

Die Bedeutung dieser Probleme war keineswegs nur theoretischer Natur. Zum einen war sie zu sehen vor dem Hintergrund der gesamtgesellschaftlichen Entwicklung in Westdeutschland, zum anderen im Zusammenhang gruppeninterner Veränderungen und Polarisierungstendenzen. Die wirtschaftliche Rezession Mitte der sechziger Jahre, die in der Krise von 1966/67 ihren spektakulären Höhepunkt hatte und mehr als einer Million von Werktätigen den Arbeitsplatz kostete, machte nicht nur die strukturelle Anfälligkeit der westdeutschen Wirtschaft offenkundig; sie zeigte zugleich, daß die Krise die Arbeiterschaft und ihre Organisationen politisch weitgehend unvorbereitet traf, während sich parallel dazu weite Teile der überwiegend akademischen Intelligenz in der APO und der Studentenbewegung mit der geschichtlichen Aufarbeitung linkskommunistischer Positionen zunehmend politisch profilierten. Gruppenintern erwiesen sich die juristischen Repressalien publizistisch inkriminierter Unternehmer auf Autoren der Dortmunder Gruppe fast ebenso folgenschwer wie die nach den ersten Konflikten nur noch bedingte Bereitschaft der Gewerkschaften, ihre Publikationsorgane den schreibenden Arbeitern zur Verfügung zu stellen. Den Rückfall eines Teils der schreibenden Arbeiter und Angestellten in »jene Anonymität (und subjektiv: Resignation), aus der sie sich einmal herauszubegeben« versucht hatten, konstatierte im Rückblick resümierend Peter Kühne, ein intimer Kenner der Verhältnisse, jene gruppeninterne Sezessionserscheinungen.[29] An die Stelle der sich zurückziehenden Autoren traten jüngere, die über spezifisch proletarische Erfahrungen nicht verfügten und deshalb nur bedingt für Arbeiter schreiben konnten und wollten. Damit aber gingen auch Gruppenzusammenarbeit und Gruppenlernprozeß verloren.[30]

Damit in eins verlief eine Entwicklung, in deren Verlauf die Gruppe 61 zwischenzeitlich immer mehr Züge einer literarischen Börse annahm, zu der sich zunehmend Autoren einfanden, denen der Weg zum literarischen Erfolg auf den herkömmlichen Wegen versagt war. »Autoren, denen das Arrivieren etwa bei den 47ern oder in Österreich nicht gelang, tauchten in

Dortmund auf. Aber die Arbeiterautoren waren nun abgemeldet«, monierte das einstige Gründungsmitglied der Gruppe 61 JOSEF BÜSCHER (geb. 1918).

1966 kam es zum Eklat, als Büscher, der sich zum Sprecher für die zurückgedrängten schreibenden Arbeiter profiliert und in der Gruppe auch eine Schreibschule für Arbeiter mit literarischen Ambitionen gesehen hatte, demonstrativ aus der Gruppe 61 austrat und in Gelsenkirchen eine literarische Werkstatt eröffnete, die diesen Aufgaben gerecht werden sollte. Damit wurde eine zunächst noch weitgehend gruppenintern verlaufende oppositionelle Entwicklung eingeleitet, die dann 1969 in der auf Initiative von ERASMUS SCHÖFER (geb. 1931) und PETER SCHÜTT (geb. 1939) erfolgten selbständigen Gründung des »Werkkreis[es] Literatur der Arbeitswelt« einen vorläufigen Höhepunkt fand. Dabei verstanden sich Art und Zielrichtung der Werkkreis-Argumentation, wie sie sich vor allem in dem offiziellen Programm von 1970, den Grundsatzreferaten und Arbeitsberichten späterer Delegiertenversammlungen niederschlug (vgl. besonders *Realistisch schreiben. Springener Protokolle und Materialien* 1974 sowie *Partei ergreifen. Lohrer Protokolle und Materialien* 1974), nicht als absolut starre Alternative, sondern vielmehr als konsequente Weiterführung jener mit der Dortmunder Gruppe eingeleiteten Entwicklung einer westdeutschen Arbeiterliteratur. »Ich glaube«, so 1970 Günter Wallraff, Mitglied der Gruppe 61 und zugleich einer der Wortführer der ihr geltenden Kritik,

»daß die Gruppe 61 es geschafft hat, den bis dahin ausgeklammerten und tabuisierten Bereich Arbeit, den Industriebereich eben, dem die meisten der Bevölkerung ausgesetzt sind, durch ihre Themenstellung in das Bewußtsein der Öffentlichkeit hineinzukatapultieren (...). Ich glaube aber, daß jetzt ein Punkt erreicht ist, wo es nicht mehr genügt, auf literarischem Gebiet diese Sachen zu betreiben, sondern nun versucht werden sollte, (...) dieses Bemühen mit politischer Arbeit zu verbinden.«[31]

Im einzelnen beinhaltete diese Kurskorrektur im wesentlichen folgende Punkte:

- in Abhebung zur selbstverstandenen Überparteilichkeit und Unabhängigkeit der Gruppe 61 forderte der Werkkreis eine bewußte Parteilichkeit für die Interessen »abhängig Arbeitender« in engem Bündnis »aller Gruppen und Kräfte, die für eine demokratische Veränderung der gesellschaftlichen Verhältnisse sind« (*Programm*);
- statt der Ausrichtung der literarischen Arbeit an Maßstäben der bürgerlichen Ästhetik – z. B. individuelle Originalität und unverwechselbare individuelle »künstlerische Wahrheit« – förderte der Werkkreis programmatisch eine in den lokalen Werkstätten *kollektive* Auseinandersetzung mit der Arbeitswirklichkeit; als bestimmendes Wertkriterium galten nicht abstrakt ästhetische Normen, sondern die auf gesellschaftliche Aufklärung zielende »soziale Wahrheit« (Wallraff);
- dabei sollten Arbeiter und Angestellte nicht länger nur als Objekt literarischer Darstellungen in Erscheinung treten; vielmehr sollten sie sich Lite-

ratur und ihre Möglichkeiten in einem operativen Sinne selbst verfügbar machen: »Schreiben ist ein Werkzeug für die in und mit den Werkstätten arbeitenden Kollegen (...): Mittel zum Bewußtwerden und Bewußtmachen«;[32] Literatur also als Medium der Vergegenständlichung eigener Erfahrung und der Selbstverständigung auf dem Weg zu einem politischen Emanzipationsprozeß;

– zugleich suchte sich diese intendierte neue Literatur über neue Wege neue Adressaten. Im Gegensatz zur Publikationspraxis der Gruppe 61, die ihr Publikum über die einschlägig institutionalisierten Vermittlungsinstanzen primär in der bürgerlichen Öffentlichkeit fand und dementsprechend nicht zuletzt auch mit bürgerlich privatistischen Rezeptionsweisen rechnen mußte, zielten die Publikationen des Werkkreises auf die Basisöffentlichkeit der Werktätigen mit ihren eigenen Medien (Flugblätter, Zeitungen, Zeitschriften und Gewerkschaftsorgane).

Richtungweisende Ansätze in wesentlichen Punkten sah man diesbezüglich in den publizistischen Arbeiten von GÜNTER WALLRAFF. Jahrgang 1942, nach einer Buchhändlerlehre zur Bundeswehr eingezogen, dort nach passivem Widerstand gegen den Wehrdienst als »für den Frieden und Krieg untauglich« bald entlassen, war Wallraff als ungelernter Arbeiter in verschiedenen westdeutschen Großbetrieben tätig gewesen. »Ich wollte eigentlich nur selbst erfahren (...), was hinter dem Gerede von ›Wirtschaftswunder‹, ›Sozialpartner‹ und all den anderen schönen Begriffen, was wirklich dahintersteckt.« Hier fand Wallraff den Stoff für seine ersten Industriereportagen, die, zunächst in Gewerkschaftszeitungen, dann in Buchform publiziert (*Wir brauchen dich. Als Arbeiter in deutschen Industriebetrieben*, 1966, *13 unerwünschte Reportagen* 1969, *Neue Reportagen. Untersuchungen und Lehrbeispiele* 1972), neben von der Grüns Romanen die weiteste Verbreitung der von der Gruppe 61 produzierten Schriften fanden.

Zunächst der von Soziologen praktizierten Methode der ›teilnehmenden Beobachtung‹ verpflichtet, berichtete Wallraff unter Namensnennung und mit konkreten Details über seine Erfahrungen entfremdeter Arbeit in den Industriebetrieben. Einmontierte Zitate aus internen Arbeitsanordnungen, Betriebszeitungen, Geschäftskorrespondenzen und betrieblichen Rechenschaftsberichten erhöhten nicht nur die faktische Authentizität seiner Reportagen. Zusammen mit der detaillierten Schilderung des Arbeitsalltags trugen sie zugleich dazu bei, jene – durch die im Mitbestimmungs- bzw. Betriebsverfassungsgesetz verordnete Friedens- und Schweigepflicht – nach außen abgeschirmten und tabuisierten Bereiche gesellschaftlicher Wirklichkeit publizistisch aufzubrechen und das offizielle Image, das die Public-Relations-Abteilungen der Betriebe und Konzerne der Öffentlichkeit permanent vermitteln, demonstrativ zu konterkarieren.

Darüber hinaus versuchte Wallraff, das Ergebnis seiner einzelgängerischen Recherchen im Zusammenwirken mit gewerkschaftlichen Gruppen basisorganisierend fruchtbar zu machen. Beispielhaft erscheint in dieser Hinsicht seine Reportageserie über die Benteler-Stahlwerke in Paderborn. Im Einvernehmen mit der Redaktion der gewerkschaftlichen Zeitung *Metall* ging

Wallraff als Arbeiter in diesen Industriebetrieb, um zu recherchieren, warum in diesem Werk weit weniger Arbeiter gewerkschaftlich organisiert waren als in vergleichbaren Betrieben am Ort und wie sich dies auf die Belegschaft der Benteler-Werke auswirkte.

In seiner Reportageserie konnte Wallraff von Pressionen der Firmenleitung berichten, die viele Belegschaftsmitglieder davon abhielten, sich der IG Metall anzuschließen; weiterhin informierte Wallraff über eine Reihe von innerbetrieblichen Mißständen wie überhöhten Akkord, vergleichsweise hohe Unfallziffern, Unterbezahlung weiblicher Arbeitskräfte u. a. Auf Flugblättern gedruckt, verteilten Gewerkschaftsmitglieder die Reportage vor den Fabriktoren an die Firmenbelegschaft. Gleichzeitig eröffnete die IG Metall in der Nähe Beratungs- und Werbebüros. Die unerwartete und inkriminierende Publizität zwang schließlich die Werksleitung dazu, innerbetriebliche Mißstände abzustellen und Gewerkschaftsangehörige zuzulassen, was zur Folge hatte, daß rund zweihundert Arbeiter des öffentlich kritisierten Betriebs der IG Metall beitraten und die Gewerkschaft bei den bald anstehenden Betriebsratswahlen zum erstenmal eine eigene Liste aufstellen konnte (vgl. Kühne, 145 ff.).

Aber auch in anderer Hinsicht war dieser Fall beispielhaft; denn sehr schnell zeigten sich die Grenzen einer solchen operativen Literatur. Über gerichtliche Klagen und Verfügungen erreichte die Firmenleitung, daß Wallraff in der späteren Buchausgabe seine Reportage nur ›literarisch verfremdet‹ veröffentlichen konnte, d. h. in einer Form, die eine eindeutige Identifizierung der angesprochenen Firma nicht mehr zuließ. So wurden die Benteler-Betriebe nicht mehr namentlich, sondern nur noch unverbindlich als »X-Werke« genannt. Darüber hinaus hatten die entsprechenden unternehmerischen Interventionen zur Folge, daß die Reportagen nicht mehr, wie ursprünglich vorgesehen, in den elektronischen Massenmedien gesendet wurden; aber auch, daß die Artikelserie in dem Gewerkschaftsorgan *Metall* abgebrochen wurde. »Offensichtlich war man dort zu der Einsicht gelangt, daß Wallraffs einzelgängerische Methode sich sehr schnell abnutzte und einer kontinuierlichen gewerkschaftlichen Arbeit eher hinderlich war« (Stieg/Witte, 156).

Unbeschadet des Verdienstes von Wallraff, wie kaum ein anderer Autor der Gruppe 61 und später des Werkkreises zum Durchbrechen öffentlicher »Informationssperren« (Wallraff) beigetragen zu haben, formierte sich im Zusammenhang der Dokumentarismusdiskussion der späteren sechziger Jahre (vgl. oben Kap. »Literatur und Neue Linke«) auf marxistischer Seite eine Kritik, die in dem Verfahren der erlebnishaften Rollenreportage Wallraffs entscheidende Schwächen sah. Das konkretistische Dokumentarismusverständnis Wallraffs habe zur Folge, daß er die beobachteten Einzelerscheinungen nicht konsequent genug auf zugrunde liegende wesentliche Widersprüche zurückführe; indem er lediglich das schildere, was er selbst erlebt hat, sei er häufig der Gefahr erlegen, über die begrenzte und oft resignative Sicht seiner Arbeitskollegen oder den engen Erfahrungshorizont, den sein jeweiliger Arbeitsplatz vermittelte, nicht hinauszukommen. Angesichts dieses analytischen Mankos nehme der unzweifelhaft politische Impetus seines Schreibens nicht selten Züge einer lediglich moralisierenden Kritik an (vgl. Pallowski, 235 ff.).

Wallraff hat diese Schwächen zwischenzeitlich selbst erkannt und ihnen durch verstärkte Verwendung bislang vernachlässigter dokumentarischer Techniken entgegenzuwirken versucht. Speziell in dem gemeinsam mit BERNT ENGELMANN (geb. 1921) verfaßten Sammelband *Ihr da oben – wir da unten* (1973), in dem jeweils eine Reportage aus dem luxuriösen und parasitären Leben ›der da oben‹ (Krupp, Henkel, Flick, Horten u. a.) auf die Darstellung der Arbeitsbedingungen der von ihnen abhängigen Werktätigen antithetisch bezogen wurde, ergänzten in immer stärkerem Maß einmontierte Dokumente, Hintergrundinformationen von Arbeitern und anderen Informanten die eigenen Beobachtungen. Damit gelangte Wallraff zu einem Reportagetypus, »der sich in Abgrenzung zur erlebnishaften Rollenreportage am ehesten als ›dokumentarische Reportage‹ kennzeichnen läßt« ;[33] eine Publikationsform, der unbeschadet aller methodischen Anfechtungen von links das Institut der deutschen Wirtschaft in seiner Broschüre *Dichtung als Waffe im Klassenkampf* (1973) immerhin eine politische Brisanz bestätigte, die von den sozialistischen Autoren, speziell von den proletarisch-revolutionären Schriftstellern der Weimarer Republik, stets angestrebt worden war.

Allerdings können ein derartiger »Respekt« und die ihm innewohnende Verunsicherung nicht als Beleg dafür gewertet werden, daß es dem Werkkreis mit kritischen Bestandsaufnahmen à la Wallraff gelungen ist, praktikable politische Perspektiven zur programmatisch geforderten Veränderung der »gesellschaftlichen Verhältnisse im Interesse der Arbeitenden« zu entwickeln. Davon zeugt nicht nur die relativ große Zahl der werkkreiseigenen Publikationen, denen zumeist das deutliche Stigma der Entpolitisierung und Individualisierung der jeweiligen Erfahrungen anhaftet (vgl. vor allem die – entgegen anderslautenden Absichtserklärungen – zumeist in bürgerlichen Großverlagen edierten Publikationen: z. B. *Ein Baukran stürzt um. Berichte aus der Arbeitswelt* 1970, *Schrauben haben Rechtsgewinde* 1970, *Lauter Arbeitgeber. Lohnabhängige sehen ihre Chefs* 1971, *Ihr aber tragt das Risiko. Industriereportagen* 1971, *Mitbestimmen – Macht gewinnen* 1971; desgl. die in der Fischer Taschenbuchreihe edierten Textsammlungen: *Liebe Kollegin. Texte zur Emanzipation der Frau in der BRD* 1973, *Stories für uns* 1973, *Schichtarbeit. Reportagen* 1973, *Geht dir da nicht ein Auge auf* 1974, *Gehen oder kaputtgehen. Betriebstagebuch* 1973 (HELMUT CREUTZ, geb. 1923), *Muskelschrott* 1974 (HERBERT SOMPLATZKI, geb. 1934). Selbst in der fortgeschrittensten Form spiegelt diese Literatur kaum mehr als eine ökonomistische Haltung wider, der bekanntlich schon Lenin in *Was tun?* (1902) in *politischer* Hinsicht eine Beschränkung der politischen Agitation und des politischen Kampfes auf bloße ökonomische Reformen ohne politischen Inhalt, in *organisatorischer* Hinsicht das Leugnen der Notwendigkeit einer zentralisierten Arbeiterpartei angelastet hatte, die fähig ist, jede spontane Bewegung – man denke etwa an die Septemberstreiks 1969 – und jede unvorbereitete, bewußte Aktion zur Überwindung der kapitalistischen Produktionsverhältnisse zu leiten. Nicht von ungefähr kam angesichts derartiger Tendenzen die Distanzierung des Werkkreises von der Arbeiterkorrespondentenbewegung und dem Bund proletarisch-revolutionärer Schriftsteller der Weimarer Republik, in dessen Traditionsnachfolge man zuweilen den Werkkreis angesiedelt hatte. Im Gegensatz zur politischen Anbindung des BPRS an die Linie der KPD der zwanziger Jahre betonte der Werkkreis mit aller Nachdrücklichkeit seine Funktion als »Bündnisorganisation« mit dem Ziel der »antikapitalistischen Aufklärung«. Die Sammlung »aller antikapitalistischen Kräfte« –

gemeint sind »die Einzelgewerkschaften und der DGB mit ihren regionalen und überregionalen Gremien und Sparten, die Jungsozialisten und Jungdemokraten, SDAJ und MSB Spartakus, SPD und DKP, aber auch z. B. die Naturfreunde«

– diene über die Bildung von zunächst punktuellen »Aktionseinheiten« schließlich der Schaffung der »Volkseinheit« (*Partei ergreifen*). Unverkennbar schlagen sich in diesen politisch wenig konturierten Begriffen Vorstellungen nieder, die ihren Ursprung in der »Stamokap-Theorie« von Teilen der Jungsozialisten in der SPD und der DKP haben; eine Theorie, die die spezifische ökonomische und politische Widersprüchlichkeit der bürgerlichen Gesellschaft nur unzureichend begreift und im wesentlichen mehr der pragmatischen Rechtfertigung der eigenen Politik als einer wissenschaftlichen Begründung derselben dient.

Ungeachtet einer hier ansetzenden theoretischen Kritik von links-marxistischer Seite[34] offenbarte vor allem die eigene Zensur- und Ausschlußpraxis des Werkkreises die immanente Problematik seiner Position. GERD SOWKA (geb. 1923) wurde für den Werkkreis untragbar, nachdem er in seinem Stück *Im Mittelpunkt steht der Mensch* (1. Fassung 1971, 2. Fassung 1974) und in späteren Werken das zunehmende Zusammenspiel der Interessen von Unternehmern und Gewerkschaftsführung thematisierte. PETER NEUNEIER (geb. 1926) mußte die Erfahrung einer werkkreisinternen Zensur machen, als er in seinem Roman *Akkord ist Mord* (1972) den Zusammenhang von ökonomischer und politischer Repression in der BRD zu thematisieren versuchte.

Alternative linke Ansätze

Neuneier und Sowka publizierten schließlich die genannten Werke in der Kölner Verlagskooperative der »Produktion Ruhrkampf«, die mit einem kommentierten Reprint von Hans Marchwitzas *Sturm auf Essen* (1930), dem ersten Band in der Reihe des »Roten-Eine-Mark-Romans«, an die geschichtlich unterbrochene Tradition einer kämpferisch proletarischen Literatur ebenso anzuknüpfen versuchte wie der West-Berliner Oberbaum-Verlag mit seinen ausführlich erläuterten Re-editionen weiterer Werke jener Reihe und aus dem Umkreis des Linkskommunismus der Weimarer Republik (K. Neukrantz *Barrikaden am Wedding*, W. Schönstedt *Kämpfende Jugend*, W. Bredel *Maschinenfabrik N & K* und *Rosenhofstraße*, A. Scharrer *Vaterlandslose Gesellen* u. a.). Es bleibt indes abzuwarten, inwieweit diese Werke über die Stimulierung und Befriedigung eines rein theoretisch historischen Interesses hinaus für eine auf die aktuelle Situation bezogene proletarische Literatur produktiv gemacht werden können; dies zu leisten, ist nicht zuletzt eines der zentralen Arbeitsziele der 1975 gegründeten Vereinigung Sozialistischer Kulturschaffender (VSK), der bislang jüngsten und politisch entschiedensten Alternative zur Dortmunder Gruppe 61 und zum Werkkreis Literatur der Arbeitswelt.

Tendenzen in der Auseinandersetzung mit der Tradition des bürgerlichen Realismus

»Etwas erzählen heißt (...): etwas *Besonderes* zu sagen haben, und gerade das wird von der verwalteten Welt, von Standardisierung und Immergleichheit verhindert.« Mit diesen Worten hatte 1954 Adorno in seiner Positionsbestimmung *Standort des Erzählers im zeitgenössischen Roman* die Schwierigkeiten einer aktuellen Literatur umrissen; eine Problematik, die bis in die siebziger Jahre hinein für diejenigen Autoren ihre Gültigkeit behalten sollte, die *nicht* den Weg der in den vorangegangenen Kapiteln vorgestellten Schriftsteller teilten;

- jener Autoren im Umkreis der Neuen Linken, denen sich – um ein Wort Brechts zu gebrauchen – »auf kaltem Wege«, d. h. primär über die Theorie der Zugang erschloß, die keineswegs statische Gesetzmäßigkeit der aktuellen bürgerlichen Gesellschaft zu erkennen, ihre Veränderbarkeit und die Notwendigkeit ihrer Veränderung zu begreifen;
- jener Autoren der neuen Arbeiterliteratur, die in der unmittelbar praktischen Erfahrung der materiellen Produktionsbedingungen und ihrer Widersprüche mit unterschiedlicher Konsequenz und Reichweite die Forderung nach Veränderung eben dieser Verhältnisse literarisch zum Ausdruck brachten.

Auffällig dabei ist, daß bei den Autoren, von denen im folgenden die Rede sein wird, ungeachtet des breiten Spektrums, den von Adorno apostrophierten Sachverhalt literarisch zu reflektieren, das Medium Literatur keineswegs mit jener Radikalität in Frage gestellt wurde, wie dies zeitweilig auf dem Höhepunkt der Neuen Linken in dem bekannten proklamierten Autodafé geschah. Im Gegenteil, wenn auch z. T. sicherlich in einem sehr formalisierten Sinne, wirkte der Gedanke an gesellschaftliche Aufklärung durch Schreiben doch selbst dort noch fort, wo sich – wie etwa in F. X. Kroetz' *Wunschkonzert* (1972) – die Sprachnot bestimmter gesellschaftlicher Gruppen als Signum sozialer Depraviertheit im Extrem nur noch in absoluter Sprachlosigkeit pantomimisch ausdrücken läßt; oder wo sie sich, als gesellschaftlicher Allgemeinzustand verabsolutiert, in einem Gefüge von Tautologien, einem sinnlosen »Unterhaltungsmechanismus« geopferten absurden Satzleichen und subjektiven Erfahrungen eines moribunden geschichtlichen Chaos wie bei Thomas

Bernhard artikuliert: »Ein Mensch / ist ein verzweifelter Mensch / alles andere ist die Lüge« (*Die Jagdgesellschaft* 1974). Gemeinsam ist all diesen Autoren, sich einer totalitär interpretierten Wirklichkeit mit aufklärerischem Anspruch literarisch zu stellen; Differenzen ergeben sich im Hinblick darauf, wo und auf welcher Ebene (ökonomisch, politisch, psychologisch, sprachlich) deren ›Besonderheit‹ anzusiedeln und wie ihr mit welchen literarischen Mitteln zu begegnen sei.

Seinen scheinbar unproblematischsten Ausdruck fand dies bei jenen Autoren, die als ehemalige prominente Mitglieder der Gruppe 47 nach deren Exitus dem gruppenspezifischen ›Nonkonformismus‹ einer unkontrollierten Opposition zu den herrschenden Verhältnissen angesichts der Verschärfung gesellschaftlicher Widersprüche deutlich pragmatischere Züge verliehen und an ihrer selbstverstandenen Rolle als Wächter bürgerlich demokratischer Normen und Werte auf unterschiedliche Weise weiterhin festhielten.

Formen des politischen Moralismus: Zwischen Utopie und Pragmatismus

Heinrich Böll

Wie kein anderer Autor profilierte sich in diesem Sinne HEINRICH BÖLL (geb. 1917) als Sprachrohr der bürgerlich-liberalen Öffentlichkeit, die Ansprüche der verfassungsmäßigen bürgerlichen Grundrechte gegen reaktionäre Tendenzen in Wirtschaft, Politik und Kirche, gegen antidemokratische Vorurteilsstrukturen, staatsbürokratische Übergriffe auf die Freiheit des Individuums und gegen publizistische Massenhetze von rechts geltend zu machen. Diese Haltung sollte Böll in eine doppelte Frontstellung bringen: Während er von marxistischer Seite seiner idealistischen Prämissen geziehen wurde, sah er sich von rechts nicht nur wegen seiner Kritik an der Springer-Presse anläßlich der Baader-Meinhof-Berichterstattung beispiellosen Hetzkampagnen ausgesetzt, denen nicht einmal die Verleihung des Literatur-Nobel-Preises 1972 Einhalt gebieten konnte. So polemisierte etwa F. J. Strauß: »Magere Phantasie, hingebungsvolle Manieriertheit und konsequente Verschreibung an die geistige Provinz lassen die Freude darüber verbleichen, daß uns Deutschen nun endlich wieder literarische Nobel-Ehrung zuteil wird« (vgl. *Deutsche Volkszeitung*, 2. 9. 1972). Unbeschadet derartiger Anfechtungen oder vielleicht gerade deshalb avancierte Böll zum auflagenstärksten zeitgenössischen deutschsprachigen Autor – im Inland wie im Ausland.

Als 1971 Bölls Roman *Gruppenbild mit Dame* erschien, warb der Kölner Verlag Kiepenheuer & Witsch im Klappentext mit dem Hinweis, dieses Buch Bölls sei »nicht nur sein umfangreichstes, sondern auch sein umfassendstes Werk«. Man könne »es als eine Summe seines bisherigen Schaffens bezeichnen«. In der Tat wurde dieses Kaufversprechen – für viele Kritiker das Stichwort für z. T. höchst kontroverse Rezensionen – durch den Roman eingelöst; vor allem dann, wenn man sich, auf einer höheren Ebene, die Ambivalenz dieses Werkes vor Augen führt.

In seiner späteren Nobel-Preis-Rede *Versuch über die Vernunft der Poesie* skizzierte Böll die Rolle der Literatur in der gegenwärtigen Gesellschaft als die wahrzunehmende Möglichkeit, »in die Zwischenräume einzudringen«, die eine von der Konkurrenzmentalität bestimmte inhumane »Profitgesellschaft« mit ihren anonymen Herrschaftsapparaturen und technokratischen Planungs- und Verwaltungsstrukturen aufgrund ihrer inneren Widersprüchlichkeit notgedrungen belasse: Schreiben als Benennen von Refugien, als Aufweis von individuellen humanen Gegenwelten, die als Korrektive zur »Zivilisation« wirksam werden. So unspezifiziert wie diesen Begriff sieht Böll die ihrem Gehalt nach inhumanen angesprochenen Tendenzen nicht nur als Merkmal der bürgerlichen Gesellschaft an. Das verhilft der Literatur zu ihrem, von den jeweiligen gesellschaftlichen Systemen ungeteilten moralischen Impetus, das legitimiert Schriftsteller zur ungeteilt praktischen Solidarität (man denke etwa an Bölls tätiges Engagement für den expatriierten russischen Autor Solschenizyn). »Die Stärke der ungeteilten Literatur ist nicht die Neutralisierung der Richtungen, sondern die Internationalität des Widerstands, und zu diesem Widerstand gehört die Poesie, die Verkörperung, die Sinnlichkeit, die Vorstellungskraft und die Schönheit.«

Vor diesem gedanklichen Hintergrund alternative Handlungsspielräume auslotend, sieht Böll die Aufgabe der Schriftsteller unbeschadet ihrer gesellschaftlichen Inanspruchnahme als »prominente Vorzeigeidioten« in der Wahrnehmung der Funktion als eine »moralisch-intellektuelle Kontrollinstanz gegenüber der Macht an, die sich selbst mit keiner realen Macht verbindet« (Reinhold, 308) – es sei denn mit der Macht des öffentlichen Wortes; Vorstellungen, die in ihrer praktisch-literarischen Umsetzung ambivalent wirken. Zum einen implizieren sie die Notwendigkeit, sich auf die konkreten unmittelbaren Lebensbedingungen einzulassen, um hier individuelle (Über-)Lebensmöglichkeiten zu erforschen; zum anderen tendieren sie – in der Generalisierung der jeweiligen Erfahrungen – dazu, die gesellschaftlichen Widersprüche in einer ungeschichtlichen Antinomie von Macht und Menschlichkeit aufgehen zu lassen.

In diesem qualitativen Sinn erscheint *Gruppenbild mit Dame* tatsächlich als die bis dahin gültige Summe in Bölls Schaffen. Zentriert um die Person der Leni Pfeiffer, unternahm der Autor den Versuch einer individuell vermittelten geschichtlichen Bestandsaufnahme wie den eines entsprechenden Gegenentwurfs.

»Ich habe versucht, das Schicksal einer deutschen Frau von etwa Ende Vierzig zu beschreiben oder zu schreiben, die die ganze Last dieser Geschichte zwischen 1922 und 1970 mit und auf sich genommen hat«; [ferner zu zeigen] »daß diese Frau die verschiedensten sozialen Stufen durchlebt, materiell, milieumäßig, daß sie mit relativer Unbefangenheit sehr ernste Perioden der deutschen Geschichte fast unverletzt überstanden hat« (in: *Akzente* 18/1971, 331 f.).

Lenis Verhalten, speziell ihr öffentlich angefeindetes Liebesverhältnis mit dem russischen Kriegsgefangenen Lev in der Nazizeit, später in den sechziger Jahren mit einem türkischen Gastarbeiter, wird zum moralischen Bezugspunkt einer Gesellschaftskritik wie zum Indiz einer individuell verifizierten Utopie. Die Leni zugeschriebene »proletarische, fast geniale Sinnlichkeit«, die ihr als Tochter eines Bauunternehmers freilich weder als Merkmal der sozialen Herkunft noch als einer klassenspezifischen Anschauung zukommt, sondern vielmehr »eine moralische Kategorie, einen moralischen Handlungsantrieb (bezeichnet), der aus einem nicht näher bestimmbaren menschlichen Wesen kommt« (Reinhold, 313), verleiht ihr, deren Liebe aus der Sicht des Autors zum Prüfstein für ihre Umwelt wird, die statuarischen Züge einer säkularisierten Madonna (vgl. Schütte in: *Frankfurter Rundschau* 23.11. 1974); »fast schon in einem metaphysischen Sinne unschuldig«, charakterisierte Böll selbst seine Protagonistin (vgl. *Akzente* 18/1971, 332) und leistete damit jenen Kritikern unfreiwillig Vorschub, die in der Anlage der Heldin als einer spontanen, der intuitiven emotionalen Eingebung folgenden Frau angesichts der geschichtlichen Ereignisse (Faschismus, Restaurationsphase) eine unglaubwürdige Überforderung ihrer unreflektierten Naivität gesehen hatten.[35] Damit aber erscheint Leni den Erfahrungen der erlebten Geschichte gegenüber verschlossen. »Den Maßstab für ihr Handeln gibt das individuelle Zusammenleben der Menschen ab, die Geschichte vollzieht sich völlig unabhängig davon« (Reinhold, 313).

Dieser Eindruck stellt sich nicht zuletzt auch auf der sprachlichen Ebene des Romans ein. Hatte Böll etwa in den *Frankfurter Vorlesungen* (1966) die Suche nach einem »bewohnbaren Land« in unserer technokratisch verwalteten Gesellschaft mit der Suche nach einer humanen »bewohnbaren Sprache« gleichgesetzt, so ist die eigentliche Sprachlosigkeit Lenis um so auffälliger.[36]

Vor einem so gestalteten Hintergrund ist die ungeteilte Sympathie des Autors wie des Erzählers für seine Heldin zu sehen. Ausdrücklich den Protagonisten »Leni, Lev und Boris« hat Böll diesen Roman in einer Vorbemerkung gewidmet. Auf der Erzählebene läßt Böll den als recherchierenden »Verf.« in Erscheinung tretenden Erzähler gegen Ende des Romans aus seiner berichtenden Rolle heraustreten und selbst in die Handlung eingreifen. Zusammen mit der höchst weltlichen Nonne Rahel, die in vielerlei Hinsicht Lenis Mentorin war, gehört er zu deren Lebensgemeinschaft. »Damit ist angedeutet, wo der Platz eines Schriftstellers zu sein hat: Er [Böll] sieht ihn nicht in der Funktion eines unbeteiligten Beobachters, sondern die Wahrheit, die er ermittelt, verlangt von ihm, zu den Menschen zu stehen, denen seine Sympathie gehört« (Reinhold, 316).

Im Licht einer so verstandenen Solidarität mit all denen, deren persönliche Identität von ›der‹ Gesellschaft in Frage gestellt wird, ist auch die Erzählung *Die verlorene Ehre der Katharina Blum oder: Wie Gewalt entstehen und wohin sie führen kann* (1974) zu sehen. Geschrieben zu einem Zeitpunkt, als die Aktionen der Baader-Meinhof-Gruppe in weiten Teilen der westdeutschen Öffentlichkeit den Ruf nach stärkerer Staatsgewalt bis zum Verlassen der bürgerlichen Rechtsstaatlichkeit laut werden und darüber die Praktiken einer bis zur materiellen Gewaltaufforderung eskalierten Berichterstattung in maßgeblichen Teilen der Presse vergessen ließen (Böll: Man »sollte auch Herrn Springer öffentlich den Prozeß machen, wegen Volksverhetzung«, *Will Ulrike Meinhof Gnade oder freies Geleit* 1971), wurde diese Erzählung publiziert, die sich wie ein Diskussionsbeitrag zum Artikel 1 des Grundgesetzes über die Unantastbarkeit der Würde des einzelnen Menschen liest (vgl. Reinhold, 316).

In der Wuppertaler Rede von 1958 *Die Sprache als Hort der Freiheit* hatte Böll u. a. ausgeführt: »(...) und wer mit Worten umgeht, wie es jeder tut, der eine Zeitungsnachricht verfaßt (...), sollte wissen, daß er Welten in Bewegung setzt«; *Katharina Blum* rekonstruiert einen solchen Prozeß, als dessen Resultat die in jeder Hinsicht unbescholtene Katharina (i. e. ›die Reine‹) wegen ihrer Liebe zu dem jungen Ludwig Göttgen in das publizistische Trommelfeuer der »ZEITUNG« gerät, die ihrerseits alle Merkmale der BILD-Zeitung Axel Springers trägt. In Reaktion auf die infamen Diffamierungs- und Verhetzungskampagnen der »ZEITUNG« versucht sich Katharina Blum zu wehren, indem sie den zugleich sexuell zudringlichen »ZEITUNGs«-Reporter Werner Töttges erschießt. Zentrales Thema dieser Erzählung – der Titel spricht es bereits an – ist die Genese und Entladung der Gewalt in ihren verschiedensten Modifikationen, wobei der Pistolenschuß angesichts des Mißbrauchs öffentlicher Gewalt beinahe noch als die geringste Form erscheint; »zumindest als eine, die nur von andern Formen bedingt ist«.[37] Aber bei aller Berücksichtigung des kritischen Potentials dieser Erzählung, so u. a. in Hinblick auf die Funktion der Staatsgewalt in Person der Ermittlungsbeamten, zeitigt dieses Werk ähnlich wie *Gruppenbild mit Dame* problematische Züge. Ungeachtet der nicht einsehbar gemachten politischen Motivation der Anarchistenszene, mit der die Heldin unfreiwillig in Kontakt gerät, stellt Böll die Überzeugungskraft von Katharinas Tat politisch gerade dadurch in Frage, daß er sie von einer individuellen sexuellen Aggression als auslösendem Moment im letzten abhängig macht. »Man könnte«, so Nägele mit Verweis auf weitere Umstände, »kritisieren, daß er die Motive bis zur Redundanz häuft«.[38]

Siegfried Lenz

Unbeschadet ihrer skizzierten Ambivalenz wird die Ausnahmestellung Bölls innerhalb der dezidiert bürgerlich demokratischen Literatur Westdeutschlands unterstrichen, stellt man seine Werke etwa neben die kaum weniger erfolgreichen Romane und Erzählungen von SIEGFRIED LENZ (geb. 1926); zeugen sie doch von einem der Böllschen Position vergleichbaren moralischen Impetus, »einen wirkungsvollen Pakt mit dem Leser herzustellen, um die bestehenden Übel zu verringern«, wie Lenz selbst seinen schriftstellerischen Anspruch 1962 formulierte.

Der Roman *Deutschstunde* (1968), zu dessen Popularität nicht unmaßgeblich auch eine Verfilmung als Fernsehspiel beitrug, thematisierte als ein später Beitrag zur literarischen ›Vergangenheitsbewältigung‹ die Denk- und Handlungsstrukturen einer »autoritären Persönlichkeit« (Adorno) unter den Bedingungen des Faschismus und der Nachkriegszeit. Siggi Jepsen, der Ich-Erzähler, soll als Insasse einer Jugendstrafanstalt einen Aufsatz über das Thema

›Die Freuden der Pflicht‹ schreiben. Nach einem erfolglosen Versuch der Verweigerung rekapituliert er schließlich die paranoiden Bewußtseins- und Verhaltensweisen seines Vaters, der während der Nazi-Zeit einem dem Regime unliebsamen Maler – dieser trägt deutliche Züge Emil Noldes – zu überwachen hatte und dessen Arbeit zu verhindern suchte. »Er hatte einen Tick zuletzt«, schreibt Siggi, »so wie alle einen Tick bekommen, die nichts tun wollen, als ihre Pflicht. Es war eine Krankheit zum Schluß, vielleicht noch schlimmer.«

Zwar bleibt die Anamnese dieses Pflichtbewußtseins – ironischerweise als Strafarbeit verordnet – für den Erzähler nicht ohne unmittelbare Folgen: Siggi wird wegen guter Führung vorzeitig entlassen. Doch über weitreichende Auswirkungen auf den Sozialcharakter des Erzählers wird der Leser ebenso im Unklaren gelassen wie schon zuvor über die Gründe des geschilderten kleinbürgerlichen Obrigkeitsdenkens, deren sozialpsychologische Implikationen doch spätestens zum Zeitpunkt der Abfassung des Romans auf der Hand lagen. Man denke etwa an Untersuchungen wie Hanna Ahrendts *Eichmann in Jerusalem*, Joachim Fests *Das Gesicht des Dritten Reiches*, Gert Kalows *Hitler, das gesamtdeutsche Trauma*, ganz zu schweigen von Wilhelm Reichs *Massenpsychologie des Faschismus*, Alexander Mitscherlichs *Unfähigkeit zu trauern* oder die einschlägigen Arbeiten Adornos, Horkheimers und Herbert Marcuses. Allzu deutlich sind überdies in *Deutschstunde* die dargestellten Charaktere einer abstrakten schematischen Typologie – Böse, Bemitleidenswerte, Gute, Farblose – unterworfen.[39]

Dem entsprechen Schwächen auf der formalen Ebene, vor allem in Hinblick auf die Erzählperspektive. Das Ausmaß der Erinnerungsfähigkeit des Ich-Erzählers wirkt ebenso unwahrscheinlich wie seine Allgegenwart. Dieser Überforderung des Erzählers kann Lenz im Interesse einer historischen Glaubwürdigkeit nur mit naiv anmutenden erzähltechnischen Tricks begegnen. So muß Siggi wiederholt von einem Versteck aus Gespräche mithören, Szenen durchs Schlüsselloch oder durch das Fenster beobachten.

»Der entscheidende Einwand gegen das Buch bleibt (...) [jedoch] der des unreflektierten, die Materie nicht durchdringenden Reproduzierens eines im ›Dritten Reich‹ möglichen Falls von Unmenschlichkeit, der einfach präsentiert wird, ohne auf die Bedingungen seines Geschehens untersucht zu werden. (...) so ist für jeden [gesorgt], der wissen will, wie das zustande kam und kommen kann, für jeden, der sich (...) fast behaglich eine weitere Geschichte aus dunklen Tagen erzählen lassen will, die ihm leichte Identifikationsmöglichkeiten, zu nichts verpflichtendes moralisches Parteiergreifen und also wenig Anlaß zum Nachdenken bietet.«[40]

Die hier angerissene Problematik sollte sich auch im nächsten Roman von Lenz *Das Vorbild* (1973) niederschlagen. In der Rahmenhandlung, die sich deutlich an die Konstruktion der *Deutschstunde* anlehnt, sollen drei Pädagogen, eine Frau und zwei Männer, »im Auftrag eines Arbeitskreises der Kultusministerkonferenz an einem repräsentativen Lesebuch für Deutschland arbeiten«. Doch allein die vom Autor nur sehr abstrakt vorgenommene Motivierung und fachliche Qualifizierung der Protagonisten stellt die entscheidenden

Weichen für das ganze Werk: »Drei Pädagogen aus einem ideologischen und gesellschaftlichen Ungefähr sorgen dafür, daß ›ihr‹ Roman gleichfalls im Ungefähr landet. Die Unschärfe der wissenschaftlichen Positionen dieser drei Erzieher rächt sich am Erzähler als Unschärfe der epischen Konturen«, urteilte der Literaturhistoriker Hans Mayer und stufte *Das Vorbild* insgesamt als »ein restauratives Buch in dem Sinne [ein], daß es scheinhafte Konflikte in einer hinfällig gewordenen Erzählform präsentiert« (in: *Der Spiegel* 20. 8. 1973).

Rolf Hochhuth

Auf einer anderen Ebene stellte sich das Problem der Annäherung an die gesellschaftliche Wirklichkeit und die damit verbundene soziale und politische Verantwortung des Schriftstellers für ROLF HOCHHUTH (geb. 1931). Mit den Schauspielen *Der Stellvertreter* (1963) und *Soldaten. Nekrolog auf Genf* (1967) hatte er sich den Ruf des ›Publizisten unter den Dramatikern‹ mit dem Gespür für das öffentlich erregende Moment der Zeitgeschichte erworben. Als ›lanciertes Skandalon‹ (vgl. J. Berg in: Arnold/Reinhard, 59) wirkte dabei die jeweils variierte These von dem persönlichen moralischen Versäumnis im Sinne einer persönlichen historischen Schuld: so das Schweigen von Papst Pius XII. zu den Judenverfolgungen im Dritten Reich (*Der Stellvertreter*), so Churchills Mitverantwortung für den Tod des polnischen Generals Sikorski in *Soldaten*. Mit den nachfolgenden Stücken verlegte Hochhuth den Akzent von der Darstellung moralisch ›fehlender‹ tragischer Helden der Geschichte zusehends auf projektive Gedankenspiele, die ihr Material aus den aktuellen Widersprüchen bezogen, ohne allerdings qualitativ über seine personalisierende Geschichtsinterpretation und seine Marquis-von-Posa-Haltung der frühen Stücke hinauszugelangen. »Politisches Theater kann nicht die Aufgabe haben, die Wirklichkeit (...) zu reproduzieren, sondern hat ihr entgegenzutreten durch Projektion einer *neuen*.« Im Sinne dieser einleitenden Bemerkung schildert *Guerillas. Tragödie in 5 Akten* (1970), wie in den USA zur Regierungszeit Johnsons die soziale Revolution vorbereitet wird. Dies geschieht durch einen Coup d'état, nach Hochhuth »das am wenigsten blutige Umsturz-Modell, das einzige, das die Massaker eines Bürgerkriegs abfangen kann. Ziel dieser Revolution ist der Sturz der plutokratischen Oligarchie »jener einhundertzwanzig Familien, denen ›alle restlichen gehören‹«, um so zu einer gerechteren Vermögensverteilung zu gelangen. Haupt der Konspiration und Mittelpunkt der tragisch endenden Handlung ist der Millionär und Senator Nicolson, Hochhuths Worten nach einer von den »›geistige(n) Nachkommen der Männer des Konvents‹ (...) in denen ›jene katilinarische Energie der Tat lebt‹, die Max Weber und noch Julius Leber im deutschen Sozialdemokraten ihrer Zeit ebenso vermißt haben ›wie die großen Machtinstinkte einer zur politischen Führung berufenen Klasse‹«. Gestützt auf die Stadt-Guerilla und atomare Erpressung, sucht Nicolson als ein Angehöriger der herrschenden Klasse den kapitalistischen Staatsapparat von innen her zu zerschlagen und der Revolution zum Sieg zu verhelfen. Doch ist es nicht allein diese merk-

würdige Ausgangssituation, die vor allem auf marxistischer Seite Zweifel an der Tragfähigkeit und Überzeugungskraft dieses Revolutionsmodells hervorgerufen hat. Hochhuths gesellschaftspolitische Vorstellungen kulminieren in der Forderung nach einer sozial gerechteren Vermögensverteilung, die, nach dem Schlüssel einer festzusetzenden allgemeinen Armutsgrenze einmal vorgenommen, das kapitalistische System der Profitbestimmtheit allerdings nicht berührt; im Gegenteil: »Die Profitgier / soll unantastbar bleiben wie der Geschlechtstrieb / – der ja auch nicht mehr dazu führt, / daß jedermann planlos draufloszeugt. / Aber er muß da sein, daß überhaupt gezeugt wird.« So besehen, geht es bei Hochhuths sozialem Programm ungeachtet der Aggressivität, mit der es vorgetragen wird, in der Sache weniger um eine echte Revolution der bürgerlichen Gesellschaft als um eine systemimmanente Reform. »Er gebraucht das Wort Revolution eigentlich nur, um seine Reformvorstellungen von allzu kläglichen Reformversuchen der Vergangenheit und Gegenwart abzugrenzen« (Mittenzwei in: Mittenzwei/Weisbach, 507).
Dieser Eindruck wird auch nicht durch Hochhuths Behandlung der Frage nach der Gewaltanwendung relativiert, wenngleich dessen diesbezügliche Sonderstellung im Vergleich zu anderen bürgerlichen Verfassern von Revolutionsdramen (vgl. etwa Dorsts *Toller*) unverkennbar ist. Das von Hochhuth gewählte Coup-d'état-Modell beinhaltet den individuellen Terror, nicht aber den bewaffneten Aufstand der Massen; ihn hält Hochhuth in hochentwickelten Ländern wie den USA nicht für möglich. Gemessen an marxistischen Vorstellungen leugnet Hochhuth geradezu die Kraft und die revolutionäre Potenz der Heere von lohnabhängig Werktätigen, um statt dessen um so mehr Primat und Bedeutung des geschichtlichen Charismas der großen individuellen Persönlichkeit hervorzuheben: »Historische Konflikte werden überhaupt erst *sichtbar*, / wenn sie sich personalisieren, das heißt: / wenn Leute mit Charisma sie aus Aufwind für sich selbst benutzen.« Unter diesen ideologischen Prämissen weist *Guerillas* mit der Anlage als »Tragödie in 5 Akten« eine geradezu folgerichtige Geschlossenheit von idealer Position und dramaturgischer Technik auf, die in den nachfolgenden Stücken *Die Hebamme* (1971) und *Lysistrate und die Nato* (1974) bei weit weniger weitreichenden, vielmehr zunehmend punktuellen politischen Projektionen in der Bevorzugung der Komödienform ihren entsprechenden Ausdruck fand.

Günter Grass

In ebenso deutlicher Abhebung zu Bölls grundrechtlich orientiertem rigorosem Moralismus wie zu Hochhuths jüngeren spekulativen Gedankenmodellen ist im Prozeß der allgemeinen Politisierung der bürgerlichen Intelligenz in den sechziger Jahren die Entwicklung von GÜNTER GRASS (geb. 1927) zu einem selbstverstandenen »realpolitischen Pragmatismus« zu sehen; denn wie kein anderer Autor aus dem Kreis der ehemaligen Gruppe 47 sollte Grass die gesellschaftliche Verantwortung des Schriftstellers im Zusammenhang konkreter parteipolitischer Aufgabenstellungen und Wirkungsmöglichkeiten in der westdeutschen Sozialdemokratie formulieren. Zwar hatten sich im Wahlkampf 1965 auch Hans Werner Richter, Peter Härtling, Günter Herburger, Siegfried Lenz, in späteren Jahren u. a. auch Heinrich Böll dem ›Wahlkontor‹ der SPD zur Verfügung gestellt. Doch keiner dieser Autoren profilierte seine Position in einer Grass vergleichbaren Weise, deren eigentümliche Frontstellung ihn – »gewollt oder ungewollt, zu einer Art Praeceptor democratiae germaniae« stilisiert[41] – in permanenten Widerspruch zu rechts und links bringen sollte.

Schlagartige Berühmtheit erlangte G. Grass, der sich als Verfasser von surrealistischen Gedichten und dem absurden Theater verpflichteten Dramen zuvor nur in begrenzten Kreisen einen Namen gemacht hatte, als 1959 sein Roman *Die Blechtrommel* erschien. Dieser Roman, der mittlerweile in rund 20 Sprachen übersetzt ist und eine Gesamtauflage von ca. 3 Millionen Exemplaren verzeichnet (die Verfilmung von Volker Schlöndorff brachte dieses Werk 1979 erneut in die Bestsellerlisten), ist von Grass später zusammen mit der Novelle *Katz und Maus* (1961) und dem Roman *Hundejahre* (1963) zur *Danziger Trilogie* zusammengefaßt worden; denn nicht nur thematisch, sondern auch formal stehen diese Werke in einem engen Zusammenhang. Thematisch entwerfen sie materialreich überbordend das sozialpsychologische Panorama des Kleinbürgertums im Faschismus sowie sein zählebiges Fortleben im Nachkriegsdeutschland; form- und hier insbesondere erzähltechnisch reflektieren sie das historische Geschehen in spezifischer Weise durch den »Konvexspiegel« der Groteske, »der die Ränder groß und das Zentrum klein erscheinen läßt« (Batt, 47).

Die Blechtrommel ist die am klassischen Formmuster des Bildungsromans orientierte, nun aber zum ›Mißbildungsroman‹ geratene Geschichte, die ihr ›Held‹ Oskar Matzerath in seinem 30. Lebensjahr als Insasse einer Heil- und Pflegeanstalt erzählt; jener skurrile Gnom, der, schon als Embryo mit der Gabe der Einsicht ausgestattet, als Dreijähriger beschlossen hatte, sein Wachstum für lange Jahre einzustellen, und nun die ihm abnorm gewordene Welt des kleinbürgerlichen Miefs in ihrer philiströsen Gräßlichkeit aus abnormer Perspektive über den Zeitraum 1924 bis 1954 beobachtet. In einer phantastisch wuchernden, zugleich krude naturalistischen Bilder- und Episodenfülle voll beißender Satire entsteht ein wahres Panoptikum des Kleinbürgertums, das in seinem biedermännischen Bewußtsein das Ende des Dritten Reichs wenig beschädigt überlebt. Dieser von einer barock anmutenden, strotzenden Sprachkraft zeugende Roman zielt nicht auf struktur-analytisch kausale Erklärungszusammenhänge; der Nationalsozialismus erscheint hier nicht als eine sozialgeschichtlich zu spezifizierende politische Herrschaftsform der bürgerlichen Gesellschaft, sondern als eine Ära, in der der Sozialtypus des ›petit bourgeois‹ die Vorherrschaft innehat. Durch die Kunstfigur des amoralischen freiwilligen Außenseiters Oskar Matzerath, der sich wie ein moderner Pícaro durch das ›juste milieu‹ bewegt, wird dessen mickrige Borniertheit kenntlich gemacht; dies nicht zuletzt durch die »schockierenden Tabuverletzungen« (Enzensberger), die versessene Genauigkeit, mit der der Autor alle physiologischen Vorgänge unterhalb der Gürtellinie schildert und die dem Roman, insbesondere von konservativer Seite, den Vorwurf der Pornographie einbrachte.

In dem Roman *Hundejahre* – beziehungsreich sind damit der Hitlerfaschismus und die Ära Adenauer gemeint – rekapitulieren die drei Hauptfiguren, der ehemalige Nazi Matern, sein früherer halbjüdischer Freund Eddi Amsel, ein als ›Vogelscheuchenbildner‹ tätiger Künstler, sowie Harry Liebenau, ein parodistisch angelegter Idealist, die Vergangenheit. Ausgreifender noch als in der *Blechtrommel* läßt Grass in diesem Roman eine an Jean Paul gemahnende polyphone, phantastisch surrealistisch wuchernde, von grotesken satirischen und parodistischen Überspitzungen überquellende politische Allegorie entstehen, deren grobianische Sinnlichkeit zwar nicht ihren provokativen Effekt in der literarischen Öffentlichkeit verfehlte; sie trug aber im Grunde nur wenig dazu bei, einen analytischen Zugang zu den ›Hundejahren‹ zu eröffnen, der ihre sozialgeschichtlich strukturelle Kontinuität transparent machen würde. Nicht nur, daß hier eine üppig fabulierende Sprache gegenüber der zu bannenden geschichtlichen Wirklichkeit sich zu verselbständigen droht; eine Tendenz, die sich nicht zuletzt auch in der Vorliebe des Autors für das literarische Zitat, die literarische Parodie und Persiflage ausdrückt. Darüber hinaus wird die Perspektive in der Darstellung des sozialen Zusammenhangs zwischen Mitläufern und Opfern des Faschismus auf das Individuelle reduziert. Dies gilt nicht nur in Hinblick auf die Genese, sondern auch für die ›Bewältigung‹ des Faschismus. »Jeder badet für sich«, lautet der bezeichnende letzte Satz in dem makabren Schlußtableau des Romans.

Der zeitgenössischen Kritik galten, soweit sie diese Werke emphatisch rezipierten, solche Vorbehalte wenig. Sie registrierte vor allem, insbesondere in der *Blechtrommel*, das literarische Novum, das diesen Roman vom Gros der literarischen Versuche der ›Vergangenheitsbewältigung‹ abhob. »Ich kenne keine epische Darstellung des Hitlerregimes«, schrieb H. M. Enzensberger in seinem Band *Einzelheiten* (1962),

»die sich an Prägnanz und Triftigkeit mit der vergleichen ließe, welche Grass, gleichsam nebenbei und ohne das mindeste antifaschistische Aufsehen zu machen, in der *Blechtrommel* liefert. Fast unparteiisch schlitzt er die ›welthistorischen‹ Jahre zwischen 1933 und 1945 auf und zeigt ihr Unterfutter in seiner ganzen Schäbigkeit. (...) Seine Blindheit gegen alles Ideologische feit ihn vor einer Versuchung, der so viele Schriftsteller erliegen, der nämlich, die Nazis zu dämonisieren. Grass stellt sie in ihrer wahren Aura dar, die nichts Luziferisches hat: in der Aura des Miefs. Nichts bleibt hier von dem fatalen Glanz übrig, den gewisse Filme, angeblich geschaffen, um unserer Vergangenheit ›mutig zu Leibe zu rücken‹, über die SS-Uniformen warfen. WHW, BdM, KdF, aller höllischen Größe bar, erscheinen als das, was sie waren: Inkarnation des Muffigen, des Mickrigen und des Schofeln.«

Frei von Ideologie zu sein – dieses der *Blechtrommel* zuerkannte Prädikat spiegelt nicht nur einen zentralen Orientierungspunkt im Selbstverständnis jener bürgerlich literarischen Intelligenz wider, die sich in der Gruppe 47 zusammenfand. Ideologiefreiheit als selbstverstandenes Mißtrauen und als Absage gegenüber jeglichen auf Totalität zielenden gesellschaftlichen und politischen Erklärungssystemen sollte auch für Grass selbst erklärtermaßen zur bestimmenden Haltung werden. Daß sich im politischen Bereich am Ende der fünfziger Jahre innerhalb der Sozialdemokratie ähnliche Vorstellungen durchsetzten – im Godesberger Programm von 1959 gab die SPD mit ihrem selbstverstandenen Wandel von einer »Arbeiter-« zu einer »Volkspartei« die letzten Reste an Klassenkampftheoremen preis –, macht mehr als nur beiläufige Parallelen und Affinitäten kenntlich. Im Zuge der in den folgenden Jahren auftretenden Polarisierung der literarischen Intelligenz sollten sie für die politische Orientierung und das öffentliche Selbstverständnis von Grass zunehmend an Bedeutung gewinnen. In zahlreichen Veröffentlichungen, besonders aber in der Büchner-Preis-Ansprache *Rede über das Selbstverständliche* (1965) sowie in der 1966 in Princeton gehaltenen Rede *Vom mangelnden Selbstvertrauen der schreibenden Hofnarren unter Berücksichtigung nicht vorhandener Höfe* skizzierte er ein Programm, das den Zusammenhang von literarischer und politischer Praxis auf einen damals ebenso provozierenden wie problematischen Nenner brachte. In einer Zeit, da die bürgerliche Demokratie durch »Abbrucharbeiter von links und rechts« bedroht sei – gemeint waren die sich formierende Außerparlamentarische Opposition auf der einen, die neofaschistische NPD sowie die konservative CDU/CSU samt ihren publizistischen Hilfstruppen Springers auf der anderen Seite –, garantiere allein die »evolutionäre« Politik der Sozialdemokratie eine Demokratisierung der Gesellschaft. Zugleich gebe sie den einzig möglichen Rahmen für die Wahrnehmung der öffentlichen Verantwortung des Schriftstellers ab. Unverkennbar schlug der moralische Gestus der Gruppe 47 in diesen politischen Vorstellungen durch. Denn die Mitte der sechziger Jahre auftretende Krise sei keineswegs systembedingt, wie seitens der Neuen Linken behauptet wurde. »Nicht die parlamentarische Demokratie hat versagt, vielmehr ist den gewählten Repräsentanten dieser so differenzierten wie empfindlichen Gesellschaftsform die Kontrolle über die ihr auf Zeit verliehene Macht aus den Händen geglitten« (*Über das Selbstverständliche. Reden, Aufsätze, Offene Briefe, Kommentare* 1968). In diesem Sinne abstrahierend von der materiellen Interessenlage der gesellschaftlichen Klassen und gestützt auf das prinzipiell ungebrochene Vertrauen individueller Verantwortlichkeit, die nach Grass parlamentarisch ebenso delegierbar wie kontrollierbar sei, gelte es, »demokratischen Kleinkram [zu] betreiben«; dies aber heiße nicht nur: »Kompromisse anstreben.« Dies bedeute zugleich eine positiv interpretierte Beschränkung auf das gesellschaftliche ›hic et nunc‹, die Fragen von übergeordneter Bedeutung ausklammert; so hieß es z. B. in bezug auf die amerikanische Invasion in Vietnam: »(...) mir fehlt die Kompetenz, den Krieg der Amerikaner zu verdammen und mir fehlen die Kenntnisse, den Sieg des Vietkong zu wünschen.« Eine derart unwissende Großzügigkeit gegenüber der Geschichte hatte nicht nur peinlich wirkende Auswüchse; etwa wenn Grass meinte, »daß sich der ›Große Hessenplan‹ des [ehemaligen] hessischen Ministerpräsidenten Georg August Zinn mit seiner volkswirtschaftlich begründeten Architektur von Büchners und Weidigs Flugblatt (...) herleiten läßt« (*Über das Selbst-*

verständliche). Sie geriet nachgerade zum gedanklichen System, wenn sie etwa in der ideologischen Auseinandersetzung mit der Neuen Linken ganz im Geist der Totalitarismusdiskussion der fünfziger Jahre die Gleichung vom »rechten und linken Faschismus« mit Hegel als dem gemeinsamen geistigen Vater als wesentliches Theorem der eigenen Argumentation geltend gemacht wurde.

Vor diesem gedanklichen Hintergrund, der in dem metaphorisch aufschlußreich titulierten Band *Aus dem Tagebuch einer Schnecke* (1972) seine bisherige summarische Ausprägung fand, gewinnen die im engeren Sinne literarischen Arbeiten von Grass dieser Phase ihren eigentlichen Stellenwert: das Drama *Die Plebejer proben den Aufstand* (1966), der vornehmlich auf Selbstreflexion abgestimmte Gedichtband *Ausgefragt* (1967), der Roman *Örtlich betäubt* (1969), der Grass' geschichtliche Einschätzung der Studentenbewegung formuliert, sowie das Theaterstück *Davor* (1969), das einen zentralen Zug der Fabel von *Örtlich betäubt* – die Frage nach dem Sinn aktionistischer Protestformen – zum Gegenstand hat. Das Drama *Die Plebejer proben den Aufstand* gestaltet einen an sich bestechenden Grundeinfall: die zeitliche Koinzidenz des Ost-Berliner Aufstandes in den Tagen um den 17. Juni 1953 mit Brechts Proben des *Coriolan*. Während – nach Grass – die Arbeiter, mangelhaft organisiert und ohne theoretisches Regiekonzept ihrer Revolte, den Aufstand beginnen, probt der in marxistischer Theorie geschulte »Chef« die Szenen der aufständischen Plebejer in seiner Shakespeare-Bearbeitung. Als eine Delegation der Arbeiter in das Theater eindringt, versucht der »Chef«, sich nicht nur der von ihm abverlangten Solidaritätserklärung und Hilfe bei der Abfassung eines Manifests gegen die staatlichen Normenerhöhungen, Ursache des Aufstandes, zu entziehen. Was noch schwerer wiegt, ist die Tatsache, daß er aus der unerwarteten Aktualität Nutzen zu ziehen und die Arbeiter gegen ihren erst allmählich erwachenden Widerstand als Objekte in das ästhetische Spiel seiner Bühnenarbeit zu integrieren versucht. In der Vorlage des geprobten Stücks siegen die Plebejer, »während auf der Bühne des Theaterchefs, die den Aufstand spiegelt, der Arbeiteraufstand zusammenbricht« (*Vor- und Nachgeschichte der Tragödie des Coriolanus von Livius und Plutarch über Shakespeare bis zu Brecht und mir* 1964). Der »Chef« hält sich nur in seiner marxistischen Theorie und Ästhetik für verantwortlich, das gesellschaftliche Sein seiner Zeit zu verändern; die Höhe seines theoretischen Bewußtseins läßt ihn die ›Niederungen‹ der gesellschaftlichen Praxis aus dem Blickfeld geraten. Nach Grass läßt der »Chef«, dem »fleißigen Mechanismus« marxistischer Ideologie folgend, eben diese Entschlossenheit vermissen, mit der Einheit von Theorie und Praxis Ernst zu machen. Dem »Chef« kommt diese Einsicht zu spät. Um so mehr gelten seine appellativen Schlußsätze dem eigentlichen Adressaten – der literarischen Intelligenz von heute: »Unwissende. Ihr Unwissenden! Schuldbewußt klag ich euch an.«

Grass hat dieses Stück im Untertitel ein »deutsches Trauerspiel« genannt und damit offenkundig einen doppelten Bezug gesetzt. Zum einen wertet er das Stück in Anspielung auf das bekannte Marx-Diktum von der »deutschen Misere« als Illustration des für den deutschen Idealismus charakteristischen Widerspruchs zwischen theoretischer Brillanz und praktisch politischer Ohnmacht und Abstinenz. Zum anderen stellt er es in die Tradition der neuzeitlichen Literaturgattung des Trauerspiels; ein Genre, dem nach Benjamins einschlägiger Theorie in deutlicher Abhebung zur geschichtsanalytischen »Opferidee« der Tragödie der von »Trauer und Apathie« bestimmte Wesenszug »stoischer Apathie« des Helden zukommt (*Ursprung des deutschen Trauerspiels*). Letztere in ihrer zeitgenössischen Ausprägung im Sinne eines von Grass konzipierten tätigen Engagements des Schriftstellers zu erschüttern, ist das Ziel der *Plebejer*. Die Tatsache indes, daß dieses Vorhaben gerade angesichts der vermeintlichen Kontinuität des deutschen Idealismus im Werke Brechts objektive Grenzen erfährt, läßt sich trotz aller einmontierten Brecht-Zitate nur um den Preis wesentlicher Verkürzungen und Entstellungen von dessen Position kompensieren.

Mit der 1979 publizierten Erzählung *Das Treffen in Telgte*, insbesondere aber mit dem zwei Jahre zuvor erschienenen märchenhaften Roman *Der Butt* knüpfte Grass wieder an die üppige und vielschichtige Bilderbogentechnik seiner epischen Anfänge an – mit dem Unterschied, daß sich etwa die Konstruktion des *Butt* noch ausgeklügelter und raffinierter ausnimmt als die der frühen Werke. Zwischen Romananfang, der Zeugung eines Kindes, und Romanende, der Geburt, spannt sich in einem phantastischen Ausgriff von der Jungsteinzeit bis in unsere siebziger Jahre der in zahlreiche Handlungsepisoden und Erzählstränge gegliederte narrative Rahmen. Wie in einem Märchen werden vom Ich-Erzähler auf diese Weise unter dem Blickwinkel der Geschlechterbeziehung Jahrhunderte durchwandert. Begleitet wird er von dem aus dem Märchen *Vom Fischer un syne Fru* bekannten redenden Butt; ihm hatte vor Urzeiten der Erzähler das Leben gerettet. Zum Dank dafür hatte ihn der Butt unsterblich gemacht und steht ihm nun als Mentor in Sachen Männerherrschaft zur Seite. »Deine Großmut verpflichtet mich, dich mit weltweit gesammelten Informationen zu versorgen.«

Für Grass handelt *Der Butt* erklärtermaßen vor allem »von den Geschlechtern und von ihrem Verhältnis zueinander. Ich zeichne die Männer in ihrem Machtgebrauch, in ihrem Machtwahn und in ihrem Hang zur Abstraktion, zur Verflüchtigung in ihre Systeme. Und immer innerhalb dieser Systeme taucht dann auch die Entdeckung auf, wie bodenlos, wie verloren sie sind innerhalb ihrer selbsterfundenen, selbst abgesteckten Systeme, und sofort beginnt die Fluchtbewegung zurück zur weiblichen Position – oder zu dem, was man sich als Mann, wenn man die Machtposition so absolut besetzt hält, innerhalb dieses Systems als Frau vorstellt: als Ruhepunkt« (in: *Die Zeit* 12. 8. 1977). Die Männer als Opfer ihrer eigenen gedanklichen »Systeme«– das für Grass seit den fünfziger Jahren bekannte und charakteristische Stereotyp vom Schreiben im Zeichen des totalen »Ideologieverdachts« erfährt hier seine aktualisierte, auf die insbesondere vom Feminismus aufgeworfenen Fragen zugeschnittene Ausprägung. Die Tatsache, daß Grass in einer Parallelhandlung eine Gruppe von Feministinnen parodistisch ebenfalls zu Opfern ihrer eigenen Vorstellungen werden läßt – sie bringen den Butt vor ein Frauentribunal, weil er »bewußt zum Schaden der Frauen die Männersache betrieben« habe –, trägt ein übriges zu dieser Einschätzung bei.

Insgesamt gesehen, hat Grass von den Autoren, die als Exponenten der ehemaligen Gruppe 47 nach deren Exitus nicht für sozialistische Positionen votierten, sicherlich – auf einer formalen Ebene betrachtet – den konsequentesten und weitestgehenden Versuch unternommen, die Vorstellung vom ›freien‹ Schriftsteller ihres fiktionalen Gehalts zu entkleiden und im Rahmen der institutionalisierten Öffentlichkeit auf eine positiv formulierbare, politisch pragmatische Basis zu stellen. Seine vorgängige Einsicht, daß Geschichte nicht nur prinzipiell erkennbar, sondern auch veränderbar ist, ja im Sinne eines mühsamen ›schneckenhaften‹, von erzwungenen Stillständen unterbrochenen Fortschritts der notwendigen Veränderungen bedarf, erweist sich unter diesen Umständen ungeachtet der immanenten inhaltlichen Problematik als Maßstab für eine Reihe von Autoren, die ihre gesellschaftlichen Bestandsaufnahmen ebenfalls in den Zusammenhang von politisch sozialem ›Engagement‹ und schriftstellerischer Tätigkeit stellten.

Das ›Neue Volksstück‹

Als 1966 Martin Sperr spektakulär mit seinen *Jagdszenen aus Niederbayern* debütierte, Jochen Ziem ein Jahr später seine *Nachrichten aus der Provinz. 20 Verhaltensweisen* veröffentlichte, signalisierte dies den Beginn einer Entwicklung innerhalb der Dramatik der späten sechziger und frühen siebziger Jahre, die nicht nur durch die unverhoffte Renaissance der nahezu vergessenen Werke von MARIELUISE FLEISSER (1901–1974) und ÖDÖN VON HORVÁTH (1901–1938) auf den deutschsprachigen Bühnen bestimmt war; sie wurde vor allem von einer Reihe jüngerer Autoren getragen, die sich als Verfasser eines von der Kritik in seltener Einmütigkeit bezeichneten »Neuen Volkstheaters« profilierten; eine Kategorisierung, die allerdings recht problematisch erscheinen mußte, wenn sie mehr als nur oberflächliche stoffliche Präferenzen benennen sollte. Denn spätestens seit den literaturtheoretischen Realismusdebatten in marxistischen Kreisen der dreißiger Jahre hatte der Begriff der Volkstümlichkeit immerhin eine rationale inhaltliche Qualität erhalten, die seine aktuelle gängige Verwendungsweise zur Charakterisierung etwa der populären Aufführungen bayerischer Komödienstadl oder des Hamburger Ohnsorg-Theaters unreflektiert und ideologisch restaurativ erscheinen lassen muß. So hatte etwa Brecht formuliert:

»*Volkstümlich* heißt: den breiten Massen verständlich, ihre Ausdrucksform aufnehmend und bereichernd / ihren Standpunkt einnehmend, befestigend und korrigierend / den fortschrittlichsten Teil des Volkes so vertretend, daß er die Führung übernehmen kann, also auch den anderen Teilen des Volkes verständlich / anknüpfend an die Traditionen, sie weiterführend / dem zur Führung strebenden Teil des Volkes Errungenschaften des jetzt führenden Teils übermittelnd« (*Volkstümlichkeit und Realismus*. In: *Gesammelte Werke* 19, 325).

726

Von derartigen Bestimmungen war das apostrophierte Neue Volkstheater weit entfernt. Ausdrücklich gegen Brechts Position abgehoben, argumentierten JOCHEN ZIEM (geb. 1932) und GÜNTER HERBURGER (geb. 1932) in zwei programmatisch anmutenden Aufsätzen zu einem »Neuen Realismus«, daß die Wirklichkeit zu widersprüchlich und zu kompliziert sei, als daß man sie noch durch »Weltmodelle« nach Brechts Manier wiedergeben könne. Allein die bewußte Beschränkung auf das »Durchschnittliche« sowie dessen authentische »nachrichten«-gleiche Darstellung seien ein Weg, dem totalen Ideologieverdacht, der sich bei der Lektüre Brechts einstelle, zu entgehen. Im Gegensatz zu dessen Wirklichkeitsdarstellung, wo die Figuren »immer das rechte Wort zur rechten Zeit parat haben, (...) die sogar tun, was sie sagen«, gelte es, die Wirklichkeit mit all ihren Widersprüchen im Bewußtsein der »schweigenden Mehrheit« einzufangen, das sich allenthalben in sprachlich ungereimten »Klößen von Geschwätz« artikuliere (vgl. Herburger in: *Theater heute* 1967, H. 3, 14 ff.; Ziem in: *Theater heute* 1967, H. 7, 46 ff.). Denn das »Durchschnittliche« sei die Welt des – zumeist proletarisierten – Kleinbürgertums, für dessen Lebensbedingungen vorzugsweise die rückständige süddeutsche Provinz als Paradigma angesehen wurde.

Diese Rehabilitierung kleinbürgerlicher Themen auf der Bühne der Stadt- und Staatstheater kam nicht von ungefähr. In einer Zeit, da die politische Polarisierung der sechziger Jahre in der Studentenbewegung und den offen neofaschistischen Strömungen ihren deutlichsten Ausdruck fand, sollte die verstärkte Hinwendung zu Stücken über die »schweigende Mehrheit« einen gesellschaftspolitischen Nachholbedarf der bundesrepublikanischen Bühnen stillen, dem auch nicht mit der Thematisierung großer geschichtsträchtiger politischer Stoffe (vgl. z. B. Hochhuths *Stellvertreter* bzw. *Soldaten* oder Kipphardts *Oppenheimer*) beizukommen war.

»Die Volksstückmode ist damit vordergründig als eine Reaktion auf die Legitimationskrise des esoterischen Betriebs der Renommier-Theater zu verstehen. In der Tendenz ›zurück zu den Kleinbürgern‹ spiegelt sich aber auch die Notwendigkeit, für die mit dem Ende des ›Wirtschaftswunders‹ aufgebrochenen gesellschaftspolitischen Widersprüche neutralisierende Interpretationsmodelle bereitzustellen.«[42]

Bei aller individuellen Verschiedenheit hatten Marieluise Fleisser und Horváth gemeinsam dazu beigetragen, das Stereotyp der ›goldenen zwanziger Jahre‹ zu zerstören, demzufolge der Faschismus naturereignishaft ein ›katastrophisches Ende‹ bedeutete. Fleisser und Horváth lösten das Klischee von einer homogenen mittelständischen Masse zugunsten von sozialpsychologischen Querschnittsdarstellungen auf, in denen Typen des depravierten Kleinbürgertums mit ihren verinnerlichten Strukturen konkreter äußerer Gewalt sowohl als trächtiges Potential wie als ohnmächtiges Opfer des Faschismus erscheinen mußten. Diese Vorstellungen, die sich wie Illustrationen sozialpsychologischer Faschismustheorien ausnehmen, stellten den wesentlichen Anknüpfungspunkt für jüngere Dramatiker wie MARTIN SPERR (geb. 1944), RAINER WERNER FASSBINDER (geb. 1946) und FRANZ XAVER KROETZ (geb.

1946) dar, ohne daß jedoch der rein deskriptive Horizont dieses Ansatzes im Sinne einer gesellschaftlich begründeten Erklärung überschritten wurde.

So unternahm Martin Sperr in *Jagdszenen in Niederbayern* den Versuch, die ungebrochene Kontinuität faschistoider Verhaltensweisen im bäuerlichen Kollektiv der Nachkriegszeit zu demonstrieren. Doch gelang dieser an der Jagd auf den Außenseiter Abram durchgeführte Nachweis nur in biologischen Kategorien. »Die gesellschaftlichen Voraussetzungen, die zur Ächtung der Homosexualität führen, die Arbeits- und Lebensbedingungen der Bauern, die Kollektivität nur als Zusammenschluß gegen Eindringlinge möglich werden läßt, werden im Stück nicht entwickelt.«[43] In den *Landshuter Erzählungen* (1967), ein Stück über den Konkurrenzkampf zweier kleiner Bauunternehmer im Niederbayrischen, konzentrierte sich Sperrs Interesse für das faschistoide Spießbürgertum primär auf dessen *moralische* Widerwärtigkeit. Nicht die ökonomischen Voraussetzungen der beiden konkurrierenden Produktionsweisen erfahren ihre Entfaltung, sondern, davon weitgehend abgehoben, subjektive Verhaltensweisen. Dementsprechend wird die Handlung primär nicht durch ökonomische Ereignisse und Umstände vorangetrieben, sondern durch Intrigen, Winkelzüge, Phantasie im Ausmanövrieren des Kontrahenten. »Der jeweils besonderen Form des gegenseitigen Bekämpfens gilt Sperrs ganze Aufmerksamkeit.«[44]

Die szenische Montage *Preparadise sorry now* (1969) von Rainer Werner Fassbinder – unter den jüngeren zeitgenössischen Autoren der ›touche-à-tout‹ in der Ausnutzung der verschiedenen Medien – lieferte das wohl konsequenteste Beispiel dafür, den sozialpsychologischen Erklärungsansatz der »autoritären Persönlichkeit« (Adorno) aller seiner historischen und sozialen Bezüge zu entkleiden. In diesen »Szenen um das faschistoide Grundverhalten im Alltag« (Fassbinder) erscheint die szenisch gespiegelte Handlungsweise der schottischen Kindermörder Ian Brady und Mary Hindley als Inbegriff der sozialen Verfassung des Kleinbürgers, die, als psychischer Defekt gedeutet, nur noch pathologisch erklärbar ist.

Eine hier ansetzende Literatur mußte sich unfreiwillig des Verdachts der bloßen Denunziation ausgesetzt sehen. Denn hier wie im Kontext der anti-autoritären Stimmung der Intellektuellen in den späten sechziger Jahren gewann der inflationäre Gebrauch der Vokabel ›faschistoid‹ eine Bedeutung, die kaum mehr einen sozialgeschichtlichen Sachverhalt, denn eine Haltung zum Ausdruck brachte, die der traditionellen Bohème-Kritik am Spießer sehr nahe kam.[44]

Nicht gelten sollte dies indes für Franz Xaver Kroetz. Der dezidierte Rückzug auf gesellschaftliche Randgruppen, »die uns nur durch die Schlagzeilen der Boulevard-Blätter vermittelt werden: outcasts, die uns nur nach ihrer sonstigen Unauffälligkeit durch ihre Straffälligkeit auffallen« (Karasek in: Lattmann, 671), eine extrem verknappte, mit fataler Zwangsläufigkeit auf Katastrophen ausgerichtete Dramaturgie schufen in Verbindung mit einem minuziösen Naturalismus eine Unmittelbarkeit, die sich der Unverbindlichkeit eines Bohemiens a priori versagte. Lag für Kroetz die Quintessenz der Werke Horváths in der vermittelten Einsicht, daß »der Faschismus (...) die

Folge von millionenfacher Beschädigung des ›kleinen Mannes‹« mit seinen »eingeübten Verhaltens- und Sprachgewohnheiten« sei, wobei die Entfremdung des Kleinbürgers sich vor allem in einer scheinbar funktionierenden, inhaltlich jedoch von »verbalisierten Notständen« geprägten Sprache niederschlage, so sei heute unter der Bedingung der »äußerste[n] Form des Bildungskapitalismus« in den Randzonen der gegenwärtigen Gesellschaft nicht einmal mehr jener Schein der sprachlichen Selbstverständigung gegeben. Es »funktionieren«, so Kroetz, »meine Figuren genau nach dem Schema der Horváthschen, eben nur mit dem Unterschied, daß ihnen die Sprache des Kleinbürgertums nicht mehr zur Verfügung steht« (in: *Theater heute* 1971, 4. 12, 13). So liegt denn folgerichtig das ausgeprägteste Verhalten seiner Figuren im Schweigen; ihre Sprache funktioniert nicht mehr. »Ihre Probleme liegen so weit zurück und sind so weit fortgeschritten, daß sie nicht mehr in der Lage sind, sie wörtlich auszudrücken«, heißt es in der Vorbemerkung zu der Stückesammlung *Heimarbeit. Hartnäckig. Männersache* (1970).

Angesichts solcher Prämissen entladen sich die im Rahmen der von sexueller Repression und materieller Existenznot geprägten Kleinfamilie entstehenden Konflikte – z. B. die Liebe einer Minderjährigen zu einem Halbstarken (*Wildwechsel* 1971), die Verkrüppelung eines Gastwirtssohnes (*Hartnäckig* 1971), die Liebe einer debilen Bauerntochter zu einem alternden Knecht (*Stallerhof* 1972) – in einer Gewalttätigkeit, deren szenische Unmittelbarkeit auf den Nachkriegsbühnen ihresgleichen sucht. Selbstmorde und Morde waren der konsequente Ausdruck der Ohnmacht der jeweiligen Protagonisten; verzweifelte Lösungsversuche, die indes, so Kroetz, »affirmativ funktionieren«; denn als Opfer dieser Gesellschaft »liefern sie sich selbst der Gerichtsbarkeit ihrer natürlichen Feinde aus. Damit säubern sie unfreiwillig die Gesellschaft, gegen die sie klagen« (*Wunschkonzert* 1973).

Gegen diese Dramatik sind eine Reihe von kritischen Einwänden geltend gemacht worden. Diese zielten vor allem auf die zentrale Argumentationsfigur, die in den Stücken von Kroetz stets variiert wurde: die Spracharmut als Grund für instinkthafte Kurzschlußreaktionen; die dumpfe Wortkargheit solle gesellschaftliche Unterprivilegierung demonstrieren und das System treffen, das den Menschen in der Provinz mit der Sprache auch die Mündigkeit verweigere.[45]

Damit, so die Kritik, erweise sich diese Dramatik nicht nur als Reflex der bürgerlich soziolinguistischen Sprachbarrierentheorie. In der Stilisierung je historisch und lokal zu spezifizierender gesellschaftlicher Randgruppenkonflikte zu Problemen einer abstrakten sprachlichen Kompetenz eröffne sie unter dem Blickwinkel etwaiger positiv formulierbarer politischer Handlungsanweisungen allenfalls reformistische Auswege aus der dargestellten Zwangslage.

In den letzten Jahren hat Kroetz zunehmend versucht, diesen Einwänden Rechnung zu tragen. Sicherlich nicht zufällig im Zuge seiner Annäherung an die DKP formulierte er 1973 die selbstkritische Einsicht: »Wenn man meine Stücke genau untersucht, dann stellt man sehr leicht fest, daß das soziale Engagement, das in ihnen steckt, nicht aus einer gesellschaftlichen Analyse des

Autors kommt, sondern aus Erschrecken und Zorn über die Zustände, wie sie sind« (in: *Theater heute* 1973, H. 9, 49).

Das Nest (1975), ein Stück, das in wichtigen Teilen der Fabel explizit kontrapunktisch zu *Oberösterreich* (1972) angelegt ist, indem es die Protagonisten zu sich, d. h. zur praktischen Wahrnehmung ihrer vitalen Interessen kommen läßt, trägt zwar noch wesentliche Widersprüche zwischen einer nichtanalytischen Mitleidsdramatik und einer modellbildenden politisch-operativen Dramatik; zugleich stellt es jedoch einen unübersehbaren Schritt hin zu einer Literaturform dar, die Kroetz als »westliche[n] sozialistische[n] Realismus« projektiv zu umreißen versucht hat (in: *Theater heute* 1975, H. 5, 42).

Bei aller Skepsis gegenüber der Abbildbarkeit gesellschaftlicher Totalität reflektiert das Neue Volkstheater mit seinem Rückzug auf geographische und soziale ›Randzonen‹ eine Haltung, die die dargestellten Probleme und Konflikte zumindest intentional noch als gesamtgesellschaftlich vermittelt ansieht. Ungeachtet der nur bedingten Entfaltung der je sedimentierten konkret geschichtlichen Dimension spricht aus ihr trotz allem das kaum in Frage gestellte Vertrauen in die grundsätzliche Abbildbarkeit gesellschaftlicher Erscheinungen, eine prinzipiell ungebrochene subjektive Souveränität des Autors gegenüber den freilich eingegrenzten Ausschnitten der Wirklichkeit. Formalästhetischer Ausdruck dessen ist nicht zuletzt der Rekurs auf die szenisch objektivierende Gattung des Dramas, wobei die konstatierte naturalistische Treue zum jeweiligen Darstellungsobjekt ein übriges beiträgt.

Beziehen sich also die Zweifel an der adäquaten Wirklichkeitsdarstellung bei den Autoren des Neuen Volkstheaters auf die Wahl des ›richtigen‹, d. h. exemplarischen Wirklichkeitsausschnitts, ohne daß jedoch ihre traditionelle Darstellungsperspektive hiervon wesentlich berührt worden ist, so sollten sich bei einer Reihe von Romanautoren entsprechende Vorbehalte auch in der Darstellungsform vermitteln. Vergegenwärtigt man sich die Tradition des bürgerlichen Romans, so zeigt sich, daß die ursprüngliche, zumeist auktoriale Erzählform des Romans in einer überschaubaren Chronologie der Realgeschichte ihren Halt fand – vor allem dort, wo sie sich in sinnfälligen Prozessen vollzog. Ebenso auffällig ist aber auch, daß sich ideologische Vorbehalte der Romanautoren hinsichtlich der Erkennbarkeit geschichtlicher Gesetzmäßigkeiten maßgeblich in der Erzählperspektive und der Handlungsstruktur des Romans niederschlugen. Von entsprechend größerer Bedeutung mußte dies zu einer Zeit werden, da sich unter dem Eindruck konkreter sozialer Erfahrungen die zählebige Vorstellung vom autonomen Individuum im allgemeinen und vom ›freien‹ Schriftsteller im besonderen als eine angestrengte Fiktion erwies.

Seinen vordergründig problemlosesten Ausdruck fand dieser prekäre Sachverhalt in der faktischen Unmittelbarkeit der dokumentarischen Methode mit ihrem Verzicht auf eine fiktionale, d. h. u. a. auf eine gestaltend verallgemeinernde Darstellung von gesellschaftlicher Wirklichkeit. Dem Dokumentarismus am nächsten kam eine Schreibweise, die – Faktographisches suggerierend – chronologische Reihungen von historischen Ereignissen vornahm, welche Personen betrafen, ohne daß diese selbst als handelnde in Erscheinung traten. Vor allem WALTER KEMPOWSKI (geb. 1929), von seiner Vita u. a. als langjähriger Häftling der DDR-Strafanstalt Bautzen und jetzigen Tätigkeit als Dorfschullehrer im Norddeutschen zwar eher als Außenseiter der literarischen Szene zu bezeichnen, erscheint hier als Beispiel. In *Tadellöser & Wolf* (1971), im Untertitel wohl primär aus stofflichen und nicht aus gattungsspezifischen Gründen als ein »bürgerlicher Roman« charakterisiert, verband er protokollarisch autobiographische Notizen mit anekdotischer Beiläufigkeit auf ironischem Grund. So entstand am Beispiel der eigenen Rostocker Familie des provinzbürgerlichen ›juste milieu‹ ein Portrait aus den Jahren 1939–1945, das in der unbewußten Angepaßtheit mittelständischen Verhaltens den allergewöhnlichsten Faschismus widerspiegelte. Die unperspektivische Detailgenauigkeit Kempowskis offenbarte jedoch zugleich die Problematik dieses Erzähltypus:

»Die verkürzte Optik, die auf das bloße So-Sein eingestellt ist, steht zumindest in Gefahr, die Personen in ihrer molluskenhaften, subjektlosen Existenz zu fixieren und sie so im ironischen Zwielicht aus ihrer Schuld und Verantwortung zu entlassen, nach der ein Roman von der Art *Deutschstunde*, indem er die gesellschaftlichen Probleme vorschnell personalisiert, möglicherweise zu vordergründig fragt« (Batt, 147).

Uwe Johnsons Skeptizismus

Bei UWE JOHNSON (geb. 1934), der bis zu seiner Übersiedelung 1959 nach West-Berlin in der DDR gelebt hatte, vermittelten sich das eigene Erleben des Faschismus mit den späteren Erfahrungen der beiden konkurrierenden Gesellschaftsordnungen auf deutschem Boden in einem ideologischen Skeptizismus, der sich äußerst nachhaltig bis in die formalen Erzählstrukturen hinein niederschlug (die Alternative Ost oder West sei eine »Wahl zwischen zwei Unsinnigkeiten«, *Mutmassungen über Jakob*). *Zwei Ansichten* lautet der bezeichnende Titel einer Erzählung aus dem Jahre 1965, in der in zweimal fünf Abschnitten jeweils die Geschichte eines »jungen Herrn B.« aus Westdeutschland und einer »Krankenschwester D.« aus Ost-Berlin alternierend erzählt wurde. Es war dies der von einer Unentschiedenheit des Erzählers getragene Erzählstil, der mangels verläßlicher Eindeutigkeit der Wirklichkeit sich nur in ständig neu ansetzenden Annäherungen an die Personen und ihr gesellschaftliches Umfeld versuchte. In diesem Sinne hatte sich schon Johnsons früherer Roman über den als »Streckendispatcher« tätigen und dann zu Tode gekommenen Eisenbahner Jakob Abs nur als Bündel von *Mutmassungen über Jakob* (1959) ausgeben lassen. Beging Jakob Selbstmord? Wurde er aus politischen Gründen liquidiert? Oder wurde er nur, weil er übermüdet war, das Opfer eines Arbeitsunfalls? Die vielschichtige Rekonstruktion der Wahrheit führte zu keinem eindeutigen Ergebnis, weil Johnsons Personen, wie Enzensberger 1962 in den *Einzelheiten* schrieb, »durch das ›Gesellschaftliche‹ genötigt, mit herabgelassenem Visier leben. Das Menschliche bleibt eingekapselt. Wer es erreichen will, tappt im dunkeln.« *Das dritte Buch über Achim* (1961) ist der Roman eines gescheiterten Beschreibungsversuchs, den der westdeutsche Journalist Karsch unternommen hatte, um das Leben des ostdeutschen Radrennfahrers Achim – zwei schablonenhafte Darstellungen über ihn existierten schon – in einer authentischen Biographie einzufangen. Doch nicht zuletzt die im Detail ebenso vielschichtigen wie widersprüchlichen Beziehungen von Privatem und Gesellschaftlichem trugen dazu bei, daß das Ganze unfaßbar blieb.

Seinen vorläufigen Kulminationspunkt fand Johnsons Schreiben in dem mehrbändigen Werk *Jahrestage. Aus dem Leben von Gesine Cresspahl* (1970 ff.). Gesine, die schon in *Mutmassungen über Jakob* als »republikflüchtige« Freundin von Jakob Abs in Erscheinung getreten war, ist zwischenzeitlich von Westdeutschland in die USA ausgewandert und versucht, als Bankangestellte in New York Fuß zu fassen. Dabei liegt dem tagebuchähnlich konzipierten Roman ein zunächst einfach anmutendes Erzählschema zugrunde: Zum einen berichtet Gesine ihrer weitgehend amerikanisierten Tochter Marie über ihre Familiengeschichte, die vor allem an der Vergangenheit der dreißiger und vierziger Jahre im mecklenburgischen Jerichow festmacht; zum anderen wird in Form von Zitaten, Anekdoten und Situationsbeschreibungen facettenhaft der von subjektiven Widerständen gekennzeichnete Prozeß der Anpassung Gesines an das Amerika der späten sechziger Jahre eingefangen. Diese beiden Erzählstränge scheinen zunächst relativ unabhängig voneinander zu verlaufen; doch mit fortschreitendem Romangeschehen wird offenkundig, daß beide Erzählebenen korrespondierend um die Frage kreisen, ob dieses Amerika, das nach außen einen Krieg in Vietnam führt und im Innern seine schwarze Bevölkerung unterdrückt, nicht nur ein retuschiertes Abbild des faschistischen Deutschlands der dreißiger und vierziger Jahre darstellt (vgl. Batt, 148). Eine eindeutige Antwort – etwa im Sinne der von der Kritischen Theorie geprägten populären Faschismuskritik – wird von Johnson nicht gegeben; gleichwohl tragen die Jerichow-Erinnerungen dazu bei, Gesines Bewußtsein für politische Schuld und Verantwortung zu sensibilisieren. Dementsprechend gilt Johnsons Interesse bei allem enzyklopädischen Charakter seiner Bestandsaufnahme primär den einzelnen Personen, ihren Schwierigkeiten, angesichts einer wahnwitzig erscheinenden Gegenwart soziale Identität zu entwickeln. Verweigerung und Fliehenwollen werden zu bestimmenden Motiven der Protagonistin.

»Wohin soll ich denn gehen?« lautet die ergebnislose Frage Gesines.

»Haushaltsprodukte der Firma Dow Chemical [des zugleich größten Napalm-Produzenten] kaufen wir schon lange nicht mehr. Aber sollen wir auch nicht mehr mit einer Eisenbahn fahren, da sie an den Truppentransporten von Kriegsmaterial verdient? Sollen wir nicht mehr mit Fluggesellschaften fliegen, die Kampftruppen nach Vietnam bringen? Sollen wir verzichten auf jeden Einkauf, weil er eine Steuer produziert, von deren endgültiger Verwendung wir nichts wissen? Wo ist die moralische Schweiz, in die wir emigrieren könnten?«

Weder die Rückerinnerung an Jerichow noch die gegenwärtigen Erfahrungen halten für Gesines Probleme irgendwie geartete praktikable, moralisch-politische Lösungsmöglichkeiten bereit. So findet z. B. die studentische Rebellion, deren Höhepunkt in die Zeit ihres New Yorker Aufenthaltes fällt, kaum mehr als nur beiläufige Beachtung. Was bleibt, ist ein offenes »Frage-und-Antwort-Spiel« (Batt, 149), das auf formaler Ebene getragen ist von dem bewußt durchgehaltenen Zwiespalt einer erzählbaren, d. h. objektivierbaren Vergangenheit und einem subjektlosen Mosaik der Gegenwart, das in eine oftmals verwirrende Vielfalt von Informationspartikeln (etwa Nachrichtenmeldungen der New York Times) und momentanen reportagehaften Augenblickseindrücken zerfällt. Insofern spiegelt die Struktur von *Jahrestage* »genau jene Schwierigkeiten, die in den neueren westdeutschen und österreichischen Romanen immer begegneten und die sich als Widerstreit von Fiction und Non-Fiction, Artifizierung und erzählerischer Selbstaufhebung, Subjektivismus und Subjektlosigkeit äußerten. Indem Johnson zwei Zeitebenen in zwei Erzählprozeduren vorführt, reflektiert er erzählerisch-kompositorisch den derzeitigen Zustand einer Romanliteratur, die den Zweifel an sich selbst zu ihrem Hauptthema gemacht hat. Er zerlegt allerdings den Zweifel in seine gedanklichen Bestandteile, ein unbefragtes Ja (die Jerichow-Ebene) und ein unsicheres Nein (die New-York-Ebene), die sich beide nicht nur wechselseitig voneinander abstoßen, sondern auch ergänzen«, um schließlich die Frage nach der Möglichkeit eines generalisierenden fiktionalen Erzählens »vorerst mit einem hintersinnigen Teils-Teils [zu] beantworten« (Batt, 150 f.).

Der ›Neue Realismus‹ der Kölner Schule

Läßt die konsequente Realisierung der komplementären Erzählstruktur von *Jahrestage* noch bei allem inhaltlichen Zweifel formal das Bemühen erkennen, geschichtlich gesellschaftliche Gesamtzusammenhänge als Roman individueller Selbstverwirklichung zu beschreiben, so steht in dieser Hinsicht bei DIETER WELLERSHOFF (geb. 1925) a priori eine Absage: »Die komplexen Wirkungszusammenhänge der modernen Gesellschaft haben den einzelnen längst überwachsen, und auch der Schriftsteller verantwortet nur noch seinen Erfahrungsbereich« (*Literatur und Veränderung* 1969). Diese Gedanken umreißen den Ausgangspunkt eines literarischen Konzepts, mit dem der Verlagslektor und Schriftsteller Wellershoff zum Mentor eines selbstverstandenen »Neuen Realismus« der »Kölner Schule« wurde, der zunächst u. a. GÜNTER SEUREN (geb. 1932), ROLF DIETER BRINKMANN (1940–1975), RENATE RASP (geb. 1935) und GÜNTER HERBURGER (geb. 1932) angehörten. Unter diesem plakativen Leitbegriff begann sich Mitte der sechziger Jahre eine Literatur zu artikulieren, die bei einem expliziten Verzicht auf die Darstellung übergreifender Wirklichkeitszusammenhänge an konkreten, faktisch unmittelbaren Erfahrungsmomenten des vereinzelten Subjekts festmachte. »An Stelle der universellen Modelle des Daseins, überhaupt aller Allgemeinvorstellungen über den Menschen und die Welt tritt der sinnlich konkrete Erfahrungsausschnitt, das gegenwärtige alltägliche Leben in einem begrenzten Bereich.« Mit dem Roman *Ein schöner Tag* (1966) hat Wellershoff selbst ein richtungsweisendes Beispiel für dieses Programm geliefert. Es ist die Schilderung einer alltäglichen Familienbeziehung, deren faktische Banalität den Schein eines sinnvollen gemeinsamen Zusammenlebens destruiert. Die Einleitung zu der Anthologie *Wochenende. Sechs Autoren variieren ein Thema* (1967) liest sich dazu wie ein Selbstkommentar Wellershoffs: Zwischen den Personen »gibt es keine funktionellen Vermittlungen mehr, die ihr Verhalten zueinander regeln, keine außer ihnen selbst liegenden, ihnen vorgelagerte Zwecke«; »sie sind zu sich selbst entlassen und treffen aufeinander mit ihren persönlichen Eigenarten, Schwierigkeiten und Komplexen«. Ergebnis ist »eine allgemeine Verhaltensstörung, die sich manchmal in offenen Konflikten, häufiger in einer Art indirektem, halb verdrängtem Untergrundkampf zeigt, in einem gegenseitigen Sich-Belauern, in einer dauernd gereizten Aufmerksamkeit«, die unter einer harmonisierten Oberfläche »uneingestandene Aggressionen« und »eine ziellose und deshalb blinde Sensibilität« verrät. Derartige Beschädigungen des Subjekts, die sich am ausgeprägtesten als psycho-pathologische und kriminelle Devianz äußern (vgl. Wellershoff *Die Schattengrenze* 1969), sind nach Wellershoff gesellschaftlich stigmatisiert, doch nicht systematisch ableitbar. Vielmehr dem induktiven Verfahren einer positivistischen Soziologie und Sozialpsychologie methodisch verpflichtet, stilgeschichtlich und erzähltechnisch an die Praktiken des französischen »nouveau roman« anknüpfend, charakterisiert den Neuen Realismus eine »bewegte subjektive Optik, die durch Zeitdehnung und Zeitraffung und den Wechsel zwischen [freilich quantitativer] Totale und Detail, Nähe und Ferne, Schärfe und Verschwommenheit des Blickfeldes, Bewegung und Stillstand, langer und kurzer Einstellung und den Wechsel von Innen- und Außenwelt die konventionelle Ansicht eines bekannten Vorgangs und einer bekannten Situation so auflöst und verändert, daß eine neue Erfahrung entsteht« (*Literatur und Veränderung*).

Das Ergebnis war eine fortschreitende Konkretisierung durch Verzerrung und Auflösung des vorherrschenden ideologischen Einverständnisses, das sich am ehesten als ein skeptisch approximatives Verfahren der Wirklichkeitsdarstellung beschreiben läßt. *Das Gatter* – so der Titel eines von Günter Seuren 1964 veröffentlichten Romans – bringt die strukturellen Eigenheiten dieses von perspektiveloser Offenheit bestimmten wie um faktographische Eingrenzung bemühten erzähltechnischen Verfahrens auf einen angemessenen metaphorisch deskriptiven Begriff. Seinen inhaltlich ästhetischen Ausdruck fand diese Konzeption in einem literarischen Spektrum, dessen Pole einerseits bestimmt waren von unauflösbaren Grotesken gesellschaftlicher Wirklichkeitssegmente, wie sie etwa Renate Rasp (*Ein ungeratener Sohn* 1967) und die 1937 geborene GISELA ELSNER (*Die Riesenzwerge* 1964; *Der Nachwuchs* 1968) skizzierten; die andererseits ihre Ausprägung fanden in einer Literatur, die, wie Brinkmanns frühe Prosaschriften (*Die Umarmung* 1965, *Raupenbahn* 1966), die faktisch unmittelbare Realität als etwas derart Dominierendes ansah, daß sie sich letztlich einer in bewußte Gestaltung umsetzbaren subjektiven Erfahrung entzog und diese damit aufhob. Damit mündete sie ein in ein »widerstandsloses Akzeptieren der an kein Ich mehr gebundenen Objekt-Abläufe in Wahrnehmung und Vorstellung«, die »schließlich den Schriftsteller selbst in Frage« stellte (Vormweg in: Lattmann, 311).

»Man muß vergessen, daß es so etwas wie Kunst gibt! Und einfach anfangen«, hieß es im Vorwort zu dem späteren Gedichtband *Die Piloten* (1968), womit Brinkmann eine Position formulierte, die sich nicht nur gegen einen elitär intellektualistisch eingeschätzten Erfahrungsbegriff abhob, wie man ihn in der Tradition westeuropäisch aufklärerischen Denkens bis hin zu neu-linken Autoren wie Enzensberger vertreten sah. In Anknüpfung an die Beat-Lyrik etwa eines Jack Kerouac und die nordamerikanische Pop- und Undergroundliteratur der sechziger Jahre, der vor allem Leslie Fiedler den theoretisch argumentativen Hintergrund geliefert hatte (*The New Mutants* 1965; *Close the Gap and Cross the Border – The Case for Post-Modernism* 1968), gelte es vielmehr, die in den multimedial vermittelten Populärmythen des Western, der Pornographie, der Science Fiction, des Comic oder Rock'n'Roll sedimentierten gesellschaftlichen Erfahrungen zu neuen collagierten Mustern zu verarbeiten. Denn dieser massenmythologische Fundus berge das sinnliche Potential, das allein zur Ausbildung einer »neuen Sensibilität« befähige und sich der herkömmlichen Sprache der »verwalteten Gesellschaft« versage. »Das Rückkopplungssystem der Wörter, das in gewohnten grammatikalischen Ordnungen wirksam ist, entspricht längst nicht mehr tagtäglich zu machender sinnlicher Erfahrung«, schrieb Brinkmann im Nachwort zu der von ihm und Ralf-Rainer Rygulla edierten Anthologie *Acid. Neue amerikanische Szene* (1969). »Bereits die dritte Variante eines Marx-Satzes ist lediglich Philologie wie der süßliche Schmelz des Technicolors mit der Musik Henri Mancinis oder der Soundtrack von Dr. Schiwago im 3. Jahr hier in Köln.«

Demgegenüber verheiße ein an den sozialen Ritualen der Pop-Kultur festmachendes »Anwachsen von Bildern = Vorstellungen (nicht von Wörtern) (...) die Empfindlichkeit für konkret Mögliches, das realisiert sein will. Für die Literatur heißt das: tradiertes Verständnis für Formen mittels Erweiterung dieser vorhandenen Formen aufzulösen und damit die bisher übliche Addition von Wörtern hinter sich zu lassen, statt dessen Vorstellungen zu projizieren – ›Das Buch in Drehbuchform ist der Film in Worten‹ (Kerouac)« (*Acid*).

Literatur in diesem Sinne war eingebettet in Vorstellungen einer hedonistischen Utopie, wie sie ansatzweise von den Beatniks der fünfziger Jahre und den Hippies der sechziger Jahre realisiert gesehen wurde. »Neue Mutanten« nannte Fiedler diese Vorboten einer neuen Zukunft, die sich wie eine apolitische Variante der »Rebellen von heute« Herbert Marcuses ausnehmen; freilich mit dem nicht unwesentlichen Unterschied, daß sich Marcuse der nicht wegzuleugnenden kapitalistischen Voraussetzungen einer Gegenkultur noch in der »Großen Weigerung« bewußt gewesen ist. So ist es sicher kein Zufall, daß am Ende des Aufrufs »Westwärts« – Inbegriff aller vagen utopischen Hoffnungen jener Trivialmythen, insbesonderer des Western – in dem gleichnamigen Gedicht aus Brinkmanns letztem zu Lebzeiten erschienenen Werk die nackte Desillusionierung durchzuschlagen beginnt:

»Wohnwagen, Schlangen
Gras, schwarze große Vögel;
krächzende Automaten im Februar.
Ich starrte auf die Buchstaben,

Hier, in der Gegend, mit den
wandernden Häusern,
nachts.

das war der Westen,

als ich den leeren, weiten Parkplatz überquerte.

(...)
Ich schleppte meinen Koffer zu der Haltestelle. Jenseits
der Betonflächen mit Spuren dünnen Lichts begann der Nachmittag,
westwärts.«

(*Westwärts 1 & 2. Gedichte* 1975)

Und bei WOLF WONDRATSCHEK (geb. 1943), der sich nach seinen sprachreflektierenden und sprachexperimentellen Anfängen (*Früher begann der Tag mit einer Schußwunde* 1969; *Ein Knecht zeugt mit einer Bäuerin einen Bauernjungen, der unbedingt Knecht werden will* 1970; *Paul oder die Zerstörung eines Hör-Beispiels* 1971) wie kein anderer als erfolgreicher Pop- und Rock-Lyriker profilierte (vgl. *Chuck's Zimmer* 1974; *Das leise Lachen am Ohr eines andern* 1976; *Männer und Frauen* 1978) mündet das Erwachen aus den Populär-Träumen in der scheinbar abgeklärten, im Grunde zynischen Pose:

»Leben ist wie Fahren.
Alles, was da ist, ist nur für einen kurzen
Augenblick da.
Davon träumt man doch manchmal.
Daran krepiert man.
(...)
Es ist stumpfsinnig,
darüber nachzudenken,
und jeder weiß, es ist
sinnlos.

Und das ist manchmal gerade
das Schönste an allem.«

(*Männer und Frauen*)

Der Fall Arno Schmidt

Ihre wohl eigenwilligste und zugleich wohl problematischste, von skurrilen Zügen nicht freie Ausprägung hat die zeitgenössische Auseinandersetzung mit der Tradition bürgerlich realistischer Darstellungsweisen im Leben und Werk von ARNO SCHMIDT (1914–1979) gefunden. Dabei repräsentiert A. Schmidt, querstehend zu allen literaturmodischen Etikettierungen, innerhalb der aktuellen Literaturszene keinesfalls einen Typus; denn Wirkungen in dem Sinne, daß sein Beispiel Schule unter anderen Autoren gemacht hätte, lassen sich vorläufig schwerlich ausmachen. Gleichwohl erscheinen Leben und Werk A. Schmidts als Fall, wobei die Konvergenz von Selbststilisierung der eigenen Autorenexistenz, formal-ästhetischem Avantgardismus, erkenntnistheoretischem und ideellem Konservativismus, enzyklopädischer Ostentation und Beflissenheit eine schillernde künstliche Eigenwelt schafft, die die soziale Realität weit hinter sich läßt. »Die ›Wirkliche Welt‹? ist,« – heißt es in einem seiner Romane – »in Wahrheit, nur die Karikatur unsrer Großn Romane!« (*Die Schule der Atheisten* 1972).

Was sich in Schmidts frühen, überwiegend kürzeren Prosatexten als beherrschende thematische Leitlinie in alltäglichen gesellschaftlichen Erfahrungszusammenhängen vermittelte – Kleinbürger versuchen, im Eigenbrötler- und Außenseitertum adäquate Überlebensstrategien zu entwickeln –, findet bei Schmidt in der Selbststilisierung der eigenen Autorenexistenz seine Entsprechung. Seit den fünfziger Jahren abseits vom Literaturbetrieb der kulturellen Zentren in Bargfeld in der Lüneburger Heide lebend, gleichsam im defensiven Rückzug die Autonomie des ›freien Schriftstellers‹ behauptend, bietet die sorgsam inszenierte und von der Schmidt-Lesergemeinde mitgetragene ›Schmidt-Legende‹ das Porträt eines autodidaktisch gebildeten, polyhistorisch recherchierenden Intellektuellen, der zum Außenseiter, Einsiedler und Sonderling bestimmt, in einem Heidedorf haust und mit dem Ethos des »ehr'nhafte[n] Prolletarijer[s]« als »L'ami du peuple«, als »Atheist«, »Aufklärer« und »Schreckensmann« wirken möchte. Doch der selbstgesetzte Bezug zur aufklärerischen Radikalität des Jakobinertums zeigt posenhafte Züge. Denn anders als der Aufklärung des 18. Jahrhunderts erscheint dem Autor Schmidt angesichts der Aufgabe, eine »konforme Abbildung unserer Welt« zu liefern, eine objektive, auf Totalitätserfassung zielende Darstellung nicht (mehr) möglich – ganz zu schweigen von der Formulierung von politisch eingreifenden Handlungsanweisungen. Atomisierung und Sinnverlust der objektiven Realität sowie Schwinden der subjektiven Erkenntnisgewißheit sind nach Schmidt hierfür die bestimmenden Gründe.

»Die Ereignisse unseres Lebens springen vielmehr. Auf dem Bindfaden der Bedeutungslosigkeit, der allgegenwärtigen langen Weile, ist die Perlenkette kleiner Erlebniseinheiten, innerer und äußerer, aufgereiht. Von Mitternacht zu Mitternacht ist gar nicht ›1 Tag‹, sondern 1440 Minuten (und von diesen wiederum sind höchstens fünfzig belangvoll!)« (*Berechnungen* I)

Und in der Erzählung Aus dem *Leben eines Fauns* (1953) heißt es:

»Mein Leben?!: ist kein Kontinuum! (nicht bloß durch Tag und Nacht in weiß und schwarze Stücke zerschnitten! Denn auch am Tage ist bei mir ein anderer, der zur Bahn geht; im Amt sitzt; büchert; durch Haine stelzt, begattet, schwatzt, schreibt; Tausenddenker, auseinanderfallender Fächer; der rennt; raucht; kotet; radiohört; Herr Landrat sagt: that's me): ein Tablett voll glitzernder snapshots.«

Vor diesem Hintergrund entwarf Schmidt mit aggressiv polemischen Ausfällen gegen »phallisch & heiseler« ›wiechernde‹ »Schönfärber«, »Schaumbold[e]«, »Blaublümler«, »raunende Seher«, »DePp«, das sind »D(ichter) = P(riester)«, das Bild eines Schriftstellers, der allein eine adäquate Darstellung der Wirklichkeit zu realisieren vermag: der »mitnotierende Polyhistor«, der rastlose »Synoptiker«, der datenverarbeitende Archivar, der detailkundige »Franktireur des Geistes«, der sprachschöpferisch-strukturenkundige »Pionier« der Literatur, der nach Landvermesserart die Welt »von Wirrnissen, von Unübersichten, von Nurmythologischem« reinigt.[46] Zeitgemäßes Schreiben wird nach Schmidt somit zu einem Registrieren diskontinuierlicher und isolierter, dem Zeitfluß enthobener Bewußtseinsaugenblicke und -fragmente; die insbesondere am späten James Joyce (*Finnegan's Wake*) geschulte, polyperspektivische »Rastertechnik« montierter »snapshots« zum auffälligsten Stilprinzip. Die auf diese Weise entstandenen Prosa-Collagen, die sämtliche Niveaus und Subsysteme der Sprache ausloten (Fäkalsprache, Gruppenjargons, Dialekt, Standardsprache, literarische und fremdsprachliche Zitate, Wortneuschöpfungen usw.), stellen nicht nur die herkömmlichen Gattungsstrukturen in Frage; sie zielen zugleich auf ein neues Rezeptionsverhalten des Lesers. Kaum noch als Romane im traditionellen Sinne charakterisierbar, lassen sie sich angesichts ihrer offenen, »löchrigen« Rasterstruktur wohl am angemessensten als vielstimmige Partituren beschreiben: als Vorlagen, die nach einem Leser verlangen, der den Text durch seine eigene Phantasiearbeit ausfüllt (vgl. W. Schütte in: *Frankfurter Rundschau* 25. 8. 1973).

Vermochten die dieser Technik verpflichteten Werke Schmidts ungeachtet ihrer Detailversessenheit in zunehmendem Maße im Grunde nur noch eine qualitativ schmale Realzone zu verarbeiten – die Grenze zwischen Ich und Welt, subjektiver Fiktion und Realität geriet zusehends fließender –, so wurde für Schmidt im Zuge seiner Freud-Rezeption, deren erster nachhaltiger Niederschlag sich in seiner Karl-May-Studie *Sitara und der Weg dorthin* (1963) findet, die »Spiegelräumlichkeit der Sprache« (H. Heißenbüttel) vollends zur ausschließlichen Spiel- und Erlebniswelt, zum Asylraum der freien Phantasie. In dem alle erzähl- wie drucktechnischen Traditionen sprengenden Mammutwerk *Zettel's Traum* (1970) hat Schmidt diesen poetischen Ansatz erstmals in aller Konsequenz ausgestaltet und zugleich im Kern theoretisch (-spekulativ) begründet. Im Zuge des äußeren, 24 Stunden umfassenden Handlungsverlaufs – in einer dörflichen Idylle der Lüneburger Heide treffen sich einige Freunde und befassen sich diskutierend, denkend, träumend mit dem Werk E. A. Poe's – entwickelt Daniel Pagenstecher, unverkennbares literarisches Double A. Schmidts, seine »Etym«-Theorie.

Analyseergebnisse der Untersuchung von E. A. Poe's poetischer Sprache verallgemeinernd, geht Pagenstecher-Schmidt davon aus, daß Sprache unterhalb ihrer manifesten Ebene eine Schicht von »eigentlich« (im Unbewußten) gemeinten sexuellen Vorstellungen erkennen lasse, wenn man sie auf »Etyms« abhorcht; d. h. auf Wörter und Wortgruppen, die durch Klangähnlichkeit gebündelt, im Gehirn gespeichert sind. Wörter, die eine dem Über-Ich zulässige, »anständige« poetische Bedeutung haben, passierten die psychische Zensur, während »unanständige«, von einer pansexuellen Triebenergie zeugende Wörter – der psychoanalytisch Geschulte vermag sie qua Klangähnlichkeit zu assoziieren – verdrängt, überformt, »sublimiert« würden. So enthielten etwa das deutsche ›arg‹, das französische ›arc‹ und das lateinische ›ars‹ das Etym, das seinen Triebgehalt im deutschen ›Arsch‹ offenbart; hinter ›Pallas‹ wird ein unbewußtes ›Phallus‹, hinter engl. ›pen‹ ein verstecktes ›Penis‹, hinter engl. ›true‹ und ›whole‹ eine frz. ›trou‹ und engl. ›hole‹ (jeweils ›Loch‹) vermutet.

Mit diesen Grundannahmen, die auf der semantisch-psychologisch vielschichtigen »MannIchphalltIchcoit« der Sprache basieren, fand Schmidt die Prämissen, einen karnevalesken »wallpurgisnächtlichen Kosmos von Wörtern« (G. Ortlepp in: *Der Spiegel* 20. 4. 1970) zu imaginieren und sich – oszillierend zwischen aufklärerischem Räsonnement, skurriler Phantasie und humoresker Persiflage – in ihm einzurichten. Die künstliche Autonomie der eigenen Autorenexistenz findet somit in diesem Reich der labyrinthischen Sprach- und Gedankenspiele ihre Entsprechung. Dessen Zugänglichkeit wird allerdings von Schmidt selbst nicht allzu groß veranschlagt: »Die Zahl der Kulturträger erhalten Sie, wenn Sie die dritte Wurzel aus P ziehen, wobei P für Population oder Bevölkerung steht. Das sind bei 60 Millionen Einwohnern in Westdeutschland etwa 390.«

Sprachreflektierende Literatur unter dem Einfluß Wittgensteins

»Die Bedeutung eines Wortes ist sein Gebrauch in der Sprache«, lautete die berühmte Kernthese in den posthum veröffentlichten *Philosophischen Untersuchungen* (1953) von LUDWIG WITTGENSTEIN (1889–1951); ein sprachanalytisches Werk, das in der Folge nicht nur für die Ausbildung einer sich gegenüber ahistorisch strukturalistischen Verfahrensweisen profilierenden linguistischen Pragmatik von weitreichender methodischer Bedeutung werden sollte. Mit den Ausführungen über die soziale Konventionalität sprachlicher Bedeutungskonstitution, mit der Betonung der Relevanz historisch ritualisierter »Sprachspiele« als Inbegriff gesellschaftlich determinierter sprachlicher wie nicht-sprachlicher Verhaltensweisen lieferte Wittgenstein zugleich wesentliche Argumentationsmuster für eine spätere sprachexperimentierende und sprachreflektierende Literatur, deren Autoren selbst noch im äußersten solipsistischen Rückzug auf innersprachliche grammatische Form- und Ausdrucksfragen hier das methodische Alibi einer vermittelten Auseinandersetzung mit der sozialen Realität fanden.

Diese Feststellung – je unterschiedlich modifiziert – gilt nicht nur für jene Literatur der sechziger und siebziger Jahre, die in Helmut Heißenbüttel ihren ›spiritus rector‹ und theoretischen Wortführer finden sollte, nicht nur für den 1966 spektakulär debütierenden Peter Handke, sondern gleichermaßen für die zeitlich zuvor in Erscheinung getretenen Autoren der »Konkreten Poesie« wie für die Mitglieder der »Wiener Gruppe«.

Der Begriff »Konkrete Poesie«, als deren maßgebliche Vertreter u. a. FRIED-RICH ACHLEITNER (geb. 1930), CLAUS BREMER (geb. 1924), EUGEN GOMRINGER (geb. 1924), ERNST JANDL (geb. 1925), KURT MARTI (geb. 1921), FRANZ MON (geb. 1926), DITER ROT (geb. 1930) gelten, wurde 1955 auf einem Treffen zwischen Décio Pignatari, Mitglied der brasilianischen Gruppe »Noigandres«, und dem damals in Ulm lebenden Eugen Gomringer geprägt. Unter dem nicht unmaßgeblichen Einfluß von Hans Arp und des Dada, zugleich in enger »ästhetischer verwandtschaft und geistiger verpflichtung gegenüber den theoretikern, malern und bildhauern der konkreten kunst« verstand sich die Konkrete Poesie als der »positivistisch vorgetragene versuch, gegenwart unmittelbar sprachlich festzustellen«, wie Gomringer in der von ihm edierten Anthologie *konkrete poesie* (1973) schrieb. Gestützt auf die uneingestanden idealistische Prämisse von der Identität von sprachlichem Signifikat und Signifikant, galt das Interesse der Konkreten Poesie einer Sprachkombinatorik, die, in der Verfremdung herkömmlicher Sprachmuster »eine auf knappe, unverhüllte form gebrachte information« anvisierte. Im Sinne »einer synthetisch-rationalistischen weltanschauung« habe eine herkömmliche Literatur, die lediglich als »ventil für allerlei gefühle und gedanken« fungiere, ihre Bedeutung verloren. Um so mehr befähige das poetologische Muster und Verfahren der objektivierenden verbalen »konstellation« dazu, »modernen, naturwissenschaftlich und soziologisch fundierten kommunikationsaufgaben« gerecht zu werden. Objektivierend in diesem Sinne freilich verstanden als eine auf verschiedenen Ebenen (Typographie, Phonetik, Semantik) entfaltete Vergegenständlichung sprachlicher Begriffe und Begriffskomplexe, die unverschlüsselt und nur auf sich selbst verweisend, keinerlei subjektive und gesellschaftliche Anhängigkeiten (Erfahrung, Geschichte) mehr erkennen läßt.

> »das schwarze geheimnis
> ist   hier
> hier   ist
> das schwarze geheimnis«
> (E. Gomringer)

Ungeachtet ihrer z. T. höchst witzigen, spielerisch rhetorischen Volten (vgl. bes. E. Jandl) kann diese Literatur ihre ideologischen Implikationen schwerlich vergessen lassen; vor allem dort, wo sie – wie bei Gomringer – sich mit einem problematischen theoretischen Überbau verbindet. Denn der Preis für die »ruhige heiterkeit« und die »freude am spiel, die merkmale der konkreten poesie sind«, ist die Verdrängung subjektiver und gesellschaftlicher Erfahrungen, die sich bei Wittgenstein noch als »Regeln des Gebrauchs« von Sprache niederschlugen. Gerade aber das Bemühen um die Ausschaltung einer gestaltenden Reflexion der gesellschaftlichen Determinanten für die Konstitution und die Funktion der Sprache verrät ein verdinglichtes Verständnis von Kommunikation, welche dann ihrerseits abstrakten, beliebig fungiblen Prinzipien unterworfen werden kann: so dem Anspruch, daß Sprache dazu beizutragen habe, daß die »menschlichen beziehungen universal rationalisiert« werden, »um wirtschaftliche produktivität und menschliche beziehungen in harmonische korrelationen zu bringen«. Die Tatsache, daß Gomringer seit geraumer Zeit als Werbefachmann in der Industrie tätig ist, verdient in diesem Zusammenhang vielleicht mehr als nur beiläufige Beachtung.

Die Wiener Gruppe

Gegenüber den kritischen Vorbehalten, die an der Tendenz der Konkreten Poesie festmachten, Sprache zu verdinglichen und damit ihrer Inanspruchnahme von Interessen der Warenästhetik latent Vorschub zu leisten, schienen jene Autoren gefeit zu sein, die man unter der Bezeichnung »Wiener Gruppe« zusammenzufassen sich gewöhnt hat. Gemeint ist jene literarische Kooperative, zu der sich in den Jahren 1952–55 die österreichischen Autoren FRIEDRICH ACHLEITNER (geb. 1930), HANS CARL ARTMANN (geb. 1921), KONRAD BAYER (1932–1964), GERHARD RÜHM (geb. 1930) und OSWALD WIENER (geb. 1935) zusammengefunden hatten und die bis zum Tod von K. Bayer Bestand hatte. Ihr betont anti-bürgerlicher Gestus, der getragen war von einer modernen Bohème-Romantik, verband öffentliche Demonstrationen mit einer sprachlich literarischen Aggression, die für die konservative Wiener Kulturszene in einem Maße provozierend wirkten, für das es in Deutschland kein vergleichbares Pendant gab. Wenn H. C. Artmann 1953 in seiner *Acht-Punkte-Proklamation des poetischen Actes* »Poesie« im Sinne einer Gesamtstilisierung der Existenz als »Lebenshaltung und Lebensanschauung« definierte (»Daß man Dichter sein kann, ohne auch irgend jemals ein Wort geschrieben oder gesprochen zu haben«), wenn er mit Mummenschanz und Happenings in der Innenstadt Wiens »poetische Demonstrationen« inszenierte, dann provozierte er getreu der bekannten Devise des ›épater le bourgeois‹ gesellschaftliche Reaktionen eines überkommenen kulturellen Establishments, die den genuin sprachlichen Experimenten mit ihrer zuweilen extrem individuell-anarchischen Grundhaltung der Wiener Gruppe ihre äußere Widerständlichkeit verschafften.

Literarischen Niederschlag fand diese selbstverstanden avantgardistische Bewegung, die zu ihren historischen Vorbildern August Stramm, Dada, Schwitters, Arp und andere Surrealisten zählte, zumeist in literarischen Kleinformen, die, nicht selten in Gemeinschaftsarbeit entstanden, überwiegend in literarischen Wiener Cabarets vorgetragen bzw. aufgeführt wurden. Einen repräsentativen Überblick über die in jener Zeit entstandenen Texte liefert besonders die 1967 von G. Rühm besorgte Anthologie *Die Wiener Gruppe*.

Wenn auch 1964 mit dem Tod von K. Bayer der formelle Zusammenhang der Wiener Gruppe verlorenging, so erhellen doch drei später publizierte Texte exemplarisch die poetologische Problematik jener Positionen. G. Rühms 1958 entstandener, aber erst 1968 erschienener Prosatext *Die Frösche* hat eine unscheinbare, doch konkret situierte Wegbeschreibung zur Ausgangssituation:

Der Ich-Erzähler beschreibt das Unterfangen, seine als Sängerin tätige Frau vom Theater abzuholen. Unversehens stellen sich jedoch dem Erzähler Hindernisse entgegen; und in dem Maße, wie die Straße unwegsamer wird, verliert die zunächst faktisch registrierende Sprache ihre syntaktische und referentielle Eindeutigkeit und gerät auf semantisch paradigmatische assoziative Abwege, für die das ›Erzählte‹, das Gehen, nur noch den äußeren Anlaß liefert. Angesichts der fortschreitenden Verselbständigung mit ihren verblaßten Metaphern und Stereotypen voll von versteckter Ideologie wird sich der Erzähler zunehmends der in der Sprache vermittelten präformierenden gesellschaftlichen Kräfte bewußt, die individuelle spontane Wahrnehmungen und Bewußtseinsformen verhindern. Dieses konformistische Systembewußtsein – »alles hängt zusammen, die sprache. überall beziehungen, die hergestellt werden können. nachvollzogen« – läßt die Sprache, ähnlich wie in Wittgensteins *Philosophischen Untersuchungen* als Gefängnis erscheinen, in das sich der Schreiber mit jedem Wort immer tiefer hineinbegibt:

»so wird mein spaziergang (...) schon durch meinen versuch ihn zu beschreiben, nach einer richtung hin festgelegt, nämlich der, in der ich beschreibe und somit von der sprache, derer ich mich doch nur bedienen wollte, offensichtlich aufgesaugt, das geschieht unaufhaltsam, fast von selbst, sogar obgleich ich es bemerke.«

Die sich über die Sprache einstellende beklemmende Einsicht in die eigene Entfremdung (»meine sprache? meine gedanken? wo beginne eigentlich ich?«) mündet ein in subjektive Ohnmacht. Denn statt Konsequenzen für den obsolet gewordenen Begriff des Individuums zu ziehen, projiziert Rühm diesen vielmehr auf die gesamte Realität, indem er sie in eine quantitative Fülle geschichtsloser, von totaler Simultaneität beherrschter Wirklichkeitspartikel atomisiert. Eine solche Auflösung korrespondiert mit der Forderung nach einer ›reinen‹ Sprache, in der unvermittelte Äquivalenzen zwischen Wort und Referenzobjekt, eine unmittelbare Identität von Signifikat und Signifikant herrscht:

»der satz müßte aufgelöst werden, sein hierarchisches prinzip. jedes wort müßte für ein ›jetzt‹ stehen (jeder laut sogar). dieses jetzt da. dieses. jetzt. jtzt. e. etwas. da. a.«

Auf einer höheren Ebene betrachtet, steht hinter dieser Position das Bemühen, die Differenz zwischen Literatur und Leben, zwischen Sprache und Wirklichkeit undialektisch aufzuheben. Als Spezialist für Sprache und Literatur sucht der Autor, separiert von der konkreten gesellschaftlichen Praxis, den Zugang zur Wirklichkeit ausschließlich über die Sprache. Angesichts der, wie H. Marcuse meint, »Absperrung des Universums der Rede« vermag sich dieses Unterfangen jedoch letztlich nur in einer formalisierten Phantasie zu äußern. In diesem Zusammenhang gewinnt nicht zuletzt auch Artmanns Anschluß an die Sprachartisten des literarischen Barock seine Bedeutung (»*qvirin kuhlmann* / ... / du alchymist der wortt. du ohnbebeugte krafft ::: / du lilie & ros der teutschen dichter schafft«; in: *epigrammata in teutschen alexandrinern* 1957). So werden zwar vorgegebene Sprachmuster destruiert, doch die außersprachliche Wirklichkeit wird davon nicht affiziert.

Zu Ende gedacht, führt diese Position zu einer individual-anarchischen Haltung der »Großen Weigerung« (H. Marcuse). In seinem Roman *Die Verbesserung von Mitteleuropa* (1969) empfahl O. Wiener, der sich selbst als Anhänger Max Stirners (*Der Einzige und sein Eigentum* 1845) bekannte, das »abhauen aus der sprache«, die Regression in das Verstummen, um sich in einem nach außen aggressiv abgeriegelten Solipsismus wenigstens seine ›Eigenheit‹ (»ich aber bin der einzelne fall«), die Reste seiner bedrohten Subjektivität zu bewahren. K. Bayers 1966 posthum erschienener Roman *Der sechste Sinn* veranschaulicht in letzter Konsequenz die Ausweglosigkeit dieses Bemühens: ein »Einziger« unternimmt den absurden Versuch, sein »Eigentum«, seine Individualität, selbst um den Preis der Selbstaufgabe zu retten: »›ich bin jederzeit bereit, mich umzubringen‹, brüllte dobyhal als man ihn abführte. ›ich bin gefeit: ich bin gefeit! ich sterbe wann ich will!‹« Gestützt auf eine idealistische Erkenntnistheorie – »›alles ist in bester ordnung‹, antwortete goldenberg, ›nur unsere ansichten müssen geändert werden‹« – kehrt der ›Einzelne‹ seine Aggressionen nicht gegen die Verhältnisse, die ihn in seinem Solipsismus gefangenhalten und wirkliche Kommunikation unmöglich machen, sondern letztlich gegen sich selbst. Bekanntlich nahm sich am 10. Oktober 1964 K. Bayer das Leben.

Helmut Heissenbüttel

Wo bei den Autoren der Wiener Gruppe die gegen alle stilistischen und grammatischen Konventionen gerichtete Schreibweise noch als Ausdruck des bewußten Heraustreten-Wollens aus dem prästabilisierten Universum verbal vermittelter Herrschaft zu werten ist und der auffällig aggressive Gestus ihres Schreibens selbst dann noch als Form des subjektiven Protests gegen die Bedrohung des Individuums zu gelten hat, wenn er sich als letzte Entscheidung die eigene Negation vorbehielt, da ist das Werk HELMUT HEISSENBÜTTELS (geb. 1921) und – mit gewissen Modifikationen – das des 1932 geborenen JÜRGEN BECKER (*Ränder* 1968, *Umgebungen* 1970, *Das Ende der Landschaftsmalerei* 1974) als der Versuch zu verstehen, sich mit der Realisierung des Konzepts einer »antigrammatischen Poesie« in einer »post-individuellen«, technokratisch verwalteten Welt einzurichten.

Nach Heissenbüttel hat das Subjekt seine historische Rolle in einem doppelten Sinne ausgespielt: als selbstbewußtes Individuum wie als geschichtliches Agens. Das autonome Individuum sei nicht mehr als eine anachronistische Fiktion. »Es reduziert sich (...) zu einem Bündel von Redegewohnheiten«, dessen Erfahrungshorizont schon Wittgenstein im *Tractatus logico-philosophicus* (1921) umrissen hatte: »Die Grenzen meiner Sprache bedeuten die Grenzen meiner Welt.« Vor diesem Hintergrund erscheint Sprache nicht nur als *das* Medium der menschlichen Wahrnehmung, sondern zugleich als deren ausschließlicher Objektbereich, als »das letzte Konkrete«. Da aber – auf der Darstellungsebene – nach Heissenbüttel eine diskursive Sprache, die auf »das alte Grundmodell der Sprache von Subjekt-Objekt-Prädikat« gegründet ist, den verdinglichten Verhältnissen der gegenwärtigen Gesellschaft nicht mehr entspricht –

»Dieses Grundmodell besagt, daß die sprachliche Auseinandersetzung mit der Welt unter der Voraussetzung geschieht, daß es immer etwas gibt, auf das alles sich bezieht, und etwas anderes, das diesem Bezugspunkt gegenübersteht, beides aber in Form von Aktions- und Verhaltensweisen verbunden ist« (*Über Literatur. Aufsätze und Frankfurter Vorlesungen* 1970)

– verändern sich Stellung und Funktion des Autors. Er erscheint nicht mehr als »Genie«, das im Schreiben die eigene Subjektivität stellvertretend für andere realisiert; vielmehr falle ihm die Aufgabe zu, die »Erfahrungen eines desorientierten nachindividuellen Zustands« als »multiples Subjekt« mittels verbal verkapselter Wirklichkeitssegmente in Analogie zu den Verfahren experimentierender Wissenschaften zu sprachlichen Modellen zu arrangieren; zu Kombinationen von »Texten«, denen im Gegensatz zu herkömmlichen Literaturerzeugnissen jegliche »Aura« fehlt, die nach Benjamin noch den Werken der Epoche des bürgerlichen Realismus eignete. Eine derartige syntaktische und semantische Sprachkombinatorik, in der verbale Gemeinplätze durcheinandergewirbelt und in immer neue Zusammenhänge gefügt werden, das Zitat zur dominierenden Redefigur wird, gewinne den Charakter von »Demonstrationen« zur Falsifikation des herrschenden ideologischen Einverständnisses;

»der Fremdheit, der Undurchdringlichkeit unserer sogenannten Realwelt würde eine Gegenwelt antworten, die ich probierend verändern und modifizieren könnte. Mit der Sprache konstruiere ich synthetische Halluzinationen und versuche rückwärts an ihnen zu spiegeln, was ist« (H. H./H. Vormweg *Briefwechsel über Literatur* 1969).

Die gedankliche und formale Offenheit solcher experimenteller »Sprachräume« eröffne darüber hinaus die Möglichkeit einer Demokratisierung der Literatur; denn schließlich werde »die Grenze zwischen Autoren und Lesern verwischbar sein. Jeder Leser, jeder ›Übende‹ hat der Tendenz nach die Möglichkeit, Autor zu werden« (*Über Literatur*).

Die formale Nähe dieser Argumentation zu analogen Überlegungen W. Benjamins (*Der Autor als Produzent*) kann indes entscheidende inhaltliche Unterschiede nicht vergessen lassen. Wo bei Benjamin sich zentrale Begriffe wie »Erfahrung«, »Praxis« oder »Authentizität« über die Kategorie der gesellschaftlichen Totalität erschließen, da beziehen sie bei Heissenbüttel ihren Inhalt aus einem abgeleiteten, genuin sprachlichen Universum. Insofern ist es problematisch, etwa Heissenbüttels selbst kommentierenden Vorgaben zu *D'Alemberts Ende* (1970), dem ersten Roman nach seiner Text-Reihe (*Textbuch 1–6* 1960 ff.), unbesehen zu folgen, wonach dieses Werk als »Satire auf den Überbau. Durchgeführt am Beispiel Bundesrepublik Juli 1968« (*Zur Tra-*

dition der Moderne 1972) zu lesen ist. Die Tragfähigkeit dieses Anspruchs wäre dahingehend zu überprüfen, inwieweit es Heissenbüttel tatsächlich gelingt, die im Roman angelegte Kritik intellektuellen Bewußtseins tatsächlich als die Kritik eines Überbaus kenntlich zu machen, der sich über eine mit zu reflektierende gesellschaftliche Basis erhebt.

Zwei erfolgreiche Autoren der frühen siebziger Jahre: Thomas Bernhard und Peter Handke

Von der Zahl der Druckauflagen bzw. der Bühnenaufführungen her gesehen, fand die sprachreflektierende Literatur ihre erfolgreichste Ausprägung vor allem in jüngster Zeit wohl in den Werken von THOMAS BERNHARD (geb. 1931) und PETER HANDKE (geb. 1942). Diese Rezeption hat ihre Gründe. So koinzidierte die breite Empfänglichkeit eines überwiegend konservativen Publikums für die moribunden, den Gestus des »Absurden Theaters« aufnehmenden Bühnenstücke und Prosatexte Th. Bernhards nicht zufällig mit der Restaurationsphase der siebziger Jahre, in der nach einer kurzen sozial-liberalen Reformeuphorie die strukturell zunehmend polarisierten Gegensätze die staatlichen Institutionen zu drastischen Eingriffen in das ›Ordnungsgefüge‹ veranlaßten. Auf der anderen Seite spiegelt die Entwicklung P. Handkes von einer formalisierten Protesthaltung zu einem Autor der unvermittelten Innerlichkeit einen gesellschaftlichen Bewußtseinswandel wider, der für nicht geringe Teile der in den sechziger Jahren rebellierenden, kaum mehr als nur oberflächlich politisierten Jugend typisch war.

»Im Grunde ist alles, was gesagt wird, zitiert«, heißt es in Bernhards Prosaband *Gehen* (1971) und reflektiert damit eine Wirklichkeitserfahrung, die der der vorgenannten Autoren sehr nahe kommt. Doch im Gegensatz zum Intellektualismus Heissenbüttels, der unter den Bedingungen des »postindividuellen Zeitalters« konstruktive Ansätze für »eine Art postkapitalistische Aufklärung« (Batt, 156) zu entwickeln versucht, steht Bernhards gesamtes Werk im lähmenden Bann eines verzweifelten Bemühens, den metaphorisch im Bild des Todes gefaßten Niedergang des Individuums zu kompensieren. Es ist dies ein notgedrungen widersprüchliches Unterfangen; denn einerseits gilt, was der schriftstellernde Protagonist im Bühnenstück *Die Jagdgesellschaft* als letzten ›aufklärerischen‹ Anspruch formuliert: »Das Verschweigen einer Todeskrankheit / ist eine Ungeheuerlichkeit«; andererseits gilt es, in parabelhafter Form die Arten der »Ablenkung« – ein Schlüsselwort Bernhards – sowie das Ausmaß der Verdrängung dieses Sachverhalts bewußt zu machen und ihren absurden Ersatzcharakter zu demonstrieren.

Nach Bernhard ist der Niedergang der bürgerlichen Welt des Individuums unausweichlich; freilich nicht als eine rational einsehbare, konkret geschichtliche Notwendigkeit, die etwa die Voraussetzung für eine gesellschaftliche Höherentwicklung wäre. Vielmehr erscheint er Bernhard als eine absolute ontologische Gegebenheit, die naturwüchsig auf eine totale, tödlich endende Katastrophe hin angelegt ist.

>Das Unheil kommt
(...)
aus allen menschlichen Naturen
und die ganze Geschichte
ist nichts als ein Unheil
Und wenn wir in die Zukunft hineinschauen
sehen wir nichts anderes«
(*Die Jagdgesellschaft*)

So besehen, inkarniert das Werk Bernhards den absoluten Endpunkt eines Idealismus, der, inkommensurabel geworden, sich geschichtlich überlebt hat, und subjektiv nur noch in seiner negativen Bedeutung, als destruktive Kraft gefaßt werden kann: »Die Tatsachen sind immer / erschreckende / und die Gedanken derartig / daß sie die Materie zersetzen.« In Hegelschen Begriffskategorien gesprochen, müßte man sagen: Das Absolute der hier repräsentierten Wirklichkeit ist der Tod; »vollkommene Durchdringung ist der Tod / eine verkrüppelte ist die Welt«.

Angesichts eines solch lähmenden todeslastigen Bewußtseins kommt der Sprache der Bernhardschen Personen besondere Bedeutung zu. »Kommt, reden wir zusammen / wer redet, ist nicht tot«, lauten die Anfangszeilen eines Nachkriegsgedichts von Gottfried Benn (*Kommt* – in: *Aprèslude* 1955), die recht zutreffend zur Charakterisierung der Sprechmotivation und Redeweisen der Figuren in Bernhards Prosa- und Bühnenwerken dienen könnten (u. a. *Frost* 1963, *Amras* 1964, *Verstörung* 1967, *Ungenach* 1968, *Watten* 1969, *Ein Fest für Boris* 1970, *Das Kalkwerk* 1970, *Midland in Stilfs* 1971, *Gehen* 1971, *Der Ignorant und der Wahnsinnige* 1972, *Die Jagdgesellschaft* 1974, *Die Macht der Gewohnheit* 1974, *Der Präsident* 1975, *Minetti* 1976). Die zum langen, repetierenden Monologisieren drängende Sprache, die von zusammenhangslosen Zitaten und anakoluthischen Fügungen geprägt ist, läßt, speziell in den Dramen, Zwiegespräche nur auf Grund formaler Gesprächssituationen entstehen, kaum als Vollzug realer sinnvoller Auseinandersetzungen; Aneinandervorbeireden und wechselseitiges Nichtverstehen dominieren. In letzter Konsequenz erscheint die Sprache zu einem Ritual des Austauschs von verbalen Versatzstücken, im wörtlichsten Sinne »zu einem Unterhaltungsmechanismus (...) / zu nichts als einem schäbigen Unterhaltungsmechanismus« denaturiert. Seine einzige Funktion besteht darin, die Realerfahrung der moribunden ›condition humaine‹ zu verdrängen und in formalen Äußerungsakten jenen fragwürdigen Halt zu vermitteln, den die Wirklichkeit nach Bernhard versagt. »Konfinierung im Räumlichen und Perpetuierung im Zeitlichen«, um subjektive Orientierungspunkte im Zeitfluß des absoluten Niedergangs zu setzen, nannte Schmidt-Dengler zutreffend das wesentliche Anliegen der Bernhardschen Personen.[47]

Dieser gedankliche Kontext erhellt zugleich die Bedeutung der formalen Artistik und Konzentration, die – vorzugsweise gefaßt im Bild der Marionette und in der Wertschätzung musikalischer Kompositionsformen – sowohl Bernhard als auch seine fiktionalen Personen allem Tun beimessen. »Alles Unwillkürliche soll in ein Willkürliches verwandelt werden«, lautet in dem

Stück *Die Macht der Gewohnheit* Caribaldis Devise. Angesichts der Egalität alles natürlichen Seins gewinnt die Haltung des bewußten Stilisierens, der artifiziellen Perfektion einen entscheidenden Stellenwert, von dem selbst die alltäglichsten Lebensvorgänge nicht ausgenommen sind. »Die Kunst des Ofenheizens / ist die Kunst der Gewissenhaftigkeit / (...) / und die Kunst der Pünktlichkeit / (...) / Diese Kunst beherrschen die meisten nicht«, kommentiert der räsonnierende Schriftsteller in *Die Jagdgesellschaft* die Tätigkeit des Bediensteten Asamer. Um so mehr muß vor diesem Hintergrund und angesichts der herkömmlichen Wertmaßstäbe in der Beurteilung geistiger Arbeit das Schreiben Züge einer monströsen Perfektion annehmen. Gefangen in dem Widerspruch von einer extrem resignativen Einsicht einerseits – »es ist nichts zu loben, nichts zu verdammen, nichts anzuklagen, aber es ist vieles lächerlich; es ist alles lächerlich, wenn man an den Tod denkt« (*Rede zur Verleihung des Österreichischen Staatspreises* 1968) – und einem formal aufklärerischen Anspruch andererseits – »Das Verschweigen einer Todeskrankheit / ist eine Ungeheuerlichkeit« (*Die Jagdgesellschaft*) – ist das Werk Th. Bernhards, sicherlich seinen subjektiven Intentionen zum Trotz objektiv auf jenem schmalen Grat des spätbürgerlichen Literaturprozesses anzusiedeln, der zwischen dem »affirmativen Jocus oder [der] subjektlose[n] Deskription« besteht – bevor der Autor möglicherweise »in Schweigen verfällt« (vgl. Batt, 129); eine Position, die ihn gegenüber solch teilweise geistig verwandten Autoren wie INGEBORG BACHMANN (1926–1973) oder GABRIELE WOHMANN (geb. 1932) als eminent konsequent ausweist, ihn jedoch Schriftstellern vom Schlage Heissenbüttels gegenüber konservativ und selbst noch im Abgesang traditonsgebunden auf die Idee des bürgerlich freien Individuums fixiert erscheinen läßt.

Im Gegensatz zur anarchischen Aggression der Wiener Gruppe wie zur »kalten Wut« eines Th. Bernhard (Batt) trug das literarische Debüt Peter Handkes unverkennbar Züge eines formalisierten Protests des strikten Anti, was ihm zuweilen von verschiedener Seite den Verdacht eingebracht hat, sich der auf ständige Innovationen bedachten literarischen Öffentlichkeit marktgerecht anzudienen: so sein Auftreten in der Gruppe 47 auf der Tagung 1966 in Princeton, als er die arrivierten Autoren schlichtweg der »Beschreibungsimpotenz« zieh, so als er sich in demonstrativen Widerspruch zur politisch utilitären Literaturauffassung der Neuen Linken setzte, um sich als »ein Bewohner des Elfenbeinturms« zu erkennen zu geben, so sein als Anti-Theater angelegtes Sprechstück *Publikumsbeschimpfung* (1966), in dem die vier Sprecher in Litaneien von Zuschauerschmähungen den »fatalen Spiel- und Bedeutungsraum« Bühne aufzuheben trachteten. »Die Methode bestand darin, daß kein Bild mehr von der Wirklichkeit gegeben wurde, daß nicht mehr die Wirklichkeit gespielt oder vorgespielt wurde, sondern daß mit Wörtern und Sätzen der Wirklichkeit gespielt wurde« (Handke).

Denn die eigentliche Realität ist für Handke die Sprache. Sie determiniert die menschlichen Wahrnehmungskategorien und -strategien; in ihr vermittelt sich Herrschaft von Menschen über Menschen; gesellschaftliche Macht erscheint als die Macht der vorgegebenen Sätze und Wörter. Das Stück *Kaspar* veranschaulicht parabelhaft diese Auffassung. »Das Stück (...) zeigt nicht, wie ES WIRKLICH IST oder WIRKLICH WAR mit Kaspar Hauser. Es zeigt, was MÖGLICH IST mit jemandem. Es zeigt, wie jemand durch Sprechen zum Sprechen gebracht werden kann« (*Kaspar*); darüber hinaus demonstriert *Kaspar* den Zusammenhang zwischen Sprach- und Persönlichkeitsbildung. Der Bildungsprozeß, den das Stück vorführt, ist ein Prozeß der Mißbildung, der Abrichtung und Entmündigung durch Unterweisung im Sprechen.[48] Kaspar, der mit den Worten auf die Bühne kommt »Ich möcht ein solcher werden wie einmal ein andrer gewesen ist«, wird im Verlauf der »Sprechfolterung« (Handke) durch die anonymen »Einsager« zusehends »aufgeknackt«, um am Ende zur Einsicht zu gelangen: »Ich : bin : nur : zufällig : ich.«

Sprache konstituiert nach Handke einen quasi totalen konventionalisierten Wirkungszusammenhang, der, vom einzelnen völlig verinnerlicht, selbst in sprachlosen Situationen seine Auswirkungen zeitigt. Bloch, der Protagonist in dem Prosatext *Die Angst des Tormanns beim Elfmeter* (1970), erfährt allerorten stumme verdinglichte Verhaltensappelle. Wenn etwa der Polier nicht vom Essen aufschaut, hält er dies für eine Kündigung; wenn die Kekse die Form von Fischen haben, fragt er sich, ob sie ihm bedeuten, er solle stumm wie ein Fisch sein (vgl. Batt, 219).

Sprache, derart absolut gefaßt, definiert und bestimmt soziale Rollen, in die man sich notgedrungen fügt; – es sei denn, man durchschaut – als Schriftsteller ›qua professione‹ – ihre Wirkungsmechanismen und nimmt das Rollenspiel, selbst mitinszenierend, wahr. Dann wird dieses Spiel – und dies enthüllt die Kehrseite, den sozialen Aspekt dieser Haltung – für einen selbsternannten »Bewohner des Elfenbeinturms« zu einem geheimen Refugium, das ihm erspart, die eigene Innerlichkeit der konkreten gefährdenden Umwelt auszusetzen. »Du läßt dir Erfahrungen vorführen, statt dich hineinzuverwickeln«, muß sich der Ich-Erzähler in *Der kurze Brief zum langen Abschied* (1972) von seiner Freundin vorhalten lassen. »Du verhältst dich, als ob die Welt eine Bescherung sei, eigens für dich. So schaust du nur höflich zu, wie nach und nach alles ausgepackt wird; einzugreifen wäre ja eine Unhöflichkeit.«

Mit den jüngeren Werken *Als das Wünschen noch geholfen hat* (1974), *Die Stunde der wahren Empfindung* (1975), *Falsche Bewegung* (1976) läßt Handke indes erkennen, daß sich sein von Zitaten beherrschtes Universum der Sprache langsam und vorsichtig für subjektive Wünsche, Hoffnungen und insbesondere Erfahrungen konkreter Realität zu öffnen begonnen hat. Eine nicht zu übersehende Zäsur stellt in dieser Hinsicht der 1977 publizierte Prosaband *Das Gewicht der Welt* dar. Dieses Journal, das Aufzeichnungen Handkes aus dem Zeitraum November 1975–März 1977 verzeichnet hat, überrascht durch die Unmittelbarkeit und Spontaneität der sinnlichen Eindrücke, die Handke während seines länger währenden Parisaufenthaltes und auf Reisen durch Deutschland, Österreich und Italien gesammelt hat. Ursprünglich als Notatensammlung für eine spätere literarische Aufbereitung in Form »einer Geschichte« oder »eines (stummen) Theaterstücks« gedacht, offenbaren diese Impressionen in ihrem ›Rohzustand‹, daß der für Handke bis dahin charakteristische Bedingungszusammenhang von determinierender sprachlicher Konventionalisierung und Kognition aufzubrechen und sich, wie er selbst meint, für »die spontane Aufzeichnung zweckfreier Wahrnehmungen« zu öffnen beginnt.

»Ich übte mich nun darin, auf alles, was mir zustieß, sofort mit Sprache zu reagieren, und merkte, wie im Moment des Erlebnisses gerade diesen Zeitsprung lang auch die Sprache sich belebte und mitteilbar wurde; einen Moment später wäre es schon wieder die täglich gehörte, vor Vertrautheit nichtssagende, hilflose ›Du weißt schon, was ich meine‹-Sprache des Kommunikations-Zeitalters gewesen. Einen Zeitsprung lang wurde der Wortschatz, welcher mich Tag und Nacht durchquerte, gegenständlich. Was auch immer ich erlebte, erschien in diesem ›Augenblick der Sprache‹ von jeder Privatheit befreit und allgemein.«

Auf diese Weise ist eine eigentümliche Mischung aus Arbeitsjournal und intimem Tagebuch entstanden, voll von reportagehaften filmisch anmutenden ›snapshots‹, die gerade in ihrer lakonischen Kürze nicht selten einen bei Handke bislang nicht gekannten Realitätsgehalt enthüllen; so etwa die Beobachtung: »Der Nordafrikaner kriegte in der Bäckerei nicht wie die andern Kunden das Papier, das er zum Tragen um das Brot legen könnte.« Ob Handke allerdings mit diesem Journal – wie einige Kritiker schreiben – schon eine neue Qualität des Schreibens erreicht hat, nicht zuletzt deshalb, weil die Probleme persönlicher Identitätsfindung hier primär nicht mehr in einem sprachlichen Universum, sondern im Kontext gesellschaftlicher Realität angesiedelt erscheinen, bleibt indes abzuwarten. Manches in diesem Werk verrät, daß das Bild des ›Elfenbeinturms‹ für den Autor nichts an Faszination eingebüßt hat: »Ein Schriftsteller oder überhaupt jemand, der mit dem Alleinsein fertig geworden wäre, würde mich nicht mehr interessieren.«

Am Ausgang der siebziger Jahre: »Neue Subjektivität« oder der Rückzug in die Innerlichkeit?

Literatur im Zeichen politischer Disziplinierung

Es ist eine banale Feststellung: ebensowenig wie die gesellschaftliche und politische Entwicklung richtet sich das literarische Leben nach Dekaden. In der Regel sind sie das Konstrukt hilfloser (Literatur-)Geschichtsschreibung, zumeist heterogener, wenn nicht divergierender oder gar einander widersprechender Entwicklungstendenzen systematisierend und gliedernd Herr zu werden. Im vorliegenden Fall entbehrt eine solche, freilich nur vorläufige Zäsur nicht rationaler Momente. Folgt man der Prämisse, wonach mit den sechziger Jahren im politischen, gesellschaftlichen und im literarischen Bereich deutlich abgehoben eine neue Etappe in der Nachkriegsphase anzusetzen ist – die Neue Linke und die in ihrem Umfeld entstandene Literatur markieren maßgeblich diesen Einschnitt –, dann erscheint es legitim, aus der Distanz eines Jahrzehnts eine notgedrungen vorläufige Bilanz zu ziehen; dies um so mehr, als breite Teile der öffentlichen Diskussion, aber auch der Literatur selbst, von einer solchen rückblickenden Selbstreflexion nicht unmaßgeblich bestimmt sind. Dies freilich in einem doppelten Sinne: zum einen in Hinblick auf die Schwierigkeiten, einmal erreichte politische und ästhetische Positionen unter den Bedingungen verstärkter öffentlicher und staatlicher Repression zu behaupten oder ihnen gar eine neue Qualität abzugewinnen, zum anderen in Hinblick auf unübersehbare gedankliche und ästhetische Defizite, die jene Um- und Aufbruchstimmung in den sechziger Jahren charakterisierten.

Deutschland im Herbst nannte 1978 eine Gruppe prominenter Regisseure (Alf Brustellin, Rainer Werner Fassbinder, Alexander Kluge, Edgar Reitz, Katja Rupé und Hans Peter Cloos, Volker Schlöndorff, Bernhard Sinkel) ihre beklemmende filmische Bestandsaufnahme der bundesrepublikanischen Wirklichkeit der späten siebziger Jahre. In unterschiedlichen Ansätzen versuchten sie, der politischen und gesellschaftlichen Veränderungen begrifflich und bildlich Herr zu werden, die sich aus konservativer Perspektive als »Tendenzwende« verklärten, für weite Teile der kulturellen Intelligenz jedoch nicht zu Unrecht wesentliche Merkmale einer »zweiten Restauration« trugen. Die Vorstellung, man müsse sich auf ein langes »Überwintern« einrichten, geriet nicht von ungefähr zum geläufigen literarischen Topos. Auf den Plan gerufen durch den schon in den späten sechziger Jahren von der Neuen Linken proklamierten »Marsch durch die Institutionen«, verunsichert durch betriebliche Basisaktivitäten, deren Integration in die Politik der Gewerkschaftsspitzen sich z. T. zunehmend schwieriger gestaltete, irritiert durch das schwunghafte Entstehen bürgernaher Formen der politischen Meinungs- und Willensbildung vorbei an den etablierten Parteien in zahlreichen Bürgerinitiativen, schließlich provoziert durch den sich mit fataler Zwangsläufigkeit entladenden Aktionismus der Baader-Meinhof-Gruppe und deren Nachfolgeorganisationen entwickelten die westdeutschen Staatsschutzorgane, flankiert von zensuräquivalenten Staatsschutzparagraphen, ein für westeuropäische Verhältnisse nahezu beispielloses Netz von Kontroll- und Überwachungsinstrumentarien, mit denen die Gesellschaft auf der Jagd nach »Terroristen«, erklärten und nicht-erklärten »Verfassungsfeinden«, vor allem aber nach deren »Sympathisanten« überzogen wurde. Galt in der Aufbauphase und noch in den sechziger Jahren den bürgerlichen Parteien die Berufung und Beschwörung der »Sicherheit« als stärkster Garant, in den Wahlschlachten zu bestehen, so schien in den siebziger Jahren, den staatlichen Maßnahmen nach zu schließen, eben diese »Sicherheit« zum brüchigsten Moment, zur eigentlichen Schwachstelle dieser Gesellschaft zu geraten.

Daß solche Idiosynkrasien nicht losgelöst von den Erscheinungen einer – nicht auf die Bundesrepublik beschränkten – ökonomischen Rezession zu sehen sind, mag zu ihrer Erklärung beitragen; für die jeweils Betroffenen ist es unmittelbar wenig hilfreich: sei es – wie wohl am auffälligsten – für jene Hunderttausende, die, im Zuge der Abwehr »Radikaler im öffentlichen

Dienst«, vom Verfassungsschutz durchleuchtet, gegebenenfalls Berufsverbote zu gewärtigen hatten und noch haben, oder sei es gar, wie auch schon geschehen, für jene Benutzer öffentlicher Bibliotheken, die durch die Ausleihe gesellschaftskritischer Literatur als »Verhaltensauffällige« Eingang in die elektronischen Dateien der Staatsschutzorgane gefunden haben. Es wirft ein bezeichnendes Licht auf das Ausmaß der öffentlichen Verunsicherung und die beklemmende Atmosphäre in der literarischen Öffentlichkeit, daß sich, wohl bislang einmalig in dieser Koinzidenz, der PEN-Club, der Schriftstellerverband (VS) und der über jeden »Sympathisanten«-Verdacht erhabene Germanistenverband zu entschiedenen Protesten gegen die neuen Überwachungs- und Disziplinierungsmaßnahmen herausgefordert sahen.

Zugleich spricht es aber auch für den im Vergleich zu den fünfziger Jahren entschiedeneren Zugriff von Autoren zur gesellschaftlichen Wirklichkeit, daß das Thema der Gesinnungskontrolle und der staatlichen Repressionsversuche auch zum Gegenstand literarischer Verarbeitungen geriet. So lieferte – um nur die bekanntesten Beispiele zu nennen – Heinrich Böll mit seinen *Berichten zur Gesinnungslage der Nation* (1975) eine makabre Satire auf die ausforschende Praxis staatlicher Geheimdienste (»Wo Verdacht herrscht, werden Verdachtsgründe offenbar schon vom Apparat des Verdachtes selbst erzeugt«); Peter Schneider veröffentlichte im gleichen Jahr unter dem Titel ... *schon bist du ein Verfassungsfeind* eine halbdokumentarische Erzählung über, wie es im Untertitel heißt, »Das unerwartete Anschwellen der Personalakte des Lehrers Kleff«; PETER O. CHOTJEWITZ (geb. 1934) entfaltete in dem Romanfragment *Die Herren des Morgengrauens* (1978), ausgehend von einer an Kafkas *Prozeß* gemahnenden Exposition (»Jemand mußte in Fritz Buchonia ein schlechtes Gewissen erzeugt haben ...«), die Folgen eines »Sympathisantenverdachts« unter den gegenwärtigen Bedingungen; Alfred Andersch setzte sich mit seinem vieldiskutierten Gedicht *Artikel 3(3)* mit dem Problem der eingeschränkten politischen Meinungsfreiheit auseinander.

Gerade die beiden letztgenannten Beispiele zeigen aber auch, welche praktischen Schwierigkeiten ein Autor in der aktuellen Situation, in der u. a. schon Schullesebücher von politisch unliebsamen Autoren »gereinigt« werden, zu gewärtigen hat, wenn er etwa, wie im Fall Andersch, Widersprüche zwischen Verfassungsrecht und Verfassungswirklichkeit zu einem Ende denkt, oder wenn er, wie im Fall Chotjewitz, einen zwar fiktiven, doch real durchaus denkbaren gesellschaftlichen Konflikt thematisiert. Der Streit um die (Nicht-)Veröffentlichung des genannten Andersch-Gedichts im »Literaturmagazin« des Südwestfunks Anfang 1976 geriet zu einem unfreiwilligen Lehrstück über Zensur im öffentlich-rechtlichen Medium Rundfunk. Die Veröffentlichung von Chotjewitz' Roman hingegen scheiterte zunächst an privatwirtschaftlich-politischem Opportunitätsdenken. Darüber hinaus lieferte das Werk dem Bertelsmann-Verlag den Anlaß, die zwar wirtschaftlich lukrative, aber politisch mißliebige *Autoren Edition* zu liquidieren; eine Reihe, in der bis dahin Autoren wie Uwe Timm, Heinar Kipphardt, Max von der Grün, zugleich aber auch DDR-Schriftsteller wie Stefan Heym u. a. veröffentlicht hatten.

Wie schwierig in der momentanen Situation eine auch nur ansatzweise un-
voreingenommene, von politischen Emotionen freie Auseinandersetzung über
einen links-oppositionellen Autor in der politischen, publizistischen und literarischen Öffentlichkeit ist, belegt wie kein anderer der Fall PETER-PAUL
ZAHL. Während die etablierte Germanistik angesichts der auf eine bestimmte Art konsequenten Verbindung von literarischer und subversiv politischer
Aktion gegenüber Zahl wahre Berührungsängste entwickelte und sich damit
einer notwendigen Auseinandersetzung entzog (vgl. dazu die 1979 erschienenen Dokumentationen *Schreiben ist ein monologisches Medium – Dialoge mit und über Peter-Paul Zahl* und *Von einem, der nicht relevant ist –
Über das Risiko, sich mit der Literatur P.-P. Zahls auseinanderzusetzen*),
reduzierte die Justiz und mit ihr das Gros der bürgerlichen Medien Zahl auf
ein Mitglied der »Terroristenszene«, an dem unter extensivster Ausschöp-
fung der gegebenen juristischen Möglichkeiten erklärtermaßen ein abschrek-
kendes Beispiel statuiert werden sollte. Geboren 1944, seit 1964 in West-
Berlin lebend, debütierte Zahl literarisch mit einigen Texten in der Dortmunder ›Gruppe 61‹ (*Elf Schritte zu einer Tat* 1969, *Von einem der auszog,
Geld zu verdienen* 1970). Von Anfang an verband Zahl sein Schreiben, aber
auch seine Tätigkeit als Drucker und Gründer eines Kleinverlags mit der politischen Praxis der Neuen Linken, speziell jener aktionistischen Fraktionierung, die sich, am stärksten geprägt von der »revolutionären Ungeduld«
(W. Harich), sehr früh an Aktionsmodellen der südamerikanischen Stadt-
Guerilla orientierte (vgl. Zahls Essay *literatur und revolutionärer kampf*).
Nach mehreren Zugriffen durch Polizei und Justiz wird Zahl 1972 während
eines Fluchtversuchs bei einer Personenkontrolle durch die Polizei wegen eines Schußwechsels mit den Beamten verhaftet, 1974 zu vier Jahren, 1976
auf Betreiben der Staatsanwaltschaft in einer Revisionsverhandlung wegen
derselben Tat zu 15 Jahren verurteilt. Seitdem befindet sich Zahl in Haft,
davon über weite Zeit unter verschärften Isolationsbedingungen.
Man muß sich diesen Hintergrund vergegenwärtigen, um zu einer auch nur
annähernd angemessenen Einschätzung der seitherigen literarischen Produktion, insbesondere seiner an Erich Fried erinnernden dialektischen Lyrik
(*Schutzimpfung* 1975, *Alle Türen offen* 1977) zu gelangen. Denn nachdem
Zahl in seinem Essay *Eingreifende oder ergriffene Literatur. Zur Rezeption
moderner Klassik* einer Literatur das Wort geredet hatte, deren Aufgabe darin bestehe, im Dienste einer »Rückeroberung der Sinne« zu fungieren – Literatur wird hier tendenziell aus ihrer unmittelbar praktisch politischen Instru-
mentalisierung früherer Jahre entlassen –, gerät das Bemühen um Vermittlung einer subjektiven Selbstverständigung mit konkreter gesellschaftlicher
Utopie unter den Bedingungen der Haftisolation zu einer wahren Sisyphos-
Arbeit und gleichwohl zur wesentlichen Überlebensstrategie. Wie prekär sich
dieses Unterfangen notgedrungen gestalten muß, hat W. F. Schoeller bündig
charakterisiert: »Schreibt er [Zahl] von sich und seiner Knast-Erfahrung, so
ist diese Literatur justitiabel.« (So wurde Zahls Dokumentation über seine

Haftbedingungen *Isolation* prompt verboten.) »Schreibt er von anderen, so muß ihm nach und nach der Stoff ausgehen. So oder so: es werden ihm die Zähne schon gezogen« (*Frankfurter Rundschau* 24. 7. 1976). Zwar scheint dieser Einschätzung Zahls jüngster, barock anmutender, umfangreicher Roman *Die Glücklichen* (1979) zu widersprechen; doch eben nur scheinbar. Unübersehbar schlagen in der monologischen Struktur die zentrifugal wuchernden Phantasien und die ungebändigte politische Wut zu Lasten der epischen Beschreibung und Analyse durch, um sich dann aus dem Pathos »wieder rauszuretten in Galgenhumor und Selbstironie. Die Schelmenrolle als Überlebensstrategie« und zugleich als »die bitterste Anklage gegen die, die ihn noch immer festhalten« (H. P. Piwitt in: *Frankfurter Rundschau* 10. 10. 1979).

Was sich bei P.-P. Zahl angesichts seiner Haftbedingungen notgedrungen als einzige Überlebensstrategie darstellte: die poetische Vermittlung von »innenwelt« – so ein bezeichnender Gedichttitel – und politisch sozialer Außenwelt, das sollte bei allen Unterschieden hinsichtlich ihrer Entstehungsbedingungen auch zur thematischen und ästhetischen Leitlinie für den überwiegenden Teil jener Literatur der siebziger Jahre werden, die die Literaturkritik mit dem ebenso publizitätsträchtigen wie problematischen Prädikat »Neue Subjektivität« oder »Neue Sensibilität« belegte; problematisch deshalb, weil angesichts der ideologischen Heterogenität dieser Literatur eine derartig plakative Etikettierung eher dazu angetan ist, reale Entstehungs- und Funktionszusammenhänge zu verwischen als sie zu erhellen. Verbergen sich doch hinter dieser Begrifflichkeit nicht nur selbstreflexive Prozesse innerhalb der Neuen Linken, sondern auch Zeichen politischer Resignation und Flucht in die Innerlichkeit, ganz zu schweigen von puren marktorientierten Überlegungen der literarischen Warenästhetik.

Literatur im Umkreis neu entstehender Oppositionsformen: Ökologie- und Frauenbewegung

Linker Konservativismus? lautete 1979 der Titel eines Heftes der Zeitschrift *Ästhetik und Kommunikation*, die zusammen mit dem *Literaturmagazin* in den siebziger Jahren dem *Kursbuch* seinen literaturkritisch und kulturpolitisch wortführenden Rang innerhalb der linken Szene zunehmend streitig machte. Hinter der provokanten Fragestellung stand eine symptomatische Bestandsaufnahme und Auseinandersetzung mit ›Alterserscheinungen der Neuen Linken‹; genauer: mit Problemen und offenen Fragen, die innerhalb der Theorie der Neuen Linken keinen oder einen nur peripheren Stellenwert besaßen, zwischenzeitlich aber gleichwohl mit dem Entstehen neuer unterschiedlicher Oppositions- und Organisationsformen einen manifesten, keineswegs auf Westdeutschland beschränkten Ausdruck gefunden hatten. Dies gilt insbesondere für die ökologische Alternativbewegung, die neue Frauenbewegung und – mit Einschränkungen – für den politischen Regionalismus. So unterschiedliche Ziele diese Bewegungen auch verfolgten, gemeinsam waren ihnen nicht nur ihre z. T. sehr ausgeprägten antikapitalistischen Affekte;

auch in ihrem Verhältnis zur Neuen Linken konvergierten sie in einem wesentlichen Punkt: Sie entstanden aus konkreten Widerspruchserfahrungen der alltäglichen gesellschaftlichen Praxis, mit denen sich das soziale Subjekt in seinem mehr oder minder unmittelbaren Umfeld in einem umfassenden Sinn existentiell, d. h. materiell, intellektuell und vor allem sinnlich-emotional betroffen konfrontiert sah. Solcherart gefaßte, nicht auf seine objektive Stellung im Produktionsprozeß reduzierte Subjektivität war in der neu-linken Klassenanalyse, ihrer »Verstandes- und Begriffskultur«, wo politische Vernunft und persönliche Bedürfnisse dissoziiert waren (vgl. M. Schneider in: *Kursbuch* 49, 177), allenfalls als »subjektiver Faktor« von theoriefähiger Relevanz und insofern von keinem oder nur marginalem praktischen Interesse gewesen.

Diese neuen Oppositionsströmungen aber allein als Bewegungen beschreiben, die in diesem Sinne lediglich Defizite der Neuen Linken nachholen und sich im übrigen in deren Strategien nahtlos einfügen würden – etwa im Sinne der Feststellung: Beide, die Frauen- und die Ökologiebewegung »thematisieren Ansprüche auf ein anderes, sinnerfülltes Leben, das wir auf eine industriell-sozialistische Zukunft verschoben hatten« (Knödler-Bunte in: *Ästhetik und Kommunikation* 36,5) –, eine solche Interpretation hieße, die gemeinsamen anti-kapitalistischen Momente voraussetzungs- und perspektivelos zu verabsolutieren. Die alternative Ökologiebewegung entstand aus der subjektiven Betroffenheit, dem Gefühl der Bedrohung der eigenen Lebensbedingungen durch die Auswirkungen moderner Großtechnologien und durch den damit einhergehenden Ausbau staatlicher Sicherungs-, Kontroll- und Überwachungssysteme; sie mündete konsequenterweise – hierin quer zur traditionellen sozialistischen Programmatik – in grundsätzliche Zweifel, ob das Wachstum der Produktivkräfte überhaupt noch Voraussetzung und Garant der sozialen Emanzipation sei. Daß sich die Ökologiebewegung in dieser Konsequenz mit konservativen Überlegungen bezüglich der »Grenzen des Wachstums« berührte (vgl. dazu die Thesen des »Club of Rome«), deutet bereits ansatzweise die politische Ambivalenz dieser Bewegung an.

Die Frauenbewegung ihrerseits beschränkt sich nicht – wie noch die ältere, sozialistische Frauenbewegung – auf die Forderung nach gleichen Rechten für die Frauen in Gesellschaft und Beruf; sie zielt darüber hinaus »auf die Herstellung einer neuen weiblichen sinnlichen und emotionalen Identität, die alternativ und polemisch gegen die männlich-kulturelle Hegemonie schlechthin gerichtet ist«. Sie formuliert damit eine »radikale Kritik an den Grundlagen einer patriarchalischen Zivilisation, die sich historisch und strukturell mit der instrumentellen Rationalität des Kapitalismus verzahnt hat. Insofern zielt die feministische Kritik nicht nur auf bestimmte historische Ausprägungen von Herrschaft über Frauen, sondern auf eine Struktur von Herrschaft überhaupt, die in den Institutionen und kulturellen Werten des herrschenden Systems ebenso wiederkehrt wie in den Verhaltens- und Denkweisen jedes einzelnen Mannes.« Damit aber ruft die neue Frauenbewegung zugleich »die Erinnerung wach an ein anderes Leben, die wir unter Leistungs- und Rationalitätszwängen verdrängt haben, als Männer und als Linke«. In dieser Perspektive wirft der Feminismus über seinen unmittelbaren Impuls hinausgehend ein charakteristisches »Licht auf die Zwänge, unter denen wir Subjekte« insgesamt geworden sind (Knödler-Bunte in: *Ästhetik und Kommunikation 36*, 10).

Insgesamt sind Frauenbewegungen und ökologische Alternativbewegung für unseren Darstellungszusammenhang also von besonderem Interesse, weil sich an ihnen am ausgeprägtesten und wirkungsvollsten spezifische Veränderungen im öffentlichen Bewußtsein, neuartige Erfahrungen, Bedürfnisse und Interessen artikulieren, die sich nur noch bedingt in sozialistischen Kategorien fassen lassen. Bedeutungsvoll ist aber auch, daß sich in diesem Umfeld ein Entstehungszusammenhang neuer literarischer Strömungen zu konstituieren begonnen hat.

So sollte im Zuge der tagespolitischen Auseinandersetzungen um die Errichtung bzw. den Ausbaustopp von Atomkraftwerken das politische Lied der späten sechziger Jahre zu neuer Bedeutung und z. T. – durch verfremdende Rückgriffe auf alte Volkslieder – zu neuen Formen gelangen. Mittelbarer schlägt sich das verstärkte Interesse für die konkreten Lebens- und Erfahrungszusammenhänge in einem Aufleben und einer Aufwertung regionaler Literatur mit ihren Dialektformen nieder.[49] Mit Bloch'scher Rückversicherung wird die »Provinz« als überschaubarer gesellschaftlicher Ort sinnlicher Erfahrungen und als Entfaltungsraum bewußtseinsmäßiger Ungleichzeitigkeiten gedeutet, wo sich verkapseltes utopisches Denken und faktische Rückschrittlichkeit quer zu einem marxistischen Fortschrittsdeterminismus stellen (vgl. E. Bloch *Gespräch über Ungleichzeitigkeit* in: Kursbuch 39 *Provinz*: vgl. auch Tintenfisch 9: *Regionalismus*). In ähnlicher Weise gewinnt der durch die Nazis diskreditierte Begriff »Natur« eine neue Qualität und Bedeutung, wie sich exemplarisch an den Beiträgen zum Tintenfisch 12 (*Natur*) ablesen läßt; eine Sammlung von Berichten, Glossen und Gedichten, die sämtlich um die mutwillige Zerstörung unseres unmittelbaren Lebenszusammenhanges, der natürlichen Umwelt kreisen und »betroffen machen« sowie »zur Umkehr und Besinnung aufrufen« sollen (I. Fetscher).

Den zwiespältigsten, damit aber zugleich auch provozierendsten Eindruck ruft jene Literatur hervor, die im Zeichen der neuen Frauenbewegung entstanden ist. Zwiespältig zum einen deshalb, weil der bisher erreichte Stand und die Reichweite programmatischer feministischer Theoriebildung in offenkundiger Weise aufgehoben erscheinen von den vorliegenden Resultaten, Frauenwirklichkeit literarisch ästhetisch zu reflektieren. Dieser Sachverhalt ist um so auffälliger, als von feministischer Seite die Entfaltung einer spezifischen »weiblichen Kreativität« zur entscheidenden Frage stilisiert wurde, Frauen aus ihrem Objektschicksal, dem »erdenschweren Ausgeliefertsein« (*Die Überwindung der Sprachlosigkeit. Texte aus der neuen Frauenbewegung* 1979, 14), zu entbinden und zu emanzipierten Subjekten werden zu lassen. Diese Diskrepanz jedoch voraussetzungslos den Autorinnen selbst anzulasten, hieße, gesellschaftliche Opfer für ihre eigenen Lebensbedingungen verantwortlich zu machen. Denn ein Blick auf die überwiegend autobiographische Selbsterfahrungsliteratur zeigt, daß die feministische Gegenwartsliteratur, um Angela Praesent, Herausgeberin der Reihe »die neue frau«, zu zitieren, vor allem »Gefangenenliteratur« ist (*Die Zeit* 7. 12. 1979). Denn nicht allein, daß die Mächtigkeit verinnerlichter gesellschaftlicher Rollenzwänge Frauen ihre Suche nach einer neuen Identität vornehmlich als »Reisen durch den eigenen Kopf« erleben läßt; hinzu kommt die faktische Begrenztheit weiblicher sozialer Topographie; sie erfahren zu haben, hat nicht selten eine sich fulminant entladende, sich über alle analytischen Differenzierungen hinwegsetzende Wut zur Reaktion:

»Irrenhaus, Krankenhaus, Zuchthaus. Das ist der Drei-Satz der Weiber-Weltformel. Lehnst du dich auf, so kommst du ins Zuchthaus, lehnst du dich nicht auf, drehst du durch und kommst ins Irrenhaus und beneidest Weiber, die zum Beil gegriffen haben. Unterwirfst du dich mit Lust, kommst du mit deinem kaputtgerammelten Unterleib ins Krankenhaus und mit sieben Schläuchen im Bauch beneidest du die Frauen (...) im Irrenhaus« (Christa Reinig, *Entmannung* 1976).

So dominiert in der feministischen Selbsterfahrungsliteratur primär der Gestus der Verweigerung gegenüber tradierten Rollenmustern; formal-ästhetisch korrespondiert diese Haltung mit einem Aufbrechen überkommener normierter epischer Erzählmuster, sofern sie auf eine zeitliche, räumliche oder kausale Finalität zielen. Die lose Fügung von Episoden, formaler Ausdruck der Variation des Immergleichen, wird zum bestimmenden Erzähltypus. So gliedert z. B. ELISABETH PLESSEN (geb. 1944) ihren Romanerstling *Mitteilung an den Adel* mit Titeln wie »Etagenstück«, »Treppenstück«, »Traumstück« – Hinweis auf die Bildergalerie als formale Leitidee des Buchs (vgl. A. Praesent).

Zwiespältig wirkt diese Literatur aber auch aus anderen Gründen. Einerseits sind selbst in Kreisen von Feministinnen solch überaus erfolgreiche Werke wie *Häutungen* (1975) von VERENA STEFAN (geb. 1947) auf erhebliche Kritik gestoßen. Anlaß lieferte dabei weniger die nicht nur ob ihrer Abstraktheit problematische Formel »Sexismus geht tiefer als rassismus als klassenkampf«; auf Unverständnis traf vor allem die mangelnde Entfaltung ihrer konkreten Implikationen. »Die oft angedeutete (welche eigentlich?) Theorie schwimmt wie eine fette Öllache über diesem Meer von natürlichen Empfindungen, weit oben, weit weg und ungeeignet, sich zu verbinden« (*Die Überwindung der Sprachlosigkeit* 58). In ähnlicher Weise ging URSULA KRECHEL (geb. 1947), selbst nicht nur als Kritikerin schreibende Autorin, mit dem Gros neuer Frauenlyrik ins Gericht, bei der sie angesichts eines schon verfestigten »Musterkatalog(s) feministischer Topoi« ein signifikantes Phantasiedefizit bemängelt (*Die Überwindung der Sprachlosigkeit* 65). Andererseits ist nicht zu übersehen, daß diese mit einer solidarischen Kritik konfrontierte Literatur nicht unmaßgeblich mit dazu beigetragen hat, daß sich überhaupt erst eine breitere Bewußtseinsbildung vollziehen und damit Ansätze zu einer organisierten Frauenöffentlichkeit in Form von Frauengruppen, Frauenzentren, Frauenzeitschriften, Frauenverlagen und -buchläden sowie Frauenfilmgruppen u. ä. entwickelt werden konnten. Angesichts des momentanen Stands der

Frauenbewegung läßt sich deren Charakter resümierend wohl am angemessensten durch den Titel einer schon zitierten Dokumentation beschreiben: »Die Überwindung der Sprachlosigkeit.«

Ein »neuer Subjektivismus«?
Autobiographien, Biographien, Lyrik

> »Bei meinem Versuch nach etwas Belangvollem Ausschau zu halten
> Mich den wahren Sorgen der Menschheit zuzuwenden
> (...)
> Im Gedränge der Wörter über die Lage die so ernst ist wie immer
> Dermaßen also eingeschlossen in überregionalem Entsetzen
> Und von allem was mich betrifft, auch mich, wirklich durchaus
> Beim Versuch von mir abzusehen
> Bin ich auf mich gestoßen.«

So lautet das Fazit der poetologischen Selbstreflexion in Gabriele Wohmanns Titel-Gedicht ihres Lyrikbandes *So ist die Lage* (1975); eine Position, die nicht nur die jüngeren Werke von GABRIELE WOHMANN (geb. 1932) charakterisiert, in denen sich ein fragiles und widersprüchliches Ich gegen fast übermächtige Sozialisationsinstanzen und gesellschaftliche Zwänge zu behaupten und damit erst zu konstituieren versucht. So heißen bezeichnenderweise zwei ihrer zahlreichen Prosaschriften *Selbstverteidigung* (1971) und *Gegenangriff* (1972). Exemplarisch kann Gabriele Wohmanns Lagebeschreibung aber auch in Hinblick auf die seit Beginn der siebziger Jahre schwunghaft anwachsende autobiographische Literatur gelten.

Kaum eine andere literarische Gattung schien für viele Autoren so geeignet, zum literarischen Formmuster und Medium der eigenen Selbsterfahrung und Selbstverständigung zu werden wie die autobiographischen Genres (Autobiographie, Tagebuch, Journal). Diese Einschätzung belegen Autoren der jüngeren wie älteren Generation und nahezu jedweder ideologischer Provenienz: so z. B. Manès Sperber (*Bis man mir Scherben auf die Augen legt* 1977), Max Frisch (*Tagebuch 1966–1971*, die 1975 erschienene autobiographische Liebesgeschichte *Montauk*), Elias Canetti (*Die gerettete Zunge. Geschichte einer Jugend* 1977), Walter Koeppen (*Jugend* 1976), Jakov Lind (*Selbstporträt*, dt. 1970; *Nahaufnahme* 1973), Walter Kempowski mit seinen ironischen Faktographien, Gerhard Zwerenz (*Kopf und Bauch* 1972; *Der Widerspruch* 1974), Hugo Dittberner (*Das Internat* 1974), Bernward Vesper (*Die Reise*, postum 1977), Fritz Zorn (*Mars* 1977), Jürg Laederach (*Im Verlauf einer langen Erinnerung* 1977) oder Helga M. Novak (*Die Eisheiligen* 1979). Wenn dabei gesagt wurde, daß sich in diesem Genre der Dokumentarismus vergangener Jahre mit dem neuen Rückzug auf das eigene Ich verbinde (vgl. Kreuzer, 11), so kennzeichnet diese Feststellung nicht nur neue schriftstellerische Motivationen; sie deutet zugleich einen wesentlichen Problemaspekt an, unter dem dieses Genre in seinen aktuellen Ausprägungen zu sehen ist. Angesiedelt zwischen den prekären Spannungspolen eines faktographischen Positivismus auf der einen und einer zum Objektlosen drängenden reinen Innerlichkeit auf der anderen Seite, vermögen diese Werke einen kommunikablen Wahrheitsgehalt nur da zu entfalten, wo sie Wahrnehmungen und Erfahrungen des persönlichen Ichs mit seinem sozialen Bedingungs- und Entfaltungszusammenhang dialektisch vermitteln und damit erst die Voraussetzung schaffen, die eigene Subjektivität gedanklich wie ästhetisch zu objektivieren. Erst eine solche Schreibweise – ihr kommt etwa der Österreicher FRANZ INNERHOFER (geb. 1944) mit seinen Romanen *Schöne Tage* (1974), *Schattseite* (1975) und *Die großen Wörter* (1977) sehr nahe – ließe es gerechtfertigt erscheinen, von einer »neuen« Qualität des Subjektiven zu sprechen. Unter diesen Prämissen muß zumindest ein nicht unerheblicher Teil der autobiographischen Welle skeptisch stimmen. Eines der wohl ausgeprägtesten Beispiele in dieser Hinsicht lieferte GÜNTER STEFFENS (geb. 1922) mit seinem Roman *Die Annäherung an das Glück* (1976). Der Krebstod seiner Frau bedeutet dem Ich-Erzähler, der nahezu identisch mit der Privatperson des Autors ist, das Ende seines bürgerlichen Lebens – psychisch, moralisch und gesellschaftlich; zugleich liefert er dem Erzähler Grund und Anlaß für eine egomanische Selbstentblößung, für einen narzißtischen, mit Lust und Larmoyanz durchgeführten Zug durch die eigenen Seelenschichten.

»Es wurde nie zum Dialog, war immer nur ein Monolog, was in mir ablief. Ich hörte immer nur meine Stimme, aber ich erwartete es auch gar nicht anders.« – »Eingehüllt in meine eigene Endzeit, die ich genoß. Die panzerte mich und ich nahm mir vor, das Ganze auszukosten.«

Steffens' gleichsam mikroskopischer Blick versagt sich nicht nur Perspektiven, in der seine Probleme als sozial vermittelte erscheinen würden; in dem autistischen Bemühen um unverstellte Selbstentdeckung der eigenen Subjektivität stellt sich in letzter Konsequenz die Frage nach der Sinnfälligkeit ihrer literarischen Vermittlung überhaupt. Daß der Gestus der Anamnese sich nicht notwendigerweise zu einem Kult der reinen Innerlichkeit verkehren muß, haben insbesondere FRITZ ZORN (1944–1976) und WILHELM GENAZINO (geb. 1943) bewiesen. Während Genazino in seiner »Abschaffel«-Trilogie (*Abschaffel* 1977; *Die Vernichtung der Sorgen* 1978; *Falsche Jahre* 1979) die Pathogenese des Kleinbürgers Abschaffel in dessen Berufs- und Alltagserfahrungen als kleiner Angestellter ansiedelt, kulminiert Fritz Zorns autobiographische Krankheitsgeschichte (»Ich bin in der besten und heilsten und harmonischsten und falschesten aller Welten aufgewachsen: heute stehe ich vor einem Scherbenhaufen«) in einer dezidierten Kampfansage an das gehobene Bürgertum: »Ich erkläre mich als im Zustand des totalen Krieges«, lautet der letzte Satz des Buches. Fritz Zorns früher Tod hat es unterbunden, daß aus dieser Erfahrung hätten Konsequenzen gezogen werden können – und sei es nur in einer ästhetisch objektivierenden, den Rahmen der Autobiographie sprengenden Form; etwa in dem Sinne, wie es der zum erfolgreichsten Dramatiker der späten siebziger Jahre avancierte BOTHO STRAUSS (geb. 1944) getan hat. Seine Theaterstücke (*Die Hypochonder* 1972; *Bekannte Gesichter*, *gemischte Gefühle* 1974; *Trilogie des Wiedersehens* 1976; *Groß und klein* 1978) illustrieren szenisch anschaulich die Wirksamkeit des gewöhnlichen und alltäglichen Wahn-Sinns; »Irresein«, so Strauß, sei »eine gewöhnliche Metapher für das Befinden des Individuums überhaupt, für die internierten Kräfte seiner Fantasie, inmitten einer Gesellschaft, welche nur zur Raison zu bringen versteht, welche im Namen der Vernunft eine perverse Unterdrückkungsherrschaft ausübt« (in: *Theater heute* 1970, H. 10).

Vermittelter, aber deshalb kaum weniger nachhaltig und vielschichtig als im florierenden autobiographischen Genre schlagen sich die subjektiv selbstreflexiven Tendenzen der siebziger Jahre in einer Reihe von biographischen Werken nieder. Denn Werke wie Wolfgang Hildesheimers *Mozart* (1977), Peter Härtlings *Hölderlin* (1976), Dieter Kühns *Ich Wolkenstein* (1977), Adolf Muschgs *Gottfried Keller* (1977) oder Elisabeth Plessens *Kohlhaas* (1979) sind nicht allein vom historiographischen Interesse getragen, bislang Unbekanntes, Verdrängtes oder Verschüttetes scheinbar bekannter historischer Lebensläufe zu extrapolieren. Überdies und vor allem fungieren diese Biographien als Medium der aktuellen Selbsterfahrung der literarischen Intelligenz, die aus der erfahrungsgeschichtlichen Distanz zwischen schreibendem Ich und der jeweiligen geschichtlichen Vita produktive, weil erkenntnisvermittelnde Impulse zu beziehen sucht.

»Am 20. März wurde Johann Christian Friedrich Hölderlin in Lauffen am Neckar geboren –
– ich schreibe keine Biographie. Ich schreibe vielleicht eine Annäherung. Ich schreibe von jemandem, den ich nur aus seinen Gedichten, Briefen, aus seiner Prosa, aus vielen anderen Zeugnissen kenne. (...) Ich bemühe mich, auf Wirklichkeiten zu stoßen. Ich weiß, es sind eher meine als seine.«

So umreißt Härtling einleitend sein Vorhaben, wobei die Formulierung bereits erkennen läßt, daß es sich bei diesem Versuch der Näherung primär um eine reflexive Selbstbewegung handeln wird. Das Keller-Buch von ADOLF MUSCHG (geb. 1934) ist »aus persönlicher Begegnung entstanden«, wie es im Vorwort heißt; »es möchte den Leser zu einer gleichen Begegnung ermutigen«. Es möchte den in der Person Kellers verkörperten Widerspruch zwischen politisch-sozialer Utopie und Resignation in einem pointiert subjektiven, was zugleich heißt: psychoanalytischen Zugriff so durchschaubar machen, daß Autor bzw. Leser, wie Muschg in den Anmerkungen zu seinem thematisch eng verwandten Theaterstück *Kellers Abend* (1975) schreibt, »das Vergangene als Anspruch auf unsere lebensrettende Einsicht versteht, und diese Einsicht mißt an ihrer Kraft, die Überlieferung von neuem dem Konformismus abzugewinnen«; ein schriftstellerisches Motiv, das schon den Roman *Albissers Grund* (1974) bestimmt hatte.

Der 1979 erschienene, Aktuelles wie Historisches verknüpfende Roman *Kohlhaas* von ELISABETH PLESSEN (geb. 1944) stellt den Versuch dar, die eigenen aktuellen subjektiven Wünsche, Interessen und Phantasien am historischen Material sich abarbeiten zu lassen und den ›historischen Roman‹ des

Kohlhaas, eingebettet in seine Zeit, aus den Erfahrungen der Autorin mit ihrer Zeit heraus zu entwickeln.

»Schreibe ich Geschichte vor? Nein. Ich rekonstruiere, ich greife ein. Schreibe ich sie nach dem Sinn, wie sie meinen Vorstellungen gemäß hätte sein sollen, wohl wissend, daß sie so nicht gewesen ist? Ebenfalls nein. (...) Ich entwerfe (m)eine Kohlhaas-Geschichte und tue es auch demjenigen zum Trotz, der mir erklärte, ich hätte hier und dort weggelassen, was (seiner Meinung nach) dort hingehörte, und er habe sie ganz anders erfahren. Ich würde ihm erklären: He! Und? Mich wundert es nicht. Wir sind zwei Leute. Dies hier ist mein Versuch. Erzähl mir deine Version.«

»Neue Subjektivität«, »Neue Sensibilität« – diese plakativen Begriffe zur Kennzeichnung der jüngsten dominierenden Literaturströmung offenbaren ihre Ambivalenz am prägnantesten in der Lyrik; in jenem Genre, das – im Vergleich zu früheren Phasen der Nachkriegszeit – kaum jemals einen breiteren Publikumszuspruch erfahren haben dürfte. Der insbesondere in jüngeren Leserkreisen bemerkenswerte Erfolg der West-Berliner Autorengruppe um F(RIEDRICH) C(HRISTIAN) DELIUS (geb. 1943), JÜRGEN THEOBALDY (geb. 1944), NICOLAS BORN (1937–1979), JOHANNES SCHENK (geb. 1941) oder von Autoren wie HELGA M. NOVAK (eigentl. H. M. Karlsdottir; geb. 1935), MICHAEL KRÜGER (geb. 1943) oder KLAUS KONJETZKY (geb. 1943) scheint kein Zufall zu sein. In einer Phase der politischen Restauration – freilich in unterschiedlicher Weise – Erinnerungen an ideologie- und kulturkritische Ansprüche der Studentenbewegung wachhaltend, gleichzeitig aber den ehemals provokanten globalen kulturrevolutionären Zugriff der Neuen Linken auf eine selbstverstanden pragmatischere Dimension reduzierend, versteht sich diese Lyrik intentional, als ein an alltäglichen persönlichen Erfahrungen orientiertes Sich-Abarbeiten, als eine von »neuer Sensibilität« und neuem Realitätssinn gleichermaßen bestimmte kritische Selbstreflexion und soziale Selbstverständigung.

»Der Intellektuelle läuft immer Gefahr, auf der Strecke zu bleiben, den Zwiespalt nicht zu ertragen – zwischen seiner Möglichkeit zum Arrangement und der Notwendigkeit, sich nicht zu arrangieren, wenn er am Leben bleiben will. Er braucht dazu viel Flexibilität, um eine Gegenwart zu haben zwischen bürgerlicher Vergangenheit und proletarischer Zukunft. Die Auseinandersetzungen auszuhalten, die ›Irrtümer der Partei‹ und die Wirklichkeit des Landes, das man als Idol erkoren hat, zu verkraften, ohne deswegen der sozialistischen Politik abhanden zu kommen, dazu braucht es vieler Mittel und braucht es viel Persönlichkeit, Wachheit und Sensibilität, um die Tendenzen der Wirklichkeit wahrzunehmen« (Hazel E. Hazel in: *Literaturmagazin 4*, 139).

In bewußter Abhebung zu vorherrschenden Beschreibungs- und Erklärungsmustern der Literatur im Umkreis der Neuen Linken der späten sechziger und frühen siebziger Jahre, die maßgeblich von dem Bemühen bestimmt waren, gesellschaftliche Realität unter dem Blickwinkel ihrer objektiven Totalität zu erhellen, sucht diese Lyrik ihren thematischen Anknüpfungspunkt gerade in den subjektiv gebrochenen Wahrnehmungs- und Verhaltensweisen, ohne indes den Vermittlungszusammenhang mit der gesamtgesellschaftlichen Situation aufgeben zu wollen. »Persönliche Erfahrungen und gesellschaftliche Perspektiven« nennt Theobaldy als programmatische Leitlinie nicht nur seiner Lyrik, wobei er die Kategorie des Persönlichen keineswegs von der des Politischen und Sozialen getrennt verstanden wissen will.

In der Tat erweist sich ein solcherart gefaßter Subjektivismus in den gelungensten Gedichten als ein »Subjektivismus der ersten Person Plural« (Dittberner in: *Frankfurter Rundschau* 20. 9. 1975), in dem sich Erfahrungen und Erlebnisse nicht als privat verkapselte, sondern als soziale Widersprüche einer Gruppe, einer Generation, einer Klasse artikulieren. »Intellektueller Feierabend«, »Die Arbeit der arbeitslosen Soziologin im Maklerbüro«, »Einsamkeit eines alternden Stones-Fan«, »Ein Faschist und ich«, »Eine Biologin erklärt einem Juso in einer Maiennacht die Entstehung der Welt«, »Akademische Elegie«, »Die neuen Sorgen der freien Mitarbeiter« – diese Gedichte aus dem Band *Ein Bankier auf der Flucht* (1975) von F. C. Delius deuten bereits im Titel ihren sozialtypologischen Charakter an. Ihre Ausführungen machen aber auch kenntlich, daß es sich hier nicht nur um Lyrik einer abstrakten gesellschaftlichen Situation und ihrer Widersprüche handelt, sondern um Lyrik aus Bereichen der gesellschaftlichen Praxis, die als Teil einer umfassenderen Entwicklung verstanden wird.

Hat diese Lyrik unzweifelhaft dazu beigetragen, das politische Gedicht der späten sechziger Jahre um eine neue sinnliche Qualität bereichert zu haben, so sind andererseits in dieser Unmittelbarkeit aber auch die Momente ihrer Gefährdung zu sehen.

– Erkenntnistheoretisch, weil das Bemühen um größtmögliche Konkretheit in der Erforschung der alltäglichen Erfahrungswelt mangels einer mitgelieferten übergreifenden sozialen Totalität leicht zu einer quantifizierenden Nivellierung der Widersprüche führt, Konflikte damit ihrer unterschiedlichen politischen und gesellschaftlichen Qualität entkleidet und tendenziell verdinglicht werden.

> »Die genaue Lektüre der Gegenwart
> hat uns ermüdet und abgelenkt
> von unserem Weg.
> Nun stehen wir
> unversehens und ratlos
> am Ziel
> . der fortgeschrittenen Vergiftung«
> (M. Krüger in: *Diderots Katze* 1978).

– Sprachlich, weil diese Lyrik einem paradoxen Anspruch ausgesetzt ist. Bei dem Versuch, »Klarheit zu schaffen«, ist diesen Gedichten aufgetragen, einerseits die »Vertrautheit / mit der Umgebung / durch Wörter« herzustellen, andererseits die von der »Sprache« und den »Feststellungen« bedingten Vorwegnahmen abzuschütteln und zugleich mit dem »Glanz des einfachen, direkten Ausdrucks« die Über- und Durchschaubarkeit einfacher Satz- und Versstrukturen anzustreben, so daß »nebelhaft verschwommene Ereignisse im Leben« greifbar werden.[50]

– Schließlich politisch, weil der Impetus des Veränderungswillens in dieser Lyrik angesichts der beiden vorgängigen Momente und mangels einer mitgestalteten übergreifenden Perspektive die Tendenz besitzt, sich zu einer formalisierten Attitüde, zu einem letztlich unverbindlich inhaltsarmen utopischen Gestus zu verflüchtigen. So besehen ist es sicher kein Zufall, daß N. Born in dem Editorial zum *Literaturmagazin* 3 (*Die Phantasie an die Macht*. *Literatur als Utopie*) einer »utopische[n] Willkür« das Wort redet, »die sich das Recht und die Einseitigkeit herausnimmt, ein Bedürfnis unvermittelt und unmodifiziert zu äußern, ohne Rücksicht auf ›das Machbare‹ und ohne Augenmaß für ›das Mögliche‹«. Born beruft sich bei seinem Plädoyer auf die *Scritti corsari* von Pier Paolo Pasolini (dt. in einer Auswahl unter dem Titel *Freibeuterschriften* 1978); angesichts dieses Gewährsmannes fällt es schwer, Borns entschiedene Vorbehalte zumindest gegen den Vorwurf nicht zu teilen, er proklamiere eine »Flucht in die Idylle«, getragen von der »Sehnsucht nach der heilen Welt«. Doch scheint, um den Bremer Germanisten Dieter Richter zu zitieren, Skepsis angebracht »gegenüber dem, was unter der Flagge der neuen Sensibilität jetzt die Meere bevölkert. (...) Das ist für mich nicht einfach eine ›höhere Qualität‹ von politischem Ausdruck (... sondern da gibt es doch so etwas wie Verlust an politischer Handlungsmöglichkeit, den man nicht zur Tugend einer höheren politischen Sensibilität umstilisieren sollte. Die Feuer werden kleiner, und man drängt sich enger und in kleinen Gruppen um sie, und da werden dann auch die alten Lieder wieder gesungen, und die Träume und Phantasien stehen hoch im Kurs – aber all das hat doch ursächlich damit zu tun, daß es Winter geworden ist in dieser Landschaft« (*Literaturmagazin* 5, 166).

Anmerkungen

1 Vgl. B. Lindner: Brecht/Benjamin/Adorno – Über Veränderungen der Kunstproduktion im wissenschaftlich-technischen Zeitalter. In: Text + Kritik. Sonderband Bertolt Brecht I. 1972, S. 27.

2 M. Naumann u. a. (Hrsg.): Gesellschaft – Literatur – Lesen. Literaturrezeption in theoretischer Sicht. Berlin und Weimar ²1975, S. 230f.

3 Vgl. a. a. O., S. 231.

4 Vgl. dazu näher H. M. Bock: Geschichte des ›linken Radikalismus‹ in Deutschland. Ein Versuch. Frankfurt/M. 1976, S. 236.

5 Vgl. a. a. O., S. 234.

6 Vgl. a. a. O., S. 236.

7 R. Dutschke u. a.: Rebellion der Studenten oder Die neue Opposition. Reinbek 1968, S. 45.

8 SDS-Autorenkollektiv / Springer-Arbeitskreis der KU: Der Untergang der Bild-Zeitung. o. O. o. J., S. 1.

9 A. G. von Olenhusen: Entwicklung und Stand der Raubdruckbewegung. In: H. L. Arnold (Hrsg.): Literaturbetrieb in Deutschland. München 1971, S. 167.

10 H. W. Richter (Hrsg.): Almanach der Gruppe 47. 1947–1962. Reinbek 1962, S. 8.

11 H. Mayer, cit. nach R. H. Thomas/K. Bullivant: Westdeutsche Literatur der sechziger Jahre. München 1975, S. 110.

12 H. Friedrich: Nachwort zu K. Krolow: Ausgewählte Gedichte. Frankfurt/M. 1962, S. 87.

13 Vgl. dazu A. Hüfner (Hrsg.): Straßentheater. Frankfurt/M. 1970, S. 11.

14 R. Dutschke u. a.: a. a. O., S. 69.

15 G. Birkemeier/J. Hohnhäuser: Ein dramenschreibender Partisan? Anmerkungen zu Peter Weiss. In: Literaturmagazin 4 (1975), S. 114.

16 a. a. O., S. 117.

17 P. Schneider: Über das Marat-Stück von Peter Weiss. – In: Materialien zu Peter Weiss' »Marat/Sade«. Frankfurt/M. 1967, S. 130.

18 Vgl. W. Buddecke: Die Moritat des Herrn de Sade. Zur Deutung des »Marat/Sade« von Peter Weiss. In: G. Großklaus (Hrsg.): Geistesgeschichtliche Perspektiven. Bonn 1969, S. 309 ff.

19 G. Birkemeier/J. Hohnhäuser: a. a. O., S. 121.

20 Vergl. B. J. Warken: Kritik am »Viet Nam Diskurs«. In: V. Canaris (Hrsg.): Über Peter Weiss. Frankfurt/M. 1970, S. 112 ff.

21 Chr. Linder: Der lange Sommer der Romantik. In: Literaturmagazin 4 (1975), S. 105.

22 H.-Th. Lehmann: Eisberg und Spiegelkunst. Notizen zu Hans Magnus Enzensbergers Lust am Untergang der Titanic. In: Berliner Hefte H. 11 (Mai 1979), S. 18.

23 Vgl. W. Buddecke: Martin Walser »Überlebensgroß Herr Krott«. Erscheint in: W. Buddecke/H. Fuhrmann: Das deutschsprachige Drama seit 1945. München 1980.

24 Vgl. a. a. O.

25 W. Jens: Über den Gegensatz zwischen industrieller Arbeitswelt und Literatur. In: Die Kultur Nr. 155 (1960), S. 5.

26 R. Minder: Soziologie der deutschen und französischen Lesebücher. In: H. Helmers (Hrsg.): Die Diskussion um das deutsche Lesebuch. Darmstadt 1969, S. 9.

27 H. Möbius: Arbeiterliteratur in der BRD. Eine Analyse von Industriereportagen und Reportageromanen. Köln 1970, S. 64.

28 W. Friedrich: Bemerkungen zum literarischen Schaffen der Dortmunder Gruppe 61. In: Weimarer Beiträge 11 (1965), S. 758–778; S. 778.

29 P. Kühne: Die Anfänge einer Arbeiterliteratur in der Bundesrepublik und die Gewerkschaften. In: Gewerkschaftliche Monatshefte 25 (1974), H. 6, S. 346.

30 Vgl. a. a. O.

31 Interview mit Max von der Grün und Günter Wallraff. In: H. L. Arnold (Hrsg.): Gruppe 61. Arbeiterliteratur – Literatur der Arbeitswelt? München 1971, S. 157 f.

32 W. Röhrer u. a.: Es gibt sie halt, die schreibende »Fiktion«. In: H. L. Arnold (Hrsg.): Gruppe 61 . . ., S. 204.

33 P. Zimmermann: Günter Wallraff. In: D. Weber (Hrsg.): Deutsche Literatur der Gegenwart in Einzeldarstellungen. Bd. II. Stuttgart 1977, S. 408.

34 Vgl. dazu insbesondere Sozialistische Zeitschrift für Kunst und Gesellschaft. ›Literatur und Parteilichkeit 2. Arbeiterliteratur in der BRD‹. H. 13/14 (1972).

35 Vgl. H. J. Bernhard: »Der Clown als ›Verf.‹«. Heinrich Böll, ›Gruppenbild mit Dame‹. In: H. L. Arnold (Hrsg.): Geschichte der deutschen Literatur aus Methoden – Westdeutsche Literatur von 1945–1971. Bd. 1. Frankfurt/M. 1972, S. 278.

36 Vgl. a. a. O.

37 R. Nägele: Heinrich Böll. Einführung in das Werk und in die Forschung. Frankfurt/M. 1976, S. 160.

38 a. a. O., S. 163.

39 Vgl. J. Drews: Siegfried Lenz' Roman »Deutschstunde«. In: H. L. Arnold (Hrsg.): Geschichte der deutschen Literatur aus Methoden – Westdeutsche Literatur von 1945–1971. Bd. 3. Frankfurt/M. 1972, S. 237.

40 a. a. O. 239 f.

41 H. L. Arnold: Großes Ja und kleines Nein. Fragen zur politischen Wirkung des Günter Grass. In: M. Jurgensen (Hrsg.): Grass. Kritik – Thesen – Analysen. Bern/München 1973, S. 93.

42 F. Roth: Volkstümlichkeit und Realismus? Zur Wirkungsgeschichte der Theaterstücke von Marieluise Fleißer und Ödön von Horváth. In: Diskurs 3 (1973), H. 6/7, S. 81 u. S. 83.

43 U. Ganschow: Martin Sperr: »Landshuter Erzählungen«. – In: J. Berg u. a.: Von Lessing bis Kroetz. Kronberg/Ts. 1975, S. 181.

44 Vgl. F. Roth: a. a. O., S. 83.

45 Vgl. a. a. O., S. 100.

46 Vgl. H. Denkler: Die Reise des Künstlers ins Innere. Randbemerkungen über Arno Schmidt und einige seiner Bücher anläßlich der Lektüre von »Zettels Traum«. In: W. Paulsen (Hrsg.): Revolte und Experiment. Die Literatur der sechziger Jahre in Ost und West. Heidelberg 1972, S. 148.

47 Vgl. W. Schmidt-Dengler: »Der Tod als Naturwissenschaft neben dem Leben, Leben«. In: A. Botond (Hrsg.): Über Thomas Bernhard. Frankfurt/M. 1970, S. 36f.

48 Vgl. W. Buddecke/J. Hienger: Jemand lernt sprechen. Sprachkritik bei Handke. In: Neue Sammlung 11 (1971), S. 553.

49 Vgl. H. Bausinger: Die Internationale der Dialektdichtung. In: Die Zeit 19. 11. 1976. – L. Harig: Mei Oma die hat mol gesaat. Ein kritischer Blick auf neue Dichtung im Dialekt. In: Die Zeit 4. 10. 1976. – L. Harig: Die Sprache wird zum Körperteil. Provinz als Weltmodell – Ein Vorschlag und ein Tagungsbericht. In: Die Zeit 17. 6. 1977. – N. Mecklenburg: Regionalismus und Literatur. Kritische Fragmente. In: Basis. Jahrbuch für deutsche Gegenwartsliteratur. Bd. 9. Frankfurt/M. 1979, S. 9–23. F. Hoffmann/J. Berlinger: Die Neue Deutsche Mundartdichtung. Tendenzen und Autoren dargestellt am Beispiel der Lyrik. Hildesheim, New York 1978.

50 Vgl. H. Denkler: »Neue Sensibilität« als Lyrik-Programm. In: Basis. Jahrbuch für deutsche Gegenwartsliteratur. Bd. 7. Frankfurt/M. 1977, S. 211f.

Literaturhinweise

Heinz Ludwig Arnold (Hrsg.): Kritisches Lexikon zur deutschsprachigen Gegenwartsliteratur. München 1978ff.

Heinz Ludwig Arnold (Hrsg.): Literaturbetrieb in Deutschland. München 1971.

Heinz Ludwig Stephan Reinhardt (Hrsg.): Dokumentarliteratur. München 1973.

Kurt Batt: Revolte intern. Betrachtungen zur Literatur in der Bundesrepublik Deutschland. München 1975.

Reinhard Baumgart: Die verdrängte Phantasie. 20 Essays über Kunst und Gesellschaft. Darmstadt, Neuwied 1973.

Karl Heinz Bohrer: Die gefährdete Phantasie, oder Surrealismus und Terror. München 1970.

Henryk M. Broder (Hrsg.): Die Schere im Kopf. Über Zensur und Selbstzensur. Köln 1976.

Gabriele Dietze (Hrsg.): Die Überwindung der Sprachlosigkeit. Texte aus der neuen Frauenbewegung. Darmstadt, Neuwied 1979.

Manfred Durzak (Hrsg.): Die deutsche Literatur der Gegenwart. Aspekte und Tendenzen. Stuttgart 1971.

Peter Fischbach u. a. (Hrsg.): Zehn Jahre Werkkreis Literatur der Arbeitswelt. Dokumente, Analysen, Hintergründe. Frankfurt/M. 1979.

Karla Fohrbeck/Andreas J. Wiesand: Der Autorenreport. Reinbek 1972.

Manfred Gesteiger: Die zeitgenössische Literatur der Schweiz. München, Zürich 1974 (= Kindlers Literaturgeschichte der Gegenwart, Bd. 4).

Hans G. Helms: Fetisch Revolution. Marxismus und Bundesrepublik. Darmstadt, Neuwied (1969) 1973.

Thomas Koebner (Hrsg.): Tendenzen der deutschen Literatur seit 1945. Stuttgart 1971. (Grundlegend veränderte Neuauflage erscheint Ende 1980 unter dem Titel: Tendenzen der deutschen Literatur heute.)

Klaus Kreimeier: Kino und Filmindustrie in der BRD. Ideologieproduktion und Klassenwirklichkeit nach 1945. Kronberg/Ts. 1973.

Helmut Kreuzer: Zur Literatur der siebziger Jahre in der Bundesrepublik. In: Reinhold

Grimm/Jost Hermand (Hrsg.): Basis. Jahrbuch für deutsche Gegenwartsliteratur. Bd. 8. Frankfurt/M. 1978, S. 7–32.

Helmut Kreuzer/Karl Prümm (Hrsg.): Fernsehsendungen und ihre Formen. Typologie, Geschichte und Kritik des Programms in der Bundesrepublik Deutschland. Stuttgart 1979.

Peter Kühne: Arbeiterklasse und Literatur. Dortmunder Gruppe 61 – Werkkreis Literatur der Arbeitswelt. Frankfurt/M. 1972.

Dieter Lattmann (Hrsg.): Die Literatur der Bundesrepublik Deutschland. München, Zürich 1973 (Kindlers Literaturgeschichte der Gegenwart, Bd. 1).

W. Martin Lüdke (Hrsg.): Nach dem Protest. Literatur im Umbruch. Frankfurt/M. 1979.

Renate Mattaei (Hrsg.): Grenzverschiebung. Neue Tendenzen in der Literatur der 60er Jahre. Köln, Berlin 1970.

Werner Mittenzwei/Reinhard Weisbach (Hrsg.): Revolution und Literatur. Zum Verhältnis von Erbe, Revolution und Literatur. Leipzig 1971.

Hermann Peter Piwitt: Das Bein des Bergmanns Wu. Praktische Literatur & literarische Praxis. Frankfurt/M. 1971.

G. Kattrin Pallowski: Die dokumentarische Mode. In: Literaturwissenschaft und Sozialwissenschaft 1. Grundlagen und Modellanalysen. Stuttgart ²1972, S. 235–314.

Rudolf Radler (Hrsg.): Die deutschsprachige Sachliteratur. München, Zürich 1978 (= Kindlers Literaturgeschichte der Gegenwart, Bd. 5).

Marcel Reich-Ranicki: Entgegnung. Zur deutschen Literatur der siebziger Jahre. Stuttgart 1979.

Ursula Reinhold: Herausforderung Literatur. Entwicklungsprobleme der demokratischen und sozialistischen Literatur in der BRD (1965–1974). München 1976.

Hilde Spiel (Hrsg.): Die zeitgenössische Literatur Österreichs. München, Zürich 1976 (= Kindlers Literaturgeschichte der Gegenwart, Bd. 3).

Gerald Stieg/Bernd Witte: Abriß einer Geschichte der deutschen Arbeiterliteratur. Stuttgart 1975.

R. Hinton Thomas/Keith Bullivant: Westdeutsche Literatur der sechziger Jahre. München 1975.

Jürgen Theobaldy/Gustav Zürcher: Veränderung der Lyrik. Über westdeutsche Gedichte seit 1965. München 1976.

Dietrich Weber (Hrsg.): Deutsche Literatur der Gegenwart in Einzeldarstellungen. Bd. I: Stuttgart ³1976. Bd. II: Stuttgart 1977.

Die Beiträge und ihre Verfasser

Die Republik von Weimar
Proletarisch-revolutionäre Literatur und Arbeiterdichtung

WALTER FÄHNDERS: Dr. phil., geb. 1944, z. Z. Wiss. Assistent am Fachbereich Kommunikation/Ästhetik der Universität Osnabrück. Arbeitsschwerpunkte: Literaturtheorie, sozialistische Literatur.

HELGA KARRENBROCK: geb. 1945, z. Z. Lehrbeauftragte am Fachbereich Kommunikation/Ästhetik der Universität Osnabrück. Arbeitsschwerpunkte: sozialistische Literatur, Kinder- und Jugendliteratur.

Literatur zwischen sozial-revolutionärem Engagement, ›Neuer Sachlichkeit‹ und bürgerlichem Konservativismus

JÜRGEN C. THÖMING: Dr. phil., geb. 1942, o. Prof. an der Universität Osnabrück-Vechta. Arbeitsschwerpunkte: Neueste deutsche Literatur, Vergleichende Literaturwissenschaft, Österreichische Literatur des 20. Jahrhunderts, Literaturdidaktik.

Geschichte und Gesellschaft im bürgerlichen Roman der Weimarer Republik

HARTMUT BÖHME: Dr. phil., geb. 1944, Professor am Literaturwissenschaftlichen Seminar der Universität Hamburg. Arbeitsschwerpunkte: Literatur des 18. und 20. Jahrhunderts, moderner Roman, Psychoanalyse und Literatur.

Literatur im Dritten Reich

PETER ZIMMERMANN: Dr. phil., geb. 1944, Wiss. Assistent an der Gesamthochschule Wuppertal/Fachbereich Sprach- und Literaturwissenschaften. Arbeitsschwerpunkte: konservative und faschistische Literatur, DDR-Literatur, Medienwissenschaft.

Literatur im Exil

JAN HANS: geb. 1941, Wiss. Angestellter der »Arbeitsstelle für deutsche Exilliteratur« an der Universität Hamburg. Arbeitsschwerpunkte: Exilliteratur, moderne Lyrik, Medienwissenschaft.

Literatur der DDR: Von den antifaschistisch-demokratischen Anfängen bis zum ›Bitterfelder Weg‹

JOACHIM HINTZE: Dr. phil., geb. 1942, bis 1979 Dozent für Neuere deutsche Literatur an der Philipps-Universität Marburg/L. Arbeitsschwerpunkte: Theorie und Geschichte des Dramas, DDR-Literatur, Theaterwissenschaft, z. Z. Referent für Öffentlichkeitsarbeit und Jugendtheater am Marburger Schauspiel.

Literatur der DDR: Von der Literatur des ›Bitterfelder Wegs‹ bis zur Gegenwart

PETER SCHÜTZE: Dr. phil., geb. 1948, Dramaturg am Staatstheater Wiesbaden. Arbeitsschwerpunkte: Literaturtheorie, DDR-Literatur, Modernes Drama.

Literatur in der Bundesrepublik: Literatur in der Restaurationsphase

JAN BERG: Dr. phil., geb. 1944, Ass. Prof. an der FU Berlin. Arbeitsschwerpunkte: Medientheorie, Dokumentarästhetik, deutschsprachiges Drama und Theater der 60er Jahre.

Literatur in der Bundesrepublik: Literatur im Zeichen der Rezession, Neuen Linken und »Tendenzwende«

HEINZ-B. HELLER: Dr. phil., geb. 1944, Wiss. Assistent an der Gesamthochschule Wuppertal/Fachbereich Sprach- und Literaturwissenschaften. Arbeitsschwerpunkte: Literaturtheorie und Literatur des 20. Jahrhunderts, Medientheorie und -geschichte.

Namenregister

771

772

DEUTSCHE LITERATUR KRITIK

Herausgegeben von Hans Mayer

4 Bände · Dünndruckausgaben

Band 1
Von Lessing bis Hegel
(2008)

Band 2
Von Heine bis Mehring
(2009)

Band 3
Vom Kaiserreich
bis zum Ende der
Weimarer Republik
(2010)

Band 4
Vom Dritten Reich
bis zur Gegenwart
(2011)

Fischer

Literatur der Gegenwart

Literatur der Gegenwart

Lars Gustafsson
Eine Insel in der Nähe
von Magora (1401)
Herr Gustafsson persönlich
(1559)
Sigismund (2092)

Peter Härtling
Eine Frau (1834)
Zwettl (1590)

Peter Handke
Der Hausierer (1125)

Joseph Heller
Catch 22 (1112)
Was geschah mit Slocum?
(1932)

Stefan Heym
Der König David Bericht
(1508)
5 Tage im Juni (1813)
Der Fall Glasenapp (2007)
Die richtige Einstellung und
andere Erzählungen (2127)

Edgar Hilsenrath
Der Nazi & der Friseur (2178)

Aldous Huxley
Schöne neue Welt (26)

Eyvind Johnson
Träume von Rosen und Feuer
(1586)

Erica Jong
Angst vorm Fliegen (2080)
Rette sich, wer kann (2457)

Hermann Kant
Die Aula (931)
Das Impressum (1630)

Marie Luise Kaschnitz
Tage, Tage, Jahre (1180)

Walter Kempowski
Immer so durchgemogelt
(1733)

Walter Kolbenhoff
Von unserm Fleisch und
Blut (2034)

August Kühn
Zeit zum Aufstehn (1975)
Münchner Geschichten (1887)

Günter Kunert
Tagträume in Berlin und
andernorts (1437)

Reiner Kunze
Der Löwe Leopold (1534)
Die wunderbaren Jahre (2074)
Zimmerlautstärke (1934)

Siegfried Lenz
So zärtlich war Suleyken (312)

Jakov Lind
Der Ofen (1814)

Literatur der Gegenwart

**Fischer
Taschenbücher**